ESPAÑA
& PORTUGAL

ATLAS DE CARRETERAS y TURÍSTICO
ATLAS ROUTIER et TOURISTIQUE
TOURIST and MOTORING ATLAS
STRASSEN- und REISEATLAS
TOERISTISCHE WEGENATLAS
ATLANTE STRADALE e TURISTICO

Sumario / Sommaire / Contents / Inhaltsübersicht / Inhoud / Sommario

Portada interior: Mapa índice
Intérieur de couverture: Tableau d'assemblage
Inside front cover: Key to map pages
Umschlaginnenseite: Übersicht
Binnenzijde van het omslag: Overzichtskaart
Copertina interna: Quadro d'insieme

D - E

Información general
Grands itinéraires
Route planning
Reiseplanung
Grote verbindingswegen
Grandi itinerari

F - G

Cuadro de distancias
Tableau des distances
Distances
Entfernungstabelle
Afstandstabel
Tabella distanze

2 - 103

España - Portugal : 1 : 400 000
Espagne - Portugal : 1 / 400 000
Spain - Portugal : 1: 400 000
Spanien - Portugal : 1 : 400 000
Spanje - Portugal : 1 : 400 000
Spagna - Portogallo : 1 : 400 000

87   104 - 106

Islas Baleares
Iles Baléares
Balearic islands
Balearen
Isole Baleari

88

Madeira
Madère
Madeira
Madera

Sumario / Sommaire / Contents
Inhaltsübersicht / Inhoud / Sommario
C

107

Islas Azores / Iles Açores
Azores islands / die Azoren
Azoren / Isole Azzorre

108 - 132

Islas Canarias / Iles Canaries
Canary islands / Kanarische Inseln
Canarische Eilanden / Isole Canarie

133 - 204

Índice Andorra - España / Index Andorre - Espagne
Index Andorra - Spain / Register Andorra - Spanien
Register Andorra - Spanje / Indice Andòrra - Spagna

205 - 219

Índice Portugal / Index Portugal
Register Portugal / Indice Portogallo

220

Climatología / Régimes climatiques
Temperatures / Temperaturen
Clima

221 - 226

Signos convencionales / Légende
Key / Zeichenerklärung
Verklaring van de tekens / Legenda

Planos de ciudades / Plans de ville / Town plans / Stadtpläne / Stadsplattegronden / Piante di città

ESPAÑA
134	Albacete
135	Alacant / Alicante
136	Almería
137	Ávila
139	Badajoz
140	Barcelona (alrededores)
141	Barcelona (centro)
142	Bilbao
143	Burgos
145	Cáceres
146	Cádiz
147	Cartagena
148	Castelló de la Plana / Castellón de la Plana
150	Ciudad Real
151	Córdoba
152	A Coruña
153	Cuenca
154	Donostia- San Sebastián
156	Elche
158	Gijón
159	Girona
160	Granada
161	Guadalajara
162	Huelva
163	Jaén
164	Jerez de la Frontera
165	León
166	Lleida
167	Logroño
167	Lugo
168	Madrid (alrededores)
169	Madrid (centro)
170	Málaga
171	Mérida
173	Murcia
175	Oviedo
176	Palencia
177	Palma de Mallorca
178	Las Palmas de Gran Canaria
179	Pamplona
180	Pontevedra
185	Salamanca
188	Santa Cruz de Tenerife
189	Santander
189	Santiago de Compostela
190	Segovia
192	Sevilla (alrededores)
193	Sevilla (centro)
194	Soria
194	Tarragona
195	Teruel
196	Toledo
198	València (alrededores)
199	València (centro)
200	Valladolid
201	Vigo
202	Vitoria-Gasteiz
203	Zamora
204	Zaragoza

PORTUGAL
205	Aveiro
206	Braga
207	Coimbra
208	Évora
209	Funchal
211	Lisboa (arredores)
212	Lisboa (centro)
214	Porto (arredores)
215	Porto (centro)
216	Santarém
217	Setúbal

D

Informacíon general / Grands itinéraires
Route planning / Reiseplanung
Grote verbindingswegen / Grandes itinerários

Informacion general / Grands itinéraires
Route planning / Reiseplanung
Grote verbindingswegen / Grandes itinerários

E

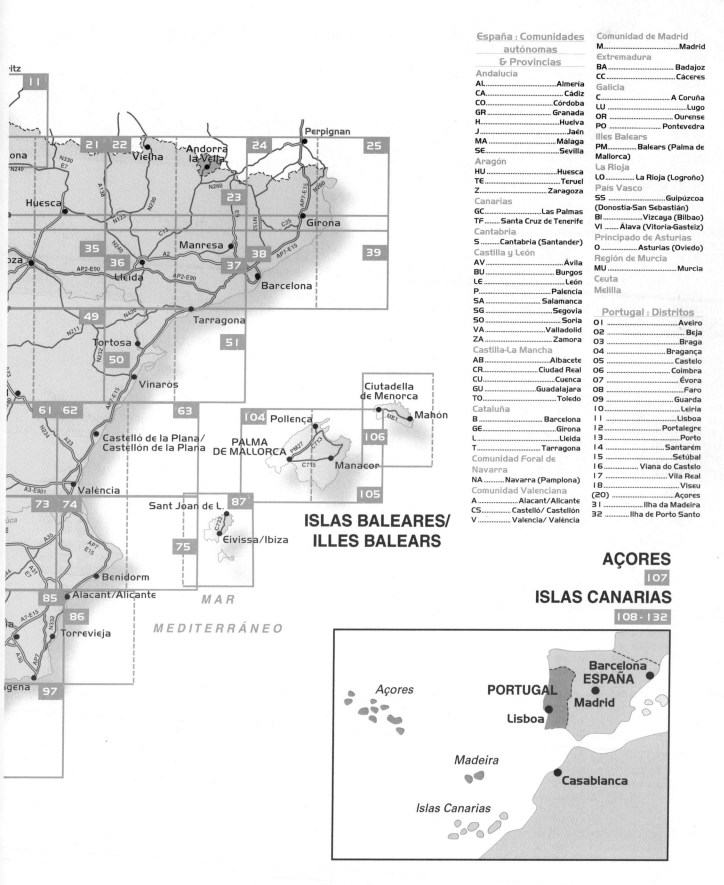

ISLAS BALEARES/
ILLES BALEARS

AÇORES
107
ISLAS CANARIAS
108 - 132

MAR
MEDITERRÁNEO

España : Comunidades
autónomas
& Provincias

Andalucía
AL....................................Almería
CA..Cádiz
CO....................................Córdoba
GR....................................Granada
H..Huelva
J...Jaén
MA......................................Málaga
SE...Sevilla
Aragón
HU......................................Huesca
TE...Teruel
Z.......................................Zaragoza
Canarias
GC...............................Las Palmas
TF.........Santa Cruz de Tenerife
Cantabria
S ....Cantabria (Santander)
Castilla y León
AV...Ávila
BU.......................................Burgos
LE...León
P..Palencia
SA....................................Salamanca
SG....................................Segovia
SO...Soria
VA...................................Valladolid
ZA.......................................Zamora
Castilla-La Mancha
AB.....................................Albacete
CR..............................Ciudad Real
CU..Cuenca
GU.............................Guadalajara
TO...Toledo
Cataluña
B..................................Barcelona
GE......................................Girona
L...Lleida
T.......................................Tarragona
**Comunidad Foral de
Navarra**
NA...........Navarra (Pamplona)
Comunidad Valenciana
A.......................Alacant/Alicante
CS...............Castelló/ Castellón
V ....Valencia/ València

Comunidad de Madrid
M......................................Madrid
Extremadura
BA......................................Badajoz
CC......................................Cáceres
Galicia
C....................................A Coruña
LU..Lugo
OR ....Ourense
PO ....Pontevedra
Illes Balears
PM................Balears (Palma de
Mallorca)
La Rioja
LO................La Rioja (Logroño)
País Vasco
SS ....Guipúzcoa
(Donostia-San Sebastián)
BI................Vizcaya (Bilbao)
VI .... Álava (Vitoria-Gasteiz)
Principado de Asturias
O..................Asturias (Oviedo)
Región de Murcia
MU......................................Murcia
Ceuta
Melilla

Portugal : Distritos
01 ....Aveiro
02 ....Beja
03 ....Braga
04 ....Bragança
05 ....Castelo
06 ....Coimbra
07 ....Évora
08 ....Faro
09 ....Guarda
10 ....Leiria
11 ....Lisboa
12 ....Portalegre
13 ....Porto
14 ....Santarém
15 ....Setúbal
16 ....Viana do Castelo
17 ....Vila Real
18 ....Viseu
(20) ....Açores
31 ....Ilha da Madeira
32 ....Ilha de Porto Santo

AÇORES

PORTUGAL   ESPAÑA
Barcelona
Lisboa   Madrid

Madeira

Casablanca

Islas Canarias

Distance table. Diagonal headers (cities): Alacant / Alicante, Albacete, Algeciras, Almería, Andorra la Vella, Aveiro, Ávila, Badajoz, Barcelona, Beja, Bilbao, Braga, Bragança, Burgos, Cáceres, Cádiz, Castellón de la Plana / Castelló de la Plana, Castelo Branco, Ciudad Real, Coimbra, Córdoba, A Coruña, Cuenca, Donostia-San Sebastián, Évora, Faro, Girona, Granada, Guadalajara, Guarda, Huelva, Huesca, Jaén, Jerez de la Frontera, Leiria, León, Lisboa.

City	Distances
Albacete	168
Algeciras	612 616
Almería	295 360 351
Andorra la Vella	685 692 1274 961
Aveiro	940 775 836 1058 1160
Ávila	540 375 679 659 729 406
Badajoz	806 641 429 651 1012 417 426
Barcelona	541 549 1135 818 197 1175 742 1026
Beja	817 701 408 630 1196 398 567 195 1212
Bilbao	806 641 1048 947 601 706 417 730 617 872
Braga	999 833 936 1118 1138 125 501 518 1153 499 684
Bragança	780 615 815 900 934 285 284 497 950 554 481 224
Burgos	650 485 892 785 596 550 285 574 612 716 160 531 326
Cáceres	723 558 448 670 929 400 306 131 945 272 609 503 376 455
Cádiz	717 605 130 460 1257 770 678 363 1155 343 982 874 749 828 383
Castellón de la Plana / Castelló de la Plana	264 271 844 527 428 939 536 819 285 1003 674 999 781 656 736 874
Castelo Branco	879 714 606 828 1098 254 349 188 1114 280 645 345 283 491 213 542 879
Ciudad Real	385 220 483 428 810 719 317 303 699 487 602 779 561 448 313 448 420 524
Coimbra	932 767 780 1001 1152 66 398 361 1167 342 698 170 289 542 344 715 932 229 714
Córdoba	552 347 302 365 999 704 506 297 866 364 796 808 748 634 317 267 588 518 189 649
A Coruña	1019 854 1112 1139 1098 375 522 768 1114 748 556 261 364 490 673 1047 1019 591 802 418 988
Cuenca	327 162 706 521 622 682 281 562 545 746 553 742 524 399 480 688 266 621 266 675 432 763
Donostia-San Sebastián	795 693 1100 1025 456 758 469 782 571 924 98 739 534 212 661 1035 629 696 656 751 849 651 604
Évora	909 744 532 754 1115 353 487 114 1131 82 791 457 474 637 192 467 924 201 407 297 402 704 667 847
Faro	800 682 383 613 1332 498 746 393 1231 147 1050 601 728 896 451 319 953 467 524 442 341 849 766 1106 227
Girona	630 638 1223 906 269 1247 814 1098 99 1282 689 1227 1023 685 1015 1241 372 1185 789 1240 985 1186 633 641 1203 1318
Granada	361 365 264 173 1023 904 529 497 884 476 821 992 774 661 517 368 593 718 303 850 203 1013 456 877 601 451 972
Guadalajara	447 282 719 595 557 575 173 456 573 640 420 635 417 266 373 701 450 513 258 568 445 655 139 476 561 776 645 468
Guarda	790 625 695 909 1009 159 262 277 1025 369 556 250 188 402 301 630 790 97 572 153 564 497 533 612 290 553 1097 782 423
Huelva	696 579 280 509 1228 607 642 327 1128 256 946 710 713 792 347 215 849 548 420 552 237 958 662 1002 336 122 1216 349 674 593
Huesca	574 582 1044 851 266 930 497 781 284 965 372 911 706 368 699 1026 408 869 583 923 770 870 396 242 886 1102 356 793 331 780 1001
Jaén	407 281 344 220 940 849 446 524 808 503 738 909 691 578 544 406 529 745 220 842 150 929 372 794 628 484 896 93 386 699 383 711
Jerez de la Frontera	658 579 104 434 1231 744 652 337 1128 317 956 848 723 802 357 39 850 558 421 689 238 1020 663 1012 441 291 1217 311 677 603 190 1002 382
Leiria	997 832 720 942 1259 125 509 302 1274 282 805 233 359 651 284 655 1012 169 594 74 589 480 755 861 235 381 1347 782 672 222 494 1030 816 623
León	765 600 858 885 781 473 291 540 797 724 344 375 195 191 419 793 765 455 547 489 734 323 508 400 602 861 869 757 398 365 759 552 674 761 579
Lisboa	1034 869 579 801 1240 276 570 239 1256 179 866 365 492 712 316 514 1048 230 531 206 531 613 792 922 133 278 1328 642 686 318 391 1011 675 483 147 680
	535 543 1123 811 152 1009 578 860 182 1044 451 990 783 448 778 1105 277 948 662 1002 849 949 470 406 965 1181 254 872 410 859 1080 117 788 1073 1109 628 1090
	674 615 1022 950 473 679 393 704 488 845 138 660 454 134 582 957 507 618 578 673 770 619 378 162 766 1024 560 793 282 529 923 244 710 925 780 314 842
	924 759 1017 1044 1002 431 427 699 1018 804 549 317 286 395 578 952 924 513 706 474 893 99 667 605 758 903 1090 916 557 419 773 833 920 538 223 671
	419 254 669 545 613 515 114 401 629 585 398 575 357 244 319 654 422 454 208 508 395 596 165 453 506 722 701 418 59 365 620 384 334 622 615 346 630
	478 482 142 206 1141 867 647 460 1001 440 939 971 846 779 480 253 710 681 348 811 165 1130 573 994 564 414 1090 131 587 726 313 912 209 227 752 881 612
	747 582 376 598 953 467 327 60 968 244 674 571 442 521 75 311 761 681 244 369 245 738 505 730 164 379 1041 438 399 327 277 724 472 279 352 489 289
	83 147 541 224 737 919 516 774 594 754 787 980 761 633 702 645 315 858 367 913 480 1000 308 806 878 728 682 291 427 769 627 626 337 582 977 791 926
	927 762 977 1046 1066 286 429 641 1082 659 612 172 192 458 538 912 927 419 709 330 896 178 670 668 613 758 1154 919 560 325 871 820 835 880 393 306 526
	875 710 968 995 883 583 378 650 899 834 285 485 305 300 529 903 875 564 657 598 844 297 618 383 755 970 971 867 508 475 869 654 784 871 689 129 788
	686 521 819 805 681 477 212 501 697 642 245 471 253 91 380 754 686 415 468 470 655 476 429 301 563 821 769 678 319 326 720 452 594 722 577 171 639
	676 683 1099 952 475 757 468 781 491 923 157 738 533 211 660 1034 509 696 655 750 848 696 498 77 843 1102 563 871 431 606 1000 162 787 1002 857 392 919
	691 698 1284 967 190 1307 874 1159 160 1343 672 1288 1084 746 1076 1301 433 1246 850 1301 1045 1247 694 581 1263 1379 65 1033 708 1157 1278 416 955 1270 1408 942 1388
	1039 874 1053 1159 1178 241 542 635 1194 615 652 127 304 571 617 988 1039 459 821 284 1007 137 782 781 569 714 1266 1031 672 365 827 932 948 956 348 414 481
	840 675 509 731 1046 285 439 91 1062 183 734 389 372 581 127 444 855 99 383 230 420 636 598 790 103 381 1134 571 492 187 410 817 605 412 170 549 228
	982 817 890 1112 1167 79 452 472 1183 452 714 57 215 560 454 825 982 296 764 117 753 304 725 770 406 551 1255 952 615 202 664 938 891 793 185 407 318
	633 468 647 752 853 312 104 330 868 471 399 403 168 245 208 582 633 251 415 305 523 465 376 455 391 650 941 625 266 162 549 624 541 551 412 215 474
	832 667 1016 973 699 717 386 699 715 840 101 619 439 184 571 951 772 613 630 667 823 466 579 199 761 1019 787 846 447 524 918 470 762 920 774 273 836
	1032 867 607 828 1251 193 502 266 1267 207 798 297 423 644 277 542 1005 162 559 138 559 544 748 854 161 306 1339 669 665 250 419 1022 703 510 78 612 84
	1025 860 1110 1144 1134 299 527 691 1150 672 593 184 290 526 674 1045 1025 516 807 342 994 78 768 691 625 771 1222 1017 658 422 884 905 933 1013 405 355 538
	517 351 760 636 706 486 85 472 722 656 360 546 328 206 390 725 516 425 299 479 485 567 260 416 577 792 794 509 150 336 691 477 425 693 586 317 648
	1002 837 547 769 1208 298 607 206 1223 147 902 401 528 748 284 482 1016 267 499 242 498 649 760 958 101 246 1296 609 654 354 359 979 643 450 183 717 52
	607 496 190 420 1143 649 557 242 1045 222 861 753 628 707 262 126 766 463 338 593 151 925 579 917 346 196 1133 260 589 508 95 914 299 94 534 675 463
	557 459 889 791 454 635 274 626 470 810 237 665 411 144 543 871 391 682 428 628 615 624 272 254 731 946 542 638 176 485 845 225 554 839 785 319 855
	446 453 1039 722 254 1096 663 948 103 1132 539 1077 872 534 865 1056 188 1035 605 1089 800 1036 449 492 1052 1134 192 788 497 946 1033 235 710 1025 1196 715 1177
	329 337 910 593 475 820 417 701 441 885 476 880 662 471 619 940 163 759 388 813 688 973 150 429 806 1017 530 577 251 670 916 249 493 908 920 668 930
	413 248 617 493 682 587 186 363 698 547 474 648 429 320 280 599 449 526 117 581 343 668 184 530 468 677 770 366 129 437 575 453 282 567 556 419 592
	179 187 760 443 500 872 469 752 357 936 655 932 714 589 669 790 78 811 355 865 521 952 199 569 856 867 445 509 383 721 766 389 460 758 945 703 981
	637 471 770 756 723 428 163 452 739 593 286 422 204 132 330 705 636 366 419 605 442 380 342 514 772 811 629 270 277 671 494 545 673 528 193 590
	1055 890 960 1174 1194 148 522 541 1210 522 740 61 279 586 524 895 1054 366 837 192 828 251 798 796 475 621 1282 1047 688 271 733 948 963 863 255 434 388
	1024 858 1038 1143 1163 226 526 619 1179 600 709 112 289 555 602 973 1023 444 806 270 993 164 767 765 553 699 1251 1016 657 349 811 917 932 941 333 403 466
	944 779 915 1063 1083 179 431 497 1099 521 629 108 119 475 479 850 944 275 726 184 784 330 687 685 467 620 1171 936 577 181 733 854 852 818 254 323 387
	860 695 814 980 1079 81 330 396 1095 429 626 179 210 472 378 749 860 174 642 93 683 420 603 682 367 528 1167 852 493 80 641 850 769 718 163 413 296
	761 596 1003 927 555 661 372 685 570 826 66 641 437 115 564 938 589 599 559 654 751 600 507 105 747 1005 643 774 375 510 904 326 691 906 761 295 823
	681 516 713 801 835 370 207 395 850 536 381 340 103 227 273 648 681 309 463 364 650 402 424 437 457 715 923 673 314 220 614 606 590 616 471 153 533
	498 505 977 774 309 863 430 714 325 898 305 828 623 301 631 958 332 802 516 856 702 787 320 259 818 1034 397 726 263 713 933 74 642 927 963 482 943

Las distancias están calculadas desde el centro de la ciudad y por la carretera más práctica para el automovilista, es decir, la que ofrece mejores condiciones de circulación, que no tiene por qué ser la más corta.

Les distances sont comptées à partir du centre-ville et par la route la plus pratique, c'est à dire celle qui offre les meilleures conditions de roulage, mais qui n'est pas nécessairement la plus courte.

Distances are shown in kilometres and are calculated from town/city centres along the most practicable roads, although not necessarily taking the shortest route.

Die Entfernungen gelten ab Stadtmitte unter Berücksichtigung der günstigsten, jedoch nicht immer kürzesten Strecke.

De afstanden zijn in km berekend van centrum tot centrum langs de geschickste, dus niet noodzakelijkerwijze de hortste route.

Le distanze sono calcolate a partire dal centro delle città e seguendo la strada che, pur non essendo necessariamente la più breve, offre le migliori condizioni di viaggio.

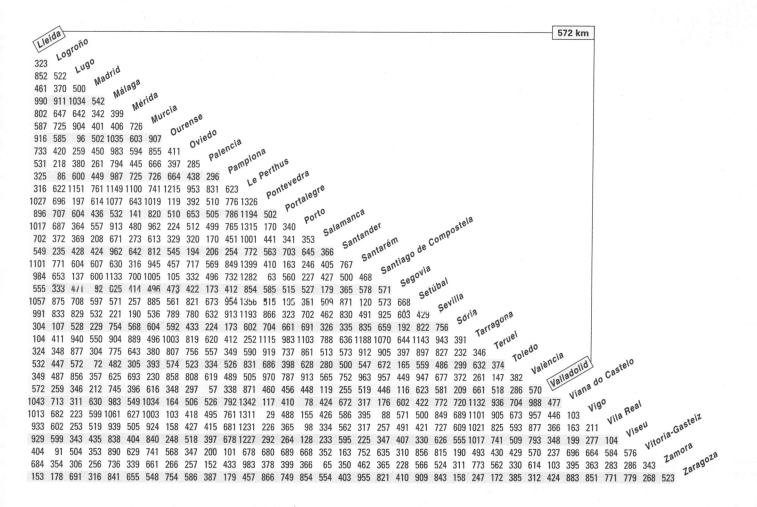

Vous CONNAISSEZ
les atlas MICHELIN

You KNOW
MICHELIN **atlases**

...CONNAISSEZ-VOUS
VRAIMENT
MICHELIN ?

...*DO YOU REALLY*
KNOW
MICHELIN?

Une meilleure façon d'avancer

N°1 mondial des pneumatiques avec 17,1 % du marché

Une présence commerciale dans plus de 170 pays

Une implantation industrielle
au cœur des marchés

68 sites industriels dans **19** pays ont produit en 2008 :

- **177** millions de pneus
- **16** millions de cartes et guides

Des équipes très internationales

Plus de **117 500** employés* de toutes cultures sur tous les continents dont **6 000** personnes employées dans les centres de R&D en Europe, aux Etats-Unis, en Asie.

*110 252 en équivalent temps plein

The world No.1 in tires with 17.1% of the market

A business presence in over 170 countries

A manufacturing footprint
at the heart of markets

In 2008, **68** industrial sites in **19** countries produced:

- **177** million tires
- **16** million maps and guides

Highly international teams

Over **117,500** employees* from all cultures on all continents including **6,000** people employed in R&D centers in Europe, the US and Asia.

*110,252 full-time equivalent staff

Le groupe Michelin en un coup d'œil
The Michelin Group at a glance

Michelin présent en compétition

A fin 2008

24h du Mans
11 années de victoires consécutives

Endurance 2008
- 5 victoires sur 5 épreuves en Le Mans Series
- 10 victoires sur 10 épreuves en American Le Mans Series

Paris-Dakar
Depuis le début de l'épreuve, le groupe Michelin remporte toutes les catégories

Moto GP
26 titres de champion du monde des pilotes en catégorie reine

Trial
Tous les titres de champion du monde depuis 1981 (sauf 1992)

Michelin competes

At the end of 2008

Le Mans 24-hour race
11 consecutive years of victories

Endurance 2008
- 5 victories on 5 stages in Le Mans Series
- 10 victories on 10 stages in American Le Mans Series

Paris-Dakar
Since the beginning of the event, the Michelin group has won in all categories

Moto GP
26 Drivers' World Champion titles in the premier category

Trial
Every World Champion title since 1981 (except 1992)

• Données au 31/12/2008 / *Data 31/12/2008*

Michelin, implanté près de ses clients

- **Un centre de Technologies réparti sur 3 continents**
  - Amérique du Nord
  - Asie
  - Europe

- **2 plantations d'hévéa**
  - Brésil

- **68 sites de production dans 19 pays**
  - Algérie
  - Allemagne
  - Brésil
  - Canada
  - Chine
  - Colombie
  - Espagne
  - Etats-Unis
  - France
  - Hongrie
  - Italie
  - Japon
  - Mexique
  - Pologne
  - Roumanie
  - Royaume-Uni
  - Russie
  - Serbie
  - Thaïlande

Michelin, established close to its customers

- **A Technologies Center spread over 3 continents**
  - Asia
  - Europe
  - North America

- **2 natural rubber plantations**
  - Brazil

- **68 plants in 19 countries**
  - Algeria
  - Brazil
  - Canada
  - China
  - Colombia
  - France
  - Germany
  - Hungary
  - Italy
  - Japan
  - Mexico
  - Poland
  - Romania
  - Russia
  - Serbia
  - Spain
  - Thailand
  - UK
  - USA

Notre mission

Contribuer, de manière durable, au progrès de la mobilité des personnes et des biens en facilitant la liberté, la sécurité, l'efficacité et aussi le plaisir de se déplacer.

Our mission

To make a sustainable contribution to progress in the mobility of goods and people by enhancing freedom of movement, safety, efficiency and pleasure when on the move.

Michelin s'engage pour l'environnement

Michelin, 1er producteur mondial de pneus à basse résistance au roulement, contribue à la diminution de la consommation de carburant et des émissions de gaz par les véhicules.

Michelin développe, pour ses produits, les technologies les plus avancées afin de :

- diminuer la consommation de carburant, tout en améliorant les autres performances du pneumatique ;
- allonger la durée de vie pour réduire le nombre de pneus à traiter en fin de vie ;
- privilégier les matières premières à faible impact sur l'environnement.

Par ailleurs, à fin 2008, 99,5 % de la production de pneumatiques en tonnage est réalisé dans des usines certifiées ISO 14001*.

Michelin est engagé dans la mise en œuvre de filières de valorisation des pneus en fin de vie.

*certification environnementale

Michelin committed to environmental-friendliness

Michelin, world leader in low rolling resistance tires, actively reduces fuel consumption and vehicle gas emission.

For its products, Michelin develops state-of-the-art technologies in order to:

- Reduce fuel consumption, while improving overall tire performance.
- Increase life cycle to reduce the number of tires to be processed at the end of their useful lives;
- Use raw materials which have a low impact on the environment.

Furthermore, at the end of 2008, 99.5% of tire production in volume was carried out in ISO 14001* certified plants.

Michelin is committed to implementing recycling channels for end-of-life tires.

*environmental certification

Tourisme camionnette
Passenger Car Light Truck

Poids lourd
Truck

Michelin au service de la mobilité
Michelin a key mobility enabler

Génie civil
Earthmover

Avion
Aircraft

Agricole
Agricultural

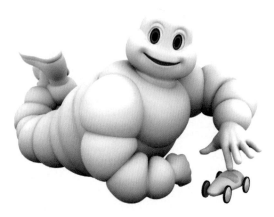

Deux roues
Two-wheel

Distribution

Partenaire des constructeurs, à l'écoute des utilisateurs, présent en compétition et dans tous les circuits de distribution, Michelin ne cesse d'innover pour servir la mobilité d'aujourd'hui et inventer celle de demain.

Partnered with vehicle manufacturers, in tune with users, active in competition and in all the distribution channels, Michelin is continually innovating to promote mobility today and to invent that of tomorrow.

Cartes et Guides
Maps and Guides

ViaMichelin,
des services d'aide au voyage / travel assistance services

Michelin Lifestyle,
des accessoires pour vos déplacements / for your travel accessories

MICHELIN

joue l'équilibre des performances  / *plays on balanced performance*

- ● **Longévité des pneumatiques**
- ◐ **Economies de carburant**
- ○ **Sécurité sur la route**

... les pneus MICHELIN vous offrent les meilleures performances, sans en sacrifier aucune.

- ● **Long tire life**
- ◐ **Fuel savings**
- ○ **Safety on the road**

... MICHELIN tires provide you with the best performance, without making a single sacrifice.

Le pneu MICHELIN, un concentré de technologie
The MICHELIN tire, pure technology

❶ Bande de roulement
Une épaisse couche de gomme assure le contact avec le sol. Elle doit évacuer l'eau et durer très longtemps.

Tread
A thick layer of rubber provides contact with the ground. It has to channel water away and last as long as possible.

❷ Armature de sommet
Cette double ou triple ceinture armée est à la fois souple verticalement et très rigide transversalement. Elle procure la puissance de guidage.

Crown plies
This double or triple reinforced belt has both vertical flexibility and high lateral rigidity. It provides the steering capacity.

❸ Flancs
Ils recouvrent et protègent la carcasse textile dont le rôle est de relier la bande de roulement du pneu à la jante.

Sidewalls
These cover and protect the textile casing whose role is to attach the tire tread to the wheel rim.

❹ Talons d'accrochage à la jante
Grâce aux tringles internes, ils serrent solidement le pneu à la jante pour les rendre solidaires.

Bead area for attachment to the rim
Its internal bead wire clamps the tire firmly against the wheel rim.

❺ Gomme intérieure d'étanchéité
Elle procure au pneu l'étanchéité qui maintient le gonflage à la bonne pression.

Inner liner
This makes the tire almost totally impermeable and maintains the correct inflation pressure.

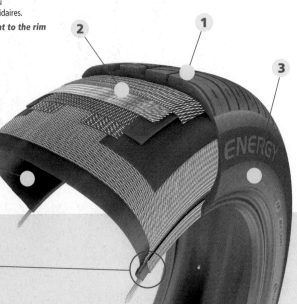

Suivez les conseils du bonhomme MICHELIN
Heed the MICHELIN Man's advice

Pour gagner en sécurité :

Je roule avec une pression adaptée

Je vérifie ma pression tous les mois

Je fais contrôler régulièrement mon véhicule

Je contrôle régulièrement l'aspect

de mes pneus (usure, déformations)

J'adopte une conduite souple

J'adapte mes pneus à la saison

To improve safety:

I drive with the correct tire pressure

I check the tire pressure every month

I have my car regularly serviced

I regularly check the appearance

of my tires (wear, deformation)

I am responsive behind the wheel

change my tires according to the season

www.michelin.com

www.michelin. (votre extension pays - ex : fr pour France / *your country extension – e.g. : fr for France*)

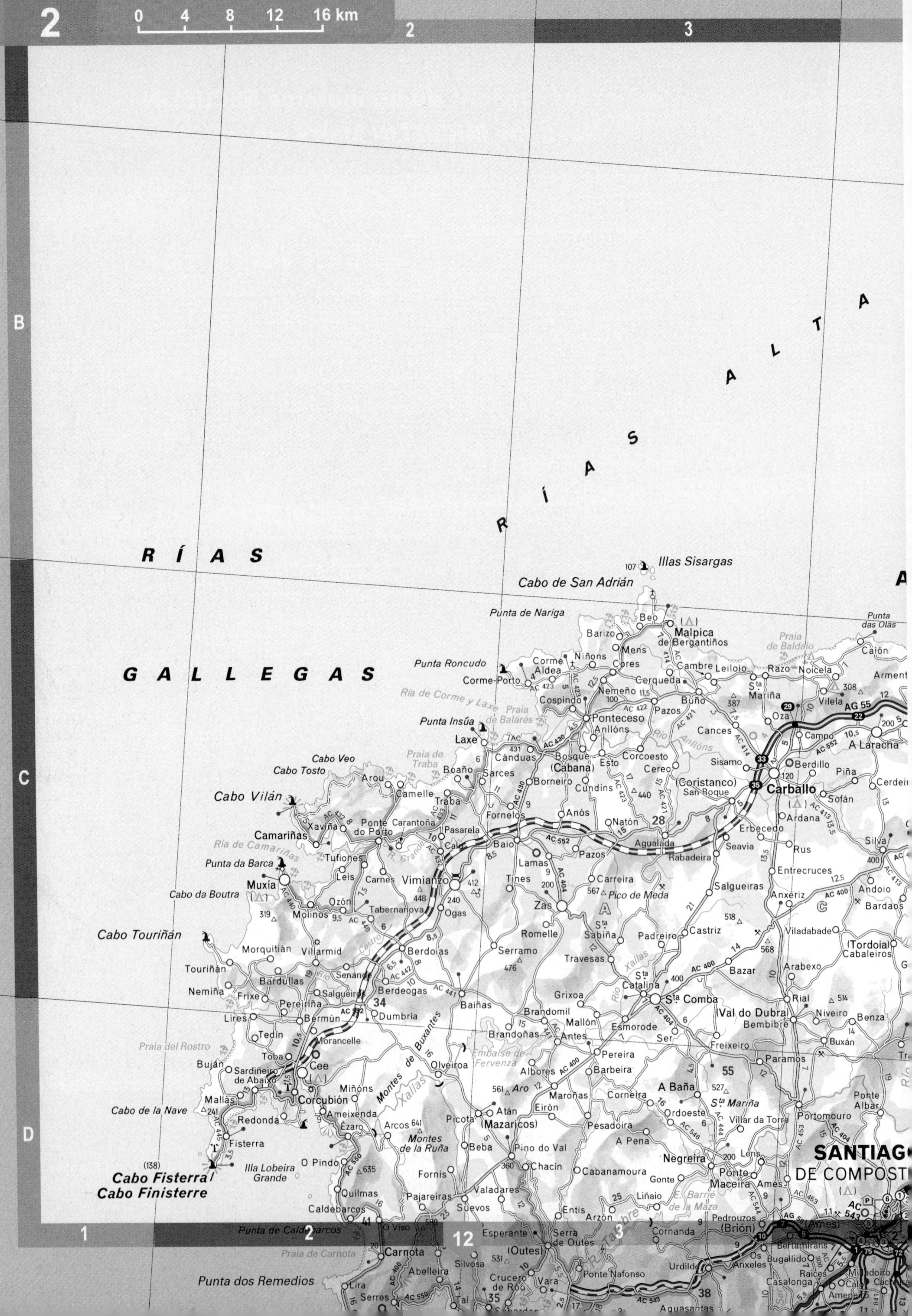

0 4 8 12 16 km

2 3

B

R Í A S   A L T A

Illas Sisargas
107
Cabo de San Adrián
Punta de Nariga
Punta das Olas
Beo
Barizo
Malpica
de Bergantiños
Corme Niñons Mens
Aldea Cores Cambre Leiloio Razo Noicela Caión
Punta Roncudo Cerqueda Sta Arment
R Í A S Corme-Porto Nemeño 115 Mariña 308
Cospindo AC 423 100 AC 422 Buño 387 Oza Vilela AG 55
G A L L E G A S Ría de Corme y Laxe Pazos AC 421 Campo 10,5 200 22
Praia Ponteceso Cances A Laracha
Punta Insúa de Balarés Anllóns AC 414 Sisamo Berdillo
Laxe 431 Cánduas Bosque Corcoesto 33 120 Piña Cerdei
Cabo Veo 6 Esto Cereo 35 Carballo
Cabo Tosto Boaño Sarces Cabana AC 422 440 Coristanco Sofán
C Arou Borneiro San Roque AC 421 Ardana
Cabo Vilán Camelle Traba Fornelos Anós Natón 28 Erbecedo Silva
Xaviña Cundins 15 400 AC 413
Camariñas Ponte Carantoña Pasarela AC 430 Agualada Seavia Rus
Ría de Camariñas do Porto Cala AC 552 Rabadeira Entrecruces 12,5
Tufiones Baio Lamas Pazos Salgueiras Andoio
Punta da Barca Leis Carnes Vimianzo 412 Carreira Anxeriz C Bardaos
Muxía Ozón 448 240 Tines 200 567 Pico de Meda 518
319 Molinos Tabernanova Ogas Zas Padreiro Castriz Viladabade Tordoial
Cabo da Boutra AC 448 Romelle Sta 568 Cabaleiros
Cabo Touriñán Villarmid Berdoias Serramo Sabiña Bazar Arabexo
Morquitián 476 Travesas 14
Touriñán Senande AC 442 Grixoa Sta 400 AC 400 Rial 514
Nemiña Bardullas Berdeogas AC 441 Baíñas Catalina Sta Comba Niveiro Benza
Frixe Salgueiró 34 Brandomil Val do Dubra
Pereiriña Dumbría Mallón Esmorode Bembibre Buxán
Lires Bermún Brandoñas Antes Ser Freixeiro Paramos
Tedín Morancelle Pereira 55
Praia del Rostro Toba Olveiroa Albores AC 400 Barbeira A Baña 527 Corneira
Buján Cee Miñóns Maroñas Ordoeste Sta Villar da Torre
Sardiñeiro Aro Mariña Portomouro
Mallas de Abaixo Corcubión Ameixenda Picota Atán Pesadoira AC 453
D Redonda Arcos 641 Mazaricos Negreira SANTIAGO
Cabo de la Nave 241 Ézaro Beba Montes A Pena Maceira DE COMPOST
Fisterra de la Ruña Pino do Val Gonte
138 Illa Lobeira O Pindo 635 Chacín Cabanamoura
Cabo Fisterra Grande Fornis Valadares Liñaio
Cabo Finisterre Quilmas Pajareiras Suevos Entís Arzón Pedrouzos
1 Punta de Caldebarcos 2 O Viso 12 Esperante Serra Cornanda Brión
Caldebarcos Carnota Silvoso de Outes Urdilde
Praia de Carnota Abelleira Ponte Nafonso Anxeles
Punta dos Remedios Lira Serres Tal Crucero Vara 38
de Roo Aguasantas

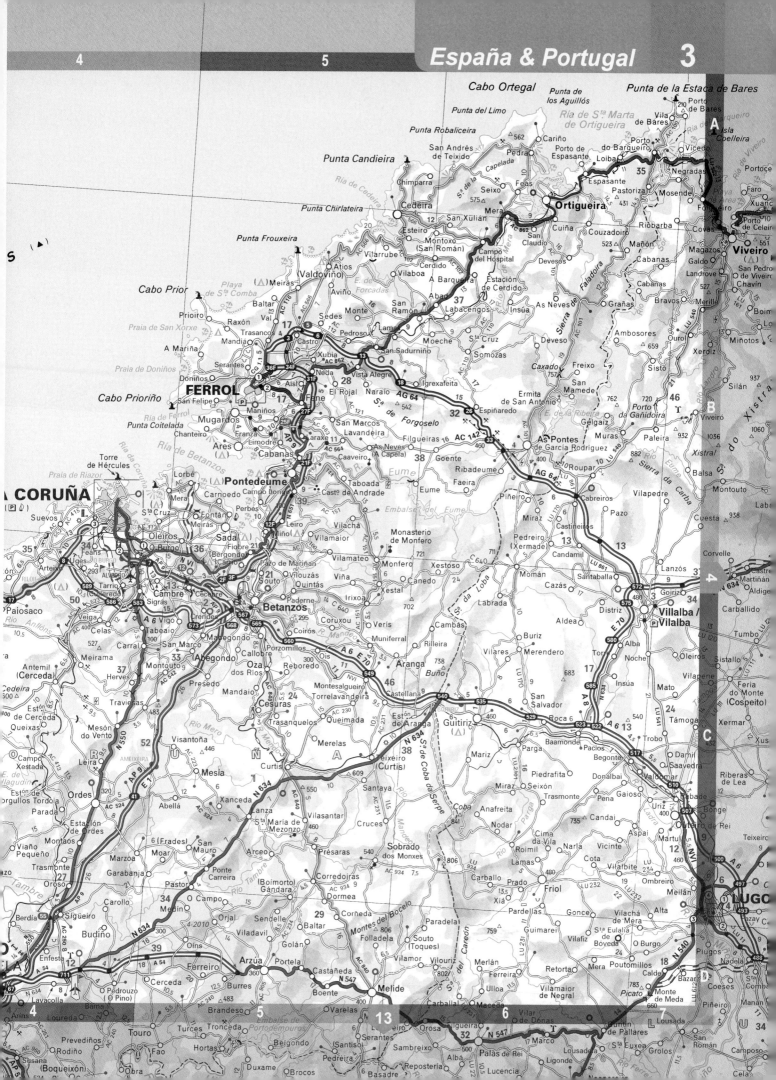

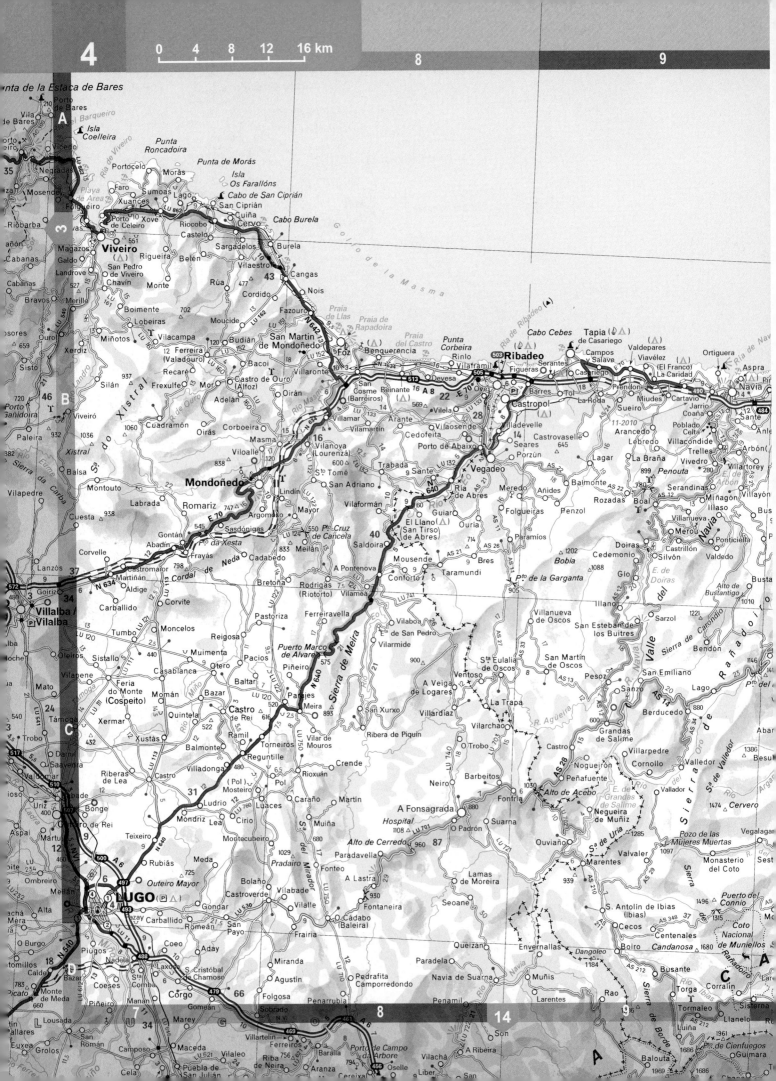

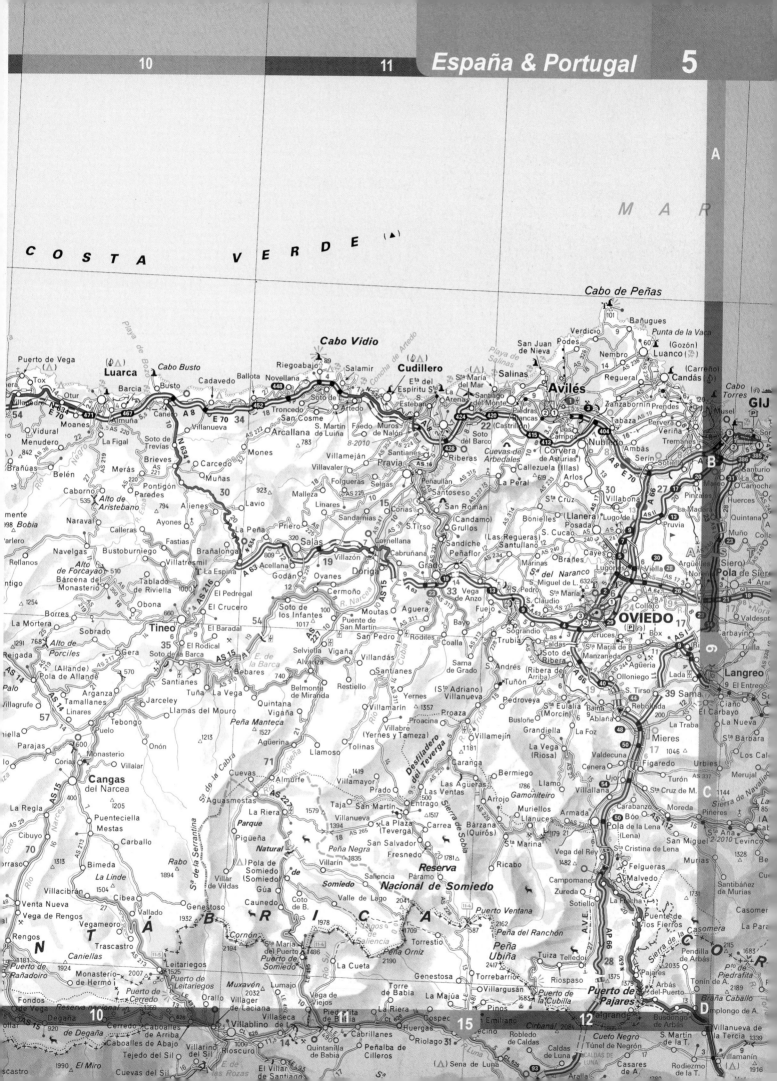

MAR

COSTA VERDE

Cabo de Peñas

Cabo Vidio

Cabo Busto

Luarca

Puerto de Vega

Tox

Cadavedo

Ballota

Novellana

Riegoabajo

Salamir

Cudillero

San Juan de Nieva

Salinas

Avilés

GIJ

Tineo

Cangas del Narcea

Parque

Natural

de

Somiedo

Reserva

Nacional de Somiedo

Oviedo

Langreo

Mieres

Pola de la Lena (Lena)

Puerto de Pajares

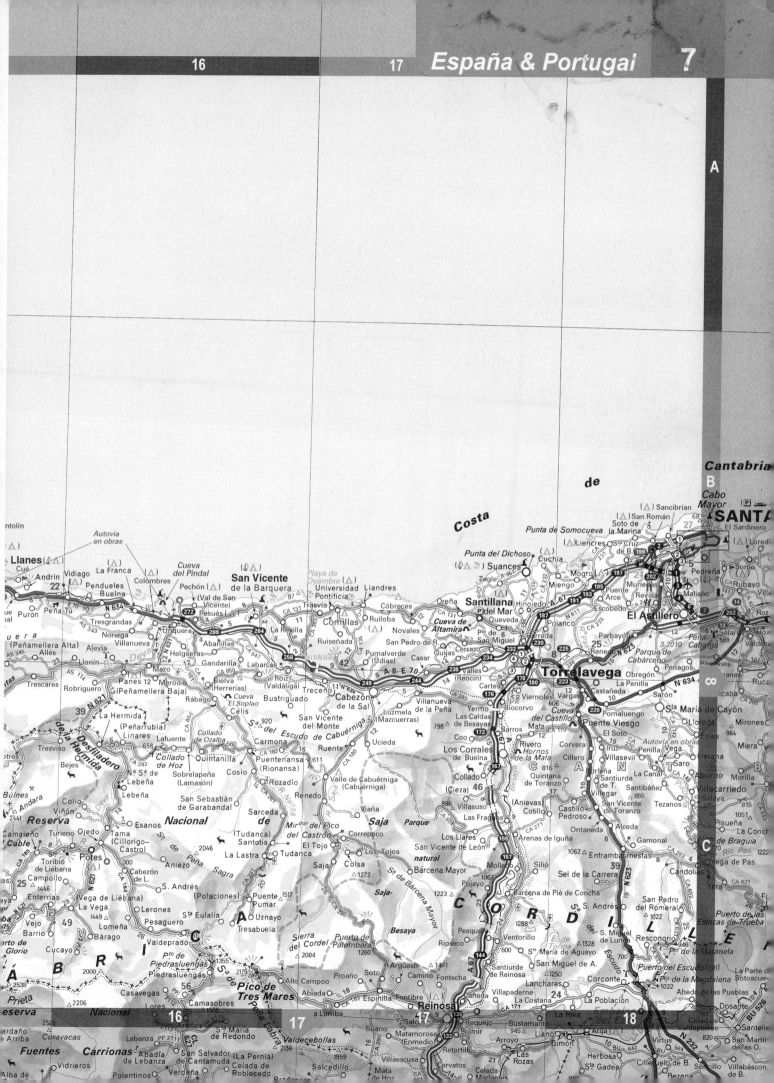

A

B

Cantabria

Costa

de

Cabo
Mayor

SANTA

El Sardinero

Loredo

(Δ) Sancibrian

(Δ) San Román

Soto de
la Marina

68

27

Punta de Somocueva

Liencres

Sta Cruz
de B.

199

202

Somo

Pedreña

Punta del Dichoso

Cuchia

Mogro

197

21

CA Rubayo

Llanes

Cué

Andrín   Vidiago

La Franca

Colombres

Pechón

San Vicente
de la Barquera

Playa de
Oyambre (Δ)

Universidad
Pontificia   Liandres

Suances

Tagle

Miengo

195

Puente
Arce

Muriedas

Maliaño

Solares

Penélles   Buelna

Peña-Tú

Puron

N 634

Pesués

(Val de San
Vicente)

272

CA 131

Trasvia

Cóbreces

Oreña

Santillana
del Mar

Hinojedo

Quevedia

187

Polanco

191

193

Escobedo

El Astillero

202

Maliaño

7

13

Peña
Cabarga

Valdec

Hoz

Tresgrandas

Noriega

Unquera

269

Abanillas

La Revilla

CA 131

Comillas

Ruiloba

Novales

Cueva de
Altamira

San Miguel

Barreda

232

230

225

Renedón

Parbayón

615

3-2010

Parque de
Cabárceno

Penagos

Ruca

Alevia

Allés

Villanueva

Helgueras

Gandarilla

Labarces

VALDÁLIGA

Ruiseñada

Pumalverde

Casar

San Pedro de R.

Quijas

234

238

Valles
(Reocín)

8

178

223

Torrelavega

Obregón

La Penilla

N 634

Mazo

Biélva
(Herrerías)

258

Roiz
(Valdáliga)

42

A-8-E-70

244

Cartes

180

Viernoles

Vargas

Castañeda

Serón

Lloreda

Esles

Mirones

Panes 12   Merodio

Rábago

Treceño

249

Cabezón
de la Sal

Villanueva
de la Peña

798

Las Caldas
de Besaya

172

Barros

220

Cueva
del Castillo

Pomaluengo

Mata

Puente Viesgo

Sta María de Cayón

964

Robriguero

(Peñamellera Baja)

Cueva
El Soplao

Célis

Bustriguado

Luzmela
(Mazcuerras)

Ucieda

Coo

167

Rivero

Hornos
de la Mata

816

Cillero

Corvera

El Soto

19

Iruz

Villasevil

Autovía en obras

Penilla

Vega

Miera

Morilla

39   N 621

La Hermida

(Peñarrubia)

Linares

Lafuente

Collado de Ozalba

560

Carmona

Ruente

Los Corrales
de Buelna

Quintana
de Toranzo

Borleña

Santiurde
de T.

Santibáñez

855

La Canal

Abionzo

Villacarriedo

Selaya

815

Tresviso

Bejes

Quintanilla

Puentenansa
(Rionansa)

611

Valle de Cabuérniga
(Cabuérniga)

Collado

(Cieza)

46

San Vicente
de Toranzo

Tezanos

Pisueña

La Conch

de Braguia

Desfiladero
de la Hermida

Sobrelapeña
(Lamasón)

Cosio

Renedo

Villasuso

886

Villasuso

(Anievas)

Castillo
Pedroso

Alceda

Saro

Villegar

Pas

1051

Rio

Bulnes

Andara

2441

Colio

Viñón

Na Sa de
Lebeña

Lebeña

San Sebastián
de Garabandal

Sarceda
de

Viaña

Cotillo

(CA 271)

Ontaneda

Villasevil

Gamonal

Vega de Pas

CA 631

Camaleño

Reserva

Turieno   Ojedo

Esanos

Nacional

de

Mir dor del Pico
del Castrón

Saja

Parque

Los Llares

Arenas de Iguña

159

Entrambasmestas

1062

Candolias

Yera

Cable   Tama
(Cillorigo-
Castro)

Pótes

La Lastra

(Tudanca)

El Tojo

Correpoco

San Vicente de León

Las Fraguas

157

Silió

Bárcena de Pié de Concha

Molledo

Sel de la Carrera

39

San Pedro
del Romeral

1022

Puerto de las
Estacas de Trueba

26

Aniezo

Cabezón
de L.

natural

Bárcena Mayor

1067

23

1288

Resconorio

La Parte de

Sotoscuev

Toribio
de Liébana

300

S. Andrés

Tudanca

Saja   Colsa

Pujayo

1223

157

Ventorrillo

Sta Maria de Aguayo

S. Miguel
de Luena

1328

Pto de la Matanela

Campollo

N 621

Vega de Liébana)

Lerones

Sta Eulalia

Puente
Pumar

1517

Uznayo

Tresabuela

Besaya

Pesquera

Rioseco

600

Santiurde
de Reinosa

1250

San Miguel de A.

Corconte

1022

Pto de la
Magdalena

Ahedo de las Pueblas

Enterrias

La Vega

Pesaguero

1449

Lomeña

Bárago

Valdeprado

Sierra
del Cordel

Puerto de
Palombera

Argüeso

1491

Proaño

Soto

Camino
de

Fontecha

Villapaderne

24

La Población

BU 526

Dosante

49

Barrio

Cucayo

2046

2084

1260

1355

Piedrasluengas

Piedrasluengás

2000

1491

Alto Campoo

Abiada

Espinilla

Fontibre

La Riva

del Ebro

Reinosa

Cidad de
Valdeporres

10

BU

2538

Casavegas

56

Pico de
Tres Mares

Lanchares

La Costana

Requejo

Bustamante

Bolmir

945

Llano

Herbosa

642

946

Cilleruelo de B.

Villabáscon
de B.

Reserva   Nacional

Fuentes   Carrionas

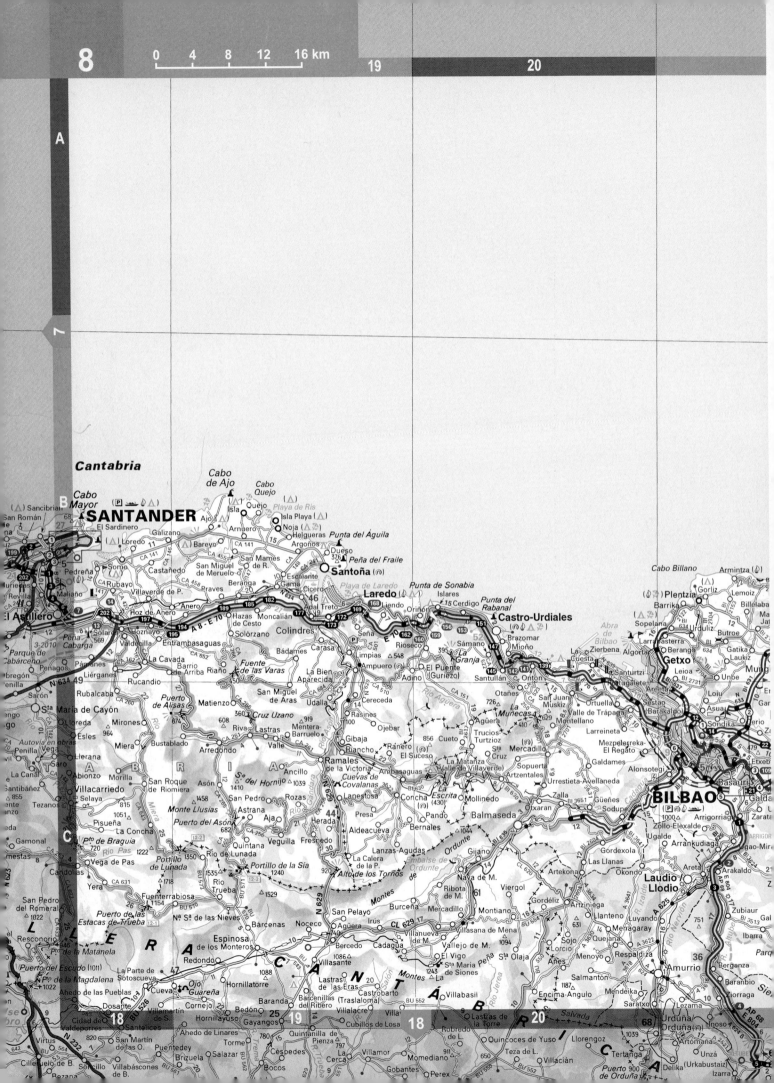

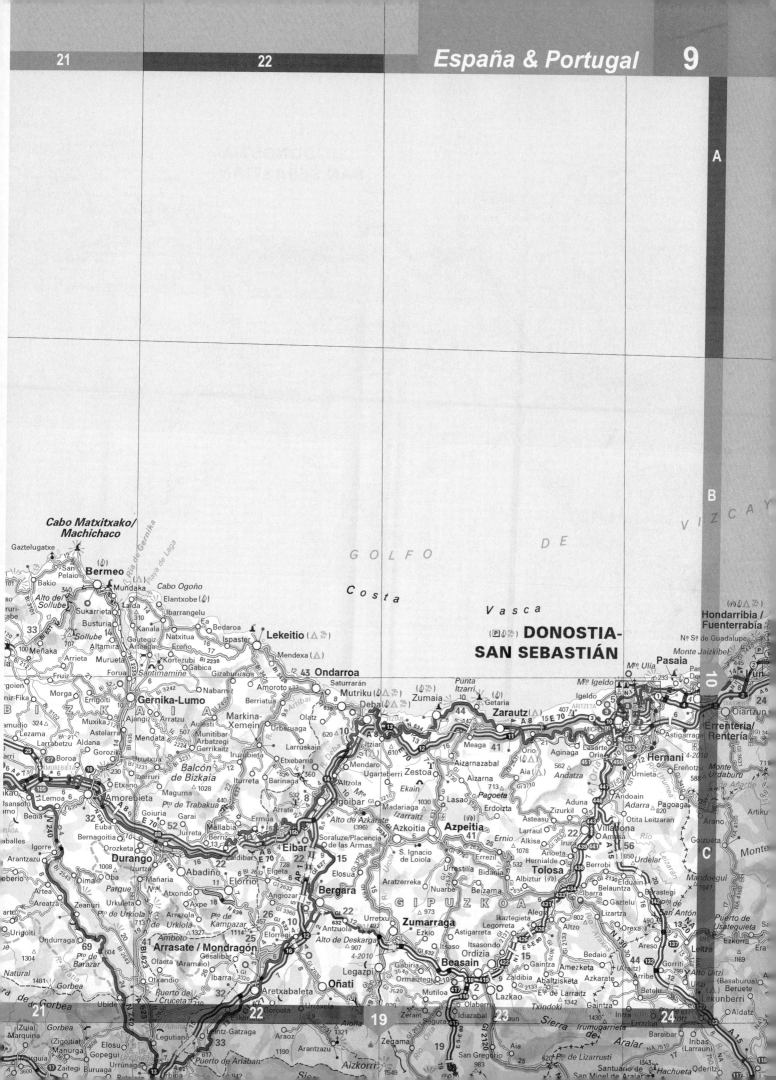

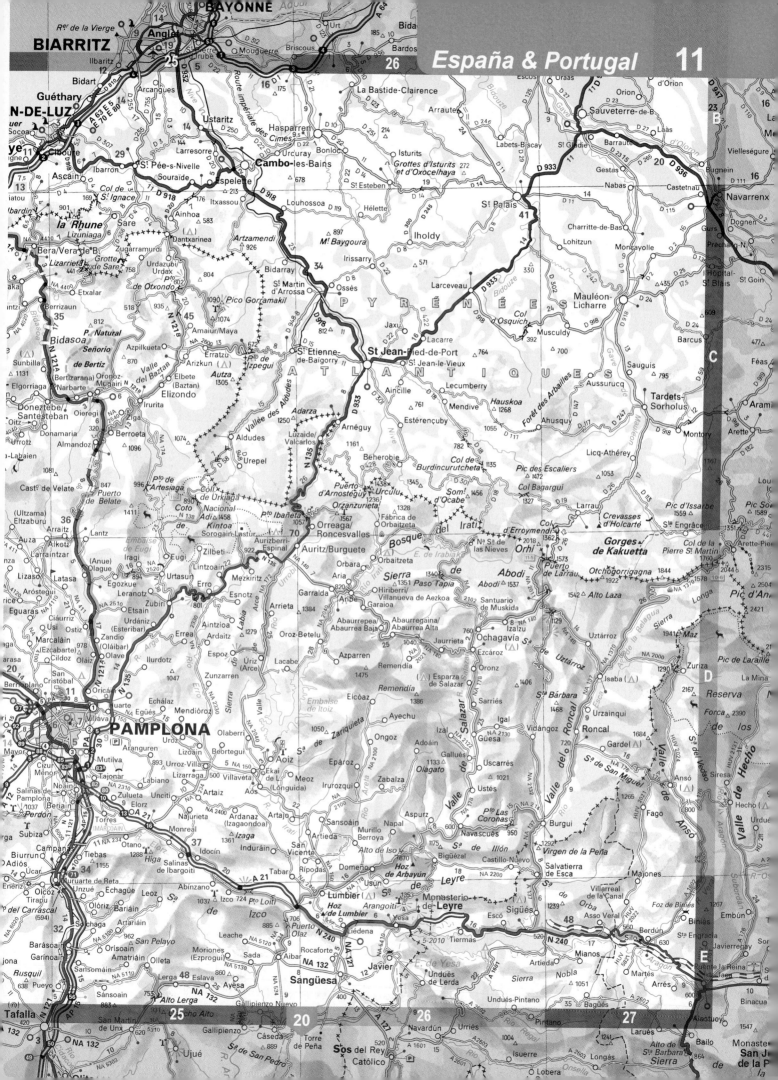

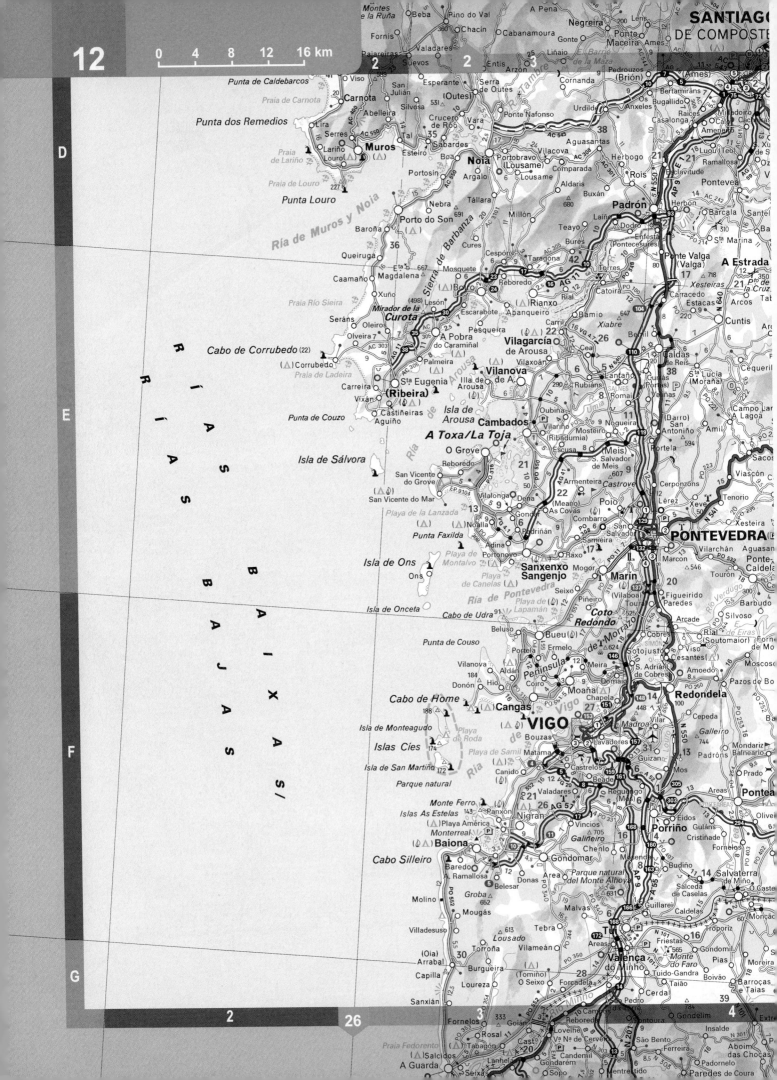

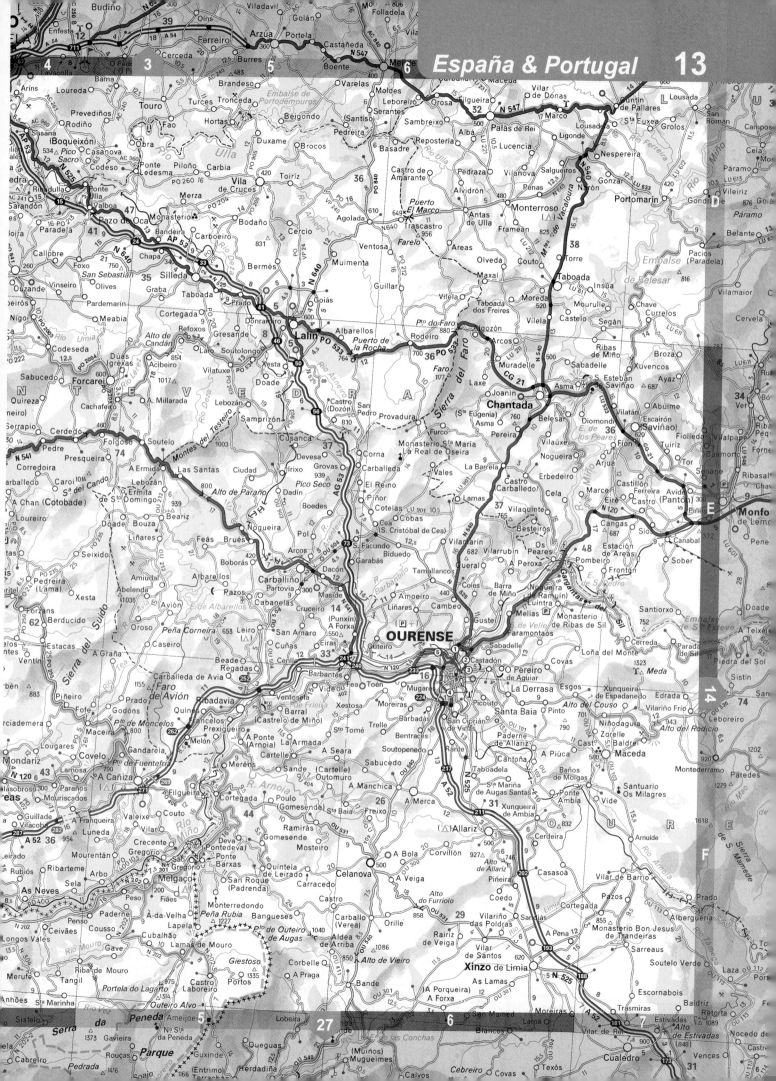

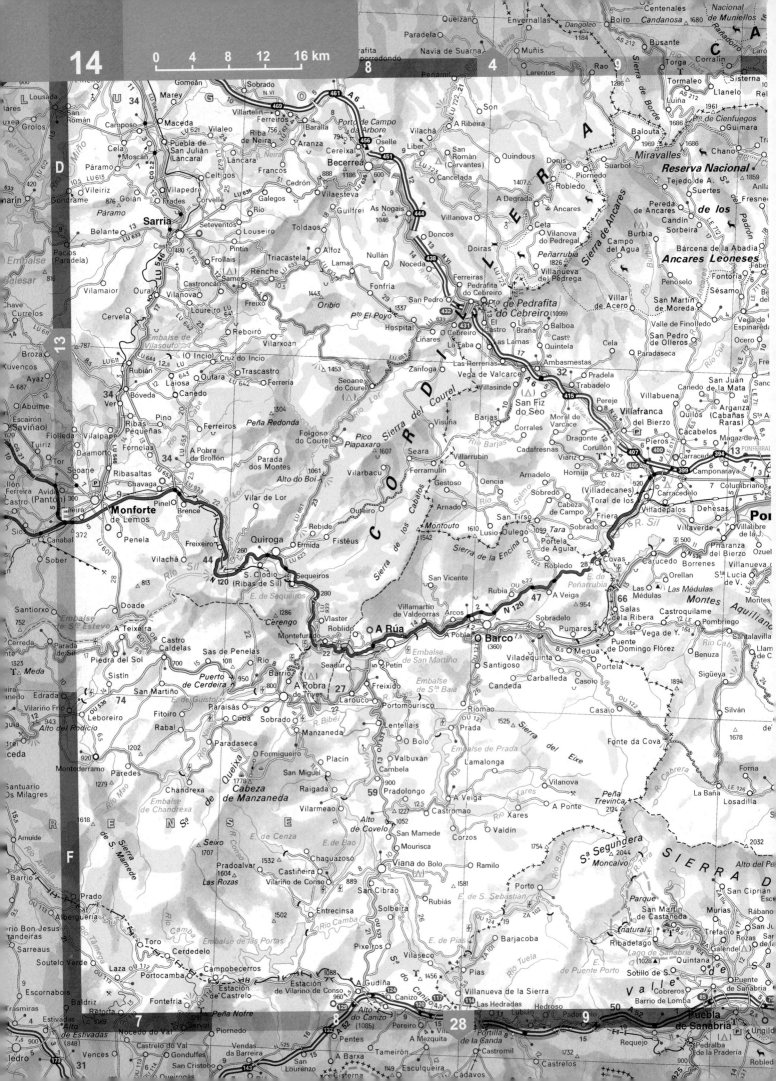

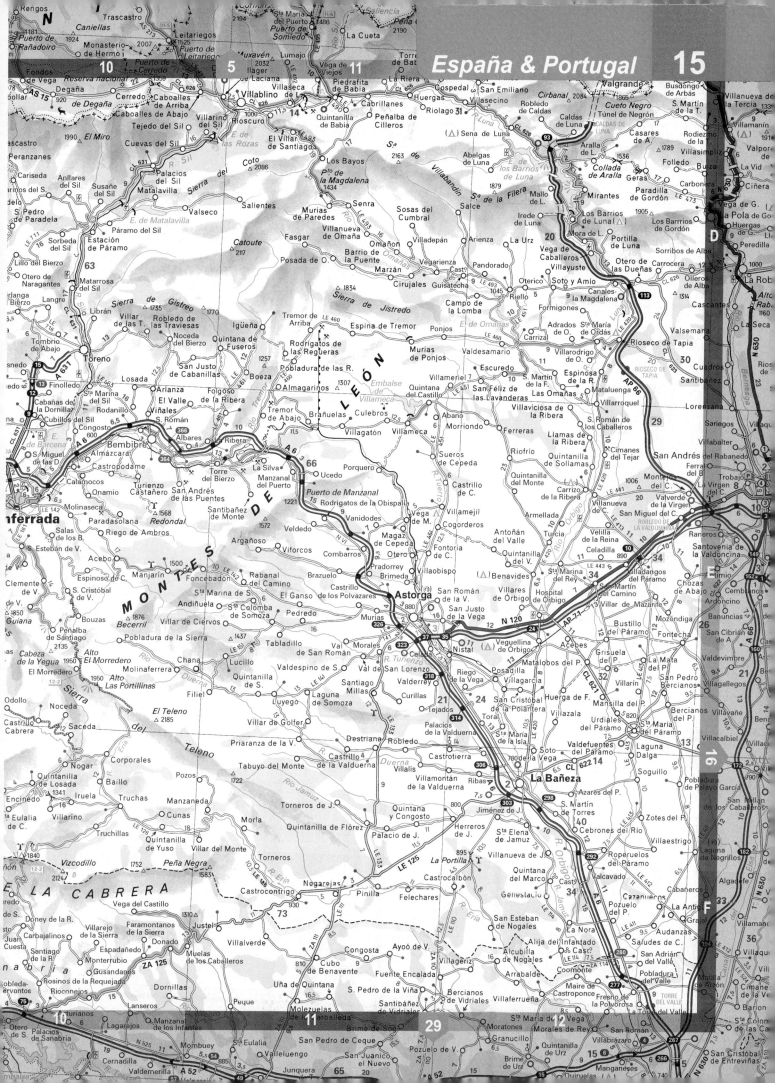

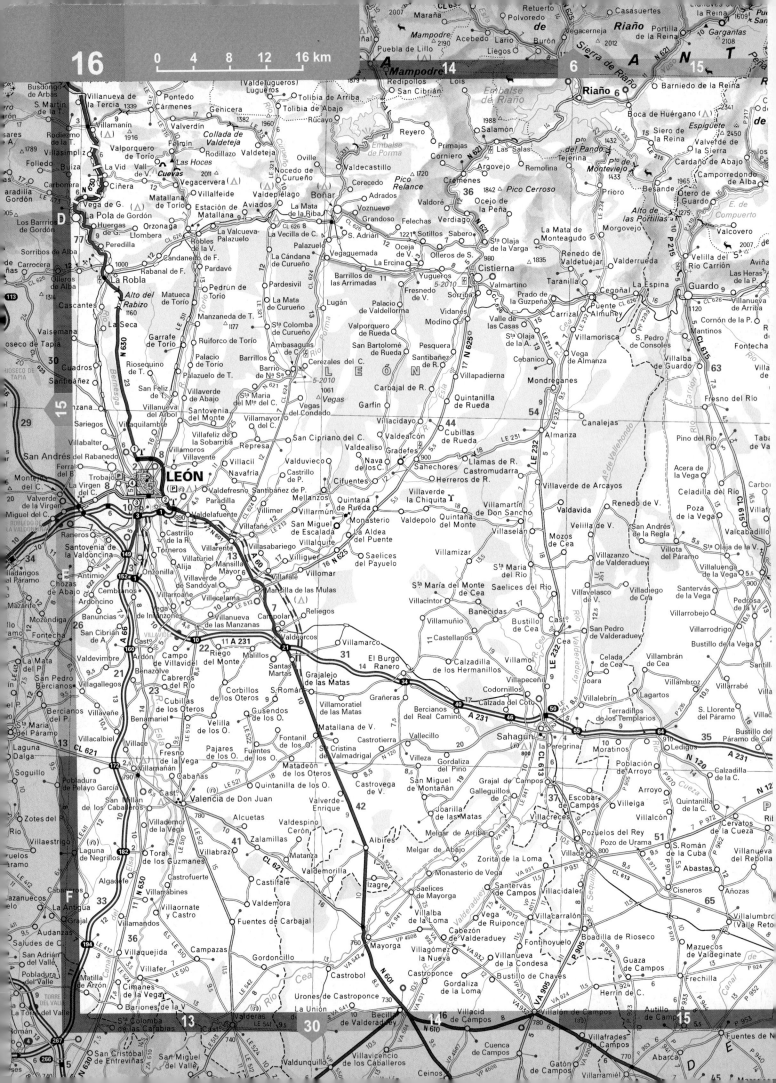

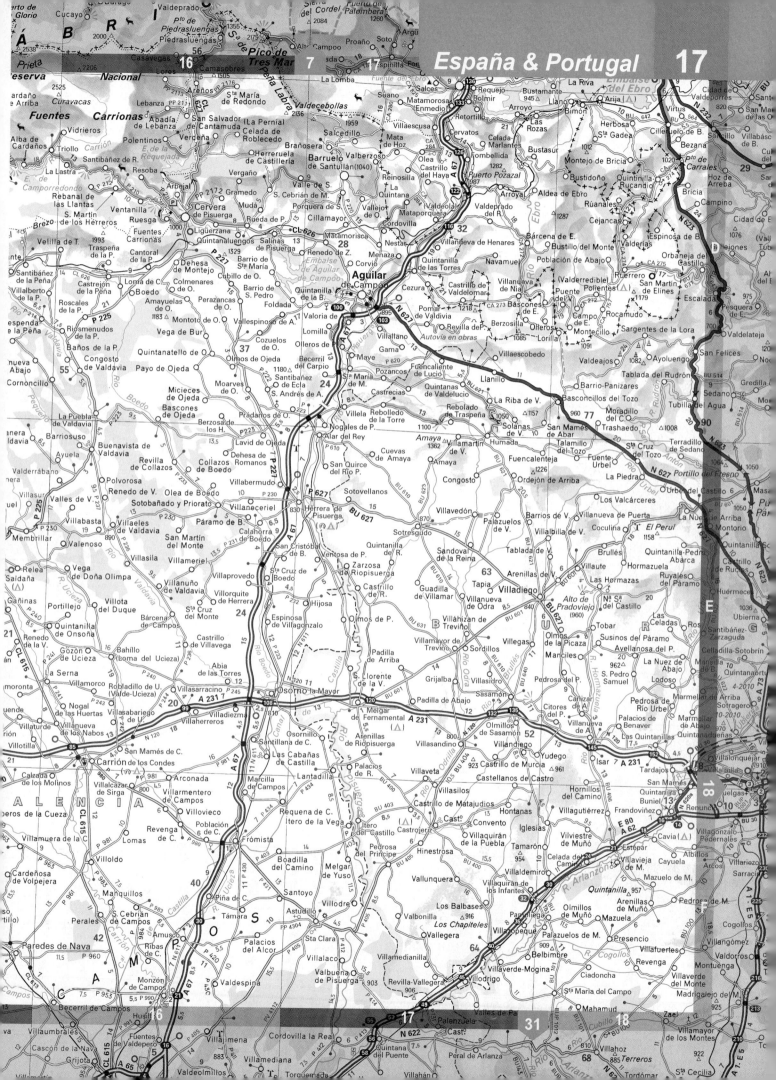

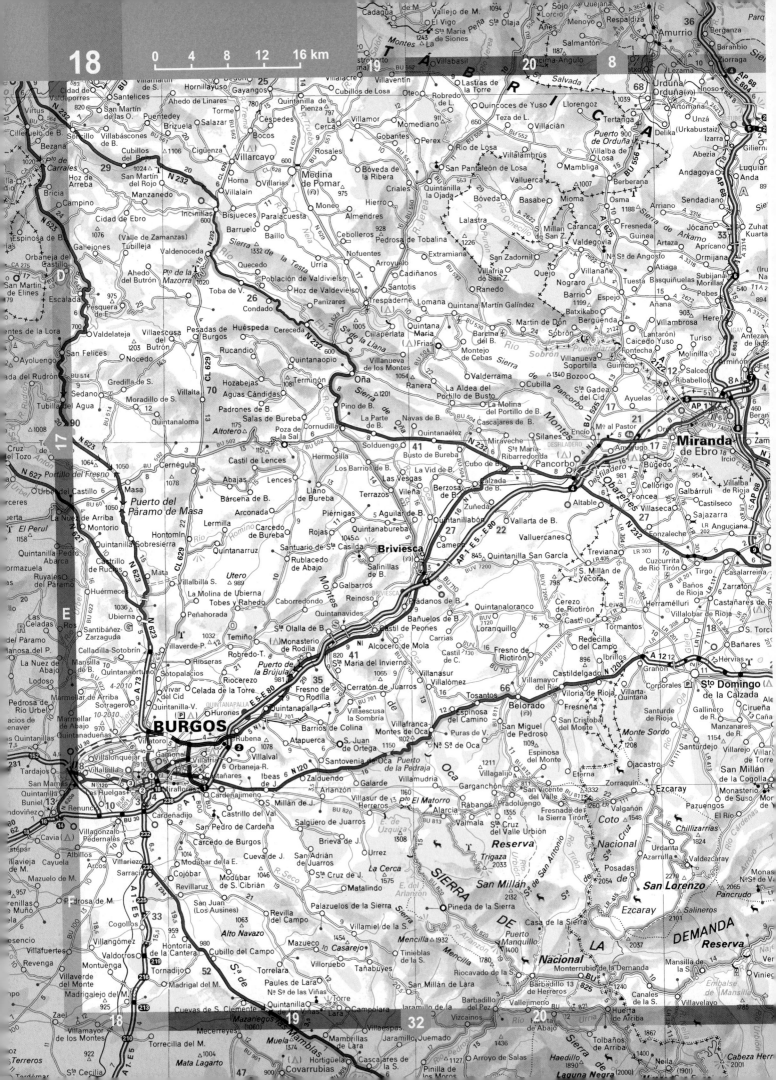

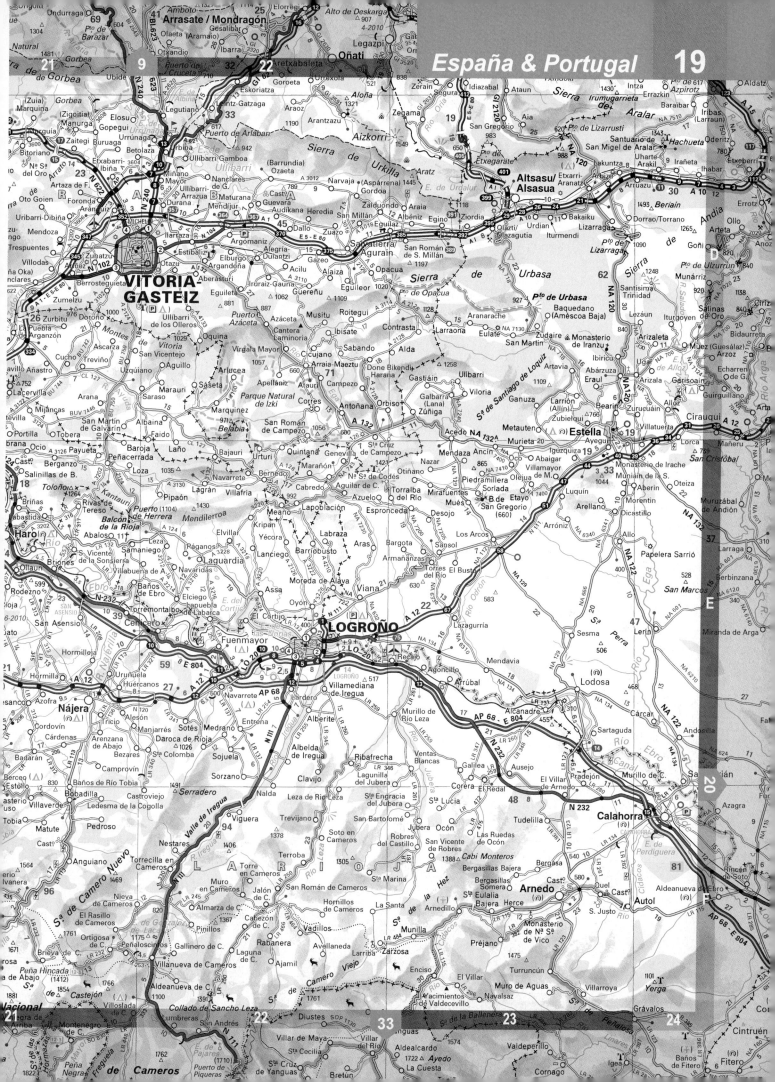

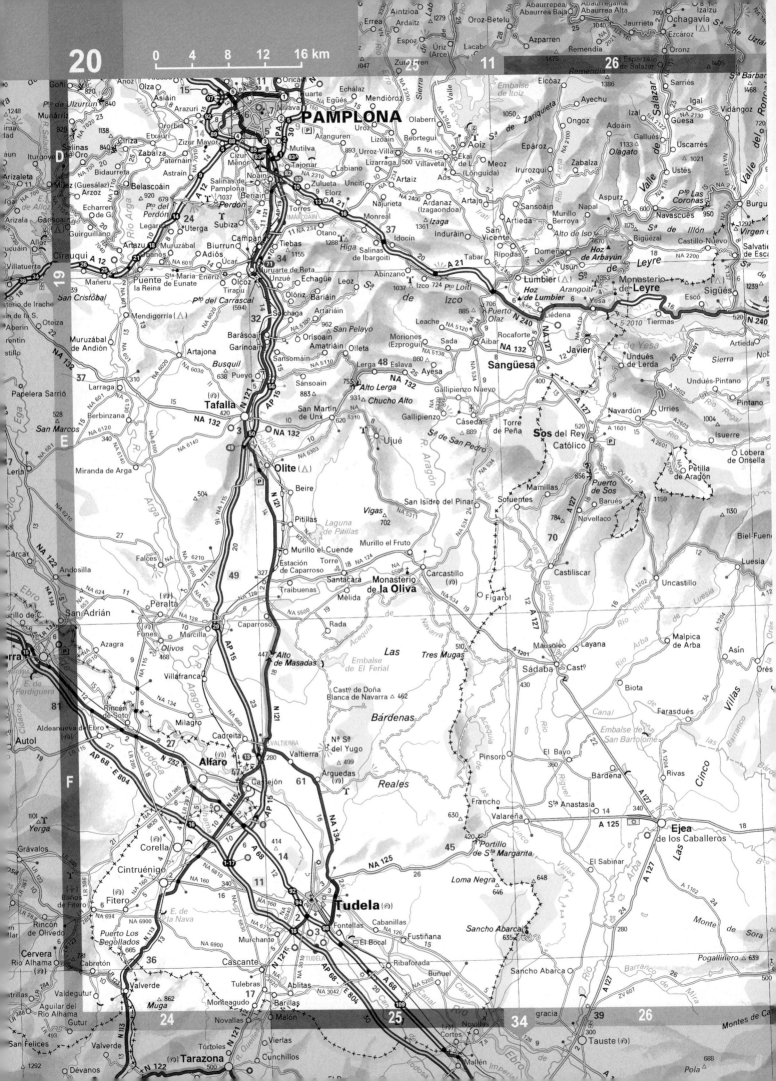

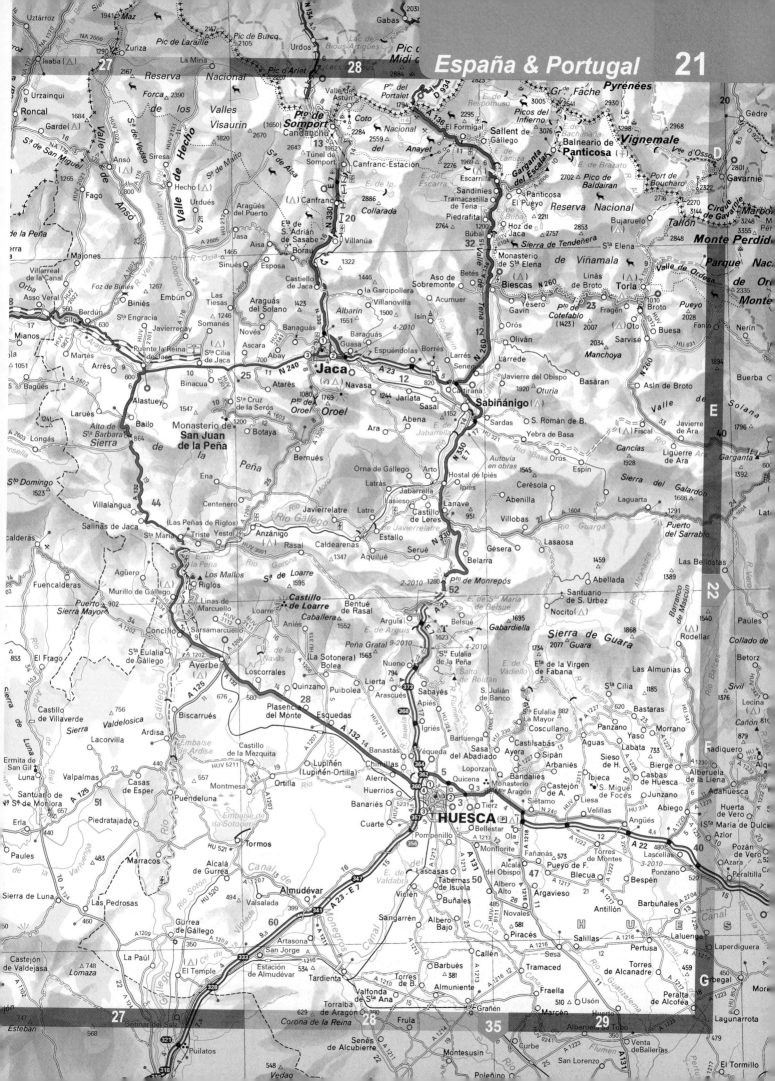

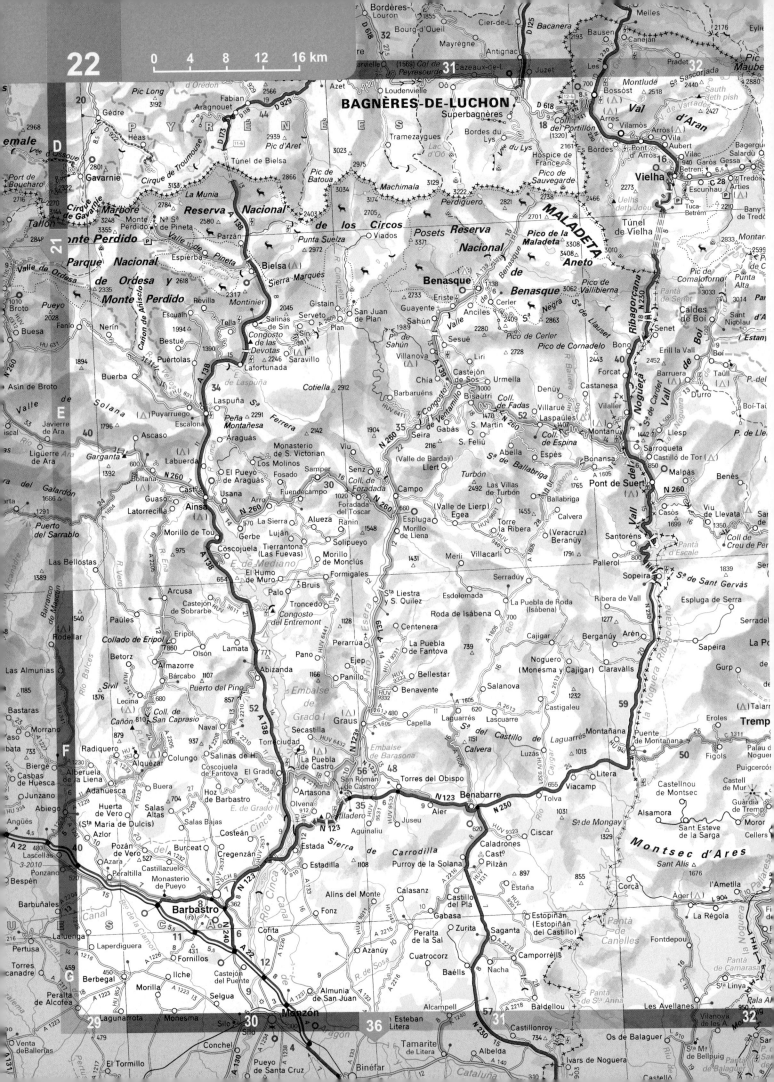

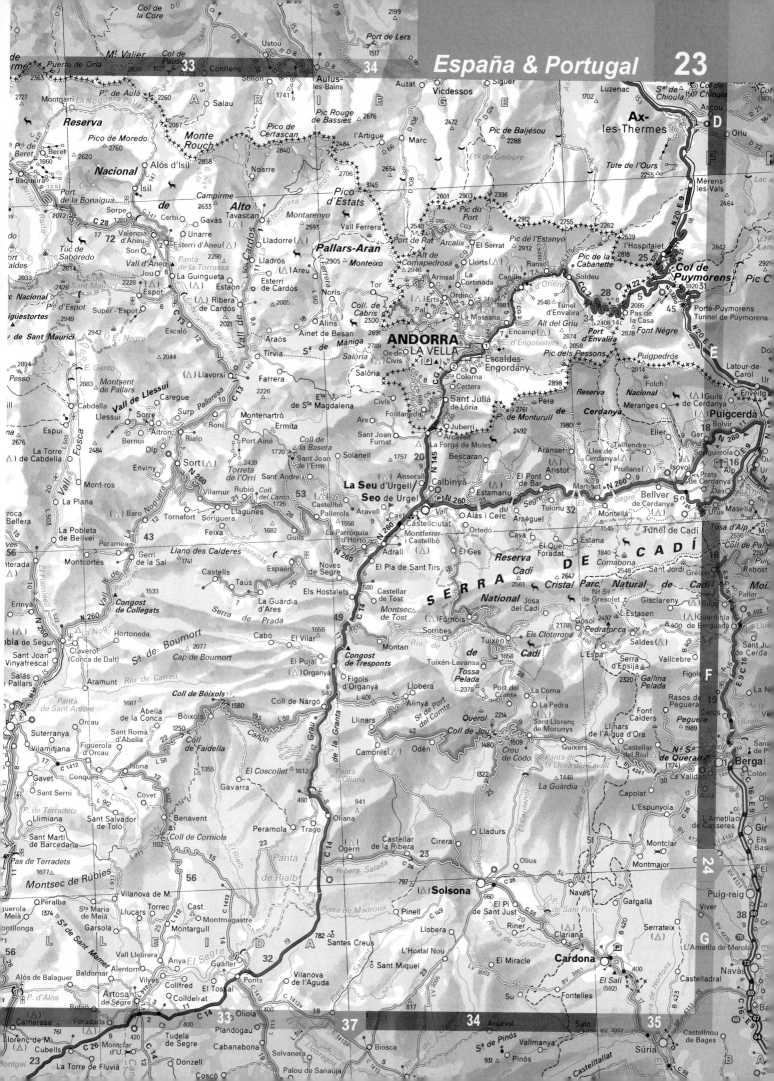

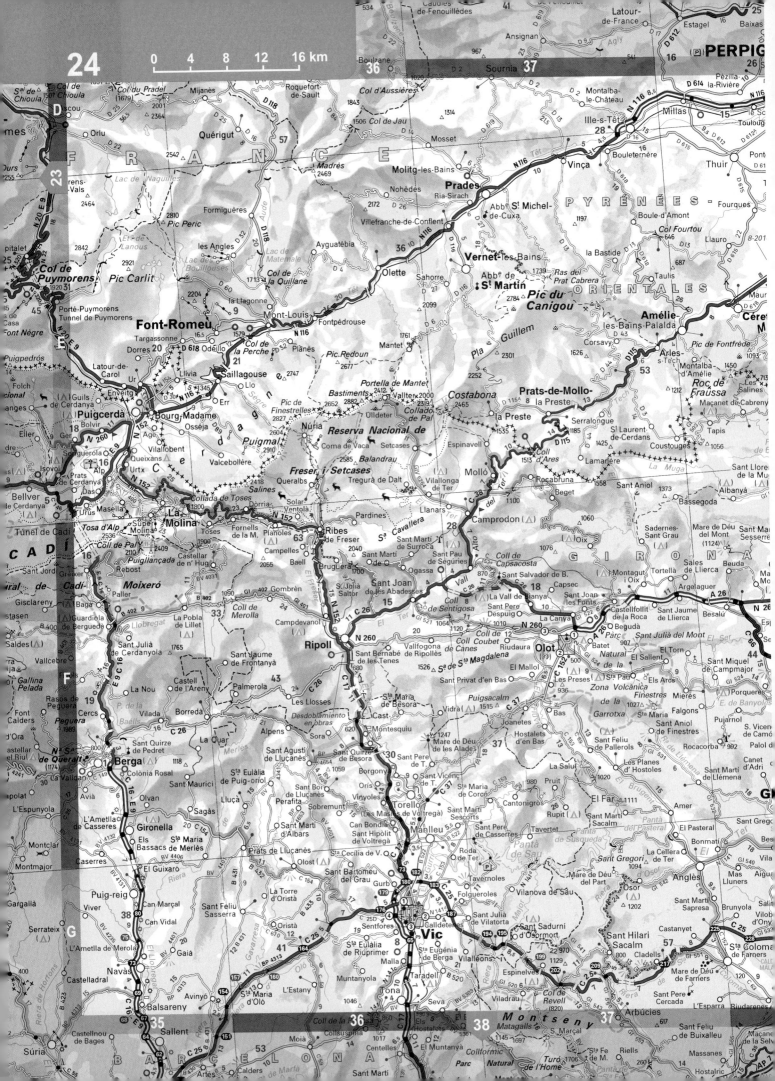

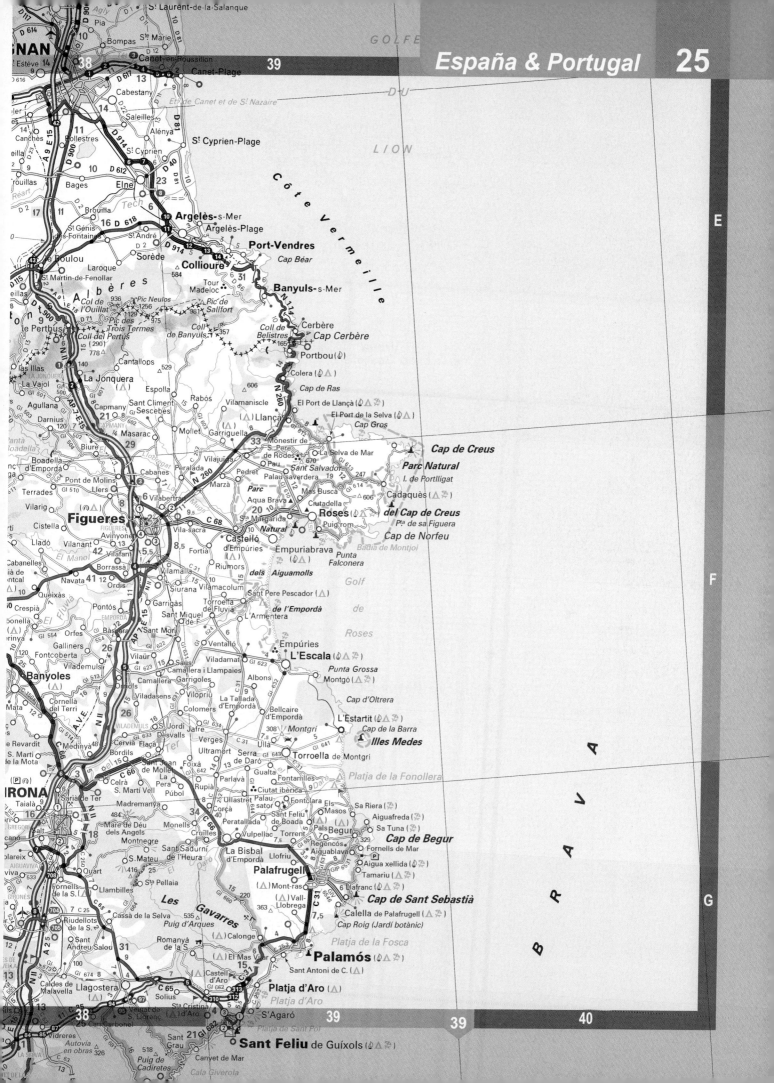

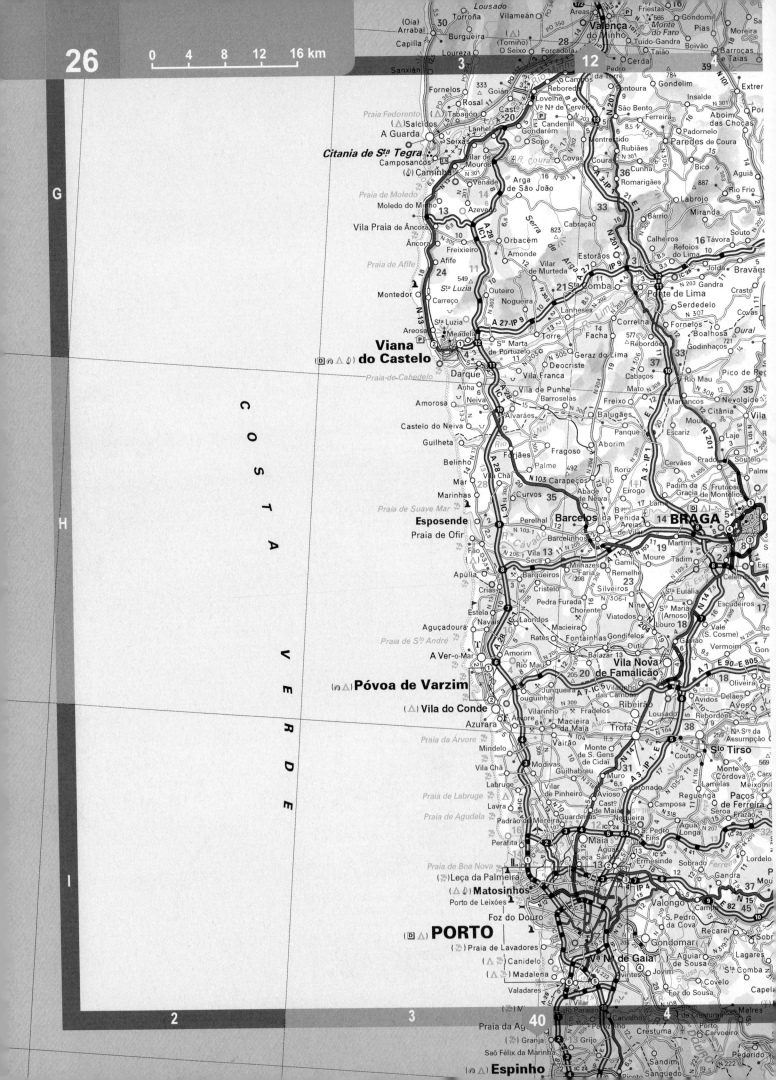

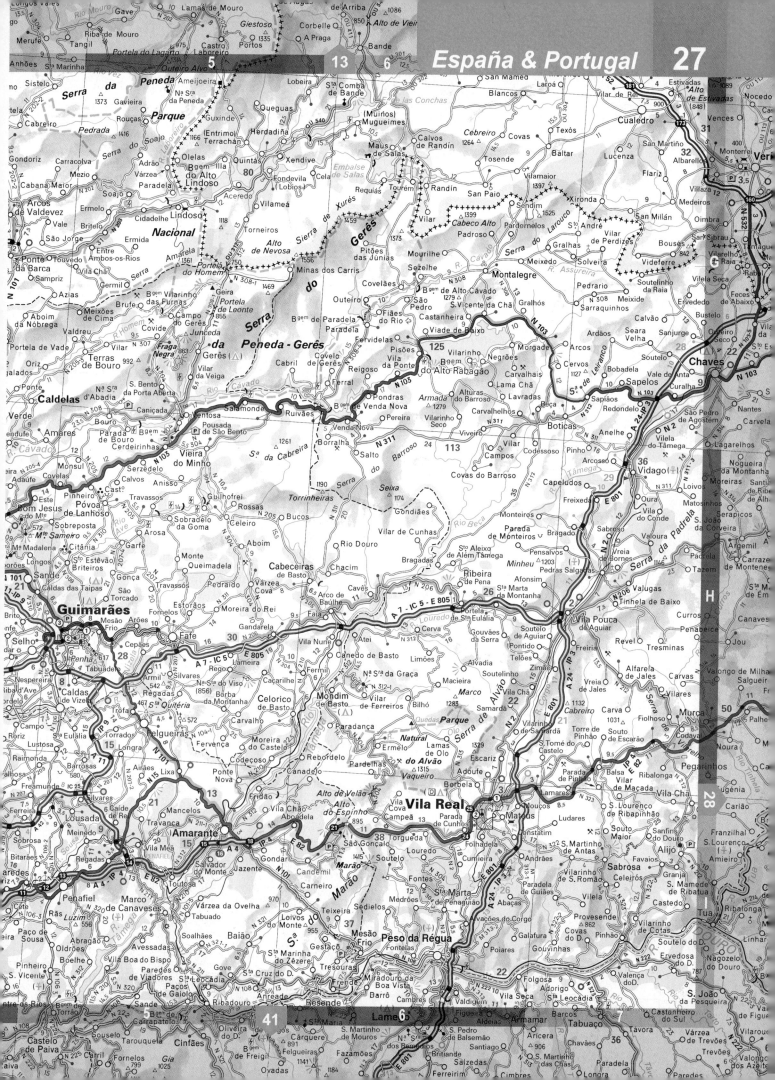

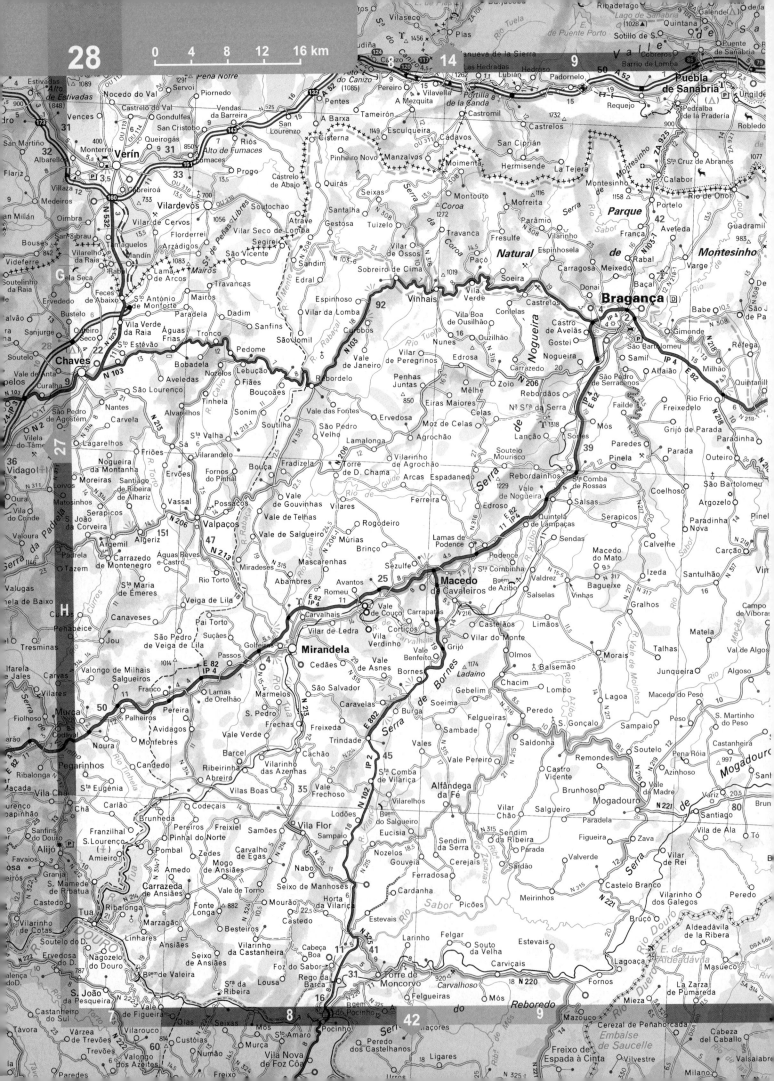

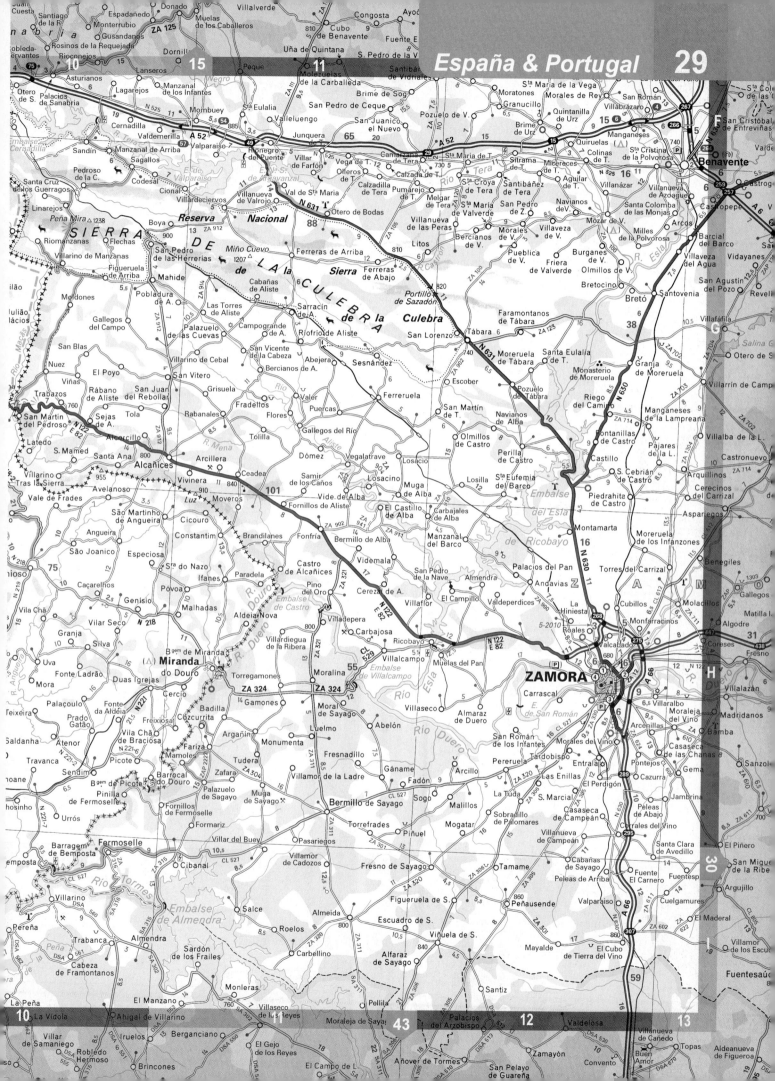

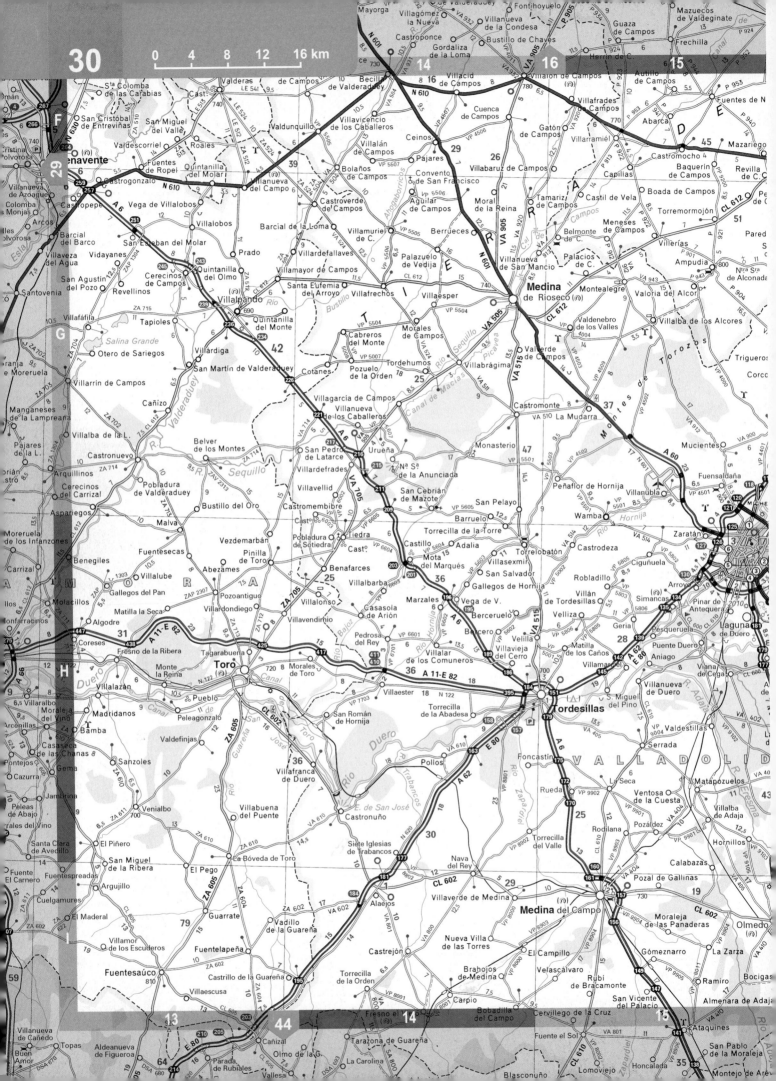

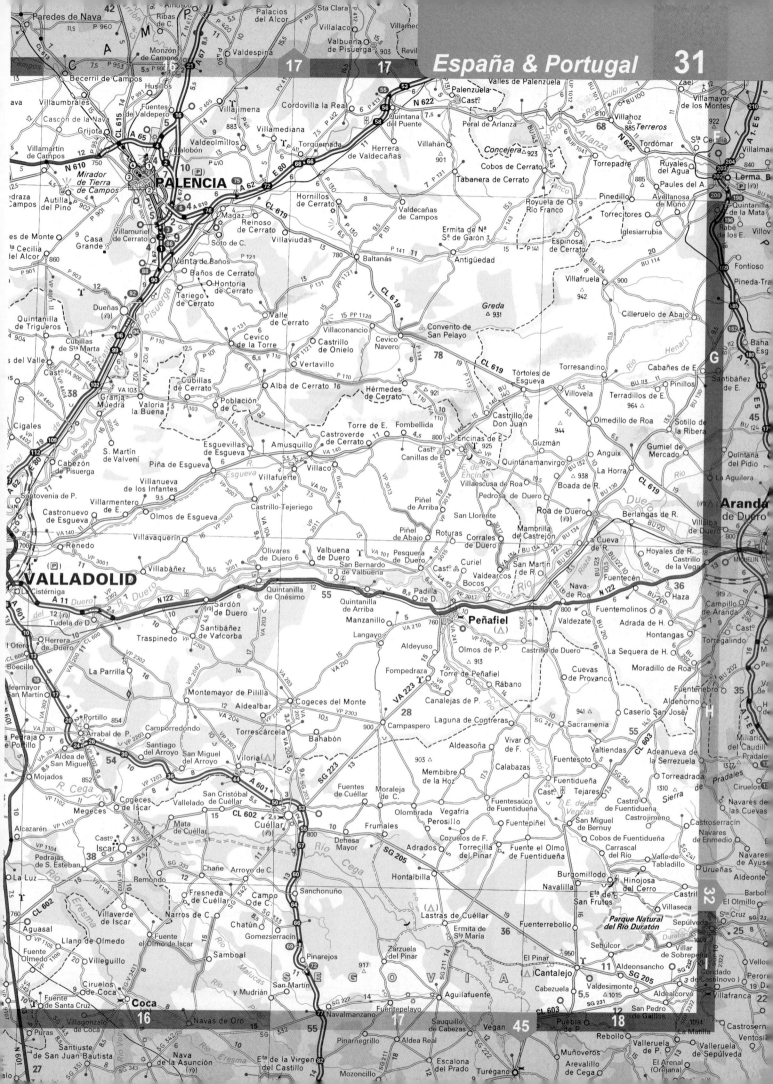

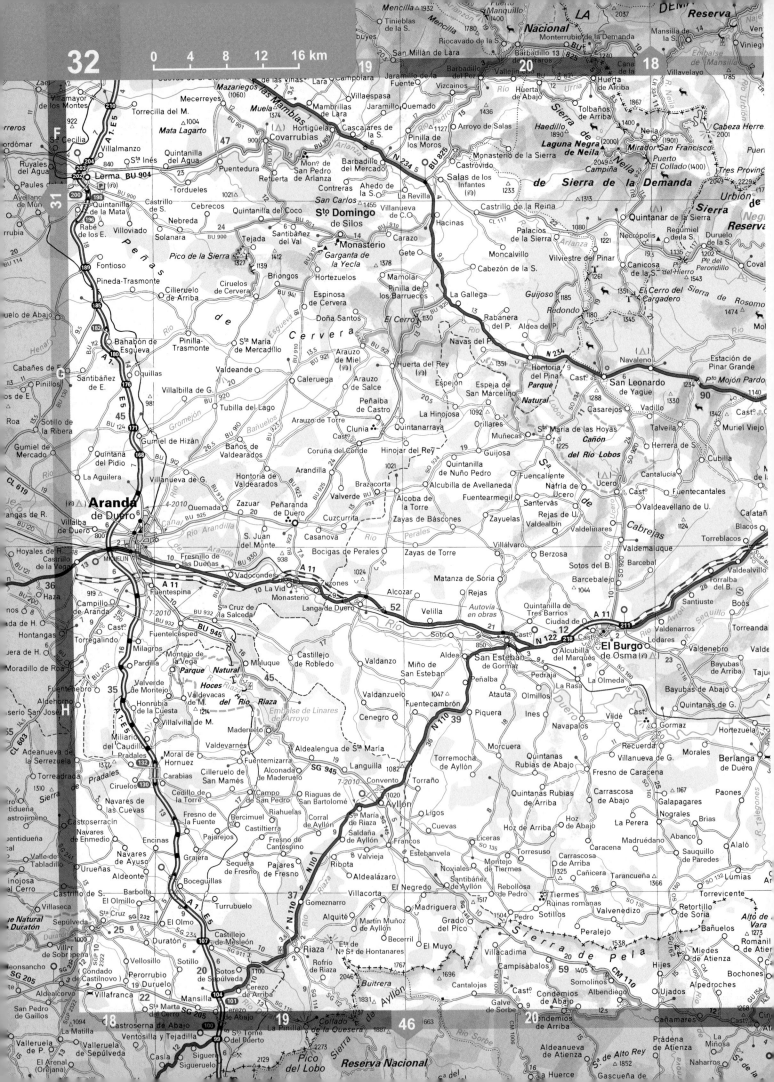

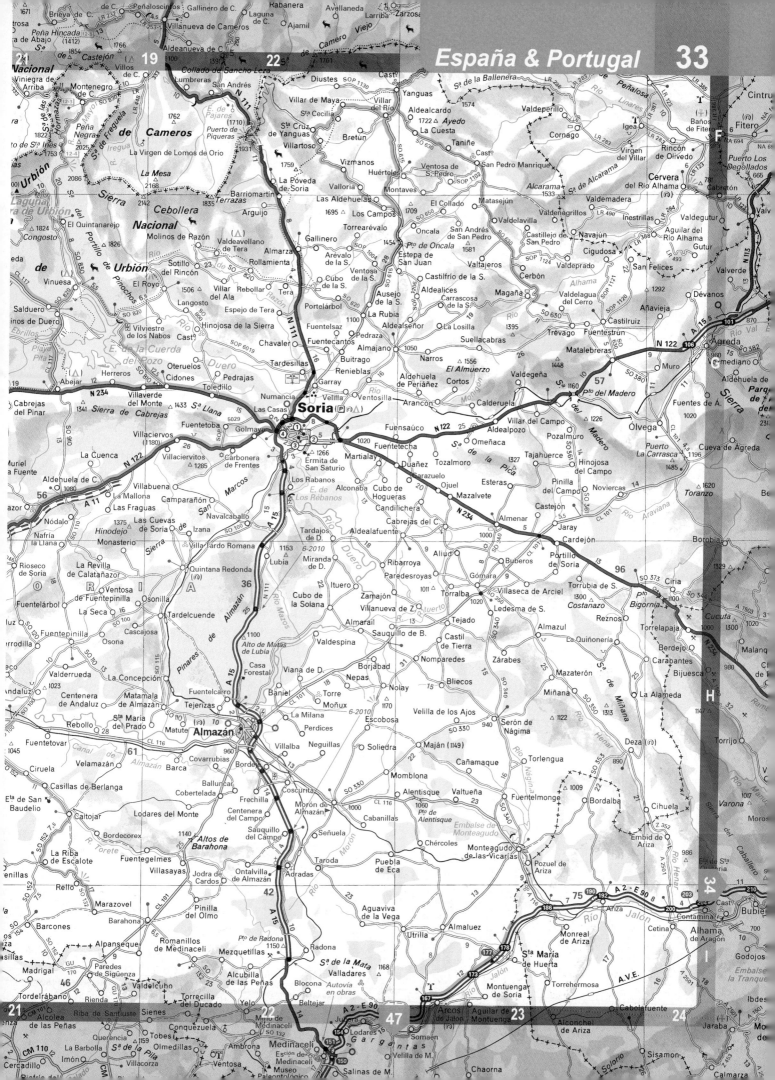

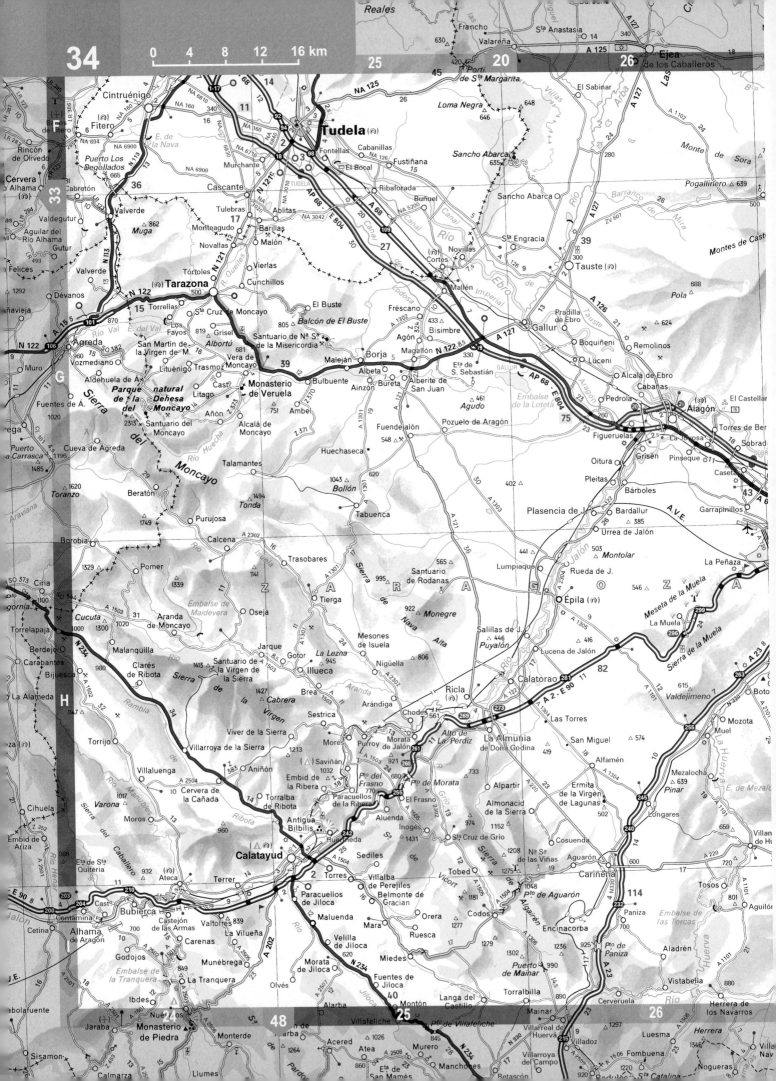

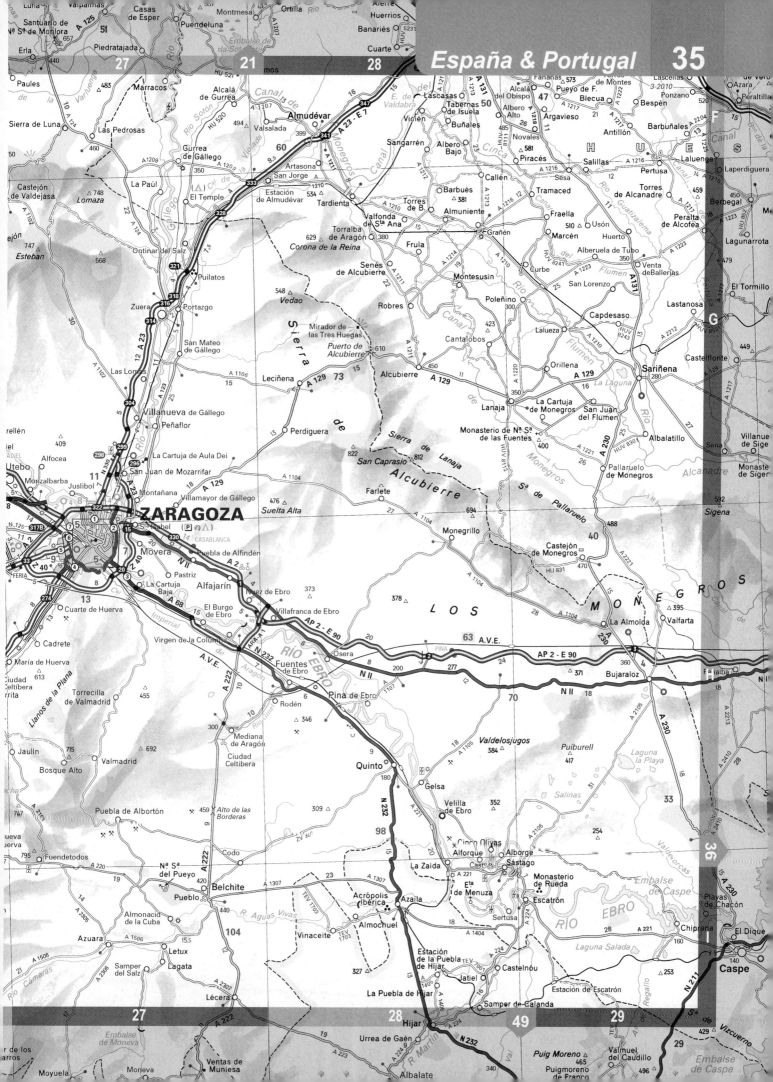

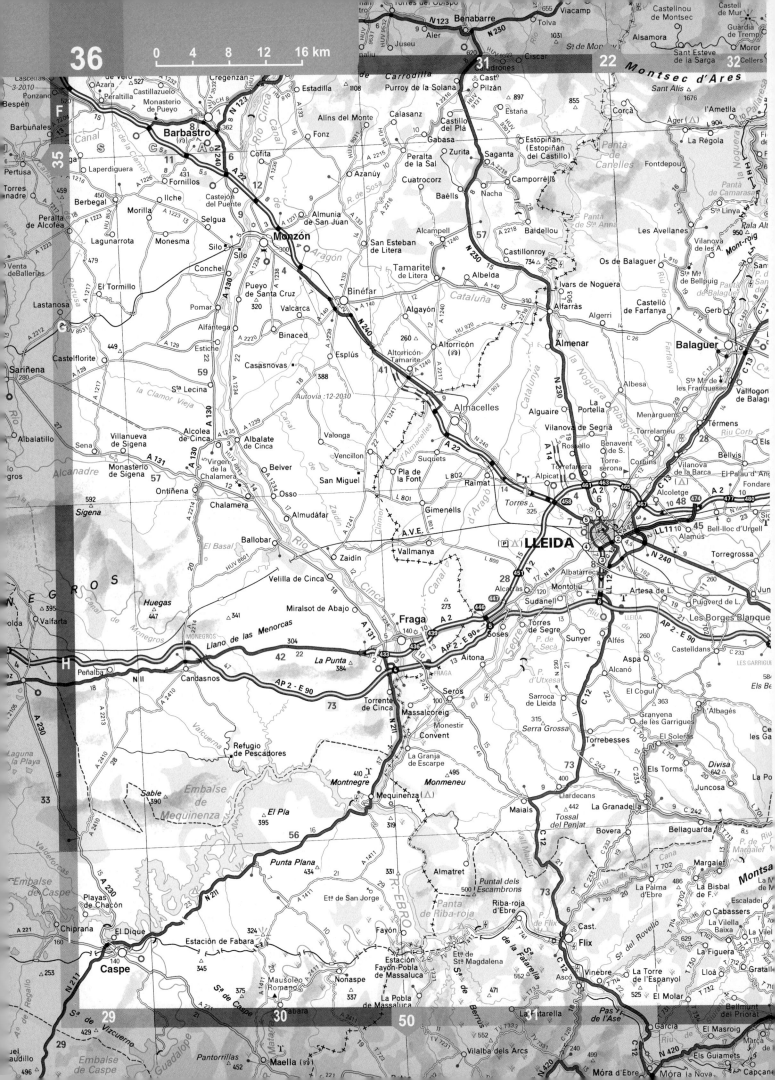

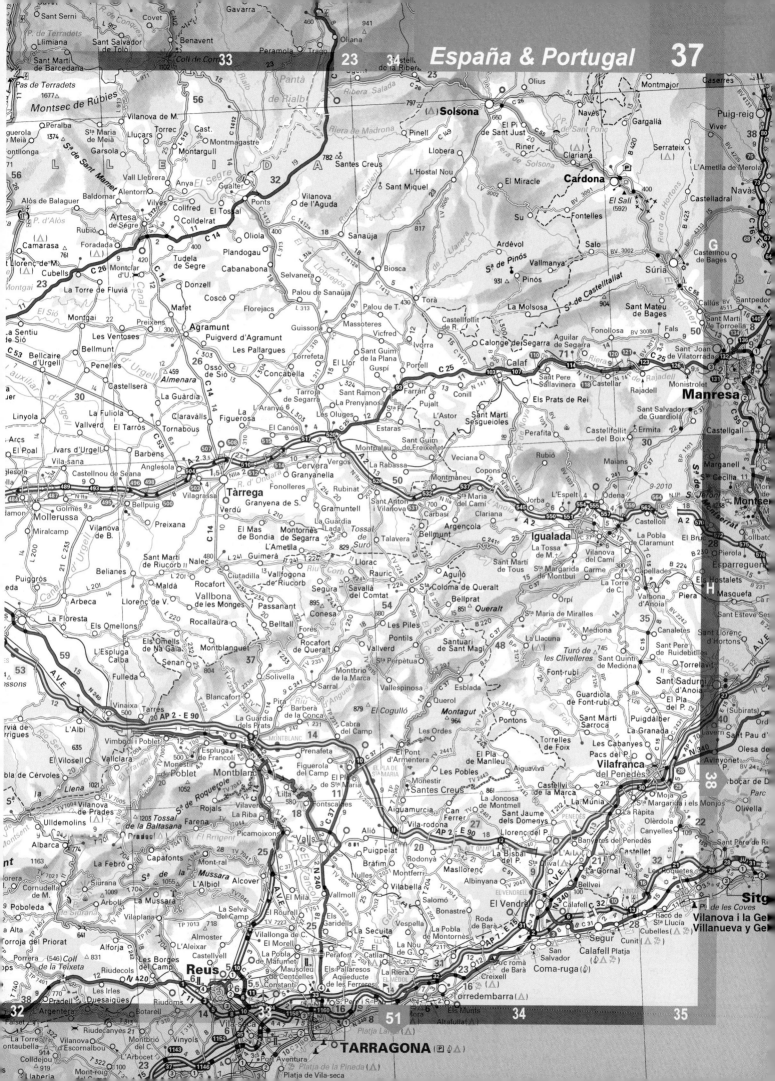

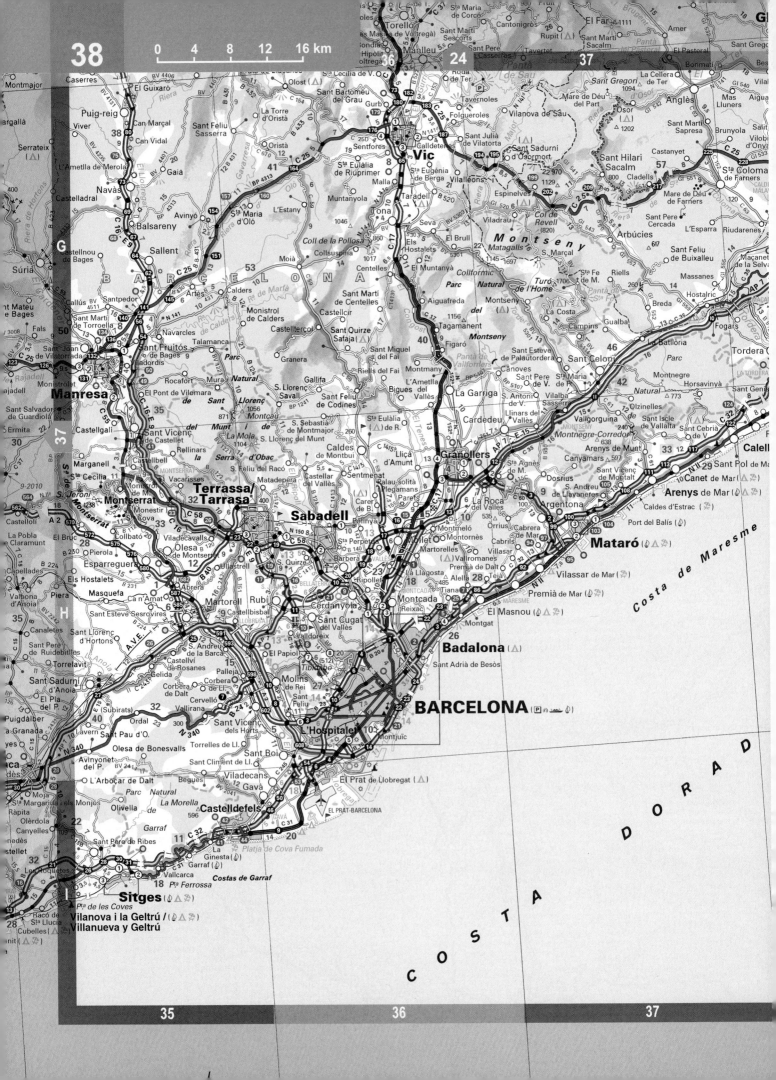

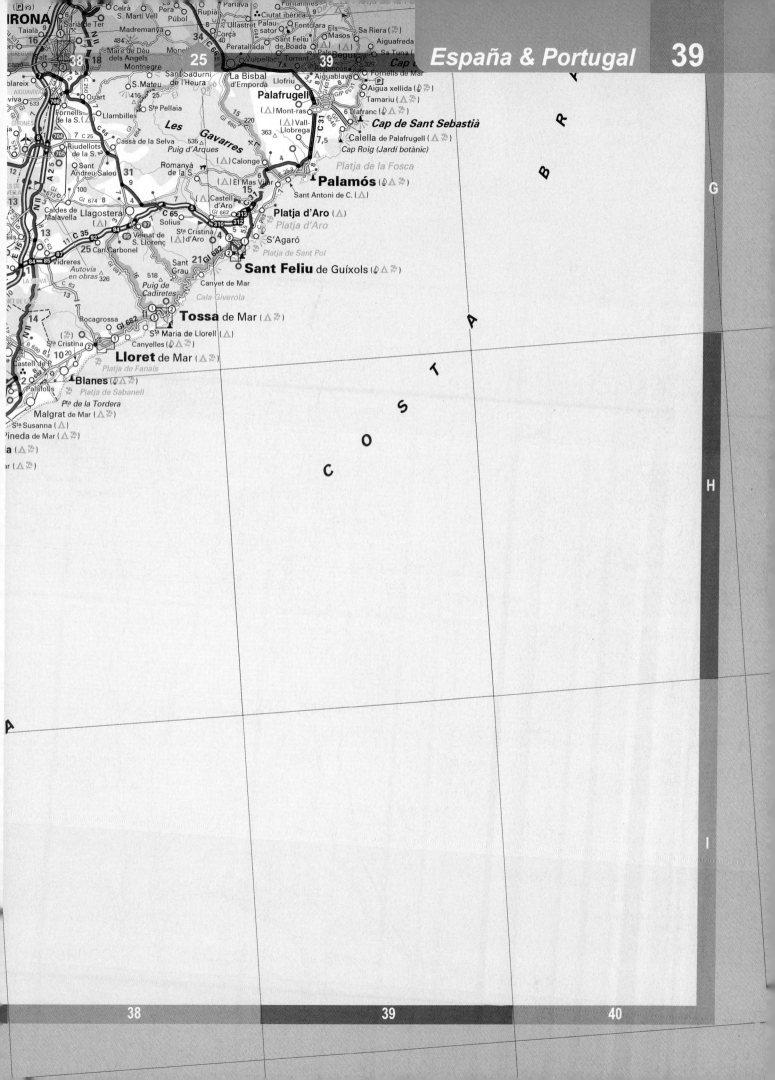

IRONA
Taialà
16

Celrà
S. Martí Vell
Madremanya

Pera
Púbol
Rupià
Partava
Ullastret Palau-
Corçà sator
Peratallada

Ciutat ibèrica
Fontclara
Sant Feliu
de Boada

Sa Riera
Aiguafreda
Sa Tuna

484
Mare de Déu
dels Àngels
Montnegre

Monell
Vulpellac
Torrent
Pals
Begur
Sa Tuna

25
39
Cap

Sant Sadurní
de l'Heura
La Bisbal
d'Empordà
Llofriu

Fornells de Mar

S. Mateu
Quart
416
25

El Daró

Aigua xellida
Tamariu

Sta Pellaia

Palafrugell

Fornells
de la S.
Llambilles

15
220

Mont-ras
Llafranc

Cap de Sant Sebastià

Riudellots
de la S.
Cassà de la Selva

Les Gavarres

Vall-
Llobrega

Calella de Palafrugell

Puig d'Arques

363
Cap Roig (Jardí botànic)

Sant
Andreu Salou

31

Romanyà
de la S.

El Mas Vilar
Calonge

15
Palamós

Caldes de
Malavella
Llagostera

Castell
d'Aro

Sant Antoni de C.

Vidreres
Solius

Platja de la Fosca

Veïnat de
S. Llorenç

Sta Cristina
d'Aro

Platja d'Aro

Can Carbonel

Platja d'Aro

S'Agaró

Sant
Grau

Platja de Sant Pol

Autovía
en obras
518

Canyet de Mar

Sant Feliu de Guíxols

Puig de
Cadiretes

Cala Giverola

Rocagrossa

Tossa de Mar

Sta Cristina

Sta Maria de Llorell

Canyelles

Castell de P.

Lloret de Mar

Platja de Fanals

Palafolls

Blanes

Platja de Sabanell

Pta de la Tordera

Malgrat de Mar

Sta Susanna

Pineda de Mar

C
O
S
T
A
B
R

G

H

I

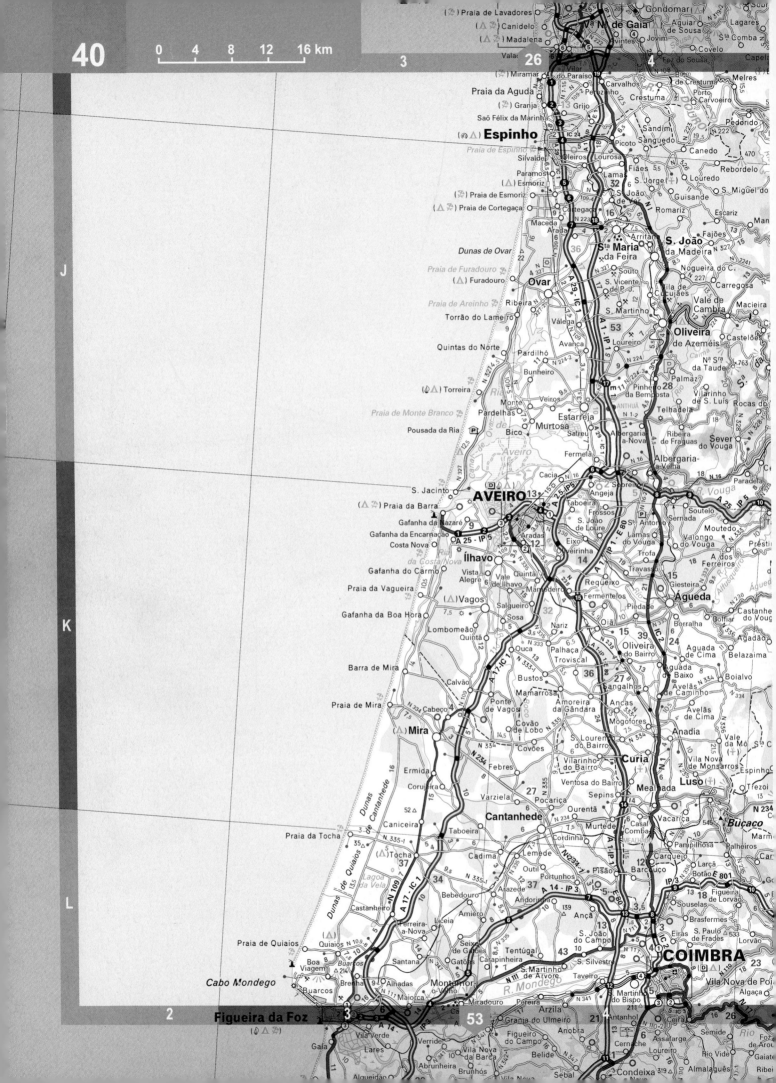

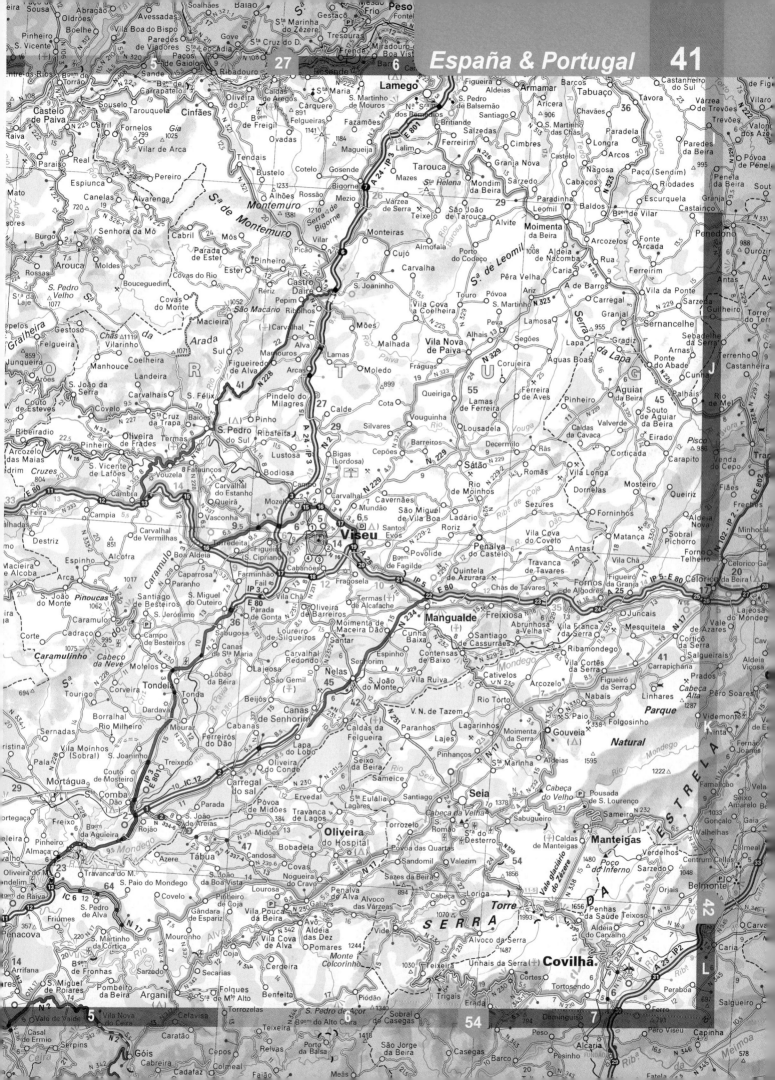

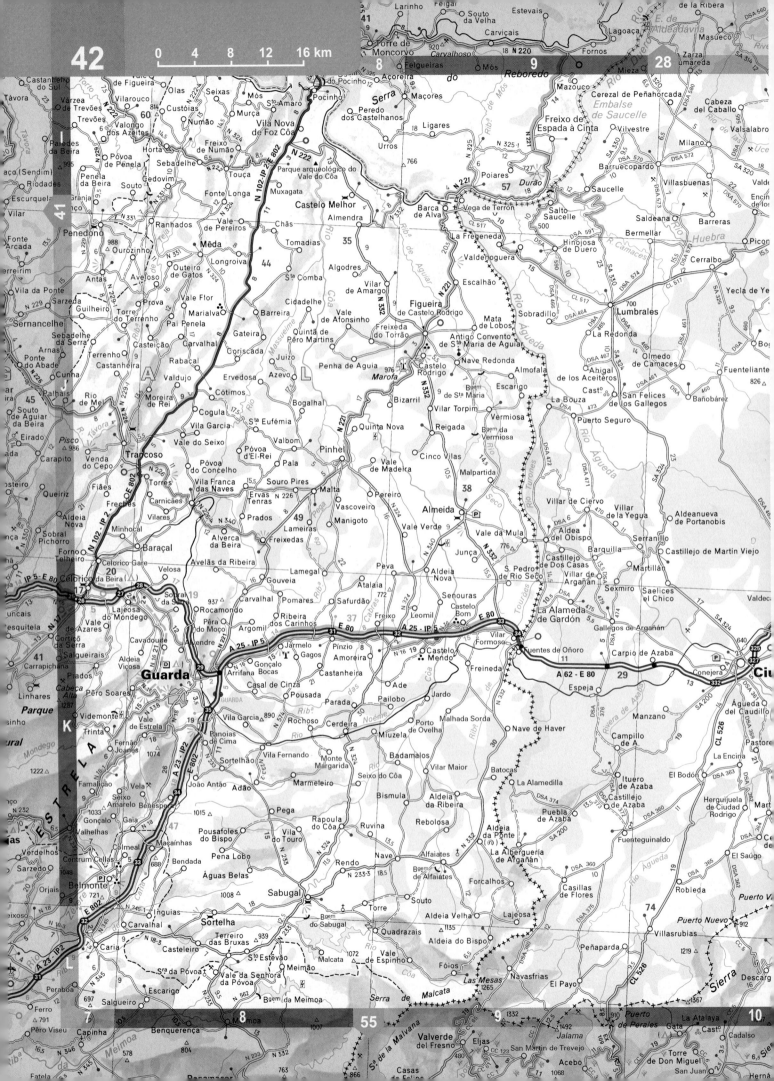

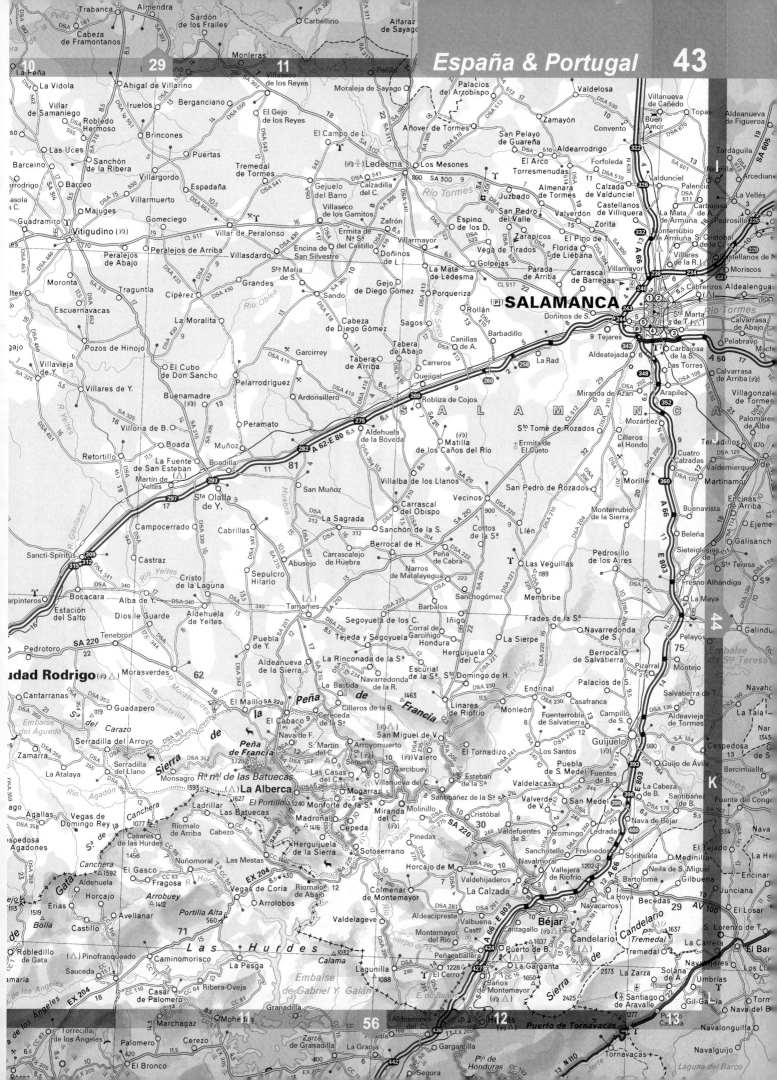

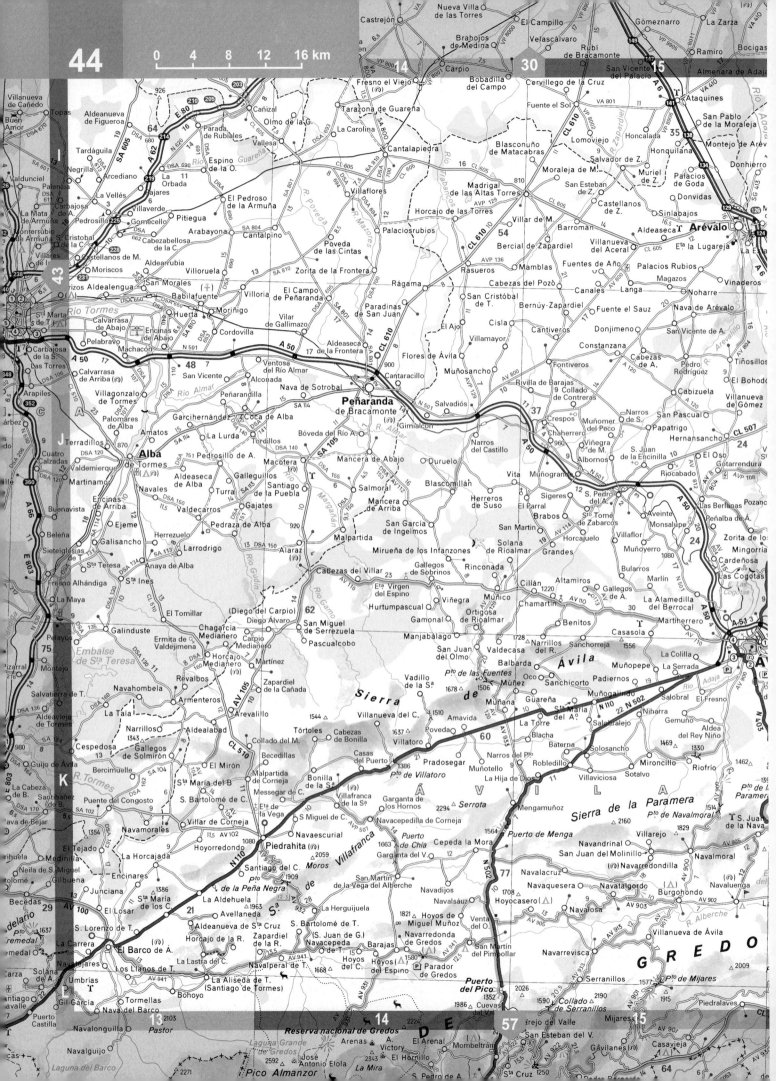

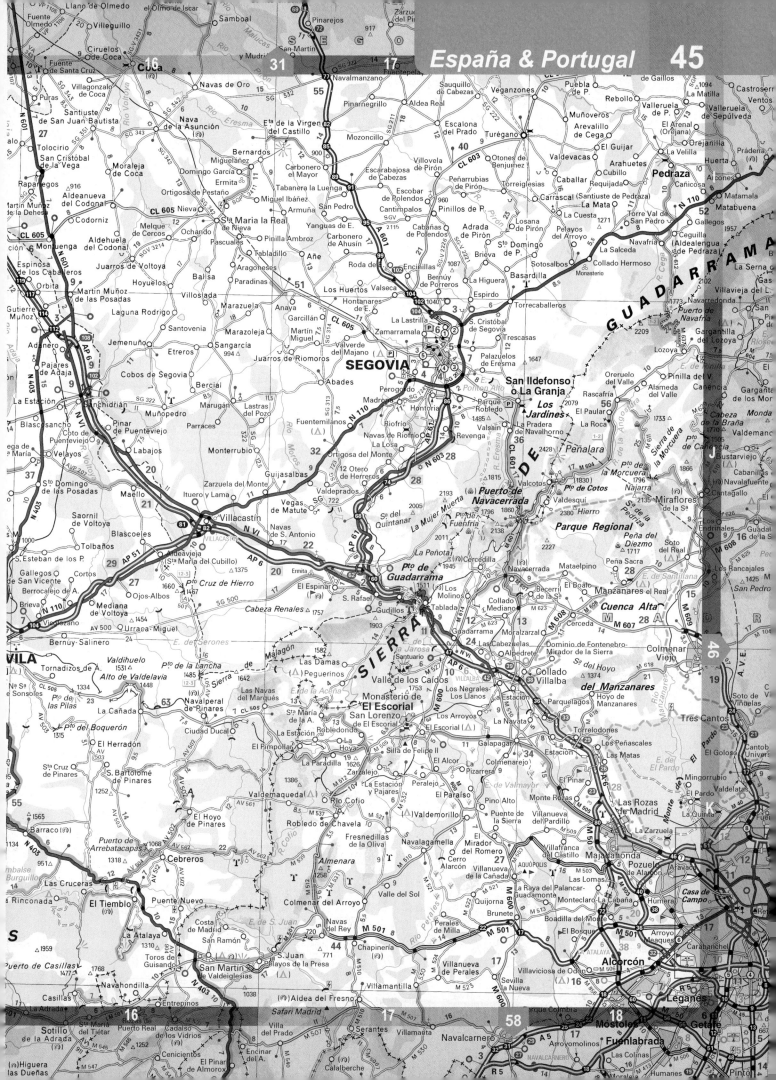

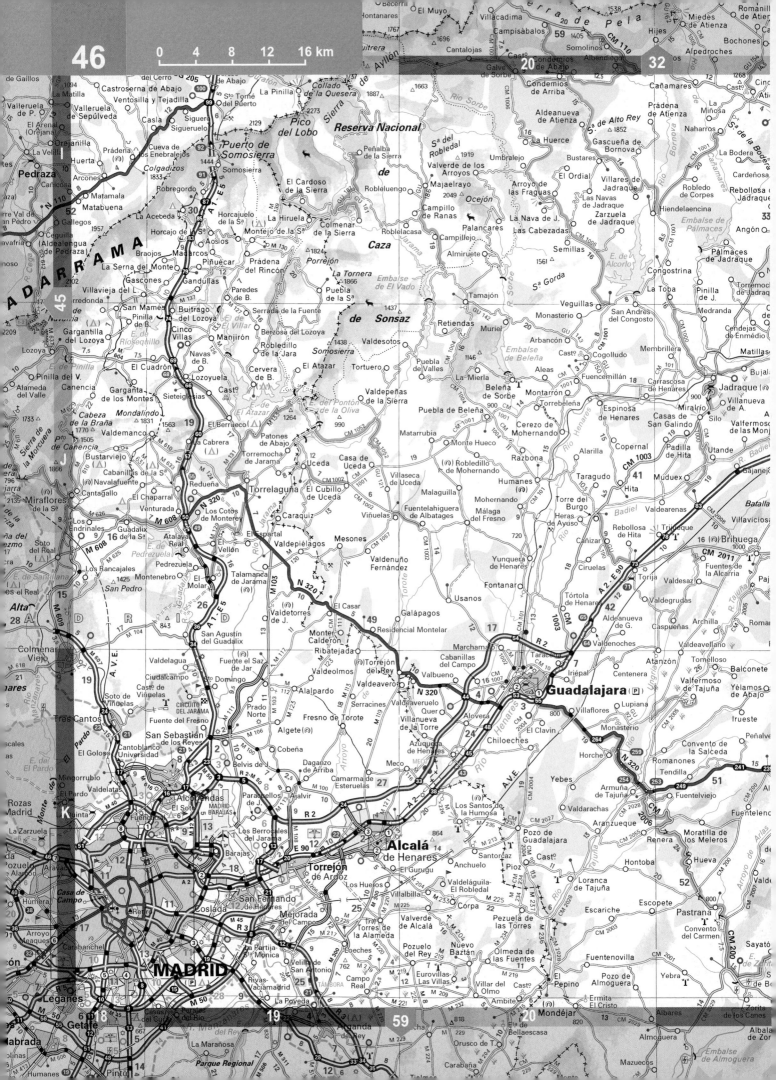

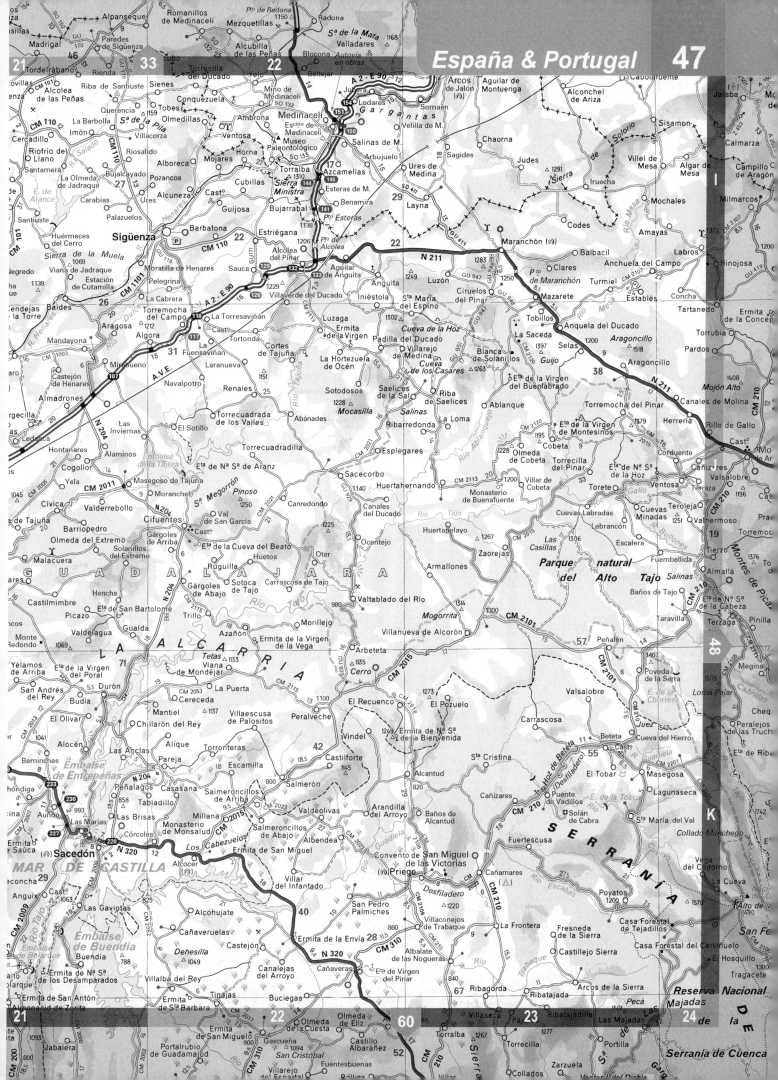

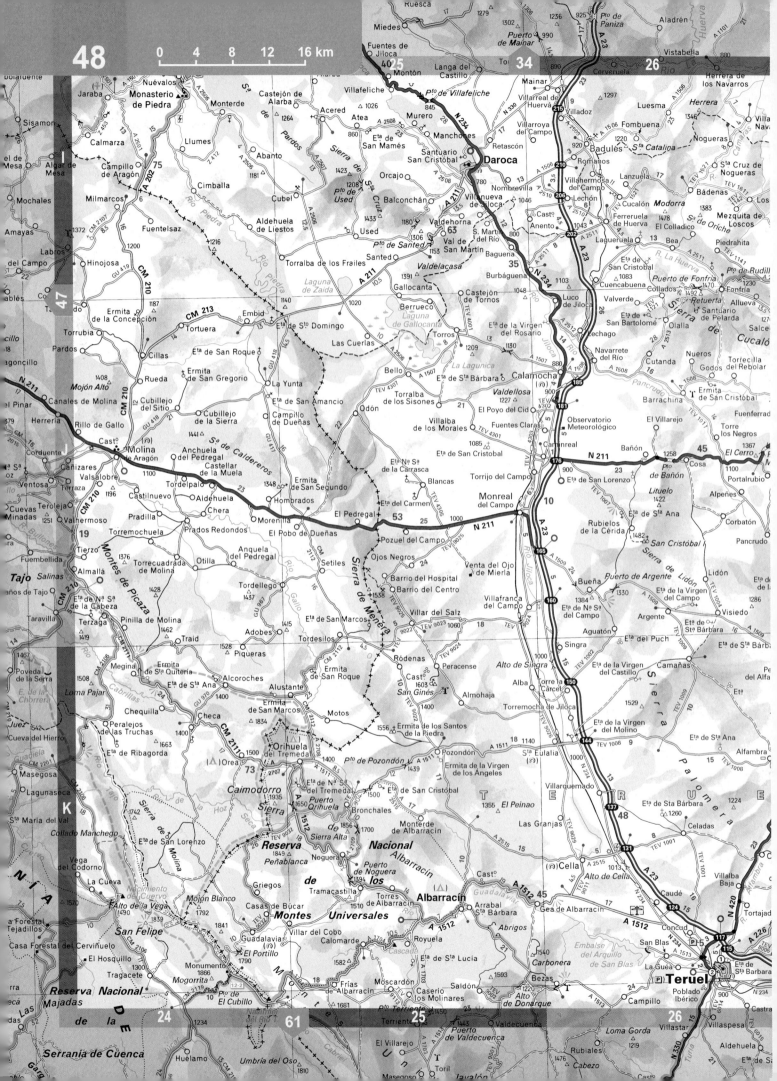

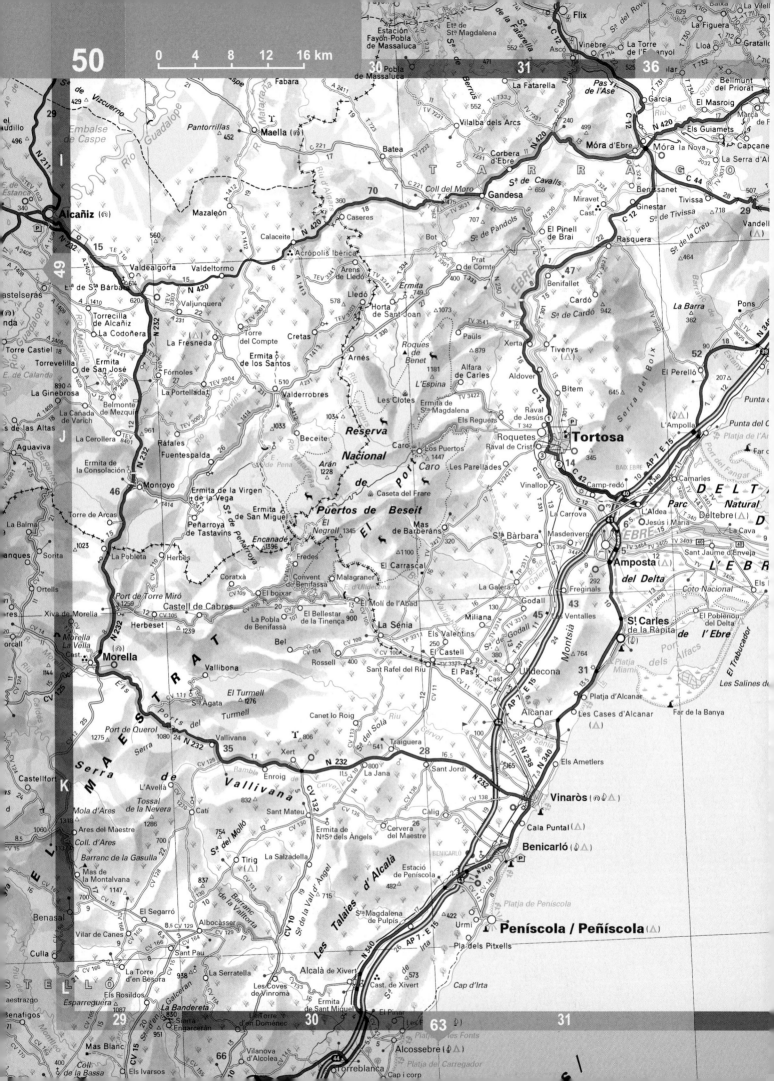

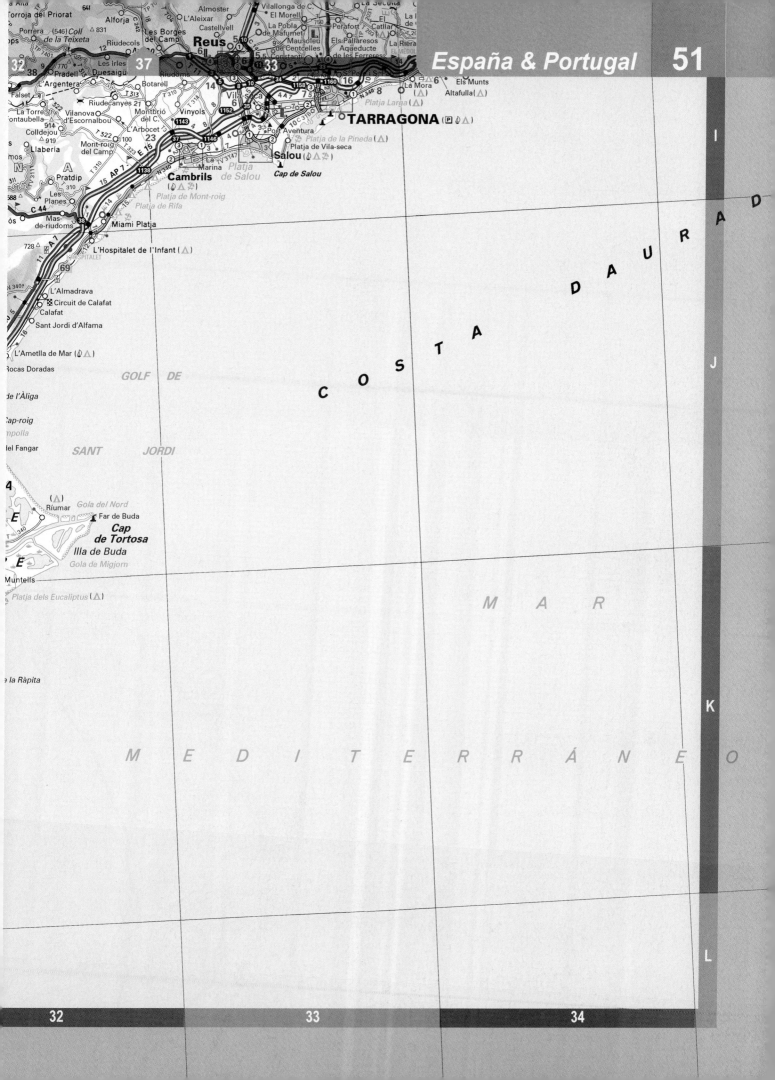

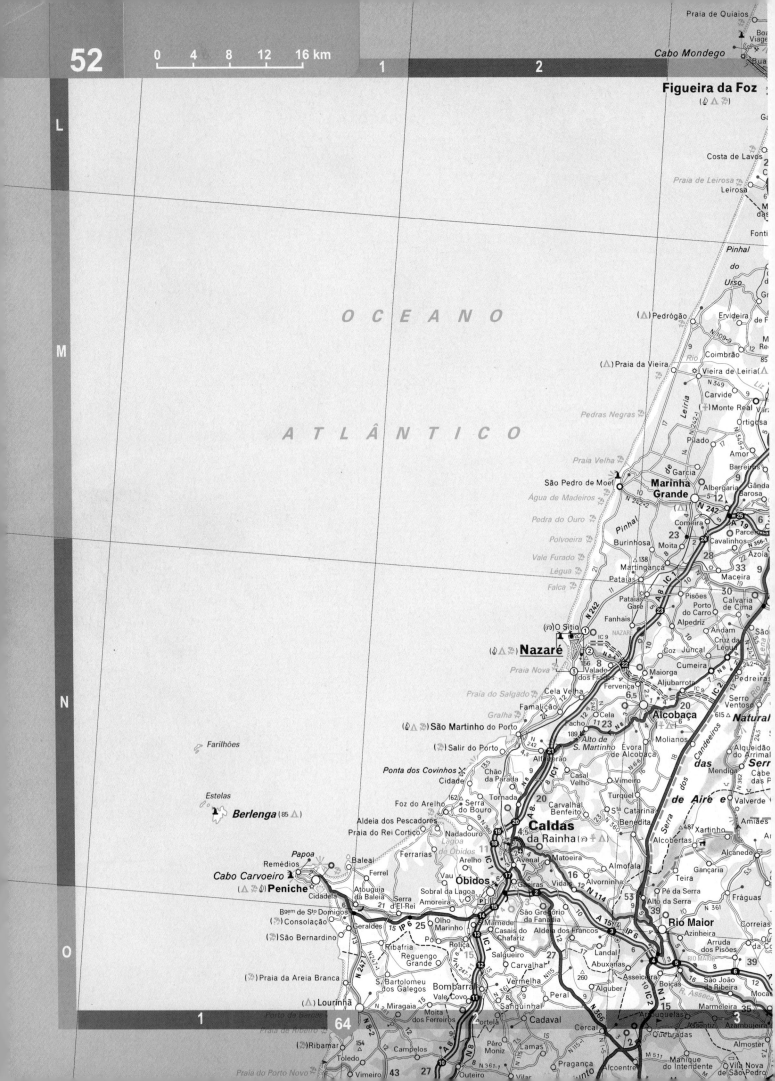

0 4 8 12 16 km

1   2

Figueira da Foz

Cabo Mondego

Praia de Quiaios

Costa de Lavos

Praia de Leirosa
Leirosa

L

Pinhal
do
Urso

M

O C E A N O

(△) Pedrógão

Ervideira

Coimbrão

(△) Praia da Vieira

Vieira de Leiria (△)

N 349

Carvide

Monte Real

Ortigosa

Pedras Negras

Pilado

Praia Velha

de Garcia

Amor

Barreiros

A T L Â N T I C O

São Pedro de Moel

Marinha
Grande

Albergaria

Gânda
Barosa

Água de Madeiros

N 242

(△)

N 242

Comeira

Pedra do Ouro

23

Burinhosa

Moita

Cavalinhos

Azola

Polvoeira

Pinhal

28

33

9

Vale Furado

△ 138

Martingança

Maceira

30

Légua

Pataias

Pisões

Calvaria
de Cima

Falca

N 242

Pataias
Garé

Porto
do Carro

Alpedriz

Andam

Fanhais

IC 9

Cruz da
Légua

São

Praia Nova

(∩) O Sitio

NAZARÉ

Coz

Juncal

(△△) **Nazaré**

156   8

N 8

Cumeira

N 8

22

Praia do Salgado

Valado
dos Frades

Maiorga

Aljubarrota

Pedreiras

N

Cela Velha

Fervença

IC 2

Gralha

Famalicão

20

Cela

6,5

Alcobaça

Serro
Ventoso

Ponta dos Covinhos

São Martinho do Porto

Facho 11 23

N 8

615 △

Natural

Farilhões

(△) Salir do Porto

N 242

189

Alto de
S. Martinho

Évora
de Alcobaça

Molianos

Alqueidão
do Arrimal

das   **Serr**

Alfeizerão

IC 1

21

Casal
Velho

Vimeiro

Mendiga

Cabe
das P

Chão
da Parada

Turquel

de Aire e

Valverde

Cidade

Tornada

Serra
do Bouro

20

Carvalhal
Benfeito

Sta Catarina

△ 487 Xartinho

Amiãe

Estelas

Foz do Arelho

Benedita

Alcobertas

Berlenga (85 △)

Aldeia dos Pescadores

19

Caldas
da Rainha (∩ ⊹ △)

Alcanede

Praia do Rei Cortiço

Nadadouro

18

Matoeira

Almofala

Gançaria

Papoa

Remédios

Baleal

*Lagoa
de Óbidos*

11

Arelho

7

Avenal

16

Alvorninha

Teira

Fráguas

Cabo Carvoeiro

Ferrel

IC 1

Vidais

N 114

Pé da Serra

(△) **Peniche**

Vau

Óbidos

17

Gaeiras

53

Alto da Serra

Cidadela

Atouguia
da Baleia

21

Serra
d'El-Rei

Sobral da Lagoa

Amoreira

A 15

39

Rio Maior

Bem de Sto Domingos

São Gregório
da Fanadia

Olho

Mamede

A 15

3

Azinheira

Correias

(∩) Consolação

Geraldes

IP 6

25

Marinho

Casais do
Chafariz

Aldeia dos Francos

Landal

Arruda
dos Pisões

(△) São Bernardino

13

Pó

Roliça

IC 1

27

Abuxanas

4

39

Ribafria

Salgueiro

Asseiceira

São João
da Ribeira

Praia da Areia Branca

Reguengo
Grande

15

12

Carvalhal

260

Boiças

16

N 1

15

Marmeleira

35

(△) **Lourinhã**

S. Bartolomeu
dos Galegos

N 247

Vale Covo

Vermelha

N 15

Peral

Alguber

N 366

Arrouquelas

Assenta

Azambuja

Porto de Barcos

Bombarral

11

Moita
dos Ferreiros

Sanguinhal

Quebradas

Almoster

Praia de Ribeiro

1   3

Portela

Cadaval

Cercal

Manique
do Intendente

Vila Nova
de São Pedr

Praia do Porto Novo

(∩) Ribamar

154

Campelos

Pêro
Moniz

Lamas

N 8

M 511

Praia de

Vimeiro

43

27

Toledo

Outeiro

Vilar

Pragança

Alcoentre

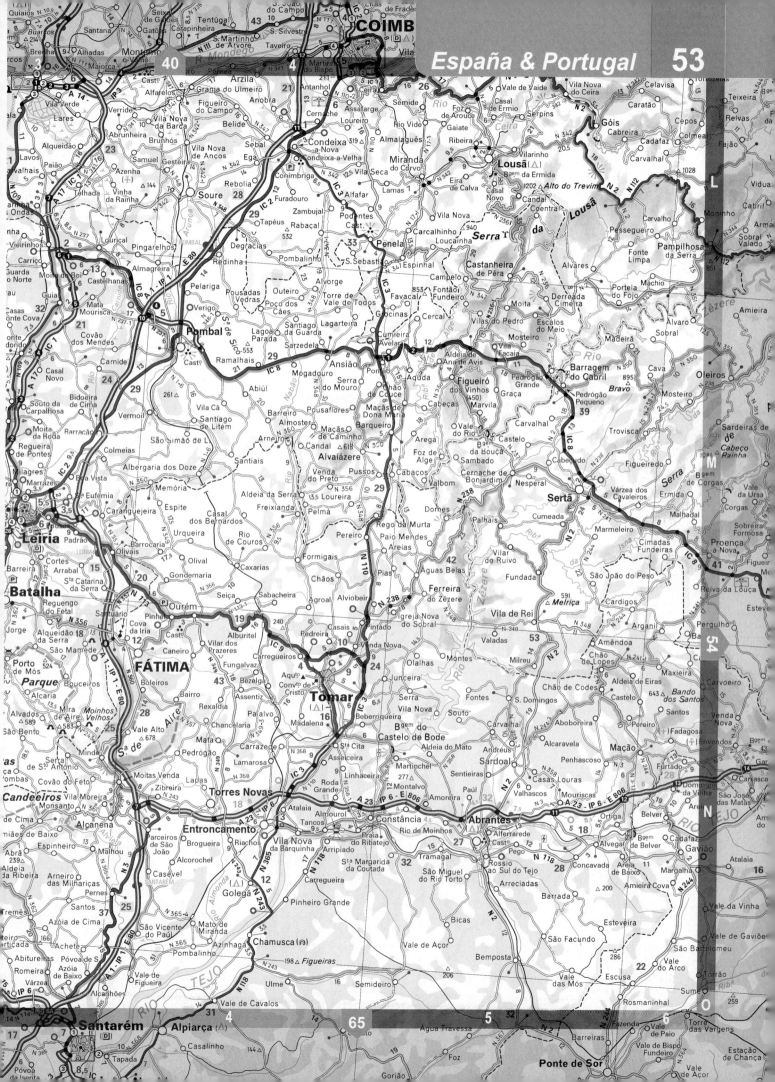

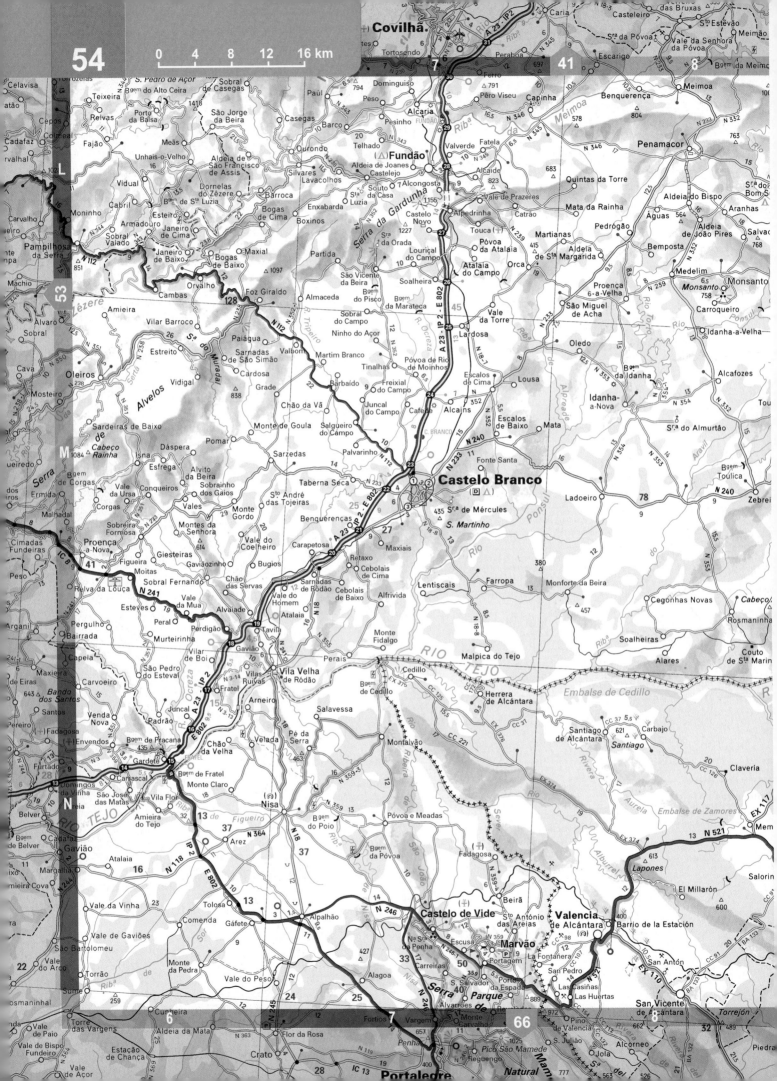

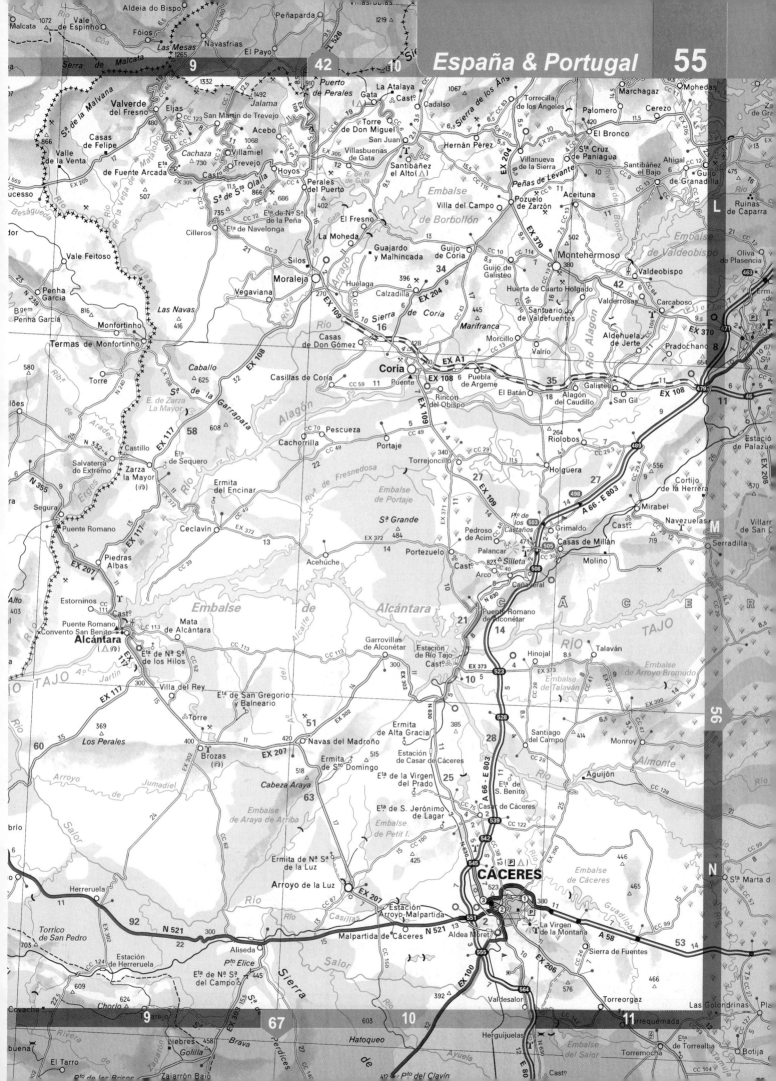

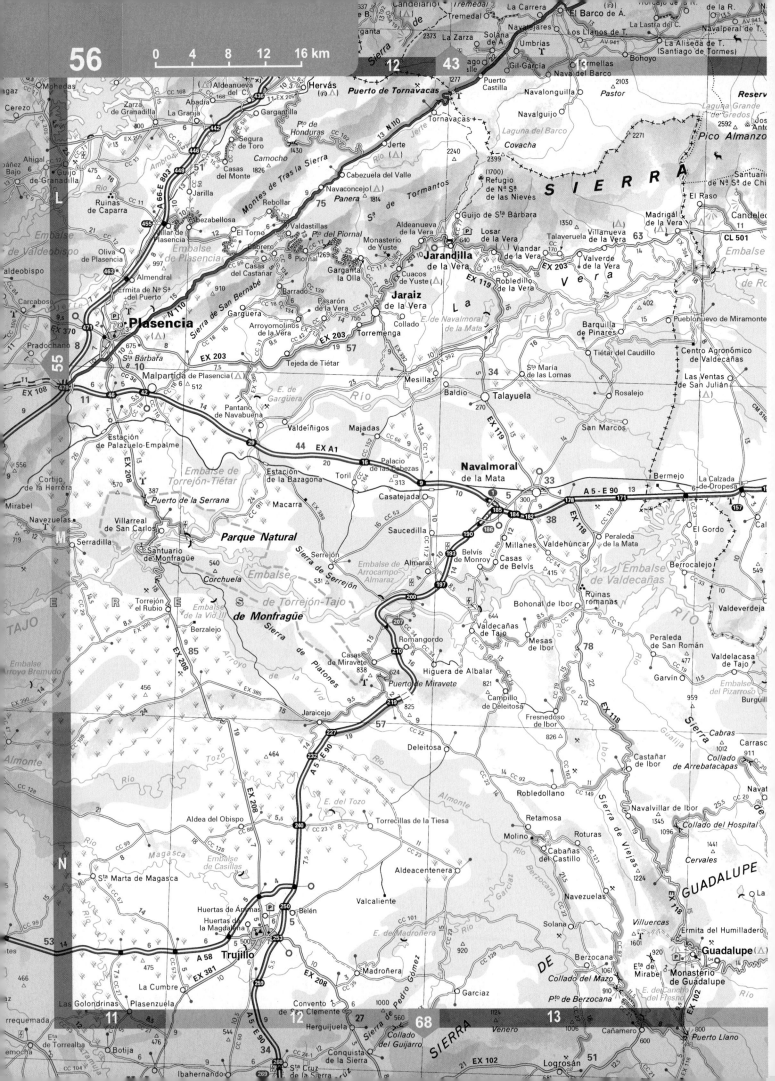

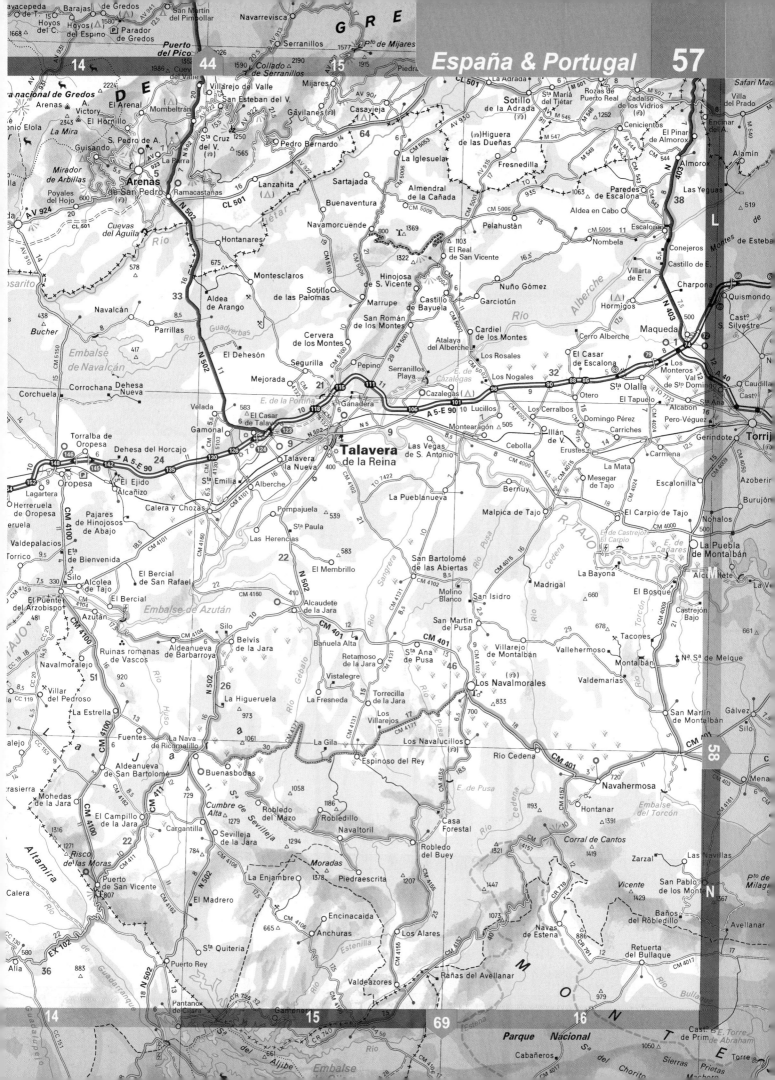

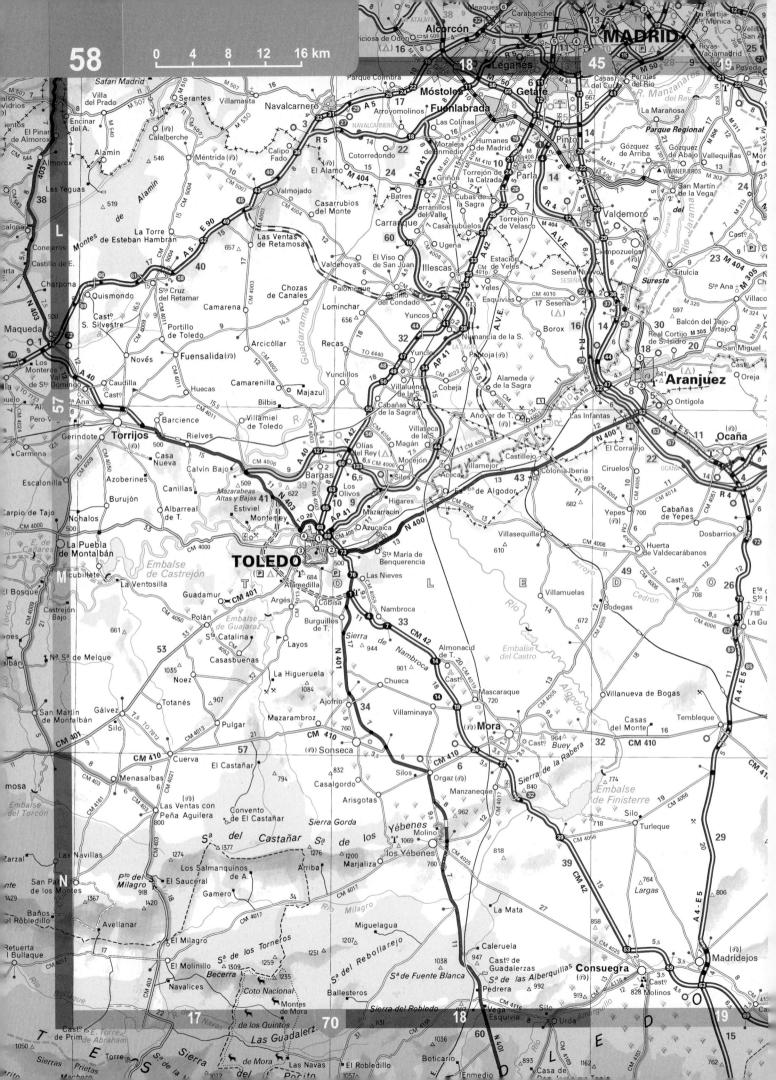

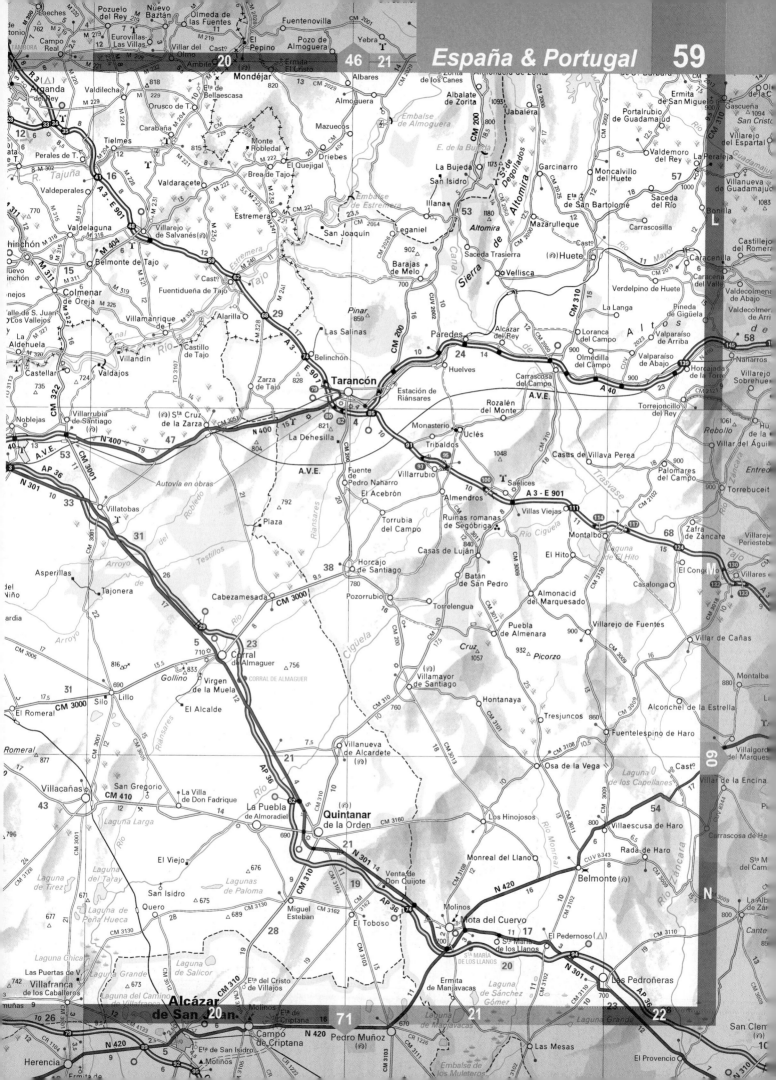

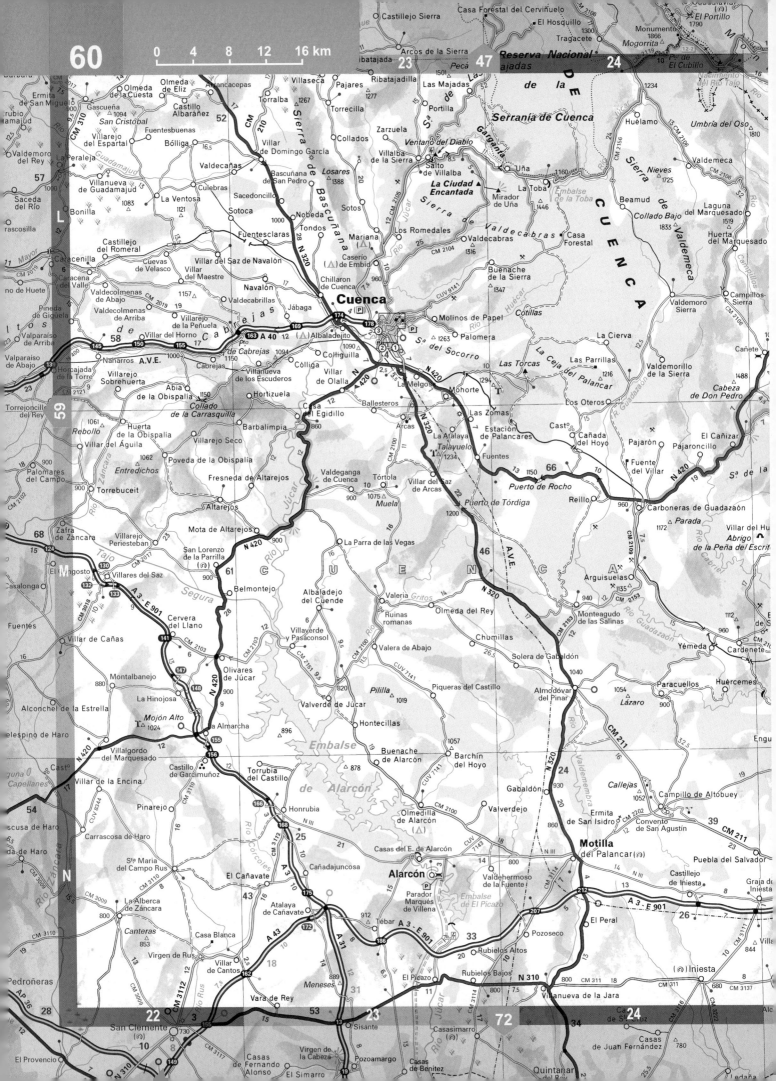

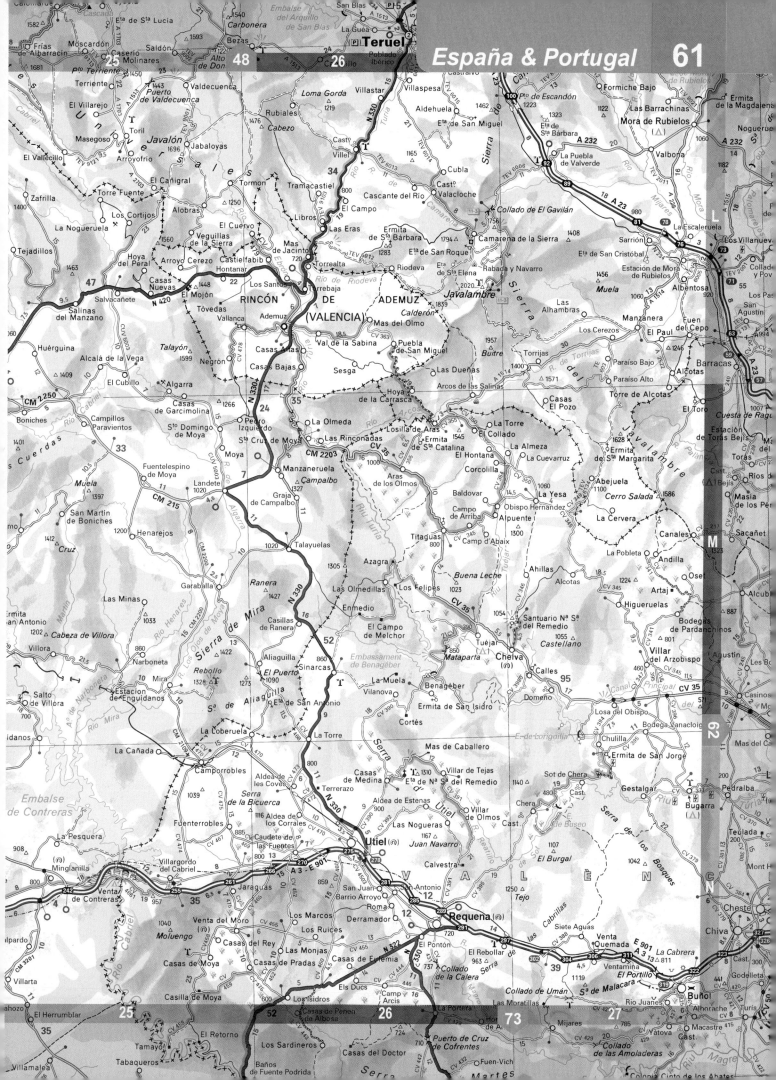

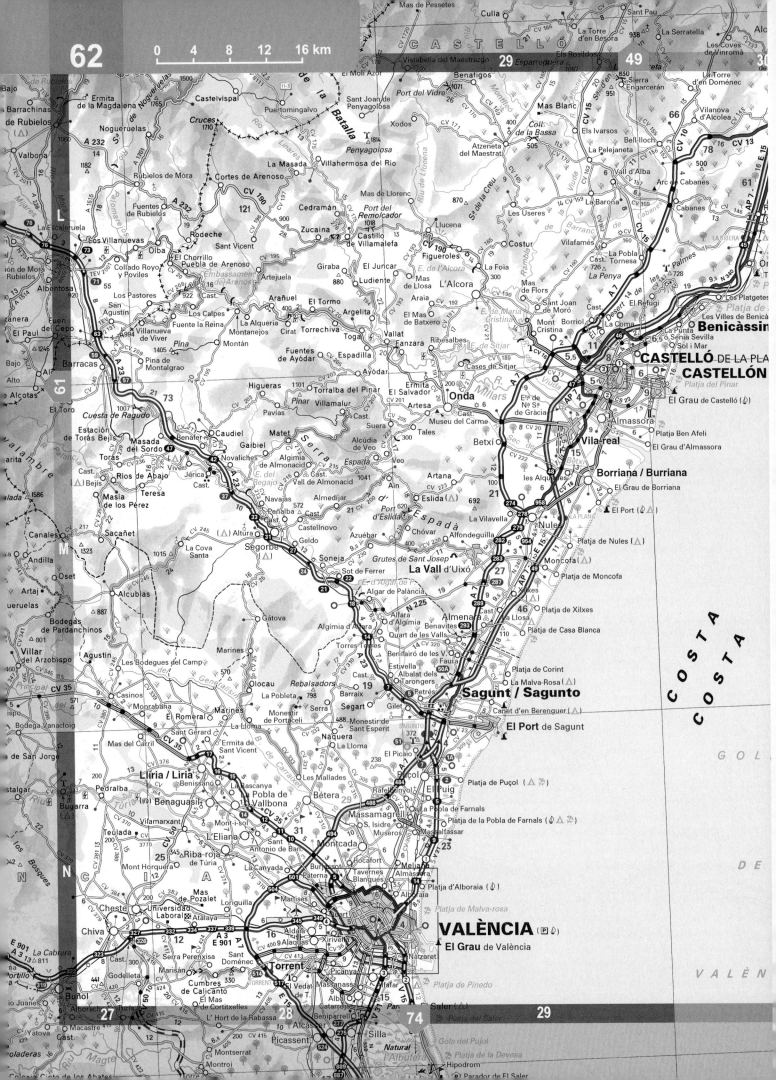

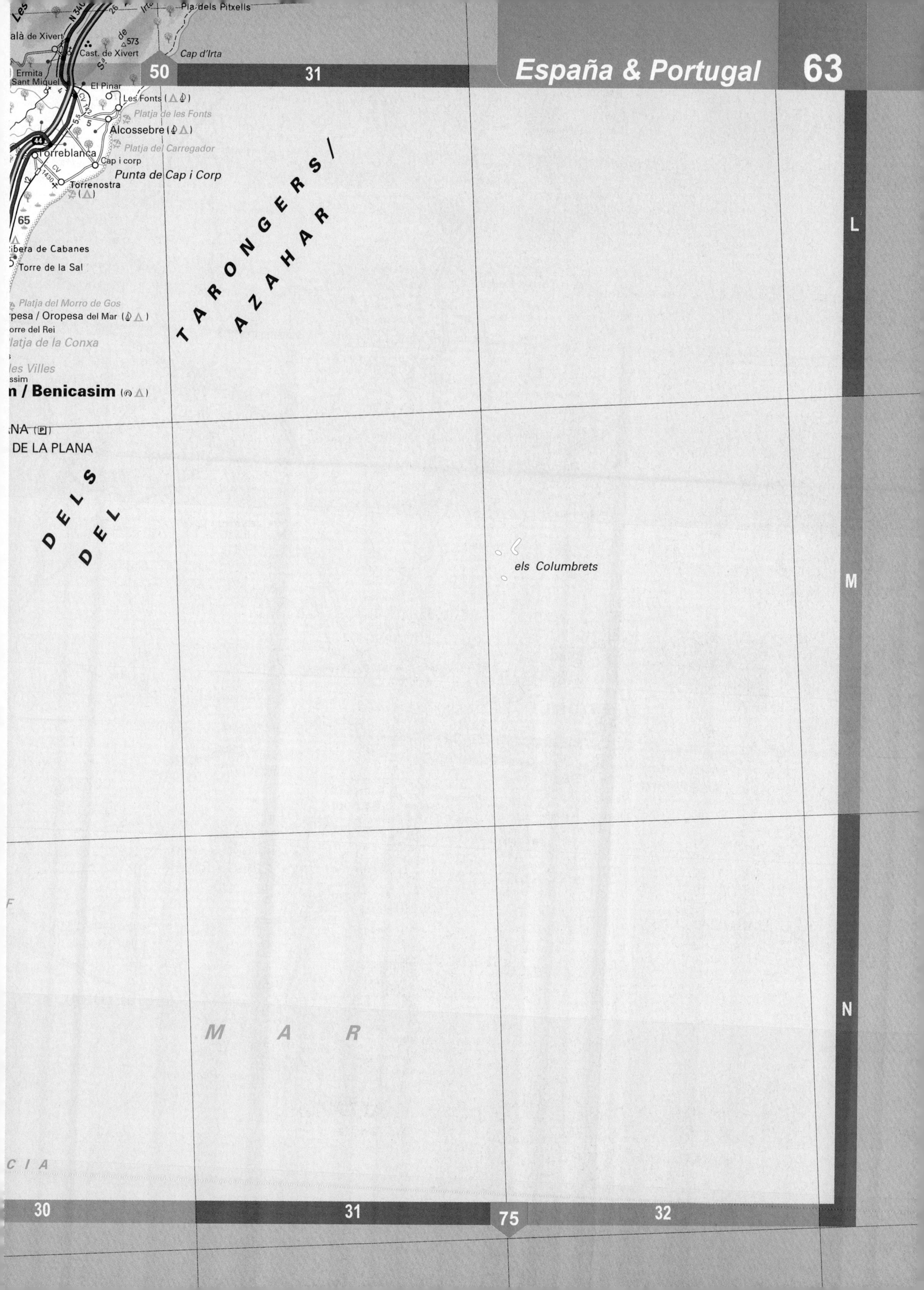

Les

Pla dels Pitxells

N 340

26

Cast. de Xivert

de

573

Cap d'Irta

alà de Xivert

Ermita

Sant Miquel

El Pinar

Les Fonts (△ ⚓)

50

31

L

Platja de les Fonts

Alcossebre (⚓ △)

Platja del Carregador

Torreblanca

Cap i corp

CV

Punta de Cap i Corp

1430

Torrenostra

(△)

65

T A R O N G E R S /

A Z A H A R

bera de Cabanes

Torre de la Sal

Platja del Morro de Gos

pesa / Oropesa del Mar (⚓ △)

orre del Rei

latja de la Conxa

les Villes

ssim

n / **Benicasim** (⌓ △)

NA (P)

DE LA PLANA

D E L S

D E L

els Columbrets

M

F

30

31

75

32

M A R

C I A

N

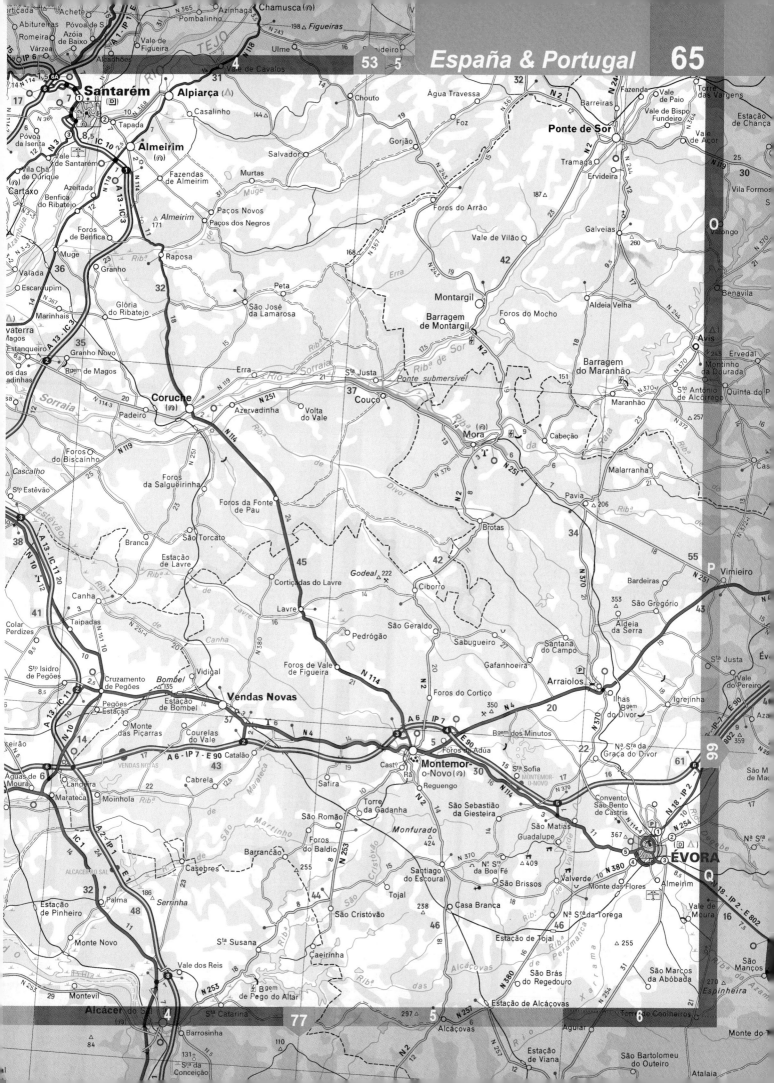

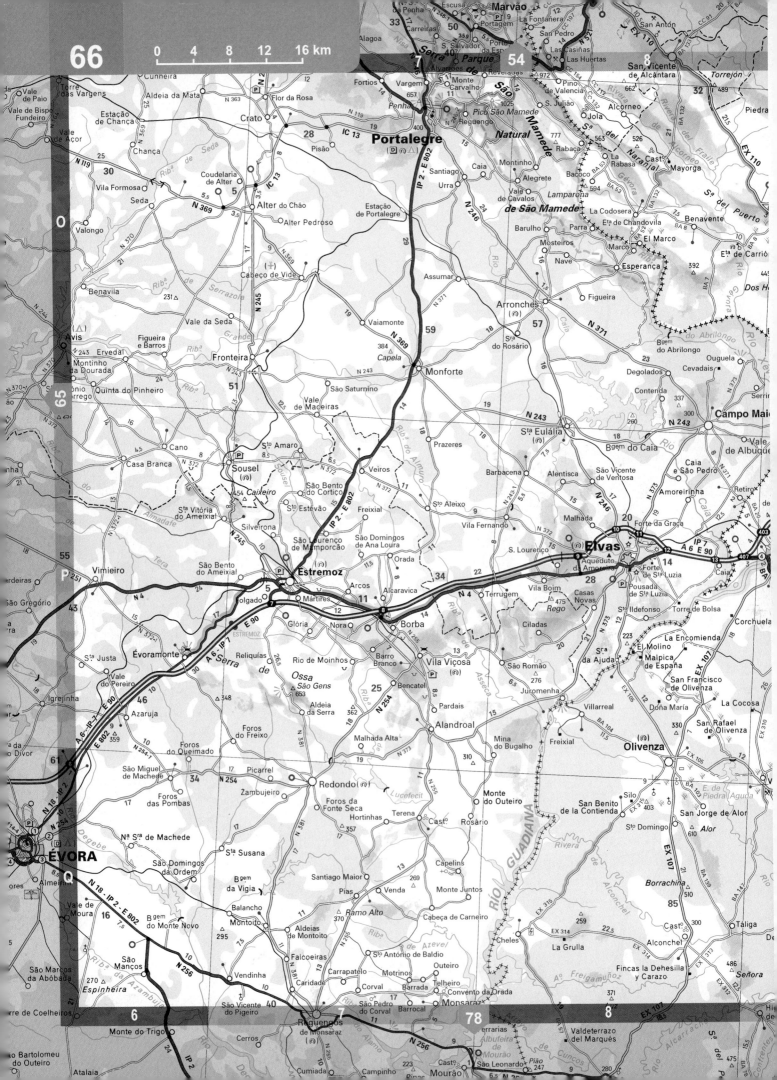

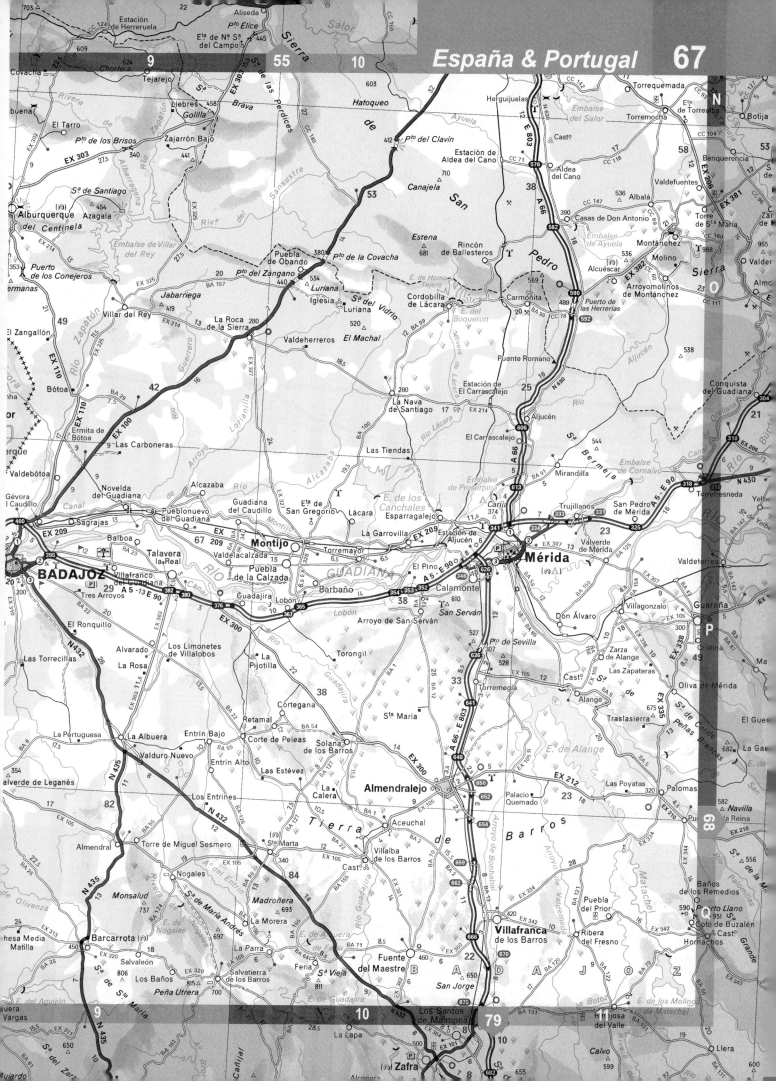

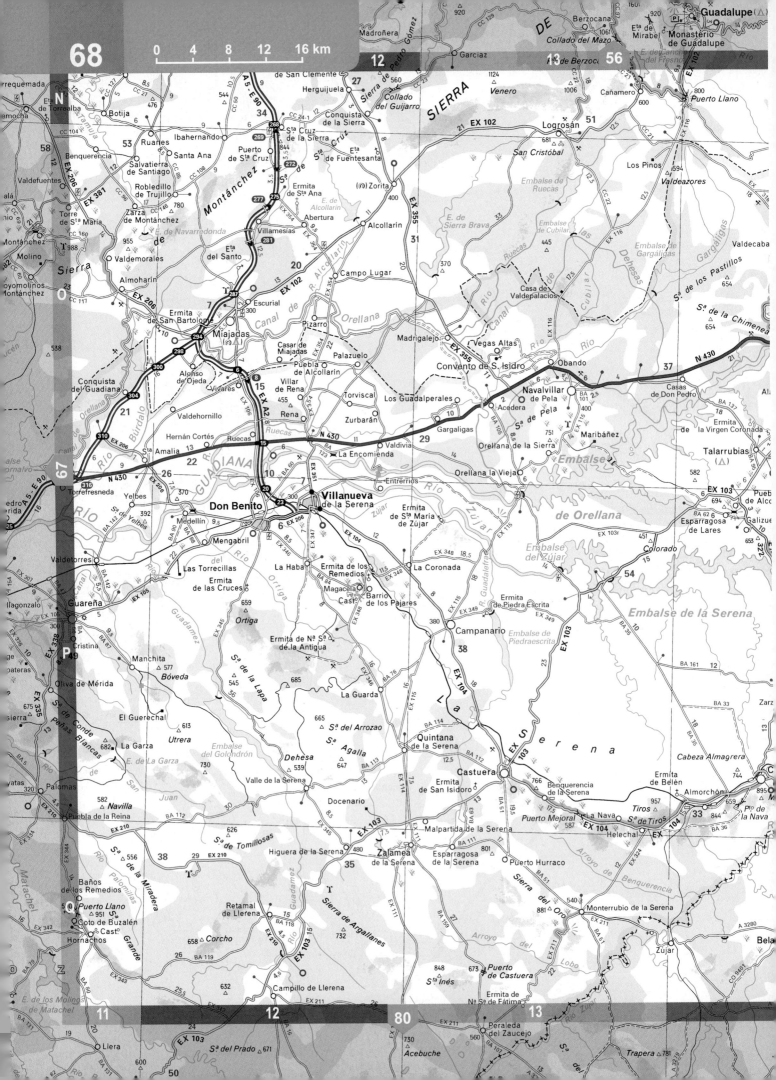

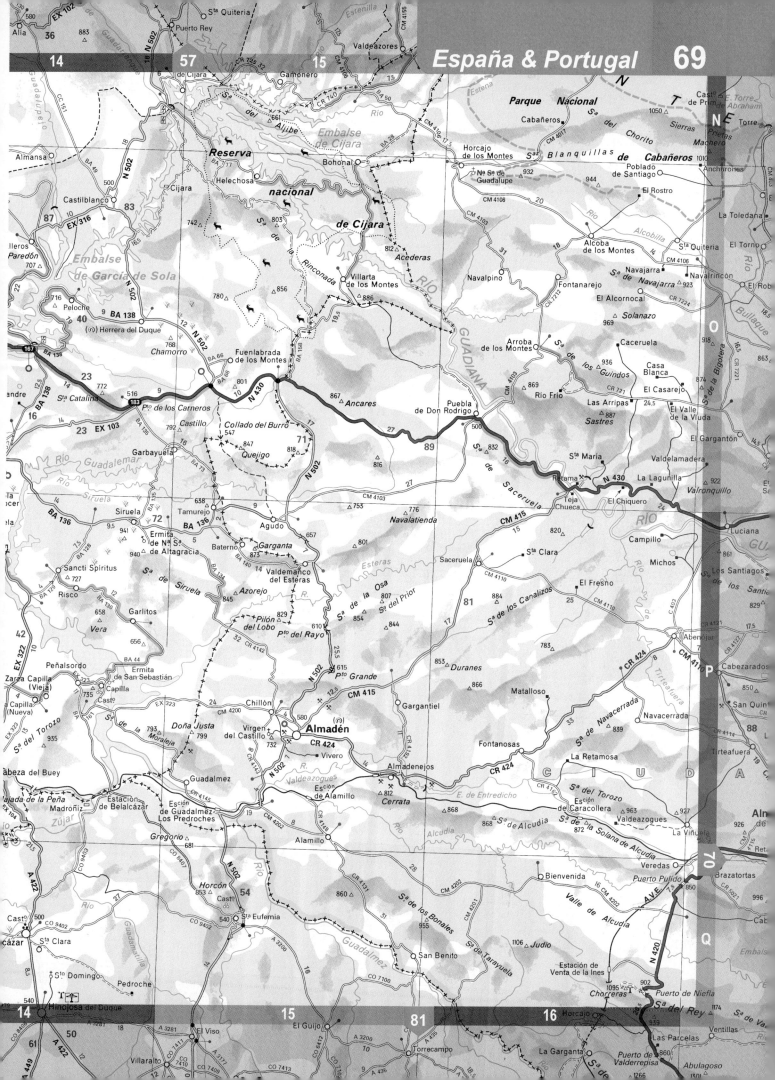

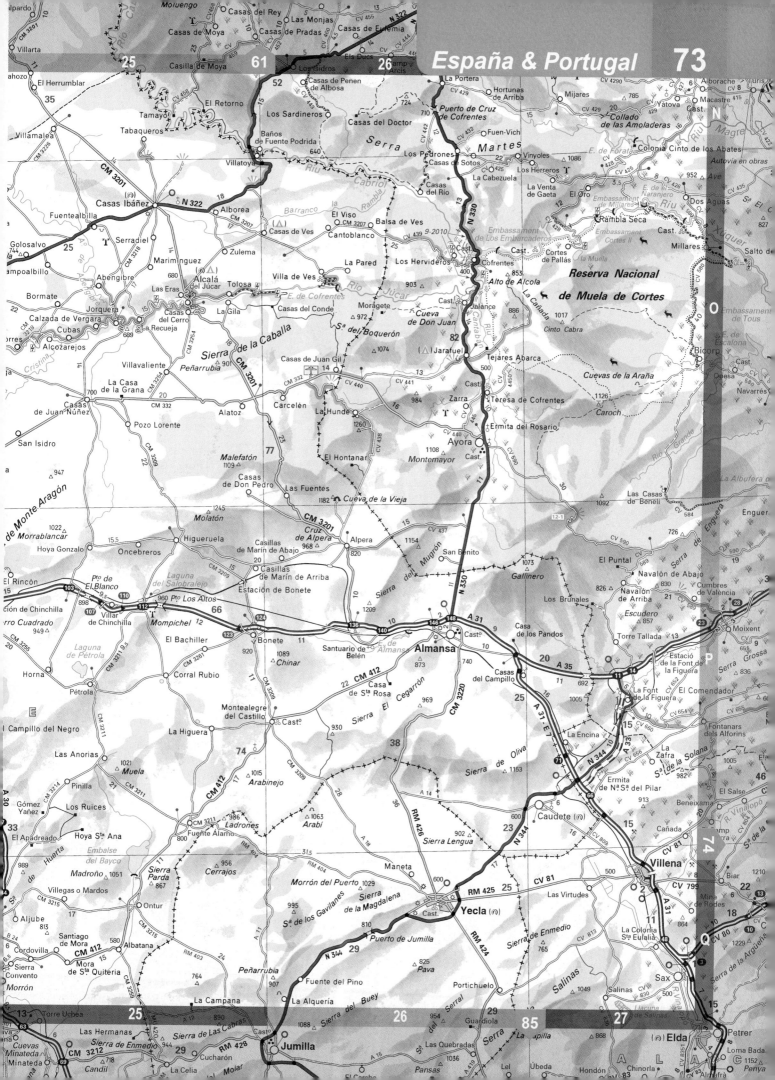

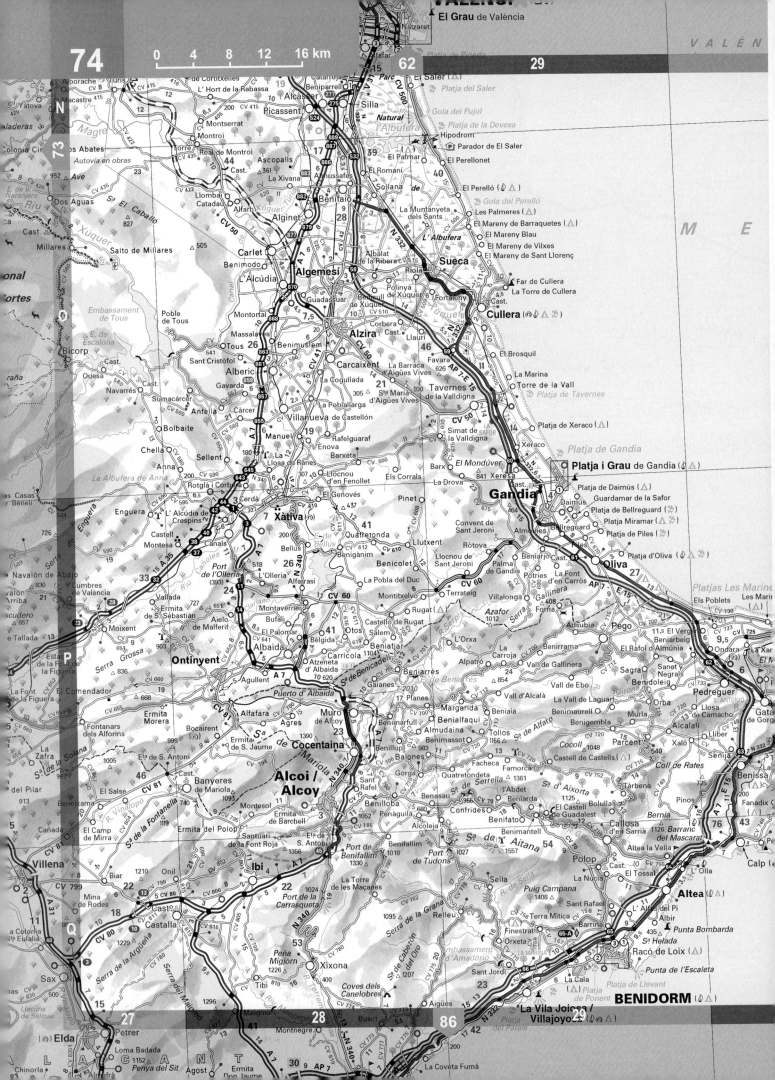

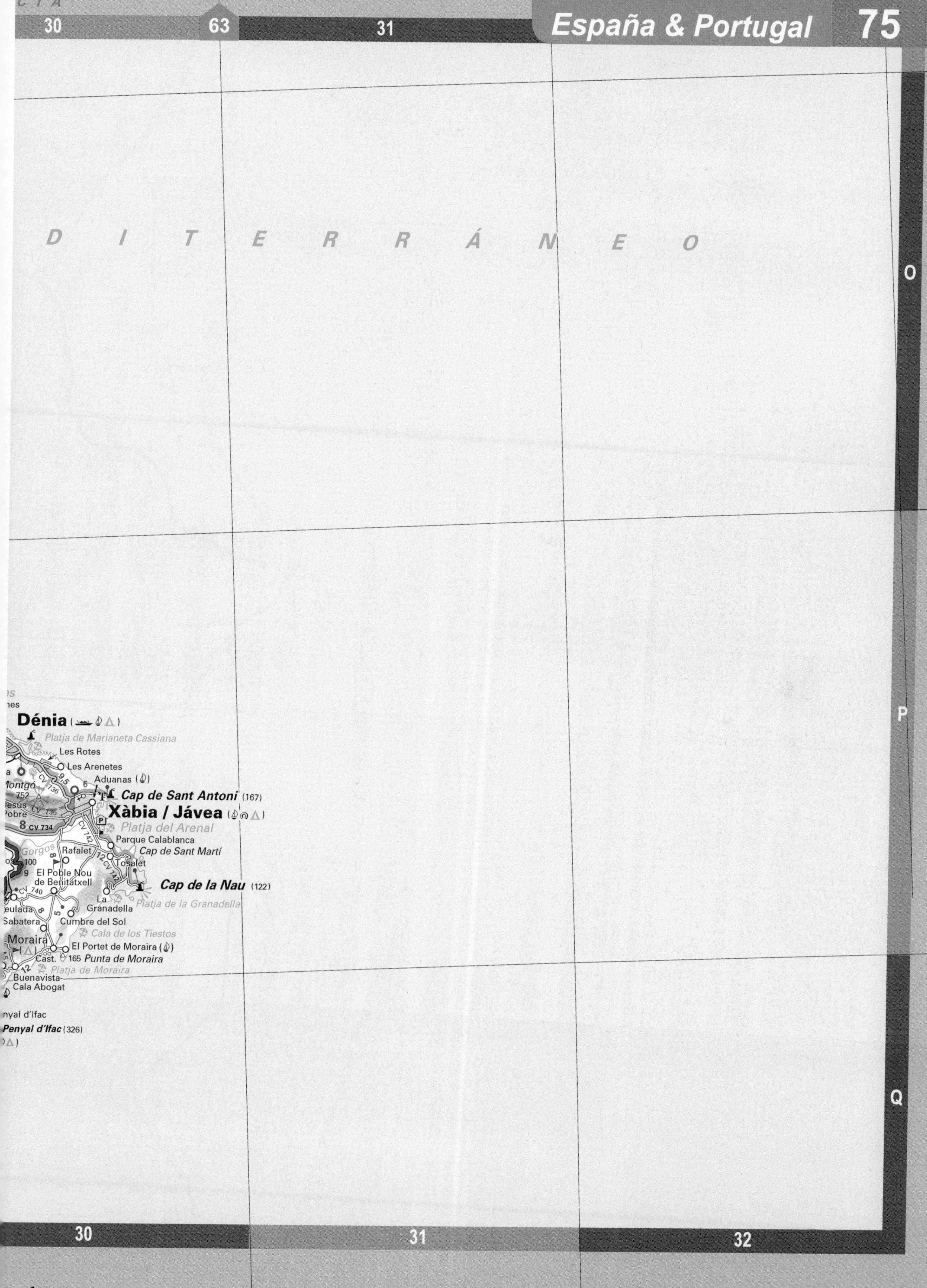

O

P

Q

M E D I T E R R Á N E O

es
hes

Dénia (⚓ ◊ △)
🚩   Platja de Marianeta Cassiana
○ Les Rotes
○ Les Arenetes
Aduanas (◊)
Montgó   6
752 ⌂ 736
esús   CV 735
'obre
8 CV 734
Gorgos   Rafalet   ○ ╠ Cap de Sant Martí
100   ○ Tosalet
9   El Poble Nou
de Benitàtxell   ⚓ **Cap de la Nau** (122)
740
La
Granadella   Platja de la Granadella
eulada
Sabatera   Cumbre del Sol
Cala de los Tiestos
Moraira   El Portet de Moraira (◊)
Cast. 🏰 165 *Punta de Moraira*
Platja de Moraira
Buenavista
Cala Abogat

nyal d'Ifac
Penyal d'Ifac (326)
◊ △)

🚩 ╠ **Cap de Sant Antoni** (167)
Xàbia / Jávea (◊ ⌂ △)
Platja del Arenal
Parque Calablanca

A

0   4   8   12   16 km

2   64

3   29

...IA   *Praia de Comporta*   Comporta

N 253.1   28

N 253

Mor

DE

Torre

N 261

R

SETÚBAL

Carvalhal   Torroal

Casa
Branca

N 261.1 15

IC

N 261

17

Fontainhas   Boiças

5

Praia de Melides   *Atalaia*   Nª S
da Pe

N 261.2   8   325   10

Melides (△)   28

Costa de Sto André

Nª S
da

6

Praia de Sto André   São Francisco
da Serra

Lagoa de
Sto André   2   Cruz de João
Mendes

31   10   Stª
da

Vila Nova
de Sto André   5   8   IC 33   Stª Cruz   13

51   Sto André   N 261   **Santiago**
do Cacém   São Ba
da Serr

5   5   N 121

S   5   Ruinas
Romanas
de Miróbriga   13

23   10   Cast.   282 △   N 261   19

IP 8   N 261.3

8   *Cabo de Sines*   Zonas Industriais   Verg

(△ ☼) **Sines**

4   Boavista do Paiol

Porto de Sines   Provença

Praia de São Torpes   Bgem de Morgavel   Muda

Praia de Morgavel   △ 214   Vale de Água

N 120   Sol Posto

21   △ 149

Praia de Porto Covo   6   IC 4   Tanganheira   Bgem de
Campilhas

(△) Porto Covo   26   7   N 390

S   *Praia da Ilha*   Bracial

20   *Serra do*   Cercal   N 262   23

Malpensado   341 △   N 389

12   Casa Nova

N 390   Brunheiras   Ribeira do Seissal   Sª das Neves

Vila Nova
de Milfontes   *Cercal*   12   M
da E

São Luís

37   Vale Beijinha

N 393   Zambujeiras   Vale de
Ferro

Almograve   *Torgal*

Praia Grande   Troviscais   17   23

37   *Rio*

Cavaleiro N 393   *Riba*   Mil

Cabo Sardão   Maroufenha   3   Telheiro   23

T   **Odemira**   N 123

Touril   Fontinha   Boavista
dos Pinheiros   △ 209

N 120

Porto das Barcas   N 393   Estibeira   Sobreiro

6   *Mira*

(△) Zambujeira do Mar   6   Stª

Carvalhal   220 △   São Teotónio

6   Brejão   38   Stª Bárbara

2   88   3

Praia de Odeceixe   Oleiros   455   Caeiro

Odeceixe   IP   *Sª da*
Brejeira

Samougueira   Maria

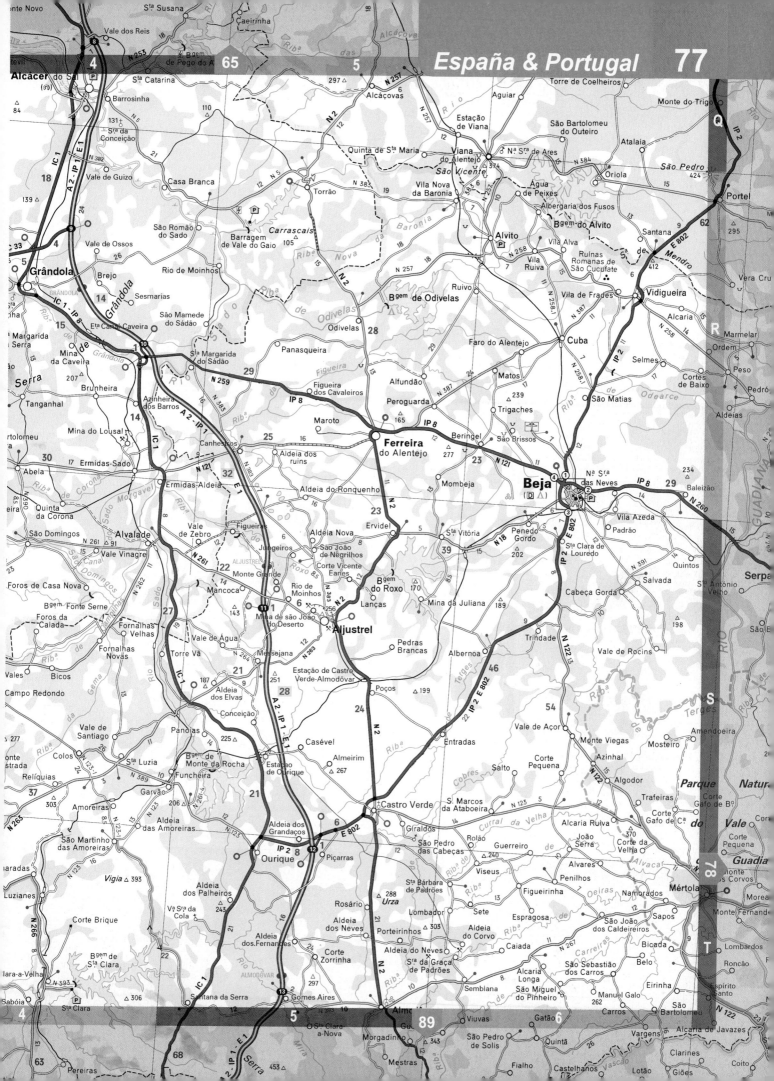

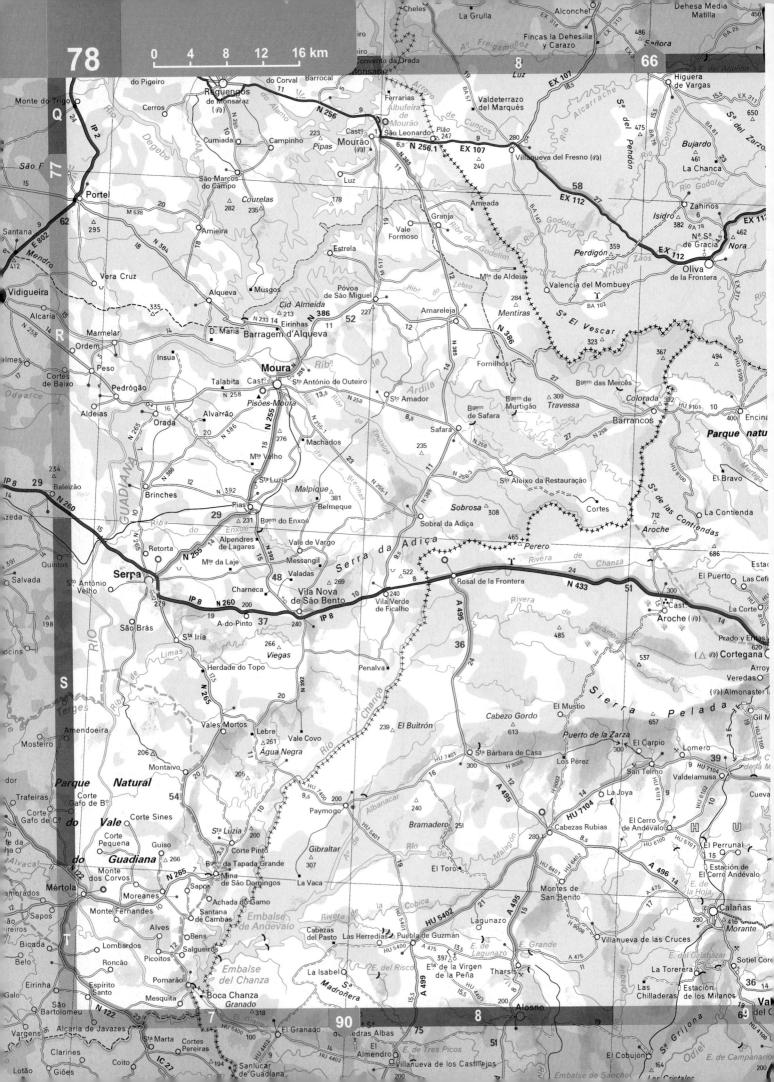

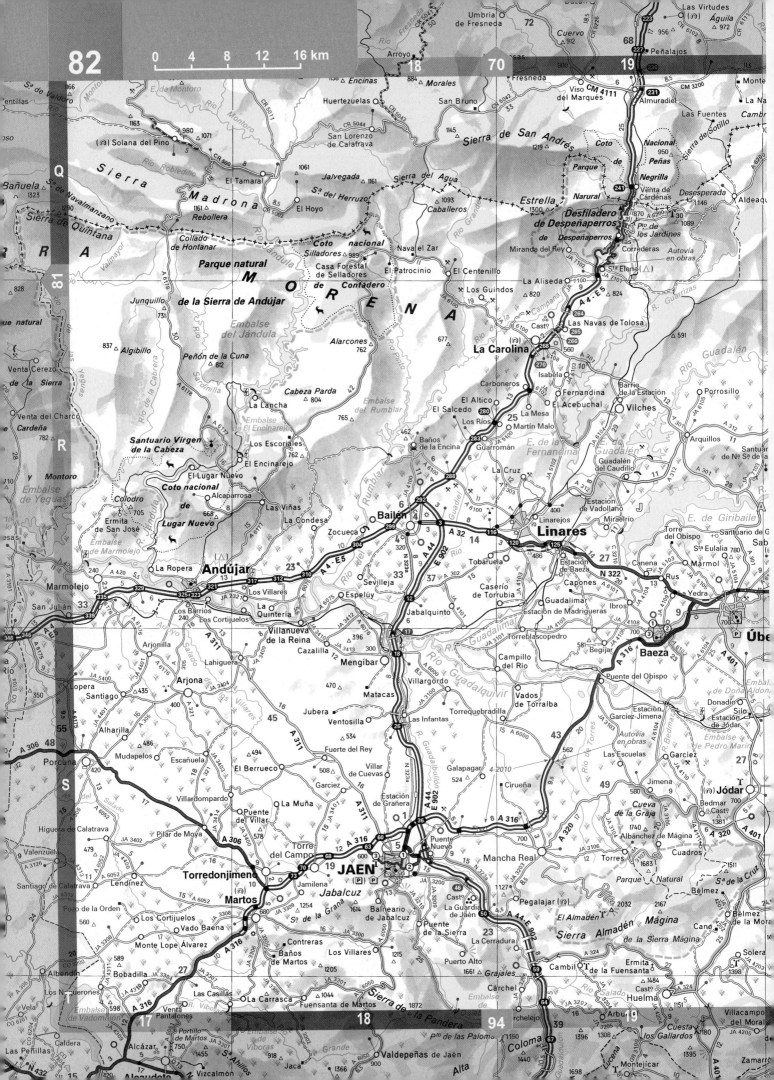

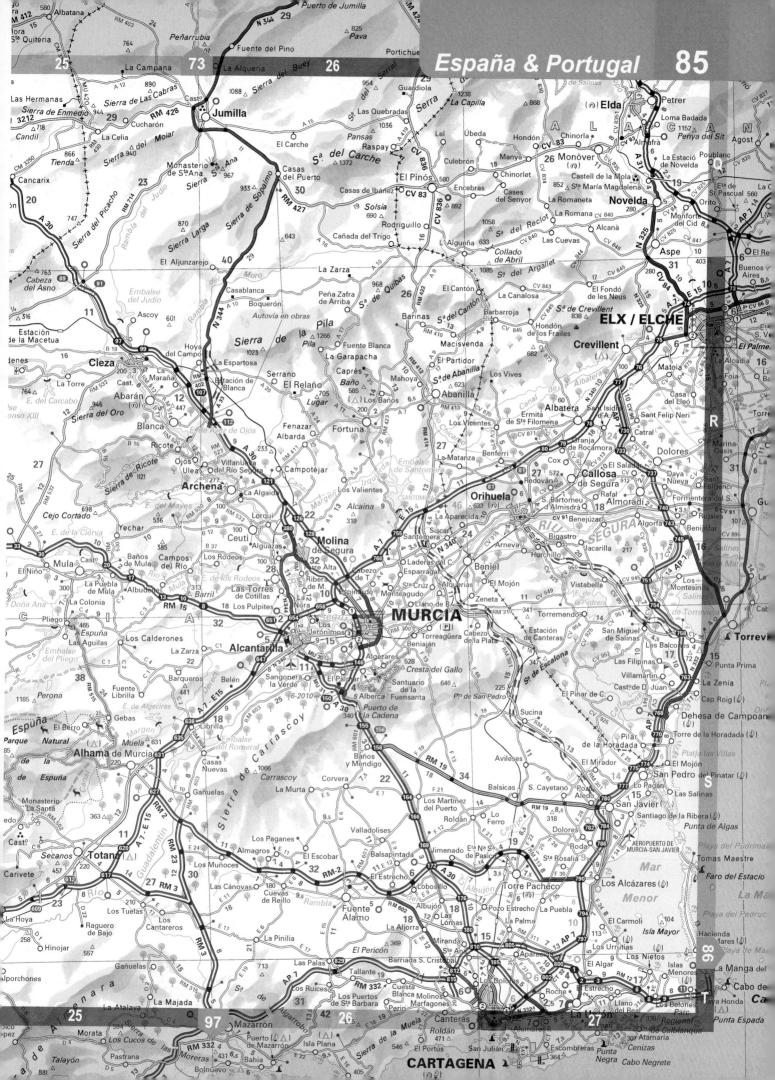

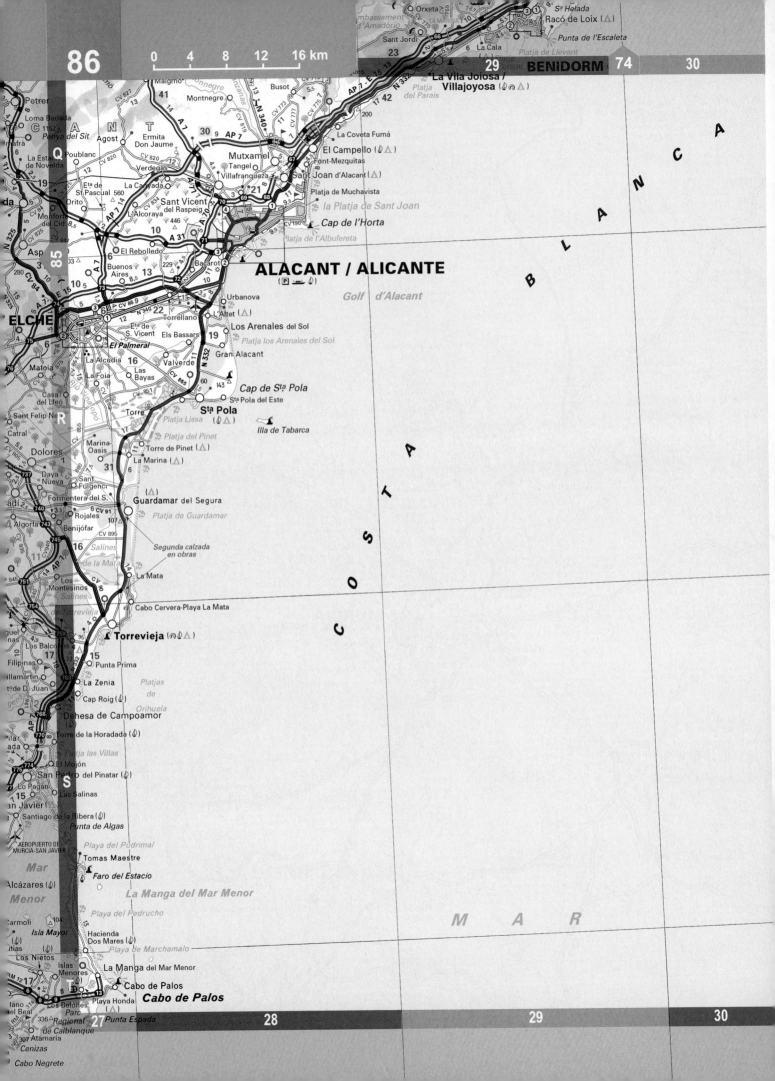

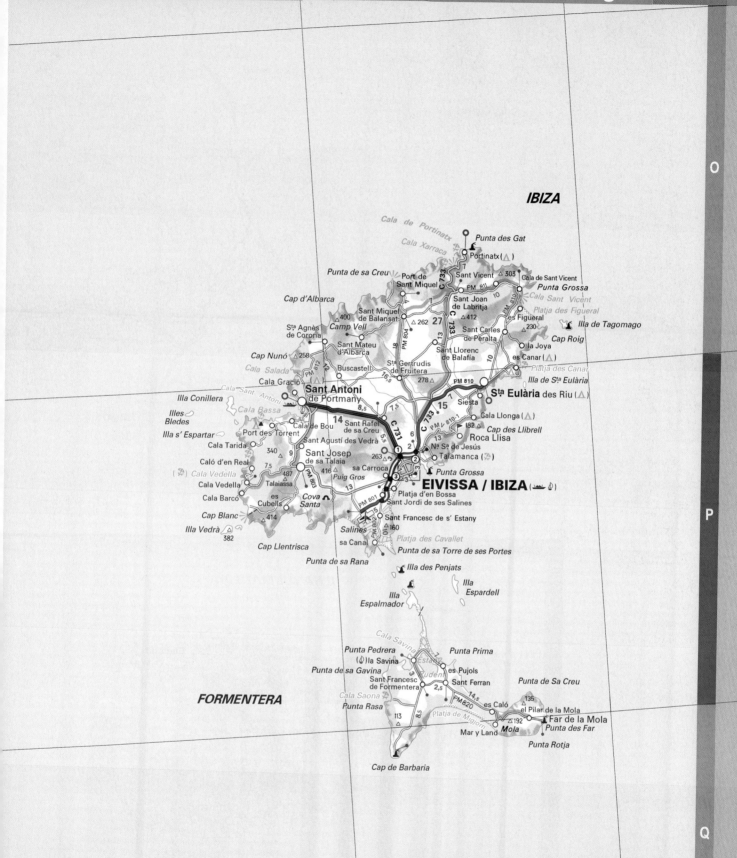

O

IBIZA

Cala de Portinatx
Cala Xarraca
Punta des Gat
Portinatx (△)
Punta de sa Creu
Port de
Sant Miquel
Cap d'Albarca
C 733
Sant Vicent △ 303 Cala de Sant Vicent
PM 811 *Punta Grossa*
Sant Joan
de Labritja 10 *Cala Sant Vicent*
Platja des Figueral
Sant Miquel
de Balansat
△ 400 △ 262 27 C 733 △ 412 es Figueral
Sta Agnès
de Corona *Camp Vell*
PM 804 Sant Carles
de Peralta 230 *Illa de Tagomago*
Cap Roig
Sant Mateu
d'Albarca 13 Sant Llorenc
de Balafía la Joya
Cap Nunó △ 258 Sta Gertrudis
de Fruitera es Canar (△)
Cala Salada Buscastell 16·5 278 △ PM 810 *Platja des Canar*
PM 812 Illa de Sta Eulària
Cala Gració △ Sant Antoni 15 **Sta Eulària** des Riu (△)
Illa Conillera de Portmany 8,5 7,5 Siesta
Cala Sant Antoni Cala Llonga (△)
Illes *Cala Bassa* 14 Sant Rafel C 733 PM 810·1 182 △ Cap des Llibrell
Bledes de sa Creu 6 13 Roca Llisa
Illa s' Espartar Port des Torrent 5,5 Nª Sª de Jesús
Cala Tarida Sant Agustí des Vedrà 2 Talamanca (2)
340 9 Sant Josep 1 2
Caló d'en Real de sa Talaia 263 △ *Punta Grossa*
7,5 416 sa Carroca 3 **EIVISSA / IBIZA**
Cala Vedella 487 Puig Gros Platja d'en Bossa
Cala Barcó Talaiassa 13 Sant Jordi de ses Salines
es Cova PM 801
Cap Blanc △ 414 Cubells Santa Sant Francesc de s' Estany
Illa Vedrà △ 160
382 Salines *Platja des Cavallet*
Cap Llentrisca sa Canal Punta de sa Torre de ses Portes
Punta de sa Rana
Illa des Penjats
Illa
Espardell
Illa
Espalmador

P

Cala Savina Punta Prima
Punta Pedrera Estany es Pujols
(⚓) la Savina
Punta de sa Gavina Sant Ferran *Punta de Sa Creu*
Sant Francesc 2,5
de Formentera 14,5 135
Cala Saona PM 820 es Caló el Pilar de la Mola
FORMENTERA Punta Rasa *Platja de Migjorn* △ 192 Far de la Mola
113 8,5 *Mola* Punta des Far
Mar y Land
Punta Rotja

Cap de Barbaria

Q

0   4   8   12   16 km

T

U

V

W

2   3   4

Estibeira
Sobreiro
(△) Zambujeira do Mar
Carvalhal
220 São Teotónio   Sta C
6
Brejão
6   Sta Bárbara
38
5
Praia de Odeceixe   Oleiros
Odeceixe
Maria   Caeiro   455   da
Samouqueira   Vinagre
16
Praia da Carreagem   Foz do Arroio
Rogil   346   516 △
Bunheira   Foz do Farelo
Praia de Monte Clérigo   19   Port
Pêro Negro   Co
Ponta da Atalaia   Aljezur   Cerca   902 Fóia
Vale da Telha   Marmelete   △   Mon
N 120   15   17   N 266-3   773
(☆) Arrifana   Vales   Casais   Caldas d
114 △   Monchiq
Arrifana   Serra   N 266
Alfambra   24
24   Montes
Poldra   de Cima
Corsino
Praia da Bordeira   248 △
Samouqueira   Boa da
Pontal   Bordeira   Bravura   Pereira
Carrapateira   Vilarinha   N 120   Porto
do   Bensafrim   9   A 22-IC 4   49   de Lagos
44   Serra   15   3   17 Figueira   4   5
178 △   2   Por
Barão de   Odiáxere N 125   12
Praia d. Mouranitos   S. João   Portelas   3   2
Pedralva   5   5   Mexilhoeira   Alvor
Praia da Cordoama   Barão de   Grande   6
Praia do Castelejo   São Miguel   Espiche   Praia
156   Almádena   4.5   dos Três Irmãos   Ferr
Torre de Aspa △   N 125   Luz   2   Sta Cat
Raposeira   Atalaia   Meia Praia
Vila do Bispo   31   Budens   8.5   109 Praia   Lagos (☆ △)   Alga
9.5   84 △   do Porto   Ponta
Figueira   de Mós   da Piedade
Salema   Burgau
Zavial
N 268
Cabo de   N 268   P
São Vicente   Praia do Martinhal
(☆ △) Sagres
Ponta da Atalaia
Ponta de Sagres

A   B

ILHA DA MADEIRA (▲)

Ponta do Tristão   Porto Moniz (△)
Santa
Achadas da Cruz   Ribeira da Janela   Arco   Ponta de São Jorge
de São Jorge
R 101   Seixal   Ponta Delgada   São Jorge   Santana
Pargo   22   R 110   18   R 101
R 101   517 △   Ponta do Clérigo
Ponta   53   Boa   Faial
do Pargo   Remal   São Vicente   Ventura   35   590
△ 730   △ 1320   869 △   Pico   São Roque   Porto da Cruz
Fajã   Ruivo   Ruivo   R 109   13
da Ovelha   do Paúl   1468 △   8   Portela   R 109   115
R 101   1640 △ Ginjas   Arieiro   710   42
Paúl do Mar   Prazeres   Rosario   1007   1662 △   1818   Ribeiro   R 101   Prainha
Rabaçal   Boca da   39   Frio   Caniçal
Jardim do Mar   △ 1275   Pousada   Encumeada   Sto António   142
Estreito da Calheta   dos Vinháticos   da Madeira   Curral   da Serra   Machico
(339)   1512 P   das Freiras   1095   1400   6
Arco da   Serra de Água   1436   Eira do   Poiso   Água de Pena
Calheta   25   Serrado   Camacha
Calheta   Canhas   Estreito de   Gaula   Santa Cruz (☆)
R 101   28   Câmara de Lobos   Monte   Caniço
Madalena do Mar   R 222   Sto   Sta
78   4   Campanário   António   António
Ponta do Sol   5   22   Ponta do Garajau
(☆) Ribeira Brava   12   Cabo Girão   São Gonçalo
615   9
(☆) Câmara de Lobos
São Martinho   FUNCHAL (□)
Ponta da Cruz

A   B

Y

Z

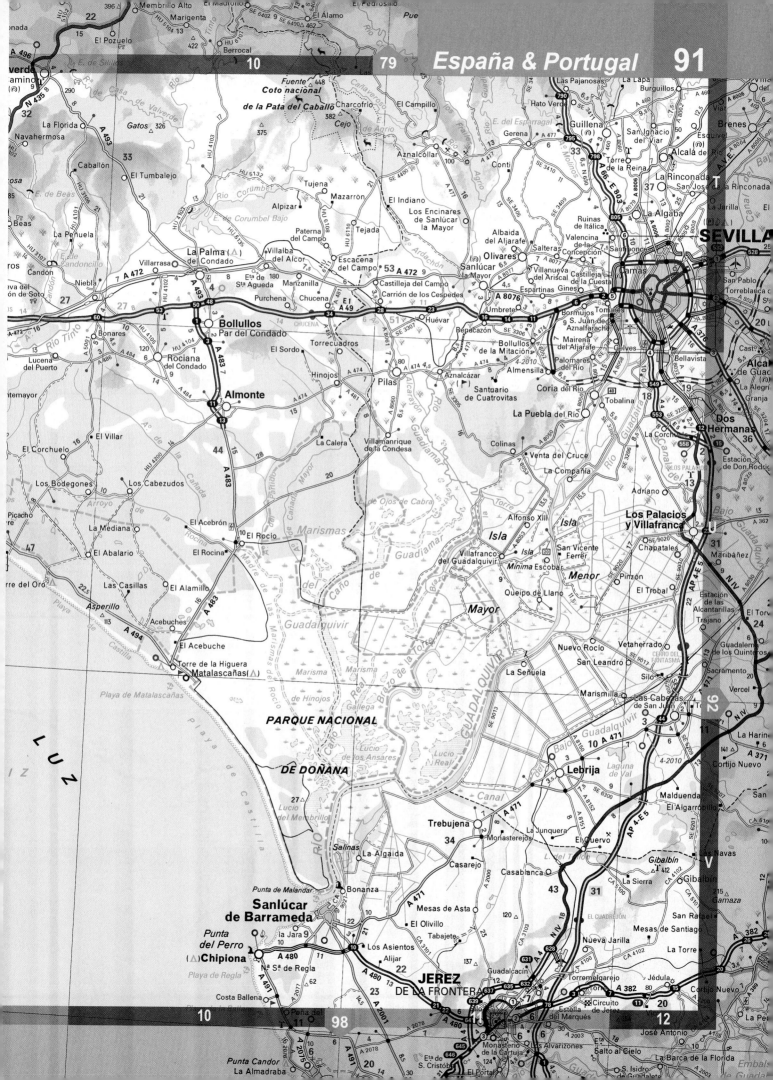

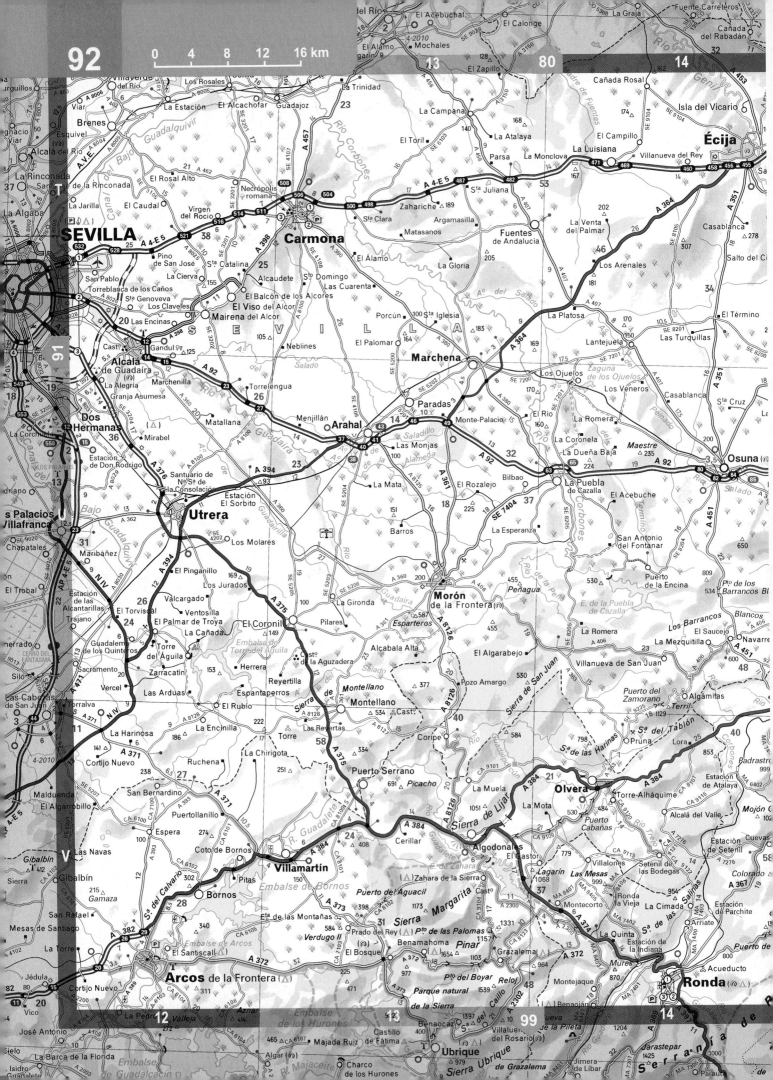

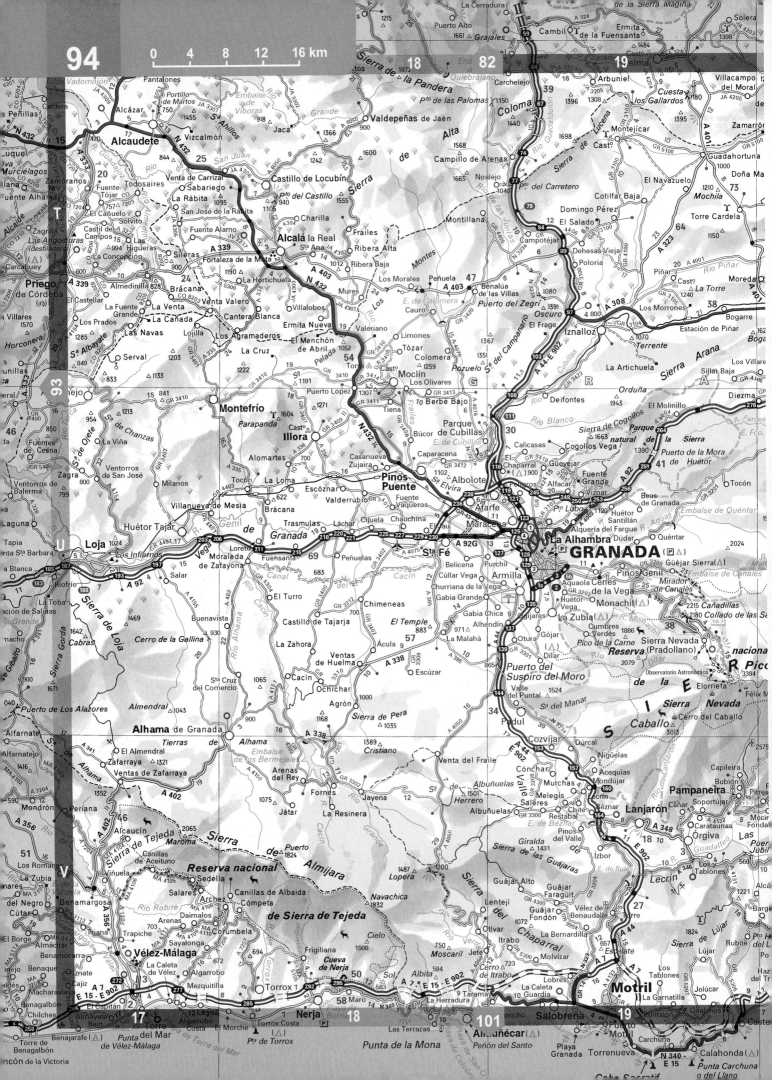

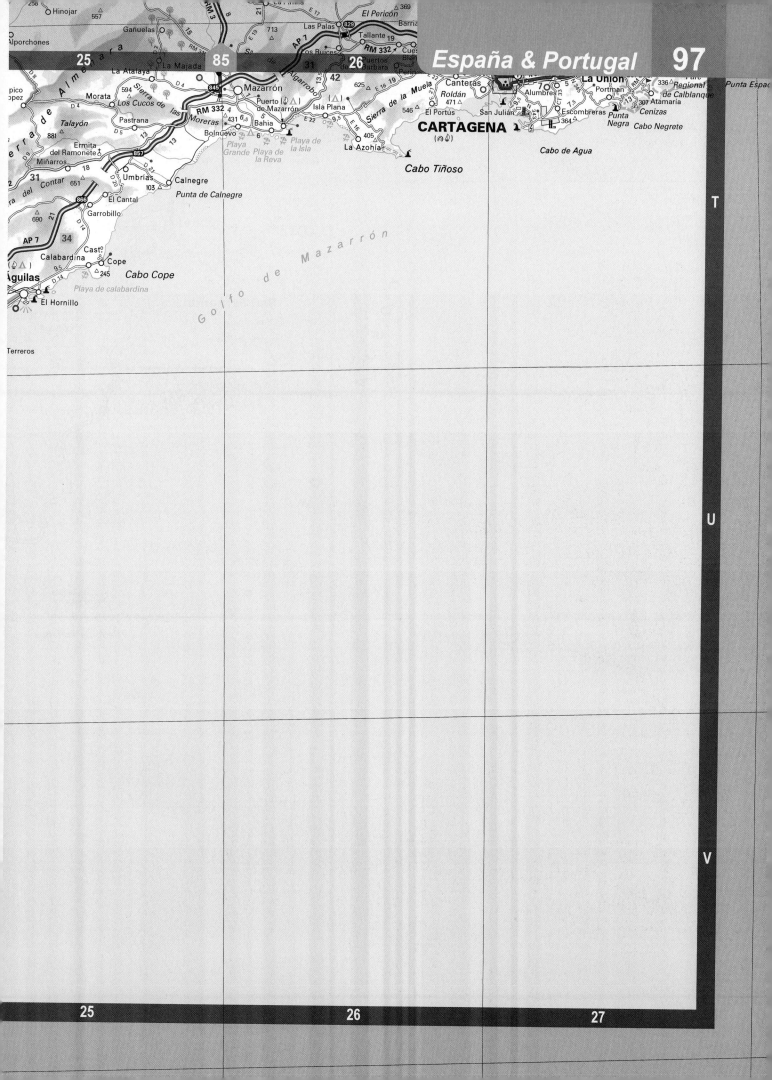

258 Hinojar 557
Gañuelas
Alporchones
25 La Atalaya
La Majada
85
Morata 594 Sierra de las Moreras
La Pimila E 17 El Pericón 369
Las Palas 829
Tallante 19 RM 332 Cues Blan
Los Ruices Puertos Bárbara Canteras La Unión
Barria
Mazarrón RM 332 845 Canteras Alumbres 7 336 Regional de Calblanque
Roldán 471 Portman Punta Espac
Puerto de Mazarrón Isla Plana Sierra de la Muela 546 El Portús San Julián Atamaría 307 Cenizas T
Los Cucos de D 4 RM 332 431 6,5 625 E 16 19 El Portús San Julián 343 364 Punta Negra Cabo Negrete
Talayón 881 Bahia Playa de la Isla 405 9,5
Pastrana Bolnuevo 6 Playa de la Reva **CARTAGENA**
Ermita del Ramonete 857 Playa Grande La Azohía
Miñarros 18 Cabo de Agua
31 651 Umbrías 103 Calnegre Cabo Tiñoso
Contar 866 El Cantal Punta de Calnegre
690 21 Garrobillo D 14 U
AP 7 34 Cast?
Calabardina Cope Golfo de Mazarrón
Águilas 245 Cabo Cope
El Hornillo Playa de calabardina
Terreros V

25 26 27

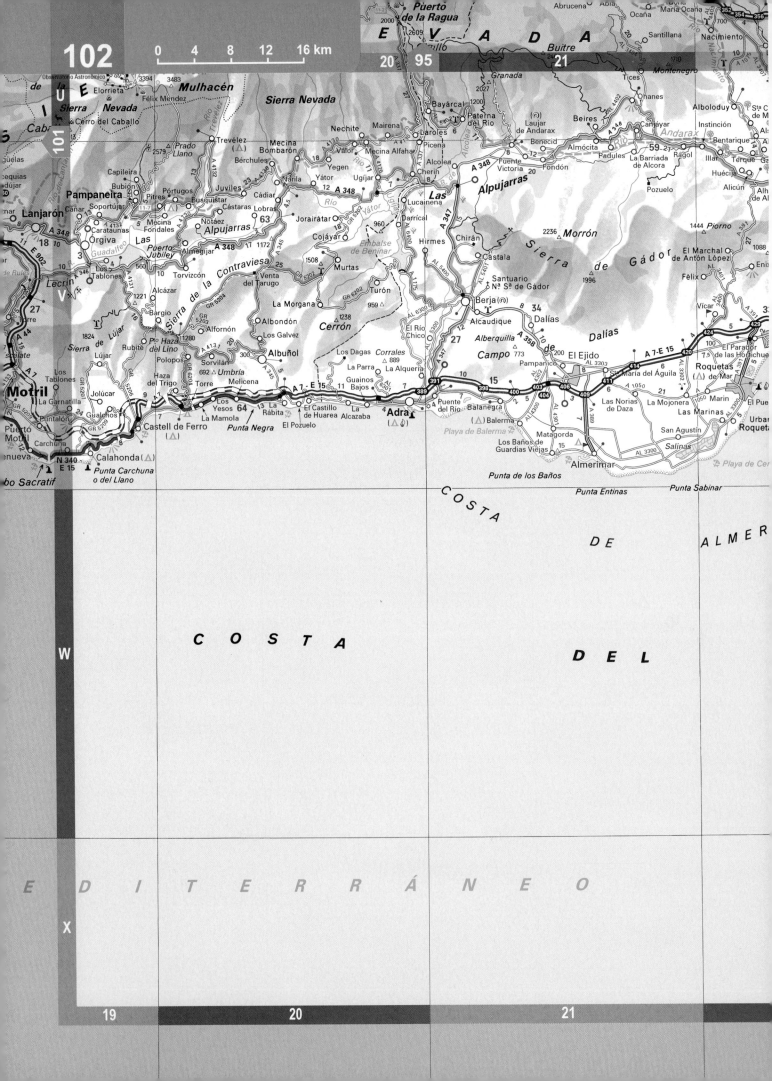

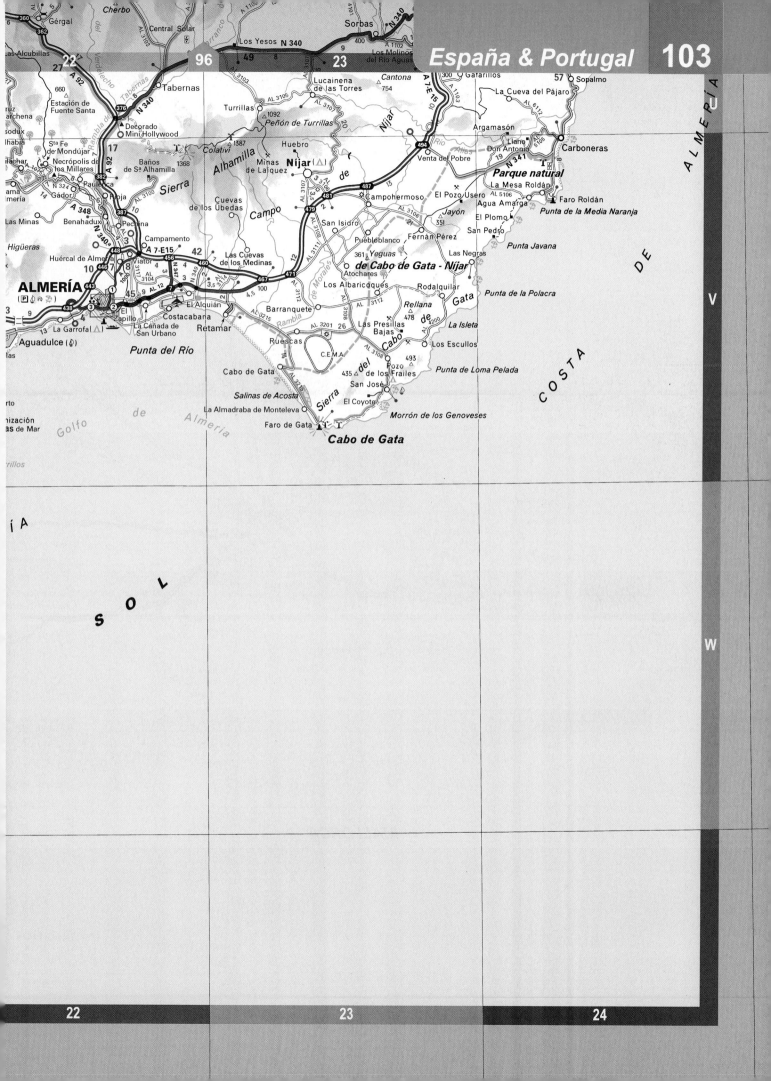

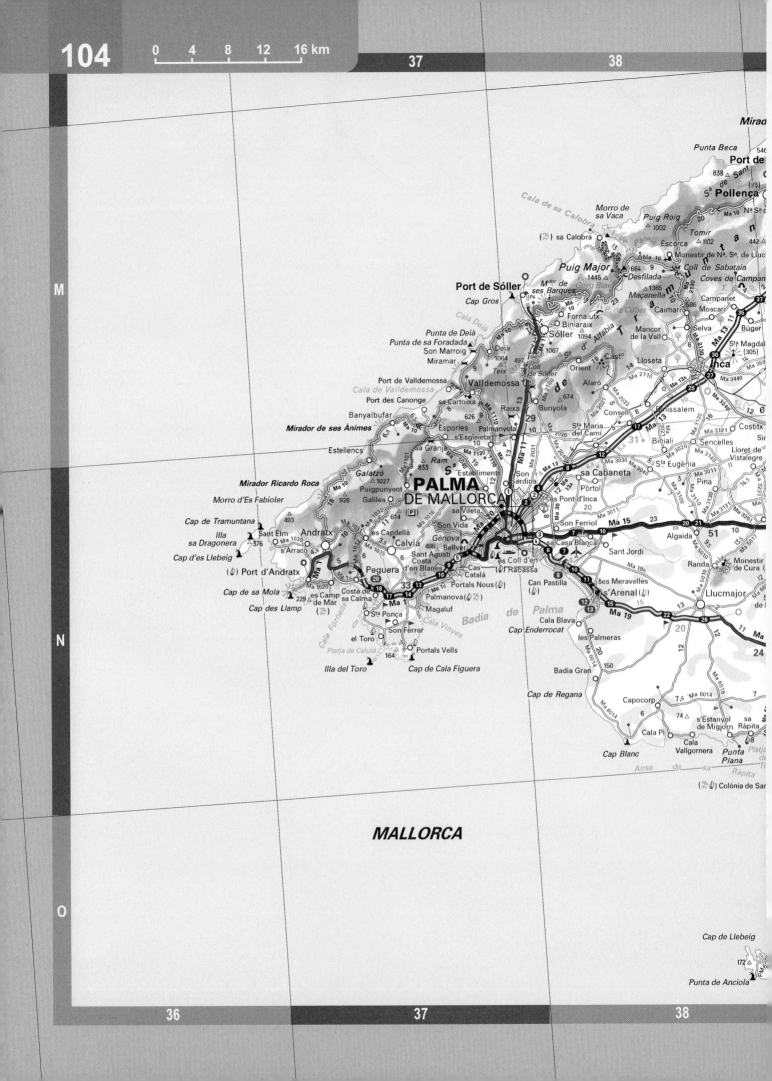

M

N

O

Mirad

Punta Beca 546

Port de

838 △ **Sª** de Sant

Sª Pollença

Cala de sa Calobra

Morro de sa Vaca

Puig Roig △ 1002

Nª Sª

Tomir △ 442

(🏠) sa Calobra

△ 1102 *Escorca* Ma 10

Monestir de Nª. Sª. de Lluc

Puig Major 664 Coll de Sabataia

△ 1445 *Desfilada* **Coves de Campan**

Port de Sóller Mºªde ses Barques *Gorg Blau* △ 1365 *Maçanella*

Cap Gros Ma 10 P. de Cúber **Campanet** 586 **Campanet**

Fornalutx Sª △ 2130

Punta de Deià Biniaraix Ma 2130 **Moscari**

Punta de sa Foradada 1094 Mancor de la Vall **Selva** **Búger**

Sóller Sª d'Alfàbia **Sta Magdal**

Son Marroig Deià 1067 Sª △ (305)

Miramar 1064 497 Orient 19 Castº **Inca** Ma 350

9 *Teix* Coll de Sóller **Lloseta** 27 Ma 3440

Port de Valldemossa **Valldemossa** Alaró

Cala de Valldemossa sa Cartoixa △ 674 **Consell** **Binissalem**

Port des Canonge 626 9 Raixa Bunyola 8 13 **Costitx**

Banyalbufar Esporles Palmanyola 29 Sta Maria 17 Ma **Biniali** Sir

Mirador de ses Ànimes s'Esgleieta 10 del Camí 31 **Sencelles** **Lloret de**

Estellencs Sª Granja 10 Ma 2020 Ma 2040 12 Sta Eugènia **Vistalegre**

Galatzó △ *Ram* Ma 1120 Ma 2031 8 sa Cabaneta Pina **Sta Eugènia**

Mirador Ricardo Roca △ 1027 833 Sª △ **Establiments** Son Pòrtol

Puigpunyent 928 Sardina es Pont d'Inca 20 Algaida 51

Morro d'Es Fabioler 493 Galilea Ma 1032 **PALMA** Son Ferriol Ma 15 23 Ma 3201

Cap de Tramuntana 614 **DE MALLORCA** sa Casa Blanca **Randa** Monestir

Illa Ma 1031 les Capdellà sa Vileta Sant Jordi de Cura

sa Dragonera △ 376 **Andratx** 486 Bellver es Coll d'en Can Pastilla **Llucmajor**

Cap d'es Llebeig s'Arracó **Calvià** Gènova Rabassa ses Meravelles

(⚓) **Port d'Andratx** Sant Agustí Cas 11 **s'Arenal**

Ma 1015 Costa Català Portals Nous Ma 19

Cap de sa Mola es Camp **Peguera** d'en Blanes Portals Cala Blava 12 Ma 19

229 de Mar Costa de **33** Palmanova Magaluf Cap Enderrocat 26 Ma

Cap des Llamp sa Calma Magaluf *Badia* *de* *Palma* les Palmeras 24

164 Sta Ponça Son Ferrer Cap de Regana Badia Gran

el Toro *Cala Vinyes* 150

Platja de Caluiá Portals Vells Capocorp 7,5 Ma 6014 7

Illa del Toro **Cap de Cala Figuera** 74 △ s'Estanyol sa Ràpita

6 Cala Pi de Migjorn **Punta**

Cap Blanc Cala **Plana**

Vallgornera

Ansa *de* *sa* *Ràpita*

(🏠) Colònia de Sar

MALLORCA

Cap de Llebeig

172 △

Punta de Anciola

Cap de Catalunya   **Cap de Formentor**

or des Colomer

Cap 2210

335

Cala

s Vicenç

Sant Vicenç

Pollença

6

Punta
de l'Avançada

Platja de Pollença

Cap des Pinar

es Mal Pas

Cap de Menorca

446

MENORCA   M

Son Oliveret — Turqueta   Cala Gal

Tamarinda   Torre-saura

Cap d'Artrutx

62

Cala Turqueta   Cala Macarell   Cala Satram   Platja
Sant To

Platja de
Sant To

Badia

10

el Puig

Ma 2202

Ma 2201

25

Ma 13 11

24

Ma 2200

12

40

Ma 3420

sa Pobla

Ma 3413

Ma 3410

Ma 3411

Muro

Ma 3342

Ma 3430

Ma 3440

S²ª Margalida

29

Alcúdia

Pollentia

Lago
Menor

Illa d'Alcanada

Port d'Alcúdia

Illa d'Alcanada

Badia   d'   *Alcúdia*

Cap de Ferrutx

434

Platja
de Muro

P. natural de s'Albufera

Can Picafort

Son Serra
de Marina

45

85

Isla Ravenna

520

Ferrutx
8

44

Ma 12

489

Colònia de
Sant Pere

Urb. Betlem

Eª de Betlem

Artà

Son Morell

564

Cap d'es Freu

Cala
Mesquida

273

Cala Agulla

Cala Lliteres

Capdepera

386

Ma 15

4

235

Son Moll

7,5

Punta de Capdepera

Cala Rajada

Torre

Canyamel

315

Coves d'Artà

Cap Vermell

Costa de Canyamel

Costa dels Pins

472

37

Ma 15

11

Ma 4021

Ma 4030

Port Vell

Cap des Pinar

Cala Bona

Son
Servera

8

Cala Millor

Son Moro

Ma 12

Maria de la Salut

Ariany

119

S'Avalls

Ma 3330

Ma 3322

Ma 3323

Ma 3320

Sant Llorenç
des Cardassar

Son Carrió

12

220

13

15

Ma 4021

Ma 4020

Ma 4024

Ma 4025

sa Coma

31   Punta de n'Amer

s' Illot

Llubí

Pla

3301

3300

7,5

10

Petra

255

Bonany

317

194

Manacor

9

40

Ma 15

6

2

**Coves des
Hams**

Porto Cristo

Coves del Drach

Sant Joan

Vilafranca
de Bonany

Montuïri

25

Sant Miquel

38

543

294

Porreres

30

Ma 14

Ma 5100

Ma 5101

Ma 5110

Ma 5111

114

Ma 5120

6

s'Ermita

Son Macià

333

17

Ma 4014

Ma 4015

Ma 4016

Cala Anguila

s' Estany d'en Mas

Cales de Mallorca

es Domingos

Cala Murada

19

Ma 4010

Felanitx

Monestir

510

**Sant
Salvador**

Ma 5040

13

Ma 5030

13

Campos

Cas Concos
des Cavaller

Cast de
Santueri

s' Horta

Calonge

Ma 4010

Ma 4012

Ma 4013

6

Sa Punta

Punta de ses Crestes

Portocolom

Cala Ferrera

Cala d'Or

Cala d'Or

13

107

Ma 6031

Ma 6040

Ma 19

es Palmer

Ma 19

S'Alqueria Blanca

10

Pòrtopetro

Santanyí

Cala Mondragó

Salines des
Salobrar

Banyos de
Sant Joan

ses Salines

es
Llombards

Cala
Santanyí

Cala Figuera

Cala Figuera

Ma 6100

Ma 6110

t Jordi

s'Avall

21

67

68

Costa

Cap de ses Salines

M A R

M A R

M E D I T E R

M E D I T E

M E D I T E R

M E D I T E

N

O

Illa
Conejera

122

146   Cap Ventós

Illa de
Cabrera

0   4   8   12   16 km

42   43

L

105

Cap de
Cavalleria

Illa
dels Porros

Cala Pregonda

Illes Bledes

Cala de Algaiarèns

Punta Pantinat

Platja de Tirant

Badia de Fornells

Fornells (⚓)

Punta Codolar

(⚓) Cala Morell

206 △

Falconera

Sta Agueda

Platjes-
de Fornells

Arenal
d'en Castell

Urb. Coves Noves

na Macaret (⚓)

Cap de Favàritx

Punta Nati

Cap Menorca
o Bajolí

△80

8

Ciutadella
de Menorca

268

es
Mercadal

Monte Toro

Addaia

Me 15

Me 7

Illa Colom

15,5

Cf 5

Cala en Blanes

Me 1

△131

Ferreries

8

Me 1

△358

Binifabini

Cf 1

△82

Naveta
des Tudons

Barranc
d' Algendar

Me 20

Me 18

Santuari

9

Cf 5

Albufera

es Grau

Punta de sa Galera

(⚓) Cala Santandria

Santandria

Me 22

10,5

Me 16

45

Alaior

Shangri-Là

Me 1

Me 24

(⚓) Cala Blanca

9

es
Migjorn Gran

155

sa Mesquida

Cala Mesquida
Cala Fonduco

62

Cala'n
Turqueta

Cala Galdana

Me 1

Son Olivaret

Me 18

7,5

Maó (⚓)

Cap Negre

Tamarinda

Torre-saura

Sant Tomàs

Torre-solí Nou

Talatí
de Dalt

12,5

Es Castell

Punta de s'Esperó

Cap d'Artrutx

Cala Turqueta

Cala Macarella

Cala Galdana

Platja de
Sant Tomàs

Son Bou

△75

Sant Climent

13

Me 14

2

Fort la Mola

(⚓) Cala en Bosc

Platja de Son Bou

Cala en Porter

Coves
d'en Xoroi

Me 12

s'Ullastrar

1

Me 6

Sant Lluís

Me 8

s'Algar (⚓)

Binidalí

4,5

△73

Alcalfar

MENORCA

Cap d'en Font
Binibèquer

Punta Prima

Cala en Porter

Illa de l'Aire

Cala Binibeca

M

N

eu

la

ta de Capdepera

ada (⚓)

d'Artà

amel

41   42   43

RRÀNIA

RÀNEO

Ilhas Açores

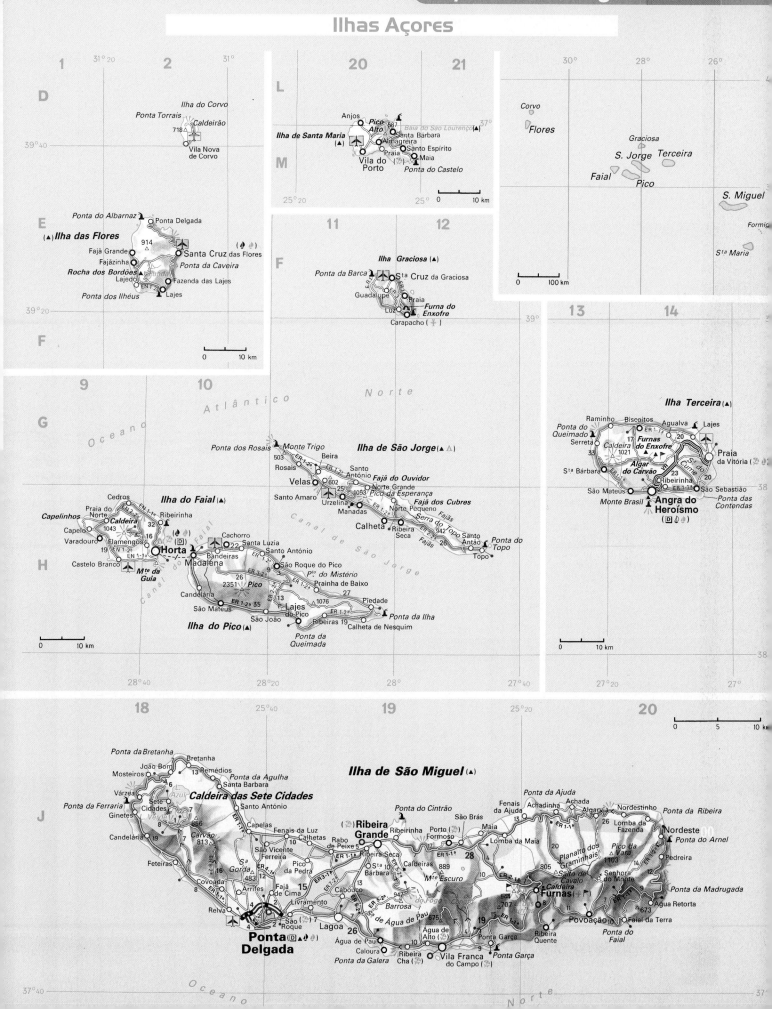

Ilha do Corvo
Ponta Torrais
718 △ Caldeirão
Vila Nova de Corvo

Ilha das Flores
Ponta do Albarnaz · Ponta Delgada
Fajã Grande 914 △
Fajãzinha
Rocha dos Bordões · Lajedo · Santa Cruz das Flores
EN 2-1ª · Ponta da Caveira
Fazenda das Lajes
Ponta dos Ilhéus · Lajes

Ilha de Santa Maria
Anjos · Pico Alto 587
Santa Bárbara
Almagreira
Praia · Santo Espírito
Vila do Porto · Maia
Ponta do Castelo
Baía do São Lourenço

Ilha Graciosa
Ponta da Barca · Stª Cruz da Graciosa
Guadalupe · Praia
Luz · **Furna do Enxofre**
Carapacho

Corvo
Flores
Graciosa
S. Jorge · Terceira
Faial · Pico
S. Miguel
Formig
Stª Maria

Oceano Atlântico Norte

Ilha de São Jorge
Ponta dos Rosais · Monte Trigo
503 · Beira
Rosais · Santo António
Velas · 602 · Fajã do Ouvidor
25 · Norte Grande
Santo Amaro · 1053 · Pico da Esperança
Urzelina · Norte Pequeno · **Fajã dos Cubres**
Manadas · Serra do Topo · Fajãs
Calheta · 942 · Santo
Ribeira · Antão
Seca · Fajãs · Ponta do Topo
26 · Topo

Ilha do Faial
Cedros · EN 1-1ª
Praia do Norte · Ribeirinha
Capelinhos · **Caldeira** · 32
Capelo · 1043 · 16
Varadouro · Flamengos · **Horta**
19 · EN 1-2ª · Madalena
Castelo Branco · Bandeiras
Mte da Guia · Cachorro · Santa Luzia
Santa António
São Roque do Pico · Pto do Mistério
26 · Prainha de Baixo
Candelária · 2351 · **Pico** · 27 · Piedade
São Mateus · 13 · 1076
Lajes do Pico · ER 1-2ª
São João · Ribeiras · 19 · Calheta de Nesquim
Ilha do Pico · Ponta da Ilha
Ponta da Queimada

Ilha Terceira
Raminho · Biscoitos · Agualva · Lajes
Ponta do Queimado · 17 · **Furnas do Enxofre** · 20
Serreta · Caldeira · 1021
Stª Bárbara · 33 · **Algar do Carvão** · 23 · Praia da Vitória
São Mateus · Ribeirinha · 20
Monte Brasil · **Angra do Heroísmo** · São Sebastião
Ponta das Contendas

Ilha de São Miguel
Ponta da Bretanha · Bretanha
João Bom · Remédios
Mosteiros · 13 · Ponta da Agulha
Santa Barbara
Várzea · Azul · **Caldeira das Sete Cidades**
Ponta da Ferraria · Sete Cidades · Santo António
Ginetes · L. Verde · Capelas · Fenais da Luz
856 · Calhetas · Ponta do Cintrão
Candelária · 19 · **Carvão** · 813 · Fenais da Luz
Feteiras · São Vicente Ferreira · Rabo de Peixe
Fajã de Cima · Pico da Pedra
Sª Gorda · 483 · Arrifes
Covoada · Livramento
Relva · São Roque
Ponta Delgada · Lagoa · 26
Água de Pau · Caloura
Ponta da Galera · Ribeira Cha
Vila Franca do Campo · Ponta Garça

Ponta da Ajuda
Fenais da Ajuda · Achadinha · Achada · Algarxia · Nordestinho
São Brás · 13 · Lomba da Fazenda
Porto Formoso · Maia · 26
Ribeira Grande · Ribeirinha · 20
Lomba da Maia · Planalto dos Graminhais
Ribeira Seca · Pico da Vara 1103
Stª Bárbara · Caldeiras · 889
Mte Escuro · 805 · Senhora do Monte
Cabóuco · 14 · **Furnas**
Barrosa · Salto do Cavalo · Ponta da Madrugada
947 · 707 · **Caldeira** · Água Retorta
Ribeira Quente · Povoação · Faial da Terra
Ponta do Faial
Nordeste · Ponta do Arnel
Pedreira
Ponta da Ribeira
Lomba da Fazenda

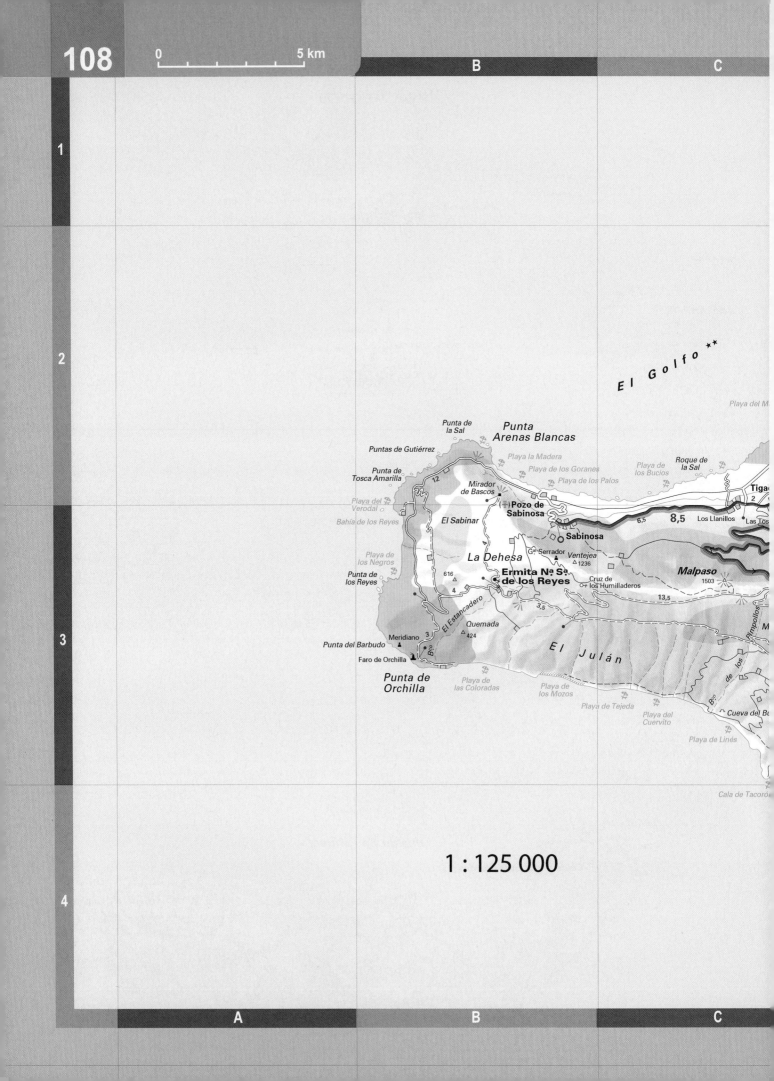

0   5 km

1

2

El Golfo ⋆⋆

Playa del M

Punta de
la Sal

**Punta
Arenas Blancas**

Puntas de Gutiérrez

Playa la Madera

Playa de los Goranes

Roque de
la Sal

Punta de
Tosca Amarilla

12

Mirador
de Bascos

Playa de los Palos

*Playa de
los Bucios*

Tiga

*Playa del
Verodal*

⊕ **Pozo de
Sabinosa**

Tiga

2

Bahía de los Reyes

El Sabinar

6,5

8,5

Los Llanillos

Las Tos

○ **Sabinosa**

*Playa de
los Negros*

Gⁱ Serrador

Ventejea
△ 1236

Malpaso

La Dehesa

*Playa de
los Reyes*

616
△

**Ermita Nª Sª
de los Reyes**

Cruz de
⊕ los Humilladeros

1503
☼

Punta de
los Reyes

4

El Estancadero

3,5

13,5

Meridiano

3

Quemada
△ 424

El Julán

Pimpollos

Punta del Barbudo

Bᶜᵒ

de

los

Faro de Orchilla

**Punta de
Orchilla**

*Playa de
las Coloradas*

*Playa de
los Mozos*

Bᶜᵒ

Cueva del Bu

Playa de Tejeda

*Playa del
Cuervito*

Playa de Linés

1 : 125 000

Cala de Tacoró

4

D   E

Punta del Guanche   Punta Norte

Bahía de las Calcosas
Punta de Amacas
Echedo   Playa de Adentro
Pozo de las Calcosas   4
Playa del Salto
Punta de Agache   346
Mocanal   Ermita de San Pedro   Tamaduste
Roque Salmor   4
Playa del Piloto   Ermita de San Lázaro
Guarazoca   3   Santiago   Playas Largas
Érese   761   HI 3
Hoyo del Barrio   Bºo de
Betenama
Valverde   9   Caleta
★★ *Mirador de la Peña*   642   HI 2   5   Punta de la Caleta
Playa del Catadal   Jarales
Embarcadero de Punta Grande   Pedraje   8   3   Ermita de San Telmo
1025   **Puerto de la Estaca**
Las Puntas   Las Montañetas   Ventejis   HI 2   541
1139   4   La Gomera
1041   **Tiñor**   Tenerife
Izique   **San Andrés**   Playa de Tijeretas
1234   Bahía Temijiraque
Guinea   Temijiraque
Los Mocanes   *Mirador de Jinama*   Punta de Temijiraque
(1180)   La Cuesta
Las Rosas   3
Frontera   1327   Los Llanos
12
HI 1   La Torre
24   HI 1   Alto de Fileba   2.5   **Isora**
1330   1118   *Mirador de Isora*
17   (800)   Punta de Ajones
3.5
El Pinar ★   *Mirador de las Playas*   Roque de la Bonanza
Hoya del Morcillo   *Las Playas*
1253   Las Casas   Parador de El Hierro
12.5   **El Pinar**   *Playa de los Cardones*
Taibique
1002   *Playa de Miguel*
carón   774   *Playa Brava*
Tembargena   **25**   Roques de Los Joraditos
14   *Playa del Pozo*
Playa de Manchas Blancas
Los Lajiales   *Playa del Cantadal*
Restinga   197
Bahía de Naos   **La Restinga**
Punta de los Saltos   Punta de la Restinga

D   E   F

1

2

3

4

0   5 km

1

Punta

2

Pla

Playa de la

Playa de Jar

Punta del Salvaje

Los Molinos

O C É A N O

Punta de Fuente Blanca   Sa

Playa de los Mozos   B^{co} de los M

Playa del Valle

Aguas Verdes

Punta de los Caletones

A T L Á N T I C O

Punta del Junquillo   Morro Alto   Va
417

3   Punta Gorda   Morro de la
676

Punta de la Herradura   Mirador de
Morro Velosa

Morro Negro
480   la   Peña   ★ **Betancuri**

1 : 175 000

724 △
Barranco   de   Betancuria   **29**

Ajuy   Vega de Río
Palmas

B^{co}   de   Ajuy   FV 323   Peñitas

Puerto de la Peña   FV 621   E^{ta} de N^a S^a
Playa de los Muertos   9   **de la Peña**
B^{co}   de

   Punta de la Nao
FV 621

Mézquez   Gran

10

Playa de la Solapa

0 5 km

3

4

5

P*

Playa

Punta del Peñón Blanco

Las Salinas

Playa Amanay

Punta de las Goteras

Playa de Terife

Playas Negras

Playa de Ugán

Ugán

Puerto Nuevo

Le

Playa de la Pared

La P

Playa del Viejo Rey

Morros Negros

123 △
Granillo

Agua Tres Piedras

M
Bl

El Jable

Costa
Calma

Punta de

Bahía Calma

Punta Paloma

Playa Barca

Playa de
Sotavento

Playa de Barlovento
de Jandía

Los Verodes

El Islote

El Paso
253 △

Punta
Pesebre

Playa de Cofete

Parque Natural

Pecenescal

Montaña
Blanca
△ 402

23

Punta Cotillo
o de Cachorros

Punta de
Barlovento

Cofete

807 △

Jandía

Los Cananos
de Abajo

Risco del Paso

Punta del Tigre

435 △ Montaña Aguda

Fraile
683 △

Mal
Nombre

Esquinzo

Tierra Dorada

Playa de Ojos

Faro de
Jandía

Cueva
de la Negra

Playa de las Pilas

Gran
Valle

Ciervo

Marabú

Puerto
de la Cruz

Jorós

Corral Bermejo
336 △

Playa de
Butihondo

**Punta
de Jandía**

Playa de Juan Gómez

Punta
del Viento

Matorral

Butihondo

Gran Canaria

**Morro
Jable**

Playa del
Matorral

P e n í n s u l a   d e   d e   J a n d í a

J a n d í a

Valle de Butihondo

FV 2

FV 605

5

5

9

9

23

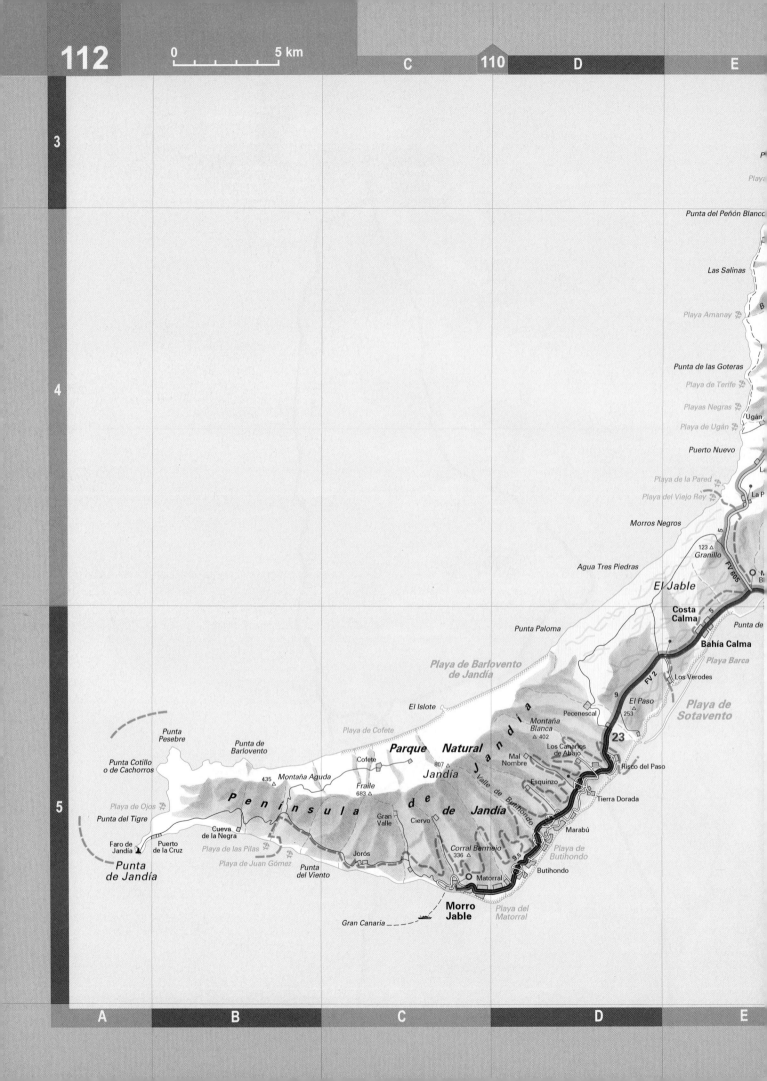

★ Betancuria

Museo Arqueológico

724 △ Betancuria
29

Barranco de la

Ajuy

Puerto de la Peña

B⁰

Vega d

FV 621

E⁰ de N⁰ S⁰ de la Peña

F

111

G

Peñitas

FV 30

Valles de Ortega

Punta de la Nao

FV 621

E⁰ de San Roque

Majada Blanca

Antigua

Caleta de Fustes

Mézquez

Gran Montaña
△ 708

Agua de Bueyes

Morales

FV 415

El Cortijo

La Guirra

10

FV 50

10

B⁰ de

FV 2

Playa de la Solapa

12

43

Finca del Vicario

Las Sali

nta de Don Blas

FV 621

Toto

Agua Bueyes
461 △

356
Caldera de Gairía

494 △
Agudo

la

Punta del Muellito

3

de Garcey

Mézquez
414 △

Tiscamanita

Centro de Interpretación
de los Molinos

Torre

Puerto de la Torre

Bárgeda

9

Pájara

○

Carbón
606 △

FV 30

B⁰ de la Boca

4,5

FV 420

Playa de L

Playa de la Solapa

13

Caldera de la Laguna

300

de Pozo Negro

Pozo Negro

Las Salinas

Tuineje

Malpaís Grande

El Saladillo

Playa de Pozo Negro

Vigocho
382 △

FV 605

El Alto

Las Casitas

La Florida

354 △

439 △

Tonicosquey

Playa de los Chopos

Fayagua

Montañeta de Tamacite

Casilla Blanca

9

Ezquen

FV 2

B⁰ Valle de la Cueva

Playa de los Vallichuelos

Amanay

10

Tesejerague

FV 618

4,5

Vegueta

Diego Alonso

Montaña Tirba
345 △

La Cañada de Teguital

Caldera de Jacomar
435 △

Jacomar

Punta Gorda

28

Montoña Hendida

5,5

13

Teguital

Punta de las Borriquillas

Cardón
691 △

Corrales

Barranco de Gran Valle

Punta de Gran Valle

4

Chilegua

Cardón

Tamaretilla

Violante

FV 511

3

6

Vigán
462 △

Playa de los James

as Hermosas

FV 617

FV 56

△ 343

315

9

24

Caracol
464 △

FV525

Pablo Sánchez

FV 520

4

6

FV 512

5,5

Las Playitas

185 △

Peñón del Roque

La Entallada

ared

Barranco de Gerepe

8,5

Giniginámar

Gran Tarajal

292 △
Lapa

Río Gran Tarajal

FV 4

Punta del Aceituno

Playa del Pajarito

Playa de los Pobres

FV 2

Tarajalejo

Punta del Caracol

Playa de Giniginámar

La Lajita

6,5

Playa de Tarajalejo

Matas ancas

Playa La Lajita

Playa de La Jaqueta

Playa de Matas Blancas

los Molinillos

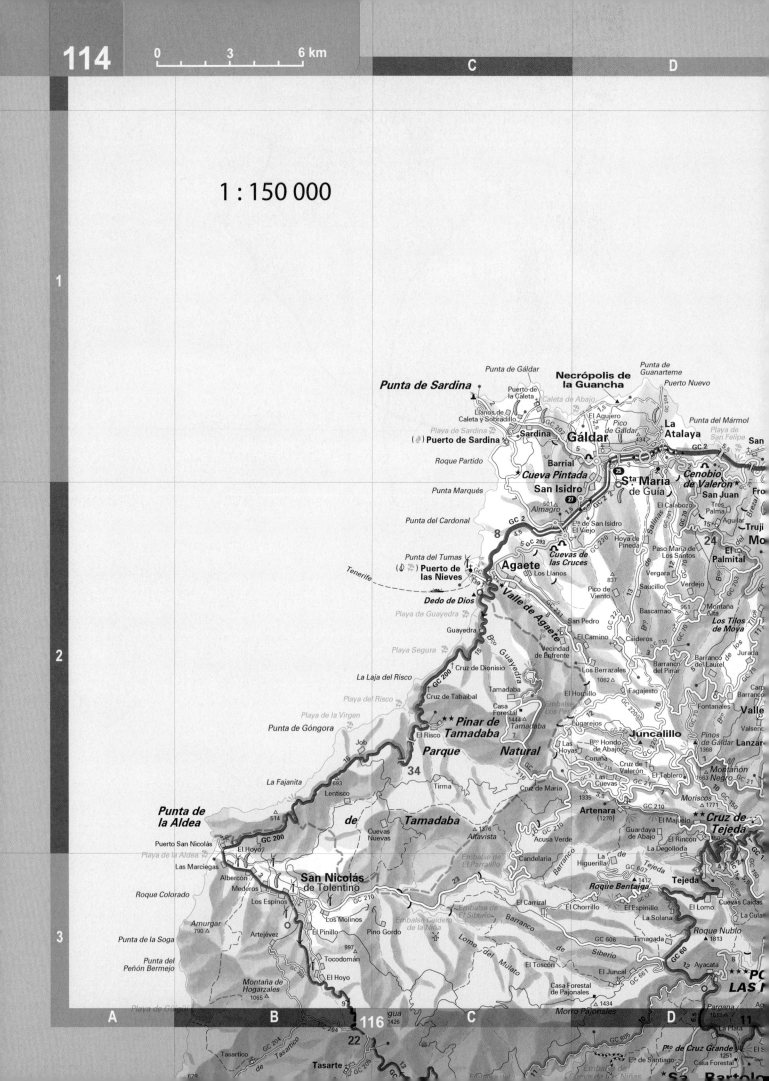

E   F

1

Los Albarderos
239
Las Coloradas
Montaña del Vigía 212
Punta del Confital   Roque Negro
La Isleta
Punta del Camello
La Costa   Punta de las Coloradas   Punta de Arucas
Felipe   San Andrés   **Bañaderos**   15 GC 2   8
Cabo Verde   Cruz de Pineda   Costa Ayala
Lomo Quintanilla   Cardonal   ★ *Playa de las Canteras*
Casablanca   GC 300   **Trasmontaña**   Sta Catalina
Trapiche   Cambalud   9   *Bahía del Confital*   **Puerto de la Luz**
Buenlugar   6   253   **Cárdones**   GC 2   8   *Playa de las Alcaravaneras*   Tenerife
Los Rosales   4   **Ayala**   289   Los Giles   Fuerteventura
Padilla   Mña de Arucas ★   Juan XXIII   Las Torres   Lanzarote
Arucas   10   **Tenoya**   10   GC 23   **Triana**
Lance   La Caldera   Santidad   **Tamaraceite**   7
Firgas   Visvique   Las Mesas   9   8
Carretería   Los Portales   La Suerte   3   Lomo Blanco   2   ★**LAS PALMAS**
San Fernando   Los Castillos   15   El Toscón   Almatriche   **Vegueta**   DE GRAN CANARIA
16   Huertas del Palmar   441   San   17   Tafira   (P ⚓)
Zumacal 12   San   Lorenzo   Dragonal   Baja   9   El Secadero   **San Cristóbal**
Teror   San José del Alamo   641   ★ *Jardín Canario*   La Calzada   El Fondillo   Punta Casa Blanca
Miraflor   Siete Puertas   16   *Playa de la Laja*
Mirador de Zamora ★   El Alamo   La Milagrosa   **Tafira Alta**   San Francisco de Paula   Punta del Palo
Arbejales   Espartero   La Angostura   Los Hoyos
15   Madrelagua   Etª del Corazón de Jesús   945   24   ★★ *Pico de Bandama* 574   3
San Isidro   Pino Santo   Stª Brígida   Monte Lentiscal   Jinamar   2
Vega de San Mateo   El Madroñal   Caldera de Bandama   Cruz de la Gallina   17   Punta de Jinámar
Ariñez   La Yedra   Hoya del Gamonal   850   Vega de Enmedio   La Atalaya   Las Goteras   POLÍGONO DE JINÁMAR 6
30   La Bodeguilla   Los Caserones   San Antonio   **La Estrella**
Las Lagunetas   La Lechuza   Valle de Casares y Solana   La Gavia   GC 10   **La Garita**
Cueva Grande   Lomito de Correa   La Barrera   9   S. José de las Longueras   8   **Marpequeña**
Tenteñiguada   22   **Valsequillo de Gran Canaria**   Valle de los Nueve   **TELDE**   **Playa del Hombre**
Las Vegas   Lomo Magullo   Lomo de la Herradura   El Caracol   El Calero   Melenara
Hoya del Gamonal   1800   La Colomba   Las Huesas   **Playa de Melenara**
GC 130   La Breña   Las Medianias   El Goro   *Playa de la Hullera*
33   Caldera de los Marteles   Cuatro Puertas   319   *Playa de Tufia*
1949   Roque Redondo   Pichón   565   ★ **Cuatro Puertas**   *Playa Ojo de Garza*
OZO DE NIEVES   La Culata   Piletillas   Punta de Ámbar
E   F   **117**   Roque de Gando
5,5   13   Guayadeque   *Bahía de Gando*
Perera   **Aguatona**   Benítez   Punta de Gando
Ingenio   249   AEROPUERTO DE GRAN CANARIA

2

3

H

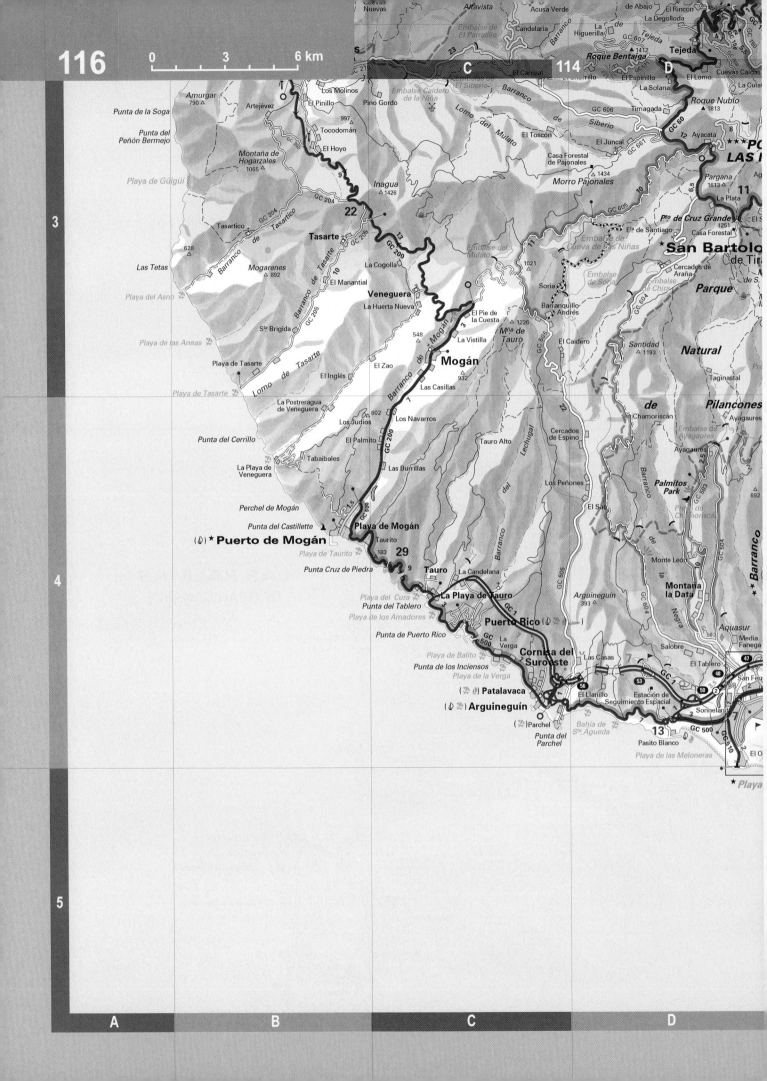

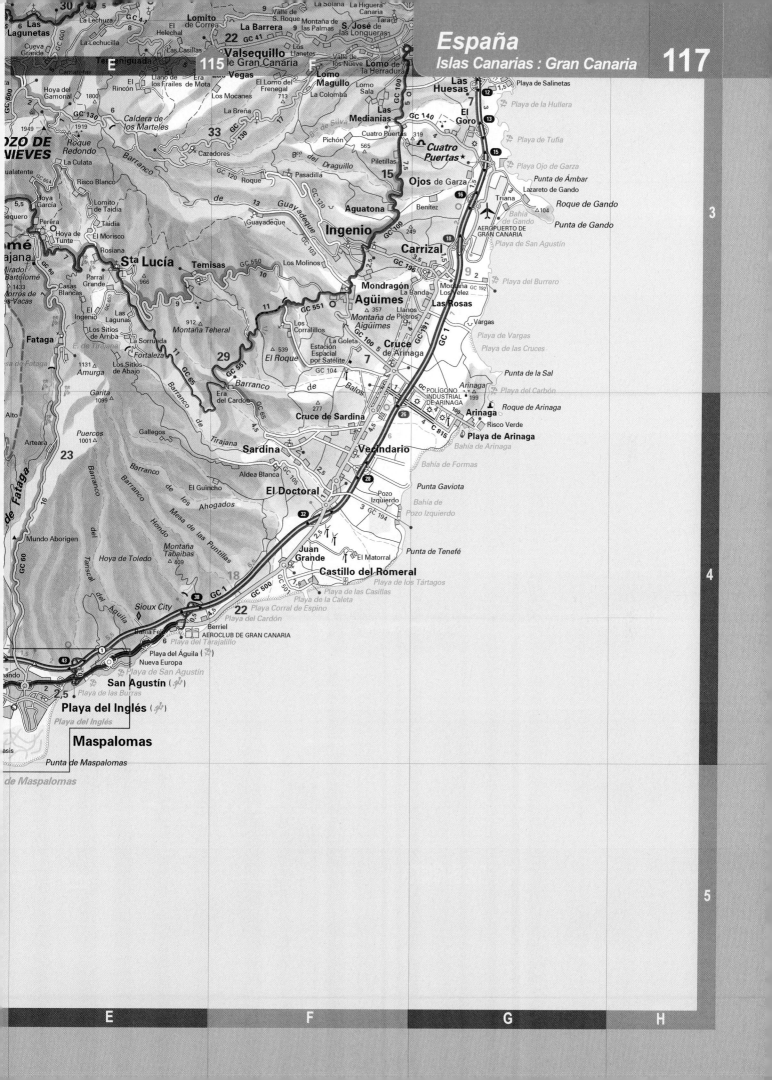

Las Lagunetas
6
30
Cueva Grande
La Lechuza
La Lechucilla
El Helechal
GC 41
Las Casillas
Lomito de Correa
9
Valle de S. Roque
La Solana
Montaña de las Palmas
La Higuera Canaria
S. José de Longueras
Tara
La Barrera
Montaña de las Palmas

Teniguada
Valsequillo de Gran Canaria
115
22 GC 41
Las Casas
Las Vegas
Llano de los Frailes de Mota
El Rincón
Era
Los Mocanes
Los Llanetes
Valle de los Nueve
Lomo de la Herradura

Hoya del Gamonal
1800
GC 130
6
Caldera de los Marteles
El Lomo del Frenegal
713
La Colomba
Lomo Sala
Lomo Magullo

POZO DE NIEVES
1949
1919
Roque Redondo
La Culata
GC 130
33
GC 130
Las Medianias
Cuatro Puertas
565
Pichón
B.co del Draguillo
GC 140

gualatente
GC 654
Risco Blanco
GC 120
Roque
Piletillas
319
4
Cuatro Puertas ★

5,5
Sequero
Hoya García
Perera
Lomito de Taidia
Taidia
13
Guayadeque
GC 120
GC 103
Pasadilla
Aguatona
Ojos de Garza
249

Hoya de Tunte
El Morisco
Rosiana
Guayadeque
Ingenio
GC 100
Benítez
Triana

Sta Lucía
966
Parral Grande
Casas Blancas
Temisas
GC 550
10
Los Molinos
GC 100
2,5
GC 196
3,5
Carrizal
Montaña Los Velez
GC 192

El Ingenio
Las Lagunas
9
Mondragón
La Banda
Las Rosas
Vargas

Fataga
Los Sitios de Arriba
912
Montaña Teheral
11
GC 551
Agüimes
357
Montaña de Agüimes
Llanos Pietros
GC 191
GC 1

1131
Amurga
Los Sitios de Abajo
GC 551
29
El Roque
539
Los Corralillos
La Goleta
Estación Espacial por Satélite
7
Arinaga
199

Garita
1099
GC 65
Barranco
Era del Cardón
GC 104
de Balos
277
1
Cruce de Arinaga
POLÍGONO INDUSTRIAL DE ARINAGA
100
Arinaga
Roque de Arinaga
Risco Verde

Puercos
1001
Sardina
Aldea Blanca
Cruce de Sardina
4,5
26
6
C 815
Playa de Arinaga

23
Barranco
Gallegos
GC 105
El Guincho
El Doctoral
Vecindario
2,5
Bahía de Formas
Punta Gaviota

Mundo Aborigen
GC 60
Mesa de las Puntillas
Hoya de Toledo
Montaña Tabaibas
409
18
32
28
Pozo Izquierdo
3 GC 194
Bahía de Pozo Izquierdo
Punta de Tenefé

Juan Grande
Castillo del Romeral
El Matorral
Playa de los Tártagos

GC 1
GC 500
22
2,5
Playa de las Casillas
Playa de la Caleta

Sioux City
38
0,5
4,5
Playa Corral de Espino
Playa del Cardón

Bahía Feliz
6
Berriel
AEROCLUB DE GRAN CANARIA
Playa del Tarajalillo

1
43
Playa del Águila
Nueva Europa
Playa de San Agustín

2,5
San Agustín
Playa de las Burras

Playa del Inglés
Playa del Inglés

Maspalomas
Punta de Maspalomas

de Maspalomas

3
4
5

E
F
G
H

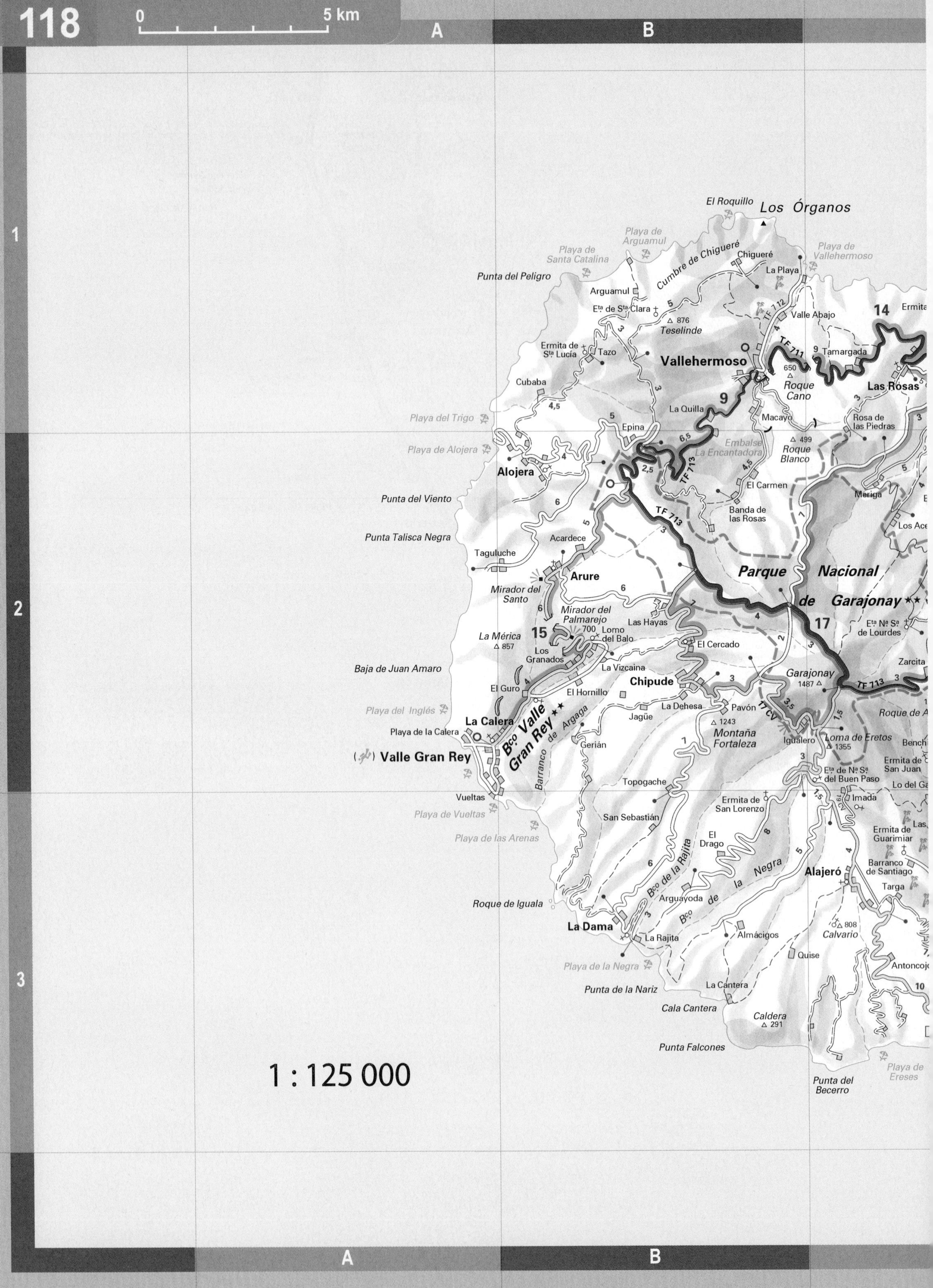

0 ____ 5 km

A

B

1

2

3

1 : 125 000

El Roquillo
Los Órganos

Playa de
Arguamul

Playa de
Santa Catalina

Cumbre de Chigueré
Chigueré

Playa de
Vallehermoso

Punta del Peligro

La Playa

Arguamul

TF 112

14
Ermita

Eta de Sta Clara

5

Valle Abajo

△ 876

3

Teselinde

TF 711

9 Tamargada

Ermita de
Sta Lucia

Tazo

Vallehermoso

650

9

Roque
Cano

Las Rosas

Cubaba

La Quilla

Macayo

Rosa de
las Piedras

4,5

5

△ 499

Epina

3

6,5

Embalse
La Encantadora

Roque
Blanco

Playa del Trigo

TF 713

4,5

Meriga

Playa de Alojera

2,5

El Carmen

Los Ace

Alojera

4

Banda de
las Rosas

7

Punta del Viento

6

TF 713

Parque   Nacional

Punta Talisca Negra

5

Acardece

de   Garajonay ★★

Taguluche

Arure

6

17

Eta Na Sa
de Lourdes

Mirador del
Santo

Mirador del
Palmarejo

4

Las Hayas

Zarcita

La Mérica

15

700

Lomo
del Balo

El Cercado

2

3

△ 857

Los
Granados

La Vizcaína

Garajonay

TF 713

3

Baja de Juan Amaro

6

Chipude

3,5

1487 △

Roque de A

El Guro

El Hornillo

La Dehesa

17 CV

Loma de Eretos

Playa del Inglés

Jagüe

Pavón

1355

Bench

La Calera

Bco Valle
Gran Rey ★★

Gerián

Igualero

Ermita de
San Juan

Lo del Ga

Playa de la Calera

1,5

Montaña
Fortaleza

Eta de Na Sa
del Buen Paso

(🚶) Valle Gran Rey

△ 1243

Topogache

1,5

Imada

Vueltas

1

Ermita de
San Lorenzo

8

Ermita de
Guarimiar

Playa de Vueltas

San Sebastián

Barranco
de Santiago

Playa de las Arenas

El
Drago

5

Alajeró

Targa

6

de

la

Negra

Roque de Iguala

3

Bco

Arguayoda

Bco de la Rajita

808
△

Calvario

La Dama

La Rajita

Almácigos

Quise

Antoncojo

Playa de la Negra

La Cantera

10

Punta de la Nariz

Cala Cantera

Caldera

Punta Falcones

△ 291

Punta del
Becerro

Playa de
Ereses

A

B

C | D | E

Punta del Jurado
Playa de San Marcos
a de San Marcos
Agulo ★
5
Playa de Agulo
Cañada Grande
△ 791
Playa de Santa Catalina
Sᵗᵃ Catalina
Punta Gabiña
Playa de la Caleta
Hermigua
E. de la Palmita
Eᵗᵃ de San Juan
La Palmita
Llano Campos
Punta San Lorenzo
Las Nuevitas
El Palmar
Las Casas
Taguluche
Playa de Tegüijuel
El Estanquillo
Playa Molino
eviños
Punta Majona
Parque   Natural
Embalse del Mulagua
Encherada
△ 1065
de   Majona
Playa Majona
El Cedro
Cuevas Blancas
Playa Zamora
Encherada
Punta Llana
24
Jaragán
△ 642
Ermita de Nuestra
Aluce
Señora de Guadalupe
Chejelipes
Jaragán
Playa del Cangrejo
E. de Chejelipes
Roque de Ojila
△ 1171
E. de Llano
El Atajo
Punta de Avalo
△ 1236
El Molinito
Playa de Avalo
La Laja
Embalse Palacios
San Antonio y Pilar
Matanza
△ 251 △
Casas Blancas
△ 268
gando
983
TF 713
Punta de San Cristóbal
Vegaipala
△ 384
San Sebastián
Degollada de Peraza
Ayamosna
Langrero
14
de la Gomera
igua
Jerduñe
691 △
Roque de Magro
△ 663
Roque del Sombrero
TF 713
Playa de San Sebastián
6
9
La Palma
Toscas
Playa de la Guancha
Tenerife
Pastrana
Tejiade
Seima
El Cabrito
Playa del Cabrito
Contrera
El Hierro
15
Punta Gorda
Playa de la Roja
El Joradillo
Playa del Guincho
Laguna de Santiago
Tecina
Punta Gaviota
Playa de Chinguarime
Playa de Santiago
Punta del Espino

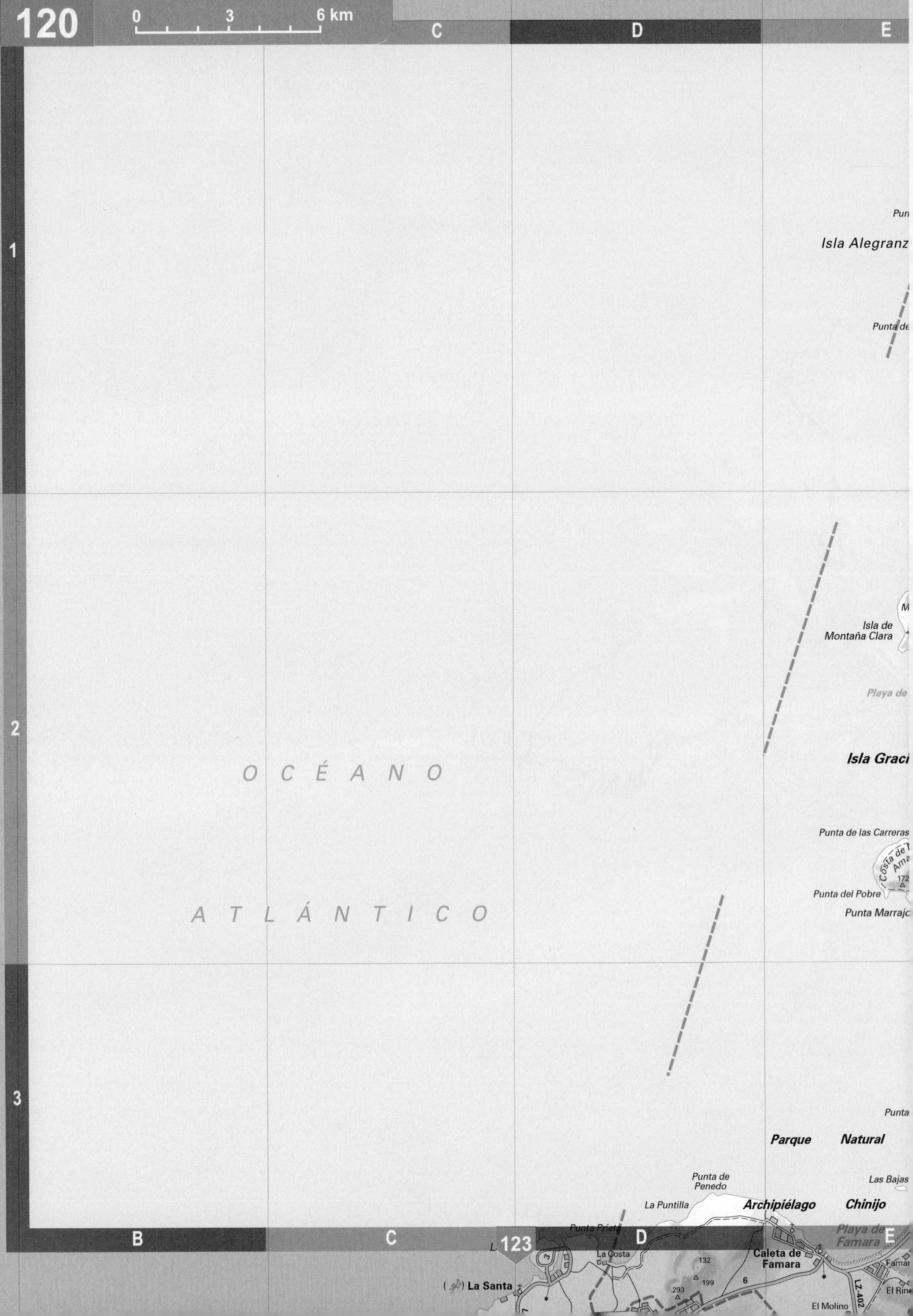

1

Pun

Isla Alegranz

Punta de

2

M

*Isla de
Montaña Clara*

Playa de

OCÉANO

Isla Graci

Punta de las Carreras

Costa de

Ama

172
△

Punta del Pobre

Punta Marrajo

ATLÁNTICO

3

Punta

Parque   ***Natural***

*Punta de
Penedo*

Las Bajas

La Puntilla   ***Archipiélago***   ***Chinijo***

***Playa de
Famara***

Punta Prieta

( ) **La Santa**

La Costa

Famar

3

132

**Caleta de
Famara**

LZ-402

293   199   **6**

El Rin

El Molino

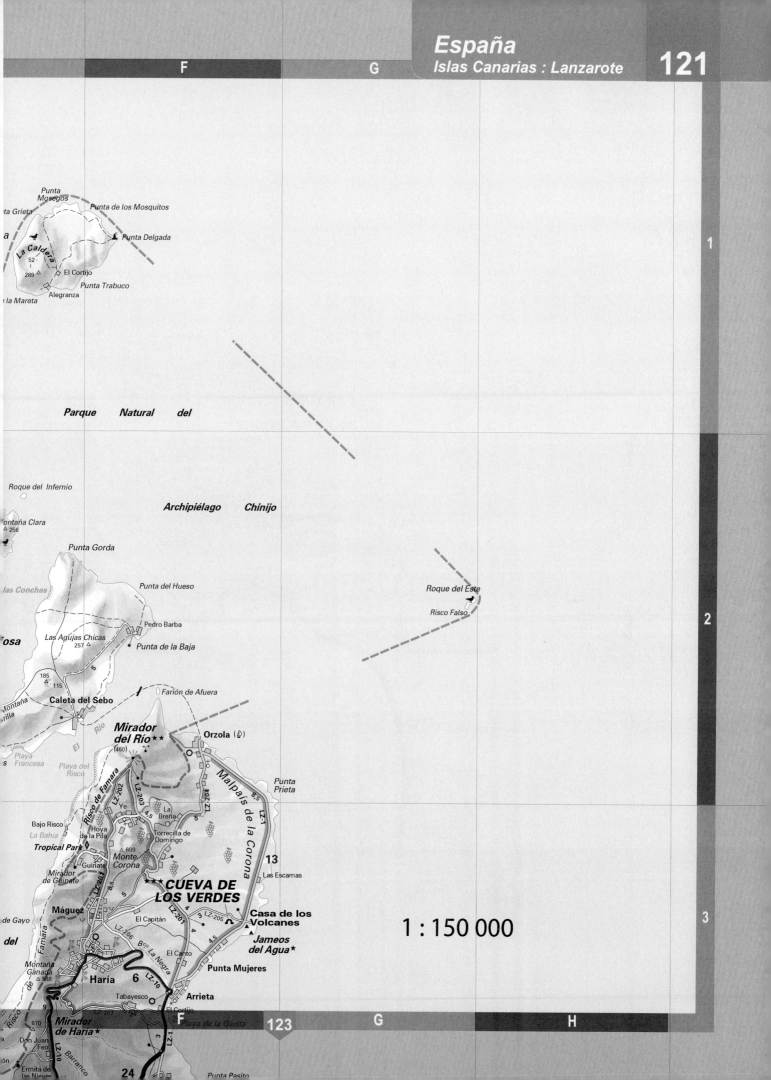

Punta
Mosegos

Punta de los Mosquitos

ta Grieta

▲ Punta Delgada

La Caldera

52 ·

289 △   ● El Cortijo

Punta Trabuco

Alegranza

de la Mareta

Parque   Natural   del

Roque del Infernio

ontaña Clara
△ 256

Archipiélago   Chinijo

Punta Gorda

las Conchas

Punta del Hueso

Roque del Este

Risco Falso

Pedro Barba

Las Agújas Chicas
257 △

osa

Punta de la Baja

185
△ 115

◊ Farión de Afuera

Montaña
rilla

Caleta del Sebo

El Río

*Mirador
del Río* ★★

Orzola (⚓)

(460)

Playa
Francesa

Playa del
Risco

Punta
Prieta

Risco de Famara

LZ-202   LZ-203

Ye   La
Breña

8.5

Bajo Risco

Hoya
de la Pila

4.5

La Bahía

Tropical Park

△ 609
*Monte
Corona*

Torrecilla de
Domingo

Malpaís de la Corona

Guinate

Mirador
de Guinate

de Gayo

Máguez

8.5

5

★★ **CUEVA DE
LOS VERDES**

El Capitán

LZ-205

13

Las Escamas

**Casa de los
Volcanes**

LZ-201

3

4

4.5

1 : 150 000

del

LZ-206

El Canto

*Jameos
del Agua* ★

Montaña
Gánada
△ 588

Haría   **6**   LZ-10

Bº La Negra

Punta Mujeres

Tabayesco

Arrieta

El Cortijo

*Mirador
de Haría* ★

Don Juan
Feo

LZ-207

LZ-10

Playa de la Garita

LZ-1

ón

Ermita de
las Nieves

24

Punta Pasito

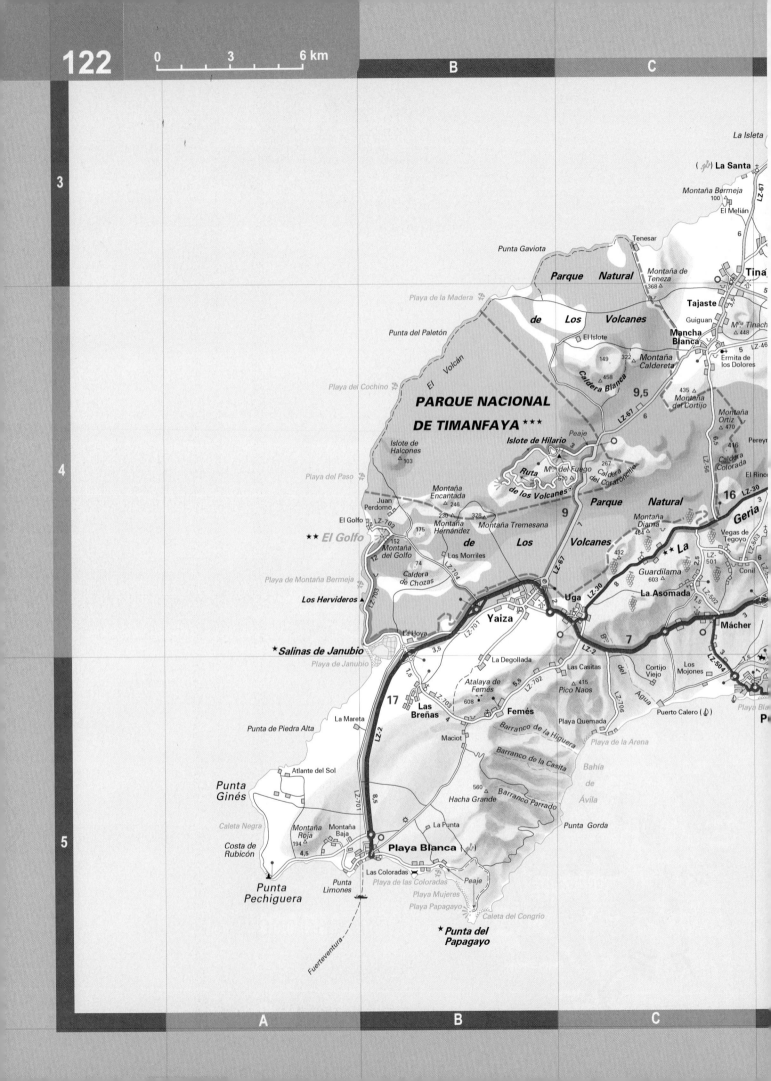

0   3   6 km

3

B

C

La Isleta

( ) La Santa

Montaña Bermeja
100

El Melián

LZ-67

6

Punta Gaviota

Tenesar

Parque   Natural

Montaña de
Teneza
368

Tina

Tajaste

de   Los   Volcanes

Guiguan

Mʰa Tinach
448

Mancha
Blanca

LZ-46

Playa de la Madera

El Islote

Ermita de
los Dolores

LZ-3

Punta del Paletón

149   322

Montaña
Caldereta

El

Volcán

Caldera Blanca

458

9,5

435

Montaña
del Cortijo

Montaña
Ortiz
470

Playa del Cochino

PARQUE NACIONAL

DE TIMANFAYA ★★★

LZ-67

6

LZ-56

416

Pereyr

Peaje

Islote de Hilario

3

Caldera
Colorada

El Rinc

Islote de
Halcones
103

Mʰa del Fuego
570

Ruta

267

Caldera
del Corazoncillo

16

LZ-30

Playa del Paso

Montaña
Encantada
246

de los Volcanes

Parque   Natural

Geria

4

Juan
Perdomo

230   328

Montaña Tremesana

9

Montaña
Diama
464

LZ-501

Vegas de
Tegoyo

LZ-503

El Golfo

LZ-703

175

Montaña
Hernández

★★ La

Conil

★★ El Golfo

152

de   Los   Volcanes

432

LZ-502

Montaña
del Golfo

Los Morriles

LZ-67

Guardilama
603

2,5

74

LZ-704

Playa de Montaña Bermeja

Caldera
de Chozas

Uga

LZ-30

La Asomada

Mácher

Los Hervideros

3

Uga

LZ-2

8

Cortijo
Viejo

Los
Mojones

LZ-504

La Hoya

Yaiza

2

7

LZ-706

Salinas de Janubio

3,5

La Degollada

Las Casitas

415

del

Puerto Calero ( )

Playa Bla

P

Playa de Janubio

1,5

17

LZ-703

Atalaya de
Femés

608

Pico Naos

Agua

Punta de Piedra Alta

La Mareta

Femés

Playa Quemada

Playa de la Arena

LZ-2

Las
Breñas

4

Maciot

Barranco de la Higuera

Atlante del Sol

LZ-701

Barranco de la Casita

Bahía

Punta
Ginés

8,5

560

Barranco Parrado

de

Ávila

Caleta Negra

Hacha Grande

Punta Gorda

Montaña
Roja
194

Montaña
Baja

La Punta

Costa de
Rubicón

4,5

Playa Blanca ( )

5

Las Coloradas

Peaje

Punta
Pechiguera

Punta
Limones

Playa de las Coloradas

Playa Mujeres

Playa Papagayo

Fuerteventura

Caleta del Congrio

★ Punta del
Papagayo

A

B

C

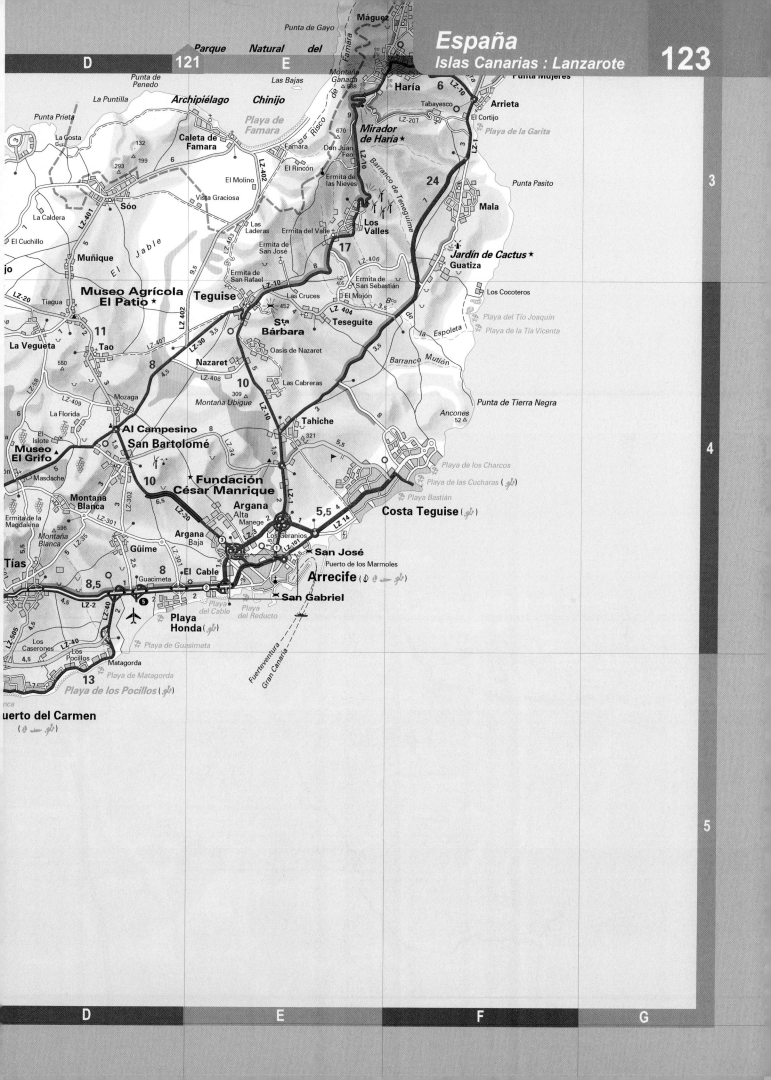

Punta de Gayo   **Máguez**

Punta de Penedo

La Puntilla

Archipiélago   Las Bajas   **Chinijo**

Punta Prieta

La Costa   *Playa de Famara*

132   Montaña   **Haría**   6   **Punta Mujeres**
Gánada

Caleta de Famara   △568   Tabayesco   **Arrieta**

293   199   LZ-207   El Cortijo

△   Famara   *Mirador de Haría* ★   *Playa de la Garita*

Sóo   El Rincón   670

La Caldera   El Molino   △   24

El Cuchillo   Vista Graciosa   Ermita de las Nieves   **Mala**

Muñique   Las Laderas   **Los Valles**   Punta Pasito

Ermita del Valle

Ermita de San José   17   *Jardín de Cactus* ★

Museo Agrícola El Patio ★   Ermita de San Rafael   **Guatiza**

Teguise   LZ-406   Ermita de San Sebastián

LZ-20   Tiagua   Las Cruces   El Mojón   Los Cocoteros

11   **Sta. Bárbara**   **Teseguite**   B⁰   *Playa del Tío Joaquín*

La Vegueta   **Tao**   LZ 404   *Playa de la Tía Vicenta*

Oasis de Nazaret   3,5   Espoleta

550   8   **Nazaret**   Barranco   Mutión

LZ-408   **10**   Las Cabreras

La Florida   309   Montaña Ubigue   Punta de Tierra Negra

El Islote   Mozaga   △   Ancones   52 △

Museo El Grifo   **Al Campesino**   8   **Tahiche**   5,5

Masdache   **San Bartolomé**   321   *Playa de los Charcos*

Montaña Blanca   **10**   **Fundación César Manrique**   *Playa de las Cucharas* ( )

LZ-301   6,5   **Argana Alta**   *Playa Bastián*

Ermita de la Magdalena   596   **Argana Baja**   Manege   5,5   **Costa Teguise** ( )

Montaña Blanca   **Güime**   Los Géranios   LZ 14

Tías   2,5   **San José**

8   **El Cable**   Puerto de los Marmoles

8,5   Guacimeta   **Arrecife** ( )

LZ-2   **San Gabriel**

Playa del Cable   *Playa del Reducto*

Playa Honda ( )

Los Caserones   *Playa de Guasimeta*   Fuerteventura

Los Pocillos   Gran Canaria

4,5   Matagorda

13   *Playa de Matagorda*

Playa de los Pocillos ( )

Puerto del Carmen ( )

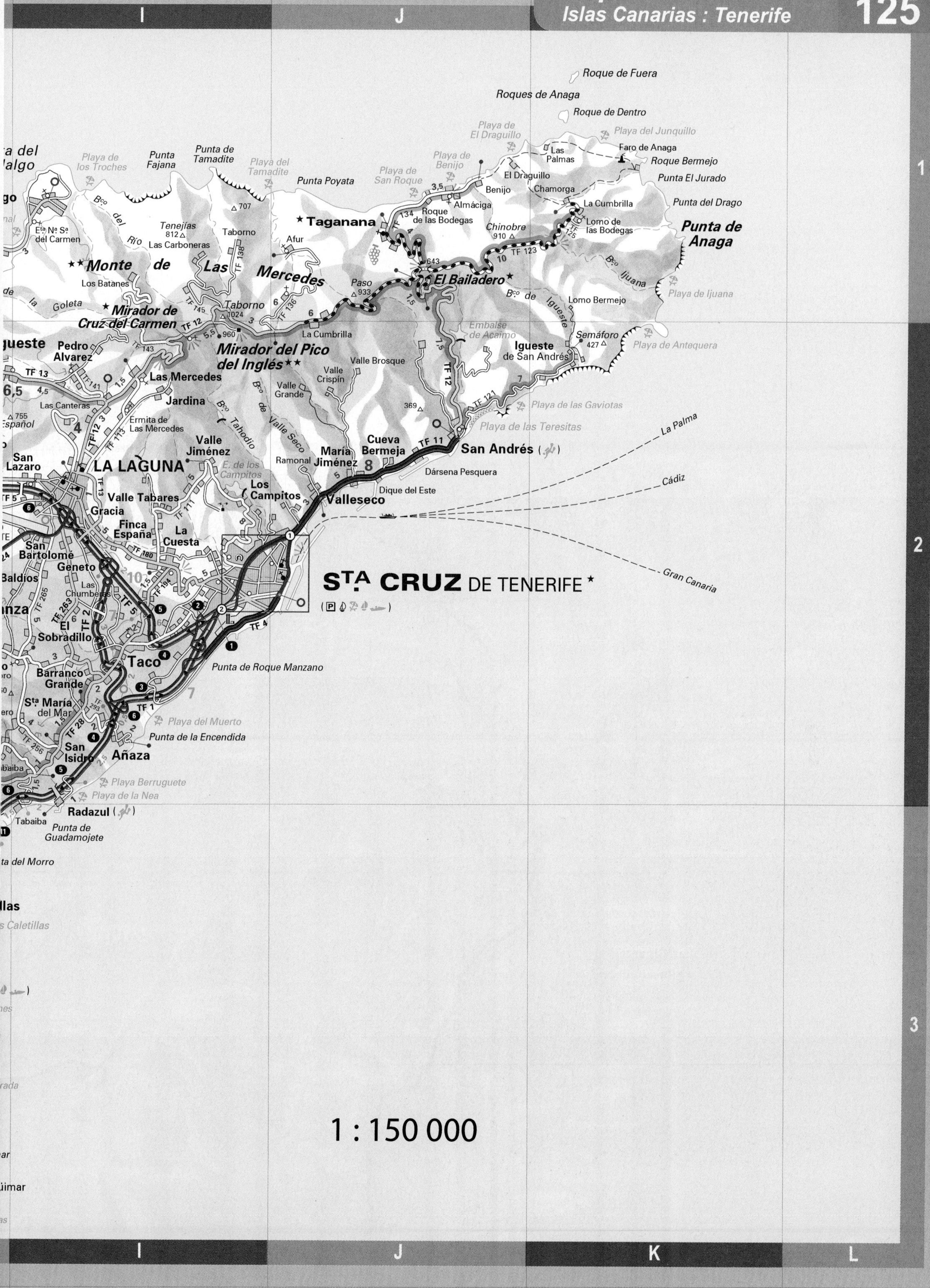

I J K L

1

Roque de Fuera

Roques de Anaga

Roque de Dentro

Playa de El Draguillo
Playa del Junquillo

Faro de Anaga
Las Palmas
Roque Bermejo
Punta El Jurado

Playa de Benijo

El Draguillo
Benijo
Chamorga
La Cumbrilla
Punta del Drago

a del algo

go

Playa de los Troches
Punta Fajana
Punta de Tamadite
Playa del Tamadite
Punta Poyata

Playa de San Roque
3,5
Roque de las Bodegas
Almáciga
1·34

Lomo de las Bodegas

Punta de Anaga

Eª Nª Sª del Carmen

Tenejías 812 △
Taborno
△ 707

★ **Taganana**

Afur

Chinobre 910 △

Lomo de las Bodegas
TF 1·5

★★ Monte   de   Las
Los Batanes

643

El Bailadero

10 TF 123

Lomo Bermejo

Playa de Ijuana

de
la Goleta
★ **Mirador de Cruz del Carmen**
TF 745
Taborno 1024

Mercedes
Paso △ 933
6
TF 136
6
La Cumbrilla
1·5

★ **El Bailadero** ★
Bº de Igueste
Bº Ijuana

TF 12

960
△

Mirador del Pico del Inglés ★★
Valle Crispín
Valle Brosque

Embalse de Acaimo
Semáforo 427 △
Playa de Antequera

gueste

Pedro Alvarez
TF 143
Las Mercedes
Valle Grande

TF 12

Igueste de San Andrés

6,5
TF 13
4,5
TF141
1,5

Las Mercedes
369 △
7

4
Las Canteras
△ 755
TF12 3

Jardina
Bº de Tahodio
Valle Seco

TF 12 1
TF 113

Ermita de Las Mercedes

TF 121

Playa de las Gaviotas

Español

Valle Jiménez
TF 11
Playa de las Teresitas

San Lazaro
E. de los Campitos
Cueva Bermeja
San Andrés ( )
La Palma

TF 5
TF 13
LA LAGUNA
Ramonal
Maria Jiménez
8
Dársena Pesquera
Cádiz

6
Valle Tabares
Los Campitos
Gran Canaria

Gracia
TF 111
Valleseco
Dique del Este

Finca España
La Cuesta
TF 180

San Bartolomé
TF 24

Baldíos
Geneto
Las Chumberas
10
TF 194
1,5
Sᵀᴬ CRUZ DE TENERIFE ★
(P)

anza
TF 263
El Sobradillo
TF 2
TF 5
2
5
3
2
TF 4

1

Taco
4
1

Barranco Grande
3
Punta de Roque Manzano

Sta María del Mar
TF 1
7

San Isidro
6
Playa del Muerto

TF 28
4
Punta de la Encendida

5
Añaza

6
Playa Berruguete
Playa de la Nea

Tabaiba
Radazul ( )

Punta de Guadamojete

ta del Morro

llas

s Caletillas

)

nes

rada

jimar

1 : 150 000

I J K L

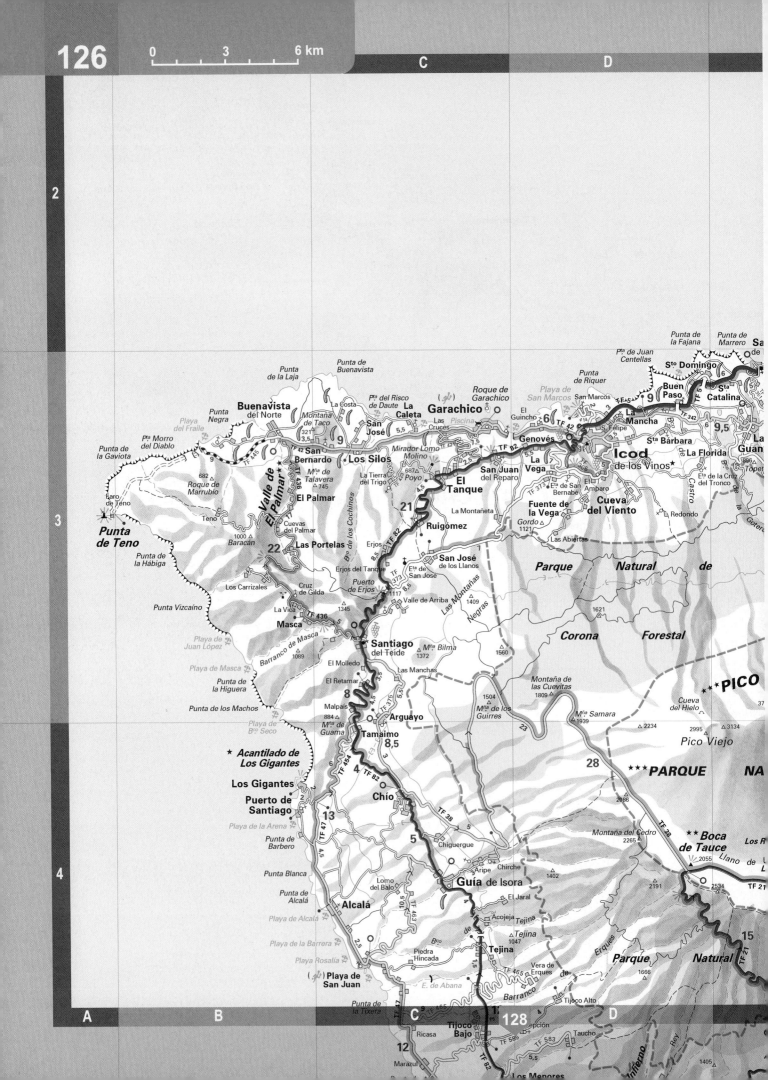

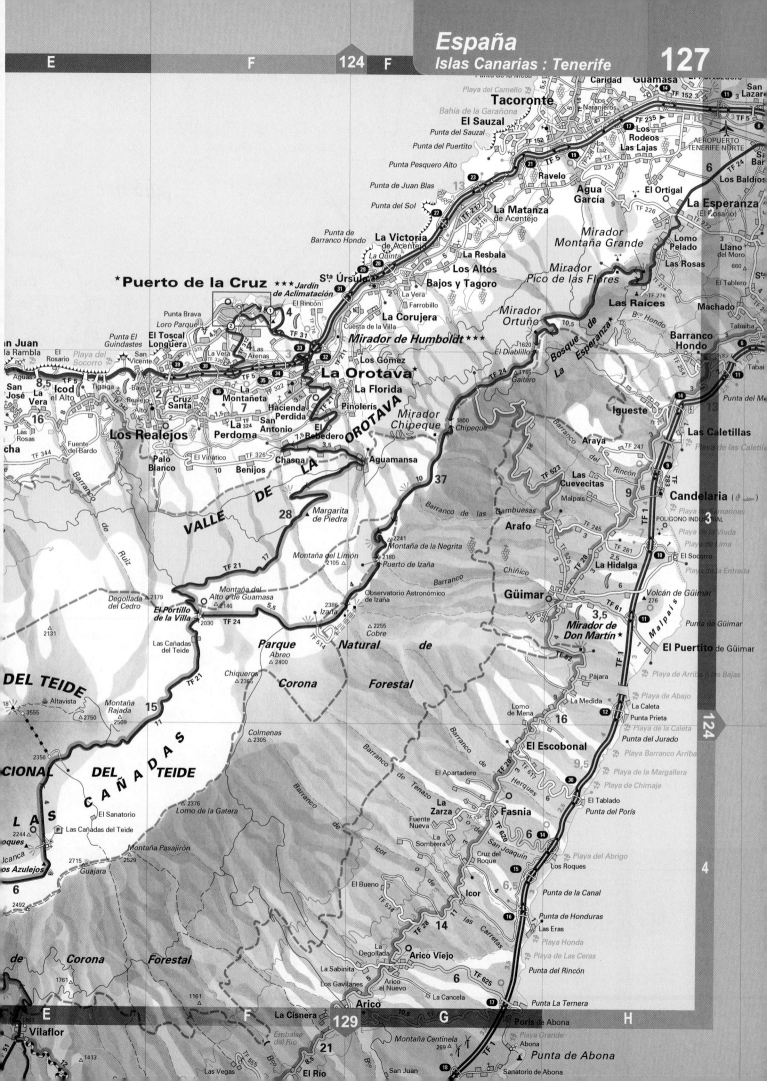

Caridad Guamasa

Playa del Camello
Tacoronte
Bahía de la Garañona
El Sauzal Los Rodeos Las Lajas TF 152
Punta del Sauzal
Punta del Puertito
AEROPUERTO
TENERIFE NORTE

Punta Pesquero Alto
Ravelo
Agua García El Ortigal **La Esperanza** (El Rosario)
Punta de Juan Blas
La Matanza de Acentejo
Punta del Sol
Lomo Pelado Llano del Moro
Punta de Barranco Hondo
La Victoria de Acentejo
La Resbala
Las Rosas El Tablero
Mirador Montaña Grande
Machado
Puerto de la Cruz ***Jardín de Aclimatación***
Sta Úrsula
Los Altos
Mirador Pico de las Flores
Las Raíces
Barranco Hondo
Tabaiba
Punta Brava Loro Parque
El Rincón La Vera
Bajos y Tagoro
La Quinta
Farrobillo
Mirador Ortuño
Punta El Guindastes **El Toscal** Longuera
La Vera Las Arenas
La Corujera
El Diablillo Gaitero
n Juan La Rambla
San Vicente
Mirador de Humboldt ***
Igueste
Las Caletillas Playa de las Caletil
El Rosario
La Orotava
Los Gómez
Bajo Realejo
Araya
La Orotava *
San José Icod el Alto
La Vera
La Florida
Candelaria
Tigaiga
Cruz Santa
La Montañeta
Pinolerís
Las Cuevecitas
Malpaís
Los Realejos
San Antonio
El Bebedero
Palo Blanco
La Perdoma
Chasna
Chipeque
Mirador Chipeque
Arafo
La Hidalga
El Socorro
El Vinático
Benijos
1800 Chipeque
El Portillo
POLÍGONO INDUSTRIAL
VALLE
28
Margarita de Piedra
Güímar
Montaña del Limón
2105
2241 Montaña de la Negrita
2180 Puerto de Izaña
Mirador de Don Martín *
TF 21
17
DE
Montaña del Alto o de Guamasa
2386
Observatorio Astronómico de Izaña
El Puertito de Güímar
Degollada del Cedro 2179
2146
Izaña
Pájara
2131
El Portillo de la Villa
2030 TF 24
2255 Cobre
Las Cañadas del Teide
Parque Abreo
Natural **de**
DEL TEIDE
Chiqueros
Corona **Forestal**
La Medida
La Caleta
Punta Prieta
Altavista
Montaña Rajada
Colmenas
Lomo de Mena
3555 2750 2509
16
El Escobonal
Playa de la Caleta
2356
Playa Barranco Arriba
ICIONAL **DEL** **CAÑADAS** **TEIDE**
El Sanatorio
9,5
Playa de la Margallera
2244
Las Cañadas del Teide
2376
El Apartadero
Playa de Chimaje
oques
Lomo de la Gatera
Herques
Montaña Pasajirón
El Tablado
s Azulejos 2715 2529
La Zarza
Punta del Porís
Guajara
Fasnia
6
Fuente Nueva
La Sombrera
Playa del Abrigo
2492
Cruz del Roque
Los Roques
San Joaquín
de **Corona** **Forestal**
El Bueno
Punta de la Canal
1761
Icor
6,5
Punta de Honduras
Las Eras
La Degollada
Playa Honda
1161
Arico Viejo
Punta del Rincón
La Sabinita
Playa de Las Ceras
Los Gavilanes
1413
Arico el Nuevo
La Cancela

Vilaflor
La Cisnera
Montaña Centinela
Abona
21 *Punta de Abona*
Embalse del Río
San Juan
Sanatorio de Abona
El Río
Porís de Abona
Playa Grande

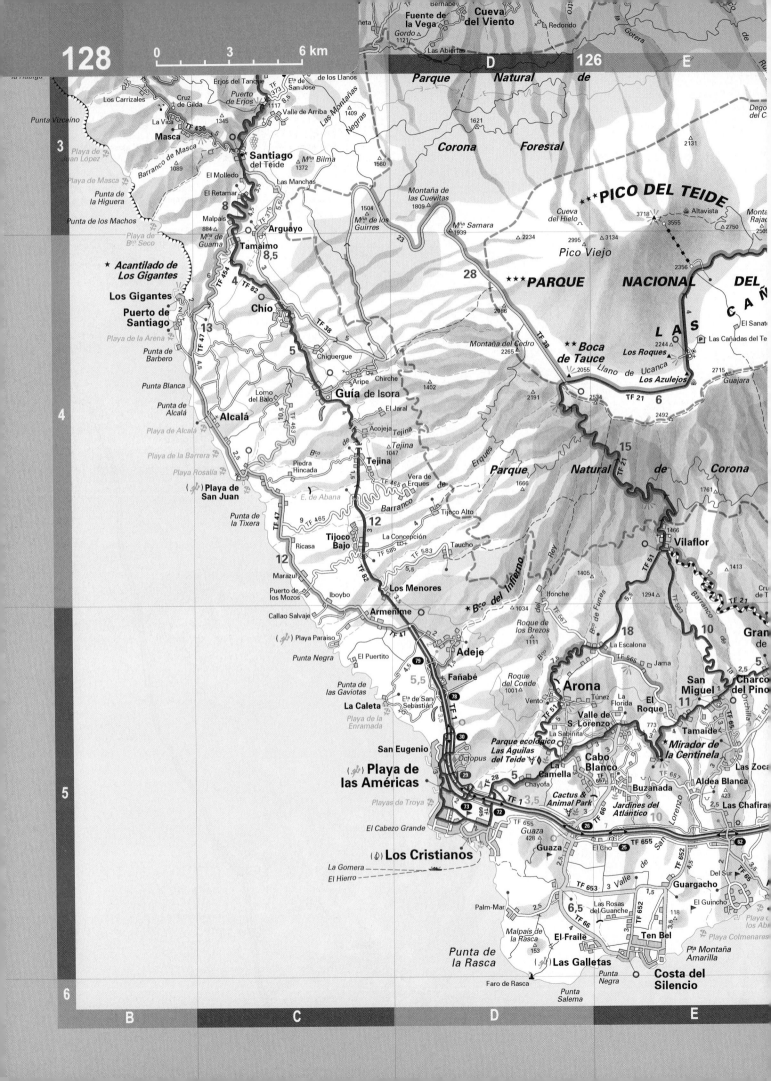

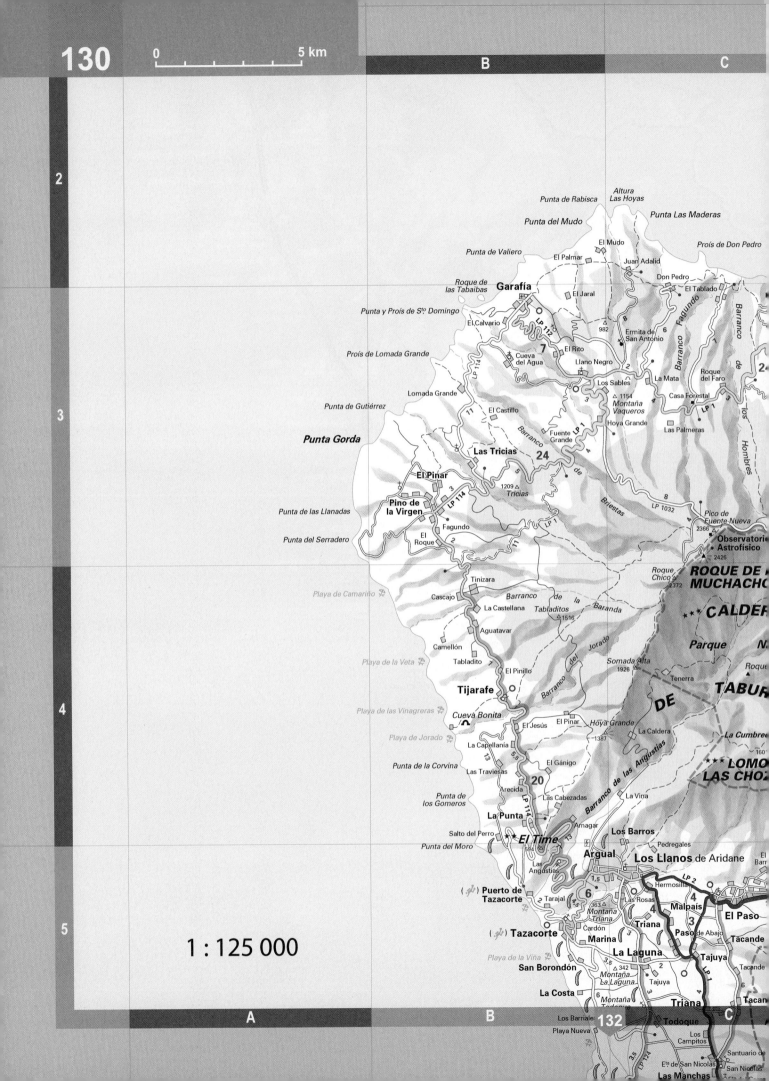

0   5 km

B

C

2

3

4

5

1 : 125 000

A

B

132

C

Altura
Las Hoyas
Punta de Rabisca
Punta Las Maderas
Punta del Mudo
El Mudo
Proís de Don Pedro
Punta de Valiero
El Palmar
Juan Adalid
Don Pedro
Punta y Proís de Sto. Domingo
Roque de
las Tabaibas
Garafía
El Jaral
El Tablado
El Calvario
LP 112
Fagundo
Proís de Lomada Grande
El Rito
Ermita de
San Antonio
6
Cueva
del Agua
7
982
Llano Negro
Barranco
LP 114
Los Sables
2
La Mata
Roque
del Faro
Lomada Grande
△ 1154
3
Casa Forestal
LP 1
Montaña
Vaqueros
Punta de Gutiérrez
El Castillo
LP 1
Hoya Grande
Las Palmeras
Punta Gorda
11
Barranco
Fuente
Grande
LP 1
4
Las Tricias
24
5
de
8
1209 △
LP 1032
Pico de
El Pinar
Tricias
Fuente Nueva
3
2366 △
Punta de las Llanadas
LP 114
LP 1
Observatorio
Pino de
Briestas
Astrofísico
la Virgen
El
2
2426 △
Punta del Serradero
Roque
Roque
ROQUE DE
Chico △
MUCHACHO
2372
Tinizara
Playa de Camariño
Barranco
de
la
★★★ CALDER
Cascajo
La Castellana
Tabladitos
Baranda
Aguatavar
△ 1516
Parque
Roque
Camellón
Jorado
Somada Alta
Playa de la Veta
Tabladito
1926
Tenerra
El Pinillo
del
DE
TABUR
Tijarafe
Barranco
Playa de las Vinagreras
Cuevá Bonita
El Pinar
Hoya Grande
La Caldera
La Cumbre
El Jesús
1387
Playa de Jorado
La Capellanía
△ 160
★★★ LOMO
Punta de la Corvina
13
5,5
El Gánigo
de
LAS CHOZ
Arecida
Las Traviesas
Punta de
20
Las Cabezadas
La Viña
los Gomeros
LP 114
La Punta
Barranco
Amagar
Los Barros
Salto del Perro
13
Pedregales
Punta del Moro
★ El Time
Argual
Los Llanos de Aridane
594
Las
Hermosilla
LP 2
Angustias
1,5
Las Rosas
4
Puerto de
Malpaís
Tazacorte
2
Tarajal
6
363 △
4
El Paso
Montaña
Triana
3
Triana
Paso de Abajo
Cardón
Tácande
Tazacorte
Marina
2
Tajuya
La Laguna
3,5
Tacande
San Borondón
△ 342
Tajuya
LP 1
Tajuya
Montaña
6
La Laguna
4
Triana
Tácan
La Costa
6
Montaña
Los Barriales
Las Manchas
Playa Nueva
Los
Campitos
Santuario de
3,5
LP 12A
Eta. de San Nicolás
San Nicolás
Las Manchas

D · E

2

Punta Gaviota

Proís de Gallegos
Punta de Topaciegas

Faro de Punta Cumplida
Punta Cumplida

Franceses
La Tosca
Barlovento

Gallegos
Topaciegas
Las Paredes

La Palmita
LP 1
Lomo Machín
10
La Cuesta

Las Cabezadas
Lomo Romero
Ramírez
La Verada

Laguna de Barlovento
Hoya Grande
El Cardal
Puerto Espíndola

Charco Azul
Punta Gorda

Los Sauces
5
6
San Andrés

Verada de las Lomadas
El Tanque

San Pedro
Llano el Pino

Agua
6
Orotova
San Juan

Los Tilos
El Salto
El Roque
Garachico

El Canal
Llano la Palma

El Monte
Fuente Nueva
Eta de San Bartolomé

Barranco de San Juan
LP 1
437

Barranco
La Galga

Pico de la Cruz
2351
Parque de la Fuente Natural
La Galga

Playa de Nogales

3

★ Barranco
Galga

2321
39
El Granel

Piedra Llana
30
Casa Forestal
Barranco de Nogales

2230
Barranco

Pico de las Nieves
Punta Salinas

Barranco del Agua
Puntallana

Barranco de la Madera
Sta Lucía
Punta Sancha

LP 1032
Tenagua
Punta Sta Lucía

Barranco del Río de las Nieves
Los Alamos

Punta de los Roques
Miranda
Lomo de los Gomeros

1287
5
Las Toscas

2044
Corralejo
6
El Morro

Nieves
Na Sa de las Nieves
Dehesa
Lomo del Centro

Las Nieves
El Planto
1

Velhocó
Las Tierritas

1854
8
7

Buenavista de Arriba
3

La Cuesta
Sta Cruz
1,5 de la Palma

Juan Mayor
2

Buenavista de Abajo
Mirador de la Concepción ★
Tenerife
La Gomera

355
Playa de Bajamar

Eta Virgen del Pino
Botazo

Reventón
1435
El Socorro
26
El Fuerte

Breña Alta
LP 123
Breña
Los Cancajos

Túnel de la Cumbre
El Llanito
P
Playa de los Cancajos

19
5
Miranda
Las Ledas

Las Ledas
San Antonio

9
LP 1
LP 138

Breña Baja
Beltrán
La Polvacera

La Montaña
565
Eta Sta Rosalía

La Rosa
Monte de Breña
10

1505
Poleal
Monte
Eta de los Dolores

El Pilar
Monte de Pueblo
Lodero
Playa del Hoyo

Vieja
1808
Mazo
Callejones

Pico Birigoyo
Hoyo de Mazo

4

5

D
132
E
F

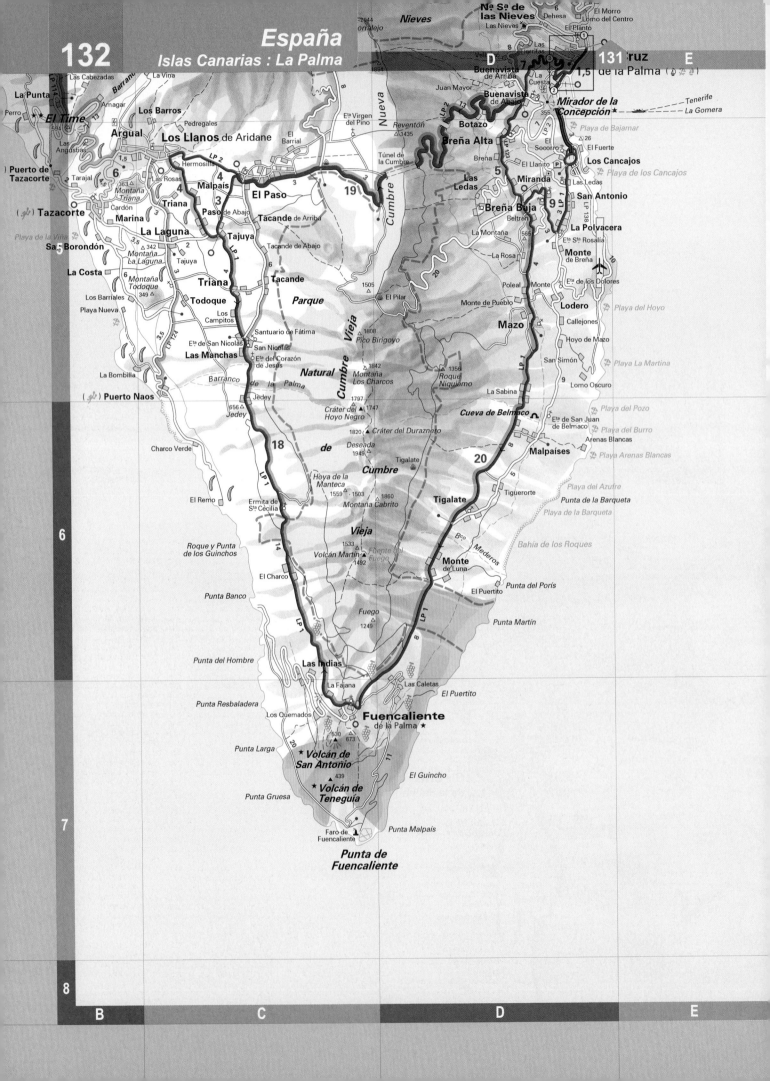

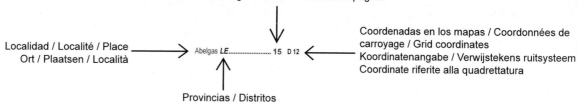

Numéro de Página / Numéro de page / Page number
Seitenzahl / Paginanummer / Numero di pagina

Localidad / Localité / Place
Ort / Plaatsen / Località

Abelgas *LE* .... 15 D 12

Coordenadas en los mapas / Coordonnées de carroyage / Grid coordinates
Koordinatenangabe / Verwijstekens ruitsysteem
Coordinate riferite alla quadrettatura

Provincias / Distritos

España : Comunidades autónomas & Provincias

Andalucía
AL ....Almería
CA ....Cádiz
CO ....Córdoba
GR ....Granada
H. ....Huelva
J. ....Jaén
MA ....Málaga
SE ....Sevilla

Aragón
HU ....Huesca
TE ....Teruel
Z. ....Zaragoza

Canarias
GC ....Las Palmas
TF ....Santa Cruz de Tenerife

Cantabria
S. ....Cantabria (Santander)

Castilla y León
AV ....Ávila
BU ....Burgos

LE ....León
P. ....Palencia
SA ....Salamanca
SG ....Segovia
SO ....Soria
VA ....Valladolid
ZA ....Zamora

Castilla-La Mancha
AB ....Albacete
CR ....Ciudad Real
CU ....Cuenca
GU ....Guadalajara
TO ....Toledo

Cataluña
B. ....Barcelona
GE ....Girona
L. ....Lleida
T. ....Tarragona

Comunidad Foral de Navarra
NA ....Navarra (Pamplona)

Comunidad Valenciana
A. ....Alacant/Alicante
CS ....Castelló/ Castellón
V. ....Valencia/ València

Comunidad de Madrid
M ....Madrid

Extremadura
BA ....Badajoz
CC ....Cáceres

Galicia
C. ....A Coruña
LU ....Lugo
OR ....Ourense
PO ....Pontevedra

Illes Balears
PM ....Balears (Palma de Mallorca)

La Rioja
LO ....La Rioja (Logroño)

País Vasco
SS ....Guipúzcoa
(Donostia-San Sebastián)
BI ....Vizcaya (Bilbao)
VI ....Álava (Vitoria-Gasteiz)

Principado de Asturias
O ....Asturias (Oviedo)

Región de Murcia
MU ....Murcia

Ceuta

Melilla

Portugal : Distritos
01 ....Aveiro
02 ....Beja
03 ....Braga
04 ....Bragança
05 ....Castelo
06 ....Coimbra
07 ....Évora
08 ....Faro
09 ....Guarda
10 ....Leiria
11 ....Lisboa
12 ....Portalegre
13 ....Porto
14 ....Santarém
15 ....Setúbal
16 ....Viana do Castelo
17 ....Vila Real
18 ....Viseu
(20) ....Açores
31 ....Ilha da Madeira
32 ....Ilha de Porto Santo

ANDORRA

Andorra la Vella **AND** .... 23 E 34
Arinsal **AND** .... 23 E 34
Cabanette (Pic de la) **AND** 23 E 35
Cabris (Collado de) **AND** .. 23 E 34
Canillo **AND** .... 23 E 34
Certers **AND** .... 23 E 34
Comapedrosa
(Alt de) **AND** .... 23 E 34
Cortinada (La) **AND** .... 23 E 34
Encamp **AND** .... 23 E 34
Envalira (Port d') **AND** ...... 23 E 35
Erts **AND** .... 23 E 34
Escaldes Engordany **AND**. 23 E 34
Estanyó (Pic de l') **AND** .... 23 E 34
Fontaneda **AND** .... 23 E 34
Griu (Alt del) **AND** .... 23 E 34
Juberri **AND** .... 23 E 34
Llorts **AND** .... 23 E 34
Massana (La) **AND** .... 23 E 34
Monturull (Pic de) **AND** ..... 23 E 34
Ordino **AND** .... 23 E 34
Pal **AND** .... 23 E 34
Pas de la Casa **AND** .... 23 E 35
Pessons (Pic dels) **AND** ... 23 E 34
Port (Pic du) **AND** .... 23 E 34
Ransol **AND** .... 23 E 34
Rat (Port de) **AND** .... 23 E 34
Sant Julià de Lória **AND** .... 23 E 34
Santa Coloma **AND** .... 23 E 34
Serrat (El) **AND** .... 23 E 34
Soldeu **AND** .... 23 E 35
Valira d'Orient **AND** .... 23 E 34

ESPAÑA

A

Abad **C** .... 3 B 6
Abad (Fuente del) ...... 84 R 24
Abades **SG** .... 45 J 17
Abades (Punta de)
Tenerife **TF** .... 129 G 5
Abadía **CC** .... 56 L 12
Abadía de Lebanza **P** .. 17 D 16
Abadín **LU** .... 4 B 7
Abadiño **BI** .... 10 C 22
Abaigar **NA** .... 19 E 23
Abajas **BU** .... 18 E 19

Abalario (El) **H** .... 91 U 9
Abalos **LO** .... 19 E 21
Abaltziketa **SS** .... 10 C 23
Abánades **GU** .... 47 J 22
Abanco **SO** .... 32 H 21
Abaniella **O** .... 5 C 10
Abanilla **MU** .... 85 R 26
Abanilla (Sierra de) **MU** .. 85 R 26
Abanillas **S** .... 7 B 16
Abano **LE** .... 15 E 11
Abanqueiro **C** .... 12 E 3
Abanto **Z** .... 48 I 24
Abarán **MU** .... 85 R 25
Abarca **P** .... 30 F 15
Abárzuza **NA** .... 19 D 23
Abastas **P** .... 16 F 15
Abaurrea Alta /
Abaurrepea **NA** ...... 11 D 26
Abaurrea Baja /
Abaurregaina **NA** ... 11 D 26
Abaurregaina /
Abaurrea Alta **NA** ... 11 D 26
Abaurrepea /
Abaurrea Baja **NA** .. 11 D 26
Abay **HU** .... 21 E 28
Abdet (L') **A** .... 74 P 29
Abegondo **C** .... 3 C 5
Abejar **SO** .... 33 G 21
Abejas
(Puerto de las) **MA** .. 100 V 15
Abejera **ZA** .... 29 G 11
Abejuela **TE** .... 61 M 27
Abejuela **AL** .... 96 T 24
Abejuela (La) **AB** .... 84 Q 23
Abelgas **LE** .... 15 D 12
Abella **HU** .... 22 E 31
Abellá **C** .... 3 C 5
Abella de la Conca **L** ... 23 F 33
Abellada **HU** .... 21 E 29
Abelleira **C** .... 12 D 2
Abelón **ZA** .... 29 H 11
Abena **HU** .... 21 E 28
Abenfigo **TE** .... 49 J 29
Abengibre **AB** .... 73 O 25
Abengibre (Arroyo de) **AB**. 73 O 25
Abenilla **HU** .... 21 E 29
Abenójar **CR** .... 69 P 16
Abenuz **AB** .... 72 Q 24
Aberásturi **VI** .... 19 D 22
Abertura **CC** .... 68 O 12

Abezames **ZA** .... 30 H 13
Abezia **VI** .... 18 D 21
Abia de la Obispalía **CU**.. 60 L 22
Abia de las Torres **P** ... 17 E 16
Abiada **S** .... 7 C 17
Abiego **HU** .... 21 F 29
Abínzano **NA** .... 20 E 25
Abionzo **S** .... 7 C 18
Abizanda **HU** .... 22 F 30
Abla **AL** .... 95 U 21
Ablanque **GU** .... 47 J 23
Ablanquejo .... 47 J 23
Ablaña **O** .... 5 C 12
Ablitas **NA** .... 34 G 25
Abodi .... 11 D 26
Abodi (Sierra de) .... 11 D 26
Abona (Punta de)
Tenerife **TF** .... 129 G 4
Abreo *Tenerife* **TF** .... 127 F 3
Abrera **B** .... 38 H 35
Abrigos **TE** .... 48 K 25
Abrigos (Los) *Tenerife* **TF** 129 E 5
Abril (Collado de) **A** .... 85 Q 27
Abrucena **AL** .... 95 U 21
Abuime **LU** .... 13 E 7
Abulagoso **CR** .... 81 Q 17
Abusejo **SA** .... 43 J 11
Abuzaderas **AB** .... 72 P 24
Acaderas **BA** .... 69 O 15
Acantilado y Pinar de Barbate
(Parque natural del) .... 98 X 11
Aceba (La) **M** .... 46 I 19
Acebedo **LE** .... 6 C 14
Acebedo del Río .... 13 F 5
Acebes **LE** .... 15 E 12
Acebo **LE** .... 15 E 10
Acebo **CC** .... 55 L 9
Acebo (Alto de) **O** .... 4 C 9
Acebrón (El) **CU** .... 59 M 21
Acebuchal (El) **J** .... 82 R 19
Acebuchal (El) **SE** ...... 80 T 13
Acebuche **H** .... 91 U 10
Acebuche **BA** .... 80 Q 13
Acebuche (El) **H** .... 91 U 10
Acebuche (El) **SE** .... 92 U 14
Acebuche (Laguna del) .. 70 P 18

Acebuche (Puerto) **SE** ...... 79 T 11
Acebuche (Punta) **CA** .. 99 X 13
Aceca .... 58 M 18
Acedera **BA** .... 68 O 13
Acedo **NA** .... 19 D 23
Acehúche **CC** .... 55 M 10
Aceituna **CC** .... 55 L 11
Acequias **GR** .... 101 V 19
Acera de la Vega **P** ..... 16 E 15
Acered **Z** .... 48 I 25
Aceredo **OR** .... 27 G 5
Aceuchal **BA** .... 67 Q 10
Acibeiro **PO** .... 13 E 5
Acilu **VI** .... 19 D 22
Aciscar (El) .... 99 X 12
Acosta (Salinas de) **AL**.. 103 V 23
Ácula **GR** .... 94 U 18
Adahuesca **HU** .... 22 F 29
Adaja **AV** .... 44 K 15
Adal Treto **S** .... 8 B 19
Adalia **VA** .... 30 H 14
Adalid (El) **CO** .... 81 S 16
Adamuz **CO** .... 81 R 16
Adanero **AV** .... 45 J 16
Adarra **SS** .... 10 C 24
Aday **LU** .... 4 D 7
Addaia **PM** .... 106 L 42
Adeanueva
de la Serrezuela **SG** .... 32 H 18
Adeje *Tenerife* **TF** ..... 128 D 5
Adelán **LU** .... 4 B 7
Adelantado (Parador El) **J**. 83 S 21
Ademuz **V** .... 61 L 26
Adi **NA** .... 11 C 25
Adina **PO** .... 12 E 3
Adino **S** .... 8 B 19
Adiós **NA** .... 20 D 24
Adoáin **NA** .... 11 D 26
Adobes **GU** .... 48 J 24
Adra **AL** .... 102 V 20
Adrada (La) **AV** .... 57 L 16
Adrada de Haza **BU** .... 31 H 18
Adrada de Píron **SG** .... 45 I 17
Adradas **SO** .... 33 H 22
Adrados **SG** .... 31 H 17
Adrados **LE** .... 16 D 14
Adrados de Ordás **LE** .. 15 D 12
Adrall **L** .... 23 F 34
Adriano **SE** .... 91 U 12

Adsubia **A** .... 74 P 29
Aduanas **A** .... 75 P 30
Aduna **SS** .... 10 C 23
Agadón .... 43 K 10
Agaete *Gran Canaria* **GC** 114 C 2
Agaete (Valle de)
Gran Canaria **GC** .... 114 C 2
Agalla (Sierra) **BA** ...... 68 P 12
Agallas **SA** .... 43 K 10
Agaró (S') **GE** .... 39 G 39
Àger **L** .... 22 F 32
Aginaga **SS** .... 10 C 23
Agoitz / Aoiz **NA** .... 11 D 25
Agolada **PO** .... 13 D 5
Agón **Z** .... 34 G 25
Agoncillo **LO** .... 19 E 23
Agost **A** .... 86 Q 28
Agra **AB** .... 84 Q 24
Agramaderos (Los) **J** ... 94 T 18
Agramón **AB** .... 84 Q 25
Agramunt **L** .... 37 G 33
Agraviados (Los) **CA** ... 99 W 12
Ágreda **SO** .... 34 G 24
Agres **A** .... 74 P 28
Agrio **SE** .... 91 T 11
Agrio (Embalse de) **SE** .. 91 T 11
Agrón **GR** .... 94 U 18
Agua (Cabo de) **MU** .... 97 T 27
Agua (Cueva del) **J** ...... 83 S 20
Agua (Sierra del) .... 82 Q 18
Agua Amarga **AL** .... 103 V 24
Agua de Enmedio .... 96 U 24
Agua García *Tenerife* **TF**.. 124 H 2
Aguacil (Puerto del) **CA** .. 99 V 13
Aguada Salada **AB** ..... 84 Q 23
Aguadulce **AL** .... 103 V 22
Aguadulce **SE** .... 93 U 15
Aguafría **H** .... 79 S 9
Agualada **C** .... 2 C 3
Aguamansa *Tenerife* **TF**.. 127 G 3
Aguarón **Z** .... 34 H 26
Aguarón (Puerto de) **Z** .. 34 I 25
Aguas **HU** .... 21 F 29
Aguas (Las) *Tenerife* **TF**.. 127 E 3
Aguas (Río de) .... 96 U 23
Aguas Cándidas **BU** .... 18 D 19
Aguas Vivas (Río) **Z** .... 49 I 27
Aguasal **VA** .... 31 I 16
Aguasantas *cerca de*
Ponte-Caldelas **PO** ..... 13 E 4

Aguasantas
cerca de Rois **C** .... 12 D 3
Aguascebas (Embalse) ... 83 R 21
Aguasmestas **O** .... 5 C 11
Aguasnuevas **AB** .... 72 P 24
Aguatón **TE** .... 48 J 26
Aguaviva **TE** .... 49 J 29
Aguaviva de la Vega **SO**.. 33 I 22
Aguda (Sierra) **BA** .... 79 R 10
Agudo *Fuerteventura* **GC** 113 H 3
Agudo **Z** .... 34 G 25
Agudo **CR** .... 69 P 15
Águeda (Embalse del) ... 43 K 10
Águeda (Río) .... 42 J 9
Águeda del Caudillo **SA** .. 42 K 10
Agüeira (Río) .... 4 C 9
Aguera **O** .... 5 B 11
Agüera **BU** .... 8 C 19
Agüera **S** .... 8 C 20
Agüera (Río) .... 8 C 20
Agüeras (Las) **O** .... 5 C 11
Agüerina **O** .... 5 C 11
Agüero **HU** .... 21 E 27
Aguijón (Embalse del) **BA**. 67 Q 9
Águila **SE** .... 71 Q 19
Águila (Cuevas del) **AV** .. 57 L 14
Águila (El) **TO** .... 70 N 19
Águila (El) **CO** .... 81 R 15
Águila (Punta del) **S** ...... 8 B 19
Aguilafuente **SG** .... 31 I 17
Aguilar de Anguita **GU** .. 47 I 22
Aguilar de Bureba **BU** ... 18 E 20
Aguilar de Campóo **P** .... 17 D 17
Aguilar de Campóo
(Embalse de) **P** .... 17 D 16
Aguilar de Campos **VA** .. 30 G 14
Aguilar de la Frontera **CO**. 93 T 16
Aguilar de Montuenga **SO**. 47 I 23
Aguilar de Segarra **B** .... 37 G 34
Aguilar de Tera **ZA** .... 29 G 12
Aguilar del Alfambra **TE** .. 49 K 27
Aguilar
del Río Alhama **LO** ...... 33 G 24
Águilas **MU** .... 97 T 25
Águilas (Las) **MU** .... 85 S 25
Aguilera (La) **BU** .... 32 G 18
Aguilló **BU** .... 19 D 21
Aguillós (Punta de los) **C**... 3 A 6
Aguiló **T** .... 37 H 34
Aguilón **Z** .... 34 I 26

Index (column 1)

Agüimes
  Gran Canaria GC........117 F 3
Aguinaliu HU..............22 F 31
Aguiño C..................12 E 2
Agullana GE...............25 E 38
Agullent V................74 P 28
Agulo La Gomera TF.......119 C 1
Agurain / Salvatierra VI..19 D 22
Agustín LU.................4 D 8
Agustín V.................62 M 27
Aguzadera MA.............99 W 14
Aguzadera (Castillo) SE..92 U 13
Ahedo de la Sierra BU....32 F 19
Ahedo de las Pueblas BU..7 C 18
Ahedo de Linares BU......18 C 19
Ahedo del Butrón BU......18 D 18
Ahigal CC................55 L 11
Ahigal
  de los Aceiteros SA....42 J 9
Ahigal de Villarina SA...43 I 10
Ahillas V................61 M 27
Ahillones BA.............80 R 12
Ahillos (Sierra) ....94 T 17
Ahorcados (Illa de) ......87 P 33
Aia SS...................19 D 23
Aia SS...................10 C 23
Aibar / Oibar NA.........20 E 25
Aielo de Malferit V......74 P 28
Aigua d'Ora ....23 F 34
Aigua de Valls ....23 F 35
Aiguablava GE............25 G 39
Aiguafreda B.............38 G 36
Aiguafreda GE............25 G 39
Aiguamolls de l'Empordà
  (Parc natural dels) GE..25 F 39
Aiguamúrcia T............37 I 34
Aiguaviva GE.............25 G 38
Aiguaviva T..............37 H 34
Aigües de Busot A........74 Q 28
Aigües Vives
  (Santa María d') V......74 O 28
Aigüestortes i Estany
  de Sant Maurici
  (Parc nacional d') L....23 E 32
Aín CS...................62 M 28
Ainet de Besan L.........23 E 33
Ainsa HU.................22 E 30
Aintzioa NA..............11 D 25
Ainzón Z.................34 G 25
Aire (Illa de l') ....106 M 42
Aire (Puerto del) CO.....81 R 15
Aisa HU..................21 D 28
Aisa (Sierra de) HU......21 D 28
Aisl C....................3 B 5
Aitana (Serra d') ....74 Q 29
Aitona L.................36 H 31
Aizarna SS...............10 C 23
Aizarnazabal SS..........10 C 23
Aizkorri ....19 D 23
Aja S.....................8 C 19
Ajalvir M................46 K 19
Ajamil LO................19 F 22
Ajangiz BI...............10 C 22
Ajo S.....................8 B 19
Ajo (Cabo de) S..........8 B 19
Ajo (El) AV..............44 J 14
Ajofrin TO...............58 M 18
Ajuy Fuerteventura GC...110 F 3
Alacant / Alicante A.....86 Q 28
Alacón TE................49 I 27
Aladrén Z................34 I 26
Alaejos VA...............30 I 14
Alagón Z.................34 G 26
Alagón (Río) ....55 M 9
Alagón del Caudillo CC...55 M 11
Alagones (Los) TE........49 J 29
Alagüeces MU.............84 S 24
Alaior PM...............106 M 42
Alaiza VI................19 D 22
Alájar H.................79 S 10
Alajeró La Gomera TF....118 D 3
Alaló SO.................32 H 21
Alalpardo M..............46 K 19
Alameda MA...............93 U 16
Alameda (Arroyo de la) ..92 U 13
Alameda (La) SO..........33 H 23
Alameda (La) CR..........70 O 18
Alameda de Cervera CR...71 O 20
Alameda
  de Gardón (La) SA.....42 K 9
Alameda de la Sagra TO..58 L 18
Alameda del Obispo CO...81 S 15
Alameda del Valle M......45 J 18
Alamedilla GR............95 T 20
Alamedilla TO............58 M 17
Alamedilla (La) SA.......42 K 9

Index (column 2)

Alamedilla
  del Berrocal (La) AV...44 J 15
Alamillo CR..............69 P 15
Alamillo (El) H..........91 U 10
Alamillo (Estación de) CR.69 P 15
Alamín M.................58 L 17
Alamín (Montes de) ......58 L 17
Alaminos GU..............47 J 21
Alamitos (Los) SE........80 S 13
Álamo CA.................99 W 12
Álamo (El) M.............58 L 18
Álamo (El)
  cerca de El Madroño SE.79 T 10
Álamo (El)
  cerca de Lora del Río SE.80 T 13
Álamos (Los) AL..........96 T 23
Álamos (Sierra de los) ..84 R 24
Alamús (Els) L...........36 H 32
Alandre BA...............69 O 14
Alange BA................67 P 11
Alanís SE................80 R 12
Alanís (Estación de) SE..80 S 12
Alaquàs V................62 N 28
Alar del Rey P...........17 E 17
Alaraz SA................44 J 14
Alarba Z.................48 I 25
Alarcia BU...............18 F 20
Alarcón CU...............60 N 23
Alarcón (Embalse de) CU..60 N 23
Alarcones J..............82 R 18
Alares (Los) TO..........57 N 15
Alarilla GU..............46 J 20
Alarilla M...............59 L 20
Alaró PM................104 M 38
Alàs i Cerc L............23 E 34
Alastuey HU..............20 E 26
Alatoz AB................73 O 25
Alazores
  (Puerto de los) GR.....93 U 17
Alba TE..................48 K 25
Alba cerca de Villalba LU..3 C 6
Albà
  cerca de Palas de Rei LU.13 D 6
Alba de Cerrato P........31 G 16
Alba de los Cardaños P...17 D 15
Alba de Tormes SA........44 J 13
Alba de Yeltes SA........43 J 11
Albacete AB..............72 P 24
Albagès (L') L...........36 H 32
Albahacar (Arroyo de) ...78 S 8
Albaicín MA..............93 U 16
Albaida V................75 P 28
Albaida (Port d') A......74 P 28
Albaida del Aljarafe SE..91 T 11
Albaina BU...............19 D 22
Albal V..................74 N 28
Albalá CC................67 O 11
Albaladejito CU..........60 L 23
Albaladejo CR............71 Q 21
Albaladejo del Cuende CU.60 M 23
Albalat de la Ribera V...74 O 28
Albalat de Cinca HU......36 G 30
Albalate
  de las Nogueras CU.....47 K 23
Albalate de Zorita GU....59 L 21
Albalate del Arzobispo TE.49 I 28
Albalatillo HU...........35 G 29
Albánchez AL.............96 U 23
Albanchez de Mágina J....82 S 19
Albanyà GE...............24 F 38
Albarca T................37 I 32
Albarca (Cap d') ....87 O 34
Albarda AB...............72 Q 23
Albarda MU...............85 R 26

Index (column 3)

Albarderos (Los)
  Gran Canaria GC.......115 F 1
Albarellos
  cerca de Beariz OR.....13 E 5
Albarellos
  cerca de Verín OR......28 G 7
Albarellos PO............13 E 5
Albarellos
  (Embalse de) OR........13 E 5
Albares GU...............59 L 20
Albares de la Ribera LE..15 E 10
Albaricoques (Los) AL...103 V 23
Albarín HU...............21 E 28
Albariño (Parador del)
  Cambados PO...........12 E 3
Albariza O................5 C 11
Albarracín TE............48 K 25
Albarracín (Sierra de) TE.48 K 25
Albarragena (Rivera de) .67 O 9
Albarrana (Sierra) CO....80 R 13
Albarreal de Tajo TO.....58 M 17
Albatana AB..............73 Q 25

ALBACETE

MADRID CIUDAD REAL ⑥ A 31   A ① REQUENA N 322   A   B   MADRID A 31
ALACANT / ALICANTE, MURCIA — A 31 \ CM 332, AYORA — A 31, VALENCIA — ALACANT / ALICANTE — A 31
CM 3203 ELCHE DE LA SIERRA   A   B   A 30, MURCIA

0   300 m

Albacete street index

Arcángel San Gabriel .... BZ 3
Arquitecto Julio Carrilero
  (Av. del) .... AY 4
Blasco Ibáñez .... AYZ 6
La Caba .... BZ 7
Calderón de la Barca ...... BZ 9
Carmen .... BY 13
Carretas (Pl. de las) .... BZ 14
Casas Ibáñez .... AY 16
Comandante Molina .... ABY 17
Comandante Padilla .... BZ 18
La Concepción .... BYZ 20
Diego de Velázquez ...... BZ 22
Doctor García Reyes ..... BZ 23
Francisco Fontecha ...... BY 26
Gabriel Ciscar .... AY 28
Gabriel Lodares (Pl. de). BZ 29

Isabel la Católica (Av.) ..... ABY 32
Juan de Toledo .... AY 33
Juan Sebastián Elcano ...... AY 34
Libertad (Pas. de la) ...... BY 38
Lodares (Pje de) .... BZ 41
Luis Herreros .... AZ 42
Mancha (Pl. de la) .... BZ 45
Marqués de Molins .... BYZ 46
Martínez Villena .... BZ 49
Mayor .... BYZ 50
Mayor (Pl.) .... BY 51
Murcia (Puerta de) .... BZ 54
Pablo Medina .... BY 56
Padre Romano .... BZ 57
Pedro Martínez Gutiérrez ... AY 60
Pedro Simón Abril
  (Pas. de) .... BZ 61

Rosario .... ABYZ 64
Santa Quiteria .... BZ 74
Santísima Virgen
  (Camino de la) .... AY 75
San Agustín .... BYZ 66
San Antonio .... BY 67
San Julián .... BY 70
San Sebastián .... AY 71
Teodoro Camino .... BZ 78
Tesifonte Gallego .... BZ 79
Tinte .... BZ 82
Valencia (Carretera de) .. BZ 84
Valencia (Puerta de) ..... BZ 85
Vasco Núñez
  de Balboa .... BY 88
Virgen de las Maravillas .. AY 89
Zapateros .... BY 92

Museo (Muñecas romanas articuladas) .... BZ M¹

Index (lower — column 1)

Albatàrrec L.............36 H 31
Albatera A...............85 R 27
Albatera (Canal de) .....85 R 27
Albatayte (Sierra) CO....94 T 17
Albeiros LU...............4 C 7
Albelda HU...............36 G 31
Albelda de Iregua LO.....19 E 22
Albendea CU..............47 K 22
Albendiego GU............32 I 20
Albendín CO..............81 S 17
Albéniz VI...............19 D 23
Albentosa TE.............61 L 27
Alberca (La) SA..........43 K 11
Alberca (La) MU..........85 S 26
Alberca
  de Záncara (La) CU.....60 N 22
Alberche TO..............57 M 15
Alberche (Río) ....57 L 16
Alberguería OR...........13 F 7
Alberguería
  de Argañán (La) SA.....42 K 9
Alberic V................74 O 28
Alberín ....19 E 24

Index (lower — column 2)

Alberite LO..............19 E 22
Alberite (Río) ....99 W 13
Alberite de San Juan Z...34 G 25
Albero Alto HU...........21 F 28
Albero Bajo HU...........21 F 28
Alberquilla AL..........102 V 21
Alberquillas (Sierra de las) 58 N 18
Alberuela de la Liena HU..22 F 29
Alberuela de Tubo HU.....35 G 29
Albesa L.................36 G 31
Albeta Z.................34 G 25
Albi (L') L..............37 H 32
Albilla (Fuente) AB......72 Q 24
Albillos BU..............18 F 18
Albiña (Embalse de) .....19 D 22
Albiol (L') T............37 I 33
Albir A..................74 Q 29
Albires LE...............16 F 14
Albita ....101 V 18
Albiztur SS..............10 C 23
Albocàsser CS............50 K 30
Alboloduy AL.............95 U 22

Index (lower — column 3)

Albolote GR..............94 U 19
Albondón GR.............102 V 20
Albons GE................25 F 39
Alborache V..............73 N 27
Alboraya V...............62 N 28
Alborea CU...............47 I 22
Albores C.................2 D 3
Alborge Z................35 H 28
Albornos AV..............44 J 15
Albortú ....34 G 24
Albox AL.................96 T 23
Albudeite MU.............85 R 25
Albuera (La) BA..........67 P 9
Albuera (Laguna de la) ..70 O 19
Albuera de Feira
  (Embalse de) ....67 Q 10
Albufera (L') V..........74 N 28
Albufera
  Menorca PM............106 M 42
Albufera
  (Parque natural de s') .105 M 39
Albufera de Anna (La) V..74 O 28

Index (lower — column 4)

Albujón MU...............85 S 26
Albujón (Rambla de) MU...85 S 26
Albuñán GR...............95 U 20
Albuñol GR..............102 V 20
Albuñuelas GR...........101 V 19
Albuñuelas (Sierra de) ..101 V 18
Alburquerque BA..........67 O 9
Alburrel ....54 N 7
Alcabala Alta SE.........92 U 13
Alcabón TO...............57 L 16
Alcachofar (El) SE.......92 T 12
Alcadozo AB..............72 Q 24
Alcahozo AB..............73 N 25
Alcaide AL...............84 S 23
Alcaide (Sierra) ....93 T 17
Alcaidía (La) CO.........81 S 16
Alcaina ....85 R 26
Alcaine TE...............49 J 27
Alcalá (Puerto de) TE....49 K 27
Alcalá de Ebro Z.........34 G 26
Alcalá de Guadaira SE....92 T 12
Alcalá de Gurrea HU......21 F 27

ALACANT/ ALICANTE

Adolfo Muñoz Alonso (Av.) . . CY
Aguilera (Av. de) . . . . CZ
Alcoy (Av. de) . . . . DY
Alfonso X el Sabio (Av. de). . . DY
Ayuntamiento (Pl. del) . . . . . . EY 8
Bailén. . . . . DY
Bazán. . . . . DY
Benito Pérez Galdós (Av.). . . . CY
Bono Guarner . . . . CY
Calderón de la Barca . . . . DY
Calvo Sotelo (Pl.) . . . . DZ 10
Canalejas . . . . DZ
Capitán Segarra . . . . DY
Castaños. . . . . DYZ 14
Catedrático Soler (Av.) . . . . . . CZ
Churruca . . . . CZ
Condes de Soto Ameno (Av.) CY 20
Constitución (Av. de la). . . . . . DY 21
Díaz Moreu . . . . DY
Doctor Gadea (Av. del) . . . . . . DZ
Doctor Rico (Av.). . . . . CY
Elche (Av. de). . . . . CZ
Elche (Portal de) . . . . DZ 28
España (Explanada de). . . . . DEZ
España (Pl. de) . . . . DY
Estación (Av. de la) . . . . CY
Eusebio Sempere (Av.). . . . . . CZ
Fábrica (Cuesta de la) . . . . EY
Federico Soto (Av. de) . . . . . . DZ
Foglietti . . . . CZ
Gabriel Miró (Pl. de) . . . . DZ 31
García Morato. . . . . DY
General Marvá (Av. del) . . . . . CY
Gerona. . . . . DZ
Gomiz (Pas. de). . . . . EY
Hermanos Pascual (Pl.) . . . . . DY
Isabel la Católica . . . . CZ
Italia . . . . CZ
Jaime II (Av.). . . . . DEY
Jijona (Av. de) . . . . DY 33
Jorge Juan. . . . . EY
Jovellanos (Av. de) . . . . EY 35
Juan Bautista Lafora (Av. de). BY 36
Labradores . . . . DY
López Torregrosa . . . . DY 37
Loring (Av. de). . . . . CZ
Maisonnave (Av. de). . . . . CZ
Manero Mollá . . . . DZ 39
Mayor . . . . EY
Méndez Núñez (Rambla) . . DYZ
Montañeta (Pl. de la) . . . . DZ 41
Navas . . . . DYZ
Oliveretes (Pl. de los) . . . . DY
Oscar Esplá (Av.). . . . . CZ
Pablo Iglesias . . . . DY
Padre Mariana . . . . DY
Pintor Aparicio. . . . . CZ
Pintor Gisbert . . . . CY
Pintor Murillo . . . . DY
Poeta Carmelo Calvo (Av.). . . DY 47
Portugal . . . . DZ
Puerta del Mar (Pl.) . . . . EZ 48
Rafael Altamira . . . . EZ 50
Rafael Terol. . . . . DZ
Ramiro (Pas.). . . . . EY 51
Ramón y Cajal (Av. de). . . . . . DZ
Reyes Católicos . . . . CZ
Salamanca (Av. de). . . . . CY
Santa Teresa (Pl.) . . . . DY
San Carlos . . . . EY
San Fernando. . . . . DEZ 53
San Vicente. . . . . DY
Teatro Principal. . . . . DY 58
Vázquez de Mella (Av.) . . . . . . EY

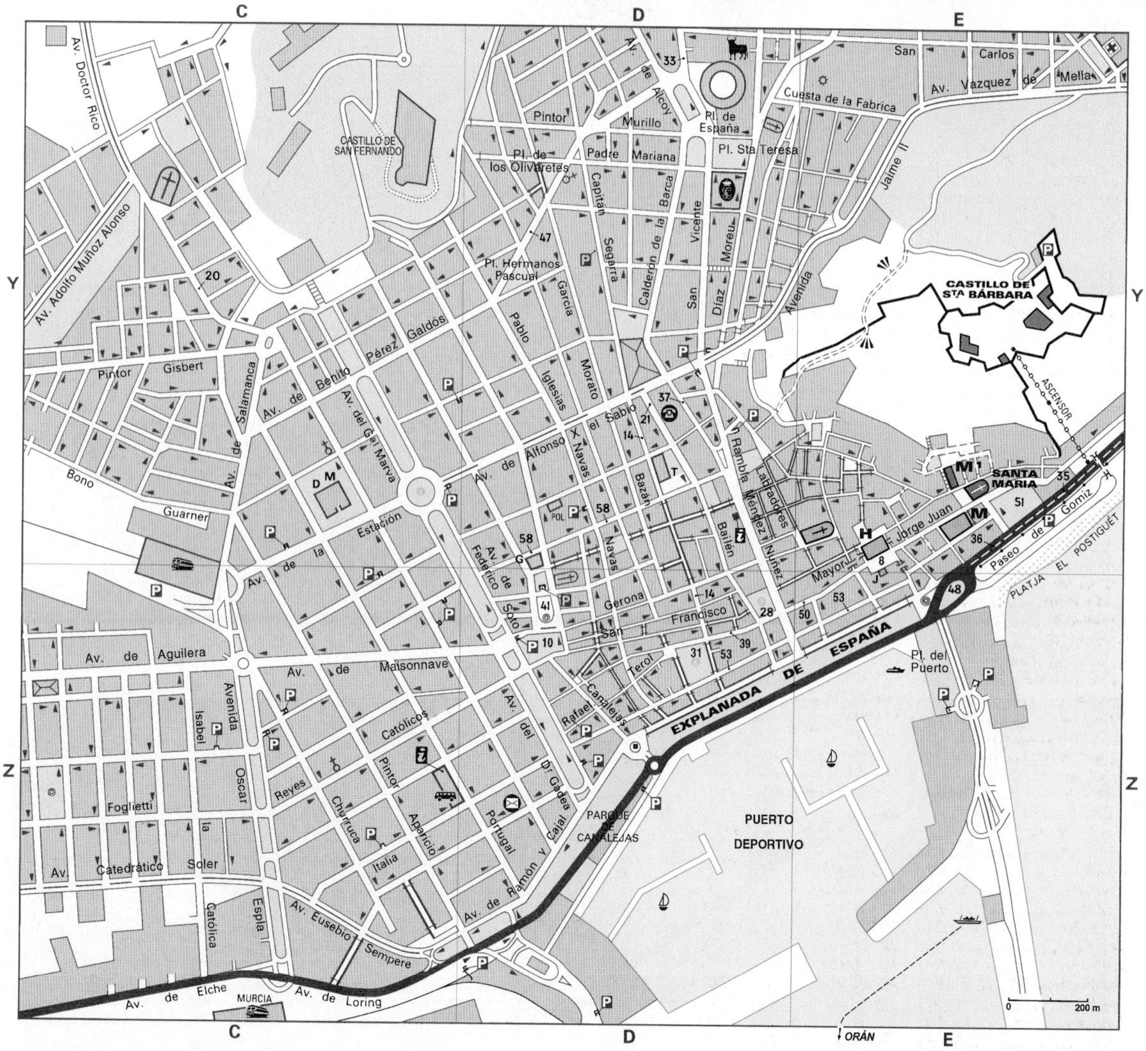

Colección de Arte del s. XX. Museo de La Asegurada . . . . M[1]

Alcalá de Henares ***M*** .... **46** K 19
Alcalá de la Selva ***TE*** .... **49** K 27
Alcalá de la Vega ***CU*** .... **61** L 25
Alcalá de los Gazules ***CA***.. **99** W 12
Alcalá de Moncayo ***Z*** .... **34** G 24
Alcalà de Xivert ***CS*** .... **50** L 30
Alcalá del Júcar ***AB*** .... **73** O 25
Alcalá del Obispo ***HU*** .... **21** F 29
Alcalá del Río ***SE*** .... **91** T 12
Alcalá del Valle ***CA*** .... **92** V 14
Alcalá la Real ***J*** .... **94** T 18
Alcalalí ***A*** .... **74** P 29
Alcalde (El) ***TO*** .... **59** M 20
Alcalfar ***PM*** .... **106** M 42
Alcalfe (Arroyo del) .... **55** M 10
Alcampel ***HU*** .... **36** G 31
Alcanà ***A*** .... **85** Q 27
Alcanadre ***LO*** .... **19** E 23
Alcanadre (Río) ***HU*** .... **21** E 29
Alcanar ***T*** .... **50** K 31
Alcanar Platje ***T*** .... **50** K 31
Alcanó ***L*** .... **36** H 31
Alcántara ***CC*** .... **55** M 9
Alcántara
(Embalse de) ***CC*** .... **55** M 9
Alcantarilla ***MU*** .... **85** S 26
Alcantarillas
(Estación de las) ***SE*** ...... **92** U 12
Alcantín (Sierra de) .... **84** S 22
Alcantud ***CU*** .... **47** K 23
Alcañices ***ZA*** .... **29** G 10
Alcañiz ***TE*** .... **49** I 29
Alcañizo ***TO*** .... **57** M 14
Alcaparain (Sierra de) .... **100** V 15
Alcaparrosa ***J*** .... **82** R 17
Alcaracejos ***CO*** .... **81** Q 15
Alcarama .... **33** G 23
Alcarama (Sierra de) .... **33** F 23
Alcarayón (Arroyo de) ...... **91** U 11
Alcaraz ***AB*** .... **72** P 22
Alcaraz (Sierra de) .... **72** Q 22
Alcarrache .... **66** Q 8
Alcarràs ***L*** .... **36** H 31
Alcarria (La) ***GU*** .... **47** J 21
Alcàsser ***V*** .... **74** N 28
Alcaucín ***MA*** .... **101** V 17
Alcaudete ***J*** .... **94** T 17
Alcaudete ***SE*** .... **92** T 12
Alcaudete de la Jara ***TO***.... **57** M 15
Alcaudique ***AL*** .... **102** V 21
Alcazaba ***BA*** .... **67** P 9
Alcazaba (La) ***AL*** .... **103** V 22
Alcazaba (Río) .... **67** P 10
Alcázar ***GR*** .... **102** V 19
Alcázar ***J*** .... **94** T 17
Alcázar de San Juan ***CR***... **71** N 20
Alcázar del Rey ***CU*** .... **59** L 21
Alcazarén ***VA*** .... **31** H 15
Alcázares (Los) ***MU*** .... **85** S 27
Alceda ***S*** .... **7** C 18
Alcoba de la Torre ***SO*** .... **32** G 19
Alcoba de los Montes ***CR***.. **69** O 16
Alcobendas ***M*** .... **46** K 19
Alcobilla .... **69** O 16
Alcocer ***GU*** .... **47** K 22
Alcocero de Mola ***BU*** .... **18** E 19
Alcohujate ***CU*** .... **47** K 22
Alcoi / Alcoy ***A*** .... **74** P 28
Alcola (Alto de) ***V*** .... **73** O 26
Alcolea ***AL*** .... **102** V 21
Alcolea ***CO*** .... **81** S 15
Alcolea (Laguna de) .... **70** P 17
Alcolea de Calatrava ***CR***... **70** P 17
Alcolea de Cinca ***HU*** .... **36** G 30
Alcolea de las Peñas ***GU***.. **47** I 21
Alcolea de Tajo ***TO*** .... **57** M 14
Alcolea del Pinar ***GU*** .... **47** I 22
Alcolea del Río ***SE*** .... **80** T 12
Alcoleja ***A*** .... **74** P 29
Alcoletge ***L*** .... **36** H 32
Alcollarín ***CC*** .... **68** O 12
Alcollarín (Río) .... **68** O 12
Alconaba ***SO*** .... **33** G 22
Alconada ***SA*** .... **44** J 13
Alconada de Maderuelo ***SG*****32** H 19
Alconchel ***BA*** .... **66** Q 8
Alconchel (Rivera de) .... **66** Q 8
Alconchel de Ariza ***Z*** .... **47** I 23
Alconchel de la Estrella ***CU*****59** M 22
Alconera ***BA*** .... **79** Q 10
Alconétar
(Puente romano de) ***CC*** **55** M 10
Alcóntar ***AL*** .... **95** T 22
Alcor ***H*** .... **90** U 9
Alcor (El) ***M*** .... **45** K 17
Alcora
(Embassament de l') ..... **62** L 29
Alcora (L') ***CS*** .... **62** L 29
Alcoraya (L') ***A*** .... **86** Q 28
Alcorcillo ***ZA*** .... **29** G 10
Alcorcón ***M*** .... **45** K 18
Alcorisa ***TE*** .... **49** J 28
Alcorlo .... **46** J 20
Alcorlo (Embalse de) ***GU***... **46** I 20
Alcorneo ***CC*** .... **66** O 8
Alcorneo (Rivera de) .... **66** O 8
Alcornocal ***SE*** .... **80** S 13
Alcornocal (El) ***CR*** .... **69** O 16
Alcornocal (El) ***CO*** .... **80** R 14
Alcornocalejo ***SE*** .... **80** T 12
Alcornocales
(Parque natural de los) . **99** W 13
Alcornocosa ***CO*** .... **80** Q 14
Alcornocosa (La) ***SE*** .... **79** S 11
Alcoroches ***GU*** .... **48** K 24
Alcossebre ***CS*** .... **63** L 30
Alcotas ***TE*** .... **61** L 27
Alcotas ***V*** .... **61** M 27
Alcover ***T*** .... **37** I 33
Alcoy / Alcoi ***A*** .... **74** P 28
Alcozar ***SO*** .... **32** H 20
Alcozarejos ***AB*** .... **73** O 25
Alcubierre ***HU*** .... **35** G 28
Alcubierre (Puerto de) ***HU***. **35** G 28
Alcubierre (Sierra de) ***Z***..... **35** G 28
Alcubilla de Avellaneda ***SO*****32** G 20
Alcubilla de las Peñas ***SO***. **33** I 22
Alcubilla de Nogales ***ZA***.... **15** F 12
Alcubilla del Marqués ***SO***.. **32** H 20
Alcubillas ***CR*** .... **71** P 20
Alcubillas (Las) ***AL*** .... **95** U 22
Alcubillete ***TO*** .... **58** M 17
Alcublas ***V*** .... **62** M 27
Alcúdia *Mallorca* ***PM***........ **105** M 39
Alcúdia (Badia d') .... **105** M 39
Alcúdia (L') ***V*** .... **74** O 28
Alcúdia (L')
(Ruines d'Ilici) ***A*** .... **86** R 27
Alcudia (Río) .... **69** P 15
Alcudia (Sierra de) .... **69** P 16
Alcudia (Valle de) .... **69** Q 16
Alcúdia de Crespins (L') ***V***. **74** P 28
Alcudia de Guadix ***GR*** .... **95** U 20
Alcudia de Monteagud ***AL***. **96** U 23
Alcúdia de Veo ***CS*** .... **62** M 28
Alcuéscar ***CC*** .... **67** O 11
Alcuetas ***LE*** .... **16** F 13
Alcuneza ***GU*** .... **47** I 22
Alda ***VI*** .... **19** D 23
Aldaba ***NA*** .... **10** D 24
Aldaia ***V*** .... **62** N 28
Aldán ***PO*** .... **12** F 3
Aldanas ***BI*** .... **9** C 21
Aldaris ***C*** .... **12** D 3
Aldatz ***NA*** .... **10** C 24
Aldea ***SO*** .... **32** H 20
Aldea ***LU*** .... **3** C 6
Aldea (L') ***T*** .... **50** J 31
Aldea (Punta de la)
Gran Canaria ***GC*** .... **114** B 2
Aldea Blanca *Tenerife* ***TF*** **128** E 5
Aldea de Arango ***TO*** .... **57** L 15
Aldea de Arriba ***OR*** .... **13** F 6
Aldea de Ebro ***S*** .... **17** D 17
Aldea de Estenas ***V*** .... **61** N 26
Aldea de les Coves ***V*** .... **61** N 26
Aldea de los Corrales ***V***..... **61** N 26
Aldea de Pallarés ***BA*** .... **79** R 11
Aldea de San Miguel ***VA***.... **31** H 16
Aldea de San Nicolás (La)
Gran Canaria ***GC*** .... **114** B 3
Aldea de Trujillo ***CC*** .... **56** N 12
Aldea del Cano ***CC*** .... **67** O 11
Aldea del Cano
(Estación de) ***CC*** .... **67** O 10
Aldea del Fresno ***M*** .... **45** L 17
Aldea del Obispo ***SA*** .... **42** J 9
Aldea del Pinar ***BU*** .... **32** G 20
Aldea del Portillo
de Busto (La) ***BU*** .... **18** D 20
Aldea del Puente (La) ***LE***.. **16** E 14
Aldea del Rey ***CR*** .... **70** P 18
Aldea del Rey Niño ***AV*** ...... **44** K 15
Aldea en Cabo ***TO*** .... **57** L 16
Aldea Moret ***CC*** .... **55** N 10
Aldea Quintana ***CO*** .... **81** S 15
Aldea Real ***SG*** .... **45** I 17
Aldeacentenera ***CC*** .... **56** N 13
Aldeacipreste ***SA*** .... **43** K 12
Aldeacueva ***BI*** .... **8** C 19
Aldeadávila
(Embalse de) ***SA*** .... **28** I 10
Aldeadávila
de la Ribera ***SA*** .... **28** I 10
Aldeahermosa ***J*** .... **83** R 20
Aldealabad del Mirón ***AV***... **44** K 13
Aldealafuente ***SO*** .... **33** G 23
Aldealázaro ***SG*** .... **32** H 19
Aldealbar ***VA*** .... **31** H 16
Aldealcardo ***SO*** .... **33** F 23
Aldealcorvo ***SG*** .... **31** I 18
Aldealengua ***SA*** .... **44** J 13
Aldealengua
de Pedraza ***SG*** .... **45** I 18
Aldealengua
de Santa María ***SG*** .... **32** H 19
Aldealices ***SO*** .... **33** G 23
Aldealpozo ***SO*** .... **33** G 23
Aldealseñor ***SO*** .... **33** G 23
Aldeamayor
de San Martín ***VA*** .... **31** H 16
Aldeanueva de Atienza ***GU*****46** I 20
Aldeanueva
de Barbarroya ***TO*** .... **57** M 14
Aldeanueva
de Cameros ***LO*** .... **19** F 22
Aldeanueva de Ebro ***LO***.... **20** F 24
Aldeanueva
de Figueroa ***SA*** .... **44** I 13
Aldeanueva
de Guadalajara ***GU*** .... **46** J 20
Aldeanueva de la Sierra ***SA*****43** K 11
Aldeanueva de la Vera ***CC*** **56** L 12
Aldeanueva
de Portanobis ***SA*** .... **42** J 10
Aldeanueva
de San Bartolomé ***TO***.... **57** N 14
Aldeanueva
de Santa Cruz ***AV*** .... **44** K 13
Aldeanueva del Camino ***CC*****56** L 12
Aldeanueva del Codonal ***SG*****45** I 16
Aldeaquemada ***J*** .... **82** Q 19
Aldearrodrigo ***SA*** .... **43** I 12
Aldearrubia ***SA*** .... **44** I 13
Aldeaseca ***AV*** .... **44** I 15
Aldeaseca de Alba ***SA*** ...... **44** J 13
Aldeaseca
de la Frontera ***SA*** .... **44** J 14
Aldeasoña ***SG*** .... **31** H 17
Aldeatejada ***SA*** .... **43** J 12

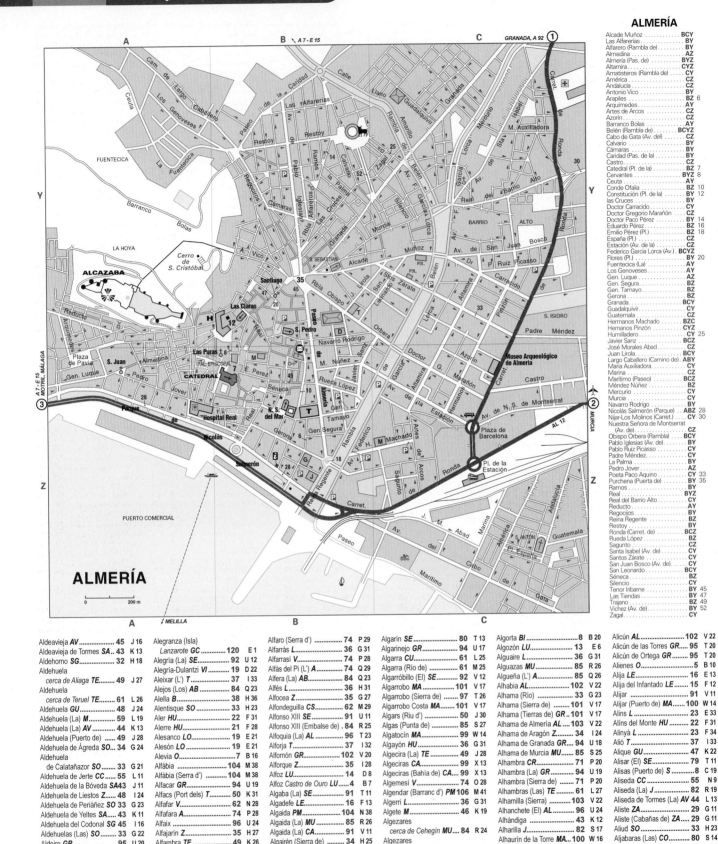

ALMERÍA

GRANADA, A 92 ①
A 7 - E 15
M. Auxilliadora
FUENTECICA
Barranco Bolas
LA HOYA
Cerro de S. Cristóbal
ALCAZABA
A 7 - E 15 MOTRIL, MALAGA ③
Plaza de Pavia
S. Juan
Gen. Luque
Las Claras
Las Puras
PAL. EPISCOPAL
CATEDRAL
Hospital Real
Nicolás
Salmerón
N. S. del Mar
BARRIO
ALTO
S. ISIDRO
Padre Méndez
Museo Arqueológico de Almería
② MURCIA
AL 12
Plaza de Barcelona
Pl. de la Estación
PUERTO COMERCIAL
Paseo
Marítimo
PL. España
ALMERÍA
0   200 m
↙ MELILLA

ALMERÍA

Alcade Muñoz .... BCY
Las Alfarerías .... BY
Alfarero (Rambla de) ..... BY
Almedina .... AZ
Almería (Pas. de) .... BYZ
Altamira .... CYZ
Amatisteros (Rambla de) ... CY
América .... CZ
Andalucía .... CZ
Antonio Vico .... BY
Arapiles .... BZ 6
Arquímedes .... AY
Artes de Arcos .... CZ
Azorín .... CZ
Barranco Bolas .... AY
Belén (Rambla de) .... BCY
Cabo de Gata (Av. del) .... CZ
Calvario .... BY
Cámaras .... BY
Caridad (Pas. de la) ...... BY
Castro .... CZ
Catedral (Pl. de la) ...... BZ 7
Cervantes .... BYZ 8
Ceuta .... AY
Conde Ofalia .... BZ 10
Constitución (Pl. de la) ... BY 12
las Cruces .... BY
Doctor Carracido .... CY
Doctor Gregorio Marañón .. CZ
Doctor Paco Pérez .... BY 14
Eduardo Pérez .... BZ 16
Emilio Pérez (Pl.) .... BZ 18
España (Pl.) .... CZ
Estación (Av. de la) ..... CZ
Federico García Lorca (Av.) BCYZ
Flores (Pl.) .... BY 20
Fuentecica (La) .... AY
Los Genoveses .... AY
Gen. Luque .... AZ
Gen. Segura .... BZ
Gen. Tamayo .... BZ
Gerona .... BZ
Granada .... BCY
Guadalquivir .... CY
Guatemala .... CZ
Hermanos Machado ..... BZC
Hernanos Pinzón .... CYZ
Humilladero .... BZ 25
Javier Sanz .... BCZ
José Morales Abad ...... CZ
Juan Lirola .... BCZ
Largo Caballero (Camino de) ABY
María Auxiliadora .... CY
Marina .... CZ
Marítimo (Paseo) .... BCZ
Méndez Núñez .... BZ
Mercurio .... BY
Murcia .... CY
Navarro Rodrigo .... BY
Nicolás Salmerón (Parque) ABZ 28
Níjar-Los Molinos (Carret.) CY 30
Nuestra Señora de Montserrat
  (Av. de) .... CZ
Obispo Orbera (Rambla) .. BCY
Pablo Iglesias (Av. de) ... CY
Pablo Ruiz Picasso ...... CY
Padre Méndez .... CY
La Palma .... BY
Pedro Jover .... AZ
Poeta Paco Aquino ..... CY 33
Purchena (Puerta de) .... BY 35
Ramos .... BY
Real .... BYZ
Real del Barrio Alto ..... CY
Reducto .... AY
Regocijos .... BY
Reina Regente .... BZ
Restoy .... BY
Ronda (Carret. de) ..... BCZ
Rueda López .... BZ
Sagunto .... CZ
Santa Isabel (Av. de) .... CY
Santos Zárate .... CY
San Juan Bosco (Av. de). CY
San Leonardo .... BCY
Séneca .... BZ
Silencio .... CY
Tenor Iribarne .... BY 45
Las Tiendas .... BY 47
Trajano .... BZ 49
Vichez (Av. de) .... BY 52
Zagal .... CY

Aldeavieja AV .... 45 J 16
Aldeavieja de Tormes SA.. 43 K 13
Aldehorno SG .... 32 H 18
Aldehuela
  cerca de Aliaga TE .... 49 J 27
Aldehuela
  cerca de Teruel TE .... 61 L 26
Aldehuela GU .... 48 J 24
Aldehuela (La) M .... 59 L 19
Aldehuela (La) AV .... 44 K 13
Aldehuela (Puerto de) ..... 49 J 28
Aldehuela de Ágreda SO.. 34 G 24
Aldehuela
  de Calatañazor SO .... 33 G 21
Aldehuela de Jerte CC .... 55 L 11
Aldehuela de la Bóveda SA43 J 11
Aldehuela de Liestos Z.... 48 I 24
Aldehuela de Periáñez SO 33 G 23
Aldehuela de Yeltes SA.... 43 K 11
Aldehuela del Codonal SG 45 I 16
Aldehuelas (Las) SO ...... 33 G 22
Aldeire GR .... 95 U 20
Aldeonsancho SG .... 31 I 18
Aldeonte SG .... 32 H 18
Aldeyuso VA .... 31 H 17
Aldige LU .... 4 C 7
Aldover T .... 50 J 31
Alea O .... 6 B 14
Aleas GU .... 46 J 20
Aledo MU .... 85 S 25
Alegía SS .... 10 C 23
Alegranza Lanzarote GC.120 E 1

Aleranza (Isla)
  Lanzarote GC .... 120 E 1
Alegría (La) SE .... 92 U 12
Alegría-Dulantzi VI .... 19 D 22
Aleixar (L') T .... 37 I 33
Alejos (Los) AB .... 84 Q 23
Alella B .... 38 H 36
Alentisque SO .... 33 H 23
Aler HU .... 22 F 31
Alerre HU .... 21 F 28
Alesanco LO .... 19 E 21
Alesón LO .... 19 E 21
Alevia O .... 7 B 16
Alfábia .... 104 M 38
Alfábia (Serra d') .... 104 M 38
Alfacar GR .... 94 U 19
Alfacs (Port dels) T ...... 50 K 31
Alfafar V .... 62 N 28
Alfafara A .... 74 P 28
Alfaix .... 96 U 24
Alfajarín Z .... 35 H 27
Alfambra TE .... 49 K 26
Alfambra (Río) TE .... 49 K 26
Alfamén Z .... 34 H 26
Alfántega HU .... 36 G 30
Alfara d'Algímia V .... 62 M 28
Alfara de Carles T .... 50 J 31
Alfaraz de Sayago ZA .... 29 I 12
Alfarb V .... 62 N 28
Alfarnate MA .... 101 V 17
Alfarnatejo MA .... 101 V 17
Alfaro LO .... 20 F 24

Alfaro (Serra d') .... 74 P 29
Alfarràs L .... 36 G 31
Alfarrasí V .... 74 P 28
Alfàs del Pi (L') A .... 74 Q 29
Alfera (La) AB .... 84 Q 23
Alfés L .... 36 H 31
Alfocea Z .... 35 G 27
Alfondeguilla CS .... 62 M 29
Alfonso XIII SE .... 91 U 11
Alfonso XIII (Embalse de). 84 R 25
Alfoquia (La) AL .... 96 T 23
Alforja T .... 37 I 32
Alfornón GR .... 102 V 20
Alforque Z .... 35 I 28
Alfoz LU .... 14 B 7
Alfoz Castro de Ouro LU .. 4 B 7
Algaba (La) SE .... 91 T 11
Algadefe LE .... 16 F 13
Algaida PM .... 104 N 38
Algaida (La) MU .... 85 R 26
Algaida (La) CA .... 91 V 11
Algairén (Sierra de) ...... 34 H 25
Algallarín CO .... 81 R 16
Algámitas SE .... 92 U 14
Algar CA .... 99 W 13
Algar (El) MU .... 85 T 27
Algar (S') PM .... 106 M 42
Algar de Mesa GU .... 47 I 24
Algar de Palància V ...... 62 M 28
Algar de Palància
  (Embassament d') V ... 62 M 28
Algarabejo (El) SE .... 92 U 13

Algarín SE .... 80 T 13
Algarinejo GR .... 94 U 17
Algarra CU .... 61 L 25
Algarra (Río de) .... 61 M 25
Algarróbillo (El) SE ...... 92 V 12
Algarrobo MA .... 101 V 17
Algarrobo (Sierra de) .... 97 T 26
Algarrobo Costa MA .... 101 V 17
Algars (Riu d') .... 50 J 30
Algas (Punta de) .... 85 S 27
Algatocín MA .... 99 W 14
Algayón HU .... 36 G 31
Algecira (La) TE .... 49 J 28
Algeciras CA .... 99 X 13
Algeciras (Bahía de) CA .. 99 X 13
Algemesí V .... 74 O 28
Algendar (Barranc d') PM 106 M 41
Algerri L .... 36 G 31
Algete M .... 46 K 19
Algezares
  cerca de Cehegín MU .. 84 R 24
Algezares
  cerca de Murcia MU ... 85 S 26
Algibillo J .... 82 R 17
Algimia d'Alfara V .... 62 M 28
Algimia de Almonacid CS.. 62 M 28
Alginet V .... 74 O 28
Algodonales CA .... 92 V 13
Algodor M .... 58 M 18
Algodre ZA .... 30 H 13
Algora GU .... 47 J 22
Algorfa A .... 85 R 27

Algorta BI .... 8 B 20
Algozón LU .... 13 E 6
Alguaire L .... 36 G 31
Alguazas MU .... 85 R 26
Algueña (L') A .... 85 Q 26
Alhabia AL .... 102 V 22
Alhama (Río) .... 33 G 23
Alhama (Sierra de) ...... 101 V 17
Alhama (Tierras de) GR.. 101 V 17
Alhama de Almería AL .. 103 V 22
Alhama de Aragón Z ..... 34 I 24
Alhama de Granada GR .. 94 U 18
Alhama de Murcia MU ... 85 S 25
Alhambra CR .... 71 P 20
Alhambra (La) GR .... 94 U 19
Alhambra (Sierra de) .... 71 P 20
Alhambras (Las) TE ...... 61 L 27
Alhamilla (Sierra) .... 103 V 22
Alhanchete (El) AL .... 96 U 24
Alhándiga .... 43 K 12
Alharilla J .... 82 S 17
Alhaurín de la Torre MA. 100 W 16
Alhaurín el Grande MA.. 100 W 15
Alhendín GR .... 94 U 19
Alhóndiga GU .... 47 K 21
Alía CC .... 57 N 14
Aliaga TE .... 49 J 27
Aliaguilla V .... 61 M 26
Aliaguilla (Sierra de) .... 61 M 25
Alias AL .... 103 V 23
Alicante (Golfo de) A .... 86 R 28
Alicante / Alacant A ...... 86 Q 28

Alicún AL .... 102 V 22
Alicún de las Torres GR .. 95 T 20
Alicún de Ortega GR ..... 95 T 20
Alienes O .... 5 B 10
Alija LE .... 16 E 13
Alija del Infantado LE ... 15 F 12
Alijar .... 91 V 11
Alijar (Puerto de) MA ... 100 W 14
Alins L .... 23 E 33
Alins del Monte HU ...... 22 F 31
Alinyà L .... 23 F 34
Alió T .... 37 I 33
Alique GU .... 47 K 22
Alisar (El) SE .... 79 T 11
Alisas (Puerto de) S .... 8 C 19
Aliseda CC .... 55 N 9
Aliseda (La) J .... 82 R 19
Aliseda de Tormes (La) AV 44 L 13
Aliste ZA .... 29 G 11
Aliste (Cabañas de) ZA ... 29 G 11
Aliud SO .... 33 H 23
Aljabaras (Las) CO .... 80 S 14
Aljaraque H .... 90 U 8
Aljariz AL .... 96 U 23
Aljibe CA .... 99 W 13
Aljibe (El) MU .... 96 T 24
Aljibe (Sierra del) CR .... 70 Q 19
Aljibe (Sierra del) BA .... 69 N 15
Aljorra (La) MU .... 85 S 26
Aljube AB .... 73 Q 25
Aljube BA .... 67 O 11
Aljucén BA .... 67 O 11
Aljucén (Estación de) BA.. 67 P 10

ÁVILA

Alemania B 2
Caballeros B 6
Calvo Sotelo (Pl.) B 8
Cardenal Pla y Deniel B 10
Cortal de las Campanas (Pl. del). A 12
Don Geronimo B 13
Esteban Domingo B 14
Jimena Blásquez A 15
López Núñez B 16
Marqués de Benavites AB 18
Peregrino (Bajada del) B 19
Ramón y Cajal A 20
Reyes Católicos B 21
Santa (Pl. de la) A 25
Santo Tomas (Pas. de) B 26
San Segundo B 22
San Vicente B 24
Sonsoles (Bajada de) B 27
Los Telares A 28
Tomás luis de Victoria B 30
Tostado B 31

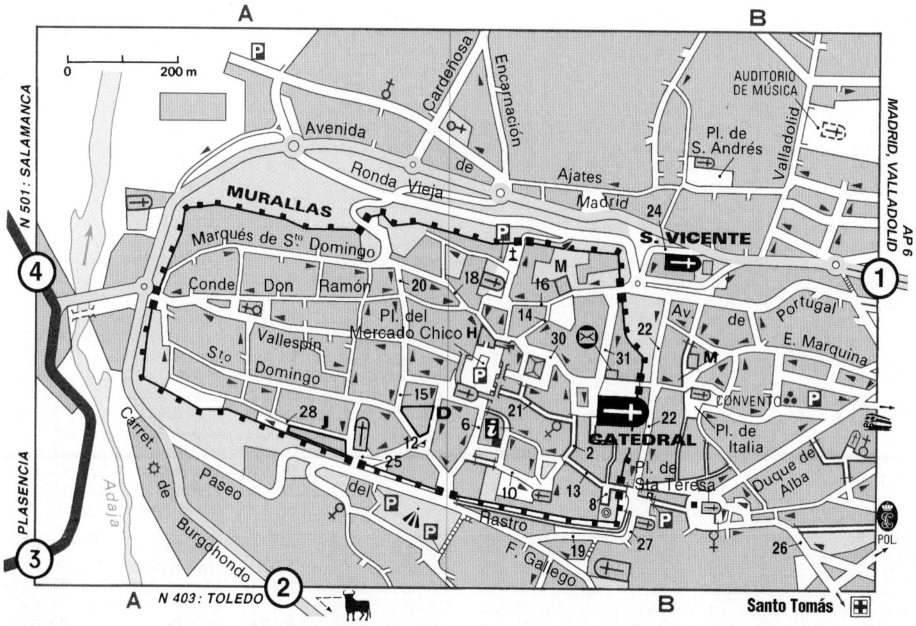

A
B
0
200 m
N 501 : SALAMANCA
PLASENCIA
N 403 : TOLEDO
MADRID, VALLADOLID
AP 6
AUDITORIO DE MÚSICA
Avenida
de
Ronda Vieja
Ajates
Madrid
Cardeñosa
Encarnación
Pl. de S. Andrés
Valladolid
MURALLAS
Marqués de Sto Domingo
S. VICENTE
Conde
Don
Ramón
Pl. del Mercado Chico
Vallespín
Sto Domingo
Av. de Portugal
E. Marquina
CONVENTO
CATEDRAL
Pl. de Italia
Pl. de Sta Teresa
Duque de Alba
Carret. de
Paseo del Rastro
Burgohondo
Adaja
F. Gallego
POL.
Santo Tomás

Aljucén (Río) 67 O 11
Aljunzarejo (El) MU 85 R 26
Alkiza SS 10 C 23
Alkotz NA 11 C 24
Allande 5 C 10
Allariz OR 13 F 6
Allariz (Alto de) OR 13 F 6
Allepuz TE 49 K 27
Aller 6 C 13
Allés O 7 B 15
Allín NA 19 D 23
Allo NA 19 E 23
Alloz NA 10 D 24
Alloz (Embalse de) 10 D 24
Alloza TE 49 J 28
Allozo (El) CR 71 P 21
Allueva TE 48 J 26
Almacelles L 36 G 31
Almáchar MA 101 V 17
Almaciles GR 84 S 22
Almadén CR 69 P 15
Almadén (El) J 82 S 19
Almadén (Sierra) 82 S 19
Almadén de la Plata SE 79 S 11
Almadenejos CR 69 P 15
Almadenes MU 85 R 25
Almadraba (La) CA 98 W 10
Almadraba
de Monteleva (La) AL 103 V 23
Almadrava (L') T 51 J 32
Almadrones GU 47 J 21
Almafrà A 85 Q 27
Almagarinos LE 15 D 11
Almagrera (Cabeza) BA 68 P 14
Almagrera (Sierra) AL 96 U 24
Almagro CR 70 P 18
Almagro (Sierra de) 96 T 24
Almagros MU 85 S 26
Almajalejo AL 96 T 24
Almajano SO 33 G 22
Almallá GU 48 J 24
Almaluez SO 33 I 23
Almandoz NA 11 C 25
Almansa AB 73 P 26
Almansa CC 69 O 14
Almansa (Embalse de) AB 73 P 26
Almansas J 83 S 20
Almanza LE 16 E 14
Almanzor (Pico) AV 56 L 14
Almanzora AL 96 T 23
Almanzora (Río) 96 T 24
Almar (Río) 44 J 13
Almarail SO 33 H 22
Almaraz CC 56 M 12
Almaraz de Duero ZA 29 H 12
Almarcha (La) CU 60 M 22
Almarchal (El) CA 99 X 12
Almargen MA 93 U 14
Almarza SO 33 G 22
Almarza de Cameros LO 19 F 22
Almàssera V 62 N 28
Almassora CS 62 M 29
Almatret L 36 I 31
Almayate Bajo MA 101 V 17
Almazán SO 33 H 22
Almazán (Canal de) 33 H 21
Almazán (Pinares de) 33 H 22
Almázcara LE 15 E 10
Almazorre HU 22 F 30
Almazul SO 33 H 23
Almedíjar
cerca de Segorbe CS 62 M 28
Almedina CR 71 Q 21
Almedinilla CO 94 T 17
Almegíjar GR 102 V 20
Almeida ZA 29 I 11
Almenar L 36 G 31
Almenar de Soria SO 33 G 23
Almenara L 37 G 33
Almenara M 45 K 17
Almenara Castelló CS 62 M 29
Almenara (Sierra de) 97 T 25
Almenara (Sierra) 99 X 13
Almenara de Adaja VA 31 I 15
Almenara de Tormes SA 43 I 12
Almenaras AB 72 Q 22
Almendra SA 29 I 10
Almendra ZA 29 H 12
Almendra
(Embalse de) SA 29 I 11
Almendral GR 94 U 17
Almendral BA 67 Q 9
Almendral CC 56 L 11
Almendral (El) AL 95 U 22
Almendral (El) GR 101 V 17
Almendral
de la Cañada TO 57 L 15
Almendralejo BA 67 P 10
Almendres BU 18 D 19
Almendricos MU 96 T 24
Almendro (El) H 90 T 8
Almendros CU 59 M 21
Almensilla SE 91 U 11
Almería AL 103 V 22
Almería (Golfo de) AL 103 V 22
Almerimar AL 102 V 21
Almeza (La) V 61 M 27
Almijara (Sierra de) 101 V 18
Almirez AB 84 Q 24
Almiruete GU 46 I 20
Almochuel Z 35 I 28
Almócita AL 102 V 21
Almodóvar CA 99 X 12
Almodóvar (Embalse de) 99 X 13
Almodóvar del Campo CR 70 P 17
Almodóvar del Pinar CU 60 M 24
Almodóvar del Río CO 81 S 14
Almogía MA 100 V 16
Almoguera GU 59 L 21
Almoguera (Embalse de) 59 L 21
Almohaja TE 48 K 25
Almoharín CC 68 O 11
Almoines V 74 P 29
Almolda (La) Z 35 H 29
Almonacid de la Cuba Z 35 I 27
Almonacid de la Sierra Z 34 H 26
Almonacid de Toledo TO 58 M 18
Almonacid de Zorita GU 47 L 21
Almonacid
del Marquesado CU 59 M 21
Almonaster la Real H 79 S 9
Almontaras (Las) GR 83 S 21
Almonte H 91 U 10
Almonte (Río) 55 N 11
Almoradí A 85 R 27
Almoraima CA 99 X 13
Almorchón BA 68 P 14
Almorchón (Sierra de) 83 R 22
Almorox TO 57 L 16
Almoster T 37 I 33
Almudáfar HU 36 H 30
Almudaina A 74 P 28
Almudena (La) MU 84 R 24
Almudévar HU 21 F 28
Almudévar (Estación de) 35 G 28
Almuerzo (El) 33 G 23
Almunia
de Doña Godina (La) Z 34 H 25
Almunia de San Juan HU 36 G 30
Almunias (Las) HU 21 F 29
Almuniente HU 35 G 28
Almuña O 5 B 10
Almuñécar GR 101 V 18
Almuradiel CR 82 Q 19
Almurfe O 5 C 11
Almussafes V 74 O 28
Alobras TE 61 L 25
Alocén GU 47 K 21
Alojera La Gomera TF 118 B 2
Alomartes GR 94 U 18
Alonso de Ojeda CC 68 O 12
Alonsótegi BI 8 C 21
Aloña 19 D 22
Alor BA 66 Q 8
Álora MA 100 V 15
Alós (Embalse de) 37 G 32
Alòs d'Isil L 23 D 33
Alòs de Balaguer L 37 G 32
Alosno H 90 T 8
Alovera GU 46 K 20
Alozaina MA 100 V 15
Alp GE 24 E 35
Alpandeire MA 99 W 14
Alpanseque SO 33 I 21
Alpartir Z 34 H 25
Alpatró A 74 P 29
Alpedrete M 45 K 17
Alpedroches GU 32 I 21
Alpens B 24 F 36
Alpeñés TE 48 J 26
Alpera AB 73 P 26
Alpicat L 36 G 31
Alpizar H 91 T 10
Alporchones MU 85 T 25
Alpuente V 61 M 26
Alpujarras (Las) GR 102 V 20
Alquería (La) MU 73 Q 26
Alquería (La) AL 102 V 20
Alquería Blanca (S') PM 105 N 39
Alqüeria del Fargue GR 94 U 19
Alquerías MU 85 R 26
Alquézar HU 22 F 30
Alquián (El) AL 103 V 22
Alquife GR 95 U 20
Alquité SG 32 I 19
Alsamora L 22 F 32
Alsasua / Altsasu NA 19 D 23
Alsodux AL 95 U 22
Alta LU 3 C 7
Alta (Sierra) 48 K 25
Alta Coloma (Sierra de) 94 T 18
Alta Gracia (Ermita de) CC 55 N 10
Altable BU 18 E 20
Altafulla T 37 I 34
Altamira BI 9 B 21
Altamira (Cuevas de) S 7 B 17
Altamira (Sierra de) 56 M 13
Altamiros AV 44 J 15
Altarejos CU 60 M 22
Altavista (Refugio)
Tenerife TF 127 E 3
Altea A 74 Q 29
Altea la Vella A 74 Q 29
Altet (L') A 86 R 28
Altico (El) J 82 R 18
Alto (Puntal) GR 95 U 21
Alto de Borderas 35 H 27
Alto de la Madera O 6 B 12
Alto de Ter (Vall) GE 24 F 37
Alto Iso NA 11 D 26
Alto Rey (Sierra de) 46 I 20
Alto Tajo
(Parque natural del) GU 47 J 23
Altobordo MU 96 T 24
Altomira CU 59 L 21
Altomira (Sierra de) 59 L 21
Altorricón HU 36 G 31
Altorricón-Tamarite HU 36 G 31
Altos (Los) 18 D 19
Altos (Puerto Los) 73 P 25
Altotero BU 18 D 19
Altron L 23 E 33
Altsasu / Alsasua NA 19 D 23
Altube 8 C 21
Altura CS 62 M 28
Altzo SS 10 C 23
Altzola SS 10 C 22
Aluenda Z 34 H 25
Alueza HU 22 E 30
Alumbres MU 97 T 27
Alustante GU 48 K 25
Alvarado BA 67 P 9
Alvarizones (Los) CA 98 W 11
Alvedro (Aeropuerto de) C 3 C 4
Alvidrón LU 13 D 6
Alzira V 74 O 28
Amadòrio
(Embassament d') A 74 Q 29
Amaiur / Maya NA 11 C 25
Amandi O 6 B 13
Amarguillo (Río) 58 N 19
Amasa SS 10 C 23
Amatos SA 44 J 13
Amatriáin NA 20 E 25
Amavida AV 44 K 14
Amaya BU 17 E 17
Amayas GU 47 I 24
Amayuelas P 17 D 16
Ambás cerca de Avilés O 5 B 12
Ambás
cerca de Villaviciosa O 6 B 13
Ambasaguas LE 16 D 13
Ambasmestas LE 14 E 9
Ambel Z 34 G 25
Ambite M 46 L 20
Ambosores LU 3 B 6
Amboto BI 10 C 22
Ambrona SO 47 I 22
Ambroz (Río) 56 L 11
Ameixenda C 2 D 2
Amer GE 24 F 37
Amer (Punta de) 105 N 40
Ames C 2 D 4
Améscoa Baja 19 D 23
Ametlers (Els) CS 50 K 31
Ametlla (L')
cerca de Àguer L 22 F 32
Ametlla (L')
cerca de Tàrrega L 37 H 33
Ametlla de Casseres (L') 24 F 35
Ametlla de Mar (L') T 51 J 32
Ametlla de Merola (L') B 38 G 35
Ametlla del Vallès (L') B 38 G 36
Ameyugo BU 18 E 20
Amezketa SS 10 C 23
Amieva O 6 C 14
Amil PO 12 E 4
Amiudal OR 13 E 5
Amoedo PO 12 F 4
Amoeiro OR 13 E 6
Amoladeras
(Collado de las) 73 N 27
Amorebieta BI 9 C 21
Amoroto BI 10 C 22
Amparo (El) Tenerife TF 126 D 3
Ampolla (L') T 50 J 32
Amposta T 50 J 31
Ampudia P 30 G 15
Ampuero S 8 B 19
Ampuyenta (La)
Fuerteventura GC 111 H 3
Amurrio VI 8 C 20
Amusco P 17 F 16
Amusquillo VA 31 G 17
Anadón TE 49 J 27
Anafreita LU 3 C 6
Anaga (Punta de)
Tenerife TF 125 K 1
Anaya SG 45 J 17
Anaya de Alba SA 44 J 13
Anayet
(Coto nacional del) HU 21 D 28
Ancares CR 69 O 15
Ancares (Refugio de) LU 14 D 9
Ancares (Río) 14 D 9
Ancares (Sierra de) 14 D 9
Ancares Leoneses (Reserva
nacional de los) LE 14 D 9
Anchuela del Campo GU 47 I 23
Anchuela del Pedregal GU 48 J 24
Anchuelo M 46 K 20
Anchuras CR 57 N 15
Anchuricas (Embalse de) 83 R 22
Anchurones CR 69 N 16
Anciles HU 22 E 31
Ancillo S 8 C 19
Ancín NA 19 E 23
Anciola (Punta de) 104 O 38
Ancla (El) CA 98 W 11
Anclas (Las) GU 47 K 21
Anda VI 18 D 21
Andagoya VI 18 D 21
Andaluz SO 33 H 21
Andara 7 C 15
Andarax AL 102 V 21
Andatza SS 10 C 23
Andavías ZA 29 H 12
Andia (Sierra de) 10 D 24
Andilla V 61 M 27
Andiñuela LE 15 E 11
Andoain SS 10 C 23
Andoio C 2 C 4
Andorra TE 49 J 28
Andosilla NA 19 E 24
Andrade (Castillo de) C 3 B 5
Andratx PM 104 N 37
Andrés O 4 B 9
Andrín O 7 B 15
Andújar J 82 R 17
Aneas (Las) AL 95 U 22
Anento Z 48 I 25
Anero S 8 B 19
Aneto (Pico de) HU 22 E 31
Àneu (Vall d') L 23 E 33
Angel (El) MA 100 W 15
Ángeles (Los) CA 99 W 13
Ángeles (Los) CO 81 S 16
Ángeles (Los) /
Anxeles (Os) C 12 D 3
Ángeles (Río de Los) 43 L 10
Ángeles (Sierra de Los) 55 L 10
Angiozar SS 10 C 22
Anglès GE 24 G 37
Anglesola L 37 H 33
Angón GU 47 I 21
Angostura (Río de la) M 45 J 18
Anguciana LO 18 E 21
Anguera (Riu d') 37 H 33
Angüés HU 21 F 29
Anguiano LO 19 F 21
Anguijes (Los) AB 72 P 24
Anguila (Cala) PM 105 N 39
Anguita GU 47 I 22
Anguix BU 31 G 18
Anguix GU 47 K 21
Aniago VA 30 H 15
Aniés HU 21 F 28
Anievas S 7 C 17
Aniezo S 7 C 16
Aniñón Z 34 H 24
Anleo O 4 B 9
Anllares LE 15 D 10
Anllarinos LE 15 D 10
Anllóns C 2 C 3
Anna V 74 O 28
Anoeta SS 10 C 23
Anoia (L') B 37 H 34
Anorias (Las) AB 73 P 25
Anós C 2 C 3
Anoz NA 10 D 24
Anquela del Ducado GU 47 J 23
Anquela del Pedregal GU 48 J 24
Ansares (Lucio de los) SE 91 V 10
Anserall L 23 E 34
Ansó HU 11 D 27
Ansó (Valle de) HU 11 D 27
Antas AL 96 U 24
Antas (Río) 96 U 23
Antas de Ulla LU 13 D 6
Antella V 74 O 28
Antequera MA 93 U 16
Antes C 2 D 3
Antezana VI 18 D 21
Antigua
Fuerteventura GC 111 G 3
Antigua (La) LE 15 F 12
Antigüedad P 31 G 17
Antilla (La) H 90 U 8
Antillón HU 21 F 29
Antimio LE 16 E 13
Antoñán del Valle LE 15 E 12
Antoñana VI 19 D 22

Antzuola *SS*..................... 10 C 22
Anue *BI*....................... 11 D 25
Anxeles (Os) /
Ángeles (Los) *C*....... 12 D 3
Anxeriz *C*........................2 C 3
Anya *L*...................... 37 G 33
Anzánigo *HU*............. 21 E 28
Anzur (Río) *CO*....... 93 T 16
Añana *VI*................. 18 D 21
Añarbe (Embalse de) .. 10 C 24
Añastro *BU*............. 19 D 21
Añavieja *SO*............. 33 G 24
Añaza *Tenerife TF*.... 125 I 2
Añe *SG*...................... 45 I 17
Añes *VI*.......................8 C 20
Añides *O*.........................4 B 9
Añisclo (Cañon de) *HU*..... 22 E 30
Añón *Z*...................... 34 G 24
Añora *CO*................. 81 Q 15
Añover de Tajo *TO*..... 58 M 18
Añover de Tormes *SA*.. 43 I 12
Añoza *P*..................... 16 F 15
Aoiz / Agoitz *NA*........ 11 D 25
Aós / Aos *NA*............. 11 D 25
Aos / Aós *NA*............. 11 D 25
Aoslos *M*.................... 46 I 19
Apadreado (El) *AB*..... 73 P 25
Aparecida (La) *A*........ 85 R 26
Aparecida (La) *MU*..... 85 S 27
Apellániz *VI*.............. 19 D 22
Apiés *HU*.................. 21 F 28
Apricano *VI*.............. 18 D 21
Aqua Brava *GE*......... 25 F 39
Aquaola *GR*.............. 94 U 19
Aquasvivas............... 49 J 27
Aquijón *C*................. 55 N 11
Aquilianos (Montes)... 14 E 9
Aquilué *HU*.............. 21 E 28
Aquópolis *M*............. 45 K 18
Ara *HU*..................... 21 E 28
Ara (Río)................... 21 D 29
Arabayona *SA*.......... 44 I 13
Arabexo *C*....................2 C 4
Arabí *MU*.................. 73 P 26
Arabinejo *AB*............ 73 P 25
Aracena................... 79 S 10
Aracena (Embalse de) *H*.. 79 S 10
Aracena (Sierra de) *H*.... 79 S 9
Arafo *Tenerife TF*....... 127 G 3
Aragó i Catalunya
(Canal d') *HU*........... 36 H 31
Aragón
(Canal Imperial de) *Z*.. 34 G 25
Aragón (Río).............. 21 E 27
Aragón Subordán....... 21 D 27
Aragón y Cataluña
(Canal de) *HU*........... 36 F 30
Aragoncillo *GU*.......... 47 J 23
Aragoncillo (Monte) *GU*.. 47 J 23
Aragoneses *SG*.......... 45 I 16
Aragosa *GU*.............. 47 J 21
Araguás *HU*.............. 22 E 30
Araguás del Solano *HU*.. 21 E 28
Aragüés del Puerto *HU*.. 21 D 27
Arahal (El) *SE*........... 92 U 13
Arahuetes *SG*............ 45 I 18
Araia *CS*................... 62 L 29
Araia / Araya *VI*........ 19 D 23
Araitz *NA*.................. 10 C 23
Arakaldo *BI*..................8 C 21
Arakil...................... 19 D 23
Aralar (Sierra de)...... 19 D 23
Aralla *LE*.................. 15 D 12
Aralla (Collada de) *LE*.. 15 D 12
Aramaio *BI*............... 10 C 22
Aramil *O*.......................6 B 13
Aramunt *L*................ 23 F 32
Arán......................... 50 J 30
Aran (Val d') *L*.......... 22 D 32
Arana *BU*.................. 19 D 21
Arana (Sierra)........... 94 T 19
Aranarache *NA*......... 19 D 23
Arancedo *O*...................8 B 9
Arancón *SO*.............. 33 G 23
Aranda *MA*.............. 100 W 15
Aranda (Canal de)..... 32 H 19
Aranda (Río)............. 34 H 25
Aranda de Duero *BU*.. 32 G 18
Aranda de Moncayo *Z*.. 34 H 24
Arándiga *Z*................ 34 H 24
Arandilla *BU*............. 32 G 19
Arandilla (Río).......... 32 G 19
Arandilla del Arroyo *CU*.. 47 K 22
Aranga.........................3 C 5
Aranga (Estación de) *C*...3 C 6
Arangas *O*....................6 C 15

Aránguiz *VI*.............. 19 D 21
Aranguren............... 11 D 25
Aranguren *NA*.......... 11 D 25
Aranjuez *M*.............. 58 L 19
Arano *NA*................. 10 C 24
Aranüite *NA*............. 20 E 26
Aränser *L*................. 23 E 34
Arante *LU*.....................4 B 8
Arantza *NA*.............. 11 C 24
Arantzazu *SS*............ 19 D 22
Arantzazu *BI*..................9 C 21
Aranyó (L') *L*............. 37 G 33
Aranza *LU*................ 14 D 8
Aranzueque *GU*........ 46 K 20
Araña (Cuevas de la) *V*.. 73 O 27
Arañuel *CS*............... 62 L 28
Araós *L*..................... 23 E 33
Arañóa *C*................... 43 J 13
Aras *NA*.................... 19 E 22
Aras de los Olmos *V*... 61 M 26
Arascués *HU*............. 21 F 28
Aratz........................ 19 D 23
Aratzerreka *SS*.......... 10 C 23
Arauzo de Miel *BU*..... 32 G 19
Arauzo de Salce *BU*... 32 G 19
Arauzo de Torre *BU*... 32 G 19
Aravaca *M*................ 45 K 18
Aravell *L*................... 23 E 34
Araviana.................. 33 G 24
Araxes..................... 10 C 23
Araya / Araia *VI*........ 19 D 23
Araya de Arriba
(Embalse de) *CC*....... 55 N 9
Arazuri *NA*............... 11 D 24
Arba *Z*...................... 20 F 26
Arba de Biel *Z*........... 21 F 27
Arba de Luesia *Z*....... 20 F 26
Arbancón *GU*............ 46 J 20
Arbaniés *HU*............. 21 F 29
Arbás *L*..........................5 D 12
Arbayún (Hoz de)...... 11 D 26
Arbeca *L*................... 37 H 32
Arbedales (Cuevas de *O*)..5 B 12
Arbejal *P*.................. 17 D 16
Arbeteta *GU*............. 47 J 22
Arbillas (Mirador de) *AV*.. 57 L 14
Arbizu *NA*................ 19 D 23
Arbo *PO*................... 13 F 5
Arboç (L') *T*.............. 37 I 34
Arboçar de Dalt (L') *B*.. 38 I 35
Arbocet (L') *T*............ 51 I 32
Arboleas *AL*............. 96 T 23
Árboles (Los) *CR*....... 71 O 21
Arbolí *T*................... 37 I 32
Arbón......................4 B 9
Arbón (Embalse de) *O*....4 B 9
Arbúcies *GE*............. 38 G 37
Arbujuelo *SO*........... 47 I 22
Arbuniel *J*................ 94 T 19
Arc de Cabanes *CS*.... 62 L 30
Arca *PO*................... 13 E 4
Arcallana *O*..................5 B 11
Arcamo (Sierra de).... 18 D 20
Arcángeles (Los) *M*.... 46 K 19
Arcas....................... 60 M 23
Arcavell *L*................. 23 E 34
Arce *NA*................... 11 D 25
Arce (Valle de).......... 11 D 25
Arcediano *SA*........... 44 I 13
Arcellana *O*...................5 B 11
Arcenillas *ZA*........... 29 H 12
Arcentales *BI*................8 C 20
Arceo *C*.......................3 C 5
Archena *MU*............. 85 R 26
Archez *MA*............... 101 V 18
Archidona *MA*........... 93 U 16
Archidona *SE*............ 79 S 11
Archidona (Sierra de).. 93 U 16
Archilla *GU*.............. 46 J 21
Architana *MU*........... 84 R 24
Archivel *MU*............. 84 R 23
Arciollár *TO*............. 58 L 17
Arcillera *ZA*............. 29 G 11
Arcillo *ZA*................. 29 H 12
Arco *CC*.................... 55 M 10
Arco (El) *SA*.............. 43 I 12
Arconada *P*............... 17 F 16
Arcones *SG*.............. 46 I 18
Arcos *BU*.................. 18 F 18
Arcos *cerca de Carnota C*..2 D 2
Arcos *cerca de Cuntis PO*.. 12 E 4
Arcos *LU*.................. 13 E 6

Arcos *OR*................. 13 E 5
Arcos *ZA*................. 29 G 12
Arcos (Embalse de) *CA*.. 92 V 12
Arcos (Los) *NA*......... 19 E 23
Arcos (Río).............. 61 M 26
Arcos (Sierra de)...... 49 I 28
Arcos de Jalón *SO*..... 47 I 23
Arcos de la Frontera *CA*.. 92 V 12
Arcos de la Sierra *CU*.. 47 K 23
Arcos de las Salinas *TE*.. 61 M 26
Arcs (Els) *L*.............. 36 G 32
Arcs (Ermita dels)..... 24 F 37
Arcusa *HU*............... 22 F 30
Ardachón (Arroyo)..... 91 T 11
Ardaitz *NA*............... 11 D 25
Ardal................... 84 Q 22
Ardales *MA*.............. 100 V 15
Ardaña *C*.................. 2 C 3
Ardanaz *NA*............. 11 D 25
Ardévol *L*................. 37 G 34
Ardila (R.).............. 79 R 9
Ardisa *Z*.................. 21 F 27
Ardón *LE*................. 16 E 13
Ardoncino *LE*........... 16 E 13
Ardonsillero *SA*........ 43 J 11
Arduas (Las) *SE*........ 92 U 12
Area *PO*.................... 12 F 3
Areas
cerca de Ponteareas PO.. 12 F 4
Areas *cerca de Tui PO*.. 12 F 4
Areas *LU*................. 13 D 6
Areatza *BI*.................9 C 21
Areeta *BI*....................8 C 20
Arejos (Los) *MU*........ 96 T 24
Arellano *NA*............. 19 E 23
Arén *HU*................... 22 F 32
Arenal (La) *O*................5 B 11
Arenal (El) *AV*.......... 57 L 14
Arenal (El) *SG*.......... 45 I 18
Arenal (Puerto del)... 83 Q 22
Arenal (S') *Mallorca PM*.. 104 N 38
Arenal d'en Castell *PM*.. 106 L 42
Arenales (Los) *SE*...... 92 T 14
Arenales
de San Gregorio *CR*.. 71 O 20
Arenales del Sol (Los) *A*.. 86 R 28
Arenas *MA*............... 101 V 17
Arenas (Refugio)....... 57 L 14
Arenas de Cabrales *O*.. 6 C 15
Arenas de Iguña *O*.........7 C 17
Arenas de San Juan *CR*.. 70 O 19
Arenas de San Pedro *AV*.. 57 L 14
Arenas del Rey *GR*..... 101 V 18
Arenetes (Les) *A*........ 75 P 30
Arenillas *SO*............. 33 H 21
Arenillas *SE*............. 80 S 12
Arenillas de Muñó *BU*.. 17 F 18
Arenillas
de Riopisuerga *BU*.... 17 E 17
Arenillas de Villadiego *BU*.. 17 E 18
Arenós (Embassament de) 62 L 28
Arenosillo (Arroyo)... 81 R 16
Arens de Lledó *TE*...... 50 J 30
Arenteiro................ 13 E 5
Arenys de Mar *B*....... 38 H 37
Arenys de Munt *B*...... 38 H 37
Arenzana de Abajo *LO*.. 19 E 21
Areños *C*....................3 B 5
Ares *C*.........................3 B 5
Ares (Coll d') *GE*....... 24 E 37
Ares (Mola d') *CS*...... 50 K 29
Ares del Maestrat *CS*.. 50 K 29
Areso *NA*................. 10 C 24
Areta *VI*.......................8 C 21
Areta (Río).............. 11 D 26
Aretxabaleta *SS*........ 10 C 22
Areu *L*...................... 23 E 33
Arevalillo *AV*............ 44 K 13
Arevalillo (Río)......... 44 J 15
Arevalillo de Cega *SG*.. 45 I 18
Arévalo *AV*............... 44 I 15
Arévalo *SO*............... 33 G 22
Arga....................... 11 D 25
Argallanes (Sierra de) *BA*.. 68 Q 12
Argallón *CO*............. 80 R 13
Argalo *C*................... 12 D 3
Argamasilla *SE*......... 80 S 13
Argamasilla de Alba *CR*.. 71 O 20
Argamasilla
de Calatrava *CR*....... 70 P 17
Argamasón *AB*.......... 72 P 23
Argamasón *AL*.......... 96 U 24
Argamassa (S') *PM*.... 87 P 34
Arganda del Rey *M*.... 59 L 19

Argandoña *VI*........... 19 D 22
Arganza *O*...................5 C 10
Arganza *LE*.............. 14 E 9
Arganza (Río)...............4 C 10
Argañín *ZA*.............. 29 H 11
Argañoso *O*..................6 B 13
Argañoso *LE*............ 15 E 11
Argavieso *HU*........... 21 F 29
Argecilla *GU*............ 47 J 21
Argel *AB*.................. 84 Q 22
Argelaguer *GE*.......... 24 F 37
Argelita *CS*.............. 62 L 28
Argençola *B*............. 37 H 34
Argençola (Río)........ 37 H 34
Argente *TE*............... 48 J 26
Argente (Puerto de)... 48 J 26
Argentera (L') *T*........ 51 I 32
Argentona *B*............. 38 H 37
Argés *TO*................. 58 M 17
Argómaniz *VI*........... 19 D 22
Argómaniz (Parador de) *VI* 19 D 21
Argomoso *LU*.................4 B 7
Argos *S*................... 8 B 19
Argos *MU*................. 84 R 24
Argos (Embalse del).. 84 R 24
Argovejo *LE*............. 16 D 14
Arguedas *NA*............ 20 F 25
Arguedas (Estación de).. 20 F 25
Argüelles................. 5 B 12
Arguellite *AB*........... 84 R 22
Argüeña (Serra de la) *A*.. 74 Q 27
Argüero *O*....................6 B 13
Arguijuela *CC*........... 67 N 10
Arguillos *ZA*............. 93 U 15
Arguineguín
Gran Canaria GC...... 116 C 4
Arguis *HU*................ 21 F 28
Arguis (Embalse de) *HU*.. 21 F 28
Arguisuelas *CU*......... 60 M 24
Arguijullo *ZA*........... 30 I 13
Aria *NA*................... 11 D 26
Ariany *PM*................ 105 N 39
Aribe *NA*.................. 11 D 26
Arico *Tenerife TF*...... 129 G 4
Arico El Nuevo
Tenerife TF.............. 129 G 4
Arico Viejo *Tenerife TF*.. 129 G 4
Arienza *LE*............... 15 D 11
Arija *BU*................... 17 D 18
Aríns *C*..................... 13 D 4
Aríñez *VI*................. 19 D 21
Ariño *TE*................... 48 I 28
Aripe *Tenerife TF*...... 128 C 4
Arisgotas *TO*............ 58 N 18
Aristebano (Alto de) *O*....5 B 10
Aristot *L*.................. 23 E 34
Ariza *Z*.................... 33 I 23
Arizala *NA*............... 10 D 24
Arizaleta *NA*............ 10 D 24
Arizkun *NA*.............. 11 C 25
Arjona *J*................... 82 S 17
Arjonilla *J*................ 82 S 17
Arjuá *LU*................... 13 E 6
Arlaban (Puerto de) *SS*.. 19 D 22
Arlanza *LE*.............. 15 E 10
Arlanza (Río)........... 32 G 20
Arlanzón *BU*............ 18 F 19
Arlanzón (Embalse de).. 18 F 20
Arlanzón (Río).......... 18 F 20
Arlas (Arroyo de)...... 46 K 21
Arlos *O*......................5 B 12
Arlucea *VI*................ 19 D 22
Armada *O*...................5 C 12
Armada (Castillo de la) *SE* 80 S 13
Armada (La) *OR*........ 13 F 5
Armallones *GU*......... 47 J 23
Armañanzas *NA*........ 19 E 23
Armas *MA*................ 100 W 15
Armellada *LE*........... 15 E 12
Armenteira *PO*.......... 12 E 3
Armentera (L') *GE*..... 25 F 39
Armenteros *SA*......... 44 K 13
Armentón *C*...................2 C 4
Armeñime *Tenerife TF*.. 128 C 4
Armilla *GR*............... 94 U 19
Armillas *TE*.............. 49 J 27
Armindez *J*............... 83 S 20
Armintza *BI*...................8 B 21
Armiñón *VI*.............. 18 D 21
Armuña *SE*............... 80 S 13
Armuña de Almanzora *AL*.. 96 T 22
Armuña de Tajuña *GU*.. 46 K 20
Arnadelo *LE*............. 14 E 9
Arnado *LE*................ 14 E 9
Arnao *CA*................. 99 W 13
Arnedillo *LO*............ 19 F 23
Arnedo *LO*................ 19 F 23

Arnego *PO*............... 13 D 5
Arnés *T*.................... 50 J 30
Arneva *A*.................. 85 R 27
Arnicio (Puerto de) *O*....6 C 13
Arnoia (Río) *OR*....... 13 F 5
Arnostéguy (Puerto d').. 11 C 26
Arnuero *S*................. 8 B 19
Aro *C*..........................2 D 3
Aroche *H*................. 78 S 9
Arona *Tenerife TF*..... 128 D 5
Aróstegui *NA*............ 11 D 24
Arou *C*.......................2 C 2
Arousa (Isla de) *PO*... 12 E 3
Arousa (Ría de) *PO*... 12 E 3
Arques (Puig d')....... 39 G 38
Arquijo *SO*............... 33 G 22
Arquillinos *ZA*.......... 29 G 13
Arquillo de San Blas
(Embalse del) *TE*....... 48 K 26
Arquillos *J*............... 82 R 19
Arrabal *PO*............... 12 F 3
Arrabal de Portillo *VA*.. 31 H 16
Arrabal Santa Barbara *TE*.. 48 K 25
Arrabalde *ZA*........... 15 F 12
Arracó (S') *PM*.......... 104 N 37
Arrago................... 55 L 10
Arraia-Maeztu *VI*...... 19 D 22
Arraitz-Orkin *NA*...... 11 C 25
Arrancacepas *CU*...... 60 L 22
Arrankudiaga *BI*...........8 C 21
Arrarats *NA*............. 10 C 24
Arrasate / Mondragón *SS*.. 10 C 22
Arrate *SS*................. 10 C 22
Arratia.................... 9 C 21
Arrato (Sierra de)..... 18 D 21
Arratzu *BI*................ 10 C 22
Arrazola *BI*.............. 10 C 22
Arrebatacapas
(Collado de) *CC*........ 56 N 14
Arrebatacapas
(Puerto de) *AV*.......... 45 K 16
Arrecife *Lanzarote GC*.. 123 E 4
Arrecife (El) *CO*........ 81 S 15
Arredondo *S*................8 C 19
Arres *L*..................... 22 D 32
Arrés *HU*.................. 21 E 27
Arriano *VI*................ 18 D 21
Arriate *MA*............... 92 V 14
Arriba *TO*................. 58 N 17
Arribe-Atallu *NA*....... 10 C 24
Arrieta *Lanzarote GC*.. 123 F 3
Arrieta *NA*................ 11 D 25
Arrieta *BI*....................9 B 21
Arrigorriaga *BI*...............8 C 21
Arriondas *O*..................6 B 14
Arripas (Las) *CR*........ 69 O 16
Arro *HU*................... 22 E 30
Arroba de los Montes *CR*.. 69 O 16
Arrobuey *CC*............ 43 K 11
Arrocampo-Almaraz
(Embalse de) *CC*....... 56 M 12
Arrojo *O*......................5 C 12
Arrolobos *CC*............ 43 K 11
Arróniz *NA*............... 19 E 23
Arròs *L*..................... 22 D 32
Arroyal *S*.................. 17 D 17
Arroyo *S*................... 17 D 17
Arroyo *CR*................ 70 Q 18
Arroyo *H*.................. 79 S 9
Arroyo *V*................... 61 N 26
Arroyo *VA*................ 30 H 15
Arroyo Bremudo
(Embalse de) *CC*....... 55 M 11
Arroyo Cerezo *V*........ 61 L 26
Arroyo de Cuéllar..... 31 H 16
Arroyo de la Luz *CC*... 55 N 10
Arroyo de la Miel *MA*.. 100 W 16
Arroyo de la Plata *SE*.. 79 S 11
Arroyo de las Fraguas *GU*.. 46 I 20
Arroyo de Salas *BU*.... 32 F 20
Arroyo de San Serván *BA*.. 67 P 10
Arroyo de Torote *J*..... 46 K 19
Arroyo del Ojanco *J*.... 83 R 21
Arroyo-Malpartida
(Estación) *CC*........... 55 N 10
Arroyo Meaques *M*..... 45 K 18
Arroyofrío *TE*........... 61 L 25
Arroyomolinos *M*....... 58 L 18
Arroyomolinos
de la Vera *CC*........... 56 L 12
Arroyomolinos
de Montánchez *CC*.... 67 O 11
Arroyomuerto *SA*....... 43 K 11
Arroyos (Los) *M*......... 45 K 17

Arroyos (Los) *J*......... 83 R 22
Arroyuelo *BU*........... 18 D 19
Arrozao (Sierra del) *BA*.. 68 P 12
Arruazu *NA*............. 10 D 24
Arrúbal *LO*.............. 19 E 23
Arruchua................. 10 C 22
Ars *L*....................... 23 E 34
Arsèguel *L*............... 23 E 34
Artà *PM*................... 105 M 40
Artà (Coves d') *PM*.... 105 N 40
Artaiz *NA*................ 11 D 25
Artaj *V*..................... 61 M 27
Artajo / Artaxo *NA*.... 11 D 25
Artajona *NA*............. 20 E 24
Artana *CS*................ 62 M 29
Artariáin *NA*............ 20 E 25
Artasona
cerca de El Grado HU.. 22 F 30
Artasona
cerca de Almudévar HU.. 21 F 28
Artavia *NA*............... 19 D 23
Artazo *NA*............... 11 D 25
Artaza
cerca de Subijana VI.. 18 D 21
Artaza de F. *cerca de
Vitoria-Gasteiz VI*..... 19 D 21
Artazu *NA*............... 10 D 24
Artea *BI*....................9 C 21
Artea (El) *AL*............ 96 U 24
Artedo *O*....................5 B 11
Artedosa *O*..................6 C 13
Arteixo *C*.....................3 C 4
Artejuela *CS*............ 62 L 28
Artekona *BI*..................8 C 20
Artenara *Gran Canaria GC* 114 D 2
Artés *B*.................... 38 G 35
Artesa *CS*................ 62 M 29
Artesa de Lleida *L*..... 36 H 32
Artesa de Segre *L*...... 37 G 33
Artesiaga (Puerto de) *NA*.. 11 C 25
Artiba *NA*................ 10 C 22
Artibay.................... 10 C 22
Artichuela (La) *GR*..... 94 T 19
Artieda *NA*............... 11 D 26
Artieda *Z*................. 21 E 27
Arties *L*................... 22 D 32
Artikutza *NA*............ 10 C 24
Arto *HU*................... 21 E 28
Artómaña *VI*............ 18 D 21
Artrutx (Cap d') *PM*... 106 M 41
Artziniega *V*................8 C 20
Arucas *Gran Canaria GC* 115 E 2
Arucas (Montaña de)
Gran Canaria GC....... 115 E 2
Arure *La Gomera TF*... 118 B 2
Arvas
(Ruinas romanas de) *SE* 80 T 13
Arzádigos *OR*............ 28 G 8
Arzón *C*......................2 D 3
Arzoz *NA*................. 10 D 24
Arzúa *C*......................3 D 5
Ascara *HU*............... 21 E 28
Ascarza *BU*.............. 19 D 21
Ascaso *HU*............... 22 E 30
Ascó *T*..................... 36 I 31
Ascopalls *V*............. 74 O 28
Ascoy *MU*................ 85 R 25
Ase (Pas de l') *T*........ 50 I 31
Aserradero del Río Tús *J*.. 83 Q 22
Asiáin *N*.................. 10 D 24
Asiego *O*.....................6 C 15
Asientos (Los) *CA*..... 91 V 11
Asín *Z*.................... 20 F 26
Asín de Broto *HU*..... 21 E 29
Asma *Santa Eugenia LU*.. 13 E 6
Asma
cerca del Río Miño LU.. 13 E 6
Asneiro................... 13 E 5
Asno (Boca del) *MA*... 100 V 16
Asno (Boca del) *SG*... 45 J 17
Asno (Cabeza del) *MU*.. 85 R 25
Asno de Sobremonte *HU*.. 21 E 28
Asomadilla *AB*.......... 73 O 25
Asón......................8 C 19
Asón (Puerto del) *S*.......8 C 19
Aspa *L*..................... 36 H 32
Aspai *LU*...................3 C 6
Aspariegos *ZA*.......... 30 G 13
Aspárrena *VI*............ 19 D 22
Aspe *A*..................... 85 Q 27
Asperillas *TO*........... 59 M 19
Asperillo *H*............... 91 U 10
Aspurz *NA*............... 11 D 26
Assa *VI*.................... 19 E 22
Asso Veral *Z*............. 21 E 27
Asteasu *SS*............... 10 C 23

Astelarra BI .... 9 C 21
Astigarraga SS ...... 10 C 24
Astigarreta SS .... 10 C 23
Astillero (El) S. .... 7 B 18
Astor (L') B .... 37 G 34
Astorga LE .... 15 E 11
Astráin NA .... 10 D 24
Astrana S. .... 8 C 19
Astudillo P .... 17 F 17
Astún (Valle de) HU .. 21 D 28
Asturianos ZA .... 29 F 10
Asua BI .... 8 C 21
Atajate MA .... 99 W 14
Atalaya V .... 62 N 28
Atalaya BA .... 79 Q 10
Atalaya MA .... 100 W 14
Atalaya (Estación de) MA. 92 V 14
Atalaya (La)
  Gran Canaria GC .. 114 D 1
Atalaya (La)
  Gran Canaria GC .. 115 F 2
Atalaya (La) AV ..... 45 K 16
Atalaya (La) SA ..... 43 K 10
Atalaya (La) CU ..... 60 M 23
Atalaya (La) MU .... 97 T 25
Atalaya (La) H .... 79 S 10
Atalaya (La) SE ..... 92 T 13
Atalaya (La) CC ..... 55 L 10
Atalaya (Monte) ..... 96 U 23
Atalaya del Alberche TO. 57 L 16
Atalaya del Cañavate CU.. 60 N 23
Atalaya Real M ...... 46 J 19
Atalayassa .... 87 P 33
Atamaría MU .... 97 T 27
Atán C .... 2 D 3
Atance (El) GU ...... 47 I 21
Atance (Embalse de) GU .. 47 I 21
Atanzón .... 46 J 21
Atapuerca BU .... 18 E 19
Ataquines VA .... 44 I 15
Atarés HU .... 21 E 28
Atarfe GR .... 94 U 18
Atarja (Rivera) .... 79 R 10

Ataun SS .... 10 C 23
Atauri VI .... 19 D 22
Atauta SO .... 32 H 20
Atazar (El) M .... 46 J 19
Atazar (Embalse de El) M. 46 J 19
Atea Z .... 48 I 25
Ateca Z .... 34 H 24
Atez NA .... 11 D 24
Atiaga VI .... 18 D 20
Atienza GU .... 46 I 21
Atios C .... 3 B 5
Atlanterra CA .... 99 X 12
Atochares AL .... 103 V 23
Atrave OR .... 28 G 8
Atxondo .... 10 C 22
Atzeneta d'Albaida V .. 74 P 28
Atzeneta del Maestrat CS. 62 L 29
Aubert L. .... 22 D 32
Aucanada (Illa d') ... 105 M 39
Audanzas LE .... 15 F 12
Audikana VI .... 19 D 22
Aulá (Puerto de) L ... 23 D 32
Aula Dei (La Cartuja de) Z. 35 G 27
Aulaga (La) SE ...... 79 S 10
Aulago AL .... 95 U 22
Aulesti BI .... 10 C 22
Auñón GU .... 47 K 21
Aurela (Rivera) ...... 54 N 8
Aurín .... 21 E 28
Auritz / Burguete NA .. 11 D 26
Auritzberri / Espinal NA .. 11 D 25
Ausejo LO .... 19 E 23
Ausejo de la Sierra SO .. 33 G 22
Ausines (Los) BU .... 18 F 19
Autilla del Pino P .... 31 G 16
Autillo de Campos P .. 30 F 15
Autol LO .... 19 F 23
Autza NA .... 11 C 25
Auza NA .... 11 D 24
Avall (S') PM .... 105 O 39
Avalls (Torrent de S') .. 105 N 39
Avançada (Punta de l') .. 105 M 39
Ave V .... 73 O 27

Aveinte AV .... 44 J 15
Avellà (L') CS .... 50 K 29
Avellanar TO .... 58 N 17
Avellanar CC .... 43 K 10
Avellaneda AV .... 44 K 13
Avellaneda LO .... 19 F 22
Avellanes (Les) L .... 36 G 32
Avellanosa de Muñó BU. 31 G 18
Avellanosa del Páramo BU 17 E 18
Aves .... 6 C 14
Avià B. .... 24 F 35
Avia (Río) OR .... 13 E 5
Aviados LE .... 16 D 13
Avide LU .... 13 E 7
Avilà AV .... 44 K 15
Avín O .... 6 B 15
Aviñó B. .... 38 G 35
Avinyonet del Penedès B.. 38 H 35
Aviñante P .... 17 D 15
Aviño C. .... 3 B 5
Avión OR .... 13 E 5
Avión (Faro de) PO .. 13 F 5
Avion (Río) .... 32 H 21
Axpe BI .... 10 C 22
Aya (Peñas de) /
  Harria (Aiako) ESP .. 10 C 24
Ayacata Gran Canaria GC 116 D 3
Ayagaures (Embalse de)
  Gran Canaria GC .. 116 D 4
Ayamonte H. .... 90 U 7
Ayechu NA .... 11 D 26
Ayedo .... 33 F 23
Ayegui NA .... 19 E 23
Ayera HU .... 21 F 29
Ayerbe HU .... 21 F 27

Ayesa NA .... 20 E 25
Ayllón SG .... 32 H 19
Ayllón (Sierra de) ... 32 I 19
Ayna AB .... 72 Q 23
Ayódar CS .... 62 L 28
Ayoluengo BU .... 17 D 18
Ayones O .... 5 B 10
Ayó de Vidriales ZA .. 15 F 11
Ayora V .... 73 O 26
Ayuda .... 19 D 22
Ayuela P .... 17 E 16
Ayuela (Embalse de) CC 67 O 11
Ayuela (Río) .... 67 N 10
Ayuelas BU .... 18 D 20
Azaba (Rivera de) ... 42 K 9
Azáceta VI .... 19 D 22
Azáceta (Puerto) VI .. 19 D 22
Azafor VC .... 74 P 29
Azagala BA .... 67 O 9
Azagra NA .... 20 F 24
Azagra V .... 61 M 26
Azaila TE .... 35 I 28
Azanaque SE .... 80 T 13
Azanúy HU .... 36 G 30
Azañón GU .... 47 J 22
Azara HU .... 22 F 29
Azares del Páramo LE 15 F 12
Azarrulla LO .... 18 F 20
Azcamellas SO ...... 47 I 22
Azkarate NA .... 10 C 23
Azkarate (Puerto de) SS 10 C 22
Azkoitia SS .... 10 C 23
Azlor HU .... 22 F 29
Aznalcázar SE .... 91 U 11
Aznalcóllar SE .... 91 T 11
Aznar .... 99 V 12
Azoberines TO ...... 58 M 17
Azofra LO .... 19 E 21
Azohía (La) MU ...... 97 T 26
Azorejo BA .... 69 P 15
Azparren NA .... 11 D 26
Azpeitia SS .... 10 C 23
Azpilkueta NA .... 11 C 25

Azpirotz (Puerto de) NA .. 10 C 24
Azuaga BA .... 80 R 13
Azuara Z .... 35 I 27
Azucaica TO .... 58 M 18
Azud de Matacavas H .. 90 T 7
Azuébar CS .... 62 M 28
Azuel CO .... 81 R 17
Azuelo NA .... 19 E 22
Azuer (Río) .... 70 O 19
Azuer (Charco)
  La Palma TF .... 131 D 3
Azuqueca de Henares GU 46 K 20
Azután TO .... 57 M 14
Azután (Embalse de) TO. 57 M 15
Azuz de Ojós (Embalse de) 85 R 25

B

Baamonde LU .... 3 C 6
Baamorto LU .... 14 E 7
Babilafuente SA ..... 44 J 13
Bacanera L .... 22 D 32
Bacares AL .... 96 U 22
Bacarot A .... 86 R 28
Bachiller (El) AB ..... 73 P 25
Bachillera CR .... 71 O 20
Bachimaña (Embalse de) . 21 D 29
Bacoco BA .... 66 O 8
Bacoi LU .... 4 B 7
Bacor Olivar GR ..... 95 T 21
Badajoz BA .... 67 P 9
Badalejos (Los) CA .. 99 W 12
Badalona B .... 38 H 36
Bádames S .... 8 B 19
Badarán LO .... 19 E 21
Bádenas TE .... 48 I 26
Badia Gran PM ...... 104 N 38
Badiel (Río) .... 46 J 20
Badilla ZA .... 29 H 11
Badolatosa SE ...... 93 U 14
Badostáin .... 11 D 25
Badules Z .... 48 I 26
Baell (El) GE .... 24 F 36
Baélls HU .... 36 G 31

Baélls (Pantà de la) B .. 24 F 35
Baelo
  (Ruinas romanas de) CA99 X 12
Baena CO .... 93 T 17
Baeza J .... 82 S 19
Baezuela M .... 46 K 19
Bàga B .... 24 F 35
Bagergue .... 2 D 32
Bagüés Z .... 21 E 27
Bahabón VA .... 31 H 17
Bahabón de Esgueva BU. 32 G 18
Bahía MU .... 97 T 26
Bahía de Cádiz
  (Parque natural de la) .. 98 W 11
Bahía Dorada MA .... 99 W 14
Bahíllo P .... 17 E 16
Baides GU .... 47 I 21
Bailadero (El) Tenerife TF125 J 1
Bailén J .... 82 R 18
Baillo LE .... 15 F 10
Bailo BU .... 18 D 19
Bailo HU .... 21 E 27
Baíña O .... 5 C 12
Baíñas C. .... 2 C 2
Baio C. .... 2 C 3
Baiona PO .... 12 F 3
Baiuca (A) Arteixo C .. 3 C 4
Baiuca (Punta de la)
  Lanzarote GC ...... 121 F 2
Baja o de Miraflores
  (Cartuja) .... 35 H 27
Bajamar Tenerife TF .. 124 H 1
Bajauri BU .... 19 E 22
Bajo (Collado) CU ... 60 L 24
Bajo Guadalquivir
  (Canal del) SE ...... 92 T 12
Bajoz .... 30 H 14
Bakaiku NA .... 19 D 23
Bakio BI .... 9 B 21
Baladre (Sierra del) .. 84 Q 24
Balaguer L .... 36 G 32
Balaguer (Pantà de) .. 36 G 32

BADAJOZ

Adelardo Covarsí .... AZ 2
Afligidos .... CY 3
Agustina de Aragón .... BZ 4
Alféreces (Pl. de los) ..... AZ 5
Alonso Cárdenas Cano .... CZ 6
Antonio Cortes Lavado (Pl.) . BZ 7
Antonio Juez .... AZ 9
Arco Agüero .... BYZ 12
Bomba (La) .... BZ 14
Bravo Murillo .... BCY 15
Calamón (Camino) .... CZ 16
Campillo (El) .... CY 17
Canteras Calamón .... CZ 18
Cardenal Fonseca .... CY 19
Carolina Coronado (Av. de) . AY 20
Cervantes (Pl.) .... BZ 21
Ciudad de Evora .... BZ 22
Concepción .... BCY 23
Corte de Peleas (Carret. de). CY 25
Costanilla .... CY 26
Cristóbal Oudrid .... BYZ 27
Damián Téllez Lafuente (Av.). AZ 28
Doroteo M. Benítez ...... AZ 29
Dosma .... BY 29
Enrique Segura Otaño .... AZ 32
Felipe Checa .... BY 35
Fernández de la Puente ... BZ 36
Francisco Morales Bermúdez CZ 41
Francisco Pizarro .... BY 38
Fray Antonio Gómez ..... AZ 42
Gabino Tejado .... CY 43
García de Paredes .... AY 44
Hernán Cortés .... BY 46
Joaquín Costa (Av.) ...... BY 48
Juan Carlos I de España .. BY 49
Juan de Badajoz .... BCZ 51
Juan Nogre .... AZ 52
Manuel García Matos .... BZ 54
María Auxiliadora (Av.) ... AZ 55
Nuestra Señora de GuadalupeBZ 57
Obispo San Juan de Ribera. BY 58
Pedro de Valdivia .... BZ 61
Pilar (Pl. de) .... BZ 62
Pimienta (La) .... CZ 64
Ramón Albarrán .... BYZ 65
Regino de Miguel ...... ABZ 67
Regulares Marroquíes ... BY 68
República Argentina .... AZ 69
República del Ecuador ... AZ 71
Revellín (Puente) .... CY 72
Reyes Católicos (Pl.) ... BY 74
Ricardo Carapeto (Av.) .. CY 75
San Lorenzo .... CY 76
San Roque (Puente) .... CY 78
Sevilla (Carret.) .... CZ 79
Soto Mancera .... BY 80
Suárez de Figueroa .... BY 82

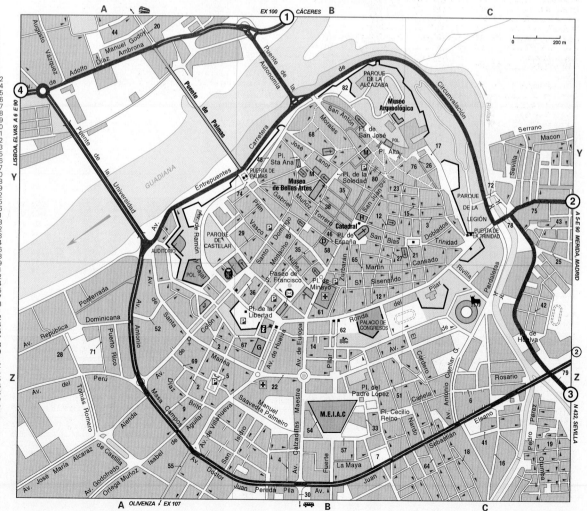

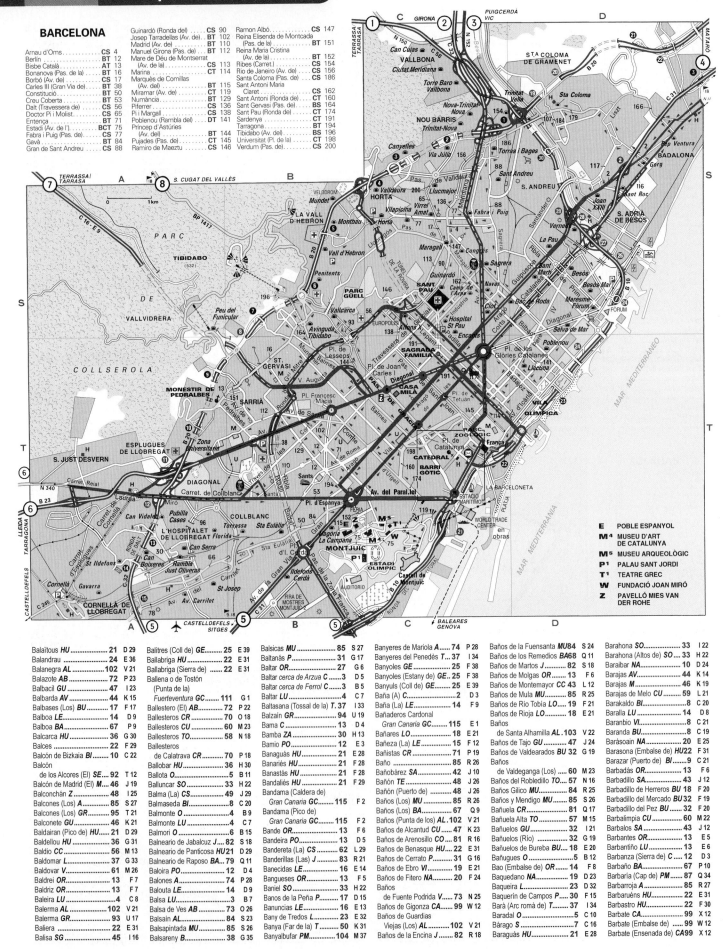

BARCELONA

Arnau d'Oms . . . . **CS** 4
Berlín . . . . **BT** 12
Bisbe Català . . . . **AT** 13
Bonanova (Pas. de la) . . **BT** 16
Borbó (Av. de) . . . . **CS** 17
Carles III (Gran Via de) . **BT** 38
Constitució . . . . **BT** 50
Creu Coberta . . . . **BT** 53
Dalt (Travessera de) . . . **CS** 56
Doctor Pi i Molist. . . . . . **CS** 65
Entença . . . . **BT** 71
Estadi (Av. de l') . . . . . **BCT** 75
Fabra i Puig (Pas. de) . . **CS** 77
Gavà . . . . **BT** 84
Gran de Sant Andreu . . **CS** 88

Guinardó (Ronda del) . . . **CS** 90
Josep Tarradellas (Av. de). **BT** 102
Madrid (Av. de) . . . . **BT** 110
Manuel Girona (Pas. de) . **BT** 112
Mare de Déu de Montserrat
(Av. de la) . . . . **CS** 113
Marina . . . . **CT** 114
Marquès de Comillas
(Av. del) . . . . **BT** 115
Miramar (Av. de) . . . . . **CT** 119
Numància . . . . **CS** 129
Piferrer . . . . **CS** 136
Pi i Margall . . . . **CS** 138
Poblenou (Rambla del) . . **DT** 141
Príncep d'Astúries
(Av. de) . . . . **BT** 144
Pujades (Av. de) . . . . . **CT** 145
Ramiro de Maeztu . . . . **CS** 146

Ramon Albó . . . . **CS** 147
Reina Elisenda de Montcada
(Pas. de la) . . . . **BT** 151
Reina María Cristina
(Av. de la) . . . . **BT** 152
Ribes (Carret.) . . . . **CS** 154
Rio de Janeiro (Av. de) . **CS** 156
Santa Coloma (Pas. de) . . **CS** 186
Sant Antoni María
Claret . . . . **CS** 162
Sant Antoni (Ronda de) . **CT** 160
Sant Gervasi (Pas. de) . **BS** 164
Sant Pau (Ronda de) . . **CT** 174
Sardenya . . . . **CT** 191
Tarragona . . . . **BT** 194
Tibidabo (Av. de) . . . . . **BS** 196
Universitat (Pl. de la) . . **CT** 198
Verdum (Pas. de la) . . . **CS** 200

Balaïtous *HU* . . . . 21 D 29
Balandrau . . . . 24 E 36
Balanegra *AL* . . . . 102 V 21
Balazote *AB* . . . . 72 P 23
Balbacil *GU* . . . . 47 I 23
Balbarda *AV* . . . . 44 K 15
Balbases (Los) *BU* . . . . . 17 F 17
Balboa *LE* . . . . 14 D 9
Balboa *BA* . . . . 67 P 9
Balcarca *HU* . . . . 36 G 30
Balces . . . . 22 F 29
Balcón de Bizkaia *BI* . . . 10 C 22
Balcón
de los Alcores (El) *SE*. . 92 T 12
Balcón de Madrid (El) *M* . 46 J 19
Balconchán *Z* . . . . 48 I 25
Balcones (Los) *A* . . . . . 85 S 27
Balcones (Los) *GR* . . . . 95 T 21
Balconete *GU* . . . . 46 K 21
Baldairan (Pico de) *HU* . . 21 D 29
Baldellou *HU* . . . . 36 G 31
Baldío *CC* . . . . 56 M 13
Baldomar *L* . . . . 37 G 33
Baldovar *V* . . . . 61 M 26
Baldrei *OR* . . . . 13 F 7
Baldriz *OR* . . . . 13 F 7
Baleira *LU* . . . . 4 C 8
Balerma *AL* . . . . 102 V 21
Balerma *GR* . . . . 93 U 17
Baliera *SG* . . . . 22 E 31
Balisa *SG* . . . . 45 I 16

Balitres (Coll de) *GE* . . . 25 E 39
Ballabriga *HU* . . . . 22 E 31
Ballabriga (Sierra de) . . . 22 E 31
Ballena o de Tostón
(Punta de la)
Fuerteventura GC . . . 111 G 1
Ballestero (El) *AB* . . . . . 72 P 22
Ballesteros *CR* . . . . 70 O 18
Ballesteros *CU* . . . . 58 M 23
Ballesteros *TO* . . . . 58 N 18
Ballesteros
de Calatrava *CR* . . . . . 70 P 18
Ballobar *HU* . . . . 36 H 30
Ballota *O* . . . . 5 B 11
Balluncar *SO* . . . . 33 H 22
Balma (La) *CS* . . . . 49 J 29
Balmaseda *BI* . . . . 8 C 20
Balmonte *O* . . . . 4 B 9
Balmonte *LU* . . . . 4 C 7
Balmori *O* . . . . 6 B 15
Balneario de Jabalcuz J . 82 S 18
Balneario de Panticosa *HU* 21 D 29
Balneario de Raposo *BA*. 79 Q 11
Baloira *PO* . . . . 12 D 4
Balones . . . . 74 P 28
Balouta *LE* . . . . 14 D 9
Balsa *LU* . . . . 3 B 7
Balsa de Ves *AB* . . . . . 73 O 26
Balsaín *AL* . . . . 84 S 23
Balsapintada *MU* . . . . . 85 S 26
Balsareny *B* . . . . 38 G 35

Balsicas *MU* . . . . 85 S 27
Baltanás *P* . . . . 31 G 17
Baltar *OR* . . . . 27 G 6
Baltar cerca de Arzua *C* . 3 D 5
Baltar cerca de Ferrol *C* . . 3 B 5
Baltar *LU* . . . . 4 C 7
Baltasana (Tossal de la) *T*. 37 I 33
Balzaín *GR* . . . . 94 U 19
Bama *C* . . . . 13 D 4
Bamba *ZA* . . . . 30 H 13
Bamio *PO* . . . . 12 E 3
Banaguás *HU* . . . . 21 E 28
Banariés *HU* . . . . 21 F 28
Banastás *HU* . . . . 21 F 28
Bandaliés *HU* . . . . 21 F 29
Bandama (Caldera de)
Gran Canaria GC. . . . 115 F 2
Bandama (Pico de)
Gran Canaria GC. . . . 115 F 2
Bande *OR* . . . . 13 F 6
Bandeira *PO* . . . . 13 D 5
Bandereta (La) *CS* . . . . 62 L 29
Banderillas (Las) *J* . . . . 83 R 21
Banecidas *LE* . . . . 16 E 14
Bangueses *OR* . . . . 13 F 5
Baniel *SO* . . . . 33 H 22
Baños de la Peña *P* . . . . 17 D 15
Banuncias *LE* . . . . 16 E 13
Bany de Tredos *L* . . . . . 23 E 32
Banya (Far de la) *T* . . . . 50 K 31
Banyalbufar *PM* . . . . . . 104 M 37

Banyeres de Mariola *A* . . 74 P 28
Banyeres del Penedès *T*. . 37 I 34
Banyoles *GE* . . . . 25 F 38
Banyoles (Estany de) *GE*.. 25 F 38
Banyuls (Coll de) *GE* . . . 25 E 39
Baña (A) *C* . . . . 2 D 3
Baña (La) *LE* . . . . 14 F 9
Bañaderos Cardonal
Gran Canaria GC. . . . 115 E 1
Bañares *LO* . . . . 18 E 21
Bañeza (La) *LE* . . . . 15 F 12
Bañistas *CR* . . . . 71 P 19
Baño . . . . 85 R 26
Bañobàrez *SA* . . . . 42 J 10
Bañón *TE* . . . . 48 J 26
Bañón (Puerto de) . . . . . 48 J 26
Baños (Los) *MU* . . . . . . 85 R 26
Baños (Los) *BA* . . . . . . 67 Q 9
Baños (Punta de los) *AL*. 102 V 21
Baños de Alcantud *CU* . . 47 K 23
Baños de Arenosillo *CO* . 81 R 16
Baños de Benasque *HU* . 22 E 31
Baños de Cerrato *P* . . . . 31 G 16
Baños de Ebro *VI* . . . . . 19 E 21
Baños de Fitero *NA* . . . . 20 F 24
Baños
de Fuente Podrida *V*. . 73 N 25
Baños de Gigonza *CA* . . 99 W 12
Baños de Guardias
Viejas (Los) *AL* . . . . . 102 V 21
Baños de la Encina *J* . . . 82 R 18

Baños de la Fuensanta *MU*84 S 24
Baños de los Remedios *BA*68 Q 11
Baños de Martos *J* . . . . . 82 S 18
Baños de Molgas *OR* . . . 13 F 6
Baños de Montemayor *CC* 43 L 12
Baños de Mula *MU* . . . . 85 R 25
Baños de Rio Tobía *LO* . . 19 F 21
Baños de Rioja *LO* . . . . 18 E 21
Baños
de Santa Alhamilla *AL*. 103 V 22
Baños de Tajo *GU* . . . . . 47 J 24
Baños de Valdearados *BU* 32 G 19
Baños
de Valdeganga (Los) . . 60 M 23
Baños del Robledillo *TO*. 57 N 16
Baños Gilico *MU* . . . . . . 84 R 25
Baños y Mendigo *MU* . . . 85 S 26
Bañuela *CR* . . . . 81 Q 17
Bañuela Alta *TO* . . . . . . 57 M 15
Bañuelos *GU* . . . . 32 I 21
Bañuelos (Río) . . . . 32 G 19
Bañuelos de Bureba *BU* . 18 E 20
Bañugues *O* . . . . 5 B 12
Bao (Embalse de) *OR* . . 14 F 8
Baquedano *NA* . . . . 19 D 23
Baquerín de Campos *P* . . 30 F 15
Baqueira *L* . . . . 23 D 32
Bàrago *S* . . . . 7 C 16
Baraguás *HU* . . . . 21 E 28

Barahona *SO* . . . . 33 I 22
Barahona (Altos de) *SO*. . 33 H 22
Baraibar *NA* . . . . 10 D 24
Barajas *AV* . . . . 44 K 14
Barajas *M* . . . . 46 K 19
Barajas de Melo *CU* . . . 59 L 21
Barakaldo *BI* . . . . 8 C 20
Baralla *LU* . . . . 14 D 8
Baranbio *VI* . . . . 8 C 21
Baranda *BU* . . . . 8 C 19
Barásoain *NA* . . . . 20 E 25
Barasona (Embalse de) *HU*22 F 31
Barazar (Puerto de) *BI* . . . 9 C 21
Barbadás *OR* . . . . 13 F 6
Barbadillo *SA* . . . . 43 J 12
Barbadillo de Herreros *BU* 18 F 20
Barbadillo del Mercado *BU*32 F 19
Barbadillo del Pez *BU* . . 32 F 20
Barbalimpia *CU* . . . . 60 M 22
Barbantes *LU* . . . . 13 E 5
Barbantiño *LU* . . . . 13 E 6
Barbaño *BA* . . . . 67 P 10
Barbaría (Cap de) *PM* . . 87 Q 34
Barbarroja *A* . . . . 85 R 27
Barbaruéns *HU* . . . . 22 E 31
Barbastro *HU* . . . . 22 F 30
Barbate *CA* . . . . 99 X 12
Barbate (Embalse de) . . . 99 W 12
Barbate (Ensenada de) *CA*99 X 12

BARCELONA

Bacardí (Ptge de) . . . . MY 5
Banys Nous . . . . MX 7
Bergara . . . . LV 10
Bisbe . . . . MX 15
Bòria . . . . MV 18
Born (Pas. del) . . . . NX 20
Boters . . . . MX 23
Canaletes (Rambla de) . . . . . LV 27
Canonge Colom (Pl. del) . . . . LY 28
Canvis Vells . . . . NX 32
Caputxins (Rambla dels) . . . . MY 35
Cardenal Casañas . . . . LX 36
Catalunya (Pl. de) LV
Catedral (Av. de la) . . . . MV 40
Ciutat . . . . MX 43
Comercial (Pl. de) . . . . NV 45
Cucurulla . . . . LX 55
Doctor Joaquím Pou . . . . MV 61
Estudis (Rambla dels) LX
Francesc Cambó (Av. de) . . . MV 79
Garriga i Bachs (Pl. de) . . . . MX 83
Isabel II (Pas. d') . . . . NX 98
Montcada . . . . NV 122
Montjuic del Bisbe . . . . MX 123
Nou de Sant Francesc . . . . . MY 126
Nova (Pl.) . . . . MX 128
Paradis . . . . MX 133
Pintor Fortuny . . . . LX 140
Pi (Pl. del) . . . . LX 137
Portal Santa Madrona . . . . . MX 142
Ramon Berenguer el Gran
   (Pl. de) . . . . MX 148
Rei (Pl. del) . . . . MX 150
Santa Maria (Pl. de) . . . . NX 189
Santa Mònica (Rambla de) . . MY
Sant Felip Neri (Pl. de) . . . . . MX 163
Sant Josep Oriol (Pl. de) . . . MX 171
Sant Josep (Rambla de) . . . . LX 168
Sant Lu (Pl. de) . . . . MX 172
Sant Miquel (Pl. de) . . . . MX 173
Sant Sever . . . . MX 181
Seu (Pl. de la) . . . . MX 192
Tapineria . . . . MX 193
Universitat (Ronda de la) . . . . LV 199

Capella Santa Agata . . . . F
Casa de l'Ardiaca . . . . A
Castell dels Tres Dragons . . . .
   (Museu de Zoologia)
Museu d'Història de la Ciutat . M¹
Museu Frederic Marès . . . . . . M²

Barbate (Marismas de) CA 99   X 12
Barbate (Rio) 99   W 12
Barbatona GU 47   I 22
Barbeira C 2   D 3
Barbeitos LU 4   C 8
Barbens L 37   G 33
Barberà B 38   H 36
Barberà a la Conca T . . . 37   H 33
Barbero J 83   R 21
Bárboles Z 34   G 26
Barbolla SG 32   I 18
Barbolla (La) GU 47   I 21
Barbudo PO 12   E 4
Barbués HU 35   G 28
Barbuñales HU 21   F 29
Barca SO 33   H 22
Barca (Embalse de la) O . . . 5   C 11
Barca (Punta de la) C . . . 2   C 2
Barca (Soto de la) O 5   C 10
Barca de la Florida (La) CA 99   W 12
Bárcabo HU 22   F 30
Barcala PO 12   D 4
Barcarrota BA 67   Q 9
Barcebal SO 32   H 20
Barcebalejo SO 32   H 20
Barceíno SA 43   I 10
Barcelona B 38   H 36
Barcena (Embalse de) LE. 15   E 10
Bárcena de Bureba BU . . 18   E 19
Bárcena de Campos P . . 17   E 16
Bárcena de Ebro S 17   D 17
Bárcena de la Abadia LE. 14   D 10
Bárcena de Pié de Concha S7 C 17

Bárcena del Monasterio O . . 5   B 10
Bárcena Mayor S 7   C 17
Bárcena Mayor (Sierra de) S7 C 17
Bárcenas BU 8   C 19
Barcenillas del Ribero BU . . 8   C 19
Barceo SA 43   I 10
Barchell (Ermita de) A . . . 74   P 28
Barchín del Hoyo CU 60   N 23
Barcia O 5   B 10
Barciademera PO 13   F 4
Barcial de la Loma VA . . . 30   G 14
Barcial del Barco ZA 29   G 13
Barcience TO 58   M 17
Barcina BU 18   D 20
Barció (Cala) PM 87   P 33
Barco (Laguna del) 56   L 13
Barco (O) OR 14   E 9
Barco de Ávila (El) AV . . . 44   K 13
Barcones C 33   I 21
Barcús (Soto de M) O 5   C 10
Bardaji (Valle de) HU 22   E 31
Bardallur Z 34   G 26
Bárdena Z 20   F 26
Bardenas
   (Canal de las) ESP 20   E 26
Bardenas Reales (Las) . . . 20   E 26
Bardullas C 2   C 2
Baredo PO 12   F 3
Bareyo PO 8   B 19
Bargas TO 58   M 17
Bargis GR 102   V 20
Bargota NA 19   E 23
Bariáin NA 20   E 25

Barillas NA 34   G 25
Barinaga BI 10   C 22
Barinas MU 85   R 26
Bariones de la Vega LE . . 16   F 13
Barizo C 2   C 3
Barjacoba ZA 14   F 9
Barjas LE 14   E 9
Barjas (Rio) 14   E 9
Barlovento La Palma TF . . 131   D 3
Barlovento (Punta de)
   Fuerteventura GC 112   B 5
Barluenga HU 21   F 28
Barniedo de la Reina LE . . 16   D 15
Barna C 1   23   E 33
Barona (La) CS 62   L 29
Barqueira (A) C 3   B 6
Barqueiro (Ría del) C 3   A 6
Barqueros MU 85   S 25
Barquilla SA 42   J 9
Barquilla de Pinares CC . . 56   L 13
Barra (La) 50   J 32
Barra (Punta de la) GE . . . 37   F 39
Barra de Miño OR 13   E 6
Barraca
   d'Aigües Vives (La) V . . 74   O 28
Barracas CS 62   L 27
Barrachina TE 48   J 26
Barrachinas (Las) TE 61   L 27
Barraco AV 45   K 16
Barrado CC 56   L 12
Barragana Baja CO 93   T 16

Barraix V 62   M 28
Barral OR 13   F 5
Barranca (La) M 45   J 18
Barrancazo (Puerto del) . . 72   Q 22
Barranco Hondo
   Tenerife TF 127   H 3
Barrancos Blancos
   (Los) SE 92   U 14
Barrancos Blancos
   (Puerto de los) SE 92   U 14
Barranda MU 84   R 24
Barranquera (La)
   Tenerife TF 124   H 1
Barranquete AL 103   V 23
Barrax AB 79   O 23
Barreda S 7   B 17
Barreiros LU 4   B 8
Barrela (La) LU 13   E 6
Barreras SA 42   I 10
Barreros (Los) 72   P 22
Barres O 4   B 9
Barriada de Alcora (La) AL 102   V 21
Barriada de Jarana L 98   W 11
Barriada San Cristobal MU 85   T 25
Barrida (Garganta de) . . . 99   W 13
Barrié de la Maza
   (Embalse) C 12   D 3
Barrika BI 8   B 21
Barril 85   R 25
Barrillos LE 16   D 13
Barrillos
   de las Arrimadas LE . . . 16   D 14
Barrina A 74   Q 29

Barrio VI 18   D 20
Barrio S 7   C 15
Barrio LE 14   D 9
Barrio OR 14   E 8
Barrio de Abajo CU 72   O 23
Barrio de Enmedio MA . . . 93   U 16
Barrio de la Estación CC . . 54   N 7
Barrio de la Estación J . . . 82   R 19
Barrio de la Puente LE . . . 15   D 11
Barrio de Lomba ZA 14   F 10
Barrio de los Pajares BA . . 68   P 12
Barrio
   de Nuestra Señora LE . . 16   D 13
Barrio del Centro TE 48   J 25
Barrio del Hospital TE . . . 48   J 25
Barrio-Panizares BU 17   D 18
Barriobusto VI 19   E 22
Barriomartín SO 33   G 22
Barriopedro GU 47   J 21
Barrios (Los) CA 99   X 13
Barrios (Los) J 82   R 17
Barrios de Bureba (Los) BU 18   E 19
Barrios de Colina BU 18   E 19
Barrios de Gordón (Los) LE 15   D 12
Barrios de Luna
   (Embalse de los) LE . . . 15   D 12
Barrios de Villadiego BU . . 17   E 17
Barriosuso P 17   E 16
Barro O 4   B 8
Barro PO 12   E 4
Barromán AV 44   I 15
Barros S 7   C 17

Barros O 6   C 12
Barros SE 92   U 13
Barros (Tierra de) BA . . . 67   Q 10
Barrosa (La) CA 98   W 11
Barruecopardo SA 42   I 10
Barruelo BU 18   D 19
Barruelo VA 30   G 14
Barruelo de Santullán P . . 17   D 17
Barruera L 22   E 32
Barrundia 19   D 22
Barués E 20   E 26
Barués Z 20   E 26
Barx V 74   O 29
Barxa (A) OR 28   G 8
Barxeta V 74   O 28
Bárzana O 5   C 12
Basa 21   E 29
Basabe M 18   D 20
Basaburua NA 10   C 24
Basadre PO 13   D 6
Basal (El) 36   H 30
Basarán HU 21   E 29
Basardilla SG 45   I 17
Basauri BI 8   C 21
Basconcillos del Tozo BU . . 17   D 18
Báscones P 17   D 17
Báscones de Ojeda P . . . 17   D 16
Bascuñana (Sierra de) . . . 60   L 23
Bascuñana
   de San Pedro CU 60   L 23
Baseta (Collado de la) L . . 23   E 33
Basiquñuelas VI 18   D 21
Bassa (Coll de la) CS . . . 62   L 29

BILBAO

Arenal (Puente) .... **EY** 2
Arriaga (Pl.) .... **EYZ**
Arriquibar (Pl.) .... **DYZ**
Ayuntamiento (Puente) ..... **EY**

Bidebarrieta .... **EZ**
Bilbao la Vieja .... **EZ**
Bombero Echániz (Pl.) .... **CDZ**
Correo .... **EZ**
Cosme Echevarrieta .... **DY**
Cruz .... **EZ**

General Latorre (Pl.) ...... **CZ** 22
Gran Vía de López de Haro .. **CEY**
Jado (Pl. de) .... **DY** 28
Juan Antonio Zunzunegui ... **CY** 30
Ledesma .... **EY** 32
Lersundi .... **DX** 36

Marqués
del Puerto .... **DY** 38
Merced (Muelle) .... **EZ** 40
Merced (Puente) .... **EZ** 41
Moraza (Pl. de) .... **EX** 45
Pablo Picasso .... **EZ**

Pedro Eguillor (Pl.) .... **DY** 52
Pedro Martínez
Artola .... **DZ** 53
Pío Baroja (Pl.) .... **EZ** 55
Plaza Nueva .... **EZ** 57
Ribera (Puente) .... **EZ** 65

Santiago (Pl.) .... **EZ** 71
Santos Juanes (Pl.) .... **EZ** 73
San Francisco Javier
(Pl.) .... **CZ** 69
Sombrerería .... **EZ** 75
Víctor Chávarri (Pl.) ...... **CY** 78

Museo de Bellas Artes . . . . **DY M**

BURGOS

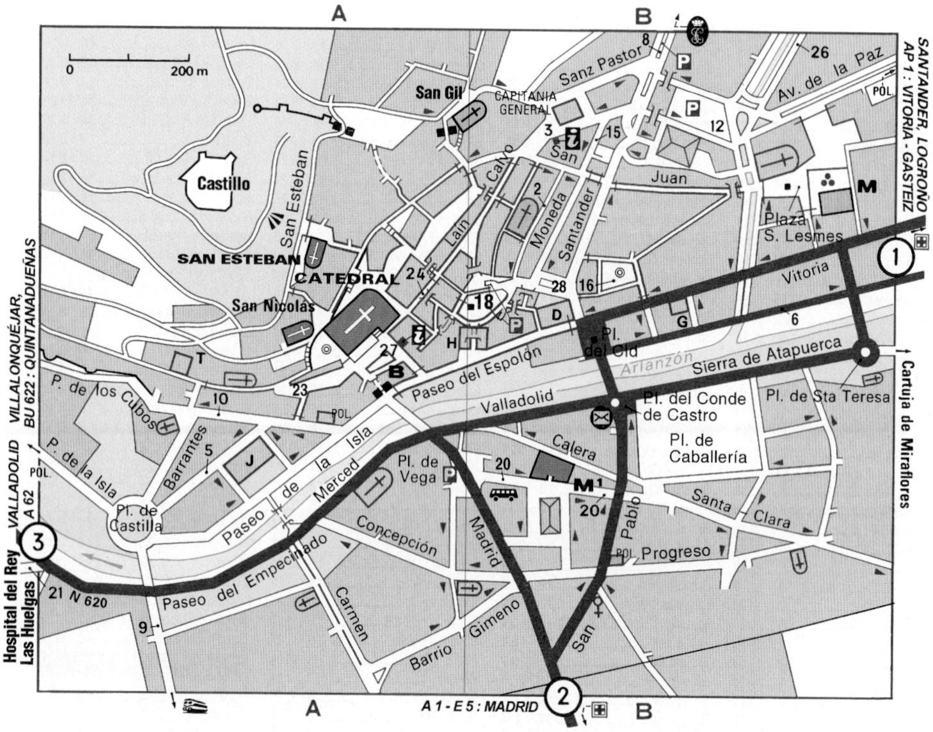

A
B
0
200 m
San Gil
CAPITANIA GENERAL
Sanz Pastor
Av. de la Paz
Castillo
San Esteban
SAN ESTEBAN
CATEDRAL
San Nicolás
Lain Calvo
Moneda
Santander
San Juan
Plaza S. Lesmes
Vitoria
Pl. del Cid
Arlanzón
Sierra de Atapuerca
Paseo del Espolón
Valladolid
Pl. del Conde de Castro
Pl. de Sta Teresa
Pl. de Caballería
P. de los Cubos
P. de la Isla
Barrantes
Paseo de la Isla
Merced
Pl. de Castilla
Pl. de Vega
Calera
Santa Clara
Concepción
Madrid
San Pablo
Progreso
Paseo del Empecinado
Carmen
Gimeno
Barrio
San
POL
21 N 620
A 1 - E 5 : MADRID
SANTANDER, LOGROÑO AP 1 : VITORIA - GASTEIZ
Cartuja de Miraflores
VALLADOLID BU 622 : QUINTANADUEÑAS A 62 VILLALONQUÉJAR
Hospital del Rey Las Huelgas
M
M¹

Biscarrués *HU* .... 21 F 27
Bisimbre *Z* .... 34 G 25
Bisjueces *BU* .... 18 D 19
Bitem *T* .... 50 J 31
Bitoriano *VI* .... 19 D 21
Biure *GE* .... 25 E 38
Biurrun *NA* .... 11 D 24
Blacos *SO* .... 32 G 21
Blanc (Cap) *PM* .... 104 N 38
Blanc (Mas) *CS* .... 62 L 29
Blanca *MU* .... 85 R 25
Blanca (Estación de) .... 85 R 26
Blanca (Laguna) *AB* .... 71 P 21
Blanca (Punta)
    Fuerteventura GC ..... 111 H 2
Blanca (Sierra) *MA* .... 100 W 15
Blanca de Solanillos *GU* .. 47 J 23
Blancafort *T* .... 37 H 33
Blancares Nuevos *AB* .... 72 O 23
Blancares Viejos *AB* ..... 72 O 23
Blancas *TE* .... 48 J 25
Blanco *SE* .... 93 T 14
Blancos *OR* .... 27 G 6
Blanes *GE* .... 39 G 38
Blanes (Costa d'en) *PM* .. 104 N 37
Blanquilla (Sierra) .... 99 X 12
Blanquillas (Sierras) .... 69 O 16
Blanquillo *J* .... 83 R 21
Blanquitos (Los)
    Tenerife TF .... 129 F 5
Blascoeles *AV* .... 45 J 16
Blascomillán *AV* .... 44 J 14
Blasconuño
    de Matacabras *AV* .... 44 I 15
Blascosancho *AV* .... 45 J 16
Blázquez (Los) *CO* ...... 80 Q 13
Blecua *HU* .... 21 F 29
Bleda Plana (Illa) .... 87 P 33
Bledes (Illes) .... 106 L 42
Blesa *TE* .... 49 I 27
Bliecos *SO* .... 33 H 23
Blimea *O* .... 6 C 13
Blocona *SO* .... 33 I 22
Boa *C* .... 12 D 3
Boada *SA* .... 43 J 11
Boada de Campos *P* ..... 30 G 15
Boada de Roa *BU* .... 31 G 18
Boadella (Pantà de) *GE* .. 25 E 38
Boadella d'Empordà *GE* .. 25 F 38
Boadilla *SA* .... 43 J 11
Boadilla de Rioseco *P* .. 16 F 16
Boadilla del Camino *P* ... 17 F 16
Boadilla del Monte *M* .... 45 K 18
Boal *O* .... 4 B 9
Boalo (El) *M* .... 45 J 18
Boaño *C* .... 2 C 2
Bobadilla *LO* .... 19 F 21
Bobadilla *J* .... 82 T 17
Bobadilla *MA* .... 93 U 15
Bobadilla del Campo *VA* .. 44 I 14
Bobadilla Estación *MA* .. 93 U 15
Bobastro *MA* .... 100 V 15
Bobia *O* .... 4 B 9
Boborás *OR* .... 13 E 5
Boca Chanza *H* .... 78 T 7
Boca de Huérgano *LE* ... 16 D 15
Bocacara *SA* .... 43 J 10
Bocairent *V* .... 74 P 28
Bocal (El) *NA* .... 20 F 25
Boceguillas *SG* .... 32 H 19
Bocelo (Montes del) .... 3 D 5
Boche *AB* .... 84 Q 23
Bochones *GU* .... 32 I 21
Bocigas *VA* .... 31 I 15
Bocigas de Perales *SO* .. 32 H 19
Bocinegro (Punta del)
    Tenerife TF .... 129 F 5
Bocos *BU* .... 18 D 19
Bocos *O* .... 31 H 17
Bodaño *PO* .... 13 D 5
Bodegas
    de Pardanchinos *V* .... 61 M 27
Bodegones (Los) *H* ...... 91 U 9
Bodegues
    del Camp (Les) *V* ...... 62 M 27
Bodera (La) *GU* .... 46 I 21
Bodera (Sierra de La) ...... 46 I 21
Bodión .... 79 R 10
Bodión (Arroyo) .... 79 R 10
Bodón (El) *SA* .... 42 K 10
Bodonal de la Sierra *BA* .. 79 R 10
Boecillo *VA* .... 31 H 15
Boedes *OR* .... 13 E 5
Boedo *P* .... 17 D 16
Boedo (Río) .... 17 D 16
Boente *C* .... 3 D 5

Boeza *LE* .... 15 D 11
Bogajo *SA* .... 42 J 10
Bogarra *AB* .... 72 Q 23
Bogarra (Río de) .... 72 Q 23
Bogarre *GR* .... 94 T 19
Bogarre (Monte) *GR* ..... 94 T 19
Bohodón (El) *AV* .... 44 J 15
Bohonal *BA* .... 69 O 15
Bohonal de Ibor *CC* ..... 56 M 13
Bohoyo *AV* .... 44 L 13
Boi *L* .... 22 E 32
Boí (Vall de) *L* .... 22 E 32
Boimente *LU* .... 4 B 7
Boimorto *C* .... 3 D 5
Boiro *C* .... 12 E 3
Boiro *O* .... 4 D 9
Boix .... 37 G 33
Boix (Serra del) .... 50 J 31
Boixar (El) *CS* .... 50 J 30
Bóixols *L* .... 23 F 33
Bóixols (Coll de) *L* .... 23 F 33
Bojadillas (Las) *AB* ...... 84 R 23
Bojar (El) *CS* .... 50 J 30
Bolaños *CA* .... 98 W 11
Bolaños de Calatrava *CR* .. 70 P 19
Bolaños de Campos *VA* .. 30 F 14
Bolarque (Embalse de) *CU* 47 K 21
Bolbaite *V* .... 74 O 27
Bolea *HU* .... 21 F 28
Bolera (Embalse la) *J* .... 83 S 21
Boliches (Los) *MA* ...... 100 W 16
Bolla *CC* .... 43 K 10
Bólliga *CU* .... 60 L 22
Bollón .... 34 G 25
Bollullos
    de la Mitación *SE* ..... 91 T 11
Bollullos Par
    del Condado *H* .... 91 T 10
Bolmir *S* .... 17 D 17
Bolnuevo *MU* .... 97 T 26
Bolo (O) *OR* .... 14 F 8
Bolón *A* .... 85 Q 27
Bolonia (Ensenada de) *CA* 99 X 12
Bolos *CR* .... 71 P 20
Boltaña *HU* .... 22 E 30
Bolulla *A* .... 74 Q 29
Bolvir de Cerdanya *GE* ... 24 E 35
Bon Any *PM* .... 105 N 39
Bon Jesus de Trandeiras
    (Monasterio) *OR* .... 13 F 7
Bonaigua (Port de la) *L* ... 22 E 32
Bonal (El) *CR* .... 70 O 17
Bonales (Sierra de los) *CR* 69 Q 15
Bonansa *HU* .... 22 E 32
Bonanza *CA* .... 91 V 10
Bonanza (Roque de la)
    El Hierro TF .... 109 D 3
Bonares *H* .... 91 U 9
Bonastre *T* .... 37 I 34
Bonares *BA* .... 78 P 25
Bonete *AB* .... 73 P 25
Bonete (Estación de) .... 73 P 25
Bonge *LU* .... 4 C 7
Bonhabal (Arroyo de) *TO* . 67 Q 10
Boniches *CU* .... 61 M 25
Bonielles *O* .... 5 B 12
Bonilla *CU* .... 59 L 22
Bonilla de la Sierra *AV* ... 44 K 14
Bonillo (El) *AB* .... 72 P 22
Bonita (Cueva)
    La Palma TF .... 130 B 4
Bonmatí *GE* .... 24 G 37
Bono *HU* .... 22 E 32
Boñar *LE* .... 16 D 14
Bóo *O* .... 5 C 12
Boo de Guarnizo *S* .... 7 B 18
Bóos *SO* .... 33 H 21
Boqueixón *C* .... 13 D 4
Boquerón *MU* .... 85 R 26
Boquerón (Puerto del) *AV* . 45 K 16
Boquerón (Sierra del) ...... 73 O 26
Boquiñeni *Z* .... 34 G 26
Borau *HU* .... 21 E 28
Borbollón
    (Embalse de) *CC* ...... 55 L 10
Bordalba *Z* .... 33 H 23
Borde (Sierra de) .... 14 D 9
Bordecorex *SO* .... 33 H 21
Bordejé *SO* .... 33 H 22
Bórdes (Es) *L* .... 22 D 32
Bordils *GE* .... 25 F 38
Bordón *TE* .... 49 J 29
Bordón (Río) .... 49 J 29
Borge (El) *MA* .... 101 V 17
Borges Blanques (Les) *L* .. 37 H 32
Borges del Camp (Les) *T* .. 37 I 33

Borgonyà *B* .... 24 F 36
Borja *Z* .... 34 G 25
Borjabad *SO* .... 33 H 22
Borleña *S* .... 7 C 18
Bormate *AB* .... 73 O 25
Bormujos *SE* .... 91 T 11
Borneiro *C* .... 2 C 3
Bornos *CA* .... 92 V 12
Bornos (Embalse de) *CA* . 92 V 12
Bornova *AB* .... 46 I 21
Boroa *BI* .... 9 C 21
Borobia *SO* .... 34 H 24
Borox *TO* .... 58 L 18
Borrachina *BA* .... 66 Q 8
Borrassà *GE* .... 25 F 38
Borredà *B* .... 24 F 35
Borreguero (El) .... 68 P 12
Borreguilla (Finca la) *CR* .. 71 Q 20
Borrenes *LE* .... 14 E 9
Borrés *HU* .... 21 E 28
Borriana / Burriana *CS* .. 62 M 29
Borriol *CS* .... 62 L 29
Borriquillas (Punta de las)
    Fuerteventura GC ..... 113 I 4
Bosque *C* .... 2 C 3
Bosque (El) *M* .... 45 K 18
Bosque (El) *TO* .... 57 M 16
Bosque (El) *GR* .... 84 T 22
Bosque (El) *CA* .... 92 V 13
Bosque Alto *Z* .... 35 H 27
Bosques (Serra de los) *L* . 61 N 27
Bossòst *L* .... 22 D 32
Bot *T* .... 50 I 31
Botarell *T* .... 51 I 32
Botaya *HU* .... 21 E 28
Boticario *TO* .... 70 N 18
Botija *CC* .... 68 N 11
Bótoa *BA* .... 67 O 9
Bótoa (Ermita de) *BA* .... 67 O 9
Botorrita *Z* .... 34 H 26
Bou (Cala de) *PM* .... 87 P 33
Boumort (Cap de) .... 23 F 33
Boumort (Serra de) *L* .... 23 F 33
Bousés *OR* .... 27 G 7
Boutra (Cabo de la) *C* ..... 2 C 2
Bouza *OR* .... 13 E 5
Bouza (La) *SA* .... 42 J 9
Bouzas *LE* .... 15 E 10
Bouzas *PO* .... 12 F 3
Bóveda *LE* .... 18 D 20
Bóveda
    cerca de Monforte *LU* . 14 E 7
Bóveda (Monte) .... 68 P 12
Bóveda de la Ribera *BU* .. 18 D 19
Bóveda de Toro (La) *ZA* .. 30 H 13
Bóveda del Río Almar *SA* . 44 J 14
Bovera *L* .... 36 I 31
Box *O* .... 5 B 12
Boya *ZA* .... 29 G 10
Boyar (Puerto del) *CA* .... 92 V 13
Bozoo *BU* .... 18 D 20
Brabos *AV* .... 44 J 15
Brácana *CO* .... 94 T 17
Brácana *GR* .... 94 U 18
Bràfim *T* .... 37 I 34
Braguia (Puerto de) *S* ...... 8 C 18
Brahojos de Medina *VA* .. 30 I 14
Bramadero *H* .... 78 S 8
Bramadoras .... 49 K 28
Brandeso *C* .... 3 D 5
Brandilanes *ZA* .... 29 H 11
Brandomil *C* .... 2 C 3
Brandoñas *C* .... 2 C 3
Braña (Cabeza de la) ...... 46 J 18
Braña (La) *O* .... 4 B 9
Braña (La) *LE* .... 14 D 9
Braña Caballo .... 6 C 13
Braña Vieja *S* .... 7 C 16
Brañalonga *O* .... 5 B 10
Brañaosera *P* .... 17 D 17
Brañosera *P* .... 17 D 17
Brañuás *O* .... 5 B 10
Brañuelas *LE* .... 15 E 11
Braojos *M* .... 46 I 19
Brava (Sierra) .... 67 O 9
Bravatas *GR* .... 83 S 22
Bravo (El) *H* .... 78 R 9
Bravos *LU* .... 3 B 7
Brazacorta *BU* .... 32 G 19
Brazato (Embalse de) *HU* . 21 D 29
Brazatortas *CR* .... 70 Q 17
Brazomar *S* .... 8 B 20
Brazuelo *LE* .... 15 E 11
Brea *Z* .... 34 H 25

Brea de Tajo *M* .... 59 L 20
Breda *GE* .... 38 G 37
Brence *LU* .... 14 E 7
Brenes *SE* .... 92 T 12
Breña (Embalse de la) *CO* 81 S 14
Breña Alta *La Palma TF* .. 132 D 5
Breña Baja *La Palma TF* . 132 D 5
Breñas (Las)
    Lanzarote GC .... 122 B 5
Bres *O* .... 4 B 8
Bretó *ZA* .... 29 G 12
Bretocino *ZA* .... 29 G 12
Bretún *SO* .... 33 F 22
Brezo (Sierra del) .... 16 D 15
Brias *SO* .... 32 H 21
Bricia *BU* .... 17 D 18
Brieva *SG* .... 45 I 17
Brieva *AV* .... 45 J 16
Brieva de Cameros *LO* ... 19 F 21
Brieva de Juarros *BU* .... 18 F 19
Brieves *O* .... 5 B 10
Brihuega *GU* .... 46 J 21
Brime de Sog *ZA* .... 29 F 11
Brime de Urz *ZA* .... 29 F 12
Brimeda *LE* .... 15 E 11
Brincones *SA* .... 43 I 10
Briñas *LO* .... 19 E 21
Briones *HU* .... 19 E 21
Briongos *BU* .... 32 G 19
Brisas (Las) *GU* .... 47 K 21
Brisa (Puerto de los) *BA* . 67 O 9
Briviesca *BU* .... 18 E 20
Brizuela *BU* .... 18 D 19
Brocos *PO* .... 13 D 5
Bronco (El) *CC* .... 55 L 11
Bronco (Rivera del) .... 55 L 11
Brosquil (El) *V* .... 74 O 29
Brovales *BA* .... 79 Q 9
Brovales (Arroyo) .... 79 Q 9
Brovales (Embalse de) *BA* 79 Q 9
Broza *LU* .... 13 E 7
Brozas *CC* .... 55 N 9
Brués *OR* .... 13 E 5
Brugent (El) *T* .... 37 I 33
Brugent (El) *GE* .... 24 F 37
Bruguera *GE* .... 37 F 36
Bruis *HU* .... 22 F 30
Brull (El) *B* .... 38 G 36
Brullés *BU* .... 17 E 18
Brullés (Río) .... 17 E 17
Brunales (Los) *V* .... 73 P 27
Brunete *M* .... 45 K 18
Brunyola *GE* .... 24 G 38
Brújula (Puerto de la) ...... 18 E 19
Brujas (Cuevas de) *NA* .. 11 C 25
Brurueco *AB* .... 72 P 23
Buraga *VI* .... 19 D 21
Buenache de Alarcón *CU* . 60 N 23
Buenache de la Sierra *CU* . 60 L 24
Buenafuente
    (Monasterio de) *GU* ... 47 J 23
Buenamadre *SA* .... 43 J 11
Buenas Noches *MA* ...... 99 W 14
Buenasbodas *TO* .... 57 N 15
Buenaventura *TO* .... 57 L 15
Buenavista *SA* .... 43 J 13
Buenavista *GR* .... 94 U 18
Buenavista (Monte) *AB* .. 72 O 24
Buenavista (Punta de)
    Tenerife TF .... 126 C 3
Buenavista-Cala Abogat *A* 75 P 30
Buenavista de Valdavia *P* . 17 E 16
Buenavista del Norte
    Tenerife TF .... 126 B 3
Buendía *CU* .... 47 K 21
Buendía (Embalse de) *CU* 47 K 21
Bueno (El) *Tenerife TF* .. 129 G 4
Buenos Aires *A* .... 86 R 28

Bueña *TE* .... 48 J 26
Buera *HU* .... 22 F 30
Buerba *HU* .... 22 E 30
Bueres *O* .... 6 C 13
Buesa *HU* .... 21 E 29
Bueu *PO* .... 12 F 3
Buey *TO* .... 58 M 18
Buey (Sierra del) .... 83 Q 26
Bufali *V* .... 74 P 28
Bugallido *C* .... 12 D 4
Bugarra *V* .... 61 N 27
Bugedo *BU* .... 18 E 20
Bugeat *M* .... 104 M 38
Búger *PM* .... 104 M 38
Buitrago *SO* .... 33 G 22
Buitrago (Pinilla de) *M* ... 46 J 18
Buitrago del Lozoya *M* ... 46 J 19
Buitre *AL* .... 95 U 23
Buitre (Monte) *TE* .... 61 L 26
Buitrera *GU* .... 32 I 19
Buitrón (El) *H* .... 79 T 9
Buitrón (El) *Monte H* ..... 78 S 8
Buiza *LE* .... 16 D 12
Bujalance *CO* .... 81 S 16
Bujalaro *GU* .... 46 J 21
Bujalcayado *GU* .... 47 I 21
Buján *C* .... 2 D 2
Bujaraiza *J* .... 83 R 21
Bujaraloz *Z* .... 35 H 29
Bujarda (La) *H* .... 78 S 8
Bujardo *BA* .... 78 Q 9
Bujarrabal *GU* .... 47 I 22
Bujaruelo *HU* .... 21 D 29
Bujeda (Embalse de la) *CU* 59 L 21
Bujeda (La) *CU* .... 59 L 21
Bujeo (El) *CC* .... 55 L 11
Bujeo (Puerto del) *CA* ... 99 X 13
Bujo *BA* .... 79 R 11
Bularros *AV* .... 44 J 15
Bulbuente *Z* .... 34 G 25
Bullaque (El) *CR* .... 70 O 17
Bullaque (Río) .... 70 O 17
Bullas *MU* .... 84 R 24
Bullones .... 47 J 24
Bulnes *O* .... 6 C 15
Buniel *BU* .... 17 F 18
Bunyola *PM* .... 104 M 38
Buñales *HU* .... 21 F 28
Buño *C* .... 2 C 3
Buñol *V* .... 61 N 27
Buñuel *NA* .... 34 G 25
Burbáguena *TE* .... 48 I 25
Burbia *LE* .... 14 D 9
Burbia (Río) .... 14 D 9
Burceat *HU* .... 22 F 30
Burcena *BU* .... 8 C 19
Burdalo .... 68 O 11
Burela *LU* .... 4 B 7
Burela (Cabo) *LU* .... 4 A 7
Burés *C* .... 12 D 3
Bureta *Z* .... 34 G 25
Burete *MU* .... 84 R 24
Burgal (El) *L* .... 61 N 27
Burganes de Valverde *ZA* 29 G 12
Burgo *LU* .... 3 D 7
Burgo (El) *MA* .... 100 V 15
Burgo de Ebro (El) *Z* .... 35 H 27
Burgo de Osma (El) *SO* .. 32 H 20
Burgo Ranero (El) *LE* .... 16 E 14
Burgohondo *AV* .... 44 K 15
Burgomillodo *SG* .... 31 H 18
Burgos *BU* .... 18 E 18
Burgueira *PO* .... 12 F 3
Burguete / Auritz *NA* .... 11 D 26
Burgui / Burgi *NA* .... 11 D 26
Burguilla *CC* .... 57 M 14
Burguillo (Embalse de) .... 45 K 16
Burguillos *SE* .... 91 T 12
Burguillos de Toledo *TO* . 58 M 18
Burguillos del Cerro *BA* .. 79 Q 10
Buriz *LU* .... 3 C 6
Burjassot *V* .... 62 N 28
Burjulla *CC* .... 57 M 14
Burlada / Burlata *NA* ..... 11 D 25
Burlata / Burlada *NA* ..... 11 D 25
Burón *LE* .... 6 C 14
Burras *MU* .... 84 S 24
Burres *C* .... 12 D 3
Burriana / Borriana *CS* .. 62 M 29
Burro (Collado del) .... 69 O 15
Burrueco *AB* .... 72 P 23
Buruaga *VI* .... 19 D 21
Burujón *TO* .... 58 M 17
Burunchel *J* .... 83 S 21
Busante *O* .... 4 D 9

Buscastell *PM* .... 87 O 34
Busdongo *LE* .... 15 D 12
Buseo (Embassament de) .. 61 N 27
Busloñe *O* .... 5 C 12
Busmente *O* .... 4 B 9
Busot *A* .... 86 Q 28
Busquil .... 20 E 24
Busquístar *GR* .... 102 V 20
Bustablado *S* .... 8 C 19
Bustamante *S* .... 17 C 17
Bustantigo *O* .... 4 B 9
Bustares *GU* .... 46 I 20
Bustarviejo *M* .... 46 J 18
Bustasur *S* .... 17 D 17
Buste (Balcón de El) *Z* ... 34 G 25
Buste (El) *Z* .... 34 G 25
Bustidoño *S* .... 17 D 18
Bustillo de Cea *LE* ...... 16 E 14
Bustillo de Chaves *VA* ... 16 F 14
Bustillo de la Vega *P* .... 16 E 15
Bustillo del Monte *S* ..... 17 D 17
Bustillo del Oro *ZA* ...... 30 G 13
Bustillo del Páramo *LE* .. 15 E 12
Bustillo del Páramo
    de Carrión *P* .... 16 E 15
Busto cerca de Luarca *O* ...5 B 10
Busto cerca de
    Villaviciosa *O* .... 6 B 13
Busto (Cabo) *O* .... 5 B 10
Busto (El) *NA* .... 19 E 23
Busto de Bureba *BU* ..... 18 E 20
Bustoburniego *O* .... 5 B 10
Bustriguado *S* .... 7 C 16
Busturia *BI* .... 9 B 21
Butihondo
    Fuerteventura GC ..... 112 D 5
Butrera *BA* .... 79 R 10
Butróe *BI* .... 8 B 21
Buxán cerca de Rois *C* .. 12 D 3
Buxán cerca de
    Val do Dubra *C* .... 2 C 4
Buxantes (Monte de) *C* ....2 D 2
Buxu (Cueva del) *O* .... 6 B 14

C

Caamaño *C* .... 12 E 2
Caaveiro *C* .... 3 B 5
Cabaco (El) *SA* .... 43 K 11
Cabaleiros *C* .... 2 C 4
Caballa (Sierra de la) ...... 73 O 25
Caballar *SG* .... 45 I 18
Caballera .... 21 F 28
Caballero (Sierra del) ...... 34 H 24
Caballeros *J* .... 82 Q 18
Caballo *GR* .... 94 U 19
Caballo (Cerro del) *GR* .. 94 U 19
Caballo (Monte) .... 55 M 9
Caballó (Serra El) *V* ..... 74 O 27
Caballón *H* .... 91 T 9
Caballos
    (Sierra de los) *MA* .... 93 U 15
Cabalos (Sierra de los) *LU* 14 E 8
Cabana *C* .... 2 C 3
Cabanabona *L* .... 37 G 33
Cabanamoura *C* .... 2 D 3
Cabanas *LU* .... 3 B 6
Cabanas *C* .... 3 B 5
Cabanelas *OR* .... 13 E 5
Cabanelles *GE* .... 25 F 38
Cabanes *GE* .... 25 F 38
Cabanes *Castelló CS* .... 62 L 30
Cabanes (Barranc de) *CS* . 62 L 29
Cabaneta (Sa) .... 104 N 38
Cabanillas *NA* .... 20 F 25
Cabanillas *SO* .... 33 H 22
Cabanillas de la Sierra *M* . 46 J 19
Cabanillas del Campo *GU* . 46 K 20
Cabanyes (Les) *B* .... 37 H 35
Cabanaquinta *O* .... 6 C 13
Cabañas *Z* .... 34 G 26
Cabañas *LE* .... 16 F 13
Cabañas (Monte) *J* ...... 83 S 21
Cabañas (Puerto) *CA* .... 92 V 14
Cabañas de Castilla
    (Las) *P* .... 17 E 16
Cabañas de la Dornilla *LE* 15 E 10
Cabañas de la Sagra *TO* . 58 L 18
Cabañas de Polendos *SG* . 45 I 17
Cabañas de Sayago *ZA* .. 29 I 12
Cabañas de Yepes *TO* ... 58 M 19
Cabañas del Castillo *CC* . 56 N 13
Cabañas Raras *LE* .... 14 E 9
Cabañeros *CR* .... 69 N 16
Cabañeros *CR* .... 69 N 16
Cabañeros
    (Parque nacional) *CR* .. 69 N 16

CÁCERES

América (Pl. de). . . . . **AZ** 2
Amor de Dios . . . . **BZ** 3
Ancha. . . . . **BZ** 4
Antonio Reyes Huertas . . . . . . **BZ** 6
Arturo Aranguren . . . . **AZ** 7
Ceres . . . . **BY** 9
Colón . . . . **BZ** 10
Compañía (Cuesta de la) . . . . . **BY** 12
Diego María Crehuet . . . . **BY** 14
Fuente Nueva . . . . **BZ** 15
Gabino Muriel . . . . **AZ** 17

Gen. Primo de Rivera (Av. del) . **AZ** 22
Isabel de Moctezuma (Av.) . . . . **AZ** 24
José L. Cotallo. . . . . **AY** 25
Juan XXIII . . . . **AZ** 26
Lope de Vega . . . . **BY** 28
Marqués (Cuesta del) . . . . **BY** 30
Mayor (Pl.) . . . . **BY**
Médico Sorapán . . . . **BZ** 31
Millán Astray (Av.) . . . . **BZ** 32
Mono . . . . **BY** 33
Perreros . . . . **BZ** 35
Pintores . . . . **BY** 36
Portugal (Av. de) . . . . **AZ** 37
Profesor Hdez Pacheco . . . . . . **BZ** 39

Ramón y Cajal (Pas. de) . . . . . . **AY** 42
Reyes Católicos . . . . **AY** 43
San Antón . . . . **AZ** 47
San Blas (Av. de) . . . . **BY** 45
San Jorge . . . . **AY** 49
San Juan (Pl. de) . . . . **BZ** 51
San Pedro . . . . **BZ** 53
San Pedro de Alcántara
  (Av.) . . . . **AZ** 54
San Roque . . . . **BZ** 56
Tiendas . . . . **BY** 58
Trabajo . . . . **AY** 59
Universidad (Av. de la). . . . . . . **BY** 60
Viena . . . . **AZ** 62

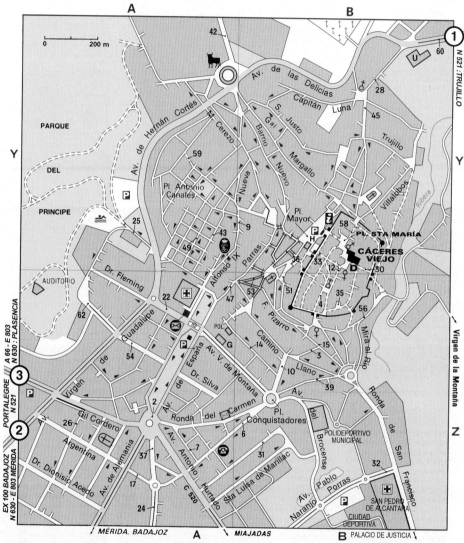

Palacio de Los Golfines de Abajo . . . . **BY D**

Cabañes de Esgueva *BU*.. 32 G 18
Cabarceno (Parque de) *S*.. 7 B 18
Cabarga (Peña) *S* . . . . 8 B 18
Cabassers *T*. . . . . 36 I 32
Cabdella *L* . . . . 23 E 32
Cabe *LU*. . . . . 14 E 7
Cabeza (La) *AB*. . . . . 84 R 23
Cabeza de Béjar (La) *SA*.. 43 K 13
Cabeza de Buey *CR*. . . . . 71 Q 20
Cabeza de Campo *LE*. . . . 14 E 9
Cabeza
  de Diego Gómez *SA*. . . . 43 J 11
Cabeza
  de la Viña (Isla) *J*. . . . . . . 83 R 21
Cabeza del Asno *R* . . . . . 85 R 25
Cabeza del Buey *BA*. . . . . 68 P 14
Cabeza del Caballo *SA*. . . 42 I 10
Cabeza Gorda . . . . 49 I 28
Cabeza Herrera . . . . 32 F 21
Cabeza la Vaca *BA*. . . . . . 79 R 10
Cabeza Llana
  (Sierra de) *AB*. . . . . 84 Q 25
Cabezabellosa *CC* . . . . . . 56 L 12
Cabezabellosa
  de la Calzada *SA*. . . . . . 44 I 13
Cabezadas (Las) *GU*. . . . . 46 I 20
Cabezamesada *TO* . . . . . . 59 M 20
Cabezarados *CR*. . . . . 70 P 17
Cabezarrubias *CR*. . . . . . . 70 Q 17
Cabezas de Alambre *AV*. . 44 J 15
Cabezas de Bonilla *AV*. . . 44 K 14
Cabezas
  de San Juan (Las) *SE*. . . 91 V 12
Cabezas del Pasto *H*. . . . . 78 T 7
Cabezas del Pozo *AV*. . . . 44 I 15
Cabezas del Villar *AV*. . . . 44 J 14
Cabezas Rubias *H* . . . . . . 78 S 8
Cabezas Rubias
  (Embalse de) . . . . 78 S 8
Cabezo *CC*. . . . . 43 K 11
Cabezo (Monte) *TE*. . . . . . 61 L 26
Cabezo Alto . . . . 49 K 27
Cabezo de la Plata *MU*. . . 85 S 27
Cabezo de Torres *MU*. . . . 85 R 26
Cabezo Jara *AL*. . . . . 96 T 24
Cabezón *VA* . . . . 31 G 16
Cabezón de Cameros *LO*. 19 F 22
Cabezón de la Sal *S*. . . . . . 7 C 17
Cabezón de la Sierra *BU*. . 32 G 20
Cabezón de Liébana *S*. . . . . 7 C 16
Cabezón de Valderaduey *VA*16 F 14
Cabezón del Oro
  (Sierra de) *A* . . . . 74 Q 28
Cabezudos (Los) *H* . . . . . . 91 U 10
Cabezuela *SG* . . . . 31 I 18
Cabezuela (La) *V* . . . . 73 O 26
Cabezuela del Valle *CC* . . 56 L 12
Cabezuelas (Las) *M*. . . . . . 45 K 17
Cabezuelos (Los) *GU*. . . . 47 K 22
Cabi Monteros . . . . 19 F 23
Cabigordo (Puerto de) . . . . 49 K 27
Cabizuela *AV*. . . . . 44 J 15
Cable (Mirador del) . . . . 6 C 15
Cabó *L*. . . . . 23 F 33
Cabo Blanco *Tenerife TF.*128 D 5
Cabo Cervera-
  Playa La Mata *A* . . . . 86 R 28
Cabo de Gata *AL* . . . . . . 103 V 23
Cabo de Gata (Sierra del) 103 V 23
Cabo de Gato-Níjar
  (Parque natural de) . . . . 103 V 23
Cabo de Palos *MU* . . . . . . 86 T 27
Caboalles de Abajo *LE*. . . 15 D 10
Caboalles de Arriba *LE*. . . 15 D 10
Cabolafuente *Z*. . . . . 47 I 23
Cabornera *LE*. . . . . 15 D 12
Caborno *O*. . . . . 5 B 10
Caborredondo *BU*. . . . . . . 18 E 19
Cabra *CO* . . . . 93 T 16
Cabra (Cinto) *V* . . . . 73 O 27
Cabra (Río) . . . . 93 T 15
Cabra (Sierra de la) *S*. . . . . . 5 C 10
Cabra de Mora *TE*. . . . . . . 49 L 27
Cabra del Camp *T*. . . . . . . 37 H 33
Cabra del Santo Cristo *J*.. 83 S 20
Cabrales . . . . 6 C 15
Cabranes *O*. . . . . 6 B 13
Cabras *GR* . . . . 94 U 17
Cabras (Las) *AB*. . . . . 84 R 22
Cabras (Monte) . . . . 56 N 14
Cabras (Sierra de las) *CA*. 99 W 12
Cabras (Sierra de las) *MA*100 V 16
Cabras (Sierra de las) *MU*.85 Q 25
Cabredo *NA*. . . . . 19 E 22
Cabreiroá *OR*. . . . . 28 G 7
Cabreiros *LU*. . . . . 3 B 6

Cabrejas *CU*. . . . . 60 L 22
Cabrejas (Altos de) *CU*. . . 60 L 22
Cabrejas (Puerto de) *CU*. . 60 L 23
Cabrejas (Sierra de) . . . . . 32 G 20
Cabrejas del Campo *SO*. . 33 G 23
Cabrejas del Pinar *SO*. . . 33 G 21
Cabrera *BA* . . . . 79 R 11
Cabrera (Illa de) . . . . 105 O 38
Cabrera (La) *M*. . . . . 46 J 19
Cabrera (La) *GU*. . . . . 47 I 22
Cabrera (La) *V*. . . . . 61 N 27
Cabrera (Monte) . . . . 34 H 24
Cabrera (Río de la) *J*. . . . . 82 R 17
Cabrera (Río) . . . . 14 E 9
Cabrera (Sierra de la) . . . . 14 F 9
Cabrera (Sierra de) . . . . . . 14 F 9
Cabrera (Sierra) . . . . 96 U 24
Cabrera de Mar *B*. . . . . . . 38 H 37
Cabrerizos *SA*. . . . . 43 J 13
Cabrera *CC* . . . . 56 L 12
Cabreros del Monte *VA*. . . 30 G 14
Cabreros del Río *LE*. . . . . 16 E 13
Cabretón *LO*. . . . . 34 G 24
Cabriel (Río) . . . . 73 O 26
Cabril (El) *CO* . . . . 80 R 13
Cabrilla (Río de la) *CO*. . . 81 S 14
Cabrilla (Sierra de la) . . . . 83 S 21
Cabrillanes *LE* . . . . 15 D 11
Cabrillas *SA* . . . . 43 J 11
Cabrillas (Puerto de las) *TE*49 K 29
Cabrillas (Río) . . . . 48 K 24
Cabrillas (Sierra de las) . . . 61 N 26
Cabrils *B*. . . . . 38 H 37
Cabrito (Alto El) *CA*. . . . . . 99 X 13
Cabruñana *O*. . . . . 5 B 11
Cabuérniga *S* . . . . 7 C 17
Cacabelos *LE*. . . . . 14 E 9
Cáceres *CC*. . . . . 55 N 10
Cáceres (Embalse de) *CC* 55 N 11
Caceruela *CR*. . . . . 69 O 16
Cachafeiro *PO* . . . . 13 E 4
Cachaza *GE*. . . . . 55 L 9
Cacheiras *C*. . . . . 12 D 4
Cachorilla *CC*. . . . . 55 M 9
Cacín *GR*. . . . . 94 U 18
Cacín (Canal del) *GR*. . . . 94 U 18
Cacín (Río) . . . . 101 V 18
Cadabedo *LU*. . . . . 4 B 7
Cádabo (O) *LU*. . . . . 4 C 8
Cadafresnas *LE* . . . . 14 E 9
Cadagua *BU*. . . . . 8 C 19
Cadagua (Río) . . . . 8 C 20
Cadalso . . . . 55 L 9
Cadalso de los Vidrios *M*. 57 L 16
Cadaqués *GE*. . . . . 25 F 39
Cadavedo *O*. . . . . 5 B 10
Cádavos *OR*. . . . . 28 G 8
Cadena (Puerto de la) *MU* 85 S 26
Cadí *L*. . . . . 23 F 34
Cadí (Reserva
  nacional de) . . . . 23 F 34
Cadí (Serra de) *L*. . . . . . . 23 F 34
Cadí (Túnel de) *GE*. . . . . . 24 F 35
Cadí-Moixeró
  (Parc natural de) *B*. . . . . 24 F 35
Cádiar *GR*. . . . . 102 V 20
Cadiñanos *BU*. . . . . 18 D 19
Cadiretes (Puig de) . . . . . . 39 G 38
Cádiz *CA*. . . . . 98 W 11
Cádiz (Bahía de) *CA*. . . . . 98 W 11
Cadreita *NA*. . . . . 20 F 24
Cadrete *Z*. . . . . 35 H 27
Caicedo Yuso *VI*. . . . . 18 D 21
Caídero de la Niña (Embalse)
  Gran Canaria GC. . . . . 114 C 3
Caíllo (Sierra del) . . . . 99 V 13
Caimari *PM*. . . . . 104 M 38
Caimodorro *TE*. . . . . 48 K 24
Caín *LE* . . . . 6 C 15
Caión *C* . . . . 2 C 4
Cajigar *HU*. . . . . 22 F 31
Cajigar (Río) *HU*. . . . . 22 F 31
Cajiz *MA*. . . . . 101 V 17
Cal Marcal . . . . 38 G 35
Cala *H*. . . . . 79 S 11
Cala (Embalse de) *SE*. . . . 79 S 11
Cala (La) *A* . . . . 74 Q 29
Cala (Río) . . . . 79 S 11
Cala (Rivera de) . . . . 79 S 11
Cala Agulla *PM*. . . . . 105 M 40
Cala Bassa . . . . 87 P 33
Cala Blanca *Menorca PM*106 M 41
Cala Blava *PM*. . . . . 104 N 38
Cala Bona *PM*. . . . . 105 N 40
Cala d'Or *PM*. . . . . 105 N 39
Cala de Algaiarens *PM*. . 106 L 41
Cala de los Tiestos *A*. . . . 75 P 30

Cala de Portinatx . . . . 87 O 34
Cala de Sa Calobra . . . . . 104 M 38
Cala de Salionç *GE*. . . . . . 39 G 38
Cala de Valldemossa . . . . 104 M 37
Cala Deià *PM*. . . . . 104 M 37
Cala del Moral *cerca de
  Rincón de la V. MA*. . . . 100 V 17
Cala en Blanes *PM*. . . . . 106 L 41
Cala en Bosc *PM*. . . . . . . 106 M 41
Cala en Porter *PM*. . . . . . 106 M 42
Cala Ferrera *PM*. . . . . . . 105 N 39
Cala Figuera *PM*. . . . . . . 105 O 39
Cala Figuera (Cap de) . . . 104 M 37
Cala Fonduco *PM*. . . . . . 106 M 42
Cala Fornells *PM*. . . . . . . 104 N 37
Cala Galdana *PM*. . . . . . 106 M 41
Cala Gració *PM*. . . . . 87 P 33
Cala Llonga *Ibiza PM*. . . . 87 P 34
Cala Mesquida
  Mallorca PM. . . . . 105 M 40
Cala Mesquida
  Menorca PM. . . . . 106 M 42

Cala Millor *PM*. . . . . 105 N 40
Cala Montjoi *GE*. . . . . 25 F 39
Cala Morell *PM*. . . . . 106 L 41
Cala Murada *PM*. . . . . . . 105 N 39
Cala Pi *PM*. . . . . 104 N 38
Cala Pregonda *PM*. . . . . 106 L 42
Cala Puntal *CS*. . . . . 50 K 31
Cala Rajada *PM*. . . . . . . 105 M 40
Cala Sahona *PM*. . . . . 87 P 34
Cala Sant Antoni . . . . 87 P 33
Cala Sant Vicenç *PM*. . . . 105 M 39
Cala Sant Vicent
  Localidad . . . . 87 O 34
Cala Sant Vicent . . . . 87 O 34
Cala Santa Galdana *PM*.. 106 M 41
Cala Santandria *PM*. . . . 106 M 41
Cala Santanyí *PM*. . . . . . 105 O 39
Cala Savina . . . . 87 P 34
Cala Tarida *PM*. . . . . 87 P 33
Cala Turqueta *PM*. . . . . . 106 M 41
Cala Vallgornera *PM*. . . . 104 N 38
Cala Vedella *PM*. . . . . 87 P 33

Cala Vinyes *PM*. . . . . 104 N 37
Calabardina *MU*. . . . . 97 T 25
Calabazar (Embalse del) *H*78 T 9
Calabazares *H*. . . . . 79 S 9
Calabazas *SG*. . . . . 31 H 17
Calabazas *VA*. . . . . 30 H 15
Calabor *ZA* . . . . 28 G 9
Calaburra (Punta de) *MA*100 W 16
Calaceite *TE*. . . . . 50 I 30
Caladrones *HU*. . . . . 22 F 31
Calaf *B* . . . . 37 G 34
Calafell *T*. . . . . 37 I 34
Calafell Platja *T*. . . . . 37 I 34
Calahonda *MA*. . . . . 100 W 15
Calahorra
  (Estación de La) *GR*. . . . 95 U 20
Calahorra (La) *GR*. . . . . . . 95 U 20
Calahorra de Boedo *P*. . . . 17 E 16
Calahorra *LO*. . . . . 19 F 24
Calalberche *TO* . . . . 58 L 17

Calama *CC*. . . . . 43 K 11
Calamocha *TE*. . . . . 48 J 26
Calamocos *LE*. . . . . 15 E 10
Calamonte *BA*. . . . . 67 P 10
Calanda *TE* . . . . 49 J 29
Calanda (Embalse de) *TE*. 49 J 29
Calañas *H*. . . . . 78 T 9
Calar Alto *AL*. . . . . 95 U 22
Calar de la Santa *MU*. . . . 84 R 23
Calar del Mundo *AB*. . . . . 84 Q 22
Calares (Los) *CR*. . . . . . . 71 Q 21
Calares (Los) *Monte*. . . . . 84 R 23
Calasanz *HU* . . . . 22 F 31
Calasparra *MU*. . . . . 84 R 24
Calasparra
  (Estación de) *MU*. . . . . . 84 R 24
Calatañazor *SO*. . . . . 33 G 21
Calatayud *Z*. . . . . 34 H 25
Calatorao *Z* . . . . 34 H 25
Calatrava (Campo de) *CR*.70 P 18
Calatrava (Puerto de) *CR*..70 P 18
Calatrava (Sierra de) . . . . . 70 P 18

Ancha .... BY 2
Ántonio López .... BCY
Apodaca (Alameda de) .... BY
Argüelles (Pl.) .... CY
Benito Pérez Galdós .... AY
Benjumeda .... BY
Calderón de la Barca .... CZ
Calesas .... ABZ
Campo del Sur .... BZ 4
Candelaria (Pl.) .... BY
Cardoso .... ABY
Carlos III (Paseo) .... ABY
Ceballos .... BY
Cervantes .... BYZ
Columela .... BZ 5
Compañía .... CZ
Concepcion Arenal .... CZ
Constitución (Pl. de la) .... CZ
Cristobal Colón .... CZ 6
Diego Arias .... AY
Doctor G. Ulla (Av.) .... AY
Doctor Marañón .... AY 7
Duque de Najera (Av.) .... AYZ
España (Pl. de) .... CY
Falla (Pl.) .... AY
Fernando el Católico .... CY 8
Fray Félix (Pl.) .... BZ 9
Honduras .... CY
Marqués de Comillas
(Alameda) .... BY
Mentidero (Pl. del) .... BY 10
Mesón Nueva .... CZ 12
Mina (Pl. de) .... BY
Montañés .... BZ 13
Moreno de Mora .... AYZ
Novena .... BY 15
Nueva .... CZ 16
Pelota .... CZ 17
Piratas (Callejón de los) .... BZ 18
Plocia .... CZ
Puerto (Av. del) .... CYZ
Ramón de Carranza (Av.) .... CZ 19
Rep. Argentina .... CY
Rosario .... BY
Sacramento .... BY
Sagasta .... ABYZ
Santa Maria .... CZ 28
Santo Cristo .... BCZ 29
San Agustin (Pl.) .... CY 20
San Antonio (Pl.) .... BY 21
San Francisco .... BCY 22
San Francisco (Pl. de) .... BY 23
San José .... ABYZ
San Juan .... BZ
San Juan de Dios .... CZ 24
San Juan de Dios (Pl.) .... CZ 25
San Martín (Pl.) .... CZ 26
San Roque (Pl.) .... CZ 27
Sopranis .... CZ 30
Topete (Pl. de) .... BZ 31
Vea Murguia .... BY
Virgen de la Palma .... AZ
Viudas (Pl. de las) .... BY

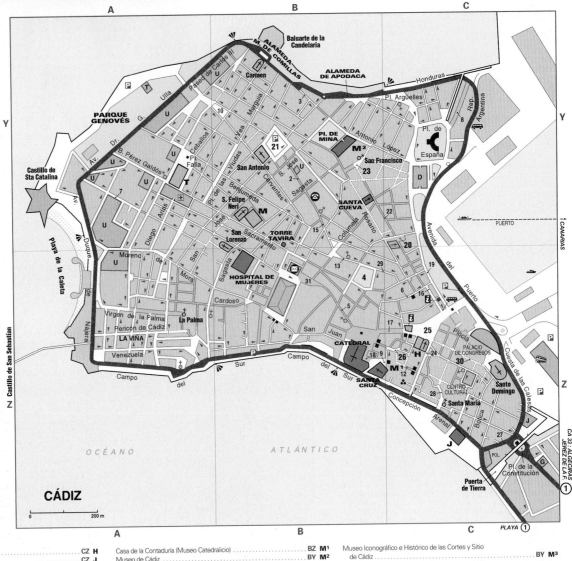

CÁDIZ

0 — 200 m

Ayuntamiento .... CZ H
Cárcel Real (Palacio de Justicia) .... CZ J

Casa de la Contaduría (Museo Catedralicio) .... BZ M1
Museo de Cádiz .... BY M2

Museo Iconográfico e Histórico de las Cortes y Sitio
de Cádiz .... BY M3

Calatraveño (Puerto) CO .. 81 R 15
Calaveruela CO .... 80 R 13
Calbinyà L .... 23 E 34
Calcena Z .... 34 H 24
Caldas (Las) O .... 5 C 12
Caldas de Besayas (Las) S..7 C 17
Caldas de Luna LE .... 13 D 12
Caldas de Reis PO .... 12 E 4
Calde LU .... 3 D 7
Caldearenas HU .... 21 E 28
Caldebarcos C .... 12 D 2
Caldebarcos (Punta de) .. 12 D 2
Caldelas PO .... 12 F 4
Caldera CO .... 93 T 17
Caldereros (Sierra de) 48 J 24
Caldereta
Fuerteventura GC .... 111 I 2
Calderín (El) TO .... 70 O 18
Calderina (Sierra de la) 70 O 18
Calderón V .... 61 L 26
Calderón (Sierra de) 83 Q 22
Calderones (Los) MU .. 85 S 25
Calders B .... 38 G 35
Calders (Riera de) .. 38 G 35
Calderuela SO .... 33 G 23
Caldés (Riu) .... 49 K 29
Caldes d'Estrac B .. 38 H 37
Caldes de Boí L .... 22 E 32
Caldes de Malavella GE.. 25 G 38
Caldes de Montbui B.. 38 H 36
Caldones O .... 6 B 13
Caldueño O .... 6 B 15
Caleao O .... 6 C 13
Calella B .... 38 H 37
Calella de Palafrugell GE.. 25 G 39
Calera (Collado de la) .. 61 N 26
Calera (La) CR .... 71 P 20
Calera (La) H .... 91 U 10

Calera (La) CC .... 56 N 14
Calera (La) BA .... 67 P 10
Calera de León BA .... 79 R 11
Calera del Prado (La) BI ..8 C 19
Calera y Chozas TO .. 57 M 15
Caleruega BU .... 32 G 19
Caleruela TO .... 56 M 14
Caleruela cerca de
Los Yébenes TO .... 58 N 18
Caleruela (La) J .... 83 R 20
Cales de Mallorca PM .. 105 N 39
Caleta El Hierro TF .... 109 E 2
Caleta (La) Tenerife TF.. 126 C 3
Caleta (La) Tenerife TF.. 128 C 5
Caleta (La) GR .... 101 V 19
Caleta de Famara
Lanzarote GC .... 123 E 3
Caleta de Fustes (Castillo de)
Fuerteventura GC .... 111 I 3
Caleta de Vélez (La) MA.. 101 V 17
Caleta del Sebo
Lanzarote GC .... 121 E 2
Caletas (Las) La Palma TF132 D 7
Caletillas (Las) Tenerife TF127 H 3
Caleyos (Los) O .... 6 C 13
Càlig CS .... 50 K 31
Callao Salvaje Tenerife TF128 C 5
Calldetenes B .... 38 G 36
Callejas CU .... 60 N 24
Callejones La Palma TF..132 D 5
Callejos (Los) O .... 6 B 15
Callén HU .... 35 G 28
Calleras O .... 5 B 10
Calles V .... 61 M 27
Callezuela O .... 5 B 12
Callobre C .... 3 C 5
Callobre PO .... 13 D 4

Callosa d'en Sarrià A.. 74 Q 29
Callosa de Segura A.. 85 R 27
Callús B .... 37 G 35
Calmarza Z .... 48 I 24
Calnegre MU .... 97 T 25
Calnegre (Punta de) MU.. 97 T 25
Calo .... 2 C 2
Calo C .... 12 D 4
Calobra (Sa) PM .... 104 M 38
Calomarde TE .... 48 K 25
Calonge Mallorca PM.. 105 N 39
Calonge GE .... 25 G 39
Calonge (El) CO .... 80 T 13
Calonge de Segarra B.. 37 G 34
Calp A .... 74 Q 30
Calpes (Los) CS .... 62 L 28
Caltojar SO .... 33 H 21
Calvario (Sierra del) .. 92 V 12
Calvarrasa de Abajo SA.. 44 J 13
Calvarrasa de Arriba SA.. 44 J 13
Calvera HU .... 22 E 31
Calvera (Monte) .... 22 F 31
Calvestra V .... 61 N 26
Calvià PM .... 104 N 37
Calvin Bajo TO .... 58 M 17
Calvo BA .... 79 Q 11
Calvos de Randín OR.. 27 G 6
Calypo TO .... 58 L 17
Calzada (Atayala de la) CR70 Q 18
Calzada de Béjar (La) SA.. 43 K 12
Calzada de Bureba BU.. 18 E 20
Calzada de Calatrava CR.. 70 P 18
Calzada de los Molinos P.. 17 F 16
Calzada
de Oropesa (La) TO.. 56 M 14
Calzada de Tera LE .. 29 G 11
Calzada de Valdunciel SA.. 43 I 12
Calzada de Vergara AB.. 73 O 25

Calzada del Coto LE .. 16 E 14
Calzadilla CC .... 55 L 10
Calzadilla de la Cueza P.. 16 F 15
Calzadilla
de los Barros BA.. 79 R 11
Calzadilla
de los Hermanillos LE.. 16 E 14
Calzadilla de Tera ZA.. 29 G 11
Calzadilla del Campo SA.. 43 I 11
Camaces .... 42 J 9
Camaleño S .... 7 C 15
Camallera GE .... 25 F 38
Camañas TE .... 48 K 26
Cámaras .... 35 I 26
Camarasa L .... 37 G 32
Camarasa (Pantà de) L.. 36 G 32
Camarena TO .... 58 L 17
Camarena (Rio de) .... 61 L 26
Camarena (Sierra de) TE.. 61 L 26
Camarena de la Sierra TE.. 61 L 26
Camarenilla TO .... 58 L 17
Camarillas TE .... 49 K 27
Camarillas
(Embalse de) AB .... 84 Q 25
Camarinal .... 99 X 12
Camarinal (Punta de) .. 99 X 12
Camariñas C .... 2 C 2
Camariñas (Ría de) C .. 2 C 2
Camarles T .... 50 J 32
Camarma de Esteruelas M46 K 19
Camarmeña .... 6 C 15
Camarna del Caño M.. 46 K 19
Camarzana de Tera ZA.. 29 G 11
Camas SE .... 91 T 11
Camasobres P .... 7 C 16
Camba OR .... 14 F 8
Cambados PO .... 12 E 3

Cambàs C .... 3 C 6
Cambela OR .... 14 F 8
Cambeo OR .... 13 E 6
Cambil J .... 82 S 19
Cambre C .... 3 C 4
Cambre cerca de Malpica C.2 C 3
Cambrils L .... 23 F 34
Cambrils de Mar T .. 51 I 33
Cambrón CR .... 83 Q 20
Cambrón (Peña) J .... 83 S 20
Cambrón (Sierra del) CO.. 80 Q 13
Cambrón (Sierra) .... 84 S 24
Cambrones .... 84 R 24
Camelle C .... 2 C 2
Camello (Punta del)
Tenerife TF .... 129 G 5
Cameno BU .... 18 E 20
Camero Nuevo (Sierra de) 19 F 21
Camero Viejo (Sierra de) .. 19 F 22
Cameros (Reserva
nacional de) .... 18 F 21
Camino S .... 7 C 17
Camino de Villafranca
(Laguna del) .... 59 N 20
Caminomorisco CC .. 43 L 11
Caminreal TE .... 48 J 26
Camocha (La) O .... 6 B 13
Camocha CC .... 56 L 12
Camorro Alto MA .... 100 V 16
Camós GE .... 25 F 38
Camp d'Abaix V .... 61 M 26
Camp d'Arcís V .... 61 N 26
Camp de Mar PM .... 104 N 37
Camp de Mirra (El) A.. 74 P 27
Camp-redo T .... 50 J 31
Camp Vey .... 87 O 34
Campalbo CU .... 61 M 26
Campamento AL .... 103 V 22

Campamento (El) CA .. 99 X 13
Campamento
Matallana SE .... 80 T 13
Campana (La) CR .... 71 P 20
Campana (La) MU .... 85 Q 25
Campana (La) SE.. 92 T 13
Campana (Rio de) J.. 82 R 18
Campanario BA .... 68 P 13
Campanario
(Embalse de) H .... 90 T 9
Campanario (Sierra del) .. 94 T 19
Campanas NA .... 11 D 25
Campanet PM .... 104 M 38
Campanet
(Coves de) PM.. 104 M 38
Campanillas MA .... 100 V 16
Campanillas (Río) .... 100 V 16
Camparañón SO .... 33 G 22
Campaspero VA .... 31 H 17
Campazas LE .... 16 F 13
Campdevànol GE .... 24 F 36
Campelles GE .... 24 F 36
Campello (El) A .... 86 Q 28
Campezo VI .... 19 D 22
Campico de los López MU 97 T 25
Campillejo GU .... 46 I 20
Campillo TE .... 48 L 26
Campillo CR .... 69 P 16
Campillo
(Casa Forestal del) J.. 83 R 22
Campillo (El) VA .... 30 I 14
Campillo (El) ZA .... 29 H 12
Campillo (El) H .... 79 S 10
Campillo (El) R .... 83 R 20
Campillo (El) SE .... 92 T 14
Campillo (El) CC .... 67 O 10
Campillo de Altobuey CU.. 60 N 24

CARTAGENA

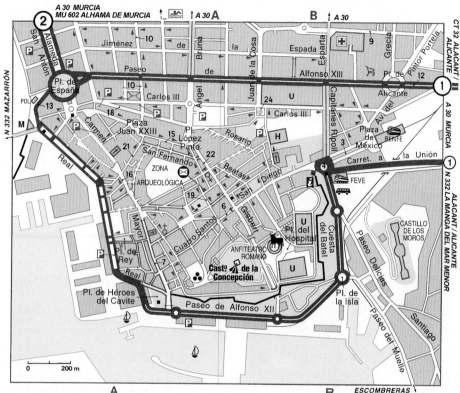

CASTELLÓ DE LA PLANA/CASTELLÓN DE LA PLANA

Arrufat Alonso . . . . A 2
Barrachina . . . . A 3
Benasal . . . . A 4
Buenavista (Pas. de) . . . . B 7
Burriana (Av.) . . . . A 8
Cardenal Costa (Av.) . . . . A 13
Carmen (Pl. del) . . . . B 14
Churruca . . . . B 18
Doctor Clará (Av.) . . . . A 23
Enmedio . . . . A
Espronceda (Av.) . . . . A 24
Guitarrista Tárrega. . . . . A 28
Joaquín Costa . . . . A 29
Maestro Ripollés . . . . A 30
María Agustina (Pl.) . . . . A 32
Mar (Av. del) . . . . A 31
Morella (Pas.) . . . . A 33
Oeste (Parque del) . . . . A 34
Orfebres Santalínea . . . . A 35
País Valencià (Pl.) . . . . A 36
Rafalafena . . . . A 37
Sanahuja . . . . A 39
San Pedro . . . . B 38
Sebastián El Cano . . . . B 40
Tarragona. . . . . A 42
Teodoro Llorens . . . . A 44
Trevalladors del Mar . . . . B 45
Vinatea (Ronda) . . . . A 48
Zaragoza . . . . A 49

EL GRAU

Capricho (El) GR............101 V 18
Capsacosta (Coll de) GE....24 F 37
Capsec GE......................24 F 37
Carabanchel M............46 K 18
Carabantes SO.............33 H 24
Carabanzo O...................5 C 12
Carabaña M....................59 L 20
Carabias SG..................32 H 19
Carabias GU..................47 I 21
Caracena de Valle CU....60 L 22
Caracenilla CU..............59 L 22
Caracollera
  (Estación de) CR....69 P 16
Caracuel (Laguna de)......70 P 17
Caracuel
  de Calatrava CR......70 P 17
Caramel AL..................84 S 23
Caranca VI..................18 D 20
Caranga de Abajo O.......5 C 11
Carantoña C.................2 C 2
Caraño O.....................6 B 13
Caraquiz GU.................46 J 19
Carasa S......................8 B 19
Carataunas GR...........102 V 19
Caravaca de la Cruz MU..84 R 24
Caravia O.....................6 B 14
Carazo BU....................32 G 19
Carazo (Sierra del)......43 K 10
Carazuelo SO................33 G 23
Carba (Sierra de la) LU....3 B 7
Carbajal de Rueda LE...16 D 14
Carbajales de Alba ZA...29 H 12
Carbajalinos ZA...........15 F 10
Carbajo CC...................54 N 8
Carbajosa ZA................29 H 11
Carbajosa de Armuña SA..43 I 13
Carbajosa
  de la Sagrada SA......43 J 13
Carballal LU...................3 D 6
Carballeda OR..............13 E 5
Carballeda de Avia OR...13 F 5
Carballedo LU...............13 E 6
Carballedo PO..............13 E 4

Carballido
  cerca de Lugo LU.....4 C 7
Carballido
  cerca de Villalba LU....4 C 7
Carballiño OR...............13 E 5
Carballo C.....................2 C 3
Carballo LU....................3 C 6
Carballo OR..................13 F 6
Carbasí B....................37 H 34
Carbayín O....................6 B 13
Carbayo (El) O...............6 C 12
Carbes O.......................6 C 14
Carbia PO....................13 D 5
Carboeiro PO...............13 D 5
Carbón Fuerteventura GC113 G 4
Carbonera (Monte).......48 K 25
Carbonera de Frentes SO. 33 G 22
Carboneras AL............103 V 24
Carboneras H...............79 S 10
Carboneras (Las) BA....67 P 9
Carboneras
  de Guadazaón CU......60 M 24
Carbonero Ahusín SG...45 I 17
Carbonero el Mayor SG..45 I 17
Carboneros J................82 R 19
Carcabada O.................6 B 13
Carcabal GR................95 U 20
Carcaboso CC...............5 L 11
Carcabuey CO..............93 T 17
Carcagente / Carcaixent V 74 O 28
Carcaixent / Carcagente V 74 O 28
Cárcar NA....................19 E 24
Carcastillo NA...............20 E 25
Carcedo cerca de Luarca O.5 B 10
Carcedo (Sierra de).......6 C 14
Carcedo de Bureba BU...18 E 19
Carcedo de Burgos BU...18 F 19
Carcelén AB.................73 O 26
Cárcer V......................74 O 28
Carche (El) MU.............85 Q 26

Carche (Sierra del) ......85 Q 26
Cárchel J.....................82 T 19
Carchelejo J................94 T 19
Carchuna GR..............102 V 19
Carchuna o del Llano
  (Punta) GR..............102 V 19
Cardaño de Abajo P.....16 D 15
Cardaño de Arriba P.....16 D 15
Cardedeu B..................38 H 37
Cardejón SO................33 H 23
Cárdenas (Río)............18 F 21
Cárdenas LO................19 E 21
Cardenchosa (La) BA....80 R 13
Cardenchosa (La) CO...80 R 13
Cardenete CU...............60 M 24
Cardeña CO.................81 R 17
Cardeñadijo BU............18 F 19
Cardeñajimeno BU.......18 F 19
Cardeñas H..................90 U 9
Cardeñosa AV..............44 J 15
Cardeñosa GU..............47 I 21
Cardeñosa
  de Volpejera P.........17 F 15
Cardet (Serra de).........22 E 32
Cardiel de los Montes TO..57 L 16
Cardó T.......................50 J 31
Cardo (Serra de).........50 J 31
Cardón
  Fuerteventura GC.....113 F 4
Cardona B....................37 G 35
Cardonal (Punta del)
  Gran Canaria GC.....114 C 2
Cardones
  Gran Canaria GC.....115 E 2
Cardós (Vall del) L.......23 E 33
Cardosa (Balcón de la) S..7 C 17
Cardoso
  de la Sierra (El) GU...46 I 19
Caregue L....................23 E 33
Carenas Z...................34 I 24
Careñes O.....................6 B 13
Careón (Sierra del).......3 D 6
Carche (El) MU.............85 Q 26
Cares O.........................6 C 15

Cargadero
  (El Cerro del) BU....32 G 21
Cariatiz AL...................96 U 23
Caridad (La) O...............4 B 9
Caridad (La) CR............70 P 18
Carija BA......................67 P 10
Cariñena Z...................34 H 26
Cariseda LE..................15 D 10
Caritel PO....................13 E 4
Carivete MU..................85 S 25
Carla Alto
  (Observatorio del) AL..95 U 22
Carlet V........................74 O 28
Carlota (La) CO.............81 S 15
Carme B.......................37 H 34
Carme (Museu de) CS...62 M 29
Carmen (Convento de)....46 K 21
Carmen (Ermita del) cerca de
  Monreal del Campo TE..48 J 25
Carmen (Ermita del) cerca de
  Cantavieja TE...........49 K 28
Carmen (Ermita del) SE....80 S 12
Cármenes LE................16 D 13
Cármena TO.................57 M 16
Carmolí (El) MU............85 S 27
Carmona S.....................7 C 16
Carmona SE.................92 T 13
Carmonita BA...............67 O 10
Carne (Pico de la) GR...94 U 19
Carnero (Punta del) CA..99 X 13
Carneros
  (Puerto de los) BA....69 O 14
Carnés C.......................2 C 2
Carnoedo C...................3 B 5
Carnota C.....................12 D 2
Caro T...........................50 J 31
Caro (Refugio).............50 J 31
Caroch V......................73 O 27
Caroi PO.......................13 E 4
Carolina (La) SA............44 I 14
Carolina (La) J..............82 R 19
Carollo C.......................3 D 4

Carondio (Sierra de) O......4 C 9
Carpio VA....................30 I 14
Carpio (El) CO.............81 S 16
Carpio (El) H................78 S 9
Carpio (Embalse de El) TO 57 M 16
Carpio (Embalse de El) CO 81 S 16
Carpio de Azaba SA.....42 K 10
Carpio de Tajo (El) TO...57 M 16
Carraca (La) CA...........98 W 11
Carracedelo LE.............14 E 9
Carracedo LE...............14 E 9
Carracedo OR..............13 F 5
Carracedo PO..............12 E 4
Carral C.........................3 C 4
Carrales
  (Casa Forestal de) J..83 R 21
Carrales (Puerto de) BU..17 D 18
Carramaiza GR.............83 T 21
Carrandi O.....................6 B 14
Carranque TO..............58 L 18
Carrasca (La) J.............82 T 18
Carrascal SA................45 I 18
Carrascal ZA................29 H 12
Carrascal (El) T.............50 J 31
Carrascal (Puerto del) NA. 20 E 25
Carrascal de Barregas SA. 43 J 12
Carrascal del Obispo SA..43 J 12
Carrascal del Río SG....31 H 18
Carrascalejo CC...........57 N 14
Carrascalejo (El) BA.....67 O 10
Carrascalejo
  (Estación de) BA.......67 O 10
Carrascalejo de Huebra SA 43 J 11
Carrasco (Sierra de) ......95 U 22
Carrascosa CU.............47 K 23
Carrascosa (Sierra).....49 K 28
Carrascosa de Abajo SO.. 32 H 20
Carrascosa de Haro CU..60 N 22
Carrascosa de Henares GU46 J 20
Carrascosa de la Sierra SO33 G 23
Carrascosa de Tajo GU....47 J 22
Carrascosa del Campo CU 59 L 21
Carrascosilla CU...........59 L 22
Carrascoy MU..............85 S 26
Carrascoy (Sierra de)....85 S 26
Carrasqueta (Port de la) A 74 Q 28
Carrasquilla
  (Collado de la) CU....60 L 22
Carrasquilla (La) AB.....72 Q 24
Carrasquilla (Sierra de la) 96 T 24
Carratraca MA............100 V 15
Carrea O........................5 C 11
Carreira cerca de Ribeira C12 E 2
Carreira cerca de Zás C...2 C 3
Carreña O......................6 C 15
Carreño O......................5 B 12
Carrera (La) AV............44 K 13
Carreros SA..................43 J 12
Carretero (Puerto del) J..94 T 19
Carreu (Riu de) ....23 F 33
Carrias BU....................18 E 20
Carriches TO................57 M 16
Carrícola V....................74 P 28
Carril PO.......................12 E 3
Carriles (Los).................6 B 15
Carrió Bergondo C.........3 C 5
Carrión P......................17 D 18
Carrión (Ermita de) BA..66 O 8
Carrión de Calatrava CR..70 O 18
Carrión
  de los Céspedes SE..91 T 11
Carrión de los Condes P..17 E 16
Carriones (Los) GR.......83 S 21
Carrizal cerca de
  Cistierna LE..............16 D 15
Carrizal cerca de
  Soto y Amío LE.........15 D 12
Carrizal (El)
  Gran Canaria GC.....114 C 3
Carrizales (Los)
  Tenerife TF..............126 B 3
Carrizo de la Ribera LE..15 E 12
Carrizos (Los) SE.........80 S 12
Carrizosa CR................71 P 21
Carrizosa (La) SE.........93 T 15
Carro AB......................72 O 22
Carro (Monte)...............84 S 23
Carrodilla (Sierra de).....22 F 30
Carroja (La) A................74 P 29
Carrova (La) T................50 J 31
Cartagena MU..............97 T 27
Cartajima MA..............100 W 14
Cártama MA................100 V 16
Cartaojal MA.................93 U 16
Cartavio O.....................4 B 9
Cartaya H......................90 U 8

Cartelle OR..................13 F 5
Cartes S.........................7 C 17
Carteya-Guadarranque CA99 X 13
Cartirana HU................21 E 28
Cartuja
  (Monasterio de la) CA..98 W 11
Cartuja
  de Monegros (La) HU..35 G 29
Carucedo LE.................14 E 9
Carvajal MA................100 W 16
Carvajales (Los) MA.....93 U 15
Cas Concos PM..........105 N 39
Casa Blanca CU............60 N 22
Casa Blanca AB............72 Q 24
Casa Blanca CR............69 O 16
Casa Blanca AB............84 S 22
Casa Blanca (sa) PM...104 N 38
Casa de Campo M........46 K 18
Casa de Carta Tenerife TF124 H 2
Casa de la Sierra BU.....18 F 20
Casa de Navamarín AB..72 P 22
Casa de Uceda GU.......46 J 19
Casa de Valdepalacios CC68 O 13
Casa de Valverde
  (Rivera de) ....91 T 10
Casa del Barón
  (Parador) PO............12 E 4
Casa del Egidillo CU.....60 M 23
Casa del Lléo a...........85 Q 24
Casa Grande P.............31 G 16
Casa Grande AB...........72 O 24
Casa la Carriza CR........71 O 21
Casa Longa CU.............59 M 22
Casa Meca MU.............84 T 24
Casa Mula AL...............84 S 23
Casa Nueva TO............58 M 17
Casa Nueva GR............94 U 18
Casa Nueva
  de la Torrecilla J........83 Q 20
Casa Sola AB................72 Q 23
Casabermeja MA.........100 V 16
Casablanca LU...............4 C 7
Casablanca MU............85 R 26
Casablanca AL.............84 S 23
Casablanca A................91 V 11
Casafranca SA.............43 K 12
Casaio OR....................14 E 9
Casalarreina LO...........18 E 21
Casalgordo TO............58 N 18
Casalobos (Sierra de) ......70 O 17
Casalonga ....12 D 4
Casanova BU................32 G 19
Casanova C...................13 D 4
Casaño O.......................6 C 15
Casar S...........................7 B 17
Casar de Cáceres CC....55 N 10
Casar de Cáceres
  (Estación de) CC.......55 N 10
Casar de Escalona (La) TO 57 L 16
Casar de Miajadas CC....68 O 12
Casar de Palomero CC...43 L 11
Casar de Talavera (El) TO..57 M 15
Casarabonela MA........100 V 15
Casarejo A.....................91 V 11
Casarejo (El) CR...........69 O 16
Casarejo (Monte) ....18 F 19
Casarejos SO...............32 G 20
Casares MA...................99 W 14
Casares (Cueva de los) GU47 J 23
Casares de Arbás LE.....15 D 12
Casares de las Hurdes CC43 K 11
Casariche SE................93 U 15
Casariego O...................4 B 9
Casarrubios del Monte TO 58 L 17
Casarrubuelos M...........58 L 18
Casas (Las) SO.............33 G 22
Casas (Las) CR.............70 O 18
Casas Altas V................61 L 26
Casas Bajas V...............61 L 26
Casas Blancas ....71 P 21
Casas de Belvis CC.......56 M 13
Casas de Benalí (Las) V..73 O 27
Casas de Benítez ....72 N 23
Casas de Búcar TE........48 K 24
Casas de Don Antonio CC67 O 11
Casas de Don Gómez CC.55 L 10
Casas de Don Juan GR...84 S 22
Casas de Don Pedro AB..73 O 25
Casas de Don Pedro BA..68 O 14
Casas de Esper Z...........21 F 27
Casas de Eufemia V.......61 N 26
Casas de Felipe CC.......55 L 9
Casas de Fernando
  Alonso CU................72 N 23
Casas de Garcimolina CU. 61 M 25

Casas de Guijarro CU 72   N 23
Casas de Haches (Las) AB72   Q 23
Casas de Haro CU 72   O 23
Casas de Ibañez A 85   Q 26
Casas
de Juan Fernández CU.. 72   N 24
Casas de Juan Gil AB 73   O 26
Casas de Juan Núñez AB. 73   O 25
Casas de la Alcudilla CO.. 93   U 17
Casas de la Higuera AB... 72   Q 24
Casas de la Peña AB 72   O 22
Casas de Lázaro AB 72   P 23
Casas de los Hierros CU... 99   X 12
Casas de los Pinos N 22   N 22
Casas de los Puercos AB. 71   O 22
Casas de Luján CU 59   M 21
Casas de Medina V 61   N 26
Casas de Millán CC 55   M 11
Casas de Miravete CC 56   M 12
Casas de Moya V 61   N 25
Casas de Orán AB 72   P 24
Casas de Penen V 73   N 26
Casas de Pradas V 61   N 25
Casas de Reina BA 79   R 12
Casas de Roldán CU......... 72   O 22
Casas de San Galindo GU 46   J 21
Casas de Santa Cruz CU.. 72   N 24
Casas de Soto V 73   O 26
Casas de Ves AB 73   O 25
Casas de Villalobillos CO.. 81   S 15
Casas de Villava Perea CU59   M 21
Casas del Campillo AB 73   P 26
Casas del Castañar CC ... 56   L 12
Casas del Cerro AB 73   O 25
Casas del Collado AB........ 84   Q 23
Casas del Conde (Las) SA 43   K 11
Casas del Embalse
de Alarcón CU............... 60   N 23
Casas del Matado AB 72   O 23
Casas del Monte TO 58   M 19
Casas del Monte CR 71   Q 20
Casas del Monte CU 56   L 12
Casas del Olmo CU........... 72   O 24
Casas del Pino AB 84   Q 23
Casas del Puerto TE......... 72   P 23
Casas del Puerto MU........ 85   Q 26
Casas del Puerto AV 44   K 14
Casas del Rey V 61   N 25
Casas del Río V 73   O 26
Casas El Pozo TE 61   M 27
Casas Ibáñez AB 73   O 25
Casas Nuevas CU............. 61   L 25
Casas Nuevas
cerca de Librilla MU.. 85   S 25
Casas Viejas
cerca de Lorca MU.... 84   S 24
Casas Viejas AB 72   P 24
Casasana GU 47   K 22
Casasbuenas TO 58   M 17
Casaseca de Campeán ZA29   H 12
Casaseca
de las Chanas ZA...... 29   H 12
Casasimarro CU 72   N 23
Casasnovas HU 36   G 30
Casasoá OR...................... 13   F 6
Casasola AV 44   J 15
Casasola (Embalse) MA.. 100   V 16
Casasola de Arión VA....... 30   H 14
Casasuertes LE 6   C 15
Casatejada CC 56   M 12
Casavegas P 7   C 16
Casavieja AV 57   L 15
Casbas de Huesca HU...... 21   F 29
Cascaire M 96   T 22
Cascajares MA 100   W 14
Cascajares de Bureba BU. 18   D 20
Cascajares de la Sierra BU32   F 19
Cascajosa SO 33   H 21
Cascante NA 34   G 24
Cascante del Río TE......... 61   L 26
Cascantes LE 16   D 13
Cascón de la Nava P........ 31   F 16
Cáseda NA 20   E 25
Caseiro OR....................... 13   E 5
Caseres T 50   I 30
Caserío de Don Domingo J83   R 22
Caserío de Embid MU....... 60   L 23
Caserío de la Magdalena . 71   P 21
Caserío de Torrubia J....... 82   R 19
Caserío los Molinares TE.. 48   L 25
Caserío San José SG........ 31   H 18
Caserres B........................ 24   F 35
Cases d'Alcanar (Les) T... 50   K 31
Cases de Sitjar CS........... 62   L 29
Cases del Senyor (Les) A. 85   Q 27
Caseta del Frare 50   J 30

Casetas Z......................... 34   G 26
Casica del Madroño AB 72   P 23
Casicas del Río Segura J.. 83   R 22
Casilla de Moya V 61   N 25
Casillas AV 45   L 16
Casillas GU 32   I 21
Casillas (Embalse de) CC. 56   N 12
Casillas (Las) GU 47   J 23
Casillas (Las) H................ 91   U 10
Casillas (Las) J................. 82   T 17
Casillas (Las)
Gran Canaria GC...... 116   C 3
Casillas (Puerto de) 45   K 16
Casillas (Río) 55   N 10
Casillas de Berlanga SO... 33   H 21
Casillas de Coria CC......... 55   M 10
Casillas de Flores SA 42   K 9
Casillas de Marín
de Abajo AB.............. 73   P 26
Casillas de Marín
de Arriba AB.............. 73   P 25
Casillas de Ranera CU...... 61   M 26
Casillas de Velasco CO.... 81   R 16
Casillas del Angel
Fuerteventura GC...... 111   H 3
Casinos V......................... 62   M 27
Casillas (Las) CC.............. 54   N 8
Casitas (Las)
Fuerteventura GC...... 113   G 4
Casla SG.......................... 46   I 19
Caso 6   C 13
Casoio OR........................ 14   E 9
Casomera O...................... 6   C 13
Caspe Z............................ 36   I 29
Caspe (Embalse de) TE.... 50   I 29
Caspe (Sierra de) 36   I 30
Caspueñas GU 46   J 21
Cassà de la Selva GE 25   G 38
Castadón OR.................... 13   E 6
Castala AL........................ 102   V 21
Castalla A......................... 74   Q 27
Castanesa HU 22   E 31
Castanyet GE 25   G 37
Castañar (Convento de El) 58   N 17
Castañar (El) TE 58   N 17
Castañar (Sierra del) 58   N 17
Castañar de Ibor CC 56   N 13
Castañares BU 18   E 19
Castañares de Rioja LO.... 18   E 21
Castañeda S..................... 7   C 18
Castañeda C..................... 3   D 5
Castañedo B..................... 8   B 18
Castaño CO...................... 81   R 15
Castaño (El) CA 99   X 13
Castaño del Robledo H..... 79   S 9
Castaños (Los) AL............ 96   U 23
Castaños
(Puerto de los) CC....... 55   M 10
Castañuelo H.................... 79   S 10
Cástaras GR..................... 102   V 20
Castejón SO..................... 33   G 23
Castejón CU..................... 47   K 22
Castejón NA..................... 20   F 24
Castejón (Montes de) 34   G 26
Castejón (Sierra de) 19   F 21
Castejón de Alarba Z........ 48   I 25
Castejón de Arbaniés HU.. 21   F 29
Castejón de Henares GU... 47   J 21
Castejón de las Armas Z... 34   I 24
Castejón de Monegros HU 35   H 29
Castejón de Sobrarbe HU. 22   E 31
Castejón de Sos HU.......... 22   E 31
Castejón de Tornos Z........ 48   I 25
Castejón de Valdejasa Z... 35   G 27
Castejón del Puente HU.... 36   G 30
Castelflorite HU 36   G 29
Castelfrío 49   K 27
Castell (Cap del) 25   F 39
Castell (El) T 50   K 31
Castell (es) PM................. 106   M 42
Castell d'Aro GE............... 25   G 39
Castell de Cabres CS........ 50   K 30
Castell de Castells A......... 74   P 29
Castell de Ferro GR.......... 102   V 19
Castell de Guadalest (El) A74   P 29
Castell de l'Areny B.......... 24   F 35
Castelladral B................... 37   G 35
Castellano V..................... 61   M 27
Castellanos LE 16   E 14
Castellanos CR 71   P 19
Castellanos (Montes) CR.. 71   Q 21
Castellanos de Castro BU. 17   F 17
Castellanos
de Moriscos SA.......... 44   I 13

Castellanos
de Villiquera SA.......... 43   I 12
Castellanos
de Zapardiel AV.......... 44   I 15
Castellar TO..................... 59   L 19
Castellar B........................ 37   G 34
Castellar (El) TE 49   K 27
Castellar (El) CO 94   T 17
Castellar (El) Z.................. 34   G 26
Castellar (Monte) 84   R 24
Castellar
de la Frontera CA........ 99   X 13
Castellar de la Muela GU.. 48   J 24
Castellar de la Ribera L.... 23   F 34
Castellar de N'Hug B......... 24   F 36
Castellar de Santiago CR.. 71   Q 20
Castellar de Santisteban J 83   R 20
Castellar de Tost L............ 23   F 34
Castellar del Riu B............ 23   F 35
Castellar del Vallès B........ 38   H 36
Castellàs 23   F 33
Castellbell B..................... 38   H 35
Castellbisbal B.................. 38   H 35
Castellbó L........................ 23   E 34
Castellcir B....................... 38   G 36
Castellciutat L................... 23   E 34
Castelldans L.................... 36   H 32
Castelldefels B.................. 38   I 35
Castellet B........................ 38   I 35
Castellfollit de la Roca GE. 24   F 37
Castellfollit de Riubregós B37   G 34
Castellfollit del Boix B....... 37   G 35
Castellfort CS................... 49   K 29
Castellgalí B..................... 38   G 35
Castellnou de Bages B...... 38   G 35
Castellnou de Montsec L... 22   F 32
Castellnou de Seana L...... 37   H 32
Castellnovo CS................. 62   M 28
Castelló d'Empúries GE.... 25   F 39
Castelló de Farfanya L...... 36   G 32
Castelló de la Plana /
Castellón de la Plana CS62   M 29
Castelló de la Ribera V...... 74   O 28
Castelló de Rugat V.......... 74   P 28
Castelloli B....................... 37   H 35
Castellón de la Plana /
Castelló de la Plana CS. 62   M 29
Castellote TE.................... 49   J 29
Castells L......................... 23   F 33
Castellserà L.................... 37   G 32
Castelltallat (Serra de) 37   G 34
Castellterçol B.................. 38   G 36
Castellvell B..................... 37   I 33
Castellví de la Marca B..... 37   H 34
Castellví de Rosanes B..... 38   H 35
Castelnóu L...................... 35   I 28
Castelo cerca de Cervo LU..4   B 7
Castelo cerca de
Taboada LU................ 13   D 6
Castelserás TE.................. 49   J 29
Castelvispal B................... 62   L 28
Castielfabib V................... 61   L 26
Castiello de Jaca HU........ 21   E 28
Castigaleu HU 22   F 31
Castil de Campos CO........ 94   T 17
Castil de Carrias BU......... 18   E 20
Castil de Lences BU.......... 18   E 19
Castil de Peones BU......... 18   E 19
Castil de Tierra SO........... 33   H 23
Castil de Vela V................ 30   G 15
Castilblanco BA................ 69   O 14
Castilblanco
de los Arroyos SE....... 79   S 12
Castildelgado BU.............. 18   E 20
Castilfalé LE..................... 16   F 13
Castilforte GU 47   K 22
Castilfrío de la Sierra SO.. 33   G 23
Castiliscar Z..................... 20   E 26
Castilla (Canal de) VA....... 31   G 15
Castilla (Mar de) 47   K 21
Castillazuelo HU 22   F 30
Castilleja de la Cuesta SE. 91   T 11
Castilleja del Campo SE.... 91   T 11
Castilléjar GR................... 83   S 22
Castillejo M...................... 58   M 18
Castillejo-Añover
(Estación de) 58   M 18
Castillejo de Azaba SA..... 42   K 9
Castillejo
de Dos Casas SA........ 42   J 9
Castillejo de Iniesta CU.... 60   N 24
Castillejo
de Martín Viejo SA...... 42   J 10
Castillejo de Mesleón SG.. 32   I 19
Castillejo de Robledo SO.. 32   H 19
Castillejo de San Pedro SO33   G 23

Castillejo del Romeral CU. 60   L 22
Castillejo Sierra CU.......... 47   K 23
Castillejos MA.................. 100   W 15
Castillo cerca de
Garbayuela BA........... 69   O 15
Castillo (Embalse de) 29   H 11
Castillo CC....................... 43   K 10
Castillo (Cueva del) 7   C 18
Castillo (Puerto del) 94   T 18
Castillo Albarráñez CU..... 60   L 22
Castillo de Alba (El) ZA..... 29   H 11
Castillo de Bayuela TO..... 57   L 15
Castillo de Calatrava la Nueva
(Convento) CR............ 70   P 18
Castillo de Don Juan A..... 85   S 27
Castillo de Escalona TO.... 57   L 16
Castillo de Garcimuñoz CU60   N 22
Castillo
de Huarea (El) GR...... 102   V 20
Castillo de la Mezquita HU 21   F 28
Castillo
de la Zuda (Parador) T.. 50   J 31
Castillo de Laguarrés
(Sierra del) 22   F 31
Castillo
de las Guardas (El) SE. 79   S 11
Castillo de Leres HU......... 21   E 28
Castillo de Locubín J........ 94   T 18
Castillo de Tajarja GR....... 94   U 18
Castillo de Tajo M............. 59   L 20
Castillo de Villamalefa CS. 62   L 28
Castillo del Plá T............... 22   F 31
Castillo del Romeral
Gran Canaria GC........ 117   F 4
Castillo-Nuevo NA............ 11   D 26
Castillo-Pedroso S............ 7   C 18
Castillón LU...................... 13   E 7
Castilnroy HU................... 36   G 31
Castilmimbre AB............... 47   J 21
Castilnuevo GU 48   J 24
Castilruíz SO.................... 33   G 23
Castilsabás HU 21   F 29
Castilseco LO................... 18   E 21
Castiltierra SG.................. 32   H 19
Castiñeira O...................... 14   F 8
Castiñeiras C.................... 12   E 3
Castiñeiros LU.................. 3   B 6
Castralvo TE..................... 61   L 26
Castraz SA....................... 43   J 10
Castrecías BU 17   D 17
Castrejón TO..................... 57   M 16
Castrejón (Embalse de) TO58   M 17
Castrejón de la Peña P...... 7   C 16
Castrelo (Estación de) OR 14   F 8
Castrelo de Abajo OR....... 28   G 8
Castrelo de Miño OR......... 13   F 5
Castrelo do Val OR........... 28   G 7
Castrelos PO.................... 12   F 3
Castrelos Z....................... 28   G 9
Castril GR......................... 83   S 21
Castril (Sierra de) 83   S 21
Castrillo BU....................... 32   G 19
Castrillo S......................... 17   D 17
Castrillo de Cabrera LE..... 15   E 10
Castrillo de Cepeda LE...... 15   E 11
Castrillo de Don Juan P..... 31   G 17
Castrillo de Duero VA........ 31   H 17
Castrillo de la Guareña ZA 30   I 14
Castrillo de la Reina BU.... 32   G 20
Castrillo de la Ribera LE.... 16   E 13
Castrillo de la Valduerna LE15   F 11
Castrillo de la Vega BU..... 32   H 18
Castrillo
de los Polvazares LE.... 15   E 11
Castrillo de Matajudíos BU17   F 17
Castrillo de Murcia BU...... 17   E 17
Castrillo de Onielo P......... 31   G 17
Castrillo de Porma LE....... 16   E 13
Castrillo de Riopisuerga BU17   E 17
Castrillo de Rucios BU...... 18   E 18
Castrillo de Sepúlveda SG 31   H 18
Castrillo de Villavega P..... 17   E 16
Castrillo del Haya S.......... 17   D 17
Castrillo del Val BU........... 18   F 19
Castrillo-Tejeriego V......... 31   G 16
Castrillón O....................... 5   B 12
Castrillón O....................... 4   B 9
Castro Carballedo LU....... 13   E 6
Castro cerca de Lugo LU... 4   C 7
Castro Dozón PO.............. 13   E 5
Castro C........................... 3   B 5
Castro OR........................ 13   F 5
Castro Pantón LU............. 13   E 7

Castro O........................... 4   C 9
Castro (El) LE................... 14   D 8
Castro (Embalse de El) TO58   M 18
Castro (Embalse de) 29   H 11
Castro (Río) C.................. 2   C 2
Castro Caldelas OR.......... 14   E 7
Castro de Alcañices ZA..... 29   H 11
Castro de Amarante LU..... 13   D 6
Castro de Filabres AL....... 96   U 22
Castro de Fuentidueña SG 31   H 18
Castro de Ouro LU............ 4   B 7
Castro de Rei LU............... 4   C 7
Castro del Río CO............. 81   S 16
Castro-Urdiales S............. 8   B 20
Castrobarto BU................. 8   C 19
Castrobol VA.................... 16   F 14
Castrocalbón ZA............... 16   F 12
Castrocontrigo LE............ 15   F 11
Castrodeza VA.................. 30   H 15
Castrofuerte LE 16   F 13
Castrogonzalo ZA............. 30   G 13
Castrojeriz BU................... 17   F 17
Castrojimeno SG.............. 31   H 18
Castromaior LU................. 4   C 7
Castromao OR.................. 14   F 8
Castromembibre VA.......... 30   G 14
Castromil ZA..................... 28   F 9
Castromocho P................. 30   G 15
Castromonte VA............... 30   G 14
Castromudarra LE............ 16   E 14
Castrón 29   G 11
Castroncán LU.................. 14   D 7
Castronuevo ZA................ 30   G 13
Castronuevo
de Esgueva VA........... 31   G 16
Castronuño VA.................. 30   H 14
Castropepe ZA.................. 30   G 13
Castropodame LE............. 15   E 10
Castropol O....................... 4   B 8
Castroponce VA................ 16   F 14
Castroquilame LE............. 14   E 9
Castroserna de Abajo SG.. 46   I 18
Castroserracín SG............ 31   H 18
Castrotierra
cerca de la Bañeza LE. 15   F 12
Castrotierra
cerca de Sahagún LE.. 16   E 14
Castrove PO..................... 12   E 3
Castrovega
de Valmadrigal LE....... 16   F 14
Castroverde LU................. 4   C 8
Castroverde
de Campos ZA............ 30   G 14
Castroverde
de Cerrato VA............. 31   G 17
Castrovido BU 32   F 20
Castroviejo LO.................. 19   F 22
Castuera BU..................... 80   P 13
Castuera (Puerto de) BA... 68   O 13
Catadau V......................... 74   O 28
Catalunya (Cap de) 105   M 39
Catarroja V....................... 62   N 28
Cataveral (Embalse de) 79   S 11
Catí CS............................ 50   K 30
Catllar (El) T..................... 37   I 33
Catoira PO........................ 12   E 3
Catoute 15   D 11
Catral A............................ 85   R 27
Cauche (Rio de) MA......... 100   V 16
Caudal (El) SE.................. 92   T 12
Caudé TE......................... 48   K 26
Caudete AB....................... 73   P 27
Caudete de las Fuentes V. 61   N 26
Caudiel CS....................... 62   M 28
Caudilla TO...................... 58   L 17
Cauneda O....................... 5   C 11
Cauro GR......................... 94   T 18
Cautivos (Los) MU............ 84   S 24
Cava L.............................. 23   F 34
Cava (La) T....................... 50   J 32
Cavada (La) S................... 8   B 18
Cavallera (Serra) 24   F 36
Cavalleria (Cap de) PM.... 106   L 42
Cavalls (Serra de) 50   I 31
Cavia BU.......................... 17   F 18
Caxado C.......................... 3   B 6
Cayes O............................ 5   C 11
Cayuela BU....................... 17   F 18
Caza de Sonsaz
(Reserva nacional de) ... 46   I 19
Cazadores
Gran Canaria GC........ 117   E 3
Cazalegas
(Embalse de) TO......... 57   L 15
Cazalilla J......................... 82   S 18

Cazalla de la Sierra SE..... 80   S 12
Cazalla y Constantina
(Estación de) SE.......... 80   S 12
Cazanuecos LE................. 15   F 12
Cazás LU.......................... 3   C 6
Cazo O............................. 6   C 14
Cazorla J.......................... 83   S 21
Cazorla
(Coto nacional de) J..... 83   R 21
Cazorla (Sierra de) J......... 83   R 21
Cazurra ZA....................... 29   H 12
Cea LE.............................. 16   E 14
Cea OR............................ 13   E 6
Cea (Río) 16   F 13
Ceadea ZA....................... 29   G 11
Ceánuri 19   C 22
Cebanico LE..................... 16   D 14
Cebes (Cabo) O................ 4   B 9
Cebolla TO....................... 57   M 16
Cebollar H........................ 90   T 8
Cebollera (Sierra) 33   G 21
Cebolleros BU.................. 18   D 19
Cebrecos BU.................... 32   G 19
Cebreiro OR..................... 27   G 6
Cebreiro (O) LU................ 14   D 8
Cebreros AV..................... 45   K 16
Cebrón O.......................... 80   T 12
Cebrones del Río LE......... 15   F 12
Cecebre C........................ 3   C 5
Ceceda O......................... 6   B 13
Cecos O............................ 4   C 9
Cedeira O.......................... 3   B 5
Cedeira (Monte)
cerca de Laracha 3   C 4
Cedeira (Ría de) C............ 3   A 5
Cedemonio O.................... 4   B 9
Cedena (Río) TO.............. 57   M 16
Cedillo CC....................... 54   N 7
Cedillo (Embalse de) CC... 54   N 8
Cedillo de la Torre SG....... 32   H 19
Cedillo del Condado TO.... 58   L 18
Cedofeita LU.................... 8   B 8
Cedramán CS................... 62   L 28
Cedrillas TE..................... 49   K 27
Cedrón LU........................ 14   D 8
Cedrón (Arroyo) 58   M 19
Cee C............................... 2   D 2
Cefiñas (Las) H................ 78   S 9
Cegoñal LE....................... 16   D 15
Ceguilla SG...................... 45   I 18
Cehegín MU..................... 84   R 24
Ceínos VA........................ 30   F 14
Ceja del Palancar (La) CU 60   L 24
Cejancas S....................... 17   D 18
Cejo H.............................. 91   T 10
Cejo Cortado 85   R 25
Cela cerca de Becerreá LU14   D 9
Cela cerca de Sarria LU.... 14   D 7
Cela L............................... 14   D 9
Cela OR........................... 27   G 5
Celada LE......................... 16   E 11
Celada S........................... 17   D 17
Celada (La) CO................. 93   U 17
Celada de Cea LE............. 16   E 15
Celada de la Torre BU....... 18   E 19
Celada de Roblecedo P..... 17   D 16
Celada del Camino BU...... 17   F 18
Celadas TE....................... 48   K 26
Celadas (Las) BU.............. 17   E 18
Celadilla LE...................... 15   E 12
Celadilla del Río P............ 16   E 15
Celanova O...................... 13   F 6
Celas C............................ 3   C 4
Celemín (Embalse del) 99   X 12
Celia (La) MU................... 85   Q 25
Celis S............................. 7   C 16
Cella TE........................... 48   K 26
Cella (Puerto de) 48   K 26
Celladilla-Sotobrín BU...... 18   E 18
Cellera de Ter (La) GE...... 24   G 38
Cellers L........................... 23   F 32
Cellórigo LO..................... 18   E 20
Celorio O.......................... 6   B 15
Celrà GE........................... 25   F 38
Celtigos LU....................... 14   D 7
Cembranos LE.................. 16   E 13
Cenajo MU....................... 84   Q 24
Cenajo (Embalse del) AB. 84   Q 24
Cenegro SO...................... 32   H 19
Cenes de la Vega GR....... 94   U 19
Cenicero LO..................... 19   E 22
Cenicientos M................... 57   L 16

CIUDAD REAL

Alarcos . . . . **Z**
Alcántara . . . . **Z** 2
Antonio Blázquez . . . . **Z** 3
Azucena . . . . **YZ** 5
Bernardo Mulleras . . . . **Z** 6
Caballeros . . . . **YZ** 8
Calatrava . . . . **YZ**
Camarín . . . . **YZ** 10

Cañas . . . . **YZ** 12
Cardenal Monescillo . . . . **Z** 13
Corazón de María . . . . **YZ** 15
Cruz . . . . **Z** 16
Elisa Cendreros . . . . **Y** 18
General Aguilera . . . . **Z** 21
General Rey . . . . **Z** 23
Infantes . . . . **Y** 24
Inmaculada Concepción . . . . . **Y** 26
Lanza . . . . **Z** 27
Lirio . . . . **YZ** 29

Mayor (Pl.) . . . . **Z**
Norte . . . . **Y** 31
Olivo . . . . **Z** 32
Ramón y Cajal . . . . **Z** 34
Refugio . . . . **YZ** 35
Reyes . . . . **YZ** 37
Rosa . . . . **Y** 38
Sancho Rey
  (Camino) . . . . **Y** 39
Tinte . . . . **Z** 41
Vásquez . . . . **Z** 42

Cernégula *BU* . . . . 18 E 19
Cerollera *TE* . . . . 50 J 29
Cerponzons *PO* . . . . 12 E 4
Cerqueda *C* . . . . 2 C 3
Cerrada *OR* . . . . 13 E 7
Cerrado de Calderon *MA* 100 V 16
Cerradura (La) *J* . . . . 82 S 19
Cerrajos *MU* . . . . 73 Q 25
Cerralba *MA* . . . . 100 V 15
Cerralbo *SA* . . . . 42 J 10
Cerralbos (Los) *TO* . . . . 57 M 16
Cerrata *CR* . . . . 69 P 15
Cerratón de Juarros *BU* . . . 18 E 19
Cerrazo *S* . . . . 7 B 17
Cerredo *O* . . . . 15 D 10
Cerredo (Alto de) *LU* . . . . 4 C 8
Cerredo (Puerto de) *LE* . . . 15 D 10
Cerricos (Los) *AL* . . . . 96 T 23
Cerrillo (El) *J* . . . . 83 S 20
Cerrillo (Punta del)
  Gran Canaria GC . . . . 116 B 4
Cerro *GR* . . . . 95 T 20
Cerro (El) *BU* . . . . 32 G 20
Cerro (El) *TE* . . . . 48 J 26
Cerro (El) *SA* . . . . 43 L 12
Cerro (Monte) . . . . 47 K 22
Cerro Alarcón *M* . . . . 45 K 17
Cerro Alberche *TO* . . . . 57 L 16
Cerro Andévalo
  (Estación de El) . . . . 78 S 9
Cerro de Andévalo (El) *H* . . 78 S 9
Cerro del Hierro *SE* . . . . . . 80 S 13
Cerro Grande *GR* . . . . 95 U 21
Cerro Muriano *CO* . . . . 81 R 15
Cerro Perea *SE* . . . . 93 T 15
Cerroblanco . . . . 72 P 22
Cerrolobo *AB* . . . . 82 P 24
Cerrón *GR* . . . . 102 V 20
Cerroso (Pico) . . . . 16 D 14
Certascan (Pico de) *L* . . . . . 23 D 33
Cervales *CC* . . . . 56 N 14
Cervantes *CR* . . . . 71 Q 19
Cervantes *LU* . . . . 14 D 8
Cervatos *S* . . . . 17 D 17
Cervatos de la Cueza *P* . . . 16 F 15
Cervela *LU* . . . . 14 D 7
Cervelló *B* . . . . 38 H 35
Cervera *L* . . . . 37 G 33
Cervera (La) *TE* . . . . 61 M 27
Cervera (Peñas de) *BU* . . . 32 G 19
Cervera (Rambla de) *CS* . . 50 K 30
Cervera de Buitrago *M* . . . 46 J 19
Cervera de la Cañada *Z* . . . 34 H 24
Cervera de los Montes *TO* 57 L 15
Cervera de Pisuerga *P* . . . 17 D 16
Cervera del Llano *CU* . . . . 60 M 22
Cervera del Maestrat *CS* . . 50 K 30
Cervera del Rincón *TE* . . . 49 J 27
Cervera
  del Río Alhama *LO* . . . . 33 F 24
Cervero *O* . . . . 4 C 9
Cerveruela *Z* . . . . 34 I 26
Cervià *GE* . . . . 25 F 38
Cervià de les Garrigues *L* . 37 H 32
Cervillego de la Cruz *VA* . . 44 I 15
Cerviñuelo
  (Casa Forestal del) *CU* . 47 K 24
Cervo *LU* . . . . 4 A 7
Cérvol (Riu) . . . . 50 K 30
Cesantes *PO* . . . . 12 F 4
César Manrique (Fundación)
  Lanzarote GC . . . . 123 E 4
Céspedes *BU* . . . . 18 D 19
Céspedes *C* . . . . 80 S 14
Cespedosa *SA* . . . . 44 K 13
Cespedosa
  de Agadones *SA* . . . . . . 42 K 10
Cespón *C* . . . . 12 D 3
Cesuras *C* . . . . 3 C 5
Cetina *Z* . . . . 33 I 24
Ceutí *MU* . . . . 85 R 26
Cevico de la Torre *P* . . . . . 31 G 16
Cevico Navero *P* . . . . 31 G 17
Cezeral
  de Peñahorcada *SA* . . . 42 I 10
Cezura *P* . . . . 17 D 17
Chacín *C* . . . . 2 D 3
Chacón *SE* . . . . 80 S 12
Chacona (La) *CA* . . . . 98 W 11
Chacones (Los) *AL* . . . . . . 96 T 23
Chagarcía Medianero *SA* . 44 K 13
Chaguazoso *OR* . . . . 14 F 8
Chaherrero *AV* . . . . 44 J 15
Chalamera *HU* . . . . 36 G 30
Chamartín *AV* . . . . 44 J 15
Chamorga *Tenerife TF* . . . 125 K 1

Chamorro *BA* . . . . 69 O 14
Chan (A) *PO* . . . . 13 E 4
Chana *LE* . . . . 15 E 10
Chanca (La) *BA* . . . . 78 Q 9
Chandávila (Ermita de) *BA* 66 O 8
Chandrexa *OR* . . . . 14 F 7
Chandrexa
  (Embalse de) *OR* . . . . . . 14 F 7
Chano *LE* . . . . 14 D 9
Chantada *LU* . . . . 13 E 6
Chanteiro *C* . . . . 3 B 5
Chanza (Embalse del) *H* . . 78 T 7
Chanza (Rivera de) . . . . 78 S 8
Chanzas (Sierra de) *GR* . . 94 U 17
Chañe *SG* . . . . 31 H 16
Chaorna *SO* . . . . 47 I 23
Chapa *PO* . . . . 13 D 5
Chaparral *GR* . . . . 94 U 19
Chaparral (El) *M* . . . . 46 J 19
Chaparral (El) *CA* . . . . 99 X 12
Chaparral (Sierra del) . . . . . 101 V 18
Chapatales *SE* . . . . 91 U 12
Chapela *PO* . . . . 12 F 3
Chapineria *M* . . . . 45 K 17
Chapiteles (Los) . . . . 17 F 17
Charca (La) *TO* . . . . 70 O 18
Charches *GR* . . . . 95 U 21
Charco (El) *La Palma TF* . 132 C 6
Charco de los Hurones *CA* 99 W 13
Charco del Pino *T*
  enerife TF . . . . 128 E 5
Charco Redondo o Palmones
  (Embalse de) . . . . 99 X 13
Charcofrio *SE* . . . . 91 T 10
Charilla *J* . . . . 94 T 18
Charpona *TO* . . . . 57 L 16
Chatún *SG* . . . . 31 I 16
Chauchina *GR* . . . . 94 U 18
Chavaga *LU* . . . . 14 E 7
Chavaler *SO* . . . . 33 G 22
Chave *LU* . . . . 13 D 7
Chavín *LU* . . . . 4 B 7
Chayofa *Tenerife TF* . . . . 128 D 5
Checa *GU* . . . . 48 K 24
Cheles *BA* . . . . 66 Q 8
Chella *V* . . . . 74 O 28
Chelva *V* . . . . 61 M 27
Chenlo *PO* . . . . 12 F 3
Chequilla *GU* . . . . 48 K 24
Chera *GU* . . . . 48 J 24
Chera *V* . . . . 61 N 27
Cherbo *AL* . . . . 96 U 24
Chércoles *SO* . . . . 33 H 23
Chercos *AL* . . . . 96 U 23
Chercos Viejo *AL* . . . . 96 U 23
Cherin *GR* . . . . 102 V 20
Cheste *V* . . . . 62 N 27
Chía *HU* . . . . 22 E 31
Chica (Laguna) . . . . 59 N 20
Chica Carlota (La) *CO* . . . 81 S 15
Chícamo *MU* . . . . 85 R 26
Chiclana
  de la Frontera *CA* . . . . . 98 W 11
Chiclana de Segura *J* . . . . 83 R 20
Chiguergue *Tenerife TF* . 128 C 4
Chilches *MA* . . . . 101 V 17
Chilches / Xilxes *CS* . . . . . 62 M 29
Chilladeras (Las) *H* . . . . . . 78 T 9
Chillarón de Cuenca *CU* . . 60 L 23
Chillarón del Rey *GU* . . . . 47 K 21
Chillizarrias . . . . 18 F 21
Chillón *CR* . . . . 69 P 15
Chilluevar *J* . . . . 83 R 20
Chiloeches *GU* . . . . 46 K 20
Chimenea
  (Sierra de) *BA* . . . . 68 O 14
Chimenea (Sierra de) . . . . . 100 V 16
Chimeneas *GR* . . . . 94 U 18
Chimeneas (Las) *CR* . . . . . 71 O 20
Chimiche *Tenerife TF* . . . 129 F 5
Chimillas *HU* . . . . 21 F 28
Chimorra *CO* . . . . 81 R 15
Chimparra *C* . . . . 3 A 5
Chinar *AB* . . . . 73 P 26
Chinas (Las) *H* . . . . 79 S 9
Chinchilla
  de Monte Aragón *AB* . . 72 P 24
Chinchón *M* . . . . 59 L 19
Chiniana *A* . . . . 85 Q 27
Chinorlet *A* . . . . 85 Q 27
Chio *Tenerife TF* . . . . 128 C 4
Chipeque *Tenerife TF* . . . 127 G 3
Chipiona *Tenerife* . . . . 91 V 10
Chiprana *Z* . . . . 35 I 29
Chipude *La Gomera TF* . . 118 B 2
Chiquero (El) *CR* . . . . 69 O 16

Cenizas *MU* . . . . 97 T 27
Cenizate *AB* . . . . 73 O 25
Cenlle *OR* . . . . 13 E 5
Cenobio de Valerón
  Gran Canaria GC . . . . . 114 D 1
Centcelles
  (Mausoleu de) *T* . . . . . . 37 I 33
Centelles *B* . . . . 38 G 36
Centenales *O* . . . . 4 C 9
Centenera *HU* . . . . 22 F 31
Centenera *GU* . . . . 46 K 20
Centenera de Andaluz *SO* 33 H 21
Centenera del Campo *SO* 33 H 22
Centenero *HU* . . . . 21 E 28
Centenillo (El) *J* . . . . 82 Q 18
Centinela (Mirador de la)
  Tenerife TF . . . . 128 E 5
Cepeda *PO* . . . . 12 F 4
Cepeda *SA* . . . . 43 K 11
Cepeda la Mora *AV* . . . . . 44 K 14

Cepero (El) *CR* . . . . 70 O 17
Cepillo (El) *AB* . . . . 71 P 22
Cequeril *PO* . . . . 12 E 4
Cera *O* . . . . 5 C 10
Cerbi *L* . . . . 23 E 33
Cerbón *SO* . . . . 33 G 23
Cerca (La) *Monte* . . . . 18 F 19
Cerca (La) *BU* . . . . 18 D 19
Cercadillo *GU* . . . . 47 I 21
Cercada *Antemil C* . . . . 3 C 4
Cerceda *M* . . . . 45 J 18
Cerceda *C* . . . . 3 D 5
Cerceda (Estación de) *C* . . 3 C 4
Cercedilla *M* . . . . 45 J 17
Cercio *PO* . . . . 13 D 5
Cercs *B* . . . . 24 F 35
Cerdà *V* . . . . 74 P 28
Cerdanya
  (Reserva nacional de) *L* 23 E 34
Cerdanyola *B* . . . . 38 H 36

Cerdedelo *OR* . . . . 14 F 7
Cerdedo *PO* . . . . 13 E 4
Cerdeira *C* . . . . 2 C 4
Cerdeira *OR* . . . . 13 F 6
Cerdeira (Puerto de) *OR* . 14 E 8
Cerdido *C* . . . . 3 B 6
Cerdido (Estación de) *C* . . 3 B 6
Cerdigo *S* . . . . 8 B 20
Cereceda *BU* . . . . 18 D 19
Cereceda *S* . . . . 8 C 19
Cereceda *O* . . . . 6 B 14
Cereceda *GU* . . . . 47 K 22
Cereceda de la Sierra *SA* 43 K 11
Cerecedo *LE* . . . . 16 D 14
Cerecinos de Campos *ZA* 30 G 13
Cerecinos del Carrizal *ZA* 29 G 13
Cereixal *LU* . . . . 14 D 8
Cereixedo *LU* . . . . 14 D 9
Cerengo . . . . 14 E 8
Cereo *C* . . . . 2 C 3

Cerésola *HU* . . . . 21 E 29
Cerezal de Alba *ZA* . . . . . 29 H 11
Cerezales
  del Condado *LE* . . . . 16 D 13
Cerezo *CC* . . . . 55 L 11
Cerezo (Monte) . . . . 84 R 23
Cerezo (Sierra del) . . . . 84 R 24
Cerezo de Abajo *SG* . . . . 46 I 19
Cerezo de Arriba *SG* . . . . 32 I 19
Cerezo
  de Mohernando *GU* . . . 46 J 20
Cerezo de Riotirón *BU* . . . 18 E 20
Cerezos (Los) *TE* . . . . 61 L 27
Cerillar (El) *CA* . . . . 92 V 13
Cerler *HU* . . . . 22 E 31
Cerler (Pico de) *HU* . . . . . 22 E 31
Cermoño *O* . . . . 5 B 11
Cernadilla *ZA* . . . . 29 F 10
Cernadilla
  (Embalse de) *ZA* . . . . . . 29 G 10

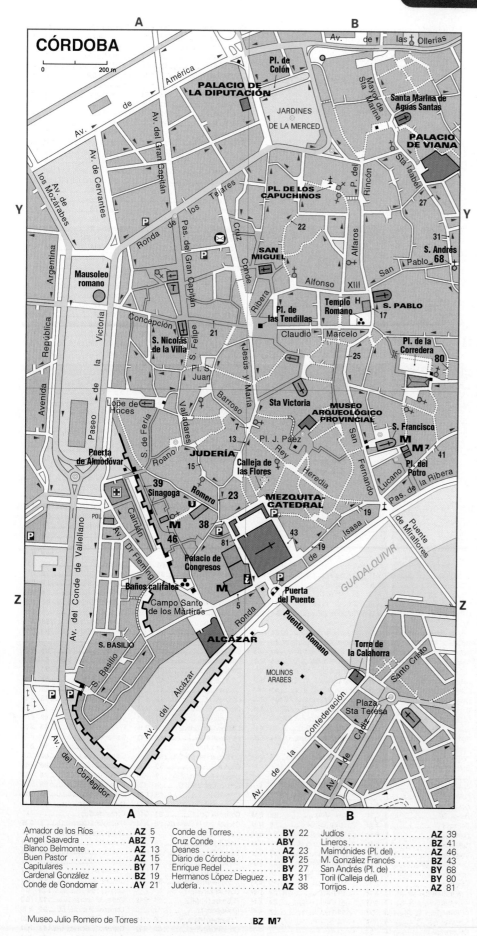

CÓRDOBA

0 — 200 m

Av. de las Ollerías

Pl. de Colón

PALACIO DE LA DIPUTACIÓN

JARDINES DE LA MERCED

Santa Marina de Aguas Santas

PALACIO DE VIANA

PL. DE LOS CAPUCHINOS

SAN MIGUEL

S. Andrés

S. PABLO

Templo Romano

Pl. de las Tendillas

Pl. de la Corredera

Mausoleo romano

S. Nicolás de la Villa

Sta Victoria

MUSEO ARQUEOLÓGICO PROVINCIAL

S. Francisco

Pl. del Potro

Lope de Hoces

JUDERÍA

Calleja de las Flores

Puerta de Almodóvar

Sinagoga

Romero

MEZQUITA-CATEDRAL

Palacio de Congresos

Baños califales

Campo Santo de los Mártires

Puerta del Puente

Puente de Miraflores

GUADALQUIVIR

Puente Romano

Torre de la Calahorra

S. BASILIO

ALCÁZAR

MOLINOS ARABES

Plaza Sta Teresa

Amador de los Ríos .... **AZ** 5
Ángel Saavedra .... **ABZ** 7
Blanco Belmonte .... **AZ** 13
Buen Pastor .... **AZ** 15
Capitulares .... **BY** 17
Cardenal González .... **BZ** 19
Conde de Gondomar .... **AY** 21

Conde de Torres .... **BY** 22
Cruz Conde .... **ABY**
Deanes .... **AZ** 23
Diario de Córdoba .... **BY** 25
Enrique Redel .... **BY** 27
Hermanos López Dieguez ... **BY** 31
Judería .... **AZ** 38

Judíos .... **AZ** 39
Lineros .... **BZ** 41
Maimónides (Pl. del) ..... **AZ** 46
M. González Francés ...... **BZ** 43
San Andrés (Pl. de) ...... **BY** 68
Toril (Calleja del) ...... **BY** 80
Torrijos .... **AZ** 81

Museo Julio Romero de Torres .... **BZ** **M⁷**

Chira (Embalse de)
Gran Canaria *GC* ... **114** D 3
Chirán .... **102** V 21
Chirigota (La) *CA* .. **92** V 12
Chirivel *AL* .... **96** T 23
Chirivel (Rambla de) *AL* .. **96** T 23
Chirlateira (Punta) *C* ... **3** B 5
Chispones (Los) *AL* . **95** U 21
Chite *GR* .... **101** V 19
Chiva *V* .... **62** N 27
Chive (El) *AL* ...... **96** U 23
Chodes *Z* .... **34** H 25
Chopillo (El) *MU* ... **84** R 24
Chorillo (El) *CS* ... **62** L 28
Chorito (Sierra del) . **69** N 16
Chorlo *BA* .... **67** O 9
Chorrera (Embalse de la) . **47** K 24
Chorreras *CR* .... **69** Q 16
Chorro (El) *J* ...... **83** S 20
Chorro (El) *MA* ..... **100** V 15
Chorro
(Garganta del) *MA* . **100** V 15
Chortal (Sierra del) . **72** P 24
Chospes (Los) *AB* ... **72** P 22
Chóvar *CS* .... **62** M 29
Chozas (Lomo de las)
La Palma *TF* ...... **130** C 4
Chozas de Abajo *LE* . **15** E 12
Chozas de Canales *TO* . **58** L 17
Chucena *H* .... **91** T 10
Chucho Alto .... **20** E 25
Chuchurumbache *T*
enerife *TF* .... **129** F 5
Chueca *TO* .... **58** M 18
Chulilla *V* .... **61** N 27
Chulilla (Baños de) *V* . **61** N 27
Chullera (Punta de la) *CA* . **99** X 14
Chullo *GR* .... **95** U 20
Chumillas *CU* .... **60** M 23
Churriana *MA* .... **100** V 16
Churriana de la Vega *GR* . **94** U 19
Ciadoncha *BU* .... **17** F 18
Ciaño *O* .... **6** C 12
Ciaurriz *NA* .... **11** D 25
Cibanal *ZA* .... **29** I 11
Cibea *O* .... **5** C 10
Cibuyo *O* .... **5** C 10
Cicero *S* .... **8** B 19
Cicujano *VI* .... **19** D 22
Cidacos (Río) .... **19** F 23
Cidad de Ebro *BU* ... **18** D 18
Cidad de Valdeporres *BU* . **18** C 18
Cidones *SO* .... **33** G 22
Cielo *MA* .... **101** V 18
Ciempozuelos *M* ..... **58** L 19
Cierva (Embalse de la) . **85** R 25
Cierva (La) *CU* ..... **60** L 24
Cierva (La) *SE* ..... **92** T 12
Cíes (Islas) *PO* .... **12** F 3
Cieza *MU* .... **85** R 25
Cieza *BI* .... **7** C 17
Cifuentes *LE* .... **16** E 14
Cifuentes *GU* .... **47** J 22
Cigales *VA* .... **31** G 15
Cigudosa *SO* .... **33** G 23
Cigüela .... **70** O 19
Cigüenza *BU* .... **18** D 19
Ciguñuela *VA* .... **30** H 15
Cihuela *SO* .... **33** H 24
Cijara *BA* .... **69** O 14
Cijara *CC* .... **57** N 14
Cijara (Embalse de) *CC* . **69** N 15
Cijara (Reserva
nacional de) *BA* .. **69** O 15
Cijuela *GR* .... **94** U 18
Cildoz *NA* .... **11** D 24
Cillamayor *P* .... **17** D 17
Cillán *AV* .... **44** J 15
Cillaperlata *BU* .... **18** D 19
Cillas *GU* .... **48** J 24
Cillero *S* .... **7** C 18
Cilleros *CC* .... **55** L 9
Cilleros de la Bastida *SA* . **43** K 11
Cilleros el Hondo *SA* . **43** J 12
Cilleruelo *AB* ...... **72** P 22
Cilleruelo de Abajo *BU* . **31** G 18
Cilleruelo de Arriba *BU* . **32** G 19
Cilleruelo de Bezana *BU* . **17** D 18
Cilleruelo
de San Mamés *SG* .. **32** H 19
Cillorigo-Castro ..... **7** C 16
Cima da Vila *LU* .... **3** C 6
Cimada (La) *MA* ..... **92** V 14
Cimanes de la Vega *LE* . **16** F 13
Cimanes del Tejar *LE* . **15** E 12

Cimballa *Z* .... **48** I 24
Cimbre *MU* .... **96** T 24
Cinca (Canal del) *HU* . **21** F 28
Cinca (Río) *HU* ..... **22** E 30
Cinco (Acequia de las) . **20** F 25
Cinco Casas *CR* ..... **71** O 20
Cinco Casas
(Colonia de) *TO* .. **70** O 19
Cinco Esquinas
(Castillo) *J* ..... **83** S 20
Cinco Lindes *AB* .... **79** R 9
Cinco Olivas *Z* ..... **35** H 28
Cinco Villas *M* ..... **46** J 19
Cinco Villas (Las) *Z* . **20** F 26
Cincovillas *GU* ..... **47** I 21
Cinctorres *CS* ...... **49** K 29
Cinqueta .... **22** E 31
Cintruénigo *NA* ..... **20** F 24
Ciñera *LE* .... **16** D 13
Cional *ZA* .... **29** G 10
Cipérez *SA* .... **43** J 11
Cirat *CS* .... **62** L 28
Ciraugui *NA* .... **10** D 24
Cirbanal .... **15** D 12
Circos (Reserva
nacional de los) *HU* . **22** D 30
Cirera *L* .... **23** F 34
Ciria *SO* .... **33** H 24
Cirio *LU* .... **4** C 7
Ciriza *NA* .... **10** D 24
Ciruela *SO* .... **33** H 21
Ciruela *CR* .... **70** P 18
Ciruelas *GU* .... **46** J 20
Ciruelos *SG* .... **32** H 18
Ciruelos *TO* .... **58** M 19
Ciruelos de Cervera *BU* . **32** G 19
Ciruelos de Coca *SG* . **31** I 16
Ciruelos del Pinar *GU* . **47** I 23
Cirueña *LO* .... **18** E 21
Cirueña *J* .... **82** S 19
Cirugeda *TE* .... **49** J 27
Cirujales *LE* .... **15** D 11
Ciscar *HU* .... **22** F 31
Cisla *AV* .... **44** J 14
Cisneros *P* .... **16** F 15
Cistella *GE* .... **25** F 38
Cistérniga *VA* ...... **31** H 15
Cistierna *LE* .... **16** D 14
Citolero (El) *CR* ... **70** O 17
Citores *BU* .... **17** E 18
Ciudad *OR* .... **13** E 5
Ciudad Celtibera (Ruinas) . **35** H 27
Ciudad de Osma *SO* .. **32** H 20
Ciudad Ducal *AV* .... **45** K 16
Ciudad Encantada(La) *CU* . **60** L 23
Ciudad Real *CR* ..... **70** P 18
Ciudad Rodrigo *SA* .. **42** K 10
Ciudadeja (Ribera de) *SE* . **80** S 13
Ciudalcampo *M* ...... **46** K 19
Ciutadella
de Menorca *PM* .... **106** M 41
Ciutadilla *L* .... **37** H 33
Cívica *GU* .... **47** J 21
Civís *L* .... **23** E 34
Clamor (Barranco de la) . **22** F 30
Clamor de Almacelles . **36** G 31
Clamor Vieja (La) .... **36** G 30
Claras *AB* .... **84** R 23
Claravalls *HU* ...... **22** F 32
Claravalls *L* .... **37** G 33
Clares *GU* .... **47** I 23
Clarés de Ribota *Z* . **34** H 24
Clariana *L* .... **37** G 34
Clariana *B* .... **37** H 34
Clariano (Riu) .... **74** P 28
Claveles (Los) *SE* .. **92** T 12
Clavería *CC* .... **54** N 8
Claverol *L* .... **23** F 32
Clavijo *LO* .... **19** E 22
Clavín (El) *GU* ..... **46** K 20
Clavín (Puerto del) *CC* . **67** O 10
Cloterons (Els) ...... **23** F 34
Clotes (Les) .... **50** J 30
Clunia *BU* .... **32** G 19
Coalla *O* .... **5** B 11
Coaña *O* .... **4** B 9
Coba *LU* .... **3** C 6
Coba *OR* .... **14** F 6
Coba da Serpe (Sierra de) . **3** C 6
Coballes *O* .... **6** C 13
Cobas *OR* .... **13** E 6
Cobatillas *TE* ...... **49** J 27
Cobatillas *AB* ...... **84** Q 24
Cobatillas (Las) *AL* . **84** S 23
Cobatillas (Las) *CA* . **99** W 12
Cóbdar *AL* .... **96** U 23

A CORUÑA

Cantón Grande	AZ	7
Cantón Pequeño	AZ	8
Compostela	AZ	13
Damas	BY	14
Ferrol	AZ	18
Finisterre (Av. de)	AZ	19
Gómez Zamalloa	AZ	20
Herrerías	BY	23
Juana de Vega (Av.)	AZ	26
Juan Canalejo	AY	25
Maestranza	BY	27
María Pita (Pl. de)	BY	28
Padre Feijóo	AZ	32
Payo Gómez	AZ	36
Picavia	AZ	37
Pontevedra (Pl. de)	AZ	40
Real	AY	
Riego del Agua	BY	42
Rubine (Av. de)	AZ	45
Sánchez Bregua	AZ	50
Santa Catalina	AZ	52
Santa María	BY	51
San Agustín	BY	46
San Agustín (Cuesta de)	BY	47
San Andrés	AYZ	
Teresa Herrera	AZ	55

Cobeja *TO*	58	L 18
Cobeña *M*	46	K 19
Cobertelada *SO*	33	H 22
Cobeta *GU*	47	J 23
Cobica (Rivera de la)	78	T 8
Cobisa *TO*	58	M 17
Cobos de Cerrato *P*	31	F 17
Cobos de Fuentidueña *SG*	31	H 18
Cobos de Segovia *SG*	45	J 16
Cóbreces *S*	7	B 17
Cobreros *ZA*	14	F 9
Cobres *PO*	12	F 4
Cobres (San Adrián de) *PO*	12	F 4
Cobujón (El) *H*	90	T 9
Coca *SG*	31	I 16
Coca de Alba *SA*	44	J 13
Cocentaina *A*	74	P 28
Cocoll *A*	74	P 29
Cocón (El) *AL*	96	T 24
Cocosa (La) *BA*	66	P 9
Coculina *BU*	17	E 18
Codes *GU*	47	I 23
Codesal *ZA*	29	G 10
Codeseda *PO*	13	E 4
Codeso *C*	13	D 4
Codo *Z*	35	H 27
Codolar (Punta)	106	L 42
Codoñera (La) *TE*	50	J 29
Codornillos *LE*	16	E 14
Codorniz *SG*	45	I 16
Codos *Z*	34	I 25
Codosera (La) *BA*	66	O 8
Coedo *OR*	13	F 6
Coelleira (Isla) *LU*	4	A 7
Coeo *LU*	4	D 7
Coeses *LU*	4	D 7
Cofete *Fuerteventura GC*	112	C 5
Cofiñal *LE*	6	C 14
Cofita *HU*	36	G 30
Cofrentes *V*	73	O 26
Cofrentes (Embalse de) *AB*	73	O 26
Cogeces de Iscar *VA*	31	H 16
Cogeces del Monte *VA*	31	H 17
Cogollor *GU*	47	J 21
Cogollos *BU*	18	F 18
Cogollos (Río)	17	F 18
Cogollos (Sierra de) *GR*	94	U 19
Cogollos de Guadix *GR*	95	U 20
Cogollos Vega *GR*	94	U 19
Cogolludo *GU*	46	J 20
Cogorderos *LE*	15	E 11
Cogul (El) *L*	36	H 32
Cogullada (La) *V*	74	O 28
Cogulló	37	H 33
Coín *MA*	100	W 15
Coirós *C*	3	C 5
Coiro *PO*	12	F 3
Coitelada (Punta) *C*	3	B 5
Cojáyar *GR*	102	V 20
Cójbar *BU*	18	F 19
Colativí *A*	103	V 23
Cólera *GE*	25	E 39
Cólera (La)	99	W 13
Colgada (Laguna de la) *AB*	71	P 21
Colgadizos *ESP*	46	I 19
Colilla (La) *AV*	44	K 15
Colinas *SE*	91	U 11
Colinas (Las) *M*	58	L 18
Colinas de Trasmonte *ZA*	29	F 12
Colindres *S*	8	B 19
Colio *S*	7	C 16
Coll d'en Rabassa (es) *PM*	104	N 38
Colla de Nargó *L*	23	F 33
Collada (La) *O*	6	B 13
Colladico (El) *TE*	48	I 26
Collado *S*	7	C 17
Collado *CC*	56	L 12
Collado (El) *SO*	33	G 23
Collado (El) *AB*	84	R 22
Collado (El) *V*	61	M 26
Collado de Contreras *AV*	44	J 15
Collado de las Carrascas *AB*	84	Q 22
Collado del Mirón *AV*	44	K 13
Collado Hermoso *SG*	45	I 18
Collado Mediano *M*	45	J 17
Collado Royo y Poviles *TE*	62	L 27
Collado Villalba *M*	45	K 18
Colladona (La) *O*	6	C 13
Collados *TE*	48	J 26
Collados *CU*	60	L 23
Collados (Los) *AB*	84	Q 23
Collarada (Hu)	21	D 28
Collbató *B*	38	H 35
Colldejou *T*	51	I 32
Colldelrat *L*	37	G 33
Collegats (Congost de) *L*	23	F 33
Collera *O*	6	B 14
Collformic *B*	38	G 37
Collfred *L*	37	G 33
Collía *O*	6	B 14
Cólliga *CU*	60	L 23
Colliguilla *CU*	60	L 23
Colloto *O*	5	B 12
Collsuspina *B*	38	G 36
Colmenar *MA*	100	V 17
Colmenar (El) *MA*	99	W 13
Colmenar de la Sierra *GU*	46	I 19
Colmenar de Montemayor *SA*	43	K 12
Colmenar de Oreja *M*	59	L 19
Colmenar del Arroyo *M*	45	K 17
Colmenar Viejo *M*	46	K 18
Colmenarejo *M*	45	K 17
Colmenares *P*	17	D 16
Colodro *J*	82	R 17
Colom (Illa)	106	M 42
Colombres *O*	7	B 16
Colomer (Mirador des)	105	M 39
Colomera *V*	94	T 18
Colomera (Embalse de) *GR*	94	T 18
Colomers *GE*	25	F 38
Colón (Monumento a) *H*	90	U 9
Colonia (La) *MU*	85	R 25
Colonia Cinto de los Abates *V*	73	N 27
Colonia de la Estación *A*	42	V 9
Colònia de Sant Jordi *PM*	105	O 38
Colònia de Sant Pere *PM*	105	M 39
Colonia de Santa Ana *MA*	93	U 15
Colonia Iberia *TO*	58	M 18
Colónia Rosal	24	F 35
Colonia Santa Eulalia (La) *A*	73	Q 27
Coloradas (Las) *Lanzarote GC*	122	B 5
Coloradas (Punta de las) *Gran Canaria GC*	115	E 1
Colorado *MU*	96	T 24
Colorado *BA*	68	P 13
Colorado (El) *CA*	98	W 11
Colorado (Monte) *CO*	81	R 16
Colorado (Monte) *MA*	92	V 14
Colsa *S*	7	C 17
Columbrets (Els) *CS*	63	M 32
Columbrianos *LE*	15	E 10
Colunga *O*	6	B 14
Colungo *HU*	22	F 30
Coma (La) *L*	24	F 35
Coma (La) *Castelló CS*	62	L 29
Coma (Sa) *PM*	105	N 40
Coma-ruga *T*	37	I 34
Comabona	23	F 35
Comaloforno (Pic de) *L*	22	E 32
Comanegra	24	F 37
Comares *MA*	101	V 17
Combarro *PO*	12	E 3
Combarros *LE*	15	E 11
Comendador (El) *V*	74	P 27
Comillas *S*	7	B 17
Comiols (Coll de) *L*	23	F 33
Compañía (La) *SE*	91	U 11
Comparada *C*	12	D 3
Cómpeta *MA*	101	V 18
Compuerto (Embalse de) *P*	16	D 15
Comtat de Sant Jordi *GE*	25	G 39
Con *O*	6	C 14
Concabella *L*	37	G 33
Concejera	31	F 17
Concepción (Embalse de la)	100	W 15
Concepción (Ermita de la) *GU*	48	J 24
Concepción (Finca de la) *MA*	100	V 16
Concepción (La) *SO*	33	H 22
Concepción (La) *CO*	94	T 17
Concepción (La) *AL*	96	U 24
Concepción (Mirador de la) *La Palma TF*	131	D 4
Concha *BI*	8	C 19
Concha *GU*	47	I 24
Concha (La) cerca de San Roque de Riomeira *S*	8	C 18
Cónchar *GR*	101	V 19
Conchas (Embalse de las) *OR*	27	G 6
Conchel *HU*	36	G 30
Concilio *Z*	21	F 27
Concud *TE*	48	K 26
Condado *BU*	18	D 19
Condado (El) *O*	6	C 13
Condado de Castilnovo *SG*	32	I 18
Conde (Casas del) *AB*	73	O 26
Conde (Sierra de) *BA*	67	P 11
Conde de Gondomar (Parador) Baiona *PO*	12	F 3
Conde de Guadalhorce (Embalse del)	100	V 15
Conde de Guadiana *J*	83	S 20
Condemios de Abajo *GU*	46	I 20
Condemios de Arriba *GU*	46	I 20
Condes de Alba y Aliste (Parador) *ZA*	29	H 12
Condesa (La) *J*	82	R 18
Conejera *SA*	42	K 10
Conejera (Illa) Mallorca *PM*	105	O 38
Conejeros *TO*	57	L 16
Conejeros (Puerto de los) *BA*	67	O 9
Conejo (El) *GR*	95	T 20
Conesa *T*	37	H 33
Confital (Punta del) Gran Canaria *GC*	115	F 1
Conforto *LU*	4	B 8
Confrentes	78	Q 9
Confrides *A*	74	P 29
Congost (El)	38	G 36
Congosta *ZA*	15	F 11
Congosto *BU*	17	E 17
Congosto *LE*	15	E 10
Congosto (El) *CU*	59	M 22
Congosto (Monte)	33	G 21
Congosto de Valdavia *P*	17	D 16
Congostrina *GU*	46	I 21
Conil Lanzarote *GC*	122	C 4
Conill *B*	37	G 34
Conillera (Illa) Ibiza *PM*	87	P 33
Connio (Puerto del) *O*	4	C 9
Conques	23	F 33
Conquezuela *SO*	47	I 22
Conquista *CO*	81	Q 16
Conquista de la Sierra *CC*	68	N 12
Conquista del Guadiana *BA*	68	O 11
Consell *PM*	104	M 38
Conso	14	F 8
Consolación (Ermita de la) *TE*	50	J 29
Consolación (Ermita de) *CR*	71	P 19
Consolación (Santuario de la) *H*	90	U 8
Consolación (Santuario) *J*	83	R 20
Constantí *T*	37	I 33
Constantina *SE*	80	S 13
Constanzana *AV*	44	J 15
Consuegra *TO*	58	N 19
Contadero (Coto nacional de)	82	Q 18
Contador (El) *AL*	96	T 22
Contamina *Z*	34	I 24
Contar (Sierra del) *MU*	97	T 25
Conti *SE*	91	T 11
Contienda (La) *H*	78	R 9
Contiendas (Sierra de las)	78	R 9
Contrasta *VI*	19	D 23
Contraviesa (Sierra de la)	102	V 20
Contreras *BU*	32	F 19
Contreras *J*	82	S 18
Contreras (Embalse de) *CU*	61	N 25
Contreras (Venta de) *CU*	61	N 25
Convoy (El) *AL*	96	T 24
Coo *S*	7	C 17
Coomonte *ZA*	15	F 12
Copa (La) *MU*	84	R 25
Cope *MU*	97	T 25
Cope (Cabo) *MU*	97	T 25
Copernal *GU*	46	J 20
Copons *B*	37	H 34
Corao *O*	6	B 14
Coratxà *CS*	50	J 30
Corb (Riu) *T*	37	H 33
Corbalán *TE*	49	K 27
Corbatón *TE*	48	J 26
Corbelle *OR*	13	F 5
Corbelle *LU*	14	D 7
Corbera *V*	74	O 28
Corbera (Punta de la) *LU*	4	B 8
Corbera d'Ebre *T*	50	I 31
Corbera de Dalt *B*	38	H 35
Corbera de Llobregat *B*	38	H 35
Corbillos de los Oteros *LE*	16	E 13
Corbins *L*	36	G 32
Corbones (Río)	92	V 14
Corça *GE*	25	G 39
Corçà *L*	22	F 32
Corcho *BA*	68	Q 12
Corchuela *TO*	57	M 14
Corchuela *BA*	66	P 8
Corchuela (La) *SE*	91	U 12
Corchuela (Monte)	56	M 12
Corchuelo (El) *H*	91	U 9
Corcoesto *C*	2	C 3
Córcoles *GU*	47	K 22
Corcoles (Río) *CU*	60	N 23
Córcoles (Río) *AB*	71	O 21
Corcolilla *V*	61	M 26
Corconte *S*	7	C 18
Corcos *VA*	31	G 15
Corcoya *SE*	93	U 15
Corcubión *C*	2	D 2
Cordel (Sierra del)	7	C 16
Cordido *LU*	4	B 7
Cordillera Cantábrica	14	E 8
Cordiñanes *LE*	6	C 15
Córdoba *CO*	81	S 15
Cordobilla *CO*	93	T 15
Cordobilla (Embalse de) *CO*	93	U 15
Cordobilla de Lácara *BA*	67	O 10
Cordobillas *CO*	81	S 16
Cordovilla *P*	17	D 17
Cordovilla *SA*	44	J 13
Cordovilla *AB*	73	Q 25
Cordovilla la Real *P*	31	F 17
Cordovín *LO*	19	E 21
Corduente *GU*	47	J 24
Corella *NA*	20	F 24
Corera *LO*	19	E 23
Cores *C*	2	C 3
Coreses *ZA*	30	H 13
Corgo *LU*	4	D 7
Coria *CC*	55	M 10
Coria (Sierra de) *CC*	55	L 10
Coria del Río *SE*	91	U 11
Corias cerca de Cangas de Narcea *O*	5	C 10
Corias cerca de Pravia *O*	5	B 11
Coripe *SE*	92	V 13
Coriscao	6	C 15
Coristanco *C*	2	C 3
Corme Aldea *C*	2	C 3
Corme-Porto *C*	2	C 3
Corme y Laxe (Ría de) *C*	2	C 3
Corna *OR*	13	E 5
Cornadelo (Pico de) *HU*	22	E 32
Cornago *LO*	33	F 23
Cornalvo (Embalse de) *BA*	67	P 11
Cornanda *C*	12	D 3

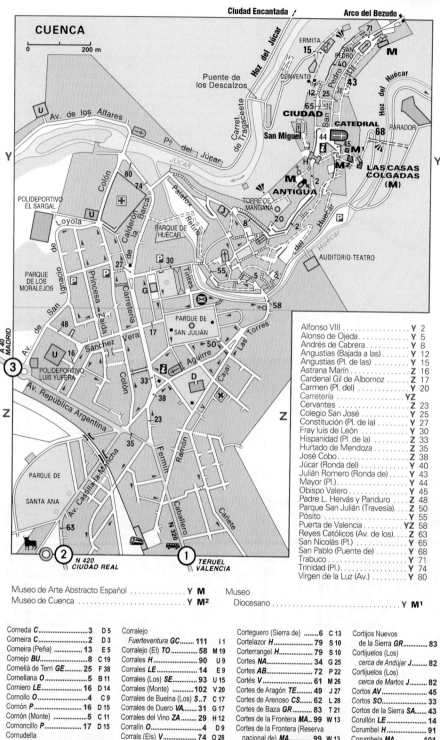

CUENCA

0   200 m

Ciudad Encantada   Arco del Bezudo

Alfonso VIII . . . . Y 2
Alonso de Ojeda . . . . Y 5
Andrés de Cabrera . . . . Y 8
Angustias (Bajada a las) . . . . . . Y 12
Angustias (Pl. de las) . . . . Y 15
Astrana Marín . . . . Z 16
Cardenal Gil de Albornoz . . . . . Z 17
Carmen (Pl. del) . . . . Y 20
Carretería . . . . YZ
Cervantes . . . . Z 23
Colegio San José . . . . Y 25
Constitución (Pl. de la) . . . . Z 27
Fray luis de León . . . . Y 30
Hispanidad (Pl. de la) . . . . Z 33
Hurtado de Mendoza . . . . Z 35
José Cobo . . . . Z 38
Júcar (Ronda del) . . . . Y 40
Julián Romero (Ronda de) . . . . . Y 43
Mayor (Pl.) . . . . Y 44
Obispo Valero . . . . Y 45
Padre L. Hervás y Panduro . . . . Z 48
Parque San Julián (Travesía) . . . Z 50
Pósito . . . . Y 55
Puerta de Valencia . . . . YZ 58
Reyes Católicos (Av. de los) . . . Z 63
San Nicolás (Pl.) . . . . Y 65
San Pablo (Puente de) . . . . Y 68
Trabuco . . . . Y 71
Trinidad (Pl.) . . . . Y 74
Virgen de la Luz (Av.) . . . . Y 80

Museo de Arte Abstracto Español . . . . Y M
Museo de Cuenca . . . . Y M²
Museo Diocesano . . . . Y M¹

Corneda C 3   D 5
Corneira C 2   D 3
Corneira (Peña) 13   E 5
Cornejo BU 8   C 19
Cornellà de Terri GE . . 25   F 38
Comellana O 5   B 11
Corniero LE 16   D 14
Cornollo O 4   C 9
Cornón P 16   D 15
Cornón (Monte) 5   C 11
Cornoncillo P 17   D 15
Cornudella
de Montsant T 37   I 32
Cornudilla BU 18   D 19
Corona de la Reina . . 35   G 28
Coronada (La) O 80   R 13
Coronada (La) BA . . . 68   P 12
Coronas 49   I 28
Coronas (Puerto Las) NA . 11   D 26
Coronela (La) SE 92   U 14
Coroneles (Casa de los)
Fuerteventura GC . . 111   H 2
Coronil (El) SE 92   U 13
Corpa M 46   K 20
Corporales LO 18   E 21
Corporales LE 15   F 10
Corral de Almaguer TO . 59   M 20
Corral de Ayllón SG . 32   H 19
Corral de Calatrava CR . 70   P 17
Corral de Cantos TO . 57   N 16
Corral de Garcinigo SA . 43   K 12
Corral Rubio AB 73   P 25

Corralejo
Fuerteventura GC . . 111   I 1
Corralejo (El) TO . . . 58   M 19
Corrales H 90   U 9
Corrales LE 14   E 9
Corrales (Los) SE . . . 93   U 15
Corrales (Monte) . . . 102   V 20
Corrales de Buelna (Los) S . 7   C 17
Corrales de Duero VA . 31   G 17
Corrales del Vino ZA . 29   H 12
Corralín O 4   D 9
Corrals (Els) V 74   O 28
Correderas (Las) J . . 82   Q 19
Corredoira PO 13   E 4
Corredoiras C 3   C 5
Corredor (El) 38   H 37
Correpoco S 7   C 17
Corrochana TO 57   M 14
Corrocera LE 15   D 12
Corrubedo (Cabo de) C . 12   E 2
Corte (La) H 79   S 9
Corte de Peleas BA . 67   P 9
Corteconcepción H . . 79   S 10
Cortegada cerca de
Ribadavia OR 13   F 5
Cortegada cerca de
Xinzo de Limia OR . 13   F 7
Cortegada PO 13   E 5
Cortegana H 78   S 9
Cortegana BA 67   P 10

Corteguero (Sierra de) . . 6   C 13
Cortelazor H 79   S 10
Corterrangel H 79   S 10
Cortes NA 34   G 25
Cortes AB 72   P 22
Cortes V 61   M 26
Cortes de Aragón TE . 49   J 27
Cortes de Arenoso CS . 62   L 28
Cortes de Baza GR . . 83   T 21
Cortes de la Frontera MA . 99   W 13
Cortes de la Frontera (Reserva
nacional de) MA . . . 99   W 13
Cortes de Pallás V . . 73   O 27
Cortes de Tajuña GU . 47   J 22
Cortes y Graena GR . 95   U 20
Cortesa (La) AB 72   P 24
Cortijillo (El) TO 70   O 18
Cortijo (El) Lanzarote GC . 120   E 1
Cortijo (El) LO 19   E 22
Cortijo (Embalse del) . 19   E 22
Cortijo de la Herrera CC . 56   M 11
Cortijo de la Juliana BA . 84   Q 23
Cortijo de la Onza CO . 81   R 16
Cortijo de Navarro AB . 84   R 23
Cortijo Grande AL . . 96   U 24
Cortijo Nuevo CA . . . 99   V 12
Cortijo Nuevo SE . . . 92   V 12
Cortijo Nuevo J 95   T 20
Cortijos (Los) CU . . . 61   L 25
Cortijos de Abajo (Los) CR . 70   O 17
Cortijos de Arriba (Los) CR . 70   O 17
Cortijos Nuevos J . . . 83   R 21

Cortijos Nuevos
de la Sierra GR . . . 83   S 22
Cortijuelos (Los)
cerca de Andújar J . 82   R 18
Cortijuelos (Los)
cerca de Martos J . 82   S 17
Cortos AV 45   J 16
Cortos SO 33   G 23
Cortos de la Sierra SA . 43   J 12
Corullón LE 14   E 9
Corumbel H 91   T 10
Corumbela MA 101   V 17
Coruña (A) C 3   B 4
Coruña (Ría de La) C . . 3   B 4
Coruña del Conde BU . 32   G 19
Coruxou C 3   C 5
Corvera MU 85   S 26
Corvera de Asturias O . 5   B 12
Corvera de Toranzo S . 7   C 18
Corvillón OR 13   F 6
Corvio P 17   D 17
Corvite LU 4   C 7
Corzos OR 14   F 8
Cosa TE 48   J 26
Coscó L 37   G 33
Coscojuela HU 22   E 30
Coscojuela
de Fantova HU 22   F 30
Coscollet (El) L 23   F 33
Coscullano HU 21   F 29
Coscurita SO 33   H 22

Cosgaya S 7   C 15
Cosio S 7   C 16
Coslada M 46   K 19
Cospedal LE 15   D 11
Cospeito LU 4   C 7
Cospindo C 2   C 3
Costa 105   O 39
Costa Ballena CA . . . 91   V 10
Costa Blanca VC 86   R 29
Costa Blanca (Parador)
Jávea A 75   P 30
Costa Brava CT 39   H 39
Costa Brava (Parador de
la) Aiguablava GE . . 25   G 39
Costa Calma
Fuerteventura GC . . 112   E 5
Costa Daurada /
Costa Dorada CT . . 51   J 33
Costa de Almería AL . 102   V 21
Costa de Cantabria S . . 7   B 17
Costa de Canyamel PM . 105   N 40
Costa de Fora 50   K 31
Costa de la Calma PM . 104   N 37
Costa de la Luz AN . . 90   U 8
Costa de Madrid M . . 45   K 16
Costa de Maresme B . 38   H 37
Costa del Azahar (Parador)
Benicarló CS 50   K 31
Costa del Azahar /
Costa dels Tarongers VC63   M 30
Costa del Montseny (La) B 38   G 37
Costa del Silencio
Tenerife TF 128   E 5
Costa del Sol AN . . . 100   X 14
Costa dels Pins PM . . 105   N 40
Costa dels Tarongers /
Costa del Azahar VC . 63   M 30
Costa Dorada /
Costa Daurada CT . . 51   J 33
Costa Teguise
Lanzarote GC 123   F 4
Costa Vasca PV 9   B 22
Costa Verde O 5   B 10
Costabona GE 24   E 37
Costacabana AL 103   V 22
Costalinero 79   S 11
Costana (La) S 7   C 17
Costanazo 33   H 23
Costas de Garraf B . . 38   I 35
Costeán HU 22   F 30
Costix PM 104   N 38
Costur CS 62   L 29
Cosuenda Z 34   H 26
Cota LU 3   C 6
Cotanes ZA 30   G 14
Cotefablo (Puerto de) HU . 21   E 29
Cotelas OR 13   E 6
Cotiella HU 22   E 30
Cotilfar Baja GR 94   T 19
Cotillas AB 83   Q 22
Cotillas CU 60   L 24
Cotillo S 7   C 17
Cotillo (El)
Fuerteventura GC . . 111   G 1
Coto O 5   C 11
Coto (Sierra del) 15   D 11
Coto de Bornos CA . . 92   V 12
Coto de Bulzalén BA . 67   O 11
Coto de Puentevieja AV . 45   J 16
Coto Redondo PO . . . 12   E 3
Cotobade PO 13   E 4
Cotorios J 83   R 21
Cotorredondo M 58   L 18
Cotos (Puerto de) ESP . 45   J 18
Cotos
de Monterrey (Los) M . 46   J 19
Coubet (Coll de) GE . 24   F 37
Courel (Sierra del) LU . 14   E 8
Couso cerca de
Andújar J 13   D 6
Couso (Alto de) OR . . 13   F 6
Couso PO 13   E 4
Couzadoiro C 3   B 6
Couzo (Punta de) C . . 12   E 2
Cova Santa (La) CS . . 62   M 28
Covacha B 67   N 9
Covacha
(Puerto de) CC 67   O 10
Covadonga O 6   C 14
Covadonga (Sierra de) . 6   C 14
Covalanas (Cuevas de) S . 8   C 19
Covaleda SO 32   G 21
Covarrubia SO 33   H 22
Covarrubias BU 32   F 19
Covas cerca de

Carucedo OR 14   E 9
Covas cerca de
Pereiro OR 13   E 6
Covas cerca de Vivero LU . 4   A 7
Covas cerca de Xinzo OR . 27   G 6
Covas (As) PO 12   E 3
Covelo PO 13   F 4
Covelo (Alto de) OR . 14   F 8
Coves (Punta de les) . 38   I 35
Coves
de Vinromà (Les) CS . 50   L 30
Coves dels Canelobres A.74   Q 28
Coves Noves
(Urbanitzacio) PM . 106   L 42
Covet L 23   F 33
Coveta Fumá (La) A . 86   Q 28
Cox A 85   R 27
Coy MU 84   S 24
Coyote (El) AL 103   V 23
Cózar CR 71   Q 20
Cozcurrita ZA 29   H 11
Cozuelos
de Fuentidueña SG . 31   H 17
Cozuelos de Ojeda P . 17   D 16
Cozvíjar GR 101   V 19
Crecente PO 13   F 5
Cregenzán HU 22   F 30
Creixell T 37   I 34
Crémenes LE 16   D 14
Crende LU 4   C 8
Crendes C 5   C 5
Crespos AV 44   J 15
Crestellina (Sierra) . . 99   W 14
Cretas TE 50   J 30
Creu (Punta de sa)
Ibiza PM 87   O 34
Creu (Punta de sa)
Formentera PM 87   P 34
Creu (Serra de la)
Castelló CS 62   L 29
Creu de Codó L 23   F 34
Creu de Perves (Coll de) L 22   E 32
Creus (Cap de) GE . . 25   F 39
Crevillén A 85   R 27
Crevillent (Serra de) . 85   R 27
Criaderas (Las) SE . . 79   T 11
Criales LE 18   D 20
Criptana (Ermita de) CR . 71   N 20
Crispinejo SE 79   T 11
Cristales (Los) H 90   T 9
Cristal L 23   F 34
Cristiano GR 101   V 18
Cristianos (Los)
Tenerife TF 128   D 5
Cristina BA 68   P 11
Cristiñade PO 12   F 4
Cristo CR 71   P 20
Cristo (Ermita del) GU . 46   L 20
Cristo de la Laguna SA . 43   J 11
Cristo de Villajos
(Ermita del) 59   N 20
Cristo
del Espíritu Santo CR . 70   O 17
Cristóbal SA 43   K 12
Crivillén TE 49   J 28
Crivillén (Mases de) TE . 49   J 28
Cruceiro OR 13   E 5
Cruceras (Las) AV . . . 45   K 16
Crucero (El) O 5   B 10
Crucero de Río o . . . 12   D 3
Cruces C 3   C 5
Cruces AB 72   Q 24
Cruces CO 81   R 15
Cruces (Casa de las) . 71   O 21
Cruces (Cuevas de las)
Gran Canaria GC . . 114   C 2
Cruces (Ermita de las) BA. 68   P 12
Cruces (Las) O 5   B 12
Cruces (Monte) 62   L 28
Cruceta (Puerto de las) . 83   Q 22
Cruceta (Puerto de) VI . 10   C 22
Crucetillas (Puerto de las) 84   Q 22
Cruïlles GE 25   G 39
Cruz MU 84   R 24
Cruz cerca de
Puebla de Almenara CU 59   M 21
Cruz cerca de
Villar de Humo 61   M 25
Cruz (Cerro de la) MA . 100   V 16
Cruz (Ermita de la) CR . 70   O 17
Cruz (La) O 6   B 13
Cruz (La) CR 70   P 21
Cruz (La) CO 81   S 16
Cruz (La) GR 94   T 18
Cruz (La) J 82   R 19

DONOSTIA-SAN SEBASTIÁN

Andía .... DZ 2
Argentinako Errepublikaren (Pas.) .... EY 6
Askatasunaren (Hiribidea) . . DEZY
Bulebar Zumardia .... DY 14
Erriginia Erregentearen .... EY 17
Euskadi (Pl.) .... EY 18
Fermin Calbetón .... DY 19
Garibai .... DY
Hernani .... DY
Konstituzio (Pl.) .... DY 28
Maria Kristina (Zubia) .... EZ 31
Miramar .... DZ 32
Portu .... DY 36
Ramón María Lili (Pas.) .... EY 38
Santa Katalina (Zubia) .... EY 45
San Jerónimo .... DY 42
San Juan .... DEY 43
Urbieta .... DEZ
Urdaneta .... EZ 49
Zabaleta .... EY 53
Zurriola (Zubia) .... EY 58

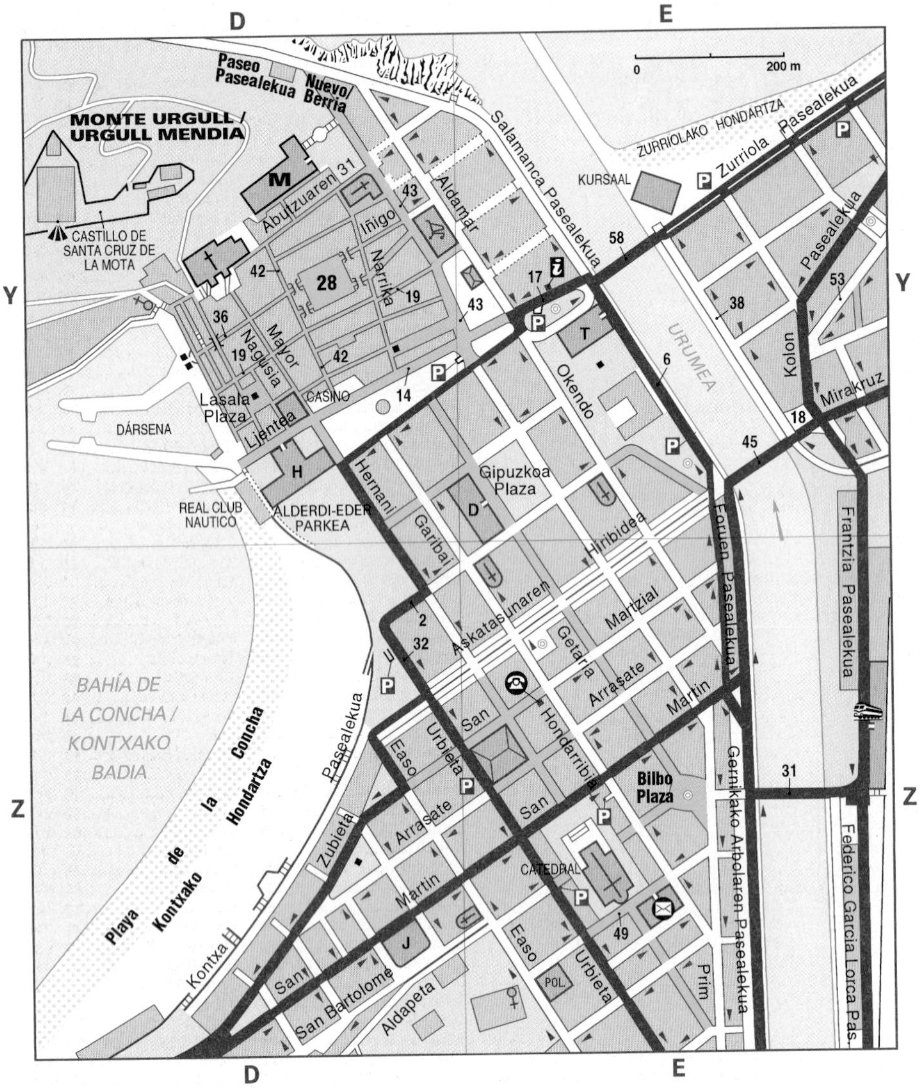

Cruz (Pico de la)
  La Palma **TF** .... **131** C 3
Cruz (Puerto de la) **PO** ...... **12** D 4
Cruz (Sierra de la) **J** .... **82** S 19
Cruz de Alpera **AB** .... **73** P 26
Cruz de Cancela
  (Puerto) **LU** .... **4** B 8
Cruz de Cofrentes
  (Puerto de) **V** .... **73** N 26
Cruz de Hierro (Puerto) **AV** **45** J 16
Cruz de Incio **LU** .... **14** E 7
Cruz de Piedra **CR** .... **70** O 18
Cruz de Tea *Tenerife* **TF** .. **129** E 4
Cruz de Tejeda
  Gran Canaria **GC** .... **114** D 2
Cruz del Carmen (Mirador de)
  Tenerife **TF** .... **125** I 2
Cruz del Roque
  Tenerife **TF** .... **129** G 4
Cruz Grande (Puerto de)
  Gran Canaria **GC** .... **116** D 3
Cruz Uzano **S** .... **8** C 19
Cua .... **14** D 9
Cuacos de Yuste **CC** .... **56** L 12
Cuadradillo **CO** .... **81** S 16
Cuadrado (Cerro) **AB** .... **73** P 25
Cuadramón **LU** .... **4** B 7
Cuadrón (El) **M** .... **46** J 19
Cuadros **LE** .... **16** D 13
Cuadros **J** .... **82** S 19
Cualedro **OR** .... **27** G 7
Cuarenta (Las) **SE** .... **92** T 13
Cuarte **HU** .... **21** F 28
Cuarte de Huerva **Z** .... **35** H 27
Cuartico (El) **AB** .... **72** P 23
Cuartillejo **TO** .... **58** M 18
Cuarto Pelado
  (Puerto de) **TE** .... **49** K 28
Cuartón (El) **CA** .... **99** X 13
Cuatro Calzadas **SA** .... **43** J 13
Cuatro Puertas
  Gran Canaria **GC** .... **117** G 3
Cuatrocorz **HU** .... **36** G 31
Cuatrovitas
  (Santuario de) **SE** .... **91** U 11
Cuba (La) **TE** .... **49** K 29
Cuba (Río de la) .... **49** K 29
Cubas **AB** .... **73** O 25
Cubas **CO** .... **81** S 16
Cubas de la Sagra **M** .... **58** L 18
Cubel **Z** .... **48** I 25
Cubelles **B** .... **37** I 35
Cubells **L** .... **37** G 32
Cubells (es) **PM** .... **87** P 33
Cúber (Pantà de) .... **104** M 38
Cubia .... **5** C 11
Cubilar .... **68** O 13
Cubilla **BU** .... **18** D 20
Cubilla **SO** .... **32** G 21
Cubilla (Puerto de la) **O** .... **5** D 12
Cubillas **GU** .... **47** I 22
Cubillas (Embalse del) **GR** **94** U 18
Cubillas de Cerrato **P** .... **31** G 16
Cubillas de los Oteros **LE** .. **16** E 13
Cubillas de Rueda **LE** .... **16** E 14
Cubillas
  de Santa Marta **VA** .... **31** G 16
Cubillejo de la Sierra **GU** ... **48** J 24
Cubillejo del Sitio **GU** .... **48** J 24
Cubillo **P** .... **17** D 16
Cubillo **SG** .... **45** I 18
Cubillo (El) **AB** .... **72** P 22
Cubillo (El) **CU** .... **61** L 25
Cubillo (Puerto de El) .... **48** K 24
Cubillo (Río) .... **31** F 18
Cubillo de Uceda(El) **GU** ... **46** J 19
Cubillo del Campo **BU** .... **18** F 19
Cubillos **BU** .... **18** C 19
Cubillos **ZA** .... **29** H 12
Cubillos del Rojo **BU** .... **18** D 18
Cubillos del Sil **LE** .... **15** E 10
Cubla **TE** .... **61** L 26
Cubo **GR** .... **83** S 21
Cubo de Benavente **ZA** ..... **15** F 11
Cubo de Bureba **BU** .... **18** E 20
Cubo de Don
  Sancho (El) **SA** .... **43** J 11
Cubo de Hogueras **SO** ...... **33** G 22
Cubo de la Sierra **SO** .... **33** G 22
Cubo de la Solana **SO** .... **33** H 22
Cubo de Tierra
  del Vino (El) **ZA** .... **29** I 12
Cucalón **TE** .... **48** I 26
Cucalón (Sierra de) **TE** ...... **48** J 26
Cucayo **S** .... **7** C 16
Cucharal **AB** .... **72** P 23
Cucharas (Laguna de) **CR** **70** P 17
Cucharón **MU** .... **85** Q 25
Cuchía **S** .... **7** B 17
Cuchillo (El)
  Lanzarote **GC** .... **123** D 3
Cucho .... **19** D 21
Cucos (Los) **MU** .... **97** T 25
Cucuta .... **34** H 24
Cucutas .... **49** I 27
Cudillero **O** .... **5** B 11
Cué **O** .... **7** B 15
Cuelgamures **ZA** .... **29** I 13
Cuéllar **SG** .... **31** H 17
Cuénabres **LE** .... **6** C 15
Cuenca **CO** .... **80** R 13
Cuenca **CU** .... **60** L 23
Cuenca (La) **SO** .... **33** G 21
Cuenca Alta del Manzanares
  (Parque Regional) **M** ...... **45** K 18
Cuenca de Campos **VA** ..... **30** F 14
Cuencabuena **TE** .... **48** I 26
Cuera (Sierra de) **O** .... **6** B 15
Cuerda del Pozo
  (Embalse de la) .... **33** G 21
Cuerdas (Sierra de las) .... **61** M 25
Cuérigo **O** .... **6** C 13
Cuerlas (Las) **Z** .... **48** J 25
Cuerpo de Hombre (Río) .. **43** K 12
Cuerva **TO** .... **58** N 17
Cuervo **CU** .... **47** K 23
Cuervo **CR** .... **70** Q 19
Cuervo (El) **TE** .... **61** L 26
Cuervo (El) **SE** .... **91** V 11
Cuervo
  (Nacimiento del) **CU** ...... **48** K 24
Cuesta **LU** .... **4** B 7
Cuesta (La) *Tenerife* **TF** ... **125** I 2
Cuesta (La) **SG** .... **45** I 18
Cuesta (La) **SO** .... **33** F 23
Cuesta (La) **MA** .... **93** U 15
Cuesta (La) **BI** .... **8** B 20
Cuesta Blanca **MU** .... **85** T 26
Cuesta de la Villa
  Tenerife **TF** .... **124** F 2
Cueta (La) **LE** .... **5** C 11
Cueto **BI** .... **8** C 20
Cueto (Ermita de El) **SA** .... **43** J 12
Cueto Negro **LE** .... **15** D 12
Cueva **BU** .... **8** C 19
Cueva **AL** .... **84** S 23
Cueva (La) **CU** .... **48** K 24
Cueva (Punta de la)
  Gran Canaria **GC** .... **115** G 3
Cueva de Ágreda **SO** .... **34** G 24
Cueva de Juarros **BU** .... **18** F 19
Cueva de la Mora **H** .... **79** S 9
Cueva de la Mora
  (Embalse) **H** .... **78** S 9
Cueva de Roa (La) **BU** ...... **31** G 18
Cueva del Agua
  La Palma **TF** .... **130** B 3
Cueva del Beato
  (Ermita de la) **GU** .... **47** J 22
Cueva del Hierro **CU** .... **47** K 23
Cueva del Pájaro (La) **AL** .. **96** U 24
Cueva Foradada
  (Embalse de) **TE** .... **49** J 27
Cuevarruz (La) **V** .... **61** M 27
Cuevas **SO** .... **32** H 20
Cuevas **O** .... **5** C 11
Cuevas (Las) **A** .... **85** Q 27
Cuevas Bajas **MA** .... **93** U 16
Cuevas de Almudén **TE** ..... **49** J 27
Cuevas de Amaya **BU** .... **17** E 17
Cuevas de Ambrosio **J** ...... **83** R 21
Cuevas de Cañart (Las) **TE** **49** J 28
Cuevas de
  los Medinas (Las) **AL** ... **103** V 23
Cuevas de los Úbedas **AL** **103** V 23
Cuevas
  de Moreno (Las) **AL** .... **84** S 23
Cuevas de Portalrubio **TE** . **49** J 27
Cuevas de Provanco **SG** ... **31** H 18
Cuevas de Reillo **MU** .... **85** S 26
Cuevas
  de San Clemente **BU** ..... **18** F 19
Cuevas
  de San Marcos **MA** .... **93** U 16
Cuevas de Soria (Las) **SO** **33** G 22
Cuevas de Velasco **CU** ..... **60** L 22
Cuevas del Almanzora **AL**. **96** U 24
Cuevas del Almanzora
  (Embalse de) .... **96** U 24
Cuevas del Becerro **MA** .... **92** V 14
Cuevas del Campo **GR** ..... **95** T 21
Cuevas del Sil **LE** .... **15** D 10
Cuevas del Valle **AV** .... **57** L 14
Cuevas Labradas **TE** .... **48** K 26
Cuevas Labradas **GU** .... **47** J 23
Cuevas Minidas **GU** .... **47** J 23
Cueza .... **16** F 15
Cuiña **C** .... **3** A 6
Cuiña **LU** .... **4** A 7
Cujón (Sierra del) .... **84** Q 22
Culebra (Reserva nacional de la
  Sierra de la) **ZA** .... **29** G 11
Culebra (Sierra de la) .... **29** G 11
Culebras **CU** .... **60** L 22
Culebrón **A** .... **85** Q 27
Culebros **LE** .... **15** E 11
Culla **CS** .... **49** K 29
Cullar **GR** .... **95** T 21
Cúllar Baza **GR** .... **95** T 22
Cúllar Vega **GR** .... **94** U 18
Cullera **V** .... **74** O 29
Cullera (Far de) **V** .... **74** O 29
Culleredo **C** .... **3** C 4
Cumbre (La) **CC** .... **56** N 12
Cumbre Alta **TO** .... **57** N 15
Cumbre del Sol **A** .... **75** P 30
Cumbrecita (La)
  La Palma **TF** .... **131** C 4
Cumbres de Calicanto **V** ... **62** N 28
Cumbres de En Medio **H** ... **79** R 9
Cumbres
  de San Bartolomé **H** ...... **79** R 9
Cumbres de Valencia **V** ..... **73** P 27
Cumbres Mayores **H** .... **79** R 10
Cumplida (Punta)
  La Palma **TF** .... **131** D 2
Cuna (Peñón de la) **J** .... **82** R 17
Cunas **LE** .... **15** F 10
Cunchillos **Z** .... **34** G 24
Cuncos (Arroyo de) .... **66** Q 8
Cundins **C** .... **2** C 3
Cunit **T** .... **37** I 34
Cuntis **PO** .... **12** E 4
Cuñas **OR** .... **13** E 5
Cura (Casas del) **M** .... **58** L 19
Cura (El) **CR** .... **70** P 18
Cura (El) **GR** .... **83** S 22
Cura (Monestir de) **PM** .... **104** N 38
Curavacas .... **16** D 14
Curbe **HU** .... **35** G 29
Cures **C** .... **12** D 3
Curiel **VA** .... **31** H 17
Curillas **LE** .... **15** E 11
Curota (Mirador de la) **C** .... **12** E 3
Currás **PO** .... **12** E 4
Currelos **LU** .... **13** D 7
Curtis *Teixeiro* **C** .... **3** C 5
Curueño .... **16** D 13
Cusanca **OR** .... **13** E 5
Cutamilla (Estación de) .... **47** I 21
Cutanda **TE** .... **48** J 26
Cútar **MA** .... **101** V 17
Cuzcurrita **BU** .... **32** G 19
Cuzcurrita de Río Tirón **LO** **18** E 21
Cuzna **CO** .... **81** R 15

D

Dacón **OR** .... **13** E 5
Dadín **OR** .... **13** E 5
Daganzo de Arriba **M** .... **46** K 19
Dagas (Los) .... **102** V 20
Daimalos **MA** .... **101** V 17
Daimiel **CR** .... **70** O 19
Daimús **V** .... **74** P 29
Dalías **AL** .... **102** V 21
Dalias (Campo de) **AL** ..... **102** V 21
Dallo **VI** .... **19** D 22
Dalt (Conca de) **L** .... **23** F 32
Dama (La) *La Gomera* **TF** **118** B 3
Damas (Las) **AV** .... **45** K 17
Damil **LU** .... **3** C 7
Dantxarinea **NA** .... **11** C 25
Dañador **J** .... **83** Q 20
Dañador (Embalse del) .... **83** Q 20
Darnius **GE** .... **25** E 38
Daró (El) **GE** .... **25** G 39
Daroca **Z** .... **48** I 25
Daroca de Rioja **LO** .... **19** E 22
Darrícal **AL** .... **102** V 20
Darro **GR** .... **95** T 20
Das **GE** .... **24** E 35
Daya Nueva **A** .... **85** R 27
Deba **SS** .... **10** C 22
Deba (Río) .... **10** C 22
Degaña **O** .... **15** D 10
Degaña (Reserva
  nacional de) .... **15** D 10
Degollada (La)
  Tenerife **TF** .... **129** G 4
Degollados
  (Puerto Los) **NA** .... **20** F 24
Degrada (A) **LU** .... **14** D 9
Dehesa **BA** .... **68** P 12
Dehesa (La) *El Hierro* **TF** **108** B 3
Dehesa (La) **CR** .... **70** P 19
Dehesa (La) *cerca de*
  Casa del Pino **AB** .... **84** Q 23
Dehesa (La) *cerca de*
  El Griego **AB** .... **72** Q 23
Dehesa (La) **H** .... **79** S 10
Dehesa de Campoamor **A**. **85** S 27
Dehesa de Montejo **P** .... **17** D 16
Dehesa de Romanos **P** ..... **17** E 16
Dehesa del Horcajo **TO** ..... **57** M 14
Dehesa del Moncayo
  (Parque natural de la) **Z**. **34** G 24
Dehesa Mayor **SG** .... **31** H 17
Dehesa Media Matilla **BA** .. **67** Q 9
Dehesa Nueva **TO** .... **57** M 14
Dehesas **LE** .... **14** E 9
Dehesas de Guadix **GR** .... **95** T 20
Dehesas Viejas **GR** .... **94** T 19

Dehesilla *CU* ...... 47 K 22
Dehesilla (La) *CU* ...... 59 M 20
Dehesón (El) *TO* ...... 57 L 15
Deifontes *GR* ...... 94 U 19
Deleitosa *CC* ...... 56 N 13
Delgada (Punta)
 Lanzarote GC ...... 121 F 1
Delgadas (Las) *H* ...... 79 T 10
Delgadillo *GR* ...... 95 T 20
Delgollados (Sierra de) ...... 59 L 21
Délika *VI* ...... 18 D 21
Delta de l'Ebre
 (Coto nacional) ...... 50 K 32
Delta de l'Ebre
 (Parque natural del) ...... 50 J 32
Deltebre *T* ...... 50 J 32
Demanda (Reserva nacional
 de la Sierra de la) *BU* ...... 18 F 20
Demanda (Sierra de la) ...... 18 F 20
Demúes *O* ...... 6 C 15
Dena *PO* ...... 12 E 3
Dénia *A* ...... 75 P 30
Denúy *HU* ...... 22 E 31
Derio *BI* ...... 8 C 21
Derramadero *AB* ...... 84 Q 23
Derramador *V* ...... 61 N 26
Derrasa (La) *OR* ...... 13 F 6
Desamparados (Los) *CR* ...... 71 P 21
Descargamaría *CC* ...... 42 L 10
Desesperada *CR* ...... 82 Q 19
Desierto (El) *Tenerife TF* .129 F 5
Deskarga (Alto) *SS* ...... 10 C 22
Desojo *NA* ...... 19 E 23
Despeñaderos
 (Desfiladero de) *J* ...... 82 Q 19
Despeñaperros
 (Parque natural de) ...... 82 Q 19
Destriana *LE* ...... 15 F 11
Deva *OR* ...... 13 F 5
Deva *PO* ...... 13 F 5
Deva (Río) *O* ...... 7 C 16
Dévanos *SO* ...... 33 G 24
Devesa *LU* ...... 4 B 8
Devesa *OR* ...... 13 E 5
Deveso *C* ...... 3 B 6
Devesos *C* ...... 3 B 6
Devotas
 (Congosto de las) *HU* ...... 22 E 30
Deyá *PM* ...... 104 M 37
Deza *SO* ...... 33 H 23
Deza (Río) *PO* ...... 13 D 5
Diamondi *LU* ...... 13 E 6
Dichoso (Punta del) *S* ...... 7 B 17
Diego Álvaro *AV* ...... 44 J 14
Diego del Carpio *AV* ...... 44 J 14
Diezma *GR* ...... 94 U 20
Diezmo (Peña del) *M* ...... 45 J 18
Dilar *GR* ...... 94 U 19
Dílar (Río) ...... 94 U 19
Dima *BI* ...... 9 C 21
Dios le Guarde *SA* ...... 43 K 11
Dique (El) *Z* ...... 36 I 29
Discatillo *NA* ...... 19 E 23
Distriz *LU* ...... 3 C 6
Diustes *SO* ...... 33 F 22
Divisa ...... 36 H 32
Doade *LU* ...... 14 E 7
Doade *OR* ...... 13 E 5
Doade *PO* ...... 13 E 5
Dobro *BU* ...... 18 D 19
Doctor (Casas del) *V* ...... 73 N 26
Doctor (El) *CR* ...... 70 P 19
Doctoral (El)
 Gran Canaria GC ...... 117 F 4
Dodro *C* ...... 12 D 3
Doiras *O* ...... 4 B 9
Doiras *LU* ...... 14 D 9
Doiras (Embalse de) *O* ...... 4 B 9
Dólar *GR* ...... 95 U 21
Dolores *A* ...... 85 R 27
Dolores *MU* ...... 85 S 27
Dolores (Los) *MU* ...... 85 T 26
Domaio *PO* ...... 12 F 3
Domeño *NA* ...... 11 D 26
Domeño *V* ...... 61 M 27
Dómez *ZA* ...... 29 G 11
Domingo García *SG* ...... 45 I 16
Domingo Pérez *TO* ...... 57 M 16
Domingo Pérez *GR* ...... 94 T 19
Domingos (es) *PM* ...... 105 N 39
Don Álvaro *BA* ...... 67 P 11
Don Benito *BA* ...... 67 P 11
Don Diego *GR* ...... 95 U 21
Don Gaspar de Portolá
 (Parador de) *Artiés L* ...... 22 D 32
Don Gonzalo *MU* ...... 84 S 24

Don Jaume (Ermita) *A* ...... 86 Q 28
Don Jerónimo *CR* ...... 71 O 20
Don Jerónimo Tapia
 (Casa de) *TO* ...... 70 N 18
Don Juan *AB* ...... 72 P 23
Don Juan *CR* ...... 71 O 19
Don Juan (Cueva de) *V* ...... 73 O 26
Don Martin (Mirador de)
 Tenerife TF ...... 127 H 3
Don Miguel de Unamuno
 (Monumento a)
 Fuerteventura GC ...... 111 H 2
Don Pedro
 (Cabeza de) *CU* ...... 60 L 24
Don Pedro (Casas de) *AB*. 72 O 24
Don Rodrigo
 (Estación de) *SE* ...... 92 U 12
Donadío *J* ...... 82 S 19
Donado *ZA* ...... 15 F 10
Donalbai *LU* ...... 3 C 6
Donamaria *NA* ...... 11 C 24
Donar (La) *AB* ...... 84 R 22
Donarque (Puerto de) *TE*. 48 K 25
Donas *PO* ...... 12 F 3
Donceles (Sierra de los) ...... 84 Q 24
Doncos *LU* ...... 14 D 8
Done Bikendi Harana *VI* ...... 19 D 22
Doney de la Requejada *ZA* 15 F 10
Doneztebe /
 Santesteban *NA* ...... 11 C 24
Donhierro *SG* ...... 44 I 15
Doniños *C* ...... 3 B 5
Donis *LU* ...... 14 D 9
Donjimeno *AV* ...... 44 J 15
Donón *PO* ...... 12 F 3
Donostia-San Sebastián *SS* 10 C 24
Donramiro *PO* ...... 13 E 5
Donvidas *AV* ...... 44 I 15
Donzell *L* ...... 37 G 33
Doña Aldonza
 (Embalse de) *J* ...... 83 S 20
Doña Ana *GR* ...... 83 S 22
Doña Ana *A* ...... 83 R 21
Doña Blanca *CA* ...... 98 W 11
Doña Blanca de Navarra
 (Castillo de) *NA* ...... 20 F 25
Doña Inés *MU* ...... 84 S 24
Doña Justa *CR* ...... 69 P 15
Doña María *BA* ...... 66 P 8
Doña María Cristina
 (Canal de) ...... 72 O 24
Doña María Ocaña *AL* ...... 95 U 21
Doña Marina *GR* ...... 95 T 20
Doña Mencía *CO* ...... 93 T 16
Doña Rama *CO* ...... 80 R 14
Doña Santos *BU* ...... 32 G 19
Doñana *MA* ...... 100 V 16
Doñana (Parque
 Nacional de) *H* ...... 91 V 10
Doñinos de Ledesma *SA* .. 43 I 11
Doñinos de Salamanca *SA* 43 J 12
Dóriga *O* ...... 5 B 11
Dormea *C* ...... 3 D 5
Dornillas *ZA* ...... 15 F 10
Doroño *BU* ...... 19 D 21
Dorrao / Torrano *NA* ...... 19 D 23
Dòrria *GE* ...... 24 E 36
Dos Aguas *V* ...... 73 O 27
Dos Hermanas *SE* ...... 91 U 12
Dos Picos *AL* ...... 95 U 21
Dos Torres *CO* ...... 81 Q 15
Dos Torres de Mercader *TE* 49 K 28
Dosante *BU* ...... 8 C 18
Dosbarrios *TO* ...... 58 M 19
Dosrius *B* ...... 38 H 37
Dozón *PO* ...... 13 E 5
Drach (Coves del) *PM* ...... 105 N 39
Dragonera (Illa sa) ...... 104 N 36
Dragonte *LE* ...... 14 E 9
Draguillo (El) *Tenerife TF*.125 J 1
Driebes *GU* ...... 59 L 20
Drova (La) *V* ...... 74 O 29
Duañez *SO* ...... 33 G 23
Dúas Igréxas *PO* ...... 13 E 4
Ducs (Els) *V* ...... 61 N 26
Duda (Sierra de) *GR* ...... 83 S 21
Dúdar *GR* ...... 94 U 19
Dueñas (La) *SE* ...... 94 U 19
Dueñas *P* ...... 31 G 16
Dueñas (Las) *TE* ...... 61 L 26
Duerna *LE* ...... 15 F 11
Duero (Canal del) ...... 30 H 15
Duero (Río) ...... 28 I 9
Duesaigües *T* ...... 51 I 32
Dueso ...... 8 B 19

Dulce ...... 47 J 21
Dulce (Laguna) ...... 93 U 15
Dumbría *C* ...... 2 C 2
Duques de Cardona
 (Parador de) *Cardona B* 37 G 35
Duquesa (La) *CR* ...... 70 O 19
Duquesa (La) *MA* ...... 99 W 14
Durana *VI* ...... 19 D 22
Duranes *CR* ...... 69 P 16
Durango *BI* ...... 10 C 22
Duratón *SG* ...... 32 I 18
Duratón (Río) ...... 32 I 19
Dúrcal *GR* ...... 101 V 19
Durón *GU* ...... 47 K 21
Durro *L* ...... 22 E 32
Duruelo *SO* ...... 32 G 21
Duxame *PO* ...... 13 D 5

E

Ea *BI* ...... 9 B 22
Ebre (Delta de l') *T* ...... 50 J 32
Ebre (Riu) (El) / Ebro (Río) 50 J 31
Ebrillos ...... 33 G 21
Ebro (Embalse del) ...... 7 C 18
Ebro (Fuente del) ...... 7 C 17
Ebro (Río) ...... 17 D 17
Ebro (Río) / Ebre (El) (Riu) 50 J 31
Ebrón *V* ...... 61 L 26
Ecay / Ekai de Lóguida *NA* 11 D 25
Echagüe *NA* ...... 20 E 25
Echálaz *NA* ...... 11 D 25
Echarren de Guirguillano *cerca de*
 Puente la Reina NA ...... 10 D 24
Echedo *El Hierro TF* ...... 109 D 1
Écija *SE* ...... 92 T 14
Edrada *OR* ...... 13 F 7
Ega ...... 19 D 22
Egea *HU* ...... 22 E 31
Egino *V* ...... 19 D 23
Egozkue *NA* ...... 11 D 25
Eguaras *NA* ...... 11 D 24
Eguílaz *VI* ...... 19 D 23
Eguileor *VI* ...... 19 D 22
Eguileta *VI* ...... 19 D 22
Eibar *SS* ...... 10 C 22
Eidos *PO* ...... 12 F 4
Eiras *OR* ...... 13 E 5
Eiras (Embalse de) *PO* ...... 12 E 4
Eiré *LU* ...... 13 E 7
Eirón *C* ...... 2 D 3
Eivissa / Ibiza *PM* ...... 87 P 34
Eixe (Sierra del) ...... 14 F 9
Ejea de los Caballeros *Z* .. 20 F 26
Ejeme *SA* ...... 44 J 13
Ejep *HU* ...... 22 F 30
Ejido (El) *TO* ...... 57 M 14
Ejido (El) *AL* ...... 102 V 21
Ejulve *TE* ...... 49 J 28
Ekai de Lóguida / Ecay *NA* 11 D 25
Ekain *SS* ...... 10 C 23
El Casar *GU* ...... 46 J 19
Elantxobe *BI* ...... 9 B 22
Elbete *NA* ...... 11 C 25
Elburgo *V* ...... 19 D 22
Elche / Elx *A* ...... 85 R 27
Elche de la Sierra *AB* ...... 84 Q 23
Elciego *VI* ...... 19 E 22
Elcóaz *NA* ...... 11 D 26
Elda *A* ...... 85 Q 27
Elduain *NA* ...... 10 C 24
Elgeta *SS* ...... 10 C 22
Elgoibar *SS* ...... 10 C 22
Elgorriaga *NA* ...... 11 C 24
Eliana (L') *V* ...... 62 N 28
Elice (Puerto) *CC* ...... 55 N 9
Elizondo *NA* ...... 11 C 25
Eljas *CC* ...... 55 L 9
Eller *L* ...... 23 E 35
Elorregi *SS* ...... 10 C 22
Elorrieta *GR* ...... 94 U 19
Elorrio *BI* ...... 10 C 22
Elortz / Elorz *NA* ...... 11 D 25
Elorz / Elortz *NA* ...... 11 D 25
Elosu *VI* ...... 19 D 21
Elosua *SS* ...... 10 C 22
Eltzaburu *NA* ...... 11 C 24
Elvillar *VI* ...... 19 E 22
Elvira (Sierra) *GR* ...... 94 U 19
Elviria *MA* ...... 100 W 15
Elx / Elche *A* ...... 85 R 27
Embarcaderos
 (Embassament de Los) 73 O 26
Embid *GU* ...... 48 J 24
Embid de Ariza *Z* ...... 33 H 24
Embid de la Ribera *Z* ...... 34 H 25

Embún *HU* ...... 21 E 27
Empalme (El) *H* ...... 90 U 8
Emperador (El) *TO* ...... 70 O 18
Emperador (Parador El)
 Fuenterrabía SS ...... 10 B 24
Empuriabrava *GE* ...... 25 F 39
Empúries *GE* ...... 25 F 39
Ena *HU* ...... 21 E 27
Ena (Río) ...... 22 E 30
Enamorados *MA* ...... 93 U 16
Encanadé ...... 50 J 30
Encantada
 (Embalse de) *CO* ...... 81 S 15
Encarnación
 (Ermita de La) *MU* ...... 84 R 24
Encarnación
 (Ermita de La) *CR* ...... 70 O 18
Encebras *A* ...... 85 Q 27
Encima-Angulo *BU* ...... 8 C 20
Encina (La) *SA* ...... 42 K 10
Encina (La) *A* ...... 73 P 27
Encina (Sierra de la) ...... 14 E 8
Encina
 de San Silvestre *SA* ...... 43 I 11
Encinacaida *CR* ...... 57 N 15
Encinacorba *Z* ...... 34 I 26
Encinar (El) *M* ...... 46 K 19
Encinar (Ermita del) *CC* ...... 55 M 9
Encinar del A. *M* ...... 58 L 16
Encinarejo *CO* ...... 81 S 15
Encinarejo (El) *J* ...... 82 R 18
Encinarejo
 (Embalse del) *J* ...... 82 R 18
Encinares *AV* ...... 44 K 13
Encinares de Sanlúcar
 la Mayor (Los) *SE* ...... 91 T 11
Encinas *SG* ...... 32 H 19
Encinas (Las) *SE* ...... 92 T 12
Encinas (Monte) *CR* ...... 82 Q 18
Encinas de Abajo *SA* ...... 44 J 13
Encinas de Arriba *SA* ...... 44 J 13
Encinas de Esgueva *VA* .. 31 G 17
Encinas Reales *CO* ...... 93 U 16
Encinasola *H* ...... 78 R 9
Encinasola de los
 Comendadores *SA* ...... 42 I 10
Encinedo *LE* ...... 15 F 10
Encinetas *MA* ...... 100 W 14
Encinilla (La) *SE* ...... 92 V 12
Encinillas *SG* ...... 45 I 17
Encío *BI* ...... 18 E 20
Enciso *LO* ...... 19 F 23
Encomienda (La) *cerca de*
 Villanueva de la
 Serena BA ...... 68 O 12
Encomienda (La)
 cerca de Badajoz BA .. 66 P 8
Enderrocat (Cap) ...... 104 N 38
Endrinal *SA* ...... 43 K 12
Endrinales (Los) *M* ...... 46 J 18
Enériz *NA* ...... 11 D 24
Enfesta *C* ...... 3 D 4
Enguera *V* ...... 74 P 27
Enguera (Serra de) *V* ...... 73 P 27
Enguídanos *CU* ...... 61 M 25
Enguídanos (Estación de) 61 M 25
Enguilas *ZA* ...... 29 G 11
Enix *AL* ...... 102 V 22
Enjambre (La) *CR* ...... 57 N 15
Enmedio *TO* ...... 70 N 18
Enmedio *V* ...... 61 M 26
Enmedio (Sierra de) *AB* .. 85 Q 25
Enmedio (Sierra de) *A* .. 73 Q 26
Enmedio (Sierra de) *MU* .. 96 T 24
Enol (Lago de) *O* ...... 6 C 15
Énova (L') *V* ...... 74 O 28
Enrique II (Parador)
 Ciudad Rodrigo ...... 42 K 10
Enroig *CS* ...... 50 K 30
Entallada (La)
 Fuerteventura GC ...... 113 H 4
Enterrias *S* ...... 7 C 15
Entinas (Punta) *AL* ...... 102 V 21
Entis *C* ...... 2 D 3
Entrago *O* ...... 5 C 11
Entrala *ZA* ...... 28 H 12
Entrambasaguas *S* ...... 8 B 18
Entrambasmestas *S* ...... 7 C 17
Entrecinsa *OR* ...... 14 F 8
Entrecruces *C* ...... 2 C 3
Entredicho (El) *AB* ...... 84 Q 23
Entredicho (El) *CO* ...... 80 R 14
Entredicho
 (Embalse de) *CR* ...... 69 P 15
Entredichos *CU* ...... 60 M 22

Entrego (El) *O* ...... 6 C 13
Entremont
 (Congosto del) *HU* ...... 22 F 30
Entrena *LO* ...... 19 E 22
Entrepeñas
 (Embalse de) *GU* ...... 47 K 21
Entrepinos *M* ...... 57 L 16
Entrerrios *BA* ...... 68 P 12
Entrimo *OR* ...... 27 G 5
Entrin *NA* ...... 35 I 29
Entrín (Arroyo del) ...... 67 Q 9
Entrines (Los) *BA* ...... 67 Q 9
Envernallas *LU* ...... 4 D 9
Envía (Ermita de la) *CU* .. 47 K 22
Enviny *L* ...... 23 E 33
Eo *LU* ...... 4 B 8
Epároz *NA* ...... 11 D 26
Épila *Z* ...... 34 H 26
Epina *La Gomera TF* ...... 118 B 2
Eras (Las) *AB* ...... 61 L 26
Eras (Las) *TE* ...... 73 O 25
Eratsun *NA* ...... 10 C 24
Eraul *NA* ...... 19 D 23
Erbecedo *C* ...... 2 C 3
Erbedeiro *LU* ...... 13 E 6
Ercina (La) *LE* ...... 16 D 14
Ercina (Lago de la) *O* .. 6 C 15
Ereño *BI* ...... 9 B 22
Erezoriales (Los) *J* ...... 82 R 18
Ereñozu *SS* ...... 10 C 24
Eresma *SG* ...... 45 J 17
Ergoien *BI* ...... 9 C 21
Eria *CL* ...... 15 F 12
Erias *CC* ...... 43 K 10
Erice *cerca de Eguaras NA* 10 D 24
Erice *NA* ...... 11 D 24
Erice *cerca de Irurtzun* .. 10 D 24
Erill la Vall *L* ...... 22 E 32
Erillas *CO* ...... 80 R 14
Erinyà *L* ...... 23 F 32
Eripol *HU* ...... 22 F 30
Eripol (Collado de) *HU* .. 22 F 30
Eriste *HU* ...... 22 E 31
Erjas *CC* ...... 55 L 9
Erjos *Tenerife TF* ...... 126 C 3
Erla *Z* ...... 21 F 27
Erla (Sierra de) ...... 20 F 26
Erloz ...... 11 D 25
Ermita *LU* ...... 14 E 8
Ermita (La) *AL* ...... 96 T 22
Ermita (S') *PM* ...... 105 N 39
Ermita Nueva *J* ...... 94 T 18
Ermitas (Las) *CO* ...... 81 S 15
Ermua *BI* ...... 10 C 22
Eroles *L* ...... 22 F 32
Erro *NA* ...... 11 D 25
Erro (Río) ...... 11 D 25
Erronkari / Roncal *NA* ...... 11 D 27
Errotz *NA* ...... 10 D 24
Erustes *TO* ...... 57 M 16
Es Caló *PM* ...... 87 P 34
Esanos *S* ...... 8 C 18
Esblada *T* ...... 37 H 34
Esca ...... 11 D 27
Escabas (Río) ...... 47 K 23
Escacena del Campo *H* .. 91 T 10
Escairón *LU* ...... 13 E 7
Escala (L') / La Escala *GE*. 25 F 39
Escala (La) /

Escala (L') *GE* ...... 25 F 39
Escalada *BU* ...... 18 D 18
Escalante ...... 8 B 19
Escalar (Garganta del) *HU* 21 D 29
Escalate ...... 101 V 19
Escaleta (Punta de l') *A* .. 74 O 29
Escaló *L* ...... 23 E 33
Escalona *HU* ...... 22 E 30
Escalona *TO* ...... 57 L 16
Escalona (Sierra de) ...... 85 S 27
Escalona del Prado *SG* .. 45 I 17
Escalonilla *TO* ...... 57 M 16
Escambrons (Puntal dels) 36 I 31
Escamilla *GU* ...... 47 K 22
Escandón (Puerto de) *TE*.. 61 L 27

Escañuela *J* ...... 82 S 17
Escarabajosa
 de Cabezas *SG* ...... 45 I 17
Escarabote *C* ...... 12 E 3
Escariche *GU* ...... 46 K 20
Escarigo *C* ...... 6 C 14
Escarra (Embalse de) ...... 21 D 28
Escarrilla *HU* ...... 21 D 29
Escatrón (Estación de) *TE* 35 I 29
Esclavitud *C* ...... 12 D 4
Escó *Z* ...... 20 E 26
Escobar *SE* ...... 91 U 11
Escobar (El) *MU* ...... 85 S 26
Escobar de Campos *LE* .. 16 F 15
Escobar de Polendos *SG*.. 45 I 17
Escobedo ...... 7 B 18
Escober *ZA* ...... 29 G 12
Escobonal (El)
 Tenerife TF ...... 129 G 4
Escobosa *SO* ...... 33 H 22
Escombreras *MU* ...... 97 T 27
Escopete *GU* ...... 46 K 20
Escorca *PM* ...... 104 M 38
Escorial
 (Monasterio de El) *M* .. 45 K 17
Escoriales (Los) *J* ...... 82 R 18
Escorihuela *TE* ...... 49 K 27
Escornabois *OR* ...... 13 F 7
Escriche *TE* ...... 49 K 27
Escrita (La) *S* ...... 8 C 20
Escuadro de Sayago *ZA* .. 29 I 11
Escuaín *HU* ...... 22 E 30
Escucha *TE* ...... 49 J 27
Escudero *V* ...... 73 P 27
Escudo (Puerto del) *S* .. 7 C 18
Escudo (Sierra del) ...... 7 C 18
Escudo de Cabuérniga
 ...... 7 C 16
Escuelas (Las) *J* ...... 82 S 19
Escuernavacas *SA* ...... 43 J 10
Escullar *AL* ...... 95 U 21
Escullos (Los) *AL* ...... 103 V 23
Esculqueira *OR* ...... 28 G 8
Escunhau *L* ...... 22 D 32
Escuredo *LE* ...... 15 D 12
Escuredo *ZA* ...... 15 F 10
Escurial de la Sierra *SA* .. 43 K 12
Escuriza ...... 49 J 28
Escusa *PO* ...... 12 E 3
Escúzar *GR* ...... 94 U 18
Esdolomada *HU* ...... 22 F 31
Esera *HU* ...... 22 F 31
Esfiliana *GR* ...... 95 U 20
Esgleieta (S') *PM* ...... 104 N 37
Esgos *OR* ...... 13 F 6
Esgueva ...... 32 G 19
Esguevillas
 de Esgueva *VA* ...... 31 G 16
Eskoriatza *SS* ...... 10 C 22
Esla (Canal del) ...... 16 F 13
Esla (Río) ...... 6 C 14
Esla o de Ricobayo
 (Embalse del) ...... 29 G 12
Eslava *NA* ...... 20 E 25
Eslida *CS* ...... 62 M 29
Eslida (Port d'en) ...... 62 M 29
Esmerode *C* ...... 2 C 3
Esnotz *NA* ...... 11 D 25
Espá (L') *B* ...... 23 F 35
Espadà *CS* ...... 62 M 28
Espada (Punta) ...... 86 T 27
Espada (Serra d') ...... 62 M 28
Espadaña *SA* ...... 43 I 11
Espadañedo *ZA* ...... 15 F 10
Espadilla *CS* ...... 62 L 28
Espaén *L* ...... 23 F 33
Espalmador (Illa) ...... 87 P 34
Espantaperros *SE* ...... 92 U 12
España (Ensenada de) *O*.. 6 B 13
Espardell (Illa) ...... 87 P 34
Esparra (L') *GE* ...... 24 G 37
Esparragal
 (Embalse de) *SE* ...... 91 T 11
Esparragalejo *BA* ...... 67 P 10
Esparragosa
 de la Serena *BA* ...... 68 Q 13
Esparragosa
 de Lares *BA* ...... 68 P 14
Esparreguera *B* ...... 38 H 35
Esparreguera (Monte) *CS*. 62 L 29

ELCHE

Alfonso XII . . . . **Z** 3
Almórida . . . . **Z** 4
Antonio Machado (Av. d') . . . . . **Z** 6
Baix (Pl. de) . . . . **Z** 7
Bassa dels Moros (Camí) . . . . **Y** 8
Camino del Gato . . . . **Z** 12
Camino de l'Almassera . . . . . . **Z** 13
Canalejas (Puente de) . . . . **Z** 15
Clara de Campoanor . . . . **Y** 16
Conrado del Campo . . . . **Z** 17

Corredora . . . . **Z**
Diagonal del Palau . . . . **Y** 18
Eres de Santa Llucia . . . . **Y** 19
Escultor Capuz . . . . **Z** 20
Estació (Pas. de l') . . . . **Y** 21
Fernanda Santamaría . . . . **Z** 24
Jiménez Díaz (Doctor) . . . . **Z** 28
Jorge Juan . . . . **YZ** 29
José María Pemán . . . . **Z** 31
Juan Ramón Jiménez . . . . **Z** 32
Luis Gonzaga Llorente . . . . . . **Y** 35
Maestro Albéniz . . . . **Y**

Major de la Vila . . . . **Y** 36
Marqués de Asprella . . . . **Y** 37
Ntra Sra de la Cabeza . . . . **Y** 39
Pont dels Ortissos . . . . **Y** 40
Porta d'Alacant . . . . **Y** 41
Rector . . . . **Z** 43
Reina Victoria . . . . **Z**
Santa Anna . . . . **Z** 45
Santa Pola (Av. de) . . . . **Z** 47
Santa Teresa (Puente) . . . . **Z** 48
Sant Joan (Pl. de) . . . . **Z** 44
Vicente Blasco Ibáñez . . . . **Y** 51
Xop II. Licitá . . . . **Z** 52

Federico García Lorca . . . . . . **Z** 23

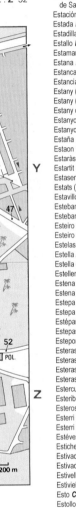

Espart (Illa de s') . . . . **87** P 33
Espartal (El) **M** . . . . **46** J 19
Esparteros **SE** . . . . **92** U 13
Espartinas **SE** . . . . **91** T 11
Espartosa (La) **MU** . . . . . . **85** R 26
Esparza de Salazar
  cerca de Ochagavía **NA** . . **11** D 26
Espasante **C** . . . . **3** A 6
Espeja **SA** . . . . **42** K 9
Espeja
  de San Marcelino **SO** . . . **32** G 20
Espejo **VI** . . . . **18** D 20
Espejo **CO** . . . . **81** S 16
Espejón **SO** . . . . **32** G 20
Espelt (L') **B** . . . . **37** H 34
Espelúy **J** . . . . **82** R 18
Espera **CA** . . . . **92** V 12
Esperante **C** . . . . **12** D 3
Esperanza (Bosque de La)
  Tenerife **TF** . . . . **127** H 3
Esperanza
  (Ermita de la) **CO** . . . . . . **93** T 16
Esperanza (La)
  Tenerife **TF** . . . . **124** H 2
Esperanza (La) **SE** . . . . **92** U 14
Espero (Punta de S') . . . . . . **106** M 42
Espés **HU** . . . . **22** E 31
Espiel **CO** . . . . **81** R 14
Espiel (Puerto de) **CO** . . . . . **81** R 14
Espierba **HU** . . . . **22** E 30
Espígüete . . . . **16** D 15

Espín **HU** . . . . **21** E 29
Espina (Collado de) **HU** . . . . **22** E 31
Espina (L') . . . . **50** J 31
Espina (La) **O** . . . . **5** B 10
Espina de Tremor **LE** . . . . . **16** D 15
Espinal / Auritzberri **NA** . . . **11** D 25
Espinar (El) **SG** . . . . **45** J 17
Espinaredo **O** . . . . **6** C 13
Espinavell **GE** . . . . **24** E 37
Espinelves **GE** . . . . **24** G 37
Espino (L') **S** . . . . **7** C 17
Espino (Cuesta del) **CO** . . . **81** S 15
Espino
  (Ermita Virgen del) **AV** . . **44** J 14
Espino de la Orbada **SA** . . . **44** I 13
Espino de los Doctores **SA** **43** I 12
Espinosa
  de los Caballeros **AV** . . . **45** I 16
España
  de los Monteros **BU** . . . . . . **8** C 19
Espinosa
  de Villagonzalo **P** . . . . . . **17** E 16
Espinosa del Camino **BU** . . **18** E 20

Espinosa del Monte **BU** . . . . **18** E 20
Espinoso de Compludo **LE** **15** E 10
Espinoso del Rey **TO** . . . . . **57** N 15
Espiñaredo **C** . . . . **3** B 6
Espirdo **SG** . . . . **45** J 17
Espíritu Santo
  (Ermita del) **O** . . . . **5** B 11
Esplegares **GU** . . . . **47** J 22
Espluga **HU** . . . . **22** E 31
Espluga Calba (L') **L** . . . . . . **37** H 33
Espluga de Francolí (L') **T** . **37** H 33
Espluga de Serra **L** . . . . **22** F 32
Esplús **HU** . . . . **36** G 30
Espolla **GE** . . . . **25** E 39
Esponellà **GE** . . . . **25** F 38
Esporles **PM** . . . . **104** M 37
Esposa **HU** . . . . **21** E 28
Espot **L** . . . . **23** E 33
Espot (Portarró d') **L** . . . . . . **23** E 32
Espui **L** . . . . **23** E 32
Espunyola (L') **B** . . . . **23** F 35
España (Sierra de) . . . . **84** S 25
Esquedas **HU** . . . . **21** F 28
Esquinazo (Puerto del) **TE** **49** J 27
Esquivel **SE** . . . . **91** T 12
Esquivias **TO** . . . . **58** L 18
Establés **GU** . . . . **47** I 23

Establiments **PM** . . . . **104** N 37
Estaca de Bares
  (Punta de la) **C** . . . . **3** A 6
Estacas cerca de
  Cuntis **PO** . . . . **12** E 4
Estacas cerca de
  Ponte-Caldelas **PO** . . . . . **13** E 4
Estacio (Faro del) **MU** . . . . . **86** S 27
Estació de Novelda (La) **A** **85** Q 27
Estación (La) **M** . . . . **45** K 18
Estación (La)
  cerca de Arévalo **AV** . . . . **44** I 15
Estación (La) cerca de
  Sanchidrián **AV** . . . . **45** J 16
Estación (La) **M** . . . . **45** K 17
Estación (La) **SE** . . . . **92** T 12
Estación (La) **M** . . . . **45** K 17
Estación Cártama **MA** . . . . **100** V 16
Estación de Agramón **AB** **84** Q 25
Estación de Algodor **M** . . . . **58** M 18
Estación
  de Archidona **MA** . . . . **93** U 16
Estación de Baeza **J** . . . . . . **82** R 19
Estación de Cabra del
  Santo Cristo y Alicún **J** **83** T 20
Estación de Chinchilla **72** P 24
Estación de Huelma **J** . . . . . **95** T 20
Estación de la Puebla
  de Híjar **TE** . . . . **35** I 28

Estación
  de Las Mellizas **MA** . . . . **100** V 15
Estación de las Minas **AB** **84** R 25
Estación de los Molinos **M** **45** J 17
Estación de Matallana **LE** **16** D 13
Estación de Mora
  de Rubielos **TE** . . . . **61** L 27
Estación de Obejo **CO** . . . . **81** R 15
Estación de Ordes **C** . . . . **3** C 4
Estación de Páramo **LE** . . . **15** D 10
Estación de Salinas **MA** . . . **93** U 17
Estación
  de San Roque **CA** . . . . . . **99** X 13
Estación y Pajares (La) **M** **45** K 17
Estada **HU** . . . . **22** F 30
Estadilla **HU** . . . . **22** F 30
Estallo **HU** . . . . **21** E 28
Estamariu **L** . . . . **23** E 34
Estana **L** . . . . **23** F 34
Estanca (Embalse de la) **TE** **49** I 29
Estancias (Sierra de las) . . **96** T 23
Estany (Barranc de l') . . . . . . **50** J 32
Estany (L') **B** . . . . **38** G 36
Estany d'en Mas (S') **PM** **105** N 39
Estanyol (S') **Mallorca PM** **104** N 38
Estanyol (S') **Ibiza PM** . . . **87** P 33
Estaña **HU** . . . . **22** F 31
Estaon **L** . . . . **23** E 33
Estaràs **L** . . . . **37** G 34
Estartit (L') **GE** . . . . **25** F 39
Estasen (L') **B** . . . . **23** F 35
Estats (Pico d') **L** . . . . **23** E 34
Estavillo **VI** . . . . **18** D 21
Esteban . . . . **35** G 21
Estebanvela **SG** . . . . **32** H 20
Esteiro cerca de Cedeira **C** . . **3** B 5
Esteiro cerca de Muros **C** . . **12** D 3
Estelas (As) **PO** . . . . **12** F 3
Estella / Lizarra **NA** . . . . **19** D 23
Estella del Marqués **CA** . . . **98** V 11
Estellencs **PM** . . . . **104** M 37
Estena **CC** . . . . **67** O 10
Estena (Río) **CR** . . . . **69** N 16
Estepa **SE** . . . . **93** U 15
Estepa de San Juan **SO** . . . **33** G 23
Estépar **BU** . . . . **17** F 18
Estepas (Los) **CO** . . . . **81** S 15
Estepona **MA** . . . . **100** W 14
Esteras **SO** . . . . **33** G 23
Esteras (Puerto) **SO** . . . . **47** I 22
Esteras (Río) . . . . **69** P 15
Esteras de Medinaceli **SO.** **47** I 22
Estercuel **TE** . . . . **49** J 28
Esteribar **NA** . . . . **11** D 25
Esteros (Los) **AB** . . . . **71** P 22
Esterri d'Àneu **L** . . . . **23** E 33
Esterri de Cardós **L** . . . . **23** E 33
Estévez (Las) **BA** . . . . **67** P 10
Estiche **HU** . . . . **36** G 30
Estivadas **OR** . . . . **27** F 7
Estivadas (Alto de) **OR** . . . . **27** F 7
Estivella **V** . . . . **62** M 28
Estiviel **TO** . . . . **58** M 17
Esto **C** . . . . **2** C 3
Estollo **LO** . . . . **19** F 21
Estopiñán **HU** . . . . **36** G 31
Estopiñán del Castillo . . . . . . **36** G 31
Estorninos **CC** . . . . **55** M 9
Estrada (A) **PO** . . . . **13** D 4
Estrecho (El) cerca de
  Lobosillo **MU** . . . . **85** S 26
Estrecho (El) **A** . . . . **84** S 23
Estrecho (Mirador El) **CA** . **99** X 13
Estrecho de San Ginés (El)
  cerca de Llano
  del Beal **MU** . . . . **85** T 27
Estrella . . . . **57** M 14
Estrella (Castillo de la) **MA** **100** V 15
Estrella (La) **TO** . . . . **57** M 14
Estremera **M** . . . . **59** L 20
Estremera (Canal de) . . . . **59** L 20
Estremera
  (Embalse de) **CU** . . . . **59** L 21
Estriégana **GU** . . . . **47** I 22
Estubeny **V** . . . . **74** O 28
Etayo **NA** . . . . **19** E 23
Eterna **BU** . . . . **18** E 20
Etreros **SG** . . . . **45** J 16
Etsain **NA** . . . . **11** D 25
Etxabarri-Ibiña **VI** . . . . **19** D 21
Etxalar **NA** . . . . **11** C 25
Etxaleku **NA** . . . . **10** D 24
Etxano **BI** . . . . **9** C 21
Etxarri-Aranatz **NA** . . . . **19** D 23
Etxauri **NA** . . . . **10** D 24
Etxebarri **BI** . . . . **8** C 21

Etxebarria **BI** . . . . **10** C 22
Etxeberri **NA** . . . . **10** D 24
Etxegarate (Puerto de) **SS** **19** D 23
Euba **BI** . . . . **9** C 21
Eugenio (Casa de) **AB** . . . . **71** O 21
Eugi **NA** . . . . **11** D 25
Eugi (Embalse de) . . . . **11** D 25
Eulate **NA** . . . . **19** D 23
Eume **C** . . . . **3** B 5
Eume (Embalse de) **C** . . . . . . **3** B 6
Eume (Río) **C** . . . . **3** B 5
Eunate (Ermita de) . . . . **10** D 24
Europa (Picos de) **O** . . . . **6** C 15
Eurovillas-Las Villas **M** . . . **46** K 20
Extramiana **BU** . . . . **18** D 20
Ézaro **C** . . . . **2** D 2
Ezcaray **LO** . . . . **18** F 20
Ezcaray (Coto nacional de) **18** F 20
Ezcároz / Ezkaroze **NA** . . . **11** D 26
Ezkaroze / Ezcároz **NA** . . . **11** D 26
Ezkio **SS** . . . . **10** C 23
Ezkurra **NA** . . . . **10** C 24
Ezprogui **NA** . . . . **20** E 25

F

Faba (La) **LE** . . . . **14** D 8
Fabara **Z** . . . . **36** I 30
Fabara (Estación de) **Z** . . . . **36** I 30
Fabares **O** . . . . **6** B 13
Fabero **LE** . . . . **15** D 10
Fabioler (Punta d'es) . . . . . . **104** N 37
Fábrica de Orbaitzeta **NA** **11** D 26
Fábrica del Pedroso **SE** . . . **80** S 12
Fábricas (Las) **TE** . . . . **49** J 28
Fábricas de Riópar **AB** . . . . **84** Q 22
Facheca **A** . . . . **74** P 29
Facinas **CA** . . . . **99** X 12
Fadas (Collado de) **HU** . . . . **22** E 31
Fado **TO** . . . . **58** L 17
Fadón **ZA** . . . . **29** H 11
Faedo **O** . . . . **5** B 11
Faeira **C** . . . . **3** B 6
Fago **HU** . . . . **11** D 27
Faidella (Coll de) **L** . . . . **23** F 33
Faido **VI** . . . . **19** D 22
Fajanita (La)
  Gran Canaria **GC** . . . . . . **114** B 2
Faladoira (Sierra de) **C** . . . . . **3** B 6
Falces **NA** . . . . **20** E 24
Falconera **SO** . . . . **106** L 41
Falconera (Punta) . . . . **25** F 39
Falcones (Punta)
  La Gomera **TF** . . . . **118** B 3
Falgons **GE** . . . . **24** F 37
Falset **T** . . . . **51** I 32
Famara **Lanzarote GC** . . . **123** E 3
Famorca **A** . . . . **74** Q 29
Fanadix **A** . . . . **75** Q 30
Fangar (El) **T** . . . . **51** J 32
Fanlo **HU** . . . . **22** E 29
Fanzara **CS** . . . . **62** L 29
Fañanás **HU** . . . . **21** F 29
Fao **C** . . . . **13** D 5
Faraján **MA** . . . . **99** W 14
Faramontanos
  de Tábara **ZA** . . . . **29** G 12
Faramontaos **OR** . . . . **13** E 6
Farasdués **Z** . . . . **20** F 26
Fardes (Río) . . . . **94** U 20
Farelo . . . . **13** D 6
Farena **T** . . . . **37** I 33
Farfanya (Riu) . . . . **36** G 32
Farga de Moles (La) . . . . **23** E 34
Fariza **ZA** . . . . **29** H 11
Faro **T** . . . . **35** G 28
Faro **LU** . . . . **4** A 7
Faro **PO** . . . . **13** E 6
Faro (Porto do) **PO** . . . . **13** E 6
Faro (Sierra del) **LU** . . . . **13** E 6
Farrera **L** . . . . **23** E 33
Fasgar **LE** . . . . **15** D 11
Fasnia **Tenerife TF** . . . . . . **129** G 4
Fastias **O** . . . . **5** B 10
Fataga (Barranco de)
  Gran Canaria **GC** . . . . . . **116** D 4
Fatarella (La) **T** . . . . **50** I 31
Fatares (Serra de la) . . . . **36** I 31
Fates (Sierra de) . . . . **99** X 12
Fátima **GR** . . . . **83** S 21
Fátima (Castillo de) **CA** . . . **99** V 13
Faura **V** . . . . **62** M 28
Faustino **SE** . . . . **79** S 12
Favara **V** . . . . **74** O 29
Favàritx (Cap de) **PM** . . . . **106** M 42
Faxilda (Punta) **PO** . . . . **12** E 3

Fayón Z ..... 36 I 31
Fayón-Pobla de Massaluca (Estació) T ..... 36 I 31
Fayos (Los) Z ..... 34 G 24
Fazay LU ..... 4 C 7
Fazouro LU ..... 4 B 8
Féa OR ..... 13 F 6
Feáns C ..... 3 C 4
Feás C ..... 3 A 6
Feás OR ..... 13 E 5
Febró (La) T ..... 37 I 32
Feixa L ..... 23 E 33
Felanitx PM ..... 105 N 39
Felechares LE ..... 15 F 11
Felechas LE ..... 16 D 14
Felechosa O ..... 6 C 13
Felguera (La) O ..... 6 C 13
Felgueras O ..... 5 C 12
Felipa (La) AB ..... 72 O 24
Felipes (Los) V ..... 61 M 26
Félix AL ..... 102 V 22
Félix Méndez GR ..... 94 U 19
Felmín LE ..... 16 D 13
Femés Lanzarote GC ..... 122 B 5
Fenazar MU ..... 85 R 26
Fene C ..... 3 B 5
Férez AB ..... 84 Q 23
Feria BA ..... 67 Q 10
Feria do Monte LU ..... 4 C 7
Ferial (Embalse de El) NA. 20 F 25
Fermoselle ZA ..... 29 I 10
Fernán Caballero CR ..... 70 O 18
Fernán Núñez CO ..... 81 S 15
Fernán Núñez (Estación de) CO ..... 81 S 16
Fernán Pérez AL ..... 103 V 23
Fernandina J ..... 82 R 19
Fernandina (Embalse de la) J ..... 82 R 19
Fernando de Aragón (Parador) Sos del Rey Católico Z .. 20 E 26
Ferral del Bernesga LE ..... 16 E 13
Ferreira LU ..... 3 D 6
Ferreira Valadouro LU ..... 4 B 7
Ferreira GR ..... 95 U 20
Ferreira (Río) LU ..... 13 D 7
Ferreiras LU ..... 14 D 8
Ferreiravella LU ..... 14 D 8
Ferreiro C ..... 3 D 5
Ferreiros cerca de Baralla LU ..... 14 D 8
Ferreiros cerca de Puebla de Brollón LU ..... 14 E 7
Ferrer (Son) PM ..... 104 N 37
Ferrera (Sierra) ..... 22 E 30
Ferreras (Río) ..... 15 E 12
Ferreras de Abajo ZA ..... 29 G 11
Ferreras de Arriba ZA ..... 29 G 11
Ferreres (Aqüeducte de les) T ..... 37 I 33
Ferreries PM ..... 106 M 42
Ferreruela ZA ..... 29 G 11
Ferreruela de Huerva TE.. 48 I 26
Ferro (Monte) PO ..... 12 F 3
Ferrol C ..... 3 B 5
Ferrol (Ría de) C ..... 3 B 5
Ferrossa (Punta) ..... 38 I 35
Ferrutx ..... 105 M 39
Ferrutx (Cap) ..... 105 M 40
Fervenza (Embalse de) C. 12 D 3
Fesnedo O ..... 5 C 11
Figal (La) O ..... 5 B 10
Figaredo O ..... 5 C 12
Figaró (El) B ..... 38 G 36
Figarol NA ..... 20 E 25
Figols L ..... 22 F 32
Figols B ..... 24 F 35
Figols d'Organyà L ..... 23 F 34
Figueiredo PO ..... 12 E 4
Figuera (La) T ..... 36 I 32
Figuera (Punta de sa) ..... 25 F 39
Figueral (es) PM ..... 87 O 34
Figueras O ..... 4 B 8
Figueres GE ..... 25 F 38
Figuerola d'Orcau L ..... 23 F 32
Figuerola del Camp T ..... 37 H 33
Figueroles CS ..... 62 L 29
Figuerosa (La) L ..... 37 G 33
Figueruela de Arriba ZA ..... 29 G 10
Figueruela de Sayago ZA.. 29 I 12
Figueruelas Z ..... 34 G 26
Filabres (Sierra de los) ..... 96 U 22
Filera (Sierra de la) ..... 15 D 12
Filgueira LU ..... 13 D 6
Filgueira PO ..... 13 F 5
Filgueiras C ..... 3 B 5

Filiel LE ..... 15 E 11
Filipinas (Las) A ..... 85 S 27
Finca Villalpardillo CU .. 72 O 23
Fincas la Dehesilla y Carazo BA ..... 66 Q 8
Fines AL ..... 96 T 23
Finestrat A ..... 74 Q 29
Finestrelles (Pic de) GE.. 24 E 36
Finestres ..... 24 F 37
Finisterre (Cabo) / Fisterra (Cabo) ..... 2 D 2
Finisterre (Embalse de) TO ..... 58 N 19
Finolledo LE ..... 15 E 10
Fiñana AL ..... 95 U 21
Fiobre C ..... 3 C 5
Fiolleda LU ..... 14 E 7
Fión LU ..... 13 E 7
Fíos O ..... 6 B 14
Firgas Gran Canaria GC. 115 E 2
Fiscal HU ..... 21 E 29
Fisterra C ..... 2 D 2
Fisterra (Cabo) / Finisterre (Cabo) C ..... 2 D 2
Fistéus LU ..... 14 E 8
Fitero NA ..... 20 F 24
Fito (Mirador del) O ..... 6 B 14
Fitoiro OR ..... 14 F 7
Flaçà GE ..... 25 F 38
Flamisell (El) ..... 23 F 32
Flariz OR ..... 27 G 7
Flix T ..... 36 I 31
Flix (Pantà de) T ..... 36 I 31
Florderrei OR ..... 28 G 8
Florejacs L ..... 37 G 33
Flores de Ávila AV ..... 44 J 14
Floresta (La) L ..... 37 H 32
Florida (La) Tenerife TF.. 127 C 3
Florida (La) H ..... 91 T 9
Florida de Liébana SA ..... 43 I 12
Flumen HU ..... 21 F 28
Flumen (Canal del) ..... 35 G 29
Fluvià (El) GE ..... 24 F 37
Fofe PO ..... 13 F 4
Fogars B ..... 38 G 36
Fogars de Montclús B ..... 38 G 37
Foia (La) Castelló CS ..... 62 L 29
Foia (La) A ..... 86 R 27
Foix (El) ..... 37 H 34
Foixà GE ..... 25 F 38
Folch ..... 23 E 35
Foldada P ..... 17 D 16
Folgosa LU ..... 4 D 8
Folgoso PO ..... 13 E 4
Folgoso de la Ribera LE.. 15 E 11
Folgoso do Courel LU ..... 14 E 8
Folgueira O ..... 4 B 8
Folgueiro LU ..... 4 A 7
Folgueras O ..... 5 B 11
Folgueroles B ..... 38 G 36
Folladela C ..... 3 D 5
Folledo LE ..... 15 D 12
Follente S ..... 17 D 17
Fombellida VA ..... 31 G 17
Fombellida VA ..... 14 E 7
Fombuena Z ..... 48 I 26
Fompedraza VA ..... 31 H 17
Foncastín VA ..... 30 H 14
Foncea LO ..... 18 E 20
Foncebadón LE ..... 15 E 10
Fondarella L ..... 37 H 32
Fondevila OR ..... 27 G 5
Fondó de les Neus (El) A.. 85 R 27
Fondón AL ..... 102 V 21
Fondos de Vega O ..... 15 D 10
Fonelas GR ..... 95 T 20
Fonfría TE ..... 48 J 26
Fonfría cerca de Fonsagrada LU.. 4 C 9
Fonfría cerca de Triacastela LU. 14 D 8
Fonfría (Puerto de) TE.. 48 J 26
Fonolleres ..... 37 H 33
Fonollosa B ..... 37 G 35
Fonsagrada (A) LU ..... 4 C 8
Font Calders B ..... 23 F 35
Font d'en Carròs (La) V.. 74 P 29
Font d'en Segures (La) CS 50 K 29
Font de la Figuera (Estació de la) V ..... 73 P 27
Font de la Figuera (La) V.. 73 P 27
Font-Mezquitas A ..... 86 Q 28
Font Roja (Santuari de la) A ..... 74 Q 28
Font-rubí B ..... 37 H 34
Fontán C ..... 3 B 5
Fontanar GU ..... 46 J 20

Fontanar CO ..... 93 T 15
Fontanar J ..... 83 S 21
Fontanarejo CR ..... 69 O 16
Fontanars dels Alforins V.. 74 P 27
Fontaneira LU ..... 4 C 8
Fontanella (Serra de la) A. 74 P 27
Fontanil de los Oteros LE.. 16 E 13
Fontanillas de Castro ZA.. 29 G 12
Fontanilles GE ..... 25 F 39
Fontanosas CR ..... 69 P 16
Fontañera (La) CC ..... 54 N 8
Fontcoberta GE ..... 25 F 38
Fontdepou L ..... 36 G 32
Fonte da Cova LE ..... 14 F 9
Fontecha VI ..... 18 D 20
Fontecha S ..... 7 C 17
Fontecha P ..... 17 D 15
Fontecha LE ..... 15 E 12
Fontefría OR ..... 14 F 7
Fontellas NA ..... 20 F 25
Fontelles B ..... 37 G 34
Fontenebro-Mirador de la Sierra (Dominio de) M ..... 45 K 18
Fonteo LU ..... 4 C 8
Fontibre S ..... 7 C 17
Fontihoyuelo VA ..... 16 F 14
Fontioso BU ..... 32 G 18
Fontiveros AV ..... 44 J 15
Fontllonga L ..... 36 G 32
Fontoria LE ..... 14 D 10
Fontoria de Cepeda LE.. 15 E 11
Fonts (Les) Castelló CS.. 63 L 30
Fontscaldes T ..... 37 I 33
Fonz HU ..... 22 F 30
Fonzaleche LO ..... 18 E 20
Forada L ..... 37 G 33
Forada Mallorca PM ..... 104 M 37
Foradada (Collado de) HU.. 22 E 31
Foradada (La) H ..... 91 T 9
Foradada del Toscar HU.. 22 E 31
Forata (Embassament de) 73 N 27
Forca ..... 21 D 27
Forcadas (Embalse de) C... 3 B 5
Forcadela PO ..... 12 G 3
Forcall CS ..... 49 K 29
Forcarei PO ..... 13 E 4
Forcat HU ..... 22 E 32
Forcayao (Alto de) O ..... 5 B 10
Forès T ..... 37 H 33
Forfoleda SA ..... 43 I 12
Forgoselo (Sierra de) C... 3 B 5
Formariz ZA ..... 29 H 11
Formentera del Segura A. 85 R 27
Formentor (Cap de) PM.. 105 N 39
Formiche Alto TE ..... 49 L 27
Formiche Bajo TE ..... 61 L 27
Formiga ..... 21 F 29
Formigal (El) HU ..... 21 D 28
Formigales HU ..... 22 E 30
Formigones LE ..... 15 D 12
Formiguero ..... 14 F 8
Forna LE ..... 14 F 10
Forna A ..... 74 P 29
Fornalutx PM ..... 104 M 38
Fornells cerca de Ribes GE.. 24 F 36
Fornells Menorca PM ..... 106 L 42
Fornells cerca de Girona GE.. 25 G 38
Fornells (Badía de) PM... 106 L 42
Fornells de Mar GE ..... 25 G 39
Fornelos cerca de A Garda PO ..... 26 G 3
Fornelos cerca de Ponteareas PO ..... 12 F 4
Fornelos de Montes PO.. 13 E 4
Fornillos HU ..... 36 G 30
Fornillos de Alba ZA ..... 29 H 11
Fornillos de Fermoselle ZA 29 H 11
Fornis C ..... 2 D 2
Fórnols TE ..... 50 J 30
Fórnols B ..... 23 F 34
Foronda VI ..... 19 D 21
Fornoló (Alto de) OR ..... 13 F 6
Fortaleny V ..... 74 O 29
Fortanete TE ..... 49 K 28
Fortià GE ..... 25 F 39
Fortuna MU ..... 85 R 26
Forua BI ..... 9 C 21
Forxa (A) A Porqueira OR.. 13 F 6
Forxa (A) Punxín ..... 13 E 6
Forzans PO ..... 13 E 4
Fosado HU ..... 22 E 30
Fosca (Vall) L ..... 23 E 32

Foxo PO ..... 13 D 4
Foz LU ..... 4 B 8
Foz Calanda TE ..... 49 J 29
Foz de Biniés HU ..... 21 E 27
Foz de Mieres (La) O ..... 5 C 12
Fradellos ZA ..... 29 G 11
Frades LU ..... 14 D 7
Frades C ..... 3 C 5
Frades de la Sierra SA ..... 43 K 12
Fraella HU ..... 35 G 29
Fraga HU ..... 36 H 31
Fraga (A) OR ..... 13 F 5
Frage (El) GR ..... 94 T 19
Fragén HU ..... 21 E 29
Frago (El) Z ..... 21 F 27
Fragosa CC ..... 43 K 11
Fraguas (Las) S ..... 7 C 17
Fraguas (Las) SO ..... 33 G 21
Fraile (Peña del) S ..... 8 B 18
Fraile (Rivera del) BA ..... 66 O 8
Frailes J ..... 94 T 18
Frailes (Los) TE ..... 71 O 19
Frailes (Río de los) SE ..... 91 T 11
Frailes (Río) ..... 94 T 18
Frairía LU ..... 4 C 8
Fraja CA ..... 99 W 12
Frameán LU ..... 13 D 7
Franca (La) O ..... 7 B 16
Francas (Las) SE ..... 80 S 13
Francelos OR ..... 13 F 5
Franceses La Palma TF. 131 C 3
Francho Z ..... 20 F 25
Franco ..... 31 F 18
Franco (El) O ..... 4 B 9
Francolí (El) T ..... 37 H 33
Francos SG ..... 32 H 19
Francos LU ..... 14 D 8
Frandoviñez BU ..... 17 F 18
Franqueira (A) PO ..... 13 F 4
Franza C ..... 3 B 5
Frasno (El) Z ..... 34 H 25
Frasno (Puerto del) Z ..... 34 H 25
Fraussa (Roc de) GE ..... 24 E 38
Frayàs LU ..... 4 B 7
Frecha (La) O ..... 5 C 12
Frechilla P ..... 16 F 15
Frechilla SO ..... 33 H 22
Fredes CS ..... 50 J 30
Fregenal de la Sierra BA.. 79 R 10
Fregeneda (La) SA ..... 42 J 9
Freginals ..... 50 J 31
Freigamuñoz (Arroyo) BA. 66 Q 8
Freila GR ..... 95 T 21
Freixeiro LU ..... 14 E 7
Freixeiro C ..... 2 C 3
Freixido OR ..... 14 F 7
Freixo OR ..... 3 B 6
Freixo LU ..... 14 D 8
Freixo OR ..... 13 F 6
Frequela (Sierra de) ..... 33 F 21
Fréscano Z ..... 34 G 25
Freser (El) ..... 24 F 36
Freser i Setcases (Reserva nacional de) GE ..... 24 E 36
Fresnadillo ZA ..... 29 H 11
Fresneda VI ..... 18 D 20
Fresneda BU ..... 18 F 20
Fresneda CR ..... 82 Q 19
Fresneda (Embalse de) ..... 70 Q 18
Fresneda (La) MA ..... 100 V 16
Fresneda (La) TE ..... 50 J 30
Fresneda (La) TO ..... 57 M 15
Fresneda (Río) ..... 70 Q 18
Fresneda de Altarejos CU.. 60 M 23
Fresneda de Cuéllar SG... 31 I 16
Fresneda de la Sierra CU.. 47 K 23
Fresnedelo LE ..... 15 D 10
Fresnedilla AV ..... 57 L 16
Fresnedilla (Casa Forestal La) J ..... 83 R 21
Fresnedilla (La) J ..... 83 R 21
Fresnedillas de la Oliva M. 45 K 17
Fresnedo S ..... 8 C 19
Fresnedo LE ..... 15 D 10
Fresnedo de Valdellorma LE.. 16 D 14
Fresnedosa (Rivera de) ... 55 M 10
Fresnedoso de Ibor CC... 56 M 13
Fresneña BU ..... 18 E 20
Fresno (El) AV ..... 44 K 15
Fresno (El) CR ..... 69 P 16
Fresno (El) CC ..... 55 L 10

Fresno (Portillo de) BU ..... 18 E 18
Fresno Alhándiga SA ..... 43 J 13
Fresno de Cantespino SG. 32 H 19
Fresno de Caracena SO .. 32 H 20
Fresno de la Fuente SG... 32 H 19
Fresno de la Polvorosa ZA 29 F 12
Fresno de la Ribera ZA ..... 30 H 13
Fresno de la Vega LE ..... 16 E 13
Fresno de Riotirón BU ..... 18 E 20
Fresno de Rodilla BU ..... 18 E 19
Fresno de Sayago ZA ..... 29 I 12
Fresno de Torote M ..... 46 K 19
Fresno el Río P ..... 16 D 15
Fresno el Viejo VA ..... 44 I 14
Freu (Cap d'es) PM ..... 105 M 40
Frexulfe LU ..... 4 B 7
Frías BU ..... 18 D 20
Frías de Albarracín TE ..... 48 K 25
Friera (Embalse de) OR... 13 F 5
Friera LE ..... 14 E 9
Friera de Valverde ZA ..... 29 G 12
Frigiliana MA ..... 101 V 18
Frío GR ..... 93 U 17
Friol LU ..... 3 C 6
Frixe C ..... 2 C 2
Frollais LU ..... 14 D 7
Frómista P ..... 17 F 16
Fronfría ZA ..... 29 H 11
Frontera El Hierro TF... 108 C 2
Frontera (La) CU ..... 47 K 23
Frontón LU ..... 13 E 7
Frouxeira (Punta) C ..... 3 B 5
Fruiz BI ..... 9 C 21
Frula HU ..... 35 G 28
Frumales SG ..... 31 H 17
Fuego (Montañas del) Lanzarote GC ..... 122 C 4
Fuejo O ..... 5 B 12
Fuen del Cepo TE ..... 61 L 27
Fuen-Vich V ..... 73 N 26
Fuencalderas Z ..... 21 E 27
Fuencaliente cerca de Bañuela CR ..... 81 Q 17
Fuencaliente cerca de Las Peralosas CR ..... 70 O 17
Fuencaliente SO ..... 32 G 20
Fuencaliente (Punta de) La Palma TF. 132 C 7
Fuencaliente de la Palma La Palma TF. 132 C 7
Fuencaliente de Lucio BU. 17 D 17
Fuencarral M ..... 46 K 19
Fuencemillán ..... 46 J 20
Fuencubierta CO ..... 81 S 15
Fuendecampo HU ..... 22 E 30
Fuendejalón Z ..... 34 G 25
Fuendelada (La) TE ..... 49 K 27
Fuendetodos Z ..... 35 H 27
Fuenferrada TE ..... 49 J 26
Fuenfría (Puerto de) ..... 45 J 17
Fuengirola MA ..... 100 W 16
Fuenlabrada M ..... 58 L 18
Fuenlabrada AB ..... 72 Q 23
Fuenlabrada de los Montes BA ..... 69 O 15
Fuenllana CR ..... 71 P 21
Fuenmayor LO ..... 19 E 22
Fuensaldaña VA ..... 30 G 15
Fuensalida TO ..... 58 L 17
Fuensanta O ..... 6 B 13
Fuensanta AB ..... 72 O 23
Fuensanta GR ..... 94 U 18
Fuensanta (Embalse de la) ..... 84 Q 23
Fuensanta (Ermita de la) J ..... 82 S 19
Fuensanta (Ermita de la) SE ..... 93 U 15
Fuensanta (Santuario de la) MU.. 85 S 26
Fuensanta de Martos J... 82 T 18
Fuensauco SO ..... 33 G 22
Fuensaviñán (La) GU ..... 47 J 22
Fuente H ..... 91 T 10
Fuente (La) AL ..... 96 T 24
Fuente (Santibáñez de la) O ..... 6 C 13
Fuente Álamo J ..... 94 T 17
Fuente Álamo BA ..... 73 P 25
Fuente Álamo MU ..... 85 S 26
Fuente Alhama CO ..... 93 T 17
Fuente Amarga AL ..... 96 T 24

Fuente Arcada (Ermita de) CC ..... 55 L 9
Fuente Blanca MU ..... 85 R 26
Fuente Blanca (Sierra de) 58 N 18
Fuente Caldera GR ..... 95 T 20
Fuente Camacho GR ..... 93 U 17
Fuente Carreteros CO ..... 80 S 14
Fuente Dé ..... 6 C 15
Fuente de Cantos BA ..... 79 R 11
Fuente de la Corcha H ..... 90 T 9
Fuente de la Torre J ..... 83 R 20
Fuente de Pedro Naharro CU.. 59 M 20
Fuente de Piedra MA ..... 93 U 15
Fuente de Piedra (Laguna de la) ..... 93 U 15
Fuente de San Esteban (La) SA 43 J 11
Fuente de Santa Cruz SG. 45 I 16
Fuente del Arco BA ..... 80 R 12
Fuente del Ebro ..... 7 C 17
Fuente del Fresno M ..... 46 K 19
Fuente del Gallo CA ..... 98 X 11
Fuente del Maestre BA... 67 Q 10
Fuente del Pino MU ..... 73 Q 26
Fuente del Villar CU ..... 60 M 24
Fuente El Carnero ZA ..... 29 I 12
Fuente el Fresno CR ..... 70 O 18
Fuente el Olmo de Fuentidueña SG... 31 H 18
Fuente el Olmo de Iscar SG ..... 31 I 16
Fuente el Sauz AV ..... 44 J 15
Fuente el Saz de Jarama M ..... 46 K 19
Fuente el Sol VA ..... 44 I 15
Fuente Encalada ZA ..... 15 F 12
Fuente Grande GR ..... 94 U 19
Fuente Higuera AB ..... 84 Q 23
Fuente la Lancha CO ..... 81 Q 14
Fuente la Reina CS ..... 62 L 28
Fuente Librilla MU ..... 85 S 25
Fuente Obejuna CO ..... 80 R 13
Fuente Olmedo VA ..... 31 I 16
Fuente Palmera CO ..... 80 S 14
Fuente Pardíñas (Balneario de) LU ..... 3 C 6
Fuente Pinilla J ..... 83 R 21
Fuente Rey ..... 99 W 12
Fuente Santa (Estación de) AL ..... 95 U 22
Fuente Segura J ..... 83 R 21
Fuente Tójar CO ..... 94 T 17
Fuente-Urbel BU ..... 17 E 18
Fuente Vaqueros GR ..... 94 U 18
Fuente Victoria AL ..... 102 V 21
Fuentealbilla AB ..... 73 O 25
Fuentearmegil SO ..... 32 G 20
Fuentebravia CA ..... 98 W 11
Fuentecambrón SO ..... 32 H 20
Fuentecantales SO ..... 32 G 21
Fuentecantos SO ..... 33 G 22
Fuentefría (Puerto de) PO. 13 F 5
Fuentegelmes SO ..... 33 H 22
Fuenteguinaldo SA ..... 42 K 9
Fuenteheridos H ..... 79 S 10
Fuentelahiguera de Albatages GU ..... 46 J 20
Fuentelapeña ZA ..... 30 I 13
Fuentelárbol SO ..... 33 H 21
Fuentelcarro SO ..... 33 H 22
Fuentelcésped BU ..... 32 H 19
Fuentelencina GU ..... 46 K 21
Fuentelespino de Haro CU ..... 59 M 20
Fuentelespino de Moya CU ..... 61 M 25
Fuentelsante SA ..... 42 J 10
Fuentelmonge SO ..... 33 H 23
Fuentelsaz SO ..... 33 G 22
Fuentelsaz GU ..... 48 I 24
Fuentelviejo GU ..... 46 K 21
Fuentemilanos SG ..... 45 J 17
Fuentemizarra SG ..... 32 H 19
Fuentemolinos BU ..... 31 H 18
Fuentenebro BU ..... 32 H 18
Fuentenovilla GU ..... 46 K 20
Fuentepelayo SG ..... 31 H 17
Fuentepiñel SG ..... 31 H 17
Fuenterrabía / Hondarribia SS ..... 10 B 24
Fuenterrabiosa BU ..... 8 C 19
Fuenterrebollo SG ..... 31 I 18

Fuenterroble
  de Salvatierra *SA*.........43 K 12
Fuenterrobles *V*.........61 N 25
Fuentes *CU*.........60 M 23
Fuentes *TO*.........57 M 14
Fuentes (Las) *CR*.........82 Q 19
Fuentes (Las) *AB*.........73 O 26
Fuentes
  (Puerto de las) *AV*.........44 K 14
Fuentes Calientes *TE*.........49 J 27
Fuentes Carrionas *P*.........17 D 16
Fuentes Carrionas
  (Reserva nacional) *P*.....17 D 15
Fuentes Claras *TE*.........48 J 26
Fuentes de Ágreda *SO*.........34 G 24
Fuentes de Andalucía *SE*..92 T 13
Fuentes de Año *AV*.........44 I 15
Fuentes de Ayódar *CS*.........62 L 28
Fuentes de Béjar *SA*.........43 K 12
Fuentes de Carbajal *LE*.....16 F 13
Fuentes de Cesna *GR*.........93 U 17
Fuentes de Cuéllar *SG*.........31 H 17
Fuentes de Ebro *Z*.........35 H 28
Fuentes de Invierno
  (Sierra de las).........6 C 13
Fuentes de Jiloca *Z*.........34 I 25
Fuentes de la Alcarria *GU*.46 J 21
Fuentes de Léon *BA*.........79 R 10
Fuentes de los Oteros *LE*..16 E 13
Fuentes de Nava *P*.........30 F 15
Fuentes de Oñoro *SA*.........42 K 9
Fuentes de Piedralá *CR*.....70 O 17
Fuentes de Ropel *Z*.........30 F 13
Fuentes de Rubielos *TE*.....62 L 28
Fuentes de Valdepero *P*.....31 F 16
Fuentesanta
  (Ermita de) *CC*.........68 O 12
Fuentesaúco *ZA*.........30 I 13
Fuentesaúco
  de Fuentidueña *SG*.....31 H 17
Fuentesbuenas *CU*.........60 L 22
Fuentesclaras *CU*.........60 L 23
Fuentesecas *ZA*.........30 H 13
Fuentesoto *SG*.........31 H 18
Fuentespalda *TE*.........50 J 30
Fuentespina *BU*.........32 H 18
Fuentespreadas *ZA*.........29 I 13
Fuentestrún *SO*.........33 G 23
Fuentetecha *SO*.........33 G 23
Fuentetoba *SO*.........33 G 23
Fuentetovar *SO*.........33 G 23
Fuentidueña *SG*.........31 H 18
Fuentidueña *CO*.........81 S 17
Fuentidueña de Tajo *M*.....59 L 20
Fuera (Roque de)
  Tenerife TF.........125 K 1
Fuerte del Rey *J*.........82 S 18
Fuertescusa *CU*.........47 K 23
Fueva (La) *HU*.........22 E 30
Fuliola (La) *L*.........37 G 33
Fulleda *L*.........37 H 33
Fumaces (Alto de) *OR*.....28 G 7
Funes *NA*.........20 F 24
Furco *LU*.........13 E 6
Furnás.........87 O 34
Fustiñana *NA*.........20 F 25

G

Gabaldón *CU*.........60 N 24
Gabar *AL*.........84 S 23
Gabarda *V*.........74 O 28
Gabarda / Gavarda *V*.........74 O 28
Gabardiella.........21 F 29
Gabás *HU*.........22 E 31
Gabasa *HU*.........22 F 31
Gabía la Chica *GR*.........94 U 19
Gabia la Grande *GR*.........94 U 18
Gabica *BI*.........9 B 22
Gabiria *SS*.........10 C 23
Gabriel Y Galán
  (Embalse de) *CC*.........56 L 11
Gádor *AL*.........103 V 22
Gádor (Sierra de).........102 V 21
Galve *TE*.........46 K 27
Galve de Sorbe *GU*.........46 I 20
Galves (Los) *GR*.........102 V 20
Gálvez *TO*.........58 M 17
Gama.........8 B 19
Gamaza *Z*.........92 V 12
Gamero *CR*.........58 N 17
Gamiz-Fika *BI*.........9 C 21
Gamo.........44 J 14
Gamonal *AV*.........44 J 14
Gamonal *BU*.........18 E 18
Gamonal *S*.........7 C 18
Gamonal *TO*.........57 M 15

Gajanejos *GU*.........46 J 21
Gajates *SA*.........44 J 13
Galachar *AL*.........103 V 22
Galapagar *M*.........45 K 17
Galapagar *J*.........82 S 18
Galapagares *SO*.........32 H 21
Galápagos *GU*.........46 J 19
Galarde *BU*.........18 E 19
Galardón (Sierra del).........21 E 29
Galaroza *H*.........79 S 9
Galatzó.........104 N 37
Galbarra *NA*.........19 D 23
Galbarros *BU*.........18 E 19
Galbárruli *LO*.........18 E 21
Galceran (Serra d'en).........62 L 29
Galdakao *BI*.........9 C 21
Galdames *BI*.........8 C 20
Gáldar *Gran Canaria GC*.114 D 1
Galende *ZA*.........14 F 10
Galera *GR*.........83 S 22
Galera (Barranc de la).........50 J 31
Galera (La) *T*.........50 J 31
Galera (Punta de Sa).........106 M 42
Galga (La) *La Palma TF*.131 D 3
Galho (Cresta del) *MU*.....85 S 26
Galilea *Mallorca PM*.........104 N 37
Galilea *LO*.........19 E 23
Galinduste *SA*.........44 K 13
Galiñeiro *PO*.........12 F 3
Galisancho *SA*.........44 J 13
Galisteo *CC*.........55 M 11
Galiz (Puerto de) *CA*.........99 W 13
Galizano.........8 B 18
Galizuela *BA*.........68 P 14
Gallardo *BA*.........72 P 22
Gallardos (Cuesta los) *J*..94 T 19
Gallardos (Los) *AL*.........96 U 24
Gallartu *BI*.........9 C 21
Gallega (Marisma) *SE*.....91 U 11
Gallega (Río) *GR*.........95 T 21
Gallego (Río) *HU*.........21 E 29
Gallego (Sierra del).........70 O 17
Gallegos *La Palma TF*.....131 C 3
Gallegos *SG*.........45 I 18
Gallegos de Altamiros *AV*..44 J 15
Gallegos de Argañán *SA*..42 K 9
Gallegos de Hornija *VA*.....30 H 14
Gallegos
  de San Vicente *AV*.........45 J 16
Gallegos de Sobrinos *AV*..44 J 14
Gallegos de Solmirón *SA*..44 K 13
Gallegos del Campo *ZA*.....29 G 10
Gallegos del Pan *ZA*.........30 H 13
Gallegos del Río *ZA*.........29 G 11
Galleguillos *SA*.........44 J 13
Galleguillos
  de Campos *LE*.........16 F 14
Galleiro *PO*.........12 F 4
Gallejones *BU*.........18 D 18
Galletas (Las)
  Tenerife TF.........128 E 5
Gallifa *B*.........38 G 36
Gallina (Cerro de la) *GR*..94 U 17
Gallina Pelada.........23 F 35
Gallinera (Serra de).........74 P 29
Gallinero *SO*.........33 G 22
Gallinero *AB*.........73 P 26
Gallinero de Cameros *LO*..19 F 22
Gallinero de Rioja *LO*.........18 E 21
Galliners *GE*.........25 F 38
Gallipienzo *NA*.........20 E 25
Gallipienzo Nuevo *NA*.....20 E 25
Gallipuén (Embalse de).........49 J 28
Gallo (El) *SE*.........93 T 15
Gallo (Río).........47 J 23
Gallocanta *Z*.........48 J 25
Gallocanta (Laguna de).........48 J 25
Gallos (Los) *CA*.........98 W 11
Gallués / Galoze *NA*.........11 D 26
Gallur *Z*.........34 G 26
Galoze / Gallués *NA*.........11 D 26
Galve *TE*.........46 K 27

Gamonero *CR*.........69 N 15
Gamones *ZA*.........29 H 11
Gamonitero.........5 C 12
Ganadera *TO*.........57 L 15
Gáname *ZA*.........29 H 11
Ganchoza (La) *SE*.........80 S 12
Gándara *Boimorto C*.........3 C 5
Gándara *Narón C*.........3 B 5
Gándara (Río).........8 C 19
Gandarela *PO*.........13 F 5
Gandarilla *S*.........7 B 16
Gandesa *T*.........50 I 31
Gandia *V*.........74 P 29
Gando (Punta de)
  Gran Canaria GC.........117 G 3
Gandul *SE*.........92 T 12
Gandullas *M*.........46 I 19
Gangueras (Estación de).71 O 21
Ganillas de Aceituno *MA*.101 V 17
Ganso (El) *LE*.........15 E 11
Ganuza *NA*.........19 D 23
Gañidoira (Porto da) *LU*.....3 B 6
Gañinas *P*.........17 E 15
Gañuelas *cerca de*
  Alhama de Murcia MU..85 S 25
Gañuelas *cerca de*
  La Majada MU.........85 T 25
Garaballa *CU*.........61 M 25
Garabanja.........3 C 5
Garabás *OR*.........13 E 5
Garabato (El) *CO*.........81 S 15
Garachico *Tenerife TF*.126 C 2
Garachico *La Palma TF*.131 D 3
Garafía *La Palma TF*.130 B 3
Garajonay *La Gomera TF*118 C 2
Garajonay (Parque nacional de)
  La Gomera TF.........118 B 2
Garapacha (La) *MU*.........85 R 26

Garapinillos *Z*.........34 G 26
Garbayuela *BA*.........69 O 15
García *T*.........50 I 31
García (Collado) *AL*.........96 U 23
García de Sola
  (Embalse de) *BA*.........69 O 14
Garciaz *CC*.........56 N 13
Garciaz (Río).........56 N 13
Garcibuey *SA*.........43 K 12
Garciez *cerca de Jaén J*..82 S 18
Garciez *cerca de Jódar J*..82 S 19
Garciez Jimena
  (Estación de) *J*.........82 S 19
Garcihernández *SA*.........44 J 13
Garcillán.........45 J 17
Garcinarro *CU*.........59 L 21
Garciotún *TO*.........57 L 16
Garcipollera (La) *HU*.........21 E 28
Garcirrey *SA*.........43 J 11
Garcisobaco *CA*.........99 W 13
Garde *NA*.........11 D 27
Garfín *LE*.........16 D 14
Gargaligas *BA*.........68 O 13
Gargáligas (Río).........68 O 13
Gargallá *B*.........37 G 35
Gargallo *TE*.........49 J 28
Garganchón *BU*.........18 F 20
Garganta *BA*.........69 P 15
Garganta (La) *CR*.........81 Q 16
Garganta (La) *CC*.........43 L 12
Garganta (Puerto de la) *O*....8 B 8
Garganta (Sierra de la) *J*..81 Q 16
Garganta de la Yecla *BU*..32 G 19
Garganta de los Montes *M* 46 J 18
Garganta del Júcar.........60 L 24
Garganta del Villar *AV*.....44 K 14
Garganta Fría
  (Arroyo de la).........79 S 11
Gargantiel *CR*.........69 P 15

Gargantilla *TO*.........57 N 15
Gargantilla *CC*.........56 L 12
Gargantilla del Lozoya *M*..46 J 18
Gargantón (El) *CR*.........70 O 17
Gárgoles de Abajo *GU*.....47 J 22
Gárgoles de Arriba *GU*.....47 J 22
Gargüera *CC*.........56 L 12
Gargüera
  (Embalse de) *CC*.........56 M 12
Garidells (Els) *T*.........37 I 33
Gariñoain *NA*.........20 E 25
Garísoain *NA*.........10 D 24
Garlitos *BA*.........69 P 14
Garnatilla (La) *GR*.........102 V 19
Garona (Río).........21 E 28
Garos *L*.........22 D 32
Garraf *B*.........38 I 35
Garraf (Parc natural de) *B*.38 I 35
Garrafe de Torío *LE*.........16 D 13
Garralda *NA*.........11 D 26
Garrapata
  (Sierra de la) *CC*.........55 M 9
Garray *SO*.........33 G 22
Garriga (La) *B*.........38 G 36
Garrigàs *GE*.........25 F 38
Garrigoles *GE*.........25 F 39
Garriguella *GE*.........25 E 39
Garrobillo *MU*.........97 T 25
Garrobo (El) *SE*.........79 T 11
Garrofa (La) *AL*.........103 V 22
Garrotxa
  (Parc natural de la) *GE*..24 F 37
Garrovilla (La) *BA*.........67 P 10
Garrovillas
  de Alconétar *CC*.........55 M 10
Garrucha *AL*.........96 U 24
Garsola *L*.........37 G 33
Garvín *CC*.........56 M 13
Garza
  (Embalse de la) *BA*.........68 P 11

Garza (La) *BA*.........68 P 11
Gasco (El).........43 K 11
Gascones *M*.........46 I 19
Gasconilla (Ermita de) *TE*.49 L 27
Gascueña *CU*.........60 L 22
Gascueña de Bornova *GU* 46 I 20
Gasset (Embalse de) *CR*..70 O 18
Gastiáin *NA*.........19 D 23
Gastor (El) *CA*.........92 V 14
Gasulla
  (Barranc de la) *CS*.........50 K 29
Gata *CC*.........55 L 10
Gata (Cabo de) *AL*.........103 V 23
Gata (Faro de) *AL*.........103 V 23
Gata (Rivera de).........55 L 9
Gata (Sierra de).........42 L 10
Gata de Gorgos *A*.........74 P 30
Gatika *BI*.........8 B 21
Gato *CO*.........81 R 15
Gato *GR*.........84 S 23
Gatón de Campos *VA*.........30 F 15
Gatos *H*.........91 T 10
Gátova *V*.........62 M 28
Gaucín *MA*.........99 W 14
Gautegiz-Arteaga *BI*.........9 B 22
Gavà *B*.........38 I 36
Gavarda *V*.........74 O 28
Gavarda / Gabarda *V*.........74 O 28
Gavarra *L*.........23 F 33
Gavarres (Les) *GE*.........25 G 38
Gavarresa (Riera).........38 G 35
Gavàs *L*.........23 E 33
Gavet *L*.........23 F 32
Gavilán (Collado de El).........61 L 26
Gavilán (Sierra de).........84 R 24
Gavilanes *AV*.........57 L 15
Gavilanes (Río).........43 J 10
Gavilanes (Sierra de los) ..73 Q 26
Gavín *HU*.........21 E 29
Gavina (Punta).........87 P 34

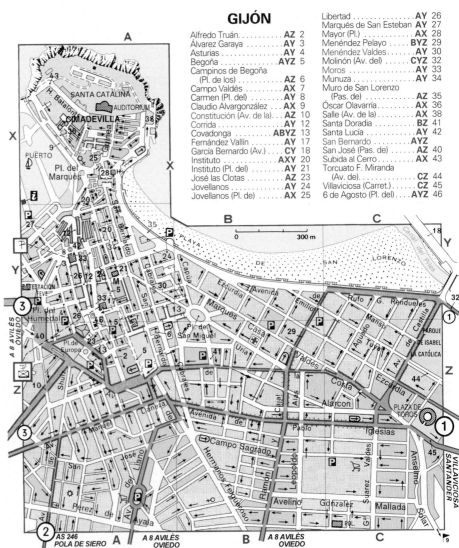

GIJÓN

Alfredo Truán.........*AZ* 2
Álvarez Garaya.........*AY* 3
Asturias.........*AY* 4
Begoña.........*AYZ* 5
Campinos de Begoña
  (Pl. de los).........*AZ* 6
Campo Valdés.........*AX* 7
Carmen (Pl. del).........*AX* 9
Claudio Alvargonzález.........*AX* 9
Constitución (Av. de la).........*AZ* 10
Corrida.........*AY* 12
Covadonga.........*ABYZ* 13
Fernández Vallín.........*AY* 17
García Bernardo (Av.).........*CY* 18
Instituto.........*AXY* 20
Instituto (Pl. del).........*AY* 21
José las Clotas.........*CY* 19
Jovellanos.........*AY* 24
Jovellanos (Pl. de).........*AX* 25

Libertad.........*AY* 26
Marqués de San Esteban *AY* 27
Mayor (Pl.).........*AX* 28
Menéndez Pelayo.........*BYZ* 29
Menéndez Valdés.........*AY* 30
Molinón (Av. del).........*CYZ* 32
Moros.........*AY* 33
Munuza.........*AY* 34
Muro de San Lorenzo
  (Pas. de).........*AZ* 35
Óscar Olavarría.........*AX* 36
Salle (Av. de la).........*AX* 38
Santa Doradia.........*BZ* 41
Santa Lucía.........*AY* 42
San Bernardo.........*AYZ*
San José (Pas. de).........*AZ* 40
Subida al Cerro.........*AX* 43
Torcuato F. Miranda
  (Av. de).........*CZ* 44
Villaviciosa (Carret.).........*CZ* 45
6 de Agosto (Pl. del).........*AYZ* 46

GIRONA

Álvarez de Castro . . . . **AZ** 2
Argenteria . . . . **BY** 3
Ballesteríes . . . . **BY** 4
Bellaire. . . . . **BY** 6
Berenguer Carnicer. . . . . **AY** 7
Bonastruc de Porta . . . . **AY** 9
Carme . . . . **BZ** 10
Ciutadans. . . . . **BZ** 12
Cúndaro . . . . **BY** 13
Devesa (Pas. de la) . . . . **AY** 14

Eduard Marquína (Pl. de) . . . . . **AZ** 15
General Fournàs . . . . **BY** 16
General Peralta (Pas. del) . . . . **BZ** 17
Joaquim Vayreda . . . . **AY** 18
Juli Garreta . . . . **AZ** 19
Llibertat (Rambla de la) . . . . . . **BZ** 23
Nou . . . . **AZ**
Nou del Teatre. . . . . **BZ** 27
Oliva i Prat . . . . **BY** 26
Palafrugell . . . . **BY** 28
Pedreres (Pujada de les). . . . . **BZ** 29
Ramon Folch (Av. d'en) . . . . . . **AY** 31
Reina Isabel la Católica . . . . . . **BZ** 36

Reina Joana (Pas. de la) . . . . . . **BY** 37
Rei Ferran el Católic . . . . **BY** 33
Rei Martí (Pujada del) . . . . **BY** 34
Santa Clara . . . . **ABYZ**
Santa Eugénia . . . . **AZ** 49
Sant Cristófol . . . . **BY** 39
Sant Daniel . . . . **BY** 40
Sant Domènec
  (Pl. de) . . . . **BY** 42
Sant Feliu (Pujada de) . . . . . . **BY** 44
Sant Francesc (Av. de) . . . . . . **AZ** 45
Sant Pere (Pl. de) . . . . **BY** 48
Ultònia . . . . **AZ** 53

Banys Àrabs . . . . **S**   Colegiata de Sant Feliu . . . . **R**   Museu d'Art . . . . **M¹**

Gaviota (Punta)
  La Gomera *TF* 119   D 3
Gaviotas (Las) *GU* 47   K 21
Gayangos *BU* 18   C 19
Gazeo *VI* 19   D 22
Gázquez (Los) *AL* 96   T 24
Gaztelu *SS* 10   C 23
Gaztelugatxe *BI* 9   B 21
Gea de Albarracín *TE* . . . 48   K 25
Gébalo 57   M 15
Gebas *MU* 85   S 25
Gejo de Diego Gómez *SA* . 43   J 11
Gejo de los Reyes (El) *SA* . 43   I 11
Gejuelo del Barro *SA* 43   I 11
Geldo *CS* 62   M 28
Gelgaiz *LU* 3   B 6
Gelida *B* 38   H 35
Gelsa *Z* 35   H 28
Gelves *SE* 91   T 11
Gema *ZA* 29   H 13
Gemuño *AV* 44   K 15
Genal *MA* 100   W 14
Genalguacil *MA* 99   W 14
Génave *J* 83   Q 21

Genestacio *LE* 15   F 12
Genestosa *LE* 5   C 11
Genestoso *O* 5   C 10
Genevilla *NA* 19   E 22
Genicera *LE* 16   D 13
Genil (Río) 94   U 17
Génova (Coves de) 104   N 37
Genovés (El) *V* 74   P 28
Gento (Estany) 23   E 33
Ger *GE* 24   E 35
Geras *LE* 15   D 12
Gerb *L* 36   G 32
Gerbe *HU* 22   E 30
Gerena *SE* 91   T 11
Gérgal *AL* 95   U 22
Gergal (El) *SE* 79   T 11
Gergal (Embalse de) *SE* . . 91   T 11
Geria *VA* 30   H 15
Geria (La) *Lanzarote GC*..122   C 4
Gerindote *TO* 58   M 17
Gernika (Ría de) *BI* 9   B 21
Gernika-Lumo *BI* 9   C 21
Gerona / Girona *GE* 25   G 38
Gerri de la Sal *L* 23   F 33

Gertusa *Z* 35   I 28
Ges (El) *L* 23   F 34
Gesalibar *SS* 10   C 22
Gésera *HU* 21   E 29
Gessa *L* 22   D 32
Gestalgar *V* 61   N 27
Gestoso *LE* 14   E 8
Getafe *M* 58   L 18
Getaria *SS* 10   C 23
Gete *BU* 32   G 20
Getxo *BI* 8   B 21
Gévora 66   O 8
Gévora del Caudillo *BA* . . 67   P 9
Gibaja *S* 12   C 19
Gibalbín *CA* 91   V 12
Gibalto (Sierra de) 93   U 17
Gibraleón *H* 90   T 9
Gibralgalia *MA* 100   V 15
Gibraltar *Great Britain* . . . 99   X 13
Gibraltar
  (Estrecho de) *CA* 99   X 13
Gibraltar (Monte) 78   S 7

Gigante *MU* 84   S 24
Gigante (Sierra) *AL* 84   S 23
Gigantes (Acantilado de los)
  Tenerife TF 128   B 4
Gigantes (Los)
  Tenerife TF 128   B 4
Gigonza *BA* 79   R 10
Gijano *B* 8   C 20
Gijón *O* 6   B 13
Gil Blas (Parador)
  Santillana del Mar S. 7   B 17
Gil-García *AV* 43   L 13
Gil Márquez *H* 78   S 9
Gila (La) *AB* 73   O 25
Gila (La) *TO* 59   N 15
Gilbuena *AV* 43   K 13
Gilena *SE* 93   U 15
Giles (Los) *AL* 96   U 23
Gilet *V* 62   M 29
Gilierna *VI*. 18   D 21
Gimenells *L* 44   H 31
Gimialcón *AV* 44   J 14
Ginebrosa (La) *TE* 49   J 29
Ginel 35   H 28

Ginés *SE* 91   T 11
Ginés (Punta)
  Lanzarote GC 122   A 5
Ginesta (La) *B* 38   I 35
Ginestar *T* 50   I 31
Gineta (La) *AB* 72   O 23
Ginete (El) *AB* 84   Q 23
Giniginamar
  Fuerteventura GC 113   G 4
Gío *O* 4   B 9
Giraba *CS* 62   L 28
Giralda *GR* 101   V 19
Giribaile (Embalse de) 82   R 19
Girona (Riu) 74   P 29
Girona / Gerona *GE* 25   G 38
Gironda (La) *SE* 92   U 13
Gironella *B* 24   F 35
Gisclareny *B* 23   F 35
Gistaín *HU* 22   E 30
Gistreo (Sierra de) 15   D 10
Gizaburuaga *BI* 10   C 22
Gloria (La) *SE* 92   T 13
Gobantes *BU* 18   D 19
Gobantes
  (Estación de) *MA* 100   V 15
Gobernador *GR* 95   T 20
Gobiendes *O* 6   B 14
Godall *T* 50   K 31
Godall (Serra) *T* 50   K 31
Godán *O* 5   B 11
Godelleta *V* 62   N 27
Godojos *Z* 34   I 24
Godolid (Río) 78   R 8
Godóns *PO* 13   F 5
Godos *TE* 48   J 26
Goente *C* 3   B 6
Goián *LU* 14   D 7
Goián *PO* 26   G 3
Goiás *PO* 13   D 5
Goiriz *LU* 3   C 7
Goizueta *NA* 10   C 24
Gójar *GR* 94   U 19
Gola de Migjorn *T* 51   J 32
Gola del Nord *T* 51   J 32
Gola del Perelló *V* 74   O 29
Golán *C* 3   D 5
Golfo (El) *Lanzarote GC*..122   B 4
Golfo (El) *El Hierro TF*. . . 108   C 2
Golfo (El)(Localidad)
  Lanzarote GC 122   B 4
Golilla *BA* 67   O 9
Gollino *TO* 59   M 20
Golmayo *SO* 33   G 22
Golmés *L* 37   H 32
Golondrinas (Las) 56   N 11
Golopón (R.) *GR* 95   T 21
Golosalvo *AB* 73   O 25
Goloso (El) *M* 46   K 18
Golpejas *SA* 43   I 12
Gómara *SO* 33   H 23
Gombrèn *GE* 24   F 36
Gomeán *LU* 4   D 7
Gomecello *SA* 44   I 13
Gomeciego *SA* 43   I 11
Gomesende *OR* 13   F 5
Gómez Yáñez *AB* 73   P 25
Gómeznarro *SG* 32   I 19
Gómeznarro *VA* 30   I 15
Gomezserracín *SG* 31   I 17
Gonce *LU* 3   C 6
Gondar *LU* 4   C 7
Gondar *PO* 12   E 3
Gondomar *PO* 12   F 3
Gondrame *LU* 14   D 7
Gondulfes *OR* 28   G 7
Góngora (Punta de)
  Gran Canaria GC 114   B 2
Gontán *LU* 4   B 7
Gonte *C* 2   D 3
Gonzar *LU* 13   D 6
Goñar *MU* 96   T 24
Goñi *NA* 10   D 24
Gopegui *VI* 19   D 21
Gor *GR* 95   T 21
Gorbea (Sierra de) 9   C 21
Gorbeia *BI* 9   C 21
Gorbeia
  (Parque Natural de) *PV* . . 9   C 21
Gorda (Punta)
  Lanzarote GC 120   E 2
Gorda (Punta)
  La Palma TF 130   A 3
Gorda (Sierra) *TO* 58   N 18
Gorda (Sierra) *GU* 46   I 20
Gorda (Sierra) *GR* 93   U 17

Gordaliza de la Loma *VA*.. 16   F 14
Gordaliza del Pino *LE*. . . 16   E 14
Gordéliz *VI*. 8   C 20
Gordexola 8   C 20
Gordo *AL* 84   S 23
Gordo (Cabezo) *H*. 78   S 8
Gordo (El) *CC*. 56   M 13
Gordo (Monte) *H* 90   T 7
Gordoa *VI* 19   D 22
Gordoncillo *LE*. 16   F 13
Gorg Blau (Pantà de) . . . 104   M 38
Gorga *A* 74   P 28
Gorgos (Riu) 75   P 30
Gorgullos Tordoia
  (Estación de) *C*. 3   C 4
Gorliz *BI* 8   B 21
Gormaz *SO* 32   H 20
Gornal (La) *B*. 37   I 34
Goroeta *SS* 10   C 22
Gorozika *BI* 9   C 21
Gorramakil (Pico) *NA* . . . 11   C 25
Gorriti *NA* 10   C 24
Gorza / Güesa *NA*. 11   D 26
Gósol *L* 23   F 34
Gossan (Embalse de) 79   S 10
Gost (Punta del) 87   O 34
Gotarrendura *AV* 44   J 15
Gotor *Z* 34   H 25
Gozón *O* 5   B 12
Gozón de Ucieza *P* 17   E 16
Gózquez de Abajo *M* . . . 58   L 19
Gózquez de Arriba *M* . . . 58   L 19
Graba *PO* 13   D 5
Graceas (Las) *J*. 83   Q 21
Gracia (Cabo de) *CA* . . . 99   X 12
Graciosa (Isla)
  Lanzarote GC 120   E 2
Gradefes *LE* 16   E 14
Graderas
  (Cueva de las) *TE* 49   J 28
Grado *O* 5   B 11
Grado (El) *HU* 22   F 30
Grado del Pico *SG* 32   I 20
Grado I (Embalse de) *HU*.. 22   F 30
Grado II (Embalse de) 22   F 30
Grado del Perelló *V* 74   O 29
Golán *C* 3   D 5
Graja (Cueva de la) *J*. . . 82   S 19
Graja (La) *CO* 80   S 14
Graja de Campalbo *CU* . . 61   M 26
Graja de Iniesta *CU* 60   N 24
Grajal *LE* 15   F 12
Grajal de Campos *LE*. . . 16   E 14
Grajalejo de las Matas *LE*.16   E 13
Grajales *J* 82   S 18
Grajera *SG* 32   H 19
Grajera (Embalse de la) . . . 19   E 22
Grajo *MA* 100   V 15
Grajuela (La) *AB* 72   O 24
Gramedo *P* 17   D 16
Gramuntell *L* 37   H 33
Gran Alacant *A* 86   R 28
Gran Canaria (Aeropuerto de)
  Gran Canaria GC 117   G 3
Gran Montaña
  Fuerteventura GC 113   G 3
Gran Tarajal
  Fuerteventura GC 113   G 4
Grana (La Casa de la) *AB*. 73   O 25
Grana (Serra de la) *A* . . . 74   Q 28
Grana (Sierra de la) *CO* . . 80   Q 13
Grana (Sierra de la) *J*. . . 82   S 18
Granada *GR* 94   U 19
Granada *AL* 95   U 21
Granada (La) *B* 37   H 35
Granada (Vega de) *GR* . . 94   U 17
Granadella (La) *L* 36   H 31
Granadella (La) *A* 75   P 30
Granadilla *CC* 56   L 11
Granadilla de Abona
  Tenerife TF 129   F 5
Granado *H* 90   T 7
Granado (Canal de El) *H*.. 90   T 7
Granátula de Calatrava *CR*70   P 18
Grandas de Salime *O* 4   C 9
Grande *C* 2   C 2
Grande (Embalse) *H* 78   S 9
Grande (Laguna) *TO* . . . 59   N 19
Grande (Laguna) *MA* . . . 93   U 16
Grande (Puerto) *CR* 69   P 15
Grande (Río) *J* 82   Q 18
Grande (Río) *MA* 100   V 15
Grande (Sierra) *BA* 68   Q 11
Grande (Sierra) *CC* 55   M 10
Grande de Europa (Punta)
  Great Britain 99   X 14

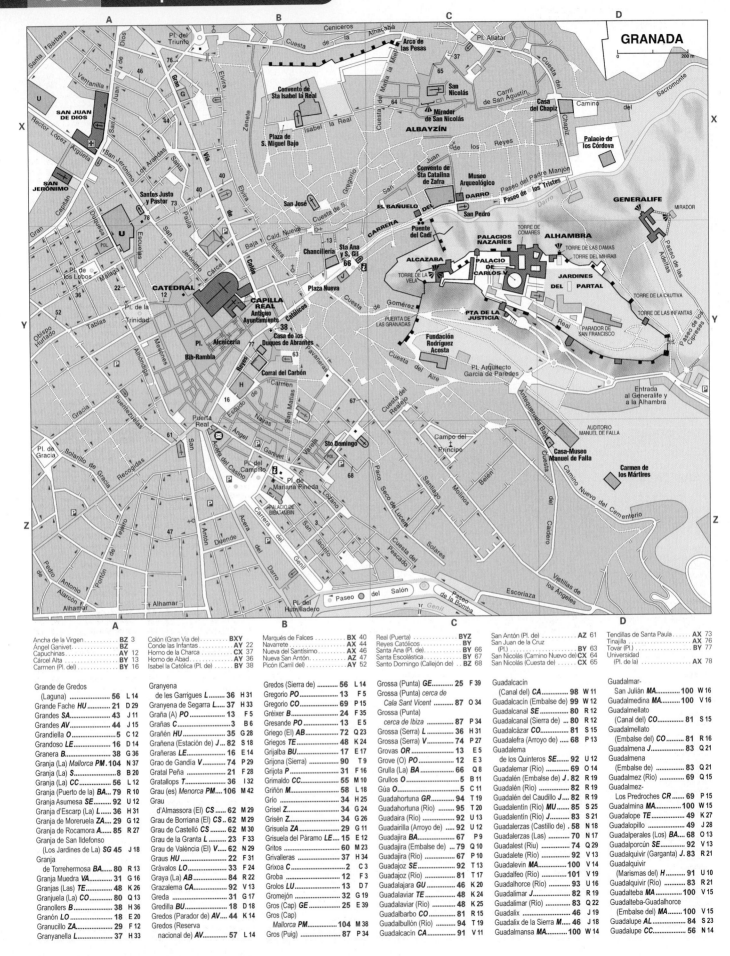

GRANADA

200 m

Ancha de la Virgen .... BZ 3
Ángel Ganivet .... BZ
Capuchinas .... AY 12
Cárcel Alta .... BY 13
Carmen (Pl. del) .... BY 16

Colón (Gran Vía de) .... BXY
Conde las Infantas .... AY 22
Horno de la Charca .... CX 37
Horno de Abad .... AY 36
Isabel la Católica (Pl. de) . BY 38

Marqués de Falces .... BX 40
Navarrete .... AX 44
Nueva del Santísimo .... AX 46
Nueva San Antón .... AZ 47
Picón (Carril del) .... AY 52

Real (Puerta) .... BYZ
Reyes Católicos .... BY
Santa Ana (Pl. de) .... BY 66
Santa Escolástica .... BY 67
Santo Domingo (Callejón de) . BZ 68

San Antón (Pl. de) .... AZ 61
San Juan de la Cruz (Pl.) .. BY 63
San Nicolás (Camino Nuevo de) . CX 64
San Nicolás (Cuesta de) .... CX 65

Tendillas de Santa Paula .... AX 73
Tinajilla .... AX 76
Tovar (Pl.) .... BY 77
Universidad (Pl. de la) ..... AX 78

Grande de Gredos (Laguna) .... 56 L 14
Grande Fache HU .... 21 D 29
Grandes SA .... 43 J 11
Grandes AV .... 44 J 15
Grandiella O .... 5 C 12
Grandoso LE .... 16 D 14
Granera B .... 38 G 36
Granja (La) Mallorca PM . 104 N 37
Granja (La) S .... 8 B 20
Granja (La) CC .... 56 L 12
Granja (Puerto de la) BA ... 79 R 10
Granja Asumesa SE .... 92 U 12
Granja d'Escarp (La) L ..... 36 H 31
Granja de Moreruela ZA ..... 29 G 12
Granja de Rocamora A .... 85 R 27
Granja de San Ildefonso (Los Jardines de La) SG 45 J 18
Granja de Torrehermosa BA .. 80 R 13
Granja Muedra VA .... 31 G 16
Granjas (Las) TE .... 48 K 26
Granjuela (La) CO .... 80 Q 13
Granollers B .... 38 H 36
Granón LO .... 18 E 20
Granucillo ZA .... 29 F 12
Granyanella L .... 37 H 33

Granyena de les Garrigues L . 36 H 31
Granyena de Segarra L ...... 37 H 33
Graña (A) PO .... 13 F 5
Grañas C .... 3 B 6
Grañén HU .... 35 G 28
Grañena (Estación de) J . 82 S 18
Grañeras LE .... 16 E 14
Graña HU .... 22 F 31
Grao de Gandía V .... 74 P 29
Grao de Castelló CS .... 62 M 30
Grau (es) Menorca PM ... 106 M 42
Grau d'Almassora (El) CS ... 62 M 29
Grau de Borriana (El) CS . 62 M 29
Grau de Castelló CS .... 62 M 30
Grau de la Granta L .... 23 F 33
Grau de València (El) V .... 62 N 29
Graus HU .... 22 F 31
Grávalos LO .... 33 F 24
Graya (La) AB .... 84 R 22
Grazalema CA .... 92 V 13
Greda .... 31 G 17
Gredilla BU .... 18 D 18
Gredos (Parador de) AV ..... 44 K 14
Gredos (Reserva nacional de) AV ... 57 L 14

Gredos (Sierra de) .... 56 L 14
Gregorio PO .... 13 F 5
Gregorio CO .... 69 P 15
Gréixer B .... 24 F 35
Gresande PO .... 13 E 5
Griego (El) AB .... 72 Q 23
Griegos TE .... 48 K 24
Grijalba BU .... 17 E 17
Grijota P .... 17 F 16
Grijuela (Sierra) .... 90 T 9
Grimaldo CC .... 55 M 10
Griñón M .... 58 L 18
Grío .... 34 H 25
Grisel Z .... 34 G 24
Grisén Z .... 34 G 26
Grisuela ZA .... 29 G 11
Grisuela del Páramo LE ..... 15 E 12
Gritos .... 60 M 23
Grivalleras .... 37 H 34
Grixoa C .... 2 C 3
Groba .... 12 F 3
Grolos LU .... 13 D 7
Gromejón .... 32 G 19
Gros (Cap) GE .... 25 E 39
Gros (Cap) Mallorca PM . 104 M 38
Gros (Puig) .... 87 P 34

Grossa (Punta) GE .... 25 F 39
Grossa (Punta) cerca de Cala Sant Vicent . 87 O 34
Grossa (Punta) cerca de Ibiza . 87 P 34
Grossa (Serra) L .... 36 H 31
Grossa (Serra) V .... 74 P 27
Grovas OR .... 13 E 5
Grove (O) PO .... 12 E 3
Grulla (La) BA .... 66 Q 8
Grullos O .... 5 B 11
Gúa O .... 5 C 11
Guadahortuna GR .... 94 T 19
Guadahortuna (Río) .... 95 T 20
Guadaira (Río) .... 92 U 13
Guadairilla (Arroyo de) .... 92 U 12
Guadajira BA .... 67 P 9
Guadajira (Embalse de) ..... 79 Q 10
Guadajoz SE .... 92 T 13
Guadajoz (Río) .... 81 T 17
Guadalaviar TE .... 48 K 24
Guadalaviar (Río) .... 48 K 25
Guadalbarbo CO .... 81 R 15
Guadalbullón (Río) .... 94 T 19
Guadalcacín CA .... 91 V 11

Guadalcacín (Canal del) CA . 98 W 11
Guadalcacín (Embalse de) . 99 W 12
Guadalcanal SE .... 80 R 12
Guadalcanal (Sierra de) .. 80 R 12
Guadalcázar CO .... 81 S 15
Guadalefra (Arroyo de) ..... 68 P 13
Guadalema de los Quinteros SE . 92 U 12
Guadalemar (Río) .... 69 O 14
Guadalén (Embalse de) J . 82 R 19
Guadalén (Río) .... 82 R 19
Guadalén del Caudillo J . 82 R 19
Guadalentín (Río) MU .... 85 S 25
Guadalentín (Río) J .... 83 S 21
Guadalerzas (Castillo de) . 58 N 18
Guadalerzas (Las) .... 70 N 17
Guadalest (Riu) .... 74 Q 29
Guadalest (Río) .... 92 V 13
Guadalevín MA .... 100 V 14
Guadalfeo (Río) .... 101 V 19
Guadalhorce (Río) .... 100 V 14
Guadalimar J .... 82 R 19
Guadalimar (Río) .... 83 Q 22
Guadalix M .... 46 J 19
Guadalix de la Sierra M . 46 J 19
Guadalmansa MA .... 100 W 14

Guadalmar-San Julián MA .... 100 W 16
Guadalmedina MA .... 100 V 16
Guadalmellato (Canal del) CO . 81 S 15
Guadalmellato (Embalse del) CO . 81 R 16
Guadalmena J .... 83 Q 21
Guadalmena (Embalse de) .. 83 Q 21
Guadalmez (Río) .... 69 Q 15
Guadalmez-Los Predroches CR . 69 P 15
Guadalmina MA .... 100 W 15
Guadalope TE .... 49 K 27
Guadalopillo .... 49 J 28
Guadalperales (Los) BA ..... 68 O 13
Guadalporcún SE .... 92 V 13
Guadalquivir (Garganta) J. 83 R 21
Guadalquivir (Marismas del) H . 91 U 10
Guadalquivir (Río) .... 80 R 19
Guadalteba MA .... 100 V 15
Guadalteba-Guadalhorce (Embalse del) MA . 100 V 15
Guadalupe AL .... 84 S 23
Guadalupe CC .... 56 N 14

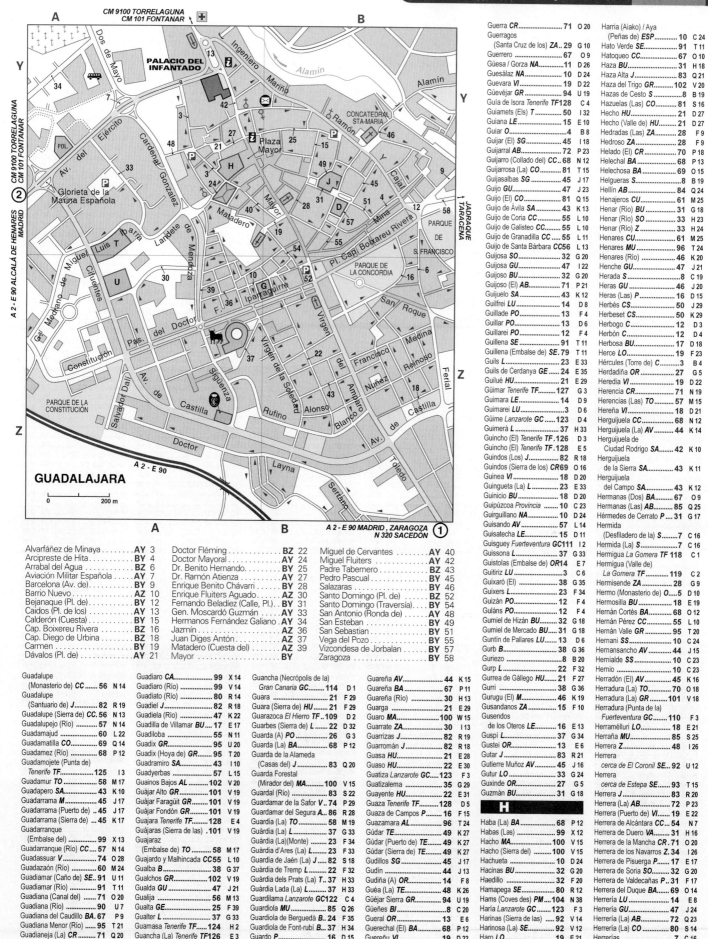

GUADALAJARA

Map labels: CM 9100 TORRELAGUNA · CM 101 FONTANAR · PALACIO DEL INFANTADO · CM 9100 TORRELAGUNA · CM 101 FONTANAR · A 2 - E 90 ALCALÁ DE HENARES MADRID · Glorieta de la Marina Española · Dos de Mayo · Ingeniero Mariño · Alamín · Alamín · CONCATEDRAL STA-MARIA · Ramón · Cajal · Plaza Mayor · PARQUE DE S. FRANCISCO · Av. del Ejército · Cardenal González · Matadero · Mayor · Mina · Boixareu Rivera · PARQUE DE LA CONCORDIA · Pl. Cap. Boixareu Rivera · Ibarra · Landete de Mendoza · Cifuentes · Luis T · Iparraguirre · San Roque · Virgen de la Soledad · Virgen del · Francisco · Medina · Reinoso · Pas. del Doctor · Sigüenza · Av. de Castilla · Rufino · Alonso · Blanco · Amparo · Núñez · de Castilla · Ferial · Constitución · PARQUE DE LA CONSTITUCIÓN · Salvador Dalí · Doctor · A 2 - E 90 · Layna · Serrano · Toledo · 0 200 m · A 2 - E 90 MADRID , ZARAGOZA N 320 SACEDÓN · JADRAQUE TARACENA · PARQUE DE S. FRANCISCO

Street index (map references):

Alvarfáñez de Minaya	AY	3
Arcipreste de Hita	BY	4
Arrabal del Agua	BZ	6
Aviación Militar Española	AY	7
Barcelona (Av. de)	BY	9
Barrio Nuevo	AZ	10
Bejanaque (Pl. de)	BY	12
Caídos (Pl. de los)	AY	13
Calderón (Cuesta)	BY	15
Cap. Boixareu Rivera	BZ	16
Cap. Diego de Urbina	BZ	18
Carmen	BY	19
Dávalos (Pl. de)	AY	21
Doctor Fléming	BZ	22
Doctor Mayoral	AY	24
Dr. Benito Hernando	BY	25
Dr. Ramón Atienza	BY	27
Enrique Benito Chávarri	BY	28
Enrique Fluiters Aguado	AZ	30
Fernando Beladíez (Calle, Pl.)	BY	31
Gen. Moscardó Guzmán	AY	33
Hermanos Fernández Galiano	AY	34
Jazmín	AZ	36
Juan Diges Antón	AZ	37
Matadero (Cuesta del)	AZ	39
Mayor	BY	
Miguel de Cervantes	AY	40
Miguel Fluiters	AY	42
Padre Tabernero	BZ	43
Pedro Pascual	BY	45
Salazares	BY	46
Santo Domingo (Pl. de)	BZ	52
Santo Domingo (Traversía)	BY	54
San Antonio (Ronda de)	AY	48
San Esteban	BY	49
San Sebastian	BY	51
Vega del Pozo	BY	55
Vizcondesa de Jorbalan	BY	57
Zaragoza	BY	58

Guadalupe (Monasterio de) CC	56	N 14
Guadalupe (Santuario de) J	82	R 19
Guadalupe (Sierra de) CC	56	N 13
Guadalupejo (Río)	57	N 14
Guadamajud	60	L 22
Guadamatilla CO	69	Q 14
Guadamez (Río)	68	P 12
Guadamojete (Punta de) Tenerife TF	125	I 3
Guadamur TO	58	M 17
Guadapero SA	43	K 10
Guadarrama M	45	J 17
Guadarrama (Puerto de)	45	J 17
Guadarrama (Sierra de)	45	K 17
Guadarranque (Embalse del)	99	X 13
Guadarranque (Río) CC	57	N 14
Guadassuar V	74	O 28
Guadazaón (Río)	60	M 24
Guadiamar (Caño de) SE	91	U 11
Guadiamar (Río)	91	T 11
Guadiana (Canal del)	71	O 20
Guadiana (Río)	90	U 7
Guadiana del Caudillo BA	67	P 9
Guadiana Menor (Río)	95	T 21
Guadianeja (La) CR	71	Q 20
Guadiaro CA	99	X 14
Guadiaro (Río)	99	V 14
Guadiato (Río)	80	R 14
Guadiel (Río)	82	R 18
Guadilla de Villamar BU	17	E 17
Guadiloba	55	N 11
Guadix GR	95	U 20
Guadix (Hoya de) GR	95	T 20
Guadramiro SA	43	I 10
Guainos Bajos AL	102	V 20
Guájar Alto GR	101	V 19
Guájar Faragüit GR	101	V 19
Guájar Fondón GR	101	V 19
Guajara Tenerife TF	128	E 4
Guájaras (Sierra de las)	101	V 19
Guajaraz (Embalse de) TO	58	M 17
Guajardo y Malhincada CC	55	L 10
Gualba B	38	G 37
Gualchos GR	102	V 20
Gualda GU	47	J 21
Gualija	56	M 13
Gualta GE	25	F 39
Gualter L	37	G 33
Guamasa Tenerife TF	124	H 2
Guancha (La) Tenerife TF	126	E 3
Guadiaro (Río)	99	V 14
Guanarteme (Necrópolis de la) Gran Canaria GC	114	D 1
Guara	21	F 29
Guara (Sierra de) HU	21	F 29
Guarazoca El Hierro TF	109	D 2
Guarbes (Sierra de) L	22	D 32
Guarda (A) PO	26	G 3
Guarda (La) BA	68	P 12
Guarda de la Alameda (Casas del) J	83	Q 20
Guarda Forestal (Mirador del) MA	100	V 15
Guardal (Río)	83	S 22
Guardamar de la Safor V	74	P 29
Guardamar del Segura A	86	R 27
Guardia (La) TO	58	M 19
Guàrdia (La) L	37	G 33
Guàrdia (La)(Monte)	23	F 34
Guàrdia d'Ares (La) L	23	F 33
Guardia de Jaén (La) J	82	S 18
Guàrdia de Tremp L	22	F 15
Guàrdia dels Prats (La) T	37	H 33
Guàrdia Lada (La) L	37	H 33
Guardiola MU	85	Q 26
Guardiola de Berguedà B	24	F 35
Guardiola de Font-rubí B	37	H 34
Guardo P	16	D 15
Guareña AV	44	K 15
Guareña BA	67	P 11
Guareña (Río)	30	H 13
Guarga	21	E 29
Guaro MA	100	W 15
Guarrate ZA	30	I 13
Guarrizas J	82	R 19
Guarromán J	82	R 18
Guasa HU	21	E 28
Guaso HU	22	E 30
Guatiza Lanzarote GC	123	F 3
Guatizalema	35	G 29
Guayente HU	22	E 31
Guaza Tenerife TF	128	D 5
Guaza de Campos P	16	F 15
Guazamara AL	96	T 24
Gúdar TE	49	K 27
Gúdar (Puerto de) TE	49	K 27
Gúdar (Sierra de) TE	49	K 27
Gudillos SG	45	J 17
Gudín	44	J 13
Gudiña (A) OR	14	F 8
Guéa TE	48	K 26
Güéjar Sierra GR	94	U 19
Güeñes BI	8	C 20
Gueral OR	13	E 6
Guerechal (El) BA	68	P 12
Guereñu VI	19	D 22

Guerra CR	71	O 20
Guerragos (Santa Cruz de los) ZA	29	G 10
Guerrero	67	O 9
Güesa / Gorza NA	11	D 26
Guesálaz NA	10	D 24
Guevara VI	19	D 22
Güevéjar GR	94	U 19
Guía de Isora Tenerife TF	128	C 4
Guiamets (Els) T	50	I 32
Guiana LE	15	E 10
Guiar O	4	B 8
Guijar (El) SG	45	I 18
Guijarral AB	72	P 23
Guijarro (Collado del) CC	68	N 12
Guijarrosa (La) CO	81	T 15
Guijasalbas SG	45	J 17
Guijo GU	47	J 23
Guijo (El) CO	81	Q 15
Guijo de Ávila SA	43	K 13
Guijo de Coria CC	55	L 10
Guijo de Galisteo CC	55	L 10
Guijo de Granadilla CC	55	L 11
Guijo de Santa Bárbara CC	56	L 13
Guijosa SO	32	G 20
Guijosa GU	47	I 22
Guijoso BU	32	G 20
Guijoso (El) AB	71	P 21
Guijuelo SA	43	K 12
Guilfrei LU	14	D 8
Guillade PO	13	F 4
Guillar PO	13	D 6
Guillarei PO	12	F 4
Guillena SE	91	T 11
Guillena (Embalse de) SE	79	T 11
Guils L	23	E 33
Guils de Cerdanya GE	24	E 35
Guilué HU	21	E 29
Güimar Tenerife TF	127	G 3
Guimara LE	14	D 9
Guimarei VI	3	D 6
Güime Lanzarote GC	123	D 4
Guimerà L	37	H 33
Guincho (El) Tenerife TF	126	D 3
Guincho (El) Tenerife TF	128	E 5
Guindos (Los) J	82	R 18
Guindos (Sierra de los) CR	69	O 16
Guinea VI	18	D 20
Guingueta (La) L	23	E 33
Guinicio BU	18	D 20
Guipúzcoa Provincia	10	C 23
Guirguillano NA	10	D 24
Guisando AV	57	L 14
Guisatecha LE	15	D 11
Guisguey Fuerteventura GC	111	I 2
Guissona L	37	G 33
Guistolas (Embalse de) OR	14	E 7
Guitiriz LU	3	C 6
Guixaró (El)	38	G 35
Guixers L	23	F 34
Guizán PO	12	F 4
Guláns PO	12	F 4
Gumiel de Hizán BU	32	G 18
Gumiel de Mercado BU	31	G 18
Guntín de Pallares LU	13	D 6
Gurb B	38	G 36
Gurgeu	8	B 20
Gurp L	22	F 32
Gurrea de Gállego HU	21	F 27
Gurri	38	G 36
Gurugú (El) M	46	K 19
Gusandanos ZA	15	F 10
Gusendos de los Oteros LE	16	E 13
Guspí L	37	G 34
Gustei OR	13	E 6
Gutar J	83	R 21
Gutierre Muñoz AV	45	J 15
Gutur LO	33	G 24
Guxinde OR	27	G 5
Guzmán BU	31	G 18

H

Haba (La) BA	68	P 12
Habas (Las)	99	X 12
Hacho MA	100	V 15
Hacho (Puerto del) TE	49	K 27
Hacho (Sierra del)	100	V 15
Hachueta	10	D 24
Hacinas BU	32	G 20
Haedillo	32	F 20
Hamapega SE	80	R 12
Hams (Coves des)	104	N 38
Haría Lanzarote GC	123	F 3
Harinas (Sierra de las)	92	V 14
Harinosa (La) SE	92	V 12
Haro LO	19	E 21

Harria (Aiako) / Aya (Peñas de) ESP	10	C 24
Hato Verde SE	91	T 11
Hatoqueo CC	67	O 10
Haza BU	31	H 18
Haza Alta J	83	Q 21
Haza del Trigo GR	102	V 20
Hazas de Cesto S	8	B 19
Hazuelas (Las) CO	81	S 16
Hecho HU	21	D 27
Hecho (Valle de) HU	21	D 27
Hedradas (Las) ZA	28	F 9
Hedroso ZA	28	F 9
Helado (El) CR	70	P 18
Helechal BA	68	P 13
Helechosa BA	69	O 15
Helgueras S	8	B 19
Hellín AB	84	Q 24
Henajeros CU	61	M 25
Henar (Río) BU	31	G 18
Henar (Río) SO	33	H 23
Henar (Río) Z	33	H 24
Henares CU	61	M 23
Henares MU	96	T 24
Henares (Río)	46	K 20
Henche GU	47	J 21
Herada S	8	C 19
Heras GU	46	J 20
Herbés CS	50	J 29
Herbeset CS	50	K 29
Herbogo C	12	D 3
Herbón C	12	D 4
Herbosa BU	17	D 18
Herce LO	19	F 23
Hércules (Torre de) C	3	B 4
Herdadiña OR	27	G 5
Heredia VI	19	D 22
Herencia CR	71	N 19
Herencias (Las) TO	57	M 15
Hereña VI	18	D 21
Herguijuela CC	68	N 12
Herguijuela (La) AV	44	K 14
Herguijuela de Ciudad Rodrigo SA	42	K 10
Herguijuela de la Sierra SA	43	K 11
Herguijuela del Campo SA	43	K 12
Hermanas (Dos) BA	67	O 9
Hermanas (Las) AB	85	Q 25
Hérmedes de Cerrato P	31	G 17
Hermida (Desfiladero de la) S	7	C 16
Hermida (La) S	7	C 16
Hermigua La Gomera TF	118	C 1
Hermigua (Valle de) La Gomera TF	119	C 2
Hermisende ZA	28	G 9
Hermo (Monasterio de) O	5	D 10
Hermosilla BU	18	E 19
Hernán Cortés BA	68	O 12
Hernán Pérez CC	55	L 10
Hernán Valle GR	95	T 20
Hernani SS	10	C 24
Hernansancho AV	44	J 15
Hernialde SS	10	C 23
Hernio	10	C 23
Herradón (El) AV	45	K 16
Herradura (La) TO	70	O 18
Herradura (La) GR	101	V 18
Herradura (Punta de la) Fuerteventura GC	110	F 3
Herramélluri LO	18	E 21
Herraña MU	85	S 25
Herrera Z	48	I 26
Herrera cerca de El Coronil SE	92	U 12
Herrera cerca de Estepa SE	93	T 15
Herrera J	83	R 20
Herrera (La) AB	72	P 23
Herrera (Puerto de)	19	E 22
Herrera de Alcántara CC	54	N 7
Herrera de Duero VA	31	H 16
Herrera de la Mancha CR	71	O 20
Herrera de los Navarros Z	34	I 26
Herrera de Pisuerga P	17	E 17
Herrera de Soria		
Herrera de Valdecañas P	31	F 17
Herrera del Duque BA	69	O 14
Herrería LU	14	E 8
Herrería GU	47	J 24
Herrería (La) AB	72	Q 23
Herrería (La) CO	80	S 14
Herrerías C	7	C 16

HUELVA

Alameda Sundheim BZ 2
Arquitecto Pérez Carasa BZ 4
Las Bocas AZ 25
Concepción AZ 9
La Fuente BZ 22
Independencia (Pas.) AZ 18
José Nogales ABZ 20
Marina AZ 28
Martín Alonso Pinzón (Av. de) BZ 29
Méndez Núñez AZ 31
Las Monjas (Pl. de) AZ 26
Pablo Rada BZ 33
Padre Jesús de la Pasión BZ 34
Palacios AZ 35
La Palma AZ 23
Plus Ultra AZ 37
Rábida BZ 39
Sanlúcar de Barrameda AZ 44
Santa Fé (Pas. de) ABZ 46
San Sebastián AY 45
Tomás Domínguez Ortiz (Av. de) AZ 50
Vázquez López AZ 51
3 de Agosto BZ 52

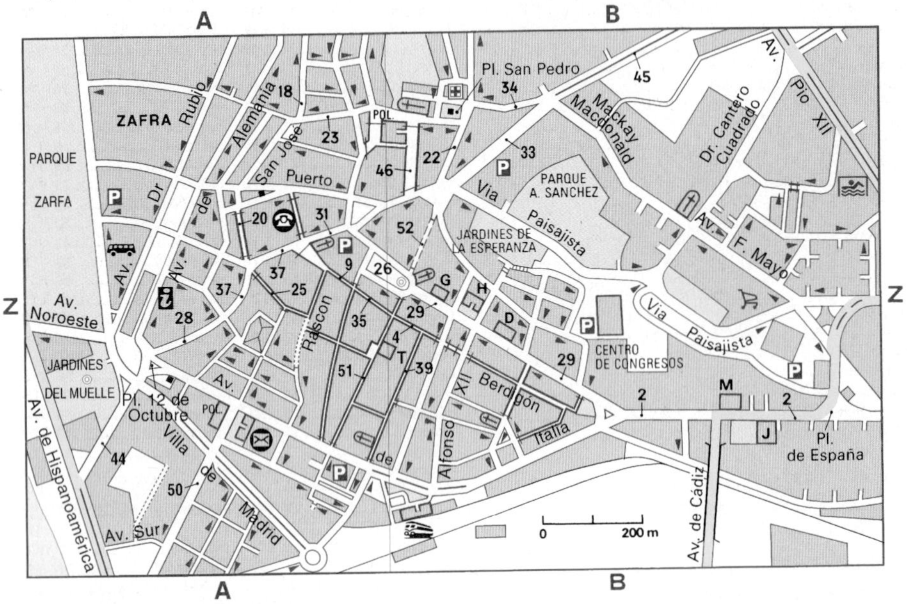

A
B
ZAFRA
PARQUE ZARFA
Pl. San Pedro
PARQUE A. SANCHEZ
JARDINES DE LA ESPERANZA
Vía Paisajista
Av. Pío XII
Mackay Macdonald
Dr. Cantero Cuadrado
Av. F. Mayo
Av. Noroeste
JARDINES DEL MUELLE
Pl. 12 de Octubre
Villa de Madrid
Av. de Hispanoamérica
Av. Sur
CENTRO DE CONGRESOS
Berdigón
Italia
Alfonso XII
Rascón
Pl. de España
Av. de Cádiz
Puerto
San José
Alemania
Rubio
Z
0
200 m

Herrerías (Las) *AL* 96 U 24
Herrerías (Las) *H* 78 T 8
Herrerías (Las) *J* 83 R 22
Herrero *GR* 101 V 18
Herreros *SO* 33 G 21
Herreros (Los) *V* 73 O 27
Herreros (Río) 83 Q 21
Herreros de Jamuz *LE* 15 F 12
Herreros de Rueda *LE* 16 E 14
Herreros de Suso *AV* 44 J 14
Herreruela *CC* 55 N 9
Herreruela (Estación de) 55 N 9
Herreruela de Castillería *P* 17 D 16
Herreruela de Oropesa *TO* 57 M 14
Herrezuelo *SA* 44 J 13
Herrín de Campos *VA* 16 F 15
Herriza (La) *MA* 93 U 15
Herrumblar (El) *CU* 73 N 25
Herruzo (Sierra del) 82 Q 18
Hervás *CC* 56 L 12
Herves *C* 3 C 4
Hervías *LO* 18 E 21
Hervideros (Los)
Lanzarote GC 122 B 4
Hervideros (Los) *V* 73 O 26
Hez (Sierra de la) 19 F 23
Hidalgo (Punta del)
Tenerife TF 125 I 1
Hiendelaencina *GU* 46 I 20
Hierro *BU* 18 D 19
Hierro *M* 45 J 18
Hierro (Puerto del) *SO* 32 G 21
Higa 11 D 25
Higares *TO* 58 M 18
Higuer (Cabo) *SS* 10 B 24
Higuera (La) *SG* 45 I 17
Higuera (La) *AB* 73 P 25
Higuera (Sierra de la) 70 N 17
Higuera de Albalat *CC* 56 M 13
Higuera de Calatrava *J* 82 S 17
Higuera de la Serena *BA* 68 Q 12
Higuera de la Sierra *H* 79 S 10
Higuera de las Dueñas *AV* 57 L 16
Higuera de Llerena *BA* 79 Q 11
Higuera de Vargas *BA* 78 Q 9
Higuera la Real *BA* 79 R 9
Higueral *AL* 95 T 22
Higueral (El) *CO* 93 U 17
Higueras *CS* 62 M 28
Higueras (Las) *CO* 94 T 17
Higuerón *MA* 101 V 18
Higuerón (El) *CO* 81 S 15
Higuerón (Puerto del) *CA* 99 X 13
Higüeros *AL* 103 V 22
Higueruela *AB* 73 P 25
Higueruela (La) *cerca de*
Belvís de la Jara TO 57 M 15
Higueruela (La) *cerca de*
Toledo TO 58 M 17
Higueruelas *V* 61 M 27
Hija de Dios (La) *AV* 44 K 15
Híjar *TE* 49 I 28
Híjar *AB* 72 Q 23
Híjate (El) *AL* 95 T 22
Hijes *GU* 32 I 21
Hijosa *P* 17 E 17
Hilario (Islote de)
Lanzarote GC 122 C 4
Hincada (Puerto) *LO* 19 F 21
Hinestrosa *BU* 17 F 17
Hiniesta (La) *ZA* 29 H 12
Hinodejo 33 G 21
Hinojal *CC* 55 M 10
Hinojales *H* 79 R 10
Hinojales (Sierra) 79 S 10
Hinojar *CR* 70 Q 17
Hinojar *MU* 85 S 25
Hinojar del Rey *BU* 32 G 20
Hinojares *J* 83 S 20
Hinojedo *S* 7 B 17
Hinojora *GR* 95 T 22
Hinojos *H* 91 U 10
Hinojos (Marisma de) *H* 91 U 10
Hinojosa *GU* 48 I 24
Hinojosa (La) *SO* 32 G 20
Hinojosa (La) *CU* 60 M 22
Hinojosa de Duero *SA* 42 J 9
Hinojosa de Jarque *TE* 49 J 27
Hinojosa de la Sierra *SO* 33 G 22
Hinojosa
de San Vicente *TO* 57 L 15
Hinojosa del Campo *SO* 33 G 23
Hinojosa del Cerro *SG* 31 H 18
Hinojosa del Duque *CO* 80 Q 14
Hinojosa del Valle *BA* 67 Q 11
Hinojosas de Calatrava *CR* 70 Q 17
Hinojosos (Los) *CU* 59 N 21
Hío *PO* 12 F 3
Hiriberri / Villanueva
de Aézkoa *NA* 11 D 26
Hirmes *AL* 102 V 21
Hiruela (La) *M* 46 I 19
Hita *GU* 46 J 20
Hito (El) *CU* 59 M 21
Hito (Laguna de El) *CU* 59 M 21
Hitos (Estación de Los) 72 P 24
Hoces
(Desfiladero Las) *LE* 16 D 13
Hoces de Bárcena *S* 7 C 17
Hoja (Embalse de la) *H* 78 T 9
Holguera *CC* 55 M 10
Hombrados *GU* 48 J 24
Home (Cabo de) *PO* 12 F 3
Homino 18 E 19
Hondarribia /
Fuenterrabía *SS* 10 B 24
Hondón *A* 85 Q 27
Hondón de los Frailes *A* 85 R 27
Hondura *SA* 43 K 12
Honduras (Puerto de) *CC* 56 L 12
Honduras (Punta de)
Tenerife TF 129 G 4
Honquilana *VA* 44 I 15
Honrubia *CU* 60 N 23
Honrubia de la Cuesta *SG* 32 H 18
Hontalbilla *SG* 31 H 17
Hontana (El) *V* 61 M 26
Hontanar *TO* 57 N 16
Hontanar *V* 61 L 25
Hontanar (Collado de) *J* 82 Q 17
Hontanar (El) *cerca de*
La Hunde V 73 O 26
Hontanares *AV* 57 L 15
Hontanares *GU* 47 J 21
Hontanares de Eresma *SG* 45 J 17
Hontanas *BU* 17 F 17
Hontanaya *CU* 59 M 21
Hontangas *BU* 31 H 18
Hontecillas *CU* 60 M 23
Hontoba *GU* 46 K 20
Hontomín *BU* 18 E 19
Hontoria *SG* 45 J 17
Hontoria *O* 6 B 15
Hontoria de Cerrato *P* 31 G 16
Hontoria de la Cantera *BU* 18 F 19
Hontoria
de Valdearados *BU* 32 G 19
Hontoria del Pinar *BU* 32 G 20
Horca (La) *AB* 84 Q 25
Horcajada (La) *AV* 44 K 13
Horcajada de la Torre *CU* 59 L 22
Horcajo *CR* 81 Q 16
Horcajo *CC* 43 K 10
Horcajo (El) *AB* 72 P 22
Horcajo de la Ribera *AV* 44 K 13
Horcajo de la Sierra *M* 46 I 19
Horcajo de las Torres *AV* 44 I 14
Horcajo
de los Montes *CR* 69 O 16
Horcajo
de Montemayor *SA* 43 K 12
Horcajo de Santiago *CU* 59 M 21
Horcajo Medianero *SA* 44 K 13
Horcajuelo de la Sierra *M* 46 I 19
Horche *GU* 46 K 20
Horcón *CO* 69 Q 15
Horconera
(Sierra de la) *CO* 93 T 17
Hormazas (Las) *BU* 17 E 18
Hormazas (Sierra de las) 33 F 21
Hormazuela *BU* 17 E 18
Hormigos *TO* 57 L 16
Hormilla *LO* 19 E 21
Hormilleja *LO* 19 E 21
Horna *BU* 18 D 19
Horna *GU* 47 I 22
Horna *AB* 73 P 25
Hornachos *BA* 68 Q 11
Hornachuelos *CO* 80 S 14
Hornachuelos
(Estación de) *CO* 80 S 14
Hornajos (Los) 102 V 21
Hornias Bajas *CR* 70 O 17
Hornico (El) *MU* 84 R 23
Hornija *LE* 14 E 9
Hornija (Río) 30 H 15
Hornijo (Sierra del) 8 C 19
Hornillatorre *BU* 8 C 19
Hornillayuso *BU* 18 C 19
Hornillo (El) *AV* 57 L 14
Hornillo (El) *MU* 97 T 25
Hornillos *VA* 30 H 15
Hornillos de Cameros *LO* 19 F 22
Hornillos de Cerrato *P* 31 G 17
Hornillos del Camino *BU* 17 E 18
Hornos *J* 83 R 21
Hornos
(Garganta de los) *AV* 44 K 14
Hornos de la Mata *S* 7 C 17
Hornos de Peal *J* 83 S 20
Horra (La) *BU* 31 G 18
Horsavinyà *B* 38 G 37
Hort de la Rabassa (L') *V* 74 N 28
Horta (Cap de l') *A* 86 Q 28
Horta (S') *PM* 105 N 39
Horta de Sant Joan *T* 50 J 30
Hortas *C* 13 D 5
Hortells *CS* 49 J 29
Hortezuela *SO* 32 H 21
Hortezuela
de Océn (La) *GU* 47 J 22
Hortezuelos *BU* 32 G 19
Hortichuela (La) *J* 94 T 18
Hortigüela *BU* 32 F 19
Hortizuela *CU* 60 L 23
Hortoneda *L* 23 F 33
Hortons (Riera de) 37 G 35
Hortunas de Arriba *V* 73 N 26
Hospital *cerca de*
Fonsagrada LU 4 C 8
Hospital *cerca de*
Linares LU 14 D 8
Hospital (Collado del) *CC* 56 N 14
Hospital de Órbigo *LE* 15 E 12
Hospitalet de l'Infant (L') *T* 51 J 32
Hospitalet
de Llobregat (L') *B* 38 H 36
Hosquillo (El) *CU* 48 K 24
Hostal de Ipiés *HU* 21 E 28
Hostalets (Els) *L* 23 F 34
Hostalets (Els) *cerca de*
Esparreguera B 38 H 35
Hostalets (Els)
cerca de Tona B 38 G 36
Hostalets
d'En Bas (Els) *GE* 24 F 37
Hostalric *GE* 38 G 37
Hoya (La) *Lanzarote GC* 122 B 4
Hoya (La) *M* 45 K 17
Hoya (La) *SA* 43 K 12
Hoya (La) *MU* 84 S 25
Hoya (La) *MA* 100 V 16
Hoya de la Carrasca *TE* 61 L 26
Hoya del Campo *MU* 85 R 25
Hoya del Espino (La) *GR* 83 R 22
Hoya del Espino
(Sierra de la) 83 R 22
Hoya del Peral *CU* 61 L 25
Hoya Gonzalo *AB* 73 P 25
Hoya Santa Ana *AB* 73 P 25
Hoyales de Roa *BU* 31 H 18
Hoyas (Altura Las)
La Palma TF 130 C 2
Hoyas (Las) *AL* 95 U 22
Hoyo (El) *CR* 82 Q 18
Hoyo (El) *CO* 80 R 14
Hoyo (Sierra del) 45 K 18
Hoyo de Manzanares *M* 45 K 18
Hoyo de Pinares (El) *AV* 45 K 16
Hoyocasero *AV* 44 K 15
Hoyorredondo *AV* 44 K 13
Hoyos *CC* 55 L 9
Hoyos
de Miguel Muñoz *AV* 44 K 14
Hoyos del Collado *AV* 44 K 14
Hoyos del Espino *AV* 44 K 14
Hoyuelos *SG* 45 I 16
Hoyuelos (Los) *CR* 71 P 21
Hoz (Collado de) *S* 7 C 16
Hoz (Cueva de la) *GU* 47 J 23
Hoz (La) *AB* 72 P 22
Hoz (La) *CO* 93 U 16
Hoz de Abajo *SO* 32 H 20
Hoz de Anero *S* 8 B 19
Hoz de Arreba *BU* 18 D 18
Hoz de Arriba *SO* 32 H 20
Hoz de Barbastro *HU* 22 F 30
Hoz de Beteta
(Desfiladero) *CU* 47 K 23
Hoz de Jaca *HU* 21 D 29
Hoz de la Vieja (La) *TE* 49 J 27
Hoz de Valdivielso *BU* 18 D 19
Hoz Seca 48 K 24
Hozabejas *BU* 18 D 19
Hozgarganta *CA* 99 W 13
Hoznayo *S* 8 B 18
Huarte / Uharte *NA* 11 D 25
Huebra *SA* 42 I 10
Huebro 103 V 23
Huécar (Río) 60 L 24
Huecas *TO* 58 L 17
Huecha 34 G 24
Huechaseca 34 G 25
Huécija *AL* 102 V 22
Huefor Tájar *GR* 94 U 17
Huegas 36 H 30
Huélaga *CC* 55 L 10
Huélago *GR* 95 T 20
Huélamo *CU* 60 L 24
Huelga (La) *AL* 96 U 23
Huelgas Reales (Las) *BU* 18 F 18
Huelgueras *S* 7 B 16
Huelma *J* 82 T 19
Huelva *H* 90 U 9
Huelva (Rivera de) 79 S 10
Huelves *CU* 59 L 21
Huéneja *GR* 95 U 21
Huéneja (Estación de) *GR* 95 U 21
Huércal de Almería *AL* 103 V 22
Huércal Overa *AL* 96 T 24
Huércanos *LO* 19 E 21
Huerce (La) *GU* 46 I 20
Huércemes *CU* 60 M 24
Huerces *O* 6 B 12
Huerga de Frailes *LE* 15 E 12
Huergas *LE* 15 D 11
Huérguina *CU* 61 L 25
Huérmeces *BU* 18 E 18
Huérmeces del Cerro *GU* 47 I 21
Huérmeda *Z* 34 H 25
Hueros (Los) *M* 46 K 19
Huerrios *HU* 21 F 28
Huerta *SG* 46 I 18
Huerta *SA* 44 J 13
Huerta (La) *AL* 96 U 24
Huerta (Sierra de) 73 Q 25
Huerta de Abajo *BU* 32 F 20
Huerta de Arriba *BU* 32 F 20
Huerta
de Cuarto Holgado *CC* 55 L 11
Huerta de la Obispalía *CU* 60 M 22
Huerta
de Valdecarábanos *TO* 58 M 19
Huerta de Vero *HU* 22 F 30
Huerta
del Marquesado *CU* 60 L 24
Huerta del Rey *BU* 32 G 19
Huertahernando *GU* 47 J 23
Huertapelayo *GU* 47 J 23
Huertas (Ermita Las) *MU* 85 S 25
Huertas (Las) *CC* 54 N 8
Huertas Bocas
del Salado *CO* 93 T 15
Huertas de Ánimas *CC* 56 N 12
Huertas
de la Magdalena *CC* 56 N 12
Huérteles *SO* 33 F 23
Huertezuelas *CR* 82 Q 18
Huerto *HU* 35 G 29
Huertos (Los) *SG* 45 I 17
Huerva (La) *Z* 48 I 26
Huesa *J* 83 S 20
Huesa (Estación de) *J* 83 S 20
Huesa del Común *TE* 49 I 27
Huesas (Las) *CR* 70 Q 18
Huesca *HU* 21 F 28
Huéscar *GR* 83 S 22
Huescar (Río) 60 L 24
Huesna (Embalse de) *SE* 80 S 12
Huéspeda *BU* 18 D 19
Huete *CU* 59 L 21
Huétor Santillán *GR* 94 U 19
Huétor Tájar *GR* 94 U 17
Huétor-Vega *GR* 94 U 19
Huetos *GU* 47 J 22
Hueva 46 K 21
Huévar *SE* 91 T 11
Huéznar (Rivera de) 80 S 12
Huma *MA* 100 V 15
Humada *BU* 17 D 17
Humanes *GU* 46 J 20
Humanes de Madrid *M* 58 L 18
Humboldt (Mirador de)
Tenerife TF 124 F 2
Humera *M* 45 K 18
Humilladero *MA* 93 U 15
Humilladero
(Ermita del) *CC* 56 N 13
Humilladero (Sierra del) 93 U 15
Humo de Muro (El) *HU* 22 E 30
Humosa (La) *AB* 72 P 24
Hunde (La) *V* 73 O 26
Hurchillo *A* 85 R 27
Hurdano (Río) 43 K 11
Hurdes (Las) *CC* 43 K 11
Hurones *BU* 18 E 19
Hurones
(Embalse de los) *CA* 99 V 13
Hurtado *CR* 71 O 19
Hurtumpascual *AV* 44 J 14
Husillos *P* 31 F 16
Huso 57 M 14

I

Ibahernando *CC* 68 O 12
Ibañeta (Puerto) *NA* 11 C 26
Ibardin 11 C 24
Ibarra *VI* 10 C 22
Ibarra *SS* 10 C 23
Ibarra *BI* 8 C 21
Ibarrangelu *BI* 9 B 22
Ibárruri *BI* 9 C 21
Ibdes *Z* 34 I 24
Ibeas de Juarros *BU* 18 F 19
Ibi *A* 74 Q 28
Ibias 4 C 9
Ibias (Río) 4 D 9
Ibieca *HU* 21 F 29
Ibiricu *NA* 19 D 23
Ibisate *VI* 10 D 22
Ibiur (Embalse de) *SS* 10 C 23
Ibiza / Eivissa *PM* 87 P 34

Ibor .... 56 M 13
Ibrillos *BU* .... 18 E 20
Ibros *J* .... 82 R 19
Icod de los Vinos
　Tenerife TF .... 126 D 3
Idafe (Roque de)
　La Palma TF .... 130 C 4
Idiazabal *SS* .... 10 C 23
Idocín *NA* .... 11 D 26
Ifach (Peñón de) *A* .. 75 Q 30
Ifonche *Tenerife TF* . 128 D 4
Igal / Igari *NA* ...... 11 D 26
Igantzi *NA* .... 11 C 24
Igari / Igal *NA* ...... 11 D 26
Igea *LO* .... 33 F 23
Igeldo *SS* .... 10 C 23
Iglesiarrubia *BU* ..... 31 G 18
Iglesias *BU* .... 17 F 18
Iglesuela (La) *TO* .... 57 L 15
Iglesuela del Cid (La) *TE* . 49 K 29
Igorre *BI* .... 9 C 21
Igrexafeita *C* .... 3 B 5
Igriés *HU* .... 21 F 28
Igualada *B* .... 37 H 34
Igualeja *MA* .... 100 W 14
Igualero *La Gomera TF* . 118 B 2
Igueldo (Monte) ..... 10 C 23
Igüeña *LE* .... 15 D 11
Igueste *Tenerife TF* .. 127 H 3
Igueste de San Andrés
　Tenerife TF .... 125 K 2
Igúzquiza *NA* .... 19 E 23

Ihabar *NA* .... 10 D 24
Ikaztegieta *SS* ...... 10 C 23
Ilarraza *VI* .... 19 D 22
Ilche *HU* .... 36 G 30
Illa *OR* .... 27 G 5
Illa (L') *T* .... 37 H 33
Illa de Arousa *PO* .... 12 E 3
Illán de Vacas *TO* .... 57 M 16
Illana *GU* .... 59 L 21
Illano *O* .... 4 C 9
Illar *AL* .... 102 V 22
Illas *O* .... 5 B 12
Illaso *O* .... 4 B 9
Illescas *TO* .... 58 L 18
Illón (Sierra de) .... 11 D 26
Illora *GR* .... 94 U 18
Illot (S') *PM* .... 105 N 40
Illueca *Z* .... 34 H 25
Ilurdotz *NA* .... 11 D 25
Imaña (Val) .... 49 I 28
Imón *GU* .... 47 I 21
Imotz *NA* .... 10 D 24
Ina (La) *CA* .... 98 W 11
Inagua
　Gran Canaria GC .. 114 C 3
Inazares *MU* .... 84 R 23
Inca *PM* .... 104 M 38
Incinillas *BU* .... 18 D 19
Incio *LU* .... 14 E 7
Indiana
　(Estación de la) *MA* . 92 V 14
Indiano (El) *SE* ...... 91 T 11

Indias (Las)
　La Palma TF .... 132 C 6
Induráin *NA* .... 11 D 26
Ines *SO* .... 32 H 20
Inestrillas *LO* .... 33 G 24
Infantas (La) *J* ...... 82 S 18
Infantas (Las) *M* ..... 58 L 18
Infernio (Roque del)
Infierno (Barranco del)
　Tenerife TF .... 128 D 4
Infierno (Picos del) *HU* . 21 D 29
Infiernos (Los) *GR* ... 94 U 17
Infiesto *O* .... 6 B 13
Ingenio *Gran Canaria GC* . 117 F 3
Iniesta *CU* .... 60 N 24
Iniéstola *GU* .... 47 J 22
Inogés *Z* .... 34 H 25
Inoso *VI* .... 18 C 21
Instinción *AL* .... 102 V 22
Insúa *cerca de*
　Taboada LU .... 13 D 6
Insúa *cerca de Villalba LU* . 3 C 6
Insúa *C* .... 3 B 6
Insúa (Punta) *C* ...... 2 C 2
Intza *NA* .... 10 C 24
Inviernas (Las) *GU* ... 47 J 21
Ip (Embalse de) ..... 21 D 28
Irabiako (Embalse de) . 11 D 26
Irache (Monasterio de) . 19 E 23
Iragi *NA* .... 11 D 25

Iranzu (Monasterio de) *NA* 19 D 23
Irañeta *NA* .... 10 D 24
Irati .... 11 D 26
Irati (Bosque del) ... 11 D 26
Irati (Valle del) .... 11 D 25
Ircio *BU* .... 18 E 21
Irede *LE* .... 15 D 12
Iregua .... 33 F 21
Iregua (Valle de) *LO* . 19 F 22
Iribas *NA* .... 10 D 24
Iriépal *GU* .... 46 K 20
Irixo *C* .... 13 E 5
Irixoa *C* .... 3 B 5
Irles (Les) .... 37 I 32
Irta (Cap d') *CS* ..... 50 L 31
Irta (Serra de) ...... 50 L 30
Iruecha *SO* .... 47 I 23
Iruela *LE* .... 15 F 10
Iruela (La) *J* .... 83 S 21
Iruelos *SA* .... 43 I 11
Irueste *GU* .... 46 K 21
Irumugarrieta *NA* .... 10 C 23
Irún *SS* .... 10 B 24
Iruña / Pamplona *NA* . 11 D 25
Iruña de Oca *VI* ..... 19 D 21
Irura *SS* .... 10 C 23
Iruraiz-Gauna *VI* .... 19 D 22
Irurita *NA* .... 11 C 25
Irurozqui *NA* .... 11 D 26
Irurtzun *NA* .... 10 D 24
Irús *BU* .... 8 C 19
Iruz *S* .... 7 C 18

Iruzubieta *BI* .... 10 C 22
Isaba / Izaba *NA* .... 11 D 27
Isabel (La) *J* .... 78 T 7
Isabela *J* .... 82 R 19
Isábena *J* .... 22 E 31
Isar *BU* .... 17 E 18
Iscar *VA* .... 31 H 16
Isidro *BA* .... 78 R 9
Isidros (Los) *V* ...... 61 N 26
Isil *L* .... 23 D 33
Isín *HU* .... 21 E 28
Isla (La) *O* .... 6 B 14
Isla *C* .... 8 B 19
Isla Canela *H* .... 90 U 7
Isla Cristina *H* ...... 90 U 8
Isla de Luna *CO* ..... 93 T 15
Isla del Vicario *SE* ... 92 T 14
Isla Plana *MU* .... 97 T 26
Isla Playa *S* .... 8 B 19
Isla Ravenna *PM* .... 105 M 39
Isla Redonda *SE* .... 93 T 15
Isla Verde .... 99 W 12
Islares *S* .... 8 B 20
Islas Menores *MU* ... 85 T 27
Isleta (La)
　Gran Canaria GC .. 115 G 1
Isleta (La) *Lanzarote GC.* 122 D 3
Isleta (La) *AL* .... 103 V 23
Islote (El)
　Fuerteventura GC .. 112 C 5
Isoba *LE* .... 6 C 14

Isona *L* .... 23 F 33
Isora *El Hierro TF* .... 109 D 3
Isóvol *GE* .... 23 E 35
Ispater *BI* .... 9 B 22
Isso *AB* .... 84 Q 24
Istán *MA* .... 100 W 15
Isuela .... 21 F 28
Isuerre *Z* .... 20 E 26
Itálica (Ruinas de) *SE* . 91 T 11
Itero de la Vega *P* ... 17 F 17
Itero del Castillo *BU* . 17 F 17
Itoiz (Embalse de) ... 11 D 26
Itoiz (Embalse de) *NA* . 11 D 26
Itrabo *GR* .... 101 V 19
Itrabo (Cerro de) *GR* . 101 V 19
Itsasondo *SS* .... 10 C 23
Ituero *SO* .... 33 H 22
Ituero *AB* .... 72 P 23
Ituero de Azaba *SA* .. 42 K 9
Ituero y Lama *SG* .... 45 J 16
Iturgoyen *NA* .... 10 D 24
Iturmendi *NA* .... 19 D 23
Iturreta *BI* .... 10 C 22
Itzalle / Izal *NA* ..... 11 D 26
Itzaltzu / Izalzu *NA* .. 11 D 26
Itzarri (Punta) *SS* .... 10 C 23
Itziar *SS* .... 10 C 23
Iurreta *BI* .... 10 C 22
Ivars d'Urgell *L* ...... 37 G 32
Ivars de Noguera *L* ... 36 G 31

JAÉN

Adarves Bajos .... CZ 2
Alamos .... BZ 3
Alcalde García Segovia .. CX 5
Alféreces Provisionales .. BX 8
Alhama .... BY 58
Ángel (Puerta del) ...... CZ 9
Bernabé Soriano .... BZ 12
Capitán Aranda Alta ..... BZ 13
Carmello Torres .... BY 14
Castilla .... BY 16
Coca de la Piñera (Pl.) .. BY 17
Condestable Iranzo ...... AX 18
Correa Weglison .... BY 20
Doctor Civera .... BZ 21
Doctor Eduardo Arroyo ... BY 22
Doctor Eduardo García Triviño
　López .... BX 24
Ejido de Alcantarilla .... BZ 25
Extremadura .... BX 27
Francisco Coello .... BZ 27
Frente a Jesús .... BY 44
Fuerte del Rey .... AX 30
Hermanos Pinzón .... BX 31
Ignacio Figueroa .... BZ 32
Juanito el Practicante ... AY 34
Juan Pedro Gutiérrez
　Higueras .... AX 35
Madre de Dios .... BZ 36
Madre Soledad Torres Acosta BY 38
Maestra .... BZ 39
Magdalena Baja .... AY 40
Manuel Caballero Venzala . CX 41
Manuel Jontoya .... BZ 43
Molino de la Condesa .... AY 45
Muñoz Garnica .... BZ 47
Navas de Tolosa .... BY 48
Núñez de Balboa .... BY 49
Obispo Alonso Suárez ... CY 51
Obispo García de Castro
　(Pl.) .... CYZ 54
Obispo González .... BZ 55
Obispo Stúñiga .... BX 52
Puerta del Sol .... BY 56
Salvador Vicente de la Torre AX 59
Santa Luisa de Marillac
　(Pl. de) .... AY 70
Santo Domingo .... AY 71
San Agustín (Pl. de) .... BY 61
San Andrés .... BY 62
San Bartolomé (Pl.) .... BZ 63
San Clemente .... BYZ 65
San Francisco (Pl.) ..... BZ 67
San Juan (Pl. de) .... BY 68
Vicente Montuno .... CZ 72
Virgen Capilla .... BCY 74
Virgen de la Cabeza .... BX 73

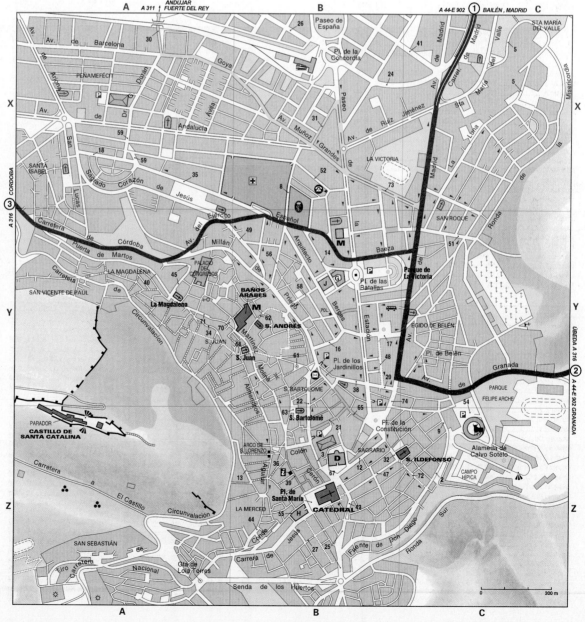

JEREZ DE LA FRONTERA

Map: Jerez de la Frontera

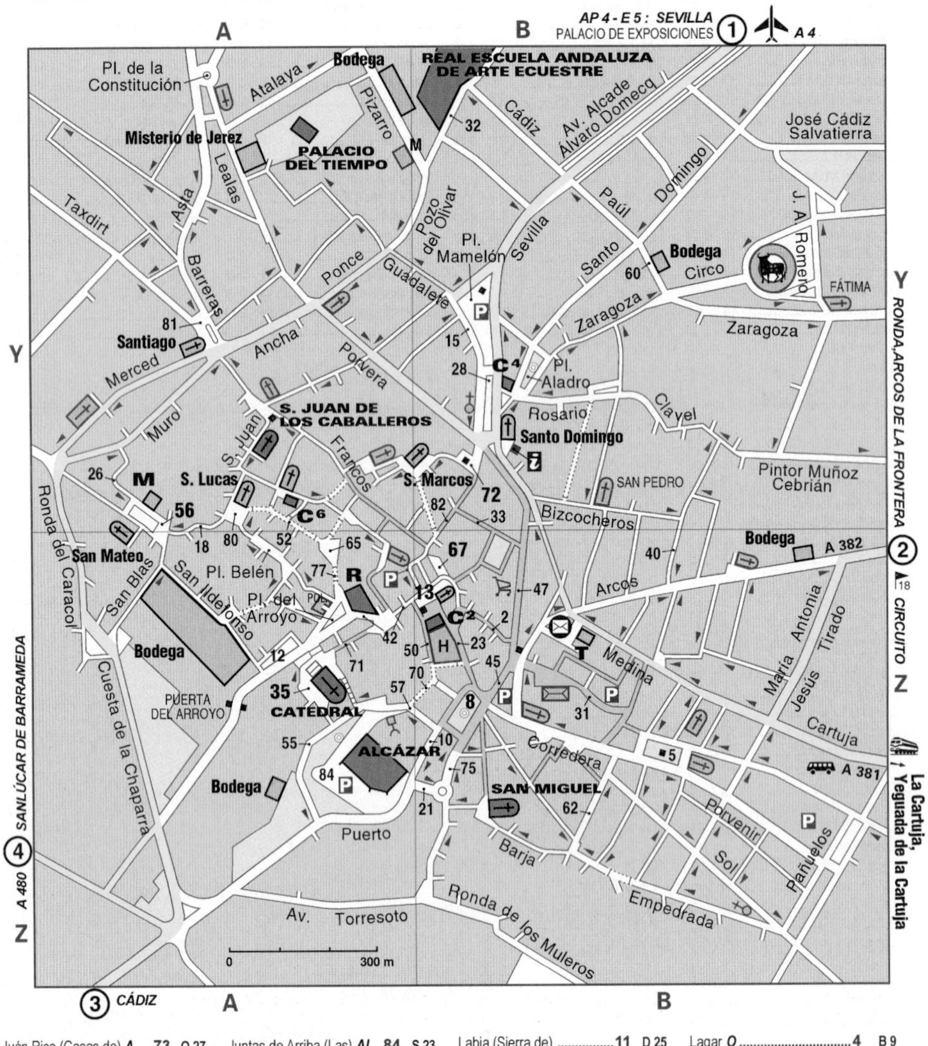

Laguna		
del Marquesado *CU*	60	L 24
Laguna Grande *CU*	71	N 21
Laguna Negra		
de Neila *BU*	32	F 20
Laguna Negra		
de Urbión *SG*	33	F 21
Laguna Rodrigo *SG*	45	J 16
Lagunarrota *HU*	36	G 29
Lagunas de Ruidera		
(Parque natural) *CR*	71	P 21
Lagunaseca *CU*	47	K 23
Lagunazo *H*	78	T 8
Lagunazo (Embalse de) *H.*	78	T 8
Lagunica (La)	48	J 25
Lagunilla *SA*	43	L 12
Lagunilla (La) *CR*	69	O 16
Lagunilla del Jubera *LO*	19	E 23
Lagunillas (Las) *CO*	93	T 17
Lahiguera *J*	82	S 18
Laida *BI*	9	B 21
Laíño *C*	12	D 3
Laiosa *LU*	14	E 7
Laíquez (Minas de)	103	V 23
Lajares		
Fuerteventura GC	111	H 1
Lajita (La)		
Fuerteventura GC	113	F 4
Lakuntza *NA*	19	D 23
Lalastra *VI*	18	D 20
Lalín *PO*	13	E 5
Laluenga *HU*	22	F 29
Lalueza *HU*	35	G 29
Lama *PO*	13	E 4
Lamalonga *OR*	14	F 9
Lamas *cerca de*		
San Sadurniño *C*	3	B 5
Lamas *cerca de Zás C*	2	C 3
Lamas *LU*	3	C 6
Lamas *OR*	13	E 6
Lamas (As) *OR*	13	F 6
Lamas (Las)	14	D 9
Lamas de Moreira *LU*	4	C 8
Lamasón	7	C 16
Lamata *HU*	22	F 30
Laminoria (Cantera de) *VI.*	19	D 22
Lamosa *PO*	13	F 4
Lana	19	D 23
Lanaja *HU*	35	G 29
Lanaja (Sierra de)	35	G 28
Lanave *HU*	21	E 28
Láncara *LU*	14	D 7
Lancha (La) *J*	82	R 18
Lancha (Puerto de la) *AV..*	45	K 16
Lanchar *MA*	84	R 23
Lanchares *S*	7	C 18
Lanciego *VI*	19	E 22
Landete *CU*	61	M 25
Landrove *LU*	4	B 7
Landrove (Río) *LU*	4	B 7
Lanestosa *BI*	8	C 19
Langa *AV*	44	I 15
Langa (La) *CU*	59	L 22
Langa de Duero *SO*	32	H 19
Langa del Castillo *Z*	34	I 25
Langayo *VA*	31	H 17
Langosto *SO*	33	G 22
Langre *LE*	15	D 10
Langreo	6	C 13
Languilla *SG*	32	H 19
Lanjarón *GR*	101	V 19
Lanseros *ZA*	29	F 10
Lantadilla *P*	17	E 17
Lantaño *PO*	12	E 3
Lantarón *VI*	18	D 20
Lantéira *GR*	95	U 20
Lantejuela *SE*	92	T 14
Lantz *NA*	11	D 25
Lanuza (Embalse de) *HU.*	21	D 29
Lanza *C*	3	C 5
Lanzahita *AV*	57	L 15
Lanzas Agudas *BI*	8	C 19
Lanzós *LU*	3	B 7
Lanzuela *TE*	48	I 26
Laño *BI*	19	E 22
Lapa (La) *SE*	91	T 11
Lapa (La) *BA*	79	Q 10
Lapa (Sierra de la) *BA*	68	P 12
Lapela *OR*	6	F 5
Laperdiguera *HU*	36	G 29
Lapoblación *NA*	19	E 22
Lapones *CC*	54	N 8
Lapuebla de Labarca *VI.*	19	E 22
Lara *BU*	18	F 19
Lara *CR*	70	O 18
Laracha (A) *C*	2	C 4
Laranueva *GU*	47	J 22
Laraxe *C*	3	B 5
Lardero *LO*	19	E 22
Laredo *S*	8	B 19
Larga (Laguna) *TO*	59	N 20
Larga (Sierra) *MU*	85	Q 25
Larga (Sierra) *AL*	84	S 23
Largo (El) *AL*	96	T 24
Lariño *C*	12	D 2
Lario *LE*	6	C 14
Laro *PO*	13	E 5
Laroá *OR*	27	F 6
Laroles *GR*	95	U 20
Larón *O*	5	D 10
Larouco *OR*	14	E 8
Laroya *AL*	96	U 23
Larrabasterra *BI*	8	B 21
Larrabetzu *BI*	9	C 21
Larraga *NA*	20	E 24
Larraintzar *NA*	11	D 24
Larraitz (Ermita de) *SS*	10	C 23
Larraona *NA*	19	D 23
Larrau (Puerto de) *NA*	11	D 27
Larraul *SS*	10	C 23
Larraun *NA*	10	D 24
Lárrede *HU*	21	E 29
Larreineta *BI*	8	C 20
Larrés *HU*	21	E 28
Larriba *LO*	19	F 22
Larrión *NA*	19	D 23
Larrodrigo *SA*	44	J 13
Larruskain *BI*	10	C 22
Larués *HU*	21	E 27
Larumbe *NA*	10	D 24
Larva *J*	83	S 20
Larva (Estación de) *J*	83	S 20
Larxentes *LU*	4	D 9
Las Mestas *CC*	43	K 11
Lasao *SS*	10	C 23
Lasaosa *HU*	21	E 29
Lasarte-Oria *SS*	10	C 23
Lascasas *HU*	21	F 28
Lascellas *HU*	21	F 29
Lascuarre *HU*	22	F 31
Lasieso *HU*	21	E 28
Laspaúles *HU*	22	E 31
Laspuña *HU*	22	E 30
Laspuña (Embalse de) *HU*	22	E 30
Lastanosa *HU*	35	G 29
Lastra (A) *LU*	4	C 8
Lastra (La) *S*	7	C 16
Lastra (Sierra de la) *LE*	49	K 28
Lastra del Cano (La) *AV*	44	K 13
Lastras *O*	6	B 14
Lastras de Cuéllar *SG*	31	I 17
Lastras de la Torre *BU*	18	C 20
Lastras de las Eras *BU*	18	C 19
Lastras del Pozo *SG*	45	J 16
Lastres *O*	6	B 14
Lastres (Cabo) *O*	6	B 14
Lastrilla (La) *SG*	45	J 17
Latasa *cerca de*		
Lekunberri *NA*	10	D 24
Latasa *cerca de Lizaso NA*	11	D 25
Latedo *ZA*	29	G 10
Latorrecilla *HU*	22	E 30
Latre *HU*	21	E 28
Laudio / Llodio *VI*	8	C 21
Laujar de Andarax *AL*	102	V 21
Laukiz *BI*	8	B 21
Lavaderos *TE*	49	K 27
Lavadores *PO*	12	F 3
Lavandeira *C*	3	B 5
Lavansa (Riu de)	23	F 34
Lavern *B*	38	H 35
Laviana	6	C 13
Lavid de Ojeda *P*	17	E 16
Lavio *O*	5	B 10
Laxe *C*	2	C 2
Laxe *LU*	13	E 6
Laxosa *LU*	4	D 7
Layana *Z*	20	F 26
Layna *SO*	47	I 23
Layón *AL*	95	U 22
Layos *TO*	58	M 17
Laza *OR*	14	F 7
Laza (Alto)	11	D 27
Lazagurría *NA*	19	E 23
Lázaro *CU*	60	M 24
Lazkao *SS*	10	C 23
Lea *LU*	4	C 7
Leache *NA*	20	E 25
Lebanza *P*	17	D 16
Lebeña *S*	7	C 16
Leboreiro *C*	13	D 6
Leboreiro *O*	14	F 7
Lebozán *PO*	13	E 5
Lebozán *OR*	13	E 5
Lebrancón *GU*	47	J 23
Lebredo *O*	4	B 9
Lebrija *SE*	91	V 11
Lécera *Z*	35	I 27
Leces *O*	6	B 14
Lechago *TE*	48	J 26
Lechina *AB*	72	O 22
Lechón *Z*	48	I 26
Lechugales (Morra de) *ESP.*	7	C 15
Lecina *HU*	22	F 30
Leciñena *Z*	35	G 28
Lecrín *GR*	101	V 19
Lecrín (Valle de) *GR*	101	V 19
Ledanca *GU*	47	J 21
Ledaña *CU*	72	N 24
Ledesma *SA*	43	I 11
Ledesma de la Cogolla *LO*	19	E 21
Ledesma de Soria *SO*	33	H 23
Ledigos *P*	16	E 15
Ledrada *SA*	43	K 12
Leganés *M*	46	L 18
Leganiel *CU*	59	L 21
Legarda *NA*	10	D 24
Legazpi *SS*	10	C 22
Legorreta *SS*	10	C 23
Legutiano *VI*	19	D 22
Leiloio *C*	2	C 3
Leintz-Gatzaga *SS*	19	D 22
Leioa *BI*	8	B 20
Leioa *BI*	8	B 21
Leioa *BI*	8	C 21
Leira *C*	3	C 4
Leirado *PO*	13	F 4
Leiro *C*	3	B 5
Leiro *OR*	13	E 5
Leis *C*	2	C 2
Leitariegos *O*	5	D 10
Leitariegos (Puerto de) *LE.*	5	D 10
Leitza *NA*	10	C 24
Leiva *LO*	18	E 20
Leizarán	10	C 24
Lekeitio *BI*	9	B 22
Lekunberri *NA*	10	C 24
Lemoa *BI*	8	C 21
Lemoiz *BI*	8	B 21
Lena	5	C 12
Lences *BU*	18	E 19
Lendínez *J*	82	S 17
Lengua (Sierra)	73	P 26
Lentejí *GR*	101	V 18
Lentellais *OR*	14	F 8
Lentiscal (El) *CA*	99	X 12
León *LE*	16	E 13
León (Isla de) *CA*	98	W 11
León (Montes de) *LE*	15	E 10
León (Puerto del) *MA*	100	V 16
Leones (Los) *CO*	93	T 16
Leoz *NA*	20	E 25
Lepe *H*	90	U 8
Leranotz *NA*	11	D 25
Lérez *PO*	12	E 4
Lerga *NA*	20	E 25
Lerga (Alto)	20	E 25
Lérida / Lleida	36	H 31
Lerín *NA*	19	E 24
Lerma *BU*	32	F 18
Lermilla *BU*	18	E 19
Lerones *S*	7	C 16
Les *L*	22	D 32
Les Marines (Platjas) *A*	74	Q 30
Lesaka *NA*	11	C 24
Lesón *C*	12	E 3
Letreros		
(Cuevas de los) *AL*	84	S 23
Letur *AB*	84	Q 23
Letux *Z*	35	I 27
Levante (Peñas de) *CC*	55	L 10
Levante (Serres de)	105	N 39
Levinco *O*	6	C 13
Leyre (Monasterio de) *NA.*	20	E 26
Leyre (Sierra de)	20	E 26
Leza *VI*	19	E 22
Leza (Río)	19	E 22
Leza de Río Leza *LO*	19	F 22
Lezama *BI*	8	C 21
Lezama *VI*	8	C 21
Lezáun *NA*	10	D 24
Lezna (La)	34	H 25
Lezuza *AB*	72	P 22
Lezuza (Río de)	72	P 23
Liandres *S*	7	B 17
Libardón *O*	6	B 14
Liber *LU*	14	D 8
Librán *LE*	15	D 10
Libreros *CA*	99	X 12
Librilla *MU*	85	S 25
Libros *TE*	61	L 26
Liceras *SO*	32	H 20
Lidón *TE*	48	J 26
Lidón (Sierra de)	48	J 26
Liebres *BA*	67	O 9
Liédena *NA*	20	E 26
Liegos *LE*	6	C 14
Liencres *S*	7	B 18
Liendo *S*	8	B 19
Lieres *O*	6	B 13
Liérganes *S*	8	B 18
Lierta *HU*	21	F 28
Liesa *HU*	21	F 29
Liétor *AB*	72	Q 24
Ligos *SO*	32	H 20
Ligüerre de Ara *HU*	21	E 29
Ligüerzana *P*	17	D 16
Líjar *AL*	96	U 23
Líjar (Sierra de)	92	V 13
Lillo *TO*	59	M 20
Lillo del Bierzo *LE*	15	D 10
Limaria *AL*	96	T 23
Limia	27	G 5
Limo (Punta del) *C*	3	A 6
Limodre *C*	3	B 5
Limones *GR*	94	T 18
Limonetes		
de Villalobos (Los) *BA*	67	P 9
Limpias *S*	8	B 19
Linarejos *ZA*	29	G 10
Linarejos *J*	82	R 19
Linares *C*	7	C 16
Linares *cerca de*		
Cangas de Narcea *O*	5	C 10
Linares *cerca de Salas O*	5	B 11
Linares *J*	82	R 19
Linares (Puerto de) *TE*	49	L 28
Linares (Río)	33	F 23
Linares de la Sierra *H*	79	S 10
Linares de Mora *TE*	49	L 28
Linares de Riofrío *SA*	43	K 12
Linares del Arroyo		
(Embalse de) *SG*	32	H 19
Linás de Broto *HU*	21	E 29
Linás de Marcuello *HU*	21	F 27
Linde (La)	5	C 10
Lindín *C*	4	B 8
Linea de la		
Concepción (La) *CA*	99	X 13
Lintzoain *NA*	11	D 25
Linyola *L*	37	G 32
Liñaio *C*	2	D 3
Liñares *LU*	14	D 8
Liñares		
cerca de Beariz OR	13	E 5
Liñares		
cerca de Orense OR	13	E 6
Lira *C*	12	D 2

LEÓN

Alcalde Miguel Castaño	B	2
Almirante Martín-Granizo		
(Av. del)	A	3
Ancha	B	16
Arquitecto Ramón Cañas del Rio	B	4
Caño Badillo	B	8
Cruz Roja de León	A	9
Espolón (Pl. de)	B	12
Facultad (Av. de la)	A	15
González de Lama	B	18
Guzmán el Bueno		
(Glorieta de)	A	23
Independencia (Av. de)	B	25
Inmaculada (Pl. de)	A	5
Jorge de Montemayor	B	26
Mariano Andrés (Av. de)	B	28
Murias de Paredes	B	30
Ordoño II	A	
Padre Isla (Av. del)	AB	
Palomera	B	31
Papalaguinda (Pas. de)	A	33
Quevedo (Av. de)	A	40
Ramiro Valbuena	A	45
Rúa	B	
Sáez de Miera (Pas. de)	A	47
Santo Domingo		
(Pl. de)	B	58
Santo Martino (Pl. de)	B	61
San Francisco (Pas. de)	B	48
San Isidoro (Pl. de)	B	50
San Marcelo (Pl. de)	B	52
San Marcos (Pl. de)	A	55
San Pedro	B	38

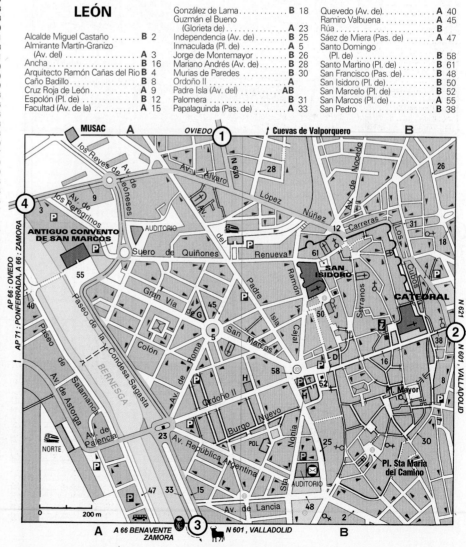

LLEIDA

Almadi Vell	**Z**	3
Bisbe Messeguer	**YZ**	5
Canyeret	**YZ**	7
Cardenal Cisneros	**Z**	8
Carme	**Y**	9
Catedral (Pl. de la)	**Z**	10
Comtes d'Urgell	**Y**	12
Exèrcit (Av. de l')	**Z**	14
Exèrcit (Pl. de l')	**Z**	15
Francesc Macià	**Y**	16
Gov. Montcada	**Z**	18
Magdalena	**Y**	24
Major	**Z**	
Missions (Pl. de les)	**Y**	26
Mossèn Jacint Verdaguer (Pl. del)	**Y**	27
Paeria (Pl. de la)	**Y**	29
Pallars	**Y**	30
Pi i Margall	**Y**	31
Ramon Berenguer IV (Pl. de)	**Z**	32
República del Paraguai	**Z**	33
Ricard Vinyes (Pl. de)	**Y**	34
Sal (Pl. de la)	**Y**	36
Sant Andreu	**YZ**	38
Sant Antoni	**Z**	
Sant Crist	**Z**	39
Sant Joan	**Z**	41
Sant Joan (Pl. de)	**YZ**	42
Sant Josep (Pl. de)	**Z**	43
Sant Llorenç (Pl. de)	**Z**	45
Sant Martí (Ronda)	**Y**	46
Saragossa	**YZ**	49
Vallcalent	**Y**	55

Llano *S*	**17**	D 18
Llano (El) *O*	**4**	B 8
Llano (Puerto) *CC*	**68**	N 14
Llano (Puerto) *BA*	**67**	Q 11
Llano de Brujas *MU*	**85**	R 26
Llano de Bureba *BU*	**18**	I 19
Llano de la Torre *AB*	**84**	Q 23
Llano de las Menorcas	**36**	H 30
Llano de Olmedo *VA*	**31**	I 16
Llano del Beal *MU*	**85**	T 27
Llano des Calderes	**23**	F 33
Llano Don Antonio *AL*	**103**	V 24
Llano Negro *La Palma TF*	**130**	B 3
Llanos (Los) *AB*	**72**	P 24
Llanos de Antequera (Los) *MA*	**93**	U 16
Llanos de Aridane (Los) *La Palma TF*	**132**	C 5
Llanos de Arriba (Los) *J*	**83**	Q 21
Llanos de Don Juan *CO*	**93**	T 16
Llanos de la Concepción *Fuerteventura GC*	**111**	G 3
Llanos de la Plana	**35**	H 27
Llanos de Tormes (Los) *AV*	**44**	L 13
Llanos del Caudillo *CR*	**71**	O 19
Llanos del Valle *CA*	**99**	W 12
Llanteno *VI*	**8**	C 20
Llanuces *O*	**5**	C 12
Llardecans *L*	**36**	H 31
Llares (Los) *S*	**7**	C 17
Llauri *V*	**74**	O 29
Llauset (Sierra de)	**22**	E 31
Llavorsí *L*	**23**	E 33
Llebeig (Cap de)	**104**	O 38
Llebeitx (Cap)	**104**	N 36
Lledó *TE*	**50**	J 30
Lleida / Lérida *L*	**36**	H 31
Llémena (Riera de)	**24**	F 37
Llén *SA*	**43**	J 12
Llena (Pic de) *L*	**23**	E 32
Llena (Serra la)	**32**	H 32
Llentrisca (Cap)	**87**	P 33
Llera *BA*	**79**	Q 11
Llerana *S*	**7**	C 18
Llerandi *O*	**6**	C 14
Llerena *BA*	**79**	R 11
Llers *GE*	**25**	F 38
Llert *HU*	**22**	E 31
Lles de Cerdanya *L*	**23**	E 35
Llesba (Mirador de)	**6**	C 15
Llesp *L*	**22**	E 32
Llessui *L*	**23**	E 33
Llessui (Vall de) *L*	**23**	E 33
Lliber *A*	**74**	P 30
Llibrell (Cap)	**87**	P 34
Lliçà d'Amunt *B*	**38**	H 36
Llierca (El) (Riu)	**24**	F 37
Llimiania *L*	**23**	F 32
Llinars *L*	**23**	F 34
Llinars de l'Aigua d'Ora *B*	**23**	F 35
Llinars del Vallès *B*	**38**	H 37
Lliria / Liria *V*	**62**	N 28
Llívia *GE*	**24**	E 35
Lloà *T*	**36**	I 32
Llobera *cerca de Organyà L*	**23**	F 34
Llobera *cerca de Solsona L*	**37**	G 34
Llobregat *GE*	**25**	F 38
Llobregat (El) (Riu) *B*	**24**	F 35
Llobregós (El)	**37**	G 33
Llocnou d'en Fenollet *V*	**74**	O 28
Llocnou de Sant Jeroni *V*	**74**	P 29
Llodio / Laudio *VI*	**8**	C 21
Lloma (La) *cerca de Marines V*	**62**	M 28
Lloma (La) *cerca de Nàquera V*	**62**	N 28
Llombai *V*	**74**	O 28
Llombarts (es) *PM*	**105**	N 39
Llombera *LE*	**16**	D 13
Llana (Punta) *La Gomera TF*	**119**	D 2
Llana (Sierra de la) *BU*	**18**	D 19
Llana (Sierra) *SO*	**33**	G 22
Llanars *GE*	**24**	F 37
Llanas (Las) *BI*	**8**	C 20
Llánaves de la Reina *LE*	**6**	C 15
Llançà *GE*	**25**	E 39
Llanelo *O*	**14**	D 9
Llanera *O*	**5**	B 12
Llanera (Riera de)	**37**	G 34
Llanera de Ranes *V*	**74**	O 28
Llanes *O*	**6**	B 15
Llanillo *BU*	**17**	D 17
Llovio *O*	**6**	B 14
Llubí *PM*	**105**	M 39
Lluçà *B*	**24**	F 36
Lluçars *L*	**37**	G 33
Llucena *CS*	**62**	L 29
Llucena (Riu de) *Castelló CS*	**62**	L 29
Llucmajor *PM*	**104**	N 38
Llumes *Z*	**48**	I 24
Llusias (Monte) *S*	**8**	C 19
Llutxent *V*	**74**	P 28
Lo Ferro *MU*	**85**	S 27
Loarre *HU*	**21**	F 28
Loarre (Castillo de) *HU*	**21**	F 28
Loarre (Sierra de)	**21**	F 28
Loba (Puerto de la) *BA*	**79**	R 10
Loba (Sierra de la) *LU*	**3**	C 6
Lobatejo *CO*	**93**	T 17
Lobeira *OR*	**27**	G 5
Lobeira (Mirador de) *PO*	**12**	E 3
Lobeira Grande (Isla) *C*	**2**	D 2
Lobeiras *L*	**4**	B 7
Lobera (Canal de la)	**72**	P 23
Lobera de Onsella *Z*	**20**	E 26
Loberuela (La) *V*	**61**	M 25
Lobillas (Puerto de las)	**79**	S 11
Lobillo (El) *CR*	**71**	P 20
Lobios *OR*	**27**	G 5
Lobo (Pico del) *GU*	**46**	I 19
Lobo (Pilón del) *CR*	**69**	P 15
Lobo (Puerto) *V*	**94**	U 19
Lobón *BA*	**67**	P 10
Lobón (Canal de)	**67**	P 10
Lobos *GR*	**83**	S 22
Lobos (Isla de los) *Fuerteventura GC*	**111**	J 1
Lobos (Los) *AL*	**96**	U 24
Lobos (Río)	**32**	G 20
Lobosillo *MU*	**85**	S 26
Lobras *GR*	**102**	V 20
Lobres *GR*	**101**	V 19
Lodares *cerca de El Burgo de Osma SO*	**32**	H 20
Lodares *cerca de Medinaceli SO*	**47**	I 22
Lodares del Monte *SO*	**33**	H 22
Lodosa *NA*	**19**	E 23
Lodosa (Canal de)	**19**	E 23
Lodoso *BU*	**17**	E 18
Loeches *M*	**46**	K 19
Logroño *LO*	**19**	E 22
Logrosán *CC*	**68**	N 13
Loiba *C*	**3**	A 6
Lois *LE*	**16**	D 14
Loiti (Puerto) *NA*	**20**	E 25
Loiu *BI*	**8**	C 21
Loja *GR*	**94**	U 17
Loja (Sierra de)	**94**	U 17
Lojilla *GR*	**94**	T 17
Loma (La) *GU*	**47**	J 23
Loma (La) *GR*	**94**	U 18
Loma Badada *A*	**85**	Q 22
Loma de Piqueras *AB*	**72**	Q 22
Loma del Ucieza *P*	**17**	E 16
Loma Gerica *J*	**83**	R 22
Loma Gorda *TE*	**61**	L 26
Loma Negra	**20**	F 25
Loma Pelada (Punta de) *AL*	**103**	V 23
Lomana *BU*	**18**	D 20
Lomas *P*	**17**	F 16
Lomas (Las) *MU*	**85**	S 26
Lomas (Las) *CA*	**99**	X 12
Lomas (Las) *MA*	**100**	W 15
Lomas (Las) *Z*	**35**	G 27
Lomas (Las) *M*	**45**	K 18
Lomaza	**35**	G 27
Lomba (La) *S*	**7**	C 17
Lomeña *S*	**7**	C 16
Lomero *H*	**78**	S 9
Lominchar *TO*	**58**	L 18
Lomo de Mena *Tenerife TF*	**127**	G 3
Lomoviejo *VA*	**44**	I 15
Longa (Sierra)	**11**	D 27
Longares *Z*	**34**	H 26
Longás *Z*	**21**	E 27
Loña del Monte *OR*	**13**	E 6
Lope Amargo *CO*	**81**	S 16
Lopera *J*	**81**	S 17
Lopera *GR*	**95**	U 20
Loporzano *HU*	**21**	F 29
Lor *LU*	**14**	E 7
Lora *CA*	**92**	V 14
Lora de Estepa *SE*	**93**	U 15
Lora del Río *SE*	**80**	T 13

Lires *C*	**2**	D 2
Liri *HU*	**22**	E 31
Liria / Llíria *V*	**62**	N 28
Lisbona (Sierra)	**96**	U 24
Litago *Z*	**34**	G 24
Litera *HU*	**22**	F 31
Litos *ZA*	**29**	G 11
Lituelo *TE*	**48**	J 26
Lituénigo *Z*	**34**	G 24
Lizarra / Estella *NA*	**19**	D 23
Lizarraga *cerca de Echarri Aranaz NA*	**19**	D 23
Lizarraga *cerca de Urroz NA*	**11**	D 25
Lizarraga (Puerto de) *NA*	**19**	D 23
Lizarrieta *NA*	**11**	C 25
Lizarrusti (Puerto de)	**19**	D 23
Lizartza *SS*	**10**	C 23
Lizaso *NA*	**11**	D 24
Lizóain *NA*	**11**	D 25
Lizuniaga	**11**	C 25
Llabería *T*	**51**	I 32
Llacuna (La) *B*	**37**	H 34
Lladó *GE*	**25**	F 38
Lladorre *L*	**23**	E 33
Lladrós *L*	**23**	E 33
Lladurs *L*	**23**	F 34
Llafranc *GE*	**25**	G 39
Llagosta (La) *B*	**38**	H 36
Llagostera *GE*	**25**	G 38
Llagunes *L*	**23**	E 33
Llamas *O*	**6**	C 13
Llamas de Cabrera *LE*	**14**	E 10
Llamas de la Ribera *LE*	**15**	E 12
Llamas de Rueda *LE*	**16**	E 14
Llamas del Mouro *O*	**5**	C 11
Llambilles *GE*	**25**	G 38
Llames *O*	**6**	B 15
Llamo *O*	**5**	C 11
Llamoso *O*	**5**	C 11
Llamp (Cap des)	**104**	N 37

LOGROÑO

Alférez Provisional (Pl. del) ..... **A** 2
Autonomía de la Rioja (Av. de la) **B** 3
Bretón de los Herreros .... **A** 4
Capitán Gaona .... **B** 5
Carmen (Muro del) .... **B** 6
Cervantes (Muro de) .... **B** 7
Daniel Trevijano .... **A** 9
Doce Ligero de Artillería (Av. del) **B** 12
Duquesa de la Victoria .... **B** 13

España (Av. de) .... **B** 14
Fausto Elhuyar.............. **A** 15
Francisco de la Mata
  (Muro) .... **B** 16
Ingenieros Pino y Amorena .... **B** 19
Juan XXIII (Av. de) .... **B** 22
Marqués de Murrieta .... **A** 23
Marqués de San Nicolás..... **AB** 25
Mercado (Pl. del) .... **B** 26
Miguel Villanueva .... **AB** 27
Navarra (Av. de) .... **B** 28
Navarra (Carret. de) .... **B** 29

Once de Junio .... **A** 30
Pío XII (Av. de) .... **B** 31
Portales .... **B** 32
Portugal (Av. de) .... **A** 33
Rioja (Av. de la) .... **A** 34
Rodríguez
  Paterna................ **B** 35
Sagasta .... **A** 36
Teniente Coronel Santos
  Ascarza................. **B** 40
Tricio .... **B** 41
Viana (Av. de) .... **B** 42

Losilla (La) *SO*.......... **33** G 23
Losilla (La) *AB*.......... **72** P 24
Losilla de Aras *V*........ **61** M 26
Lougares *PO*............. **13** F 4
Loureda *C*............... **13** D 4
Loureiro *LU*............. **14** D 7
Loureiro *PO*............. **13** E 4
Lourenzá *LU*............. **4** B 8
Loureza *PO*............. **12** G 3
Louro *C*................. **12** D 2
Louro (Punta) *C*......... **12** D 2
Louro (Río) *C*........... **12** F 4
Lousada *LU*............. **13** D 7
Lousadela *LU*........... **13** D 6
Lousado *C*.............. **12** F 3
Lousame *C*............. **12** D 3
Lousame *Portobravo C*... **12** D 3
Louseiro *LU*............. **14** D 8
Loza *V*................. **19** E 21
Lozoya *M*............... **45** J 18
Lozoyuela *M*............ **46** J 19
Luaces *LU*.............. **4** C 7
Luanco *O*............... **5** B 12
Luarca *O*............... **5** B 10
Lubia *SO*............... **33** H 22
Lubián *ZA*.............. **28** F 9
Lubrín *AL*.............. **96** U 23
Lucainena *AL*........... **102** V 20
Lucainena
  e las Torres *AL*....... **96** U 23
Lúcar *AL*............... **96** T 22
Lúcar (Sierra de) *AL*.... **95** T 22
Lucena *CO*............. **93** T 16
Lucena (Sierra de) *CO*... **94** T 19
Lucena de Jalón *Z*...... **34** H 26
Lucena del Puerto *H*.... **91** U 9
Lucencia *LU*............ **13** D 6
Luceni *Z*............... **34** G 26
Lucenza *OR*............ **27** G 7
Luces *O*................ **6** B 14
Luchena *MU*............ **84** S 24
Luciana *CR*............. **70** P 17
Lucillo *LE*.............. **15** E 11
Lucillos *TO*............. **57** M 16
Luco de Bordón *TE*..... **49** J 29
Luco de Jiloca *TE*...... **48** J 26
Ludiente *CS*............ **62** L 28
Ludrio *LU*.............. **4** C 7
Lueje *O*................ **6** C 15
Luelmo *ZA*............. **29** H 11
Luesia *Z*............... **20** E 26
Luesma *Z*.............. **48** I 26
Lugán *LE*.............. **16** D 13
Lugar .... **85** R 26
Lugar Nuevo
  (Coto nacional de) *J*.. **82** R 17
Lugar Nuevo (El) *J*..... **82** R 17
Lugareja (Ermita La) *AV*. **44** I 15
Lugo *LU*............... **4** C 7
Lugo de Llanera *O*...... **5** B 12
Lugones *O*............. **5** B 12
Lugros *GR*............. **95** U 20
Lugueros *LE*........... **16** D 13
Luintra *O*.............. **13** E 6
Luiña *O*................ **14** D 9
Luis Díaz *CO*........... **81** S 16
Luisiana (La) *SE*....... **92** T 14
Luján *HU*.............. **22** E 30
Lújar *GR*.............. **102** V 19
Lújar (Sierra de) *GR*.... **102** V 19
Lumajo *LE*............. **5** D 11
Lumbier *NA*............ **20** E 26
Lumbier (Hoz de) *NA*... **20** E 26
Lumbrales *SA*.......... **42** J 9
Lumbreras *LO*.......... **33** F 22
Lumbreras (Estación de) .. **96** T 24
Lumbreras (Las) *SE*.... **85** R 26
Lumias *SO*............. **32** H 21
Lumpiaque *Z*........... **34** H 26
Luna *J*................. **21** F 27
Luna (Monte) *CA*....... **99** X 13
Luna (Río) *LE*.......... **15** D 12
Luna (Sierra de) *Z*...... **21** F 27
Lunada (Portillo de) *BU*. **8** C 19
Luneda *PO*............. **13** F 5
Luou *C*................ **12** D 4
Lupiana *GU*............ **46** K 20
Lupiñén *HU*............ **21** F 28
Lupiñén-Ortilla *HU*..... **21** F 28
Lupión *J*............... **82** S 19
Luque *CO*............. **93** T 17
Luquiano *VI*........... **18** D 21
Luquin *NA*............. **19** E 23
Lurda (La) *SA*.......... **44** J 13
Luriana *BA*............. **67** O 10
Luriana (Monte) *BA*.... **67** O 10

Lusio *LE*............... **14** E 9
Luyando *VI*............ **8** C 21
Luyego *LE*............. **15** E 11
Luz *BA*................ **66** Q 8
Luz (La) *VA*............ **31** H 15
Luzaga *GU*............. **47** J 22
Luzaide / Valcarlos *NA*.. **11** C 26
Luzás *HU*.............. **22** F 31
Luzmela *S*............. **7** C 17
Luzón *GU*.............. **47** I 23

M

Mabegondo *C*........... **3** C 5
Macael *AL*............. **96** U 23
Macalón *AB*............ **84** Q 23
Maçanet de Cabrenys *GE*. **24** E 38
Maçanet de la Selva *GE*.. **39** G 38
Macarra *CC*............ **56** M 12
Macastre *V*............ **73** N 27
Maceda
  cerca de Corgo *LU*.... **14** D 7
Maceda
  cerca de Orense *OR*... **13** F 7
Maceda *cerca de*
  Palas de Rei *LU*....... **13** D 6
Maceira *PO*............ **13** F 4
Macetua
  (Estación de la) *MU*.. **85** R 25
Machacón *SA*.......... **44** J 13
Machal (El) *BA*......... **67** O 10
Macharaviaya *MA*...... **101** V 17
Machero *CR*........... **70** N 17
Machichaco (Cabo) *BI*.. **9** B 21
Machimala *HU*......... **22** D 31
Macías Picavea
  (Canal de) .... **30** G 14
Macisvenda *MU*........ **85** R 26
Macotera *SA*........... **44** J 14
Madarcos *M*........... **46** I 19
Madariaga *SS*.......... **10** C 22
Madera *J*.............. **83** R 22
Maderal (El) *ZA*........ **29** I 13
Madero (Puerto del) *SO*. **33** G 23
Madero (Sierra del) ..... **33** G 23
Maderuelo *SG*.......... **32** H 19
Madre de Fuentes (Arroyo) **92** T 14
Madre de las Marismas
  del Rocío *H*.......... **91** U 10
Madremanya *GE*....... **25** G 38
Madrero (El) *TO*........ **57** N 15
Madres (Laguna de las) .. **90** U 10
Madrid *M*.............. **46** K 19
Madridanos *ZA*........ **30** H 13
Madridejos *TO*......... **58** N 19
Madridaña (La) *CR*..... **70** P 19
Madrigal *GU*........... **33** I 21
Madrigal *TO*........... **57** M 16
Madrigal de la Vera *CC*.. **56** L 13
Madrigal de las
  Altas Torres *AV*...... **44** I 15
Madrigal del Monte *BU*.. **18** F 18
Madrigalejo *CC*........ **68** O 13
Madrigalejo del Monte *BU*. **18** F 18
Madriguera *SG*......... **32** I 20
Madrigueras *AB*........ **72** O 24
Madrigueras
  (Estacion de) *J*...... **82** R 19
Madroa *PO*............ **12** F 3
Madrona *SG*........... **45** J 17
Madrona (Riera de) ..... **37** G 33
Madrona (Sierra) .... **82** Q 17
Madroñal *SA*.......... **43** K 11
Madroñal (Sierra del) *SA*. **96** T 22
Madroñera *CC*......... **56** N 12
Madroñera *BA*......... **67** Q 10
Madroñera
  (Embalse de) *CC*..... **56** N 12
Madroñera (Sierra) *H*... **78** T 7
Madroño *AB*........... **73** Q 25
Madroño *MU*.......... **84** S 24
Madroño (El) *AB*....... **72** P 23
Madroño (El) *SE*....... **79** T 10
Madroños *MU*......... **84** S 23
Madruédano *SO*....... **32** H 20
Maella *Z*.............. **50** I 30
Maello *AV*............. **45** J 16
Maestrat (El) *CS*....... **49** K 29
Maestre *SE*............ **92** U 14
Mafet *L*............... **37** G 33
Magacela *BA*.......... **68** P 12
Magallón *Z*............ **34** G 25
Magaluf *PM*........... **104** N 37
Magán *TO*............. **58** M 18
Magaña *SO*............ **33** G 23
Magasca .... **56** N 11

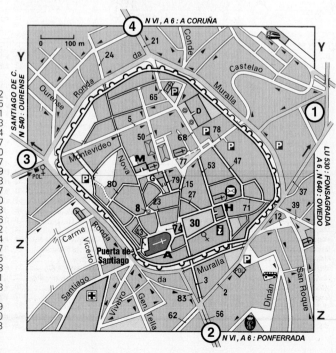

Loranca de Tajuña *GU*.. **46** K 20
Loranca del Campo *CU*.. **59** L 21
Loranquillo *BU*......... **18** E 20
Lorbé *C*............... **3** B 5
Lorca *MU*............. **84** S 24
Loredo *S*.............. **8** B 18
Lorenzana *LE*.......... **16** D 13
Lores *P*............... **17** D 16

Loreto *GR*............. **94** U 18
Lorianilla (Arroyo) ...... **67** P 9
Loriguilla *V*............ **62** N 28
Loriguilla
  (Embassament de) .... **61** M 27
Loriguilla (Ruinas
  del pueblo de) *V*..... **61** M 27
Lorilla *BU*............. **17** D 18

Lorquí *MU*............. **85** R 26
Losa *AB*............... **72** Q 24
Losa (La) *SG*.......... **45** J 17
Losa (La) *GR*.......... **83** S 22
Losa del Obispo *V*..... **61** M 27
Losacino *ZA*........... **29** G 11
Losacio *ZA*............ **29** G 11
Losadilla *LE*........... **14** F 10
Losilla *ZA*............. **29** G 12

Losana del Pirón *SG*.... **45** I 17
Losar (El) *AV*.......... **44** K 13
Losar de la Vera *CC*.... **56** L 13
Losares *CU*............ **60** L 23
Loscorrales *HU*........ **21** F 28
Loscos *TE*............. **48** I 26
Losetares *GR*.......... **84** S 23

LUGO

Ánxel López Pérez (Av.). . **Z** 2
Bispo Aguirre .... **Z** 3
Bolaño Rivadeneira .... **Y** 5
Campo (Pr. do) .... **Z** 8
Comandante Manso (Pr.) **Z** 12
Conde Pallarés .... **Z** 15
Coruña (Av. da)....... **Y** 21
Cruz .... **Z** 23
Dezaoito de Xullo (Av. do) **Y** 24
Doctor Castro .... **Z** 27
Marior (Pr.) .... **Z** 30
Montero Ríos (Av.)..... **Z** 37
Paxariños .... **Z** 39
Pío XII (Pr. de)....... **Z** 43
Progreso............. **Y** 47
Quiroga Ballesteros..... **Y** 50
Raíña................ **Y** 53
Ramón Ferreiro .... **Z** 56
Rodríguez Mourelo (Av.). **Z** 62
Santa María (Pr. de) ... **Z** 74
Santo Domingo (Pr. de) **YZ** 77
San Fernando .... **Y** 65
San Marcos .... **Y** 68
San Pedro........... **Z** 71
Teatro .... **Y** 78
Teniente Coronel
  Teijeiro .... **YZ** 79
Tinería .... **Z** 80
Vilalba .... **Z** 83

MADRID

Andalucía (Av. de) . . . . **BM** 12
Andes (Av. de los) . . . . **CL** 13
Atocha (R. de) . . . . **BM** 22
Ciudad de Barcelona
(Av. de la) . . . . **BM** 46
Complutense (Av.) . . . . **AL** 51
Delicias (Pas. de las) . . . . . **BM** 66
Estación de Hortaleza
(Carret. a la) . . . . **CL** 89
Florida (Pas. de la) . . . . . . **BL** 100
General Ricardos . . . . **BM** 110
Ginzo de Limia . . . . **BL** 113
Infanta Isabel (Pas. de la) . . **BL** 119
Isla de Oza . . . . **BL** 120
Manzanares (Av. del) . . . . . **BM** 142
Mar de Cristal (Glta del) . . . . **CL** 144
Miraflores (Av. de) . . . . . . **AL** 161
Monforte de Lemos (Av. de) . **BL** 165
Raimundo Fernández
Villaverde . . . . **BT** 195
Reina Cristina (Pas. de la) . . **BM** 198
Reina Victoria (Av. de la) . . . **BL** 200
Reyes Católicos (Av. de los) . **BL** 204
Ribera del Sena . . . . **CL** 205
Santa María de la Cabeza
(Pas. de) . . . . **BM** 229
San Francisco de Sales
(Pas. de) . . . . **BL** 216
San Luis (Av. de) . . . . **CL** 223
Toledo (Ronda de) . . . . . . **BM** 235
Valdetorres de Jarama . . . . **CL** 241
Valladolid (Av. de) . . . . . . **AL** 244
Veinticinco de Septiembre
(Av. del) . . . . **CL** 247

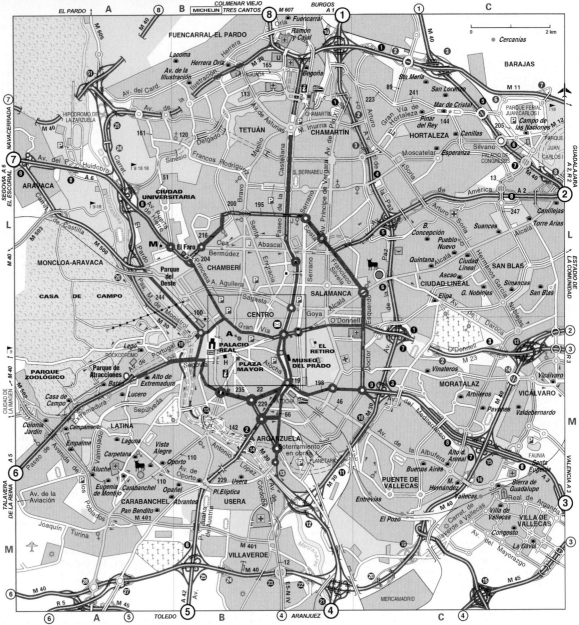

Magaz P . . . . **31** G 16
Magaz de Abajo LE . . . . . . **14** E 9
Magaz de Cepeda LE . . . . . **15** E 11
Magazos AV . . . . **44** I 15
Magazos LU . . . . **4** B 7
Magdalena (Ermita de la) cerca de
Mora de Rubielos TE . . . **62** L 27
Magdalena (Ermita de la) cerca de
Aguaviva TE . . . . **49** J 29
Magdalena (Ermita) C . . . . . **12** E 3
Magdalena (La) LE . . . . . . **15** D 12
Magdalena
(Puerto de la) LE . . . . . **15** D 11
Magdalena (Sierra de la) . . . **73** Q 26
Mágina J . . . . **82** S 19
Magre (Riu) . . . . **61** N 26
Magrero CR . . . . **70** P 19
Maguilla BA . . . . **80** Q 12
Maguma BI . . . . **10** C 22
Mahamud BU . . . . **17** F 18
Mahide ZA . . . . **29** G 10
Mahón / Maó PM . . . . **106** M 42
Mahora AB . . . . **72** O 24
Mahoya MU . . . . **85** R 26
Maià de Montcal GE . . . . . . **24** F 38
Maials L . . . . **36** H 31
Maians B . . . . **37** H 35
Maicas TE . . . . **49** J 27
Maidevera (Embalse de) . . . **34** H 24
Maigmó A . . . . **74** Q 28

Maigmó (Serra del) . . . . . . **74** Q 27
Maíllo (El) SA . . . . **43** K 11
Maimón AL . . . . **96** U 23
Maimón (Sierra de) . . . . . . **84** T 23
Mainar Z . . . . **48** I 26
Mainar (Puerto de) Z . . . . . **34** I 26
Maior (Riera) . . . . **38** G 37
Maire de Castroponce ZA . . **15** F 12
Mairena GR . . . . **95** U 20
Mairena del Alcor SE . . . . . **92** T 12
Mairena del Aljarafe SE . . . **91** T 11
Maitena GR . . . . **95** U 19
Majada (La) MU . . . . **85** T 25
Majada Blanca
Fuerteventura GC . . . . . **113** H 3
Majada de la Peña BA . . . . **68** P 14
Majada Madrid MA . . . . . . **99** W 14
Majada Ruiz CA . . . . **99** V 15
Majadahonda M . . . . **45** K 18
Majadas CC . . . . **56** M 12
Majadas (Las) CU . . . . **60** L 23
Majadas (Sierra de Las) . . . **60** L 23
Majaelrayo GU . . . . **46** I 20
Majalinos (Puerto de) TE . . . **49** J 28
Maján SO . . . . **33** H 23
Majanicho
Fuerteventura GC . . . . . **111** H 1
Majano AB . . . . **72** O 24

Majazul TO . . . . **58** L 17
Majogazas AB . . . . **72** P 23
Majona (Punta)
La Gomera TF . . . . **119** D 2
Majones HU . . . . **21** E 27
Major (Puig) . . . . **104** M 38
Maliaño S . . . . **7** B 18
Majúa (La) LE . . . . **5** D 11
Majugas SA . . . . **43** I 10
Mal Burgo (Rambla de) . . . . **49** K 28
Mal Pas (es) PM . . . . **105** M 39
Mala Lanzarote GC . . . . . . **123** F 3
Mala (Punta) CA . . . . **99** X 14
Malacara (Serra de) . . . . . **61** N 27
Malacuera GU . . . . **47** J 21
Maladeta HU . . . . **22** D 31
Maladeta (Pico de la) HU . . **22** E 31
Málaga MA . . . . **100** V 16
Málaga
(Ensenada de) MA . . . . **100** W 16
Málaga (Hoya de) MA . . . . **100** V 15
Málaga (Montes de) MA . . . **100** V 16
Málaga del Fresno GU . . . . **46** J 20
Malagón CR . . . . **70** O 18
Malagón (Río) . . . . **78** S 7
Malagón (Sierra de) . . . . . **45** K 16
Malagraner CS . . . . **50** J 30
Malaguilla GU . . . . **46** J 20
Malahá (La) GR . . . . **94** U 18
Malandar (Punta de) CA . . . **91** V 10
Malanquilla Z . . . . **34** H 24

Malcocinado BA . . . . **80** R 12
Maldà L . . . . **37** H 33
Maldunenda . . . . **91** V 12
Malefatón AB . . . . **73** O 25
Maleján Z . . . . **34** G 25
Malgrat de Mar B . . . . **39** H 38
Maliaño S . . . . **7** B 18
Malillo LE . . . . **16** E 13
Malillos ZA . . . . **29** H 12
Malla B . . . . **38** G 36
Mallabia BI . . . . **10** C 22
Mallades (Les) V . . . . **62** N 28
Mallas C . . . . **2** D 2
Mallén Z . . . . **34** G 25
Malleza O . . . . **5** B 11
Mallo LE . . . . **15** D 12
Mallol (El) GE . . . . **24** F 37
Mallón C . . . . **2** C 3
Mallona (La) SO . . . . **33** G 21
Mallorca PM . . . . **104** O 37
Mallos (Los) HU . . . . **21** E 27
Mallou Z . . . . **34** G 25
Malpais Grande
Fuerteventura GC . . . . . **113** H 4
Malpartida SA . . . . **44** J 14
Malpartida de Cáceres CC . . **55** N 10
Malpartida de Corneja AV . . **44** K 13
Malpartida
de la Serena BA . . . . . . **68** P 13

Malpartida
de Plasencia CC . . . . . . **56** M 11
Malpàs L . . . . **22** E 32
Malpasillo
(Embalse de) CO . . . . . **93** U 16
Malpaso El Hierro TF . . . . **108** C 3
Malpelo B . . . . **72** O 24
Malpica de Arba Z . . . . . . **20** F 26
Malpica de Bergantiños C . . **2** C 3
Malpica de España BA . . . . **66** P 8
Malpica de Tajo TO . . . . . . **57** M 16
Malucas . . . . **31** I 16
Maluenda Z . . . . **34** I 25
Maluque SG . . . . **32** H 19
Malva ZA . . . . **30** H 13
Malva-rosa (La) V . . . . . . **62** M 29
Malvana (Sierra de la) CC . . **55** L 9
Malvas PO . . . . **12** F 3
Malvedo O . . . . **5** C 12
Mamblas AV . . . . **44** I 14
Mamblas (Sierra de las) . . . **32** F 19
Mambliga BU . . . . **18** D 20
Mambrilla
de Castrejón BU . . . . . . **31** H 18
Mambrillas de Lara BU . . . . **32** F 19
Mamillas Z . . . . **20** E 26
Mamola (La) GR . . . . **102** V 20
Mamolar BU . . . . **32** G 19
Mámoles ZA . . . . **29** H 11
Mampodre . . . . **6** C 14

Mampodre
(Reserva nacional de) LE.6 C 13
Manacor PM . . . . **105** N 39
Manán LU . . . . **4** D 7
Manantial (El) CA . . . . **98** W 11
Manar (Sierra del) GR . . . . **94** U 19
Mancera de Abajo SA . . . . **44** J 14
Mancera de Arriba AV . . . . **44** J 14
Mancha (La) . . . . **70** O 19
Mancha Real J . . . . **82** S 19
Manchas (Las) T
enerife TF . . . . **126** C 3
Manchego (Collado) CU . . . **48** K 24
Manchica (A) OR . . . . **13** F 6
Manchita BA . . . . **68** P 11
Manchones Z . . . . **48** I 25
Manchoya HU . . . . **21** E 29
Manciles BU . . . . **17** E 18
Mancor de la Vall PM . . . . . **104** M 38
Mandaio C . . . . **3** C 5
Mandayona GU . . . . **47** J 21
Mandeo C . . . . **3** C 5
Mandiá C . . . . **3** B 5
Mandín OR . . . . **28** G 7
Manelic . . . . **24** E 36
Maneta MU . . . . **73** Q 26
Manga (Cañada de la) AB. **71** P 21
Manga
del Mar Menor (La) MU.. **86** T 27
Manganese ZA . . . . **29** F 12

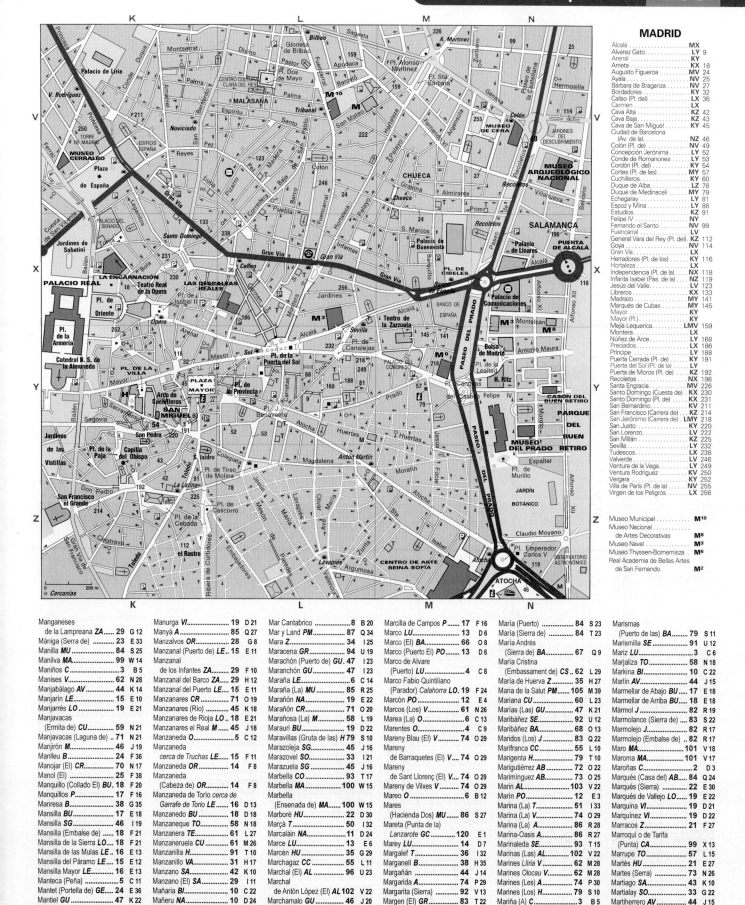

MADRID

Alcalá	**MX**	
Alvarez Gato	**LY**	9
Arenal	**KY**	
Arrieta	**KX**	18
Augusto Figueroa	**MV**	24
Ayala	**NV**	25
Bárbara de Braganza	**NV**	27
Bordadores	**KY**	32
Callao (Pl. del)	**LX**	36
Carmen	**LX**	
Cava Alta	**KZ**	42
Cava Baja	**KZ**	43
Cava de San Miguel	**KY**	45
Ciudad de Barcelona (Av. de la)	**NZ**	46
Colón (Pl. de)	**NV**	49
Concepción Jerónima	**LY**	52
Conde de Romanones	**LY**	53
Cordón (Pl. del)	**KY**	54
Cortes (Pl. de las)	**MY**	57
Cuchilleros	**KY**	60
Duque de Alba	**LZ**	78
Duque de Medinaceli	**MY**	79
Echegaray	**LY**	81
Espoz y Mina	**LY**	88
Estudios	**KZ**	91
Felipe IV	**NY**	
Fernando el Santo	**NV**	99
Fuencarral	**LV**	
General Vara del Rey (Pl. del)	**KZ**	112
Goya	**NV**	114
Gran Vía	**LX**	
Herradores (Pl. de los)	**KY**	116
Hortaleza	**LX**	
Independencia (Pl. de la)	**NX**	118
Infanta Isabel (Pas. de la)	**NZ**	119
Jesús del Valle	**LV**	123
Libreros	**KX**	133
Madrazo	**MY**	141
Marqués de Cubas	**MY**	145
Mayor	**KY**	
Mayor (Pl.)	**KY**	
Mejía Lequerica	**LMV**	159
Montera	**LX**	
Núñez de Arce	**LY**	168
Preciados	**LX**	186
Príncipe	**LY**	188
Puerta Cerrada (Pl. de)	**KY**	191
Puerta del Sol (Pl. de la)	**LX**	
Puerta de Moros (Pl. de)	**KZ**	192
Recoletos	**NX**	196
Santa Engracia	**MV**	226
Santo Domingo (Cuesta de)	**KX**	230
Santo Domingo (Pl. de)	**KX**	231
San Bernardino	**KV**	211
San Francisco (Carrera de)	**KZ**	214
San Jerónimo (Carrera de)	**LMY**	218
San Justo	**KY**	220
San Lorenzo	**LV**	222
San Millán	**KZ**	225
Sevilla	**LY**	232
Tudescos	**LX**	238
Valverde	**LV**	246
Ventura de la Vega	**LY**	249
Ventura Rodríguez	**KV**	250
Vergara	**KY**	252
Villa de París (Pl. de la)	**NV**	255
Virgen de los Peligros	**LX**	256

Museo Municipal	**M10**
Museo Nacional de Artes Decorativas	**M8**
Museo Naval	**M3**
Museo Thyssen-Bornemisza	**M6**
Real Academia de Bellas Artes de San Fernando	**M2**

Manganeses de la Lampreana **ZA**...... 29 G 12
Mániga (Serra de) ....23 E 33
Manilla **MU** ....84 S 25
Manilva **MA** ....99 W 14
Maniños **C** ....3 B 5
Manises **V** ....62 N 28
Manjabálago **AV** ......44 K 14
Manjarín **LE** ....15 E 10
Manjarrés **LO** ....19 E 21
Manjavacas (Ermita de) **CU** ....59 N 21
Manjavacas (Laguna de) ....71 N 21
Manjirón **M** ....46 J 19
Manlleu **B** ....24 F 36
Manojar (El) **CR** ....70 N 17
Manol (El) ....25 F 38
Manquillo (Collado El) **BU**.18 F 24
Manquillos **P** ....17 F 16
Manresa **B** ....38 G 35
Mansilla **BU** ....17 E 18
Mansilla **SG** ....46 I 19
Mansilla (Embalse de) .....18 F 21
Mansilla de la Sierra **LO**....18 F 21
Mansilla de las Mulas **LE**..16 E 13
Mansilla del Páramo **LE**...15 E 12
Mansilla Mayor **LE** ......16 E 13
Manteca (Peña) ....5 C 11
Mantet (Portella de) **GE**...24 E 36
Mantiel **GU** ....47 K 22
Mantinos **P** ....16 D 15
Manubles ....34 H 24
Manuel **V** ....74 O 28
Manuelas **CO** ....81 R 16

Manurga **VI** ....19 D 21
Manyà **A** ....85 Q 27
Manzalvos **OR** ....28 G 8
Manzanal de los Infantes **ZA** ......29 F 10
Manzanal del Barco **ZA** ...29 H 12
Manzanal del Puerto **LE**...15 E 11
Manzanares **CR** ....71 O 19
Manzanares (Río) ....45 K 18
Manzanares de Rioja **LO**..18 E 21
Manzanares el Real **M** ....45 J 18
Manzaneda **O** ....5 C 12
Manzaneda *cerca de Truchas* **LE**...15 F 11
Manzaneda **OR** ....14 F 8
Manzaneda (Cabeza de) **OR**...14 F 8
Manzaneda de Torío *cerca de Garrafe de Torío* **LE** ....16 D 13
Manzanedo **BU** ....18 D 18
Manzaneque **TO** ....58 N 18
Manzanera **TE** ....61 L 27
Manzaneruela **CU** ......61 M 26
Manzanilla **H** ....91 T 10
Manzanillo **VA** ....31 H 17
Manzano (El) **AL** ....96 U 22
Manzano (El) **SA** ....29 I 11
Mañaria **BI** ....10 C 22
Mañaru **NA** ....10 D 24
Mañeru **NA** ....10 D 24
Mañón **C** ....3 B 6
Mao **OR** ....14 F 7
Maó / Mahón **PM** ....106 M 42
Maqueda **TO** ....57 L 16

Mar Cantábrico ....8 B 20
Mar y Land **PM** ....87 Q 34
Mara **A** ....34 I 25
Maracena **GR** ....94 U 19
Marachón (Puerto de) **GU**.47 I 23
Maranchón **GU** ....47 I 23
Maraña **LE** ....6 C 14
Maraña (La) **MU** ....85 R 25
Marañón **NA** ....18 E 22
Marañón **CR** ....71 O 20
Marañosa (La) **M** ....58 L 19
Marauri **BU** ....19 D 22
Maravillas (Gruta de las) **H** 79 S 10
Marazoleja **SG** ....45 J 16
Marazovel **SG** ....50 I 21
Marazuela **SG** ....45 J 16
Marbella **CO** ....93 T 17
Marbella **MA** ....100 W 15
Marbella (Ensenada de) **MA** ...100 W 15
Marboré **HU** ....22 D 30
Marçà **T** ....50 I 32
Marcalaín **NA** ....11 D 24
Marcén **HU** ....35 G 29
Marchagaz **CC** ....55 L 11
Marchal **AL** ....96 U 22
Marchal de Antón López (El) **AL** 102 V 22
Marchamalo **GU** ....46 J 20
Marchena **SE** ....88 U 13
Marchenilla **CA** ....99 W 13
Marchenilla (Castillo) **SE**..92 U 12
Marcilla **NA** ....20 F 24

Marcilla de Campos **P**......17 F 16
Marco **LU** ....13 D 6
Marco (El) **BA** ....66 O 8
Marco (Puerto El) **PO**......13 D 6
Marco de Alvare (Puerto) **LU** ....4 C 8
Marco Fabio Quintiliano (Parador) *Calahorra* **LO**.19 F 24
Marcón **PO** ....12 E 4
Marcos (Los) **V** ....61 N 26
Marea (La) **O** ....6 C 13
Marentes **O** ....4 C 9
Mareny de Barraquetes (El) **V**...74 O 29
Mareny de Sant Llorenç (El) **V**....74 O 29
Mareny de Vilxes **V** ....74 O 29
Mareo **O** ....6 B 12
Mares (Hacienda Dos) **MU** ..86 S 27
Mareta (Punta de la) *Lanzarote* **GC** ....120 E 1
Marey **LU** ....14 D 7
Margalef **T** ....36 I 32
Margalef **B** ....38 H 35
Margañán ....44 J 14
Margarida **A** ....74 P 29
Margarita (Sierra) ....92 V 13
Margen (A) **V** ....83 T 22
Margen Derecha (Canal) .85 S 25
Margen Izquierda (Canal) .85 R 26
Margolles **O** ....6 B 14
María **AL** ....84 S 23
Marisánchez **CR** ....71 P 20

María (Puerto) ....84 S 23
María (Sierra de) ....84 T 23
María Andrés (Sierra de) **BA** ......67 Q 9
María Cristina (Embassament de) **CS**..62 L 29
María de Huerva **Z** ......35 H 27
María de la Salut **PM** ...105 M 39
Mariana **CU** ....60 L 23
Marías (Las) **GU** ....47 K 21
Maribáñez **SE** ....92 U 12
Maribáñez **BA** ....68 O 13
Maridos (Los) **J** ....83 Q 22
Marifranca **CC** ....55 L 10
Marigenta **H** ....79 T 10
Mariguitiérrez **AB** ......72 O 22
Marimínguez **AB** ......73 O 25
Marín **AL** ....103 V 22
Marín **PO** ....12 E 3
Marina (La) **T** ....51 I 33
Marina (La) **A** ....74 O 29
Marina (La) **A** ....86 R 28
Marina-Oasis **A** ....86 R 27
Marinaleda **SE** ....93 T 15
Marinas (Las) **AL** ....102 V 22
Marines *Llíria* **V** ....62 M 28
Marines Olocau **V** ......62 M 28
Marines (Los) **H** ....79 S 10
Mariola (Serra de) ......74 P 28
Maripérez **AB** ....72 O 23
Marisán **V** ....62 N 28
María **AL** ....84 S 23

Marismas (Puerto de las) **BA**......79 S 11
Marismilla **SE** ....91 U 12
Mariz **LU** ....3 C 6
Marjaliza **TO** ....58 N 18
Markina **BI** ....10 C 22
Marlín **AV** ....44 J 15
Marmellar de Abajo **BU**....17 E 18
Marmellar de Arriba **BU**....18 E 18
Mármol **J** ....82 R 19
Marmolance (Sierra de) ....83 S 22
Marmolejo **J** ....82 R 17
Marmolejo (Embalse de) ..82 R 17
Maro **MA** ....101 V 18
Maroma **MA** ....101 V 17
Maroñas **C** ....2 D 3
Marquès (Casa del) **AB**....84 Q 24
Marqués (Sierra) ....22 E 30
Marqués de Vallejo **LO**....19 E 22
Marquina **VI** ....19 D 21
Marquínez **V** ....19 D 22
Marracos **Z** ....21 F 27
Marroquí o de Tarifa (Punta) **CA** ......99 X 13
Marrupe **TO** ....57 L 15
Martés **HU** ....21 E 27
Martes (Sierra) ....73 N 26
Martiago **SA** ....43 K 10
Martialay **SO** ....33 G 22
Martiherrero **AV** ......44 J 15
Martillán **SA** ....42 J 9
Martimporra **O** ....6 C 13
Martín **LU** ....4 C 8
Martín (Arroyo) ....81 R 17

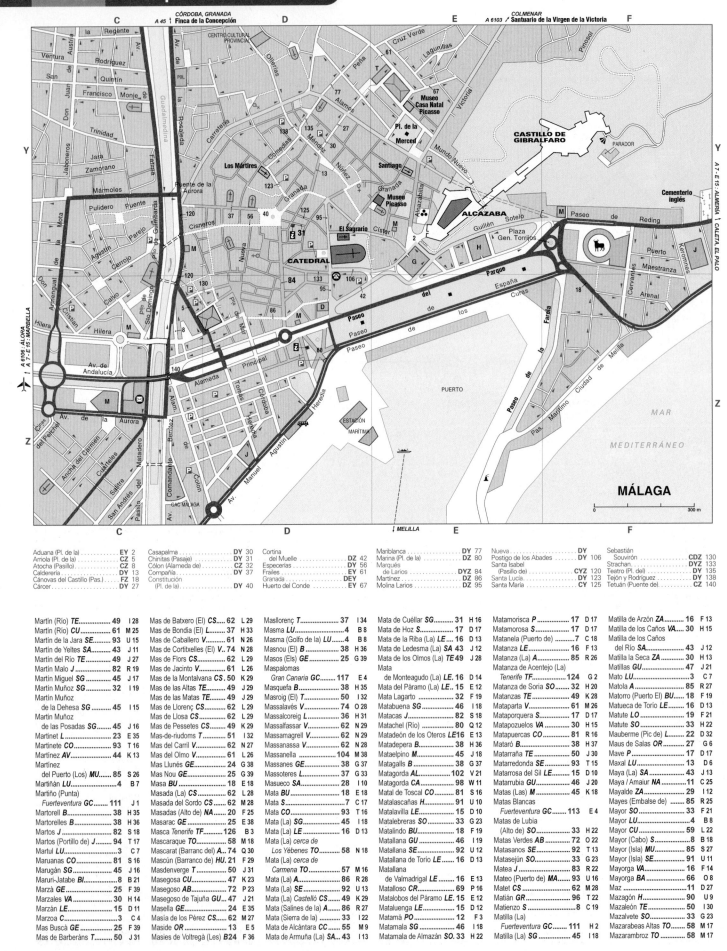

MÁLAGA

Aduana (Pl. de la) ... EY 2
Arriola (Pl. de la) ... CZ 5
Atocha (Pasillo) ... CZ 8
Calderería ... DY 13
Cánovas del Castillo (Pas.) ... FZ 18
Cárcer ... DY 27
Casapalma ... DY 30
Chinitas (Pasaje) ... DY 31
Cólon (Alameda de) ... CZ 32
Compañía ... DY 37
Constitución (Pl. de la) ... DY 40
Cortina del Muelle ... DZ 42
Especerías ... DY 56
Frailes ... EY 61
Granada ... DEY
Huerto del Conde ... EY 67
Mariblanca ... DY 77
Marina (Pl. de la) ... DZ 80
Marqués de Larios ... DYZ 84
Martínez ... DZ 86
Molina Larios ... DZ 95
Nueva ... DY
Postigo de los Abades ... DY 106
Santa Isabel (Pasillo de) ... CYZ 120
Santa Lucía ... DY 123
Santa María ... CY 125
Sebastián Souvirón ... CDZ 130
Strachan ... DYZ 133
Teatro (Pl. del) ... DY 135
Tejón y Rodríguez ... DY 138
Tetuán (Puente de) ... CZ 140

Martín (Río) TE ... 49 I 28
Martín (Río) CU ... 61 M 25
Martín de la Jara SE ... 93 U 15
Martín de Yeltes SA ... 43 J 11
Martín del Río TE ... 49 J 27
Martín Malo J ... 82 R 19
Martín Miguel SG ... 45 J 17
Martín Muñoz SG ... 32 I 19
Martín Muñoz de la Dehesa SG ... 45 I 15
Martín Muñoz de las Posadas SG ... 45 J 16
Martinet L ... 23 E 35
Martinete CO ... T 16
Martínez AV ... 44 K 13
Martínez del Puerto (Los) MU ... 85 S 26
Martiñán LU ... 4 B 7
Martiño (Punta) Fuerteventura GC ... 111 J 1
Martorell B ... 38 H 35
Martorelles B ... 38 H 36
Martos J ... 82 S 18
Martos (Portillo de) J ... 94 T 17
Martul LU ... 3 C 7
Maruanas CO ... 81 S 16
Marugán SG ... 45 J 16
Maruri-Jatabe BI ... 8 B 21
Marzà GE ... 25 F 39
Marzales VA ... 30 H 14
Marzán LE ... 15 D 11
Marzoa C ... 3 C 4
Mas Buscà GE ... 25 F 39
Mas de Barberáns T ... 50 J 31

Mas de Batxero (El) CS ... 62 L 29
Mas de Bondia (El) L ... 37 H 33
Mas de Caballero V ... 61 N 26
Mas de Cortixelles (El) V ... 74 N 28
Mas de Flors CS ... 62 L 29
Mas de Jacinto V ... 61 L 26
Mas de la Montalvana CS ... 50 K 29
Mas de las Altas TE ... 49 J 29
Mas de las Matas TE ... 49 J 29
Mas de Llorenç CS ... 62 L 29
Mas de Llosa CS ... 62 L 29
Mas de Pessetes CS ... 49 K 29
Mas del Carril V ... 62 N 27
Mas del Olmo V ... 61 L 26
Mas Llunés GE ... 24 G 38
Mas Nou GE ... 25 G 39
Masa BU ... 18 E 18
Masada (La) CS ... 62 L 28
Masada del Sordo CS ... 62 M 28
Masadas (Alto de) NA ... 20 F 25
Masarac GE ... 25 E 38
Masca Tenerife TF ... 126 B 3
Mascaraque TO ... 58 M 18
Mascarat (Barranc del) A ... 74 Q 30
Mascún (Barranco de) HU ... 21 F 29
Masdenverge T ... 50 J 31
Masegosa CU ... 47 K 23
Masegoso AB ... 72 P 23
Masegoso de Tajuña GU ... 47 J 23
Masella GE ... 24 E 35
Masía de los Pérez CS ... 62 M 27
Maside OR ... 13 E 5
Masies de Voltregà (Les) B ... 24 F 36

Masllorenç T ... 37 I 34
Masma LU ... 4 B 8
Masma (Golfo de la) LU ... 4 B 8
Masnou (El) B ... 38 H 36
Masos (Els) GE ... 25 G 39
Maspalomas Gran Canaria GC ... 117 E 4
Masquefa B ... 38 H 35
Masroig (El) T ... 50 I 32
Massalavés V ... 74 O 28
Massalcoreig L ... 36 H 31
Massalfassar V ... 62 N 29
Massamagrell V ... 62 N 29
Massanassa V ... 62 N 28
Massanella ... 104 M 38
Massanes GE ... 38 G 37
Massoteres L ... 37 G 33
Masueco SA ... 28 I 10
Mata BU ... 18 E 18
Mata S ... 7 C 17
Mata CO ... 93 T 16
Mata (La) SG ... 45 I 18
Mata (La) A ... 86 R 28
Mata (La) Castelló CS ... 49 K 29
Mata (Salines de la) A ... 86 R 27
Mata (Sierra de la) ... 33 I 22
Mata de Alcántara CC ... 55 M 9
Mata de Armuña (La) SA ... 43 I 13

Mata de Cuéllar SG ... 31 H 16
Mata de Hoz S ... 17 D 17
Mata de la Riba (La) LE ... 16 D 13
Mata de Ledesma (La) SA ... 43 J 12
Mata de los Olmos (La) TE ... 49 J 28
Mata de Monteagudo (La) LE ... 16 D 14
Mata del Páramo (La) LE ... 15 E 12
Mata Lagarto SG ... 32 F 19
Matabuena SG ... 46 I 18
Matacas J ... 82 S 18
Matachel (Río) BA ... 80 Q 12
Matadepera B ... 38 H 36
Mataelpino M ... 45 J 18
Matagalls B ... 38 G 37
Matagorda AL ... 102 V 21
Matagorda CA ... 98 W 11
Matal de Toscal CO ... 81 S 16
Matalascañas H ... 91 U 10
Matalavilla LE ... 15 D 10
Matalebreras SO ... 33 G 23
Matalindo BU ... 18 F 19
Matallana SE ... 92 U 12
Matallana de Torío LE ... 16 D 13
Matallana de Valmadrigal LE ... 16 E 13
Matalloso CR ... 69 P 16
Matalobos del Páramo LE ... 15 E 12
Mataluenga LE ... 15 D 12
Matamá PO ... 12 F 3
Matamala SG ... 46 I 18
Matamala de Almazán SO ... 33 H 22

Matamorisca P ... 17 D 17
Matamorosa S ... 17 D 17
Matanela (Puerto de) ... 7 C 18
Matanza LE ... 16 F 13
Matanza (La) A ... 85 R 26
Matanza de Acentejo (La) Tenerife TF ... 124 G 2
Matanza de Soria SO ... 32 H 20
Matanzas TE ... 49 K 28
Mataparta SG ... 61 M 26
Mataporquera S ... 17 D 17
Matapozuelos VA ... 30 H 15
Matapuercas CO ... 81 R 16
Mataró B ... 38 H 37
Matarraña TE ... 50 J 30
Matarredonda SE ... 93 T 15
Matarrosa del Sil LE ... 15 D 10
Matarrubia GU ... 46 J 20
Matas (Las) M ... 45 K 18
Matas Blancas Fuerteventura GC ... 113 E 4
Matas de Lubia (Alto de) SO ... 33 H 22
Matas Verdes AB ... 72 O 22
Matasanos SE ... 92 T 13
Matasejún SO ... 33 G 23
Matea J ... 83 R 22
Mateo (Puerto de) MA ... 93 U 16
Matet CS ... 62 M 28
Matián GR ... 96 T 21
Matienzo S ... 8 C 19
Matilla (La) Fuerteventura GC ... 111 H 2
Matilla (La) SG ... 45 I 18

Matilla de Arzón ZA ... 16 F 13
Matilla de los Caños VA ... 30 H 15
Matilla de los Caños del Río SA ... 43 J 12
Matilla la Seca ZA ... 30 H 13
Matillas GU ... 47 J 21
Mato LU ... 3 C 7
Matola A ... 85 R 27
Matorro (Puerto El) BU ... 18 F 19
Matueca de Torío LE ... 16 D 13
Matute LO ... 19 F 21
Matute SO ... 33 H 22
Mauberme (Pic de) L ... 22 D 32
Maus de Salas OR ... 27 G 6
Mave P ... 17 D 17
Maxal LU ... 13 D 6
Maya (La) SA ... 43 J 13
Maya / Amaiur NA ... 11 C 25
Mayalde ZA ... 29 I 12
Mayes (Embalse de) ... 85 R 25
Mayor SO ... 33 F 21
Mayor LU ... 4 B 8
Mayor CU ... 59 L 22
Mayor (Cabo) S ... 8 B 18
Mayor (Isla) MU ... 85 S 27
Mayor (Isla) SE ... 91 U 11
Mayorga VA ... 16 F 14
Mayorga BA ... 66 O 8
Maz ... 11 D 27
Mazagón H ... 90 U 9
Mazaleón TE ... 50 I 30
Mazalvete SO ... 33 G 23
Mazarabeas Altas TO ... 58 M 17
Mazarambroz TO ... 58 M 17

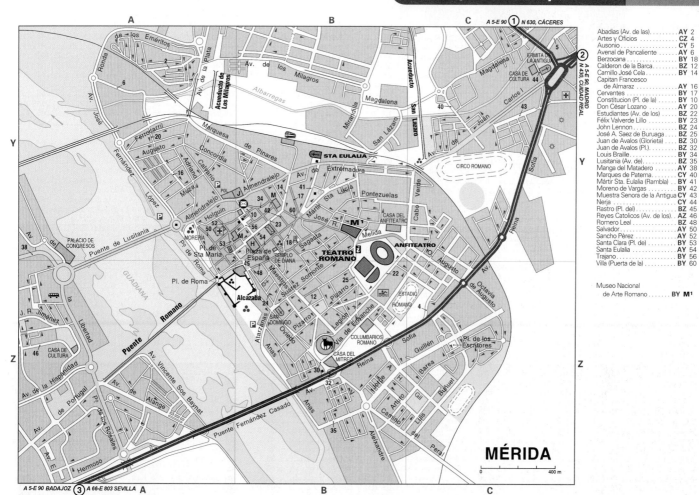

MÉRIDA

Abadias (Av. de las) . . . . **AY** 2
Artes y Oficios . . . . **CZ** 4
Ausonio . . . . **CY** 5
Avenal de Pancaliente . . . . **AY** 6
Berzocana . . . . **BY** 18
Calderon de la Barca . . . . **BZ** 12
Camilo José Cela . . . . **BY** 14
Capitan Francesco
de Almaraz . . . . **AY** 16
Cervantes . . . . **BY** 17
Constitucion (Pl. de la) . . . . . . **BY** 10
Don César Lozano . . . . **AY** 20
Estudiantes (Av. de los) . . . . . . **BZ** 22
Félix Valverde Lillo . . . . **BY** 23
John Lennon . . . . **BZ** 24
José A. Saez de Buruaga . . . . . **BZ** 25
Juan de Avalos (Glorieta) . . . . . **BZ** 30
Juan de Avalos (Pl.) . . . . **BZ** 32
Louis Braille . . . . **BY** 34
Lusitania (Av. de) . . . . **BZ** 35
Manga del Matadero . . . . **AY** 38
Marques de Paterna . . . . **CY** 40
Mártir Sta. Eulalia (Rambla) . . . **BY** 41
Moreno de Vargas . . . . **BY** 42
Muestra Senora de la Antigua **CY** 43
Nerja . . . . **CY** 44
Rastro (Pl. del) . . . . **BZ** 45
Reyes Catolicos (Av. de los) . . **AZ** 46
Romero Leal . . . . **BZ** 48
Salvador . . . . **AY** 50
Sancho Pérez . . . . **AY** 52
Santa Clara (Pl. de) . . . . **BY** 53
Santa Eulalia . . . . **AY** 54
Trajano . . . . **BY** 56
Villa (Puerta de la) . . . . **BY** 60

Museo Nacional
de Arte Romano . . . . **BY M¹**

A 5-E 90 ① N 630, CÁCERES
A 5-E 90, MADRID N 430, CIUDAD REAL ②
A 5-E 90 BADAJOZ ③ A 66-E 803 SEVILLA

Mazarete *GU* . . . . **47** I 23
Mazaricos *C* . . . . **2** D 3
Mazariegos *P* . . . . **31** F 15
Mazariegos (Puerto) *BU* . . **32** F 19
Mazarracin *TO* . . . . **58** M 18
Mazarrón *MU* . . . . **97** T 26
Mazarrón *H* . . . . **91** T 10
Mazarrón (Golfo de) *MU* . . **97** T 26
Mazarulleque *CU* . . . . **59** L 21
Mazaterón *SO* . . . . **33** H 23
Mazcuerras . . . . **7** C 17
Mazo *La Palma TF* . . . . . . **132** D 5
Mazo *C* . . . . **2** C 16
Mazo (Collado del) *CC* . . . . **56** N 13
Mazores . . . . **44** I 14
Mazorra (Puerto de La) *BU***18** D 19
Mazos . . . . **33** H 22
Mazueco *BU* . . . . **18** F 19
Mazuecos *GU* . . . . **59** L 20
Mazuecos
de Valdeginate *P* . . . . . . **16** F 15
Mazuela *BU* . . . . **17** F 18
Mazuelo de M. *BU* . . . . . . **17** F 18
Meabia *PO* . . . . **13** E 4
Meaga *SS* . . . . **10** C 23
Meano *NA* . . . . **19** E 22
Meaño *PO* . . . . **12** E 3
Meca . . . . **98** X 11
Meca (Rivera de) . . . . **90** T 8
Mecerreyes *BU* . . . . **32** F 19
Mecina Alfahar *GR* . . . . . **102** V 20
Mecina Bombarón *GR* . . . **102** V 20
Mecina Fondales *GR* . . . . **102** V 20
Meco *M* . . . . **46** K 20
Meda *LU* . . . . **4** C 7
Meda *OR* . . . . **13** E 7
Meda (Pico de) *C* . . . . **2** C 3
Médano (El) *Tenerife TF* . . **129** F 5
Medeiros *OR* . . . . **27** G 7
Medellín *BA* . . . . **68** P 12
Medes (Illes) *GE* . . . . **25** F 39
Media Naranja
(Punta de la) *AL* . . . . . . **103** V 24
Mediana *Z* . . . . **35** H 27
Mediana (La) *H* . . . . **91** U 10

Mediana de Voltoya *AV* . . . **45** J 16
Medianero (Carpio) *AV* . . . **44** K 13
Mediano (Embalse de) *HU* **22** E 30
Medida (La) *Tenerife TF* . . **127** H 3
Medín *C* . . . . **3** D 5
Medina (Laguna de) . . . . **98** W 11
Medina Azahara *CO* . . . . . **81** S 15
Medina de las Torres *BA* . . **79** Q 10
Medina de Pomar *BU* . . . . **18** D 19
Medina de Rioseco *VA* . . . **30** G 14
Medina del Campo *VA* . . . . **30** I 15
Medina-Sidonia *CA* . . . . . . **99** W 12
Medinaceli *SO* . . . . **47** I 22
Medinaceli (Estación de) . . . **47** I 22
Medinilla *AV* . . . . **43** K 13
Medinyà *GE* . . . . **25** F 38
Medradana *GU* . . . . **46** J 21
Medrano *LO* . . . . **19** E 22
Medro *MU* . . . . **96** T 24
Medua *OR* . . . . **14** E 9
Médulas (Las) *LE* . . . . **14** E 9
Médulas (Las)
(Localidad) *LE* . . . . **14** E 9
Megeces *VA* . . . . **31** H 16
Megina *GU* . . . . **48** K 24
Megorrón (Sierra) . . . . **47** J 22
Meilán *LU* . . . . **4** C 7
Meilán *Mondoñedo LU* . . . . **4** B 8
Meira *PO* . . . . **12** F 3
Meira (Sierra de) *LU* . . . . . . **4** C 8
Meirama *C* . . . . **3** C 4
Meirás
cerca de Valdoviño *C* . . . . **3** B 5
Meis *PO* . . . . **12** E 3
Mejara (Puerto) *BA* . . . . . . **68** P 13
Mejorada *TO* . . . . **57** L 15
Mejorada del Campo *M* . . . **46** K 19
Melegís *GR* . . . . **101** V 19
Melegriz *AB* . . . . **72** P 24
Meilán *LU* . . . . **6** C 13
Melendreros *O* . . . . **6** C 13
Melgar de Abajo *VA* . . . . . **16** F 14
Melgar de Arriba *VA* . . . . . **16** F 14

Melgar de Fernamental *BU***17** E 17
Melgar de Tera *ZA* . . . . . . **29** G 11
Melgar de Yuso *P* . . . . **17** F 17
Melgarejo *CR* . . . . **71** P 20
Melgosa (La) *CU* . . . . **61** L 23
Melgoso *MU* . . . . **84** S 24
Meliana *V* . . . . **62** N 28
Melias *OR* . . . . **13** E 6
Melicena *GR* . . . . **102** V 20
Mélida *NA* . . . . **20** E 25
Melide *C* . . . . **3** D 5
Mellanzos *LE* . . . . **16** E 14
Melón *OR* . . . . **13** F 5
Melones (Sierra de los) . . . . **99** W 13
Melque *SG* . . . . **45** I 16
Membibre de la Hoz *SG* . . . **31** H 17
Membribe *SA* . . . . **43** J 12
Membrilla *CR* . . . . **71** P 19
Membrilla *CO* . . . . **81** T 15
Membrillar *P* . . . . **17** E 15
Membrillera *GU* . . . . **46** J 21
Membrillo (El) *TO* . . . . **57** M 15
Membrillo (El) *SE* . . . . **79** S 12
Membrillo (Lucio del) *CA* . . **91** V 10
Membrillo Alto *H* . . . . **79** T 10
Mena . . . . **29** G 11
Menagaray *VI* . . . . **8** C 20
Menárguens *L* . . . . **36** G 32
Menas (Las) *AL* . . . . **95** U 22
Menas (Los) *AL* . . . . **96** T 24
Menasalbas *TO* . . . . **58** N 17
Menaza *P* . . . . **17** D 17
Mencal *GR* . . . . **95** T 20
Menchón de Abril (El) *GR***94** T 18
Mencilla . . . . **18** F 20
Mencilla (Sierra) . . . . **18** F 19
Mendaro *SS* . . . . **10** C 22
Mendata *BI* . . . . **10** C 22
Mendavia *NA* . . . . **19** E 23
Mendaza *NA* . . . . **19** E 23
Mendeika *BI* . . . . **8** C 20
Mendexa *BI* . . . . **9** B 22
Méndez *AB* . . . . **84** Q 24
Mendigorría *NA* . . . . **20** E 24

Mendijur *VI* . . . . **19** D 22
Mendióroz *NA* . . . . **11** D 25
Mendo . . . . **3** C 5
Mendoza *VI* . . . . **19** D 21
Menera (Sierra de) *TE* . . . . **48** J 25
Meneses *CU* . . . . **60** N 23
Meneses de Campos *P* . . . **30** G 15
Menga (Puerto de) *AV* . . . . **44** K 14
Menga y Viera
(Cuevas de) *MA* . . . . . . **93** U 16
Mengabril *BA* . . . . **68** P 12
Mengamuñoz *AV* . . . . **44** K 15
Mengíbar *J* . . . . **82** S 18
Menjillán *SE* . . . . **92** U 13
Menor (Isla) *SE* . . . . **91** U 11
Menor (Mar) *MU* . . . . **85** S 27
Menorca *PM* . . . . **106** M 41
Menorca (Cap de) . . . . **105** M 39
Menorca o Bajoli (Cap) . . . **106** L 41
Menoyo *VI* . . . . **8** C 20
Mens *C* . . . . **2** C 3
Mentera *S* . . . . **8** C 19
Mentiras *J* . . . . **83** R 22
Méntrida *TO* . . . . **58** L 17
Menudero *O* . . . . **5** B 10
Menuza (Ermita de) *Z* . . . . **35** I 28
Meñaka *BI* . . . . **9** B 21
Meotz / Meoz *NA* . . . . **11** D 25
Meoz / Meotz *NA* . . . . **11** D 25
Mequinenza *Z* . . . . **36** H 30
Mequinenza
(Embalse de) *Z* . . . . **36** H 30
Mera cerca de Ortigueira *C* **3** A 6
Mera cerca de
Santa Cruz *C* . . . . **3** B 4
Mera (Río) *C* . . . . **3** B 6
Meranges *GE* . . . . **23** E 35
Merás *O* . . . . **5** B 10
Merca (A) *OR* . . . . **13** F 6
Mercadal (es) *PM* . . . . . . **106** M 42
Mercadillo *BI* . . . . **8** C 20
Mercadillo *BU* . . . . **8** C 20
Mercadillos de Abajo *AB* . . **72** P 24
Mercedes (Monte de las)

Tenerife *TF* . . . . **125** I 1
Meré *O* . . . . **6** B 15
Meredo *O* . . . . **4** B 8
Merelas *O* . . . . **5** C 5
Merendero *LU* . . . . **3** C 6
Meréns *OR* . . . . **13** F 5
Mérida *BA* . . . . **67** P 10
Merille *LU* . . . . **4** B 7
Merinos (Sierra de los) . . . . **93** V 14
Merlán *LU* . . . . **3** D 6
Merlès (Riera de) . . . . **38** G 35
Merli *HU* . . . . **22** E 31
Mero *C* . . . . **3** C 5
Merodio *O* . . . . **7** C 16
Merou *O* . . . . **4** B 9
Merujal *O* . . . . **6** C 13
Merza *PO* . . . . **13** D 5
Mesa (La) *LO* . . . . **33** F 22
Mesa (La) *J* . . . . **82** R 19
Mesa (Río) . . . . **47** I 24
Mesa del Mar *Tenerife TF***124** G 2
Mesa Roldán (La) *AL* . . . **103** V 24
Mesas (Las) *CU* . . . . **71** N 21
Mesas (Las) *MA* . . . . **92** V 14
Mesas de Asta *CA* . . . . . . **91** V 11
Mesas de Ibor *CC* . . . . . . **56** M 13
Mesas de Santiago *CA* . . . **91** V 12
Mesas del Guadalora *CO* . **80** S 14
Mesegar de Corneja *AV* . . **44** K 14
Mesegar de Tajo *TO* . . . . . **57** M 16
Mesía *C* . . . . **3** C 5
Mesillas *CC* . . . . **56** L 12
Mesón do Vento *C* . . . . **3** C 4
Mesones *GU* . . . . **46** J 19
Mesones *AB* . . . . **84** Q 22
Mesones (Los) *SA* . . . . **43** I 12
Mesones de Isuela *Z* . . . . . **34** H 25
Mesquida *PM* . . . . **106** M 42
Mesta *AB* . . . . **72** Q 22
Mesta (Río de la) . . . . **71** Q 22
Mesta de Con *C* . . . . **6** B 15
Mestanza *CR* . . . . **70** Q 17
Mestanza (Puerto de) *CR*. . **70** Q 17
Mestas *O* . . . . **5** C 10

Mestas de Ardisana *O* . . . . . **6** B 15
Metauten *NA* . . . . **19** D 23
Mezalocha *Z* . . . . **34** H 26
Mezalocha (Embalse de) . . **34** H 26
Mezas (Las) . . . . **42** L 9
Mezkiritz *NA* . . . . **11** D 25
Mezpelerreka-El Regato *BI* **8** C 20
Mezquetillas *SO* . . . . **33** I 22
Mezquín . . . . **50** J 29
Mezquita (A) *OR* . . . . **28** F 8
Mezquita
(Estación de la) *H* . . . . . . **90** T 9
Mezquita (La) *MA* . . . . **93** U 15
Mezquita de Jarque *TE* . . . **49** J 27
Mezquita de Loscos *TE* . . . **48** I 26
Mezquitilla *MA* . . . . **101** V 17
Mezquitilla (La) *SE* . . . . . . **92** U 14
Miajadas *CC* . . . . **68** O 12
Miami Platja *T* . . . . **51** I 32
Micereces de Tera *ZA* . . . . **29** G 12
Michos *CR* . . . . **69** P 16
Micieces de Ojeda *P* . . . . . **17** D 16
Miedes *Z* . . . . **34** I 25
Miedes de Atienza *GU* . . . . **32** I 21
Miengo *S* . . . . **7** B 18
Miera *S* . . . . **8** C 18
Miera (La) *CR* . . . . **71** O 21
Miera (Río) . . . . **8** C 18
Mieres *GE* . . . . **24** F 37
Mieres *O* . . . . **5** C 12
Mierla (La) *GU* . . . . **46** J 20
Mieza *SA* . . . . **28** I 9
Migjorn Gran (es) *PM* . . . **106** M 42
Miguel Esteban *TO* . . . . . . **59** N 20
Miguel Ibáñez *SG* . . . . **45** I 16
Miguelagua *TO* . . . . **58** N 18
Migueláñez *SG* . . . . **45** I 16
Miguelturra *CR* . . . . **70** P 18
Mijancas *VI* . . . . **19** D 21
Mijares *AV* . . . . **57** L 15
Mijares *TE* . . . . **61** L 27
Mijares *V* . . . . **73** N 27
Mijares (Puerto de) *AV* . . . **44** K 15
Mijares (Río) . . . . **62** M 29

Mijas *MA*.... 100 W 16
Mijas (Sierra de) .... 100 W 15
Mila (El) .... 37 I 33
Milagres
  (Santuario Os) *OR*.. 13 F 7
Milagro *NA*.... 20 F 24
Milagro (El) *CR*.... 58 N 17
Milagro (Puerto del) *TO*.... 58 N 17
Milagro (Río) .... 58 N 17
Milagros *BU*.... 32 H 18
Milán *Tenerife TF*.... 124 H 1
Milano *SA*.... 42 I 10
Milano *AB*.... 71 P 22
Milanos *GR*.... 94 U 17
Milanos
  (Estación de los) *H*.... 78 T 9
Miliana *T*.... 50 K 31
Miliario del Caudillo *SG*.. 32 H 18
Milla (Perales de) *M*.... 45 K 17
Milladoiro *C*.... 12 D 4
Millana *GU*.... 47 K 22
Millanes *CC*.... 56 M 13
Millarada (A) *PO*.... 13 E 5
Millares *V*.... 73 O 27
Millares (Embassament de) 73 O 27
Millares (Los) *H*.... 90 T 7
Millares
  (Necrópolis de los) .... 103 V 22
Millares (Salto de) *V*.... 74 O 27
Millarón (El) *CC*.... 54 N 8
Miller *J*.... 83 R 22
Milles de la Polvorosa *ZA*.. 29 G 12
Millón *C*.... 12 D 3
Milmarcos *GU*.... 48 I 24
Mina (La) *HU*.... 21 D 27
Mina Concepcion .... 79 S 9
Mina de Rodes *A*.... 73 O 27
Minas (La) *TE*.... 49 J 27
Minas (Las) *CU*.... 61 M 25
Minas (Las) *AB*.... 84 R 24
Minas (Las) *AL*.... 103 V 22
Minas de Cala *H*.... 79 S 10
Minas de Riotinto *H*.... 79 S 10
Minas del Castillo .... 79 S 10
Minas del Marquesado *GR* 95 U 20
Minateda *AB*.... 84 Q 25
Minateda (Cuevas de) *AB*. 84 Q 25
Minaya *AB*.... 72 O 23
Minaya (Estación de) .... 72 O 22
Mingarnao *AB*.... 84 R 23
Minglanilla *CU*.... 61 N 25
Mingo Chico .... 42 K 9
Mingogil *AB*.... 84 Q 24
Mingorría *AV*.... 45 J 15
Mingorrubio *M*.... 45 K 18
Mingrano *MU*.... 84 S 24
Mínguez (Puerto) *TE*.... 49 J 26
Mini Hollywood *AL*.... 96 U 22
Minilla (Embalse de la) *SE* 79 S 11
Mínima (Isla) *SE*.... 91 U 11
Ministra (Sierra) .... 47 I 22
Miñagón *C*.... 4 B 9
Miñana *SO*.... 33 H 23
Miñana (Sierra de) .... 33 H 23
Miñano *MU*.... 84 R 24
Miñano Mayor *VI*.... 19 D 22
Miñarros *MU*.... 97 T 25
Miño *C*.... 3 B 5
Miño (Río) .... 13 F 5
Miño Cuevo *ZA*.... 29 G 11
Miño de Medina *SO*.... 47 I 22
Miño de San Esteban *SO*.. 32 H 19
Miñóns *C*.... 2 D 2
Miñosa (La) *GU*.... 46 I 21
Miñotos *LU*.... 4 B 7
Mioma *VI*.... 18 D 20
Mioño *S*.... 8 B 20
Mira *CU*.... 61 M 25
Mira (Barranco de) .... 34 G 26
Mira (La) *CR*.... 70 P 17
Mira (Río) .... 61 M 25
Mira (Sierra de) .... 61 M 25
Mirabel *SE*.... 92 U 12
Mirabel *CC*.... 55 M 11
Mirabel (Ermita de) *CC*... 56 N 13
Mirabueno *GU*.... 47 J 21
Miracle (El) *L*.... 37 G 34
Miradera (Sierra de la) *BA* 68 Q 11
Mirador (El) *MU*.... 85 S 27
Mirador (Sierra del) *LU*.... 4 C 8
Mirador de Oseja *M*.... 6 C 14
Mirador de Uña .... 60 L 24
Mirador del Romero (El) *M* 45 K 17
Miraelrio *J*.... 82 R 19
Miraflores *BU*.... 18 E 19
Miraflores de la Sierra *M*.. 46 J 18

Mirafuentes *NA*.... 19 E 23
Miralcamp *L*.... 37 H 32
Miralcampo *AB*.... 72 O 24
Miralrío *GU*.... 46 J 21
Miralsot de Abajo *HU*.... 36 H 30
Miramar .... 104 M 37
Mirambel *TE*.... 49 K 28
Miranda *LU*.... 4 D 8
Miranda *MU*.... 85 S 26
Miranda de Arga *NA*.... 20 E 24
Miranda de Azán *SA*.... 43 J 12
Miranda de Ebro *BU*.... 18 D 21
Miranda del Castañar *SA*.. 43 K 12
Miranda del Rey *J*.... 82 Q 19
Mirandilla *BA*.... 67 O 11
Mirantes de Luna *LE*.... 15 D 12
Miravalles *LE*.... 14 D 9
Miraveche *BU*.... 18 D 20
Miravet *T*.... 50 I 31
Miravete *TE*.... 49 K 27
Miravete (Puerto de) *CC*.. 56 M 12
Miraz *cerca de Guitiriz LU*..3 C 6
Miraz *cerca de Xermade LU* 3 B 6
Miro (El) .... 15 D 10
Mirón (El) *AV*.... 44 K 13
Mironcillo *AV*.... 44 K 15
Mirones *S*.... 8 C 18
Mirones (Los) *CR*.... 70 Q 18
Mirueña
  de los Infanzones *AV*.... 44 J 14
Miyares *O*.... 6 B 14
Moal *O*.... 5 C 10
Moanes *O*.... 5 B 10
Moaña *PO*.... 12 F 3
Moar *C*.... 3 C 5
Moarves *P*.... 17 D 16
Mocanal *El Hierro TF*... 109 D 2
Mocasilla *GU*.... 47 J 22
Mocejón *TO*.... 58 M 18
Mochales *GU*.... 47 I 23
Mochales *SE*.... 80 T 13
Mochales (Monte) .... 93 T 15
Mochila *C*.... 94 T 19
Mochuelos (Los) *J*.... 83 Q 20
Moclín *GR*.... 94 T 18
Moclinejo *MA*.... 101 V 17
Modino *LE*.... 16 D 14
Modorra .... 48 I 26
Modubar *BU*.... 18 F 19
Modúbar
  de San Cibrián *BU*.... 18 F 19
Moeche *C*.... 3 B 6
Mogábar *CO*.... 81 Q 16
Mogán *Gran Canaria GC* 116 C 3
Mogán (Barranco de)
  Gran Canaria GC.... 114 C 3
Mogarraz *SA*.... 43 K 11
Mogarraz *ZA*.... 29 H 12
Mogón *J*.... 83 R 20
Mogor *PO*.... 12 E 3
Mogorrita *CU*.... 48 K 24
Mogorrita *GU*.... 47 J 23
Mogro *S*.... 7 B 18
Moguer *H*.... 90 U 9
Moharras *AB*.... 72 O 22
Moheda (La) *CC*.... 55 L 10
Mohedas (Las) *AB*.... 72 Q 23
Mohedas de la Jara *TO*... 57 N 14
Mohernando *GU*.... 46 J 20
Mohías *O*.... 4 B 9
Mohorte *CU*.... 60 L 23
Moià *B*.... 38 G 36
Moixent *V*.... 74 P 27
Mojácar *AL*.... 96 U 24
Mojados *VA*.... 31 H 16
Mojares (Sierra de) .... 84 R 23
Mojares *GU*.... 47 I 22
Mojina (Sierra de) .... 70 Q 18
Mojón (El) *MU*.... 95 T 22
Mojón (El) *V*.... 61 L 25
Mojón (El) .... 85 S 27
Mojón (El) *MU*.... 85 R 27
Mojón Alto *CU*.... 60 M 22
Mojón Alto *CU*.... 93 T 16
Mojón Blanco *TE*.... 48 K 24
Mojón Gordo *MA*.... 92 V 14
Mojón Pardo (Puerto) *SO*.. 32 G 21
Mojonera *AL*.... 102 V 21
Mola .... 87 Q 34
Mola (Cap de Sa) *PM*.... 104 N 37
Mola (Castell de la) *A*.... 85 Q 27
Mola (Far de la) *PM*.... 87 Q 34
Mola (La) *Menorca PM*.. 106 M 42
Mola (La) *B*.... 38 H 36
Molacillos *ZA*.... 29 H 13

Molar (El) *T*.... 36 I 32
Molar (El) *M*.... 46 J 19
Molar (El) *J*.... 83 S 20
Molar (Sierra del) .... 85 Q 25
Molares *H*.... 79 S 9
Molares (Los) *SE*.... 92 U 12
Molata *MU*.... 84 R 23
Molata (La) *AB*.... 72 P 23
Molatón *AB*.... 73 P 25
Moldes *C*.... 13 D 5
Moldones *ZA*.... 29 G 10
Molezuelas
  de la Carballeda *ZA*.... 15 F 11
Molí (es) *PM*.... 87 P 33
Molí Azor (El) *CS*.... 49 L 28
Molí de l'Abad (El) *CS*.... 50 J 30
Molina (La) *GE*.... 24 E 35
Molina (La) *BU*.... 18 D 20
Molina (Sierra de) .... 48 K 24
Molina de Aragón *GU*.... 48 J 24
Molina de Segura *MU*.... 85 R 26
Molina de Ubierna (La) *BU* 18 E 19
Molinaferrera *LE*.... 15 E 10
Molinar (Los) *AL*.... 96 U 23
Molinaseca *LE*.... 15 E 10
Molinicos *AB*.... 84 Q 23
Molinilla *VI*.... 18 D 21
Molinillo *SA*.... 43 K 12
Molinillo (El) *CR*.... 58 N 17
Molinillo (El) *GR*.... 94 U 19
Molino .... 84 R 25
Molino (El) *BA*.... 66 P 8
Molino Blanco *TO*.... 57 M 16
Molino Viejo (Parador del)
  Gijón O.... 6 B 13
Molinos *TE*.... 49 J 28
Molinos *C*.... 2 C 2
Molinos (Arroyo) .... 91 T 11
Molinos (Los) *HU*.... 22 E 30
Molinos (Los)
  Gran Canaria GC.... 114 B 3
Molinos (Los)
  Fuerteventura GC.... 110 G 2
Molinos (Los) *M*.... 45 J 17
Molinos de Duero *SO*.... 33 G 21
Molinos de Matachel
  (Embalse de los) *BA*.... 67 Q 11
Molinos de Papel *CU*.... 60 L 23
Molinos de Razón *SO*.... 33 G 22
Molinos
  del Río Aguas (Los) *AL*.. 96 U 23
Molinos Marfagones *MU*.. 85 T 26
Molins de Rei *B*.... 38 H 36
Molledo *S*.... 7 C 17
Mollerussa *L*.... 37 H 32
Mollet *GE*.... 25 E 39
Mollet *B*.... 38 H 36
Mollina *MA*.... 93 U 16
Mollinedo *S*.... 8 C 20
Molló *GE*.... 24 E 37
Molló (Sierra del) .... 50 K 30
Molsosa (La) *L*.... 37 G 34
Moluengo *V*.... 61 N 25
Molvízar *GR*.... 101 V 19

Mondalindo *M*.... 46 J 18
Mondariz *PO*.... 13 F 4
Mondáriz (Peña) *HU*.... 22 E 30
Mondoñedo *LU*.... 4 B 7
Mondragón / Arrasate *SS*.. 10 C 22
Mondreganes *LE*.... 16 D 14
Mondriz *LU*.... 4 C 7
Mondrón *MA*.... 101 V 17
Mondújar *GR*.... 101 V 19
Mondúver (El) *V*.... 74 O 29
Monegre .... 34 H 25
Monegrillo *Z*.... 35 H 28
Monegros (Canal de) *HU*.. 21 F 28
Monegros (Los) *Z*.... 35 H 28
Monells *GE*.... 25 G 38
Moneo *BU*.... 18 D 19
Mones *O*.... 5 B 10
Monesma *HU*.... 36 G 30
Monesma .... 21 F 28
Monesma y Cajigar .... 22 F 31
Monesterio *BA*.... 79 R 11
Monesterio de la Sierra *SA* 43 K 11
Moneva *Z*.... 49 I 27
Monfarracinos *ZA*.... 29 H 12
Monfero *C*.... 3 C 5
Monforte de la Sierra *SA*.. 43 K 11
Monforte de Lemos *LU*.... 14 E 7
Monforte de Moyuela *TE*.. 49 I 26
Monforte del Cid *A*.... 85 Q 27
Monfragüe (Parque
  Natural de) .... 56 M 13
Monfragüe
  (Santuario de) *CC*.... 56 M 11
Mongay (Sierra de) .... 22 F 31
Monigón .... 33 G 23
Monistrol de Calders *B*.... 38 G 36
Monistrol de Montserrat *B*. 38 H 35
Monistrolet .... 37 G 35
Monjas (Las) *CR*.... 71 O 19
Monjas (Las) *V*.... 61 N 26
Monjas (Las) *SE*.... 92 U 13
Monleón *SA*.... 43 K 12
Monleras *SA*.... 29 I 11
Monmeneu .... 36 H 31
Monnegre (Río) .... 86 Q 28
Monòver *A*.... 85 Q 27
Monrabana *V*.... 62 M 27
Monreal *NA*.... 11 D 25
Monreal *CU*.... 59 N 21
Monreal de Ariza *Z*.... 33 I 23
Monreal del Campo *TE*.... 48 J 25
Monreal del Llano *CU*.... 59 N 21
Monrepós (Puerto de) *HU*.. 21 E 28
Monroy *CC*.... 55 N 11
Monroyo *TE*.... 50 J 29
Monsaete (Puerto de) .... 47 K 23
Monsagro *SA*.... 43 K 11
Monsalud *BA*.... 67 Q 9
Monsalud (Monasterio de) 47 K 22
Monsalupe *AV*.... 44 J 15
Mont Cristina *CS*.... 62 L 29
Mont Horquera *V*.... 62 N 28
Mont-i-sol *V*.... 62 N 28
Mont-ral *T*.... 37 I 33
Mont-ras *GE*.... 25 G 39
Mont-roig .... 36 G 32
Mont-roig del Camp *T*.... 51 I 32
Mont-ros *L*.... 23 E 32
Monta (La) *TO*.... 70 O 18
Montagut (Monte) .... 37 H 34
Montagut i Oix *GE*.... 24 F 37
Montalbán *TE*.... 49 J 27
Montalbán *TO*.... 57 M 16
Montalbán de Córdoba *CO* 93 T 15
Montalbanejo *CU*.... 60 M 22
Montalbo *CU*.... 59 M 21
Montalbos *TE*.... 49 J 28
Montalvos .... 72 O 23
Montamarta *ZA*.... 29 H 12
Montan *L*.... 23 F 34
Montán *Castelló CS*.... 62 L 28
Montánchez *CC*.... 67 O 11
Montánchez (Sierra de) .. 68 O 11
Montanchuelos *CR*.... 70 P 19
Montanejos *CS*.... 62 L 28
Montañú *HU*.... 22 E 32
Montaña Blanca
  Lanzarote GC.... 123 D 4
Montaña Clara (Isla de)
  Lanzarote GC.... 120 E 2
Montaña de Covadonga
  (Parque nacional de la) .. 6 C 14
Montañana *HU*.... 22 F 32
Montañana *Z*.... 35 G 27

Montañas
  (Ermita de las) *CA*.... 92 V 13
Montañeta (La)
  Tenerife TF.... 127 F 3
Montaos *C*.... 3 C 4
Montardo *L*.... 22 E 32
Montareño *L*.... 23 E 33
Montargull *L*.... 37 G 33
Montarrón *GU*.... 46 J 20
Montaverner *V*.... 74 P 28
Montaves *SO*.... 33 F 23
Montblanc *T*.... 37 H 33
Montblanquet *L*.... 37 H 33
Montbrió de la Marca *T*.... 37 H 33
Montbrió del Camp *T*.... 51 I 33
Montcada *V*.... 62 N 28
Montcada i Reixac *B*.... 38 H 36
Montcau (El) .... 38 G 36
Montclar *B*.... 23 F 35
Montclar d'Urgell *L*.... 37 G 33
Monte *LU*.... 4 B 7
Monte (El) *AB*.... 72 P 23
Monte (Ermita del) *SE*.... 80 S 12
Monte Aloya
  (Parque natural del) *PO*. 12 F 3
Monte Alto *CO*.... 81 T 15
Monte Aragón
  (Cordillera de) *AB*.... 73 P 24
Monte Aragón
  (Monasterio de) *HU*.... 21 F 28
Monte Calderón *GU*.... 46 J 19
Monte de Luna
  La Palma TF.... 132 D 6
Monte de Meda *LU*.... 3 D 7
Monte Hueco *GU*.... 46 J 20
Monte la Reina *ZA*.... 30 H 13
Monte Lope Álvarez *J*.... 82 S 17
Monte Perdido (Parador de)
  Bielsa HU.... 22 D 30
Monte Redondo *GU*.... 47 J 21
Monte Robledal *M*.... 59 L 20
Monteagudo *NA*.... 34 G 24
Monteagudo *MU*.... 85 R 26
Monteagudo (Embalse) .. 33 H 23
Monteagudo (Isla de) *PO*.. 12 F 3
Monteagudo
  de las Salinas *CU*.... 60 M 24
Monteagudo
  de las Vicarías *SO*.... 33 H 23
Monteagudo
  del Castillo *TE*.... 49 K 27
Montealegre *VA*.... 30 G 15
Montealegre
  del Castillo *AB*.... 73 P 26
Montearagón *TO*.... 57 M 16
Montecillo *S*.... 17 D 18
Monteclaro-La Cabaña *M*.. 45 K 18
Montecoche (Sierra de .... 99 X 13
Montecorto *MA*.... 92 V 14
Montecubeiro *LU*.... 4 C 8
Montederramo *OR*.... 14 F 7
Montefrío *GR*.... 94 U 17
Montehermoso *CC*.... 55 L 10
Monteixo *L*.... 23 E 34
Montejaque *MA*.... 92 V 14
Montejícar *GR*.... 94 T 19
Montejo *B*.... 38 G 37
Montejo de Arévalo *SG*.... 45 I 16
Montejo de Bricia *BU*.... 17 D 18
Montejo de Cebas *BU*.... 18 D 20
Montejo de la Sierra *M*.... 46 I 19
Montejo de la Vega *SG*.... 32 H 19
Montejo de Tiermes *SO*... 32 H 20
Montejos del Camino *LE*.. 15 E 12
Montellà *L*.... 23 E 35
Montellano *B*.... 38 G 36
Montellano *SE*.... 92 V 13
Montellano (Sierra de) .... 92 V 13
Montemayor *V*.... 72 O 26
Montemayor *AB*.... 73 P 23
Montemayor *CO*.... 81 T 15
Montemayor (Ermita de) *H* 90 U 9
Montemayor de Pililla *VA*.. 31 H 16
Montemayor del Río *SA*... 43 K 12
Montemolín *BA*.... 79 R 11
Montenartró *L*.... 23 E 33
Montenebro *M*.... 46 J 19
Montenegro *AL*.... 95 U 21
Montenegro
  de Cameros *SO*.... 33 F 21
Montepalacio *SE*.... 92 U 13
Monterde *Z*.... 48 I 24

Monterde
  de Albarracín *TE*.... 48 K 25
Monteros (Los) *TO*.... 57 L 16
Monteros (Los) *MA*.... 100 W 15
Monterreal *PO*.... 12 F 3
Monterredondo *OR*.... 13 F 5
Monterrei *OR*.... 28 G 7
Monterrey *TO*.... 58 M 17
Monterroso *LU*.... 13 D 6
Monterrubio *ZA*.... 15 F 10
Monterrubio
  de Armuña *SA*.... 43 I 13
Monterrubio
  de Demanda *BU*.... 18 F 20
Monterrubio
  de la Serena *BA*.... 68 Q 13
Monterrubio
  de la Sierra *SA*.... 43 J 12
Montes (Los) *GR*.... 94 T 18
Montes de Málaga
  (Parque natural de los) 100 V 16
Montes de Mora *TO*.... 70 N 17
Montes de San Benito *H*.. 78 S 8
Montes de Valdueza *LE*... 15 E 10
Montes Universales (Reserva
  nacional de los) *TE*.... 48 K 24
Montesa *V*.... 74 P 28
Montesalgueiro *C*.... 3 C 5
Montesclaros *TO*.... 57 L 15
Montesinho (Parque
  natural de) .... 28 G 9
Montesinos (Los) *A*.... 85 R 27
Montesión
  (Santuari de) *PM*.... 105 N 39
Montesol *A*.... 74 P 28
Montesquiu *B*.... 24 F 36
Montesusín *HU*.... 35 G 28
Monteviejo (Puerto de) *LE* 16 D 15
Montferrer i Castellbó *L*.... 23 E 34
Montferri *T*.... 37 I 34
Montgai *L*.... 37 G 32
Montgarri *L*.... 23 D 33
Montgat *B*.... 38 H 36
Montgó *E*.... 25 F 39
Montgó (El) *A*.... 75 P 30
Montiano *BU*.... 8 C 20
Montiel *CR*.... 71 P 21
Montiel (Campo de) *AB*.... 71 P 21
Montiela (La) *CO*.... 93 T 15
Montijo *BA*.... 67 P 10
Montijo (Canal de) .... 67 P 9
Montilla *CO*.... 93 T 16
Montilla (Sierra de) .... 83 S 22
Montillana *GR*.... 94 T 18
Montinier *HU*.... 22 E 30
Montitxelvo *V*.... 74 P 28
Montizón *J*.... 83 Q 20
Montjuïc *B*.... 38 H 36
Montllats (Els) *CS*.... 49 K 29
Montlleó (Riu de)
  Castelló CS.... 62 L 29
Montmagastre *L*.... 37 G 33
Montmajor *B*.... 23 F 35
Montmaneu *B*.... 37 H 34
Montmany *B*.... 38 G 36
Montmell *B*.... 38 H 36
Montnegre *A*.... 86 Q 28
Montnegre *Z*.... 36 H 30
Montnegre *GE*.... 25 G 38
Montnegre (Serra de) *B*.. 38 H 37
Montoso *BA*.... 79 Q 11
Montolar .... 34 H 26
Montoliu *L*.... 36 H 31
Montón *Z*.... 48 I 25
Montoro *B*.... 18 E 18
Montornès *B*.... 38 H 36
Montornès de Segarra *L*.. 37 H 33
Montoro *CO*.... 81 R 16
Montoro (Embalse de) *CR*. 70 Q 17
Montoro (Río) .... 82 Q 18
Montoro de Mezquita *TE*.. 49 J 28
Montortal *V*.... 74 O 28
Montoso *CR*.... 71 P 20
Montouto *P*.... 17 D 16
Montouto .... 3 C 5
Montouto *LE*.... 14 E 8
Montouto *LU*.... 4 B 7
Montoxo (San Román) *C*.. 3 B 5
Montoxo (San Xulián) *C*... 3 B 6
Montpalau *L*.... 37 H 34
Montroi *V*.... 74 N 28
Montsant (Riu de) .... 37 I 32
Montsant (Serra) *T*.... 36 I 32
Montsec d'Ares *L*.... 22 F 32

Montsec de Rúbies *L* ... **23** F 32
Montsent (Serra de) *B* ... **38** G 37
Montsent de Pallars ... **23** E 33
Montseny *B* ... **38** G 37
Montseny (Parc
   natural del) *B* ... **38** G 36
Montserrat *V* ... **74** N 28
Montserrat (Monestir) *B* ... **38** H 35
Montserrat (Serra de) *B* ... **38** H 35
Montsià (Serra del) *T* ... **50** K 31
Montuenga *BU* ... **18** F 19
Montuenga *SG* ... **45** I 16
Montuenga de Soria *SO* ... **33** I 23
Montuïri *PM* ... **104** N 38
Monturque *CO* ... **93** T 16
Monumenta *ZA* ... **29** H 11
Monzalbarba *Z* ... **35** G 27
Monzón *HU* ... **36** G 30
Monzón de Campos *P* ... **17** F 16
Moñux *SO* ... **33** H 22
Mor *LU* ... **4** B 7
Mora *TE* ... **61** L 27
Mora *LE* ... **15** D 12
Mora *TO* ... **58** M 18
Mora (La) *T* ... **51** I 34
Mora (Puerto de la) *GR* ... **94** U 19
Móra d'Ebre *T* ... **50** I 31
Mora de Rubielos *TE* ... **61** L 27
Mora de Santa Quiteria *AB* **73** Q 25
Móra la Nova *T* ... **50** I 31
Moradas *TO* ... **57** N 15
Moradillo *BU* ... **18** D 18
Moradillo de Roa *BU* ... **31** H 18
Moradillo del Castillo *BU* ... **17** D 18
Moragete *V* ... **73** O 26
Moraira *A* ... **75** P 30
Moral *MU* ... **84** R 23
Moral (El) *MU* ... **84** S 23
Moral (Sierra del) ... **70** P 19
Moral de Calatrava *CR* ... **70** P 19
Moral de Hornuez *SG* ... **32** H 19
Moral de la Reina *VA* ... **30** G 14
Moral de Sayago *ZA* ... **29** H 11
Moraleda de Zafayona *GR* **94** U 18
Moraleja *CC* ... **55** L 9
Moraleja (Sierra de la) ... **69** P 14
Moraleja de Coca *SG* ... **45** I 16
Moraleja de Cuéllar *SG* ... **31** H 17
Moraleja de Enmedio *M* ... **58** L 18
Moraleja
   de las Panaderas *VA* ... **30** I 15
Moraleja de Matacabras *AV* **44** I 15
Moraleja de Sayago *ZA* ... **43** I 11
Moraleja del Vino *ZA* ... **29** H 13
Moralejo *MU* ... **84** S 23
Moralejo (Monte) ... **84** S 23
Morales *SO* ... **32** H 21
Morales *LE* ... **15** E 11
Morales *CR* ... **82** Q 18
Morales (La) *GR* ... **94** T 18
Morales (Rambla de) *AL* **103** V 23
Morales de Campos *VA* ... **30** G 14
Morales de Rey *ZA* ... **29** F 12
Morales de Toro *ZA* ... **30** H 14
Morales de Valverde *ZA* ... **29** G 12
Morales del Vino *ZA* ... **29** H 12
Moralico (El) *J* ... **83** Q 21
Moralina *ZA* ... **29** H 11
Moralita (La) *SA* ... **43** J 11
Moralzarzal *M* ... **45** J 18
Morancelle *C* ... **2** D 2
Moranchel *GU* ... **47** J 22
Morante *H* ... **78** T 9
Moraña *PO* ... **12** E 4
Morás *LU* ... **4** A 7
Morás (Punta de) *LU* ... **4** A 7
Morasverdes *SA* ... **43** K 11
Morasverdes (Río) ... **43** K 11
Morata *MU* ... **97** T 25
Morata (Puerto de) *Z* ... **34** H 25
Morata de Jalón *Z* ... **34** H 25
Morata de Jiloca *Z* ... **34** I 25
Morata de Tajuña *M* ... **59** L 19
Moratalla *MU* ... **84** R 24
Moratalla *CO* ... **80** S 14
Moratilla de Henares *GU* ... **47** I 21
Moratilla
   de los Meleros *GU* ... **46** K 21
Moratillas (Las) *V* ... **73** N 27
Moratinos *P* ... **16** E 15
Moratones *ZA* ... **29** F 12
Morche (El) *MA* ... **101** V 18
Morcillo *CC* ... **55** L 10
Morcín ... **5** C 12
Morcuera *SO* ... **32** H 20
Morcuera (Puerto de la) *M* **45** J 18

Morcuera (Sierra de la) ... **45** J 18
Moreda *LU* ... **13** D 6
Moreda *GR* ... **94** T 20
Moreda de Álava *VI* ... **19** E 22
Moreda de Aller *O* ... **5** C 12
Moreda (Pico de) *L* ... **23** D 33
Moreiras
   cerca de Orense *OR* ... **13** F 6
Moreiras cerca de
   Xinzo de Limia *OR* ... **13** F 6
Morell (El) *T* ... **37** I 33
Morella *CS* ... **50** K 29
Morella (La) ... **38** I 35
Morella (Riu) ... **49** K 29
Morella la Vella *CS* ... **49** K 29
Morellana *CO* ... **93** T 17
Morenilla *GU* ... **48** J 24
Morenos (Los) *CO* ... **80** R 13
Morente *CO* ... **81** S 16
Morentín *NA* ... **19** E 23
Morera (Ermita) *V* ... **74** P 27
Morera (La) *BA* ... **67** Q 10
Morera de Montsant (La) *T* **37** I 32
Moreras (Sierra de las) ... **97** T 25
Moreruela
   (Monasterio de) *ZA* ... **29** G 12
Moreruela
   de los Infanzones *ZA* ... **29** H 12
Moreruela de Tábara *ZA* ... **29** G 12
Morés *Z* ... **34** H 25
Morey ... **105** M 40
Morga *BI* ... **9** C 21
Morgana (La) *GR* ... **102** V 20
Morgovejo *LE* ... **16** D 15
Moriles *CO* ... **93** T 16
Morilla *HU* ... **36** G 30
Morilla *S* ... **8** C 18
Morille *SA* ... **43** J 12
Morillejo *GU* ... **47** J 22
Morillo de Liena *HU* ... **22** E 31
Morillo de Monclús *HU* ... **22** E 30
Morillo de Tou *HU* ... **22** E 30
Moríñigo *SA* ... **44** J 13
Moriscote *AB* ... **72** Q 23
Morla *LE* ... **15** F 11
Moro *HU* ... **21** E 28
Moro *GR* ... **83** S 21
Moro (El) *CR* ... **70** P 19
Moro (Coll del) *T* ... **50** I 31
Moro (Rambla del) *MU* ... **85** R 25
Morón (Rio) ... **33** H 22
Morón de Almazán *SO* ... **33** H 22
Morón de la Frontera *SE* ... **92** U 13
Moronta *SA* ... **43** J 10
Moropeche *AB* ... **84** Q 22
Moror *L* ... **22** F 32
Moros *Z* ... **34** H 24
Moros (Monte) ... **44** K 14
Moros (Río) ... **45** J 17
Morquitián *C* ... **2** C 2
Morrablancar *AB* ... **73** P 25
Morrano *HU* ... **21** F 29
Morras (Las) *CO* ... **81** Q 15
Morredero (Alto El) *LE* ... **15** E 10
Morredero (El) *LE* ... **15** E 10
Morriondo *LE* ... **15** E 12
Morro Jable
   Fuerteventura GC ... **112** C 5
Morrón *AB* ... **73** Q 24
Morrón *AL* ... **102** V 21
Morrón
   de los Genoveses *AL* ... **103** V 23
Morrón del Puerto *MU* ... **73** Q 26
Morrones (Los) *GR* ... **94** T 19
Mortera (La) *O* ... **5** C 10
Mos *PO* ... **12** F 4
Moscán *LU* ... **14** D 7
Moscardón *TE* ... **48** L 25
Moscari *PM* ... **104** M 38
Moscaril *SA* ... **101** V 18
Moscoso *PO* ... **12** F 4
Mosende *LU* ... **4** A 7
Mosende *PO* ... **12** F 4
Mosqueruela *TE* ... **49** K 28
Mosqueruela
   (Puerto de) *TE* ... **49** K 28
Mosquete *C* ... **12** E 3
Mosquil (Embalse de) ... **79** Q 11
Mosteiro *Meis PO* ... **12** E 3
Mosteiro *OR* ... **13** F 5
Mosteiro *Pol LU* ... **4** C 7
Móstoles *M* ... **58** L 18

Mota (Fortaleza de la) *J* ... **94** T 18
Mota (La) *GE* ... **25** F 38
Mota (La) *CA* ... **92** V 14
Mota de Altarejos *CU* ... **60** M 23
Mota del Cuervo *CU* ... **59** N 21
Mota del Marqués *VA* ... **30** H 14
Motilla del Palancar *CU* ... **60** N 24
Motilleja *AB* ... **72** O 24
Motos *GU* ... **48** K 25
Motril *GR* ... **101** V 19
Moucide *LU* ... **4** B 7
Mougás *PO* ... **12** F 3
Mougán *PO* ... **13** F 5
Mourisca *OR* ... **14** F 8
Mouriscados *PO* ... **13** F 4
Mourulle *LU* ... **13** D 6
Mousende *LU* ... **4** B 8
Moveros *ZA* ... **29** H 11
Moya *Gran Canaria GC* ... **115** D 2
Moya *CU* ... **61** M 25
Moyas (Las) *CR* ... **71** O 20
Moyuela *Z* ... **49** I 27
Mozaga *Lanzarote GC* ... **123** D 4
Mózar de Valverde *ZA* ... **29** G 12
Mozárbez *SA* ... **43** J 13
Mozas (Monte de las) *CU* **72** O 23
Mozoncillo *SG* ... **45** I 17
Mozóndiga *LE* ... **15** E 12
Mozos de Cea *LE* ... **16** E 14
Mozota *Z* ... **34** H 26
Muchachos (Roque de los)
   La Palma TF ... **130** C 3
Mucientes *VA* ... **30** G 15
Mudá *P* ... **17** D 16
Mudapelos *J* ... **82** S 17
Mudela *CR* ... **70** Q 19
Muduex *GU* ... **46** J 21
Mudurra (La) *VA* ... **30** G 15
Muel *Z* ... **34** H 26
Muela *BU* ... **32** F 19
Muela cerca de
   Manzanera *TE* ... **61** L 27
Muela cerca de
   Cantavieja *TE* ... **49** K 28
Muela *AB* ... **73** P 25
Muela cerca de Tortola *CU* ... **60** M 23
Muela *MU* ... **85** S 25
Muela *CO* ... **80** R 13
Muela cerca de San Martín **61** M 25
Muela (La) *Z* ... **34** H 26
Muela (La) *V* ... **61** M 26
Muela (La) cerca de
   Algodonales *CA* ... **92** V 13
Muela (La)
   cerca de Vejer *CA* ... **99** X 12
Muela (Meseta de la) *J* ... **34** H 26
Muela (Sierra de la) *Z* ... **34** H 26
Muela (Sierra de la) *GU* ... **47** I 21
Muela (Sierra de la)
   cerca de las Murtas ... **84** R 23
Muela (Sierra de la) cerca de
   Cartagena *MU* ... **97** T 26
Muela de Cortes (Reserva
   nacional de la) *V* ... **73** O 27
Muelas
   de los Caballeros *ZA* ... **15** F 10
Muelas del Pan *ZA* ... **29** H 12
Muelle de Vega Terrón ... **42** I 9
Mués *NA* ... **19** E 23
Muez *NA* ... **10** D 24
Muga ... **34** G 24
Muga (La) (Riu) *GE* ... **24** E 37
Muga de Alba *Z* ... **29** G 11
Muga de Sayago *ZA* ... **29** H 11
Mugardos *C* ... **3** B 5
Mugares *OR* ... **13** F 6
Mugrón (Sierra del) ... **73** P 26
Mugueimes *OR* ... **27** G 6
Muides *O* ... **4** B 9
Muel *Z* ... **34** H 26
Muimenta *LU* ... **4** C 7
Muimenta *PO* ... **13** D 5

Muiña *LU* ... **4** C 8
Muiños *OR* ... **27** G 6
Mujer Muerta (La) ... **45** J 17
Mujeres Muertas
   (Pozo de las) *O* ... **4** C 9
Mula *MU* ... **85** R 25
Mula (Río) *NA* ... **85** R 25
Mulato (Embalse del)
   Gran Canaria GC ... **116** C 3
Mulato (Lomo del)
   Gran Canaria GC ... **114** C 3
Mulería (La) *AL* ... **96** U 24
Mulhacén *GR* ... **95** U 20
Mullidar *AB* ... **72** Q 24
Mulva (Castillo de) *SE* ... **80** S 12
Munárriz *NA* ... **10** D 24
Mundaka *BI* ... **9** B 21
Mundo (Nacimiento
   del Río) *AB* ... **84** Q 22
Mundo (Río) ... **84** Q 24
Munébrega *Z* ... **34** I 24
Munera *AB* ... **72** O 22
Mungia *BI* ... **9** B 21
Múnia (La) *B* ... **37** I 34
Munia (Mont la) *HU* ... **22** D 30
Muniáin de la Solana *NA* ... **19** E 23
Muniellos (Coto
   nacional de) *O* ... **4** C 9
Muniesa *TE* ... **49** I 27
Muniferral *C* ... **3** C 5
Munilla *LO* ... **19** F 23
Munitibar-Arbatzegui
   Gerrikaitz *BI* ... **10** C 22
Muntanyeta
   dels Sants (La) ... **74** O 29
Muntanyola *B* ... **38** G 36
Muntells (Els) *T* ... **50** K 32
Muña (La) *J* ... **82** S 18
Muñana *AV* ... **44** K 14
Muñas *O* ... **5** B 10
Muñecas *SO* ... **32** G 20

Muñecas (Las) *BI* ... **8** C 20
Múñez *AV* ... **44** K 15
Muñico *AV* ... **44** J 14
Muñique *Lanzarote GC* ... **123** D 3
Muñís *LU* ... **4** D 9
Muño *O* ... **6** B 13
Muñoces (Los) *MU* ... **85** S 26
Muñogalindo *AV* ... **44** K 15
Muñogrande *AV* ... **44** J 15
Muñomer del Peco *AV* ... **44** J 15
Muñopedro *SG* ... **45** J 16
Muñopepe *AV* ... **44** K 15
Muñosancho *AV* ... **44** J 15
Muñotello *AV* ... **44** K 14
Muñoveros *SG* ... **45** I 18
Muñoyerro *AV* ... **44** J 15
Muñoz *SA* ... **43** J 11
Mur (Castell del) *L* ... **22** F 32
Mura *B* ... **38** G 35
Muradelle *LU* ... **13** E 6
Muras *LU* ... **3** B 6
Murchante *NA* ... **20** F 25
Murchas *GR* ... **101** V 19
Murcia *MU* ... **85** S 26
Murciélagos
   (Cueva de los) *CO* ... **93** T 17
Murero *Z* ... **48** I 25
Mures *J* ... **94** T 18
Mures (Monte) *J* ... **92** V 14
Murguía *VI* ... **19** D 21
Murias cerca de
   Santibáñez *O* ... **6** C 12
Murias *LE* ... **15** E 11
Murias *ZA* ... **14** F 10
Murias de Paredes *LE* ... **15** D 11
Murias de Ponjos *LE* ... **15** D 11
Muriedas *S* ... **7** B 18
Muriel *GU* ... **46** J 20
Muriel de la Fuente *SO* ... **32** G 21
Muriel de Zapardiel *VA* ... **44** I 15
Muriel Viejo *SO* ... **32** G 21

MURCIA

Alfonso X el Sabio (Gran Vía) .. **DY** 2
Cardenal Belluga (Pl.) ... **DY** 5
Colón (Alameda de) ... **DZ**
España (Glorieta de) ... **DZ** 15
Floridablanca ... **DZ** 18

Garay (Pas. de) ... **DZ** 20
Gómez Cortina ... **CY** 28
Infante Don Juan Manuel
   (Av.) ... **DZ** 33
Isidoro de la Cierva ... **DY** 40
José Antonio Ponzoa ... **DY** 44
Licenciado Cascales ... **DY** 56
Marcos Redondo ... **CY** 60

Martínez Tornel (Pl.) ... **DZ** 65
Platería ... **DY**
Proclamación ... **DZ** 75
San Francisco (Plano de) ... **CYZ** 78
Sociedad ... **DY** 80
Teniente Flomesta
   (Av.) ... **DZ** 83
Trapería ... **DY**

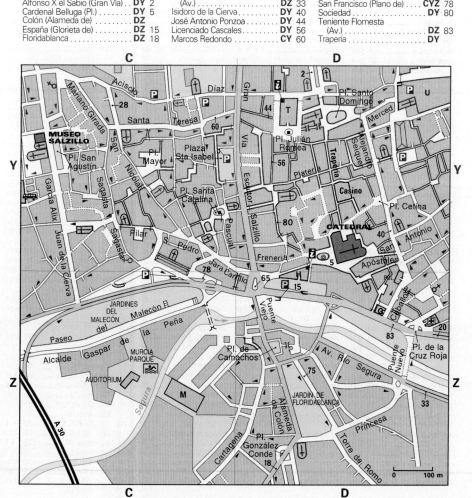

Muriellos *O* .... 5 C 12
Murieta *NA* .... 19 E 23
Murillo Berroya *NA* .... 11 D 26
Murillo de Calahorra *LO* ... 19 E 24
Murillo de Gállego *Z* .... 21 E 27
Murillo de Río Leza *LO* ...... 19 E 23
Murillo el Cuende *NA* .... 20 E 25
Murillo el Fruto *NA* .... 20 E 25
Murla *A* .... 74 Q 29
Muro *M* .... 105 M 39
Muro (Torrent de) .... 105 M 39
Muro de Ágreda *SO* .... 33 G 24
Muro de Aguas *LO* .... 19 F 23
Muro de Alcoy *A* .... 74 P 28
Muro en Cameros *LO* .... 19 F 22
Muros *C* .... 12 D 2
Muros de Nalón *O* .... 5 B 11
Muros y Noia (Ría de) *PO*. 12 D 2
Murta (La) *MU* .... 85 S 26
Murtas *GR* .... 102 V 20
Murtas (Las) *MU* .... 84 R 24
Murtiga *H* .... 78 R 9
Muruarte de Reta *NA* ...... 11 D 25
Murueta *BI* .... 9 B 21
Muruzábal *NA* .... 10 D 24
Muruzábal de Andión *NA*.. 20 E 24
Musel (El) *O* .... 6 B 12
Museros *V* .... 62 N 28
Musitu *VI* .... 19 D 22
Muskilda (Santuario de) *NA* 11 D 26
Mussara (La) *T* .... 37 I 33
Mussara (Serra de la) *T* .... 37 I 33
Mustio (El) *H* .... 78 S 8
Mutiloa *SS* .... 10 C 23
Mutiloagoiti / Mutilva Alta *NA* 11 D 25
Mutilva Alta / Mutiloagoiti *NA* 11 D 25
Mutriku *SS* .... 10 C 22
Mutxamel *A* .... 86 Q 28
Muxavén .... 5 D 11
Muxia *C* .... 2 C 2
Muxika .... 9 C 21
Muyo (El) *SG* .... 32 I 20

N

Na Macaret *PM* .... 106 L 42
Na Xamena .... 87 O 34
Nabarniz *BI* .... 10 C 22
Nacha *MU* .... 36 G 31
Nacimiento *CO* .... 93 T 16
Nacimiento *AL* .... 95 U 22
Nadela *LU* .... 4 D 7
Nafría de Ucero *SO* .... 32 G 20
Nafría la Llana *SO* .... 33 H 21
Nágima .... 33 H 23
Naharros *GU* .... 46 I 21
Naharros *CU* .... 60 L 22
Najarra *M* .... 45 J 18
Nájera *LO* .... 19 E 21
Najurrieta *NA* .... 11 D 25
Nalda *LO* .... 19 E 22
Nalec *L* .... 37 H 33
Nalón *O* .... 5 B 11
Nambroca *TO* .... 58 M 18
Nambroca (Sierra de) *TO*. 58 M 18
Nanclares cerca de Ariñez *VI* ... 19 D 21
Nanclares de Gamboa cerca de Embalse de Ullíva *VI* ... 19 D 22
Nansa .... 7 C 16
Napal *NA* .... 11 D 26
Náquera *V* .... 62 N 28
Naraio *C* .... 3 B 5
Naranco (Sierra del) *O* ...... 5 B 12
Naranjal (Sierra del) *BA* ... 66 O 8
Naranjeros (Los) *Tenerife TF* ... 124 H 2
Naranjo de Bulnes .... 6 C 15
Naraval *O* .... 5 B 10
Narbarte *NA* .... 11 C 25
Narboneta *CU* .... 61 M 25
Narboneta (Arroyo de) ...... 61 M 25
Narcea *O* .... 5 B 11
Nariga (Punta de) *C* .... 2 C 3
Narila *GR* .... 102 V 20
Nariz (Punta de la) *La Gomera TF* .... 118 B 3
Narla *C* .... 3 C 6
Narón *LU* .... 13 D 6
Narón *C* .... 3 B 5
Narrillos del Álamo *AV* ...... 44 K 13
Narrillos del Rebollar *AV*... 44 K 15
Narros *SO* .... 33 G 23
Narros de Cuéllar *SG* ...... 31 I 16
Narros de Matalayegua *SA* 43 J 12
Narros de Saldueña *AV*...... 44 J 15
Narros del Castillo *AV*....... 44 J 14

Narros del Puerto *AV*......... 44 K 15
Narvaja *VI* .... 19 D 22
Nati (Punta) *PM* .... 106 L 41
Natón *C* .... 2 C 3
Natxitua *BI* .... 9 B 22
Nau (Cap de la) *A* .... 75 P 30
Nava *O* .... 6 B 13
Nava (Embalse de) .... 20 F 24
Nava (Estación de la) *H* ... 79 S 9
Nava (La) *CR* .... 82 Q 19
Nava (La) *H* .... 79 S 9
Nava (La) *SE* .... 80 R 13
Nava (La) *BA* (Sierra de) ... 34 H 25
Nava (Laguna la) *CR*......... 70 O 18
Nava (Puerto de la) *BA* ... 68 P 14
Nava Alta (Sierra de) ...... 34 H 25
Nava de Abajo *AB* .... 72 Q 24
Nava de Arévalo *AV* .... 44 J 15
Nava de Arriba *AB* .... 72 P 24
Nava de Béjar *SA* .... 43 K 12
Nava de Campana *AB* ...... 84 Q 25
Nava de Francia *SA* .... 43 K 11
Nava de Jadraque (La) *GU* 45 I 20
Nava de la Asunción *SG* ... 45 I 16
Nava de los Caballeros *LE* 16 E 14
Nava de Mena *BU* .... 8 C 20
Nava de Pablo *J* .... 83 S 21
Nava de Ricomalillo (La) *TO*... 57 N 15
Nava-de-Roa *BU* .... 31 H 18
Nava de San Pedro *J* ...... 83 S 21
Nava de Santiago (La) *BA* 67 O 10
Nava de Sotrobal *SA*......... 44 J 14
Nava del Barco *AV* .... 56 L 13
Nava del Rey *VA* .... 30 I 14
Nava el Zar *J* .... 82 Q 18
Navacarros *SA* .... 43 K 12
Navacepeda de Tormes *AV* ... 44 K 14
Navacepedilla de Corneja *AV* ... 44 K 14
Navacerrada *M* .... 45 J 17
Navacerrada *CR* .... 69 P 16
Navacerrada (Puerto de) *M* 45 J 17
Navacerrada (Sierra de) ... 69 P 16
Navachica *MA* .... 101 V 18
Navaconcejo *CC* .... 56 L 12
Navadijos *AV* .... 44 K 14
Navaescurial *AV* .... 44 K 14
Navafría *SG* .... 45 I 18
Navafría *LE* .... 16 E 13
Navafría (Puerto de) *M* ... 45 J 18
Navahermosa *TO* .... 57 N 16
Navahermosa cerca de Aracena *H* ... 79 S 9
Navahermosa cerca de Valverde del C. *H* ... 91 T 9
Navahermosa *MA* .... 93 U 15
Navaholguín *SE* .... 80 S 12
Navahombela *SA* .... 44 K 13
Navahondilla *AV* .... 45 L 16
Navajarra *CR* .... 69 O 16
Navajarra (Sierra de) *CR*.. 69 O 16
Navajas *CS* .... 62 M 28
Navajuelos (Sierra de los) 72 Q 24
Navajún *LO* .... 33 G 23
Navalacruz *AV* .... 44 K 15
Navalafuente *M* .... 46 J 18
Navalagamella *M* .... 45 K 17
Navalatienda *CR* .... 69 P 15
Navalavaca *CR* .... 71 Q 20
Navalcaballo *SO* .... 33 G 22
Navalcán *TO* .... 57 L 14
Navalcán (Embalse de) *TO* 57 L 14
Navalcarnero *M* .... 58 L 17
Navalcuervo *CO* .... 80 R 14
Navalengua *AB* .... 72 P 23
Navaleno *SO* .... 32 G 20
Navalguijo *AV* .... 56 L 13
Navalices *CR* .... 58 N 17
Navaliego (Sierra de) ...... 5 B 12
Navalilla *SG* .... 31 H 18
Navalmanzano *SG* .... 45 I 17
Navalmoral (Sierra de) 82 Q 17
Navalmoral *AV* .... 44 K 15
Navalmoral (Puerto de) *AV* 44 K 15
Navalmoral de Béjar *SA* ... 43 K 12
Navalmoral de la Mata *CC* 56 M 13
Navalmoral de la Mata (Embalse de) ... 56 L 13
Navalmoralejo *TO* .... 57 M 14
Navalmorales (Los) *TO* ... 57 M 16
Navalón *CU* .... 60 L 23
Navalón de Abajo *V* .... 73 P 27

Navalón de Arriba *V* .... 73 P 27
Navalonguilla *AV* .... 56 L 13
Navalonguilla (Sierra de) .. 70 P 17
Navalosa *AV* .... 44 K 15
Navalperal de Pinares *AV*. 45 K 16
Navalperal de Tormes *AV*.. 44 K 14
Navalpino *CR* .... 69 O 16
Navalpotro .... 47 J 22
Navalrincón *CR* .... 69 O 16
Navalsáuz *AV* .... 44 K 14
Navaltoril *TO* .... 57 N 15
Navalucillos (Los) *TO* ...... 57 M 16
Navaluenga *AV* .... 44 K 15
Navamorcuende *TO* .... 57 L 15
Navamuel *S* .... 17 D 17
Navandrinal *AV* .... 44 K 15
Navapalos *SO* .... 32 H 20
Navaquesera *AV* .... 44 K 15
Navarcles *B* .... 38 G 35
Navardún *Z* .... 20 E 26
Navares *MU* .... 84 R 24
Navares de Ayuso *SG* ...... 32 H 18
Navares de Enmedio *SG*... 32 H 18
Navares de las Cuevas *SG* 32 H 18
Navaridas *VI* .... 19 E 22
Navarra *Provincia* .... 19 E 23
Navarra (Acequia de) ...... 20 F 25
Navarredonda *M* .... 46 J 18
Navarredonda *SE* .... 92 U 14
Navarredonda de Gredos *AV* ... 44 K 14
Navarredonda de la Rinconada *SA* ... 43 K 11
Navarredonda de Salvatierra *SA* ... 43 K 12
Navarredondilla *AV* .... 44 K 15
Navarrés *V* .... 74 O 27
Navarrete *VI* .... 19 E 22
Navarrete *LO* .... 19 E 22
Navarrete del Río *TE* ...... 48 J 26
Navarrevisca *AV* .... 44 K 15
Navàs *B* .... 38 G 35
Navas (Embalse de las) *HU* 21 F 28
Navas (Las) *TO* .... 70 N 17
Navas (Las) *CO* .... 94 T 17
Navas (Las) *SE* .... 91 V 12
Navas (Las) (Monte) ...... 55 L 9
Navas (Río de las) .... 70 N 17
Navas de Buitrago *M* ...... 46 J 19
Navas de Bureba *BU* ...... 18 D 20
Navas de Estena *CR* ...... 57 N 16
Navas de Jadraque *GU*..... 46 I 20
Navas de Jorquera *AB*..... 72 O 24
Navas de la Concepción (Las) *SE*... 80 S 13
Navas de Oro *SG* .... 45 I 16
Navas de Riofrío *SG* ...... 45 J 17
Navas de San Antonio *SG*. 45 J 17
Navas de San Juan *J* ...... 83 R 20
Navas de Selpillar *CO* ...... 93 T 16
Navas de Tolosa (La) *J*...... 82 R 19
Navas del Madroño *CC* ... 55 N 10
Navas del Marqués (Las) *AV* 45 K 17
Navas del Pinar *BU*......... 32 G 20
Navas del Rey *M* .... 45 K 17
Navasa *HU* .... 21 E 28
Navascués *NA* .... 11 D 26
Navasfrias *SA* .... 42 L 9
Navata *GR* .... 25 F 38
Navata (La) *M* .... 45 K 16
Navatalgordo *AV* .... 44 K 15
Navatejares *AV* .... 44 K 13
Navatrasierra *CC* .... 56 N 14
Navazo (Alto) .... 18 F 19
Navazos (Los) *CR* .... 71 P 21
Navazuelo *CO* .... 93 T 16
Navazuelo (El) *GR* .... 94 T 19
Nave (Cabo de la) *C*......... 2 D 2
Návea *OR* .... 14 F 7
Navelgas *O* .... 5 B 10
Navelonga (Ermita de) *CC* 55 L 9
Naveros *CA* .... 99 W 12
Navès *L* .... 37 G 34
Naveta des Tudons *PM*... 106 M 41
Navezuelas cerca de Roturas *CC* ... 56 N 13
Navezuelas cerca de Mirabel *CC* ... 56 M 11
Navia (Ría de) *O* .... 4 B 9
Navia (Río) *ESP* .... 4 C 9
Navia (Valle del) *O* .... 4 C 9

Navia de Suarna *LU*........... 4 D 8
Navianos de Alba *ZA*......... 29 G 12
Navianos de Valverde *ZA*.. 29 G 12
Navilla *BA* .... 68 P 11
Navillas (Las) *TO* .... 57 N 16
Naya (La) *H* .... 79 S 10
Nazar *NA* .... 19 E 23
Nazaret *V* .... 62 N 29
Nazaret (Ermita de) *J* ...... 83 Q 20
Neblines *SE* .... 92 T 13
Nebla *C* .... 12 D 3
Nebreda *BU* .... 32 G 19
Nechite *GR* .... 95 U 20
Neda *C* .... 3 B 5
Neda (Cordal de) *LU* ...... 4 B 7
Negra (Punta) *MU* .... 97 T 27
Negra (Punta) *Tenerife TF* 126 B 3
Negra (Punta) *Tenerife TF* 128 C 5
Negra (Punta) *Tenerife TF* 128 E 5
Negra (Punta) *GR* .... 102 V 20
Negra (Serra) *Castelló CS* 49 K 29
Negra (Sierra) *HU* .... 22 E 31
Negradas *LU* .... 3 A 6
Negrales-Los Llanos (Los) *M* ... 45 K 17
Negredo *GU* .... 46 I 21
Negredo (El) *SG* .... 32 I 20
Negreira *C* .... 2 D 3
Negrete (Cabo) *MU* .... 97 T 27
Negrilla de Palencia *SA* ... 44 I 13
Negro *ZA* .... 15 F 10
Negro (Río) *O* .... 5 B 10
Negrón *VI* .... 61 L 25
Negrón (Túnel de) *LE* ...... 15 D 12
Negueira de Muñiz *LU* ...... 4 C 9
Neguillas *SG* .... 33 H 22
Neila *BU* .... 32 F 21
Neila (Sierra de) .... 32 F 20
Neila de San Miguel *AV* ... 43 K 13
Neira *LU* .... 4 D 8
Neiro *LU* .... 4 C 8
Nela .... 18 D 19
Nembro *O* .... 5 B 12
Nemeño *C* .... 2 C 3
Nemiña *C* .... 2 C 2
Nepas *SO* .... 33 H 22
Nerín *HU* .... 22 E 30
Nerja *MA* .... 101 V 18
Nerja (Cueva de) *MA* ...... 101 V 18
Nerpio *AB* .... 84 R 23
Nerva *H* .... 79 S 10
Nerva (Embalse de) .... 79 S 10
Nervión .... 8 C 21
Nespereira *LU* .... 13 D 6
Nestar *P* .... 17 D 17
Nestares *LO* .... 19 F 22
Neulos (Pic) *GE* .... 25 E 38
Nevada (Sierra) .... 94 U 19
Neves (As) *PO* .... 13 F 4
Neves (As) *C* .... 3 B 6
Nevosa (Alto de) .... 27 G 5
Niajo .... 6 C 14
Nicho (Ermita del) *J* .... 83 S 20
Nicova (Rivera de la) ...... 90 T 9
Niebla *H* .... 91 T 9
Niefla (Puerto de) *CR* ...... 69 Q 16
Nietos (Los) *MU* .... 85 T 27
Nieva *SG* .... 45 I 16
Nieva de Cameros *LO* ...... 19 F 21
Nieve (Pozo de la) *AL* ...... 95 U 22
Nieves .... 3 B 5
Nieves *CU* .... 60 L 24
Nieves (Embalse de las) *Lanzarote GC* ... 123 E 3
Nieves (Las) *TO* .... 58 M 18
Nieves (Las) *SE* .... 79 T 11
Nieves (Pozo de las) *Gran Canaria GC* ... 117 E 3
Nigoi *PO* .... 13 E 4
Nigrán *PO* .... 12 F 3
Nigüelas *GR* .... 101 V 19
Nigüella *Z* .... 34 H 25
Niharra *AV* .... 44 K 15
Níjar *AL* .... 103 V 23
Níjar (Campo de) *AL* ...... 103 V 23
Niño (El) *MU* .... 85 R 25
Niño (Sierra del) .... 99 X 13
Niñodaguia *OR* .... 13 F 7
Niñons .... 2 C 3
Nistal *LE* .... 15 E 11
Niveiro *C* .... 2 C 4
Noáin *NA* .... 11 D 25

Noalejo *J* .... 94 T 19
Noalla *PO* .... 12 E 3
Noarre *L* .... 23 D 33
Nobeda *CU* .... 60 L 23
Nobla (Sierra) .... 20 E 27
Noblejas *TO* .... 59 M 19
Noceco cerca de Espinosa de los M. *BU* 8 C 19
Noceda cerca de Castrillo de Cabrera *LE*. 15 E 10
Noceda *LU* .... 14 D 8
Noceda del Bierzo cerca de Toreno *LE*...... 15 D 10
Nocedo cerca de Sedano *BU* ..... 18 D 18
Nocedo de Curueño *LE*... 16 D 13
Nocedo do Val *OR* .... 28 F 7
Noche *LU* .... 3 C 6
Nocito *HU* .... 21 F 29
Nódalo *SO* .... 33 G 21
Nodar *LU* .... 3 C 6
Noez *TO* .... 58 M 17
Nofuentes *BU* .... 18 D 19
Nogais (As) *LU* .... 14 D 8
Nogal de las Huertas *P* ... 17 E 16
Nogales *P* .... 17 D 17
Nogales *MA* .... 100 V 16
Nogales *BA* .... 67 Q 9
Nogales (Embalse de) *BA*. 67 Q 9
Nogales (Los) *TO* .... 57 L 16
Nogales (Rivera de) .... 67 Q 9
Nogalte (Rambla de) *MU*.. 96 T 24
Nogar *LE* .... 15 F 10
Nogarejas *LE* .... 15 F 11
Nograles *SO* .... 32 H 21
Nograro *VI* .... 18 D 20
Nogueira *LU* .... 13 E 6
Nogueira *OR* .... 13 E 5
Nogueira *PO* .... 12 E 3
Nogueira de Ramuín *OR*.. 13 E 6
Noguera *TE* .... 48 K 25
Noguera de Cardós (La) (Riu) ... 23 E 33
Noguera de Tort (La) (Riu) *L*... 22 E 32
Noguera Pallaresa (La) (Riu) ... 23 D 33
Noguera Pallaresa (Vall de la) *L* ... 23 E 33
Noguera Ribagorçana (Vall del) *HU* ... 22 E 32
Nogueras *TE* .... 48 I 26
Nogueras (Las) *V* .... 61 N 26
Noguero *HU* .... 22 F 31
Noguerones (Los) *J* .... 82 T 17
Noguerol (La) *LU* .... 61 L 25
Nogueruelas *TE* .... 62 L 28
Nogueruelas (Sierra de) .. 62 L 28
Nohales *TO* .... 58 M 17
Noharre *AV* .... 44 J 15
Noia *C* .... 12 D 3
Noicela *C* .... 2 C 4
Nois *LU* .... 4 B 8
Noja .... 8 B 19
Nolay *SO* .... 33 H 22
Nombela *TO* .... 57 L 16
Nombrevilla *Z* .... 48 I 25
Nomparedes *SO* .... 33 H 23
Nonaspe *Z* .... 36 I 30
Nonó (Cap) .... 87 O 33
Nora *BA* .... 78 R 9
Nora (La) *LE* .... 15 F 12
Noreña *O* .... 5 B 12
Norfeu (Cap de) *GE* .... 25 F 39
Norias (Embalse de las) ... 19 E 22
Norias (Las) cerca de Huércal Overa *AL*... 96 T 24
Norias (Las) *CR* .... 70 Q 19
Norias de Daza (Las) cerca de Almerimar *AL* 102 V 21
Noriega *O* .... 7 B 16
Noris *L* .... 23 E 34
Norte (Punta) *El Hierro TF* ... 109 D 1
Nostra Senyora de Bellmunt *B* ... 24 F 36
Nostra Senyora de la Misericordia *B*... 38 H 37
Nostra Senyora de la Salut *GE* ... 24 F 37
Nostra Senyora de Lluc (Monestir de) *PM* ... 104 M 38
Nostra Senyora de Queralt *B* ... 24 E 35
Nostra Senyora del Far *GE* 24 F 37

Nostra Senyora del Gresolet .... 23 F 35
Nostra Senyora del Mont *GE* .... 24 F 38
Nostra Senyora dels Àngels *GE* ... 25 G 38
Notáez *GR* .... 102 V 20
Nou (La) *B* .... 24 F 35
Nou de Gaià (La) *T*......... 37 I 34
Novales *HU* .... 21 F 29
Novales *S* .... 7 B 17
Nováliches *CS* .... 62 M 28
Novallas *Z* .... 34 G 24
Novela *A* .... 85 Q 27
Novelda del Guadiana *BA*. 67 P 9
Novelda *Z* .... 20 E 26
Novellana *O* .... 5 B 11
Novés *HU* .... 21 E 28
Novés *TO* .... 58 L 17
Noves de Segre *L* .... 23 F 34
Noviales *SO* .... 32 H 20
Noviercas *SO* .... 33 G 23
Novillas *Z* .... 34 G 25
Novo Sancti Petri .... 98 W 11
Noya (Riera de) .... 37 G 34
Nuarbe *SS* .... 10 C 23
Nubledo *O* .... 5 B 12
Nublo (Roque) *Gran Canaria GC* ... 116 D 3
Nucia (La) *A* .... 74 Q 29
Nueno *HU* .... 21 F 28
Nueros *TE* .... 48 J 26
Nuestra Santa Fátima (Ermita de) *BA* ... 80 Q 13
Nuestra Señora del Castillo (Ermita de) *SA* ... 43 I 11
Nuestra Señora de Alarcos *CR* ... 70 P 17
Nuestra Señora de Altagracia (Ermita de) *BA* ... 69 P 14
Nuestra Señora de Angosto *VI* ... 18 D 20
Nuestra Señora de Araceli *CO* ... 93 T 16
Nuestra Señora de Aranz (Ermita de) *GU* 47 J 22
Nuestra Señora de Argavanzal (Embalse) 29 G 11
Nuestra Señora de Arnotegui *NA*... 10 D 24
Nuestra Señora de Bella *H* ... 90 U 8
Nuestra Señora de Chilla (Santuario de) *AV* ... 56 L 14
Nuestra Señora de Codés *NA* ... 19 E 22
Nuestra Señora de Cortés (Santuario) *AB* ... 72 P 22
Nuestra Señora de Escardiel (Ermita) *SE* ... 79 S 11
Nuestra Señora de Fuensanta *MA* ... 100 W 15
Nuestra Señora de Gádor *AL* ... 102 V 21
Nuestra Señora de Garón (Ermita de) *P* ... 31 G 17
Nuestra Señora de Gracia *BA* ... 78 R 9
Nuestra Señora de Gràcia (Ermita de) *CS* ... 62 M 29
Nuestra Señora de Guadalupe *SS* ... 10 B 24
Nuestra Señora de Guadalupe (Ermita de) *La Gomera TF* 119 E 2
Nuestra Señora de Guadalupe (Ermita de) *CR* ... 69 O 16
Nuestra Señora de Hontanares (Ermita de) *SG* ... 32 I 19
Nuestra Señora de la Antigua (Ermita de) *BA* ... 68 P 12
Nuestra Señora de la Antigua (Santuario de) *CR*... 71 P 20
Nuestra Señora de la Anunciada *VA*... 30 G 14
Nuestra Señora de la Bienvenida *GU* ... 47 K 22
Nuestra Señora de la Cabeza *GU* ... 48 J 24
Nuestra Señora de la Carrasca .... 71 P 21
Nuestra Señora de la Carrasca (Ermita) *TE* ... 48 J 25
Nuestra Señora de la Consolación *SE* ... 92 U 12
Nuestra Señora de la Esperanza *MU* ...... 84 R 24

Nuestra Señora
de la Estrella *J* .... **82** R 19
Nuestra Señora
de la Fuensanta *CO* .... **81** S 15
Nuestra Señora
de la Fuensanta *J* .... **83** R 21
Nuestra Señora
de la Hoz *GU* ...... **47** J 23
Nuestra Señora de la Luz
(Ermita de) *CC* .... **55** N 10
Nuestra Señora de la Luz
(Santuario de) *CA* .... **99** X 13
Nuestra Señora de la Misericordia
(Santuario de) *Z* .... **34** G 25
Nuestra Señora de la Peña
(Ermita de) *CC* .... **55** L 9
Nuestra Señora
de la Peña (Ermita de)
Fuerteventura GC .... **110** F 3
Nuestra Señora de la Rosa
(Ermita de) *TE* .... **49** J 27
Nuestra Señora de la Sierra
(Ermita de) *CA* .... **93** T 16
Nuestra Señora
de la Soledad *H* .... **90** U 9
Nuestra Señora de las Fuentes
(Monasterio de) .... **35** G 29
Nuestra Señora
de las Nieves *BU* .... **8** C 19
Nuestra Señora
de las Nieves *La Palma TF*131
D 4
Nuestra Señora
de las Nieves *CR* .... **70** P 19
Nuestra Señora
de las Nieves *NA* .... **11** C 26
Nuestra Señora de las Nieves
(Refugio de) .... **56** L 13
Nuestra Señora
de las Viñas *BU* .... **18** F 19
Nuestra Señora
de las Viñas *Z* .... **34** H 26
Nuestra Señora de Lebeña *S7* C 16
Nuestra Señora
de Linares *CO* .... **81** S 15
Nuestra Señora
de los Ángeles *H* .... **79** S 9
Nuestra Señora
de los Desamparados *CU*47 K 21
Nuestra Señora de los Hilos
(Ermita de) *CC* .... **55** M 9
Nuestra Señora de los Reyes
(Ermita) *El Hierro TF*.... **108** B 3
Nuestra Señora
de Melque *TO* .... **57** M 16
Nuestra Señora de Monlora
(Santuario de) *Z* .... **21** F 27
Nuestra Señora de Oca *BU*18 E 20
Nuestra Señora
de Piedras Albas *H* .... **90** T 8
Nuestra Señora
de Pineta *HU* .... **22** D 30
Nuestra Señora
de Regla *CA* .... **91** V 10
Nuestra Señora de Setefilla *SE* **80**
S 13
Nuestra Señora de Sonsoles
(Ermita) .... **45** K 16
Nuestra Señora de Valvanera
(Monasterio) *LO* .... **18** F 21
Nuestra Señora de Vico
(Monasterio de) *LO* .... **19** F 23
Nuestra Señora
de Zuqueca *CR* .... **70** P 18
Nuestra Señora
del Campo (Ermita de) *TE*48 J 26
Nuestra Señora del Campo
(Ermita de) *CC* .... **55** N 9
Nuestra Señora
del Castillo *BU* .... **17** E 18
Nuestra Señora del Llano *AB*72 O 23
Nuestra Señora del Oro *VI* **19** D 21
Nuestra Señora del Pasico
(Ermita) *MU* .... **85** S 27
Nuestra Señora del Pilar
(Ermita de) .... **73** P 27
Nuestra Señora del Prado
(Ermita de) *H* .... **79** S 10
Nuestra Señora del Puerto *H*79 S 11
Nuestra Señora del Puerto
(Ermita de) *CC* .... **56** L 11
Nuestra Señora
del Pueyo *Z* .... **35** I 27
Nuestra Señora del Puig **105** M 39
Nuestra Señora del Remedio
(Ermita de) *V* .... **61** N 26

Nuestra Señora del Remedio
(Santuario) *V* .... **61** M 27
Nuestra Señora del Tremedal
(Ermita de) *TE* .... **48** K 25
Nuestra Señora
del Yugo *NA* .... **20** F 25
Nuestra Señora dels Àngels
(Ermita de) *CS* .... **50** K 30
Nueva *O* .... **6** B 15
Nueva (La) *O* .... **6** C 12
Nueva Andalucía *MA* .... **100** W 15
Nueva Carteya *CO* .... **93** T 16
Nueva Jarilla *CA* .... **91** V 11
Nueva Villa
de las Torres *VA* .... **30** I 14
Nuévalos *Z* .... **48** I 24
Nuevo (Puerto) .... **42** K 10
Nuevo Baztán *M* .... **46** K 20
Nuevo Chinchón *M* .... **59** L 19
Nuevo Guadiaro *CA* .... **99** X 14
Nuevo Rocío *SE* .... **91** U 11
Nuevo Toboso *M* .... **46** K 18
Nuevos *J* .... **83** Q 21
Nuez *ZA* .... **29** G 10
Nuez de Abajo (La) *BU* .... **17** E 18
Nuez de Arriba (La) *BU* .... **17** E 18
Nuez de Ebro *Z* .... **35** H 27
Nules *CS* .... **62** M 29
Nullán *LU* .... **14** D 8
Nulles *T* .... **37** I 33
Numancia *SO* .... **33** G 22
Numancia de la Sagra *TO*. **58** L 18
Nuño Gómez *TO* .... **57** L 16
Nuñomoral *CC* .... **43** K 11
Núria *GE* .... **24** E 36
Ñora (La) *MU* .... **85** S 26

O

O Burgo *C* .... **3** C 4
Oba *BI* .... **9** C 21
Obando *BA* .... **68** O 13
Obanos *NA* .... **10** D 24
Obarenes (Montes) .... **18** E 20
Obejo *CO* .... **81** R 15
Obispo (Torre del) *J* .... **82** R 19
Obispo Hernandez *J* .... **61** M 26
Oblea *SA* .... **43** J 11
Obón *TE* .... **49** J 27
Obona *O* .... **5** B 10
Obra *C* .... **13** D 4
Obregón *S* .... **7** B 18
Oca .... **18** E 19
Oca (Montes de) *BU* .... **18** E 19
Ocaña *TO* .... **58** M 19
Ocaña *AL* .... **95** U 21
Oceja de Valdellorma *LE*.. **16** D 14
Ocejo de la Peña *LE* .... **16** D 14
Ocejón *GU* .... **46** I 20
Ocentejo *GU* .... **47** J 22
Ocero *LE* .... **14** D 10
Ochagavía *NA* .... **11** D 26
Ochando *SG* .... **45** I 16
Ochavillo del Río *CO* .... **80** S 14
Ochíchar *GR* .... **94** U 18
Ocio *VI* .... **19** E 21
Oco *AV* .... **44** K 15
Ocón *LO* .... **19** F 23
Odèn *L* .... **23** F 34
Odena *B* .... **37** H 34
Oderitz *NA* .... **10** D 24
Odiel (Embalse de) *H* .... **79** S 10
Odiel (Río) .... **79** S 9
Odollo *LE* .... **15** E 10
Odón *TE* .... **48** J 25
Odra .... **17** E 17
Odres (Los) *MU* .... **84** R 23
Odres (Los) (Monte) .... **84** R 23
Odrilla .... **17** E 17
Odrón .... **19** E 23
Oencia *LE* .... **14** E 9
Ogassa *GE* .... **24** F 36
Ogern *L* .... **23** F 34
Ogijares *GR* .... **94** U 19
Ogoño (Cabo) .... **9** B 22
Oguina *VI* .... **19** D 22
Ohanes *AL* .... **95** U 21
Oia *PO* .... **12** F 3
Oiartzun *SS* .... **10** C 24
Oibar / Aibar *NA* .... **20** E 25
Oieregi *NA* .... **11** C 25
Oimbra *OR* .... **28** G 7
Oíns *C* .... **3** D 5
Oirán *LU* .... **4** B 7
Oirás *LU* .... **4** B 7
Ois *C* .... **3** C 5

Oitura *Z* .... **34** G 26
Oitz *NA* .... **11** C 24
Oix *GE* .... **24** F 37
Oja .... **18** E 21
Ojacastro *LO* .... **18** E 20
Ojailén .... **70** Q 18
Ojebar *S* .... **8** C 19
Ojedo .... **7** C 16
Ojén *MA* .... **100** W 15
Ojén (Puerto de) *CA*... **99** X 13
Ojén (Puerto de) *MA*.. **100** W 15
Ojén (Sierra de) .... **99** X 13
Ojete (Sierra de) .... **94** U 17
Ojo Guareña *BU* .... **8** C 19
Ojós *MU* .... **85** R 25
Ojos-Albos *AV* .... **45** J 16
Ojos de Cabra (Laguna de) **91** U 11
Ojos de Moya (Los) .... **61** M 25
Ojos Negros *TE* .... **48** J 25
Ojuel *SO* .... **33** G 23
Ojuelos *CO* .... **80** R 13
Ojuelos (Laguna de los) . **92** U 14
Ojuelos (Los) *SE* .... **92** U 14
Okondo *BI* .... **8** C 20
Ola *HU* .... **21** F 29
Olaberri *NA* .... **11** D 25
Olaberria *SS* .... **10** C 23
Olaeta *VI* .... **10** C 22
Olagato .... **11** D 26
Olague *NA* .... **11** D 25
Olàibar .... **11** D 25
Oláiz *NA* .... **11** D 25
Olalla *TE* .... **48** J 26
Olas (Punta de las) *C*..... **2** C 4
Olatz *SS* .... **10** C 22
Olave *NA* .... **11** D 25
Olaz (Puerto) *NA* .... **20** E 25
Olazagutía / Olazti *NA*...... **19** D 23
Olazti / Olazagutía *NA*...... **19** D 23
Olba *TE* .... **62** L 28
Olcoz *NA* .... **20** E 24
Olea *S* .... **17** D 17
Olea de Boedo *P* .... **17** E 16

Oleiros *cerca de Ribeira C* **12** E 2
Oleiros *cerca de Sada C* ...**3** B 5
Oleiros *LU* ....**3** C 7
Olejua *NA* .... **19** E 23
Olelas *OR* .... **27** G 5
Olèrdola .... **37** I 35
Olesa de Bonesvalls *B*.... **38** H 35
Olesa de Montserrat *B*.... **38** H 35
Oliana *L* .... **23** F 33
Oliana (Pantà d') *L* .... **23** F 34
Olías .... **100** V 17
Olías del Rey *TO* .... **58** M 18
Oliete *TE* .... **49** J 27
Oliola *L* .... **37** G 33
Olite *NA* .... **20** E 25
Olius *L* .... **23** F 34
Oliva *V* .... **74** P 29
Oliva (Ermita de la) *CA*.. **99** X 12
Oliva (La)
Fuerteventura GC .... **111** H 2
Oliva (Monasterio de la) *NA*20 E 25
Oliva (Sierra de) .... **73** P 26
Oliva de la Frontera *BA*..... **78** R 9
Oliva de Mérida *BA* .... **67** P 11
Oliva de Plasencia *CC* ..... **56** L 11
Olivàn *NA* .... **11** D 25
Olivar (Convento del) *TE*.. **49** J 28
Olivar (El) *LO* .... **19** E 23
Olivar (El) *GU* .... **47** K 21
Olivares *SE* .... **91** T 11
Olivares (Los) *GR* .... **94** T 18
Olivares de Duero *VA*...... **31** H 16
Olivares de Júcar *CU* .... **60** M 22
Oliveira *PO* .... **12** F 4
Olivella *B* .... **38** I 35
Olivenza *BA* .... **66** P 8
Olivenza (Rio de) .... **67** Q 9
Olives *PO* .... **13** D 4
Olivillo (El) *CA* .... **91** V 11
Olivos *NA* .... **20** F 24
Olla (L') *A* .... **74** Q 29
Ollauri *LO* .... **19** E 21
Olleria (L') *V* .... **74** P 28

Olleria (Port de l') .... **74** P 28
Olleros *LE* .... **16** D 14
Olleros (Ullíbarri de los) *VI* **19** D 22
Olleros de Alba *LE* .... **15** D 12
Olleros de Paredes Rubias *P*17 D 17
Olleros de Pisuerga *P* ...... **17** D 17
Olleros de Tera *ZA* .... **29** G 11
Olleta *NA* .... **20** E 25
Ollo *NA* .... **10** D 24
Olloniego *O* .... **5** C 12
Olmeda (La) *SO* .... **32** H 20
Olmeda (La) *CU* .... **61** M 26
Olmeda
de Jadraque (La) *GU*... **47** I 21
Olmeda de la Cuesta *CU* .. **60** L 22
Olmeda de las Fuentes *M*. **46** K 20
Olmeda del Extremo *GU* .. **47** J 21
Olmeda del Rey *CU* .... **60** M 23
Olmedilla de Alarcón *CU*.. **60** N 23
Olmedilla del Campo *CU*.. **59** L 21
Olmedillas *GU* .... **47** I 22
Olmedillas (Las) *V* .... **61** M 26
Olmedillo de Roa *BU*...... **31** G 18
Olmedo *SO* .... **32** H 20
Olmedo de Camaces *SA*.. **42** J 10
Olmedo de Castro *ZA* .... **29** G 12
Olmillos de Muñó *BU*...... **17** F 18
Olmillos de Sasamón *BU*.. **17** E 17
Olmillos de Valverde *ZA*... **29** G 12
Olmo (El) *SG* .... **32** I 19
Olmos (Los) *TE* .... **49** J 28
Olmos de Esgueva *VA* ..... **31** G 16
Olmos de la Picaza *BU*.... **17** E 18
Olmos de Ojeda *P* .... **17** D 16
Olmos de Peñafiel *VA*...... **31** H 17
Olmos de Pisuerga *P* ...... **17** E 17
Oló (Riera d') .... **38** G 36
Olocau *V* .... **62** M 28
Olocau (Barranco de) *V*... **62** N 28

Olocau del Rey *CS*........... **49** K 28
Olombrada *SG* .... **31** H 17
Olóriz *NA* .... **20** E 25
Olost *B* .... **38** G 36
Olot *GE* .... **24** F 37
Olp *L* .... **23** E 33
Olsón *HU* .... **22** F 30
Oluges (Les) *L* .... **37** G 33
Olula de Castro *AL* .... **95** U 22
Olula del Río *AL* .... **96** T 23
Olvan *B* .... **24** F 35
Olveda *LU* .... **13** D 6
Ólvega *SO* .... **33** G 24
Olveira *C* .... **12** E 2
Olveiroa *C* .... **2** D 2
Olvena *HU* .... **22** F 30
Olvera *CA* .... **92** V 14
Olvera (Embalse de) .... **83** R 20
Olvés *Z* .... **34** I 25
Olza *NA* .... **10** D 24
Olzinelles *B* .... **38** H 37
Omañas .... **15** D 11
Omañas (Embalse de) *LE*. **15** D 12
Omañas (Las) *LE* .... **15** D 12
Omañón *LE* .... **15** D 11
Ombreiro *LU* .... **3** C 7
Omecillo .... **18** D 20
Omellons (Els) *L* .... **37** H 32
Omells de Na Gaia (Els) *L* **37** H 33
Omeñaca *SO* .... **33** G 23
Onamio *LE* .... **15** E 10
Oncala *SO* .... **33** G 23
Oncala (Puerto de) *SO*.... **33** G 23
Oncebreros *AB* .... **73** P 25
Onceta (Isla de) *PO* .... **12** E 3
Onda *CS* .... **62** M 29
Ondara *A* .... **74** P 30
Ondara (Riu d') *L* .... **37** H 33
Ondarroa *BI* .... **10** C 22
Ondes .... **5** C 11
Ongoz *NA* .... **11** D 26
Onil *A* .... **74** Q 27
Onís *O* .... **6** B 15

OVIEDO

Adelantado de la Florida ...... **BY** 2
Alcalde G. Conde .... **BY** 3
Alfonso II (Pl.) .... **BZ** 4
Antiguo Hospital del Principado **AY**
Argüelles .... **ABY** 5
Arzobispo Guisasola .... **BZ** 6
Cabo Noval .... **AZ** 7
Campo de los Patos (Pl.) ..... **BY** 8
Canóniga .... **BZ** 9
Cimadevilla .... **BZ** 10
Constitución (Pl. de la) ...... **BZ** 12

Covadonga .... **AY** 13
Daoiz y Velarde (Pl. de) ...... **BZ** 14
División Azul .... **AZ** 15
Fruela .... **ABZ** 17
Ingeniero Marquina .... **AY** 18
Marqués de Gastañaga .... **BZ** 20
Marqués de Santa Cruz ...... **AZ** 21
Martínez Marina .... **ABZ** 22
Martínez Vigil .... **BY** 23
Melquíades Álvarez .... **AY** 25
Monumentos (Av. de los) ..... **AY** 27
Museo de Bellas Artes
de Asturias .... **BZ**
Padre Vinjoy .... **AZ** 28

Palacio Valdés .... **AY** 29
Pelayo .... **AYZ** 30
Pérez de la Sala .... **AZ** 31
Porlier (Pl. de) .... **BZ** 32
Postigo Alto .... **BZ** 33
Riego (Pl.) .... **BZ** 34
San Antonio .... **BZ** 36
San Francisco .... **ABZ** 37
San José .... **BZ** 38
San Vicente .... **BYZ** 39
Tenderina (La) .... **BY** 42
Teniente Alfonso
Martínez .... **BY** 44
Uría 45

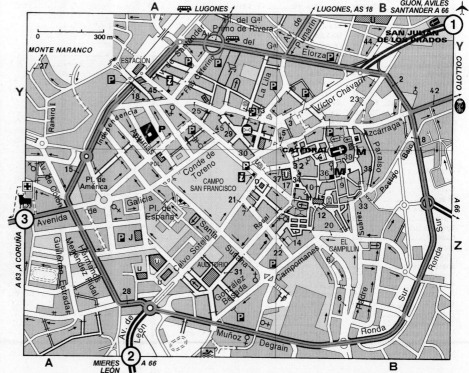

Onón O................. 5 C 10
Ons PO................. 12 E 3
Ons (Isla de) PO...... 12 E 3
Onsares J............. 83 Q 22
Onsella............... 21 E 27
Ontalafía (Laguna de) AB. 72 P 24
Ontalafía (Sierra de) AB. 72 P 24
Ontalvilla de Almazán SO.. 33 H 22
Ontaneda S............ 7 C 18
Ontano (El) TO........ 70 O 18
Ontígola TO........... 58 L 19
Ontinyent V........... 74 P 28
Ontiñena HU........... 36 G 30
Onton S............... 8 B 20
Ontur AB.............. 73 Q 25
Onza SE............... 80 R 13
Onzonilla LE.......... 16 E 13
Oña BU................ 18 D 19
Oña (Sierra de) BU.... 18 D 19
Oñati SS.............. 10 C 22
Opacua VI............. 19 D 22
Opacua (Puerto de) VI. 19 D 23
Oqueales GR........... 95 T 20
Oquillas BU........... 32 G 18
Orallo LE............. 15 D 10
Oraque H.............. 90 T 9
Orba A................ 74 P 29
Orba (Sierra de)...... 20 E 27
Orbada (La) SA........ 44 I 13
Orbaitzeta NA......... 11 D 26
Orbaneja del Castillo BU. 18 D 18
Orbaneja-Ríopico BU... 18 E 18
Órbara NA............. 11 D 26
Órbigo CL............. 15 F 12
Orbiso VI............. 19 D 23
Orbita AV............. 45 I 16
Orcajo Z.............. 48 I 25
Orcau L............... 23 F 32
Orce GR............... 83 S 22
Orce (Sierra de)...... 83 S 22
Orcera J.............. 83 R 22
Orchilla (Punta de)
  El Hierro TF........ 108 B 3
Ordal B............... 38 H 35
Ordaliego O........... 6 C 13
Ordejón de Arriba BU.. 17 E 17
Orden (Pozo de la) J.. 82 S 17
Ordes C............... 3 C 4
Ordes (Les) T......... 37 H 34
Ordesa (Valle de) HU.. 21 E 29
Ordesa y Monte Perdido
  (Parque nacional de) HU 22 D 29
Ordial (El) GU........ 46 I 20
Ordis GE.............. 25 F 38
Ordizia SS............ 10 C 23
Ordoeste C............ 2 D 3
Orduña BI............. 18 D 20
Orduña (Monte) GR..... 94 U 19
Orduña (Puerto de) BU. 18 D 20
Orea GU............... 48 K 24
Oreja TO.............. 58 L 19
Orejana SG............ 46 I 18
Orejanilla SG......... 45 I 18
Orellán LE............ 14 E 9
Orellana (Canal de)... 68 O 12
Orellana (Embalse de) BA 68 P 13
Orellana de la Sierra BA. 68 O 13
Orellana la Vieja BA.. 68 O 13
Oreña S............... 7 B 17
Orera Z............... 34 I 25
Orés Z................ 20 F 27
Orexa SS.............. 10 C 24
Orfes GE.............. 25 F 38
Órganos (Los)
  La Gomera TF........ 118 B 1
Órganos de Montoro TE. 49 J 28
Organyà L............. 23 F 33
Orgaz TO.............. 58 N 18
Orgiva GR............. 102 V 19
Orhi.................. 11 D 26
Oria AL............... 96 T 23
Oria (Rambla de) AL... 96 T 22
Oria (Río) SS......... 19 D 23
Oria (Sierra de) AL... 96 T 23
Oricáin NA............ 11 D 25
Oriche (Sierra de).... 48 I 26
Orient PM............. 104 M 38
Orihuela A............ 85 R 27
Orihuela (Puerto)..... 48 K 25
Orihuela del Tremedal TE. 48 K 25
Orillares SO.......... 32 G 20
Orille OR............. 13 F 6
Orillena HU........... 35 G 29

Oriñón S.............. 8 B 20
Orio SS............... 10 C 23
Orís B................ 24 F 36
Orísoain NA........... 20 E 25
Oristà B.............. 38 G 36
Orito A............... 86 Q 27
Orjal C............... 3 D 5
Orlé O................ 6 C 14
Ormaiztegi SS......... 10 C 23
Ormijana VI........... 18 D 21
Orna de Gállego HU.... 21 E 28
Orniz (Peña).......... 5 C 11
Oro................... 4 C 9
Oro (El) V............ 73 O 27
Oro (Sierra del) MU... 85 R 25
Oro (Sierra del) BA... 68 Q 13
Oroel HU.............. 21 E 28
Oroel (Puerto de) HU.. 21 E 28
Oronoz-Mugairi NA..... 11 C 25
Orón BU............... 18 D 21
Oronz NA.............. 11 D 26
Oropesa TO............ 57 M 14
Oropesa del Mar /
  Orpesa CS........... 62 L 30
Ororbia NA............ 10 D 24
Oros HU............... 21 E 29
Orosa LU.............. 13 D 6
Oroso OR.............. 13 E 5
Orotava (La) Tenerife TF. 127 F 3
Orotava (Valle de la)
  Tenerife TF......... 127 F 3
Oroz-Betelu NA........ 11 D 26
Orozketa BI........... 9 C 21
Orpesa /
  Oropesa del Mar CS.. 62 L 30
Orpí B................ 37 H 34
Orreaga / Roncesvalles NA 11 C 26
Orriols GE............ 25 F 38
Orrios TE............. 49 K 27
Òrrius B.............. 38 H 37
Ortedó L.............. 23 E 34
Ortegal (Cabo) C...... 3 A 6
Ortegas (Los) CO...... 80 S 14
Ortegicar MA.......... 100 V 15
Ortiga BA............. 68 P 12
Ortigosa LO........... 19 F 21
Ortigosa AB........... 71 P 21
Ortigosa de Pestaño SG. 45 I 16
Ortigosa de Rioalmar AV. 44 J 14
Ortigosa del Monte SG. 45 J 17
Ortigueira A.......... 3 A 6
Ortiguera O........... 4 B 9
Ortilla HU............ 21 F 28
Ortuella BI........... 8 C 20
Orús HU............... 21 E 29
Orusco de Tajuña M.... 59 L 20
Orxa (L') A........... 74 P 29
Orxeta A.............. 74 Q 29
Orzanzurieta NA....... 11 C 26
Orzola Lanzarote GC... 121 F 2
Orzonaga LE........... 16 D 13
Os de Balaguer L...... 36 G 32
Os de Civis L......... 23 E 34
Osa (Sierra de la).... 69 P 15
Osa de la Vega CU..... 59 N 21
Osácar NA............. 11 D 25
Oscuro GR............. 94 T 19
Oseja Z............... 34 H 24
Oseja de Sajambre LE.. 6 C 14
Oselle LU............. 14 D 8
Osera Z............... 35 H 28
Oset V................ 61 M 27
Osia NA............... 11 D 25
Osinaga NA............ 10 D 24
Osma VI............... 18 D 20
Osma SO............... 33 H 21
Osonilla SO........... 33 H 21
Osor GE............... 24 G 37
Osor (Riera d')....... 38 G 37
Osornillo P........... 17 E 17
Osorno la Mayor P..... 17 E 16
Ossa de Montiel AB.... 71 P 21
Ossero (El) AB........ 71 P 21
Osso L................ 36 G 30
Ossó de Sió L......... 37 G 33
Ostiz NA.............. 11 D 25
Osuna SE.............. 92 U 14
Otano NA.............. 11 D 25
Otañes S.............. 8 C 20
Otatza VI............. 19 D 22
Oteiza NA............. 19 E 24
Oteo BU............... 18 C 20

Oter GU............... 47 J 22
Oterico LE............ 15 D 12
Otero LE.............. 15 E 11
Otero LU.............. 4 C 7
Otero TO.............. 57 L 16
Otero (El) VA......... 31 H 16
Otero de Bodas ZA..... 29 G 11
Otero de Guardo P..... 16 D 15
Otero de Herreros SG.. 45 J 17
Otero de las Dueñas LE. 15 D 12
Otero de Naragantes LE. 15 D 10
Otero de Sanabria ZA.. 29 F 10
Otero de Sariegos ZA.. 30 G 13
Otilla AB............. 48 J 24
Otiñano NA............ 19 E 23
Otita Leitzaran SS.... 10 C 24
Otívar GR............. 101 V 18
Oto HU................ 21 E 29
Oto Goien VI.......... 19 D 21
Otones de Benjumez SG. 45 I 17
Otos MU............... 84 R 23
Otos V................ 74 P 28
Otur O................ 5 B 10
Otura GR.............. 94 U 19

Oturia HU............. 21 E 29
Otxandio BI........... 10 C 22
Otxaran BI............ 8 C 20
Otxondo (Puerto de) NA. 11 C 25
Oubiña PO............. 12 E 3
Oulego OR............. 14 E 9
Oural LU.............. 14 D 7
Ourense OR............ 13 E 6
Ouría O............... 4 B 8
Ouro LU............... 4 B 7
Ourol LU.............. 3 B 7
Outara LU............. 14 E 7
Outeiro LU............ 14 E 8
Outeiro OR............ 13 E 6
Outeiro de Augas
  (Puerto de) OR...... 13 F 5
Outeiro de Rei LU..... 3 C 7
Outeiro Mayor......... 4 C 7
Outes C............... 12 D 3
Outomuro OR........... 13 F 5
Ouviaño LU............ 4 C 9
Ouzande PO............ 13 D 4
Ovanes O.............. 5 B 11
Ove A................. 4 B 8
Oviedo O.............. 5 B 12
Oville LE............. 16 D 13
Oyón VI............... 19 E 22

P

Oza cerca de Carballo C.. 2 C 3
Oza cerca de Teo C.... 12 D 4
Oza dos Ríos C........ 3 C 5
Ozaeta VI............. 19 D 22
Ozón C................ 2 C 2
Ozuela LE............. 14 E 10

Paca (La) MU.......... 84 S 24
Pachecas (Las) CR..... 71 O 20
Pacios cerca de
  Baamonde LU......... 3 C 6
Pacios cerca de
  Castro de Rei LU.... 4 C 7
Pacios Paradella LU... 14 D 7
Pacs del Penedès B.... 37 H 35
Padastro MA........... 93 V 14
Paderne C............. 3 C 5
Paderne de Allariz OR. 13 F 6
Padiernos AV.......... 44 K 15
Padilla de Abajo BU... 17 E 17
Padilla de Arriba BU.. 17 E 17
Padilla de Duero VA... 31 H 17
Padilla de Hita GU.... 46 J 21
Padilla del Ducado GU. 47 J 22
Padornelo ZA.......... 28 F 9
Padrastro AB.......... 72 Q 23

Padre Caro H.......... 79 S 10
Padrenda OR........... 13 F 5
Padrón C.............. 12 D 4
Padrón (O) LU......... 4 C 8
Padrón (Sierra del)... 14 D 9
Padrona (Puerto) SE... 79 S 11
Padrones de Bureba BU. 18 D 19
Padróns PO............ 12 F 4
Padul GR.............. 94 U 19
Padules AL............ 102 V 21
Pagán (Lo) MU......... 85 S 27
Paganes (Los) MU...... 85 S 26
Páganos VI............ 19 E 22
Pago del Humo CA...... 98 W 11
Pagoaga SS............ 10 C 24
Pagoeta SS............ 10 C 23
Paja (La) GR.......... 83 S 21
Pajanosas (Las) SE.... 91 T 11
Pajar de Marta AB..... 71 P 22
Pájara Fuerteventura GC 113 F 3
Pajarejos............. 2 D 2
Pajarejos SG.......... 32 H 19
Pajares VA............ 30 F 14
Pajares............... 5 C 12
Pajares CU............ 60 L 23
Pajares GU............ 47 J 21
Pajares (Embalse de).. 33 F 22

PALENCIA

Antigua Florida (Av. de la)..... AY 2
Asturias (Av. de)............... AY 3
Barrio y Mier................... AY 4
Cardenal Almaraz................ AZ 5
Cervantes (Pl.)................. AY 8
La Cestilla..................... AZ 23

Eduardo Dato.................... AY 14
Gil de Fuentes................. AZ 17
Ignacio Martínez
  de Azcoitia.................. BY 20
Jorge Manrrique................ AY 21
Juan de Castilla............... AY 22
Mayor.......................... AYZ
Mayor (Pl.).................... AY 24
Mayor (Puente)................. AZ 25

Menéndez Pelayo................ AY 26
Padre Faustino Calvo
  (Pas. del).................. AZ 28
Salvino Sierra................. AY 32
Santander (Av. de)............. ABY 38
Santo Domingo de Guzmán........ AY 40
San Francisco (Pl.)............ BZ 6
San Juan de Dios............... BZ 33
San Marcos..................... AZ 34

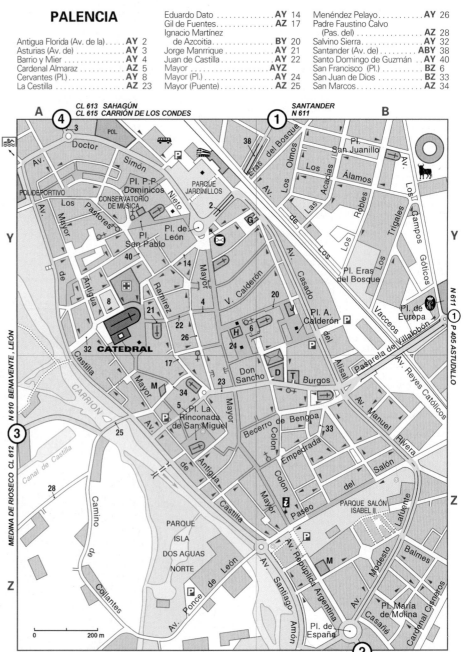

Pajares (Los) *SE* .... **80** T 12
Pajares (Puerto de) *LE*..... **5** D 12
Pajares de Adaja *AV*....... **45** J 16
Pajares de Fresno *SG*...... **32** H 19
Pajares de Hinojosos
de Abajo *TO*............. **57** M 14
Pajares de la Laguna *SA*.. **44** I 13
Pajares
de la Lampreana *ZA*.... **29** G 12
Pajares de los Oteros *LE*.. **16** F 13
Pajarete *CA*................... **99** W 12
Pajarón *CU*.................. **60** M 24
Pajarón (Monte) *MU*....... **84** R 23
Pajaroncillo *CU*............. **60** M 24
Pajonales (Morro)
Gran Canaria GC........ **116** D 3
Pal (Coll de) *GE*............ **24** E 37
Pal (Collado de) *B*......... **24** F 35
Palacio de Jamuz *LE*....... **15** F 11
Palacio de las Cabezas *CC***56** M 12
Palacio de Torío *LE*......... **16** D 13
Palacio de Valdellorma *LE* **16** D 14
Palacio Quemado *BA*....... **67** P 10
Palacios (Los) *CR*........... **71** P 20
Palacios de Benaver *BU*... **17** E 18
Palacios de Campos *VA*... **30** G 13
Palacios de Goda *AV*...... **44** I 15
Palacios de la Sierra *BU*.. **32** G 20
Palacios
de la Valduerna *LE*...... **15** E 12

Palacios
de Riopisuerga *BU* ...... **17** E 17
Palacios de Salvatierra *SA* **43** K 12
Palacios de Sanabria *ZA*... **29** F 10
Palacios del Alcor *P*........ **17** F 16
Palacios del Arzobispo *SA* **43** I 12
Palacios del Pan *ZA*....... **29** H 12
Palacios del Sil *LE*......... **15** D 10
Palacios Rubios *AV*......... **44** I 15
Palacios
y Villafranca (Los) *SE*.. **91** U 12
Palacsiorubios *SA*........... **44** I 14
Palafolls *B*..................... **39** G 38
Palafrugell *GE*................ **25** G 39
Palamós *GE*................... **25** G 39
Palancar *CC*.................. **55** M 10
Palancares *CR*................ **71** O 19
Palancares
(Estación de) *CU*........ **60** M 24
Palancia (Embalse de) ...... **62** M 28
Palancia (Riu) .... **61** M 27
Palanques *CS*................ **49** J 29
Palas (Las) *MU*.............. **85** T 26
Palas de Rei *LU*............. **13** D 6
Palau d'Anglesola (El) *L*... **37** H 32
Palau de Noguera *L*........ **23** F 32
Palau-sator *GE*............... **25** F 39
Palau-saverdera *GE*........ **25** F 39
Palau-solità i Plegamans *B***38** H 36

Palazuelo
cerca de Boñar LE...... **16** D 14
Palazuelo *BA*................. **68** O 12
Palazuelo
de las Cuevas *ZA*....... **29** G 11
Palazuelo de Torío
cerca de León LE........ **16** D 13
Palazuelo de Vedija *VA*... **30** G 14
Palazuelo-Empalme
(Estación de) *CC*........ **56** M 11
Palazuelos *GU*............... **47** I 21
Palazuelos de Eresma *SG* **45** J 17
Palazuelos
de la Sierra *BU*.......... **18** F 19
Palazuelos de Muñó *BU*... **17** F 18
Palazuelos
de Villadiego *BU*......... **17** E 17
Paleira *LU*..................... **3** B 6
Palencia *P*..................... **31** F 16
Palencia de Negrilla *SA*... **44** I 13
Palenciana *CO*............... **93** U 16
Palenzuela *P*.................. **31** F 17
Palanques (Els) *T*........... **37** I 33
Pallaresos (Les) *L*.......... **37** G 33
Pallars-Aran (Reserva
nacional de Alto) *L*...... **23** D 32
Pallaruelo (Sierra de) .... **35** G 29
Pallaruelo
de Monegros *HU*........ **35** G 29
Pallejà *B*....................... **38** H 35

Paller *B*........................ **24** F 35
Pallerol *HU*.................... **22** E 32
Pallerols *L*..................... **23** E 33
Palm-Mar *Tenerife TF*..... **128** D 5
Palma *PM*..................... **104** N 37
Palma (Badia de) .... **104** N 37
Palma (La) *MU*............... **85** S 27
Palma d'Ebre (La) *T*....... **36** I 31
Palma de Gandia *V*........ **74** P 29
Palma del Condado (La) *H* **91** U 10
Palma del Río *CO*........... **80** S 14
Pálmaces
(Embalse de) *GU*........ **46** I 21
Pálmaces de Jadraque *GU***46** I 21
Palmanova *PM*............... **104** N 37
Palmanyola *PM*.............. **104** N 37
Palmar (El) *Tenerife TF*... **126** B 3
Palmar (El) *MU*............. **85** S 26
Palmar (El) *V*................ **74** O 29
Palmar (Valle de El)
Tenerife TF................ **126** B 3
Palmar (El) *AB*.............. **71** Q 22
Palmar (El) *CA*.............. **98** X 11
Palmar de Troya (El) *SE*... **92** U 12
Palmar de Arroyos *TE*..... **49** J 27
Palmas de Gran Canaria (Las)
Gran Canaria GC........ **115** G 2
Palmeira *C*.................... **12** E 3
Palmer (es) *PM*.............. **105** N 39
Palmeral (El) *A*.............. **86** R 27
Palmeras (Las)
Mallorca PM.............. **104** N 38

Palmeres (Les) *V*........... **74** O 29
Palmeritas (Las) *H*......... **90** U 8
Palmerola *GE*................ **24** F 36
Palmés *OR*................... **13** E 6
Palmes (Desert de les) *CS***62** L 29
Palmitera (Sierra) .... **100** W 14
Palmitos Park
Gran Canaria GC........ **116** D 4
Palmones *CA*................ **99** X 13
Palmosa (La) .... **99** W 12
Palo *HU*....................... **22** F 30
Palo (El) *MA*................. **100** V 16
Palo (Puerto del) *O*........ **4** C 9
Palo (Punta del)
Gran Canaria GC........ **115** G 2
Palojo *CO*.................... **93** T 16
Palol de Revardit *GE*...... **25** F 38
Paloma (Lagunas de) *TO*... **59** N 20
Paloma (Punta) *CA*........ **99** X 12
Palomar *CO*.................. **93** T 15
Palomar (El) *V*.............. **74** P 28
Palomar (El) *AB*............ **71** Q 22
Palomar (El) *SE*............ **92** T 13
Palomarejos .... **62** L 27
Palomares *AL*................ **96** U 24
Palomares de Alba *SA*.... **44** J 13
Palomares del Campo *CU*. **59** M 22
Palomares del Río *SE*..... **91** U 11
Palomas *BA*.................. **67** P 11

Palomas (Las) *Tenerife TF***129** F 5
Palomas
(Puerto de las) *CA*...... **92** V 13
Palomas (Puerto de las)
Sierra de Cazorla ...... **83** S 21
Palomeque *TO*.............. **58** L 18
Palomera *CU*................. **60** L 23
Palomera (Monte) *V*....... **73** O 26
Palomera (Sierra) *TE*...... **48** K 26
Palomero *CC*................. **55** L 11
Palomes (Puerto de Las) *J***94** T 18
Palomillas .... **68** Q 11
Palomitas (Casas de) *TE*... **49** K 28
Palos de la Frontera *H*.... **90** U 9
Palou de Sanaüja *L*........ **37** G 33
Palou de Torà *L*............. **37** G 34
Pals *GE*....................... **25** G 39
Pámanes *S*................... **8** B 18
Pampaneira *GR*............. **102** V 19
Pampanico *AL*............... **102** V 21
Pampliega *BU*............... **17** F 18
Pamplona *NA*............... **11** D 25
Panadella (La) *B*........... **37** H 34
Pánchez (Los) *CO*......... **80** R 14
Pancorbo *BU*................ **18** E 20
Pancorbo (Sierra de) .... **18** D 20
Pancrudo *TE*................. **49** J 26
Pancrudo (Monte) *LO*..... **18** F 21
Pancrudo (Río) .... **48** J 26

PALMA DE MALLORCA

Almoina (Pl.) .... **GZ** 6
Antoni Maura (Av.) .... **GZ** 12
Antoni Planas i Franch...... **HZ** 13
Apuntadors .... **FZ** 15
Arnau Rossiñol .... **EY** 18
Balanguera .... **FX** 24
Ballester (Travessia) .... **HY** 25

Baro de Pinopar .... **GX** 27
Bayarte .... **EY** 28
Bisbe Berenguer de Palou (Pl.) **GX** 31
Bisbe Campins .... **GX** 33
Born (Pas. des) .... **GY**
Bosseria .... **HY** 34
Cadena .... **GZ** 36
Calatrava .... **HZ** 37
Can Pueyo .... **GY** 40
Can Savellà .... **HZ** 42
Can Serra .... **HZ** 43

Catalunya .... **FY** 46
Cerdanya .... **FX** 48
Conquistador .... **GZ** 50
Constitució .... **GY** 51
Convent dels Caputxins .... **HX** 52
Convent de Santa Magdalena **GY** 55
Convent de Sant Francesc .. **HY** 57
Corderia .... **HY** 57
Drassana (Pl.) .... **FZ** 58
Ducs de Palma de Mallorca
(Rambla dels) .... **GXY** 60

Enric Alzamora .... **HX** 63
Escola Graduada .... **HY** 64
Forn de la Gloria .... **FZ** 69
General Ricardo Ortega ..... **HY** 81
Jaume II .... **GY** 85
Jaume III (Av.) .... **FY**
Joan March (Av.) .... **HX** 91
Josep Maria Quadrado (Pl.) .. **HZ** 94
Josep Tous i Ferrer .... **HY** 95
Llibertat .... **EX** 97
Monsenyor Palmer .... **EZ** 106

Monti-Sion .... **HZ** 108
Palau Reial .... **GZ** 109
Pasqual Ribot .... **FX** 110
Porta de Santa Catalina (Pl.) .. **FX** 112
Portella .... **GZ** 114
Rafael Rodríguez Méndez ... **FX** 117
Ramón Llull .... **HZ** 118
Reina (Pl.) .... **GZ** 120
Rei Joan Carles I (Pl.) ..... **GY** 119
Riera .... **GY** 121
Rodríguez de Arias .... **FX** 123

Rubén Dario .... **FX** 126
Ruiz de Alda .... **FX** 127
Santa Clara .... **HZ** 129
Sant Bartomeu .... **GY** 130
Sant Francesc (Pl.) .... **HZ** 132
Sant Pere Nolasc .... **GZ** 133
Sastre Roig .... **GY** 136
Temple .... **HZ** 141
Teodor Llorente .... **FY** 142
Tous i Maroto .... **GY** 144
Weyler (Pl.) .... **GY** 148

Ayuntamiento................. **GZ H**   Casa Berga.............. **GY J**   Museo del Mallorca............ **GZ M¹**   Museo Diocesano........... **GZ M²**   Palau Solleric .... **GY Z**

LAS PALMAS DE GRAN CANARIA

Alfonso XII . . . . **AU** 2
Ansite (Av.) . . . . **AT** 4
Cornisa (Pas.) . . . . **AT** 12
Doctor Marañón . . . . **AU** 14
Don Benito (Pl. de) . . . . **AU** 17
Fernando Guanarteme . . . . . . **AS** 20

Ingeniero Léon y Castillo
  (Pl.) . . . . **AU** 28
Juan Rejón . . . . **AS** 36
Juan XXIII (Av.) . . . . **AT** 37
Léon y Castillo . . . . **AT** 40
Lugo (Pas. de) . . . . **AT** 44
Luis Correa Medina . . . . **AU** 46
Marítima del Sur (Av.) . . . . . **AU** 52
Mata (Carret. de) . . . . **AU** 53
M. González Martin . . . . **AT** 49
La Naval . . . . **AS**

Ortiz de Zàrate . . . . **AT** 59
Pérez Muñoz . . . . **AS** 63
Pino Apolinario . . . . **AU** 65
Pío XII . . . . **AT** 66
San José (Pas.) . . . . **AU** 76
Secretario Padilla . . . . **AT** 80
Simancas . . . . **AT** 81
Tecen . . . . **AS** 83
Tomás Morales
  (Pas.) . . . . **ATU** 85
Zaragoza . . . . **AU** 90

Paracuellos de la Ribera *Z* 34	H 25	Parque Coimbra *M* 58	L 18
Parada *C* 3	C 4	Parque del Cubillas *GR* 94	U 18
Parada (Monte) *CU* 60	M 24	Parque natural	
Parada de Arriba *SA* 43	J 12	de Cabañeros 58	N 17
Parada de Rubiales *SA* . . 44	I 13	Parque natural	
Parada do Sil *OR* 13	E 7	de la Sierra de Baza . . 95	T 21
Parada dos Montes *LU* . . 14	E 8	Parque natural	
Paradas *SE* 92	U 13	de la Sierra de Castril . . 83	S 21
Paradaseca *LE* 14	D 9	Parque natural	
Paradaseca *OR* 14	F 7	de la Sierra Maria . . . 84	S 23
Paradasolana *LE* 15	E 10	Parque natural	
Paradavella *LU* 4	C 8	de las Sierras de Cazorla,	
Paradela *C* 3	D 6	Segura y las Villas 83	R 21
Paradela *PO* 13	D 4	Parque regional	
Paradela *LE* 13	D 7	del Sureste 46	K 19
Paradilla *LE* 16	E 13	Parque Robledo 45	J 17
Paradilla (La) *M* 45	K 17	Parquelagos *M* 45	K 18
Paradilla de Gordón *LE* . . 15	D 12	Parra *TO* 70	N 19
Paradinas *SG* 45	I 16	Parra (La) *AV* 57	L 14
Paradinas de San Juan *SA* 44	J 14	Parra (La) *AL* 102	V 20
Parador (El) *AL* 102	V 22	Parra (La) *BA* 67	Q 10
Paraisàs *OR* 14	F 8	Parra de las Vegas (La) *CU* 60	M 23
Paraiso (Balneario del) *TE* 61	L 27	Parral (El) *AV* 44	J 15
Paraíso (El) *M* 45	K 17	Parralejo (El) cerca de	
Paraíso Alto *TE* 61	L 27	Casicas del Río Segura *J* 83	R 22
Paraiso Bajo *TE* 61	L 27	Parralejo (El) cerca de	
Paraiso-Barronal *MA* . . 100	W 14	Embalse de Guadalmena 83	Q 21
Parajas *O* 5	C 10	Parralejo Nuevo *CA* 99	W 12
Parajes *LU* 4	C 8	Parras de Castellote	
Paralacuesta *BU* 18	D 19	(Las) *TE* 49	J 29
Paramera (Puerto de la) *AV* 45	K 16	Parras de Martín (Las) *TE* 49	J 27
Paramera (Sierra de la) . . 44	K 15	Parres *O* 6	B 15
Paramios *O* 4	B 8	Parres Arriondas *O* 6	B 14
Páramo *LU* 14	D 7	Parrilla (La) *VA* 31	H 16
Páramo *O* 5	C 11	Parrilla (La) *SE* 79	S 12
Páramo (Monte) *LU* . . . 14	D 7	Parrillas *TO* 57	L 14
Paramo de Boedo *P* . . . 17	E 16	Parrillas (Las) *CU* 60	L 24
Parámo de Masa		Parroquia (La) *MU* 84	S 24
(Puerto de) *BU* 18	E 18	Parròquia d'Hortó (La) *L* . . 23	F 34
Pàramo del Sil *LE* 15	D 10	Parroso (Arroyo del) 80	S 12
Paramos *C* 2	D 3	Parsa *SE* 92	T 13
Paraño (Alto de) *OR* . . . 13	E 5	Partaloa *AL* 96	T 23
Paraños *PO* 13	F 6	Parte de Bureba (La) *BU* . . 18	D 19
Parapanda *GR* 94	U 18	Parte de Sotoscueva (La) *BU* 8	C 18
Parauta *MA* 100	W 14	Partido (Arroyo del) 91	U 10
Paraya (La) *O* 6	C 13	Partidor (El) *MU* 85	R 26
Parbayón *S* 7	B 18	Partidores (Los) *AB* 72	P 23
Parcelas (Las) *CR* 81	Q 16	Partija-Santa Mónica (La) *M* 46	K 19
Parcent *A* 74	P 29	Partovía *OR* 13	E 5
Parchel (Punta del)		Parzán *HU* 22	E 30
Gran Canaria *GC* 116	C 4	Pas 8	C 18
Parchite (Estación de) *MA* 92	V 14	Pasai Donibane *SS* 10	C 24
Parda (Cabeza) *J* 82	R 18	Pasai San Pedro /	
Parda (Sierra) 73	Q 25	Pasajes de San Pedro *SS* 10	C 24
Pardal *AB* 84	Q 23	Pasaia *SS* 10	C 24
Pardavé *LE* 16	D 13	Pasajes de San Pedro /	
Pardellas *LU* 3	C 6	Pasai San Pedro *SS* . . 10	C 24
Pardemarín *PO* 13	D 4	Pasarela *C* 2	C 2
Pardesivil *LE* 16	D 13	Pasariegos *ZA* 29	H 11
Pardilla *BU* 32	H 18	Pasarón de la Vera *CC* . . 56	L 12
Pardines *GE* 24	F 36	Pascualcobo *AV* 44	K 14
Pardo (El) *M* 45	K 18	Pascuales *SG* 45	I 16
Pardo (Embalse de El) *M* . . 45	K 18	Pascuales (Los) *J* 83	Q 21
Pardo (Monte de El) 45	K 18	Paso *Tenerife TF* 125	J 1
Pardornelo (Portilla de) *ZA* 28	F 9	Paso (El) *La Palma TF* . . 132	C 5
Pardos *GU* 48	J 24	Paso Chico (Punta de)	
Pardos (Rambla de los) *AL* 96	T 23	Fuerteventura *GC* . . . 111	G 2
Pardos (Sierra de) 48	I 24	Paso Tenerife *TF* 125	J 1
Pared *AL* 95	U 22	Passanant *T* 37	H 33
Pared (La)		Pasteral (El) *GE* 24	G 37
Fuerteventura *GC* . . . 112	E 4	Pasteral (Pantà del) *GE* . . 24	G 37
Pared (La) *AB* 73	O 26	Pastillos (Sierra de los) *BA* 68	O 14
Paredes *O* 5	B 10	Pastor *C* 3	C 5
Paredes *OR* 14	F 7	Pastor (Monte) *AV* 56	L 13
Paredes *PO* 12	E 4	Pastor (Monumento al) *BU* 18	E 20
Paredes *CU* 59	L 21	Pastores *SA* 42	K 10
Paredes de Buitrago *M* . . 46	I 19	Pastores (Los) *TE* 62	L 28
Paredes de Escalona *TO* . . 57	L 16	Pastores (Los) *CA* 99	X 13
Paredes de Monte *P* . . . 31	G 16	Pastoriza *C* 3	A 6
Paredes de Nava *P* . . . 17	F 15	Pastoriza *LU* 4	C 7
Paredes de Sigüenza *GU* 33	I 21	Pastrana *GU* 46	K 21
Paredesroyas *SO* 33	H 23	Pastrana *MU* 97	T 25
Paredón *LE* 69	O 14	Patriz *Z* 35	H 27
Pareis (Torrent de) 104	M 38	Pata de Mulo *CO* 93	T 15
Pareja *GU* 47	K 22	Pata del Caballo	
Parellades (Les) *T* 50	I 31	(Coto nacional de la) *H* . . 91	T 10
Parets *B* 38	H 36	Paterna *V* 62	N 28
Parga *LU* 3	C 6	Paterna de Rivera *CA* . . 99	W 12
Parga (Río) 3	C 6	Paterna del Campo *H* . . 91	T 10
Parilla (La) *MA* 93	U 16	Paterna del Madera *AB* . . 72	Q 22
Parla *M* 58	L 18	Paterna del Río *AL* 95	U 21
Parladé *SE* 79	S 11	Paternáin *NA* 10	D 24
Parlavà *GE* 25	F 39	Patones de Abajo *M* . . . 46	J 19
Parlero *O* 4	B 9	Patràs *H* 79	S 9
Parolis las Juntas *AB* . . 84	R 22	Patrite *CA* 99	W 12
Parque Calablanca *A* . . . 75	P 30	Patrocinio (El) *J* 82	Q 18

Pandenes *O* 6	B 13	Pandos (Casa de los) *AB*.73	P 26	Pantano de Navabuena *CC*56	M 12	Panzano *HU* 21	F 29
Pandera (Sierra de la) . . 94	T 18	Panera *CC* 56	L 12	Panticosa *HU* 21	D 29	Paones *SO* 32	H 21
Panderruedas		Panes *O* 7	C 16	Pantiné (Punta) 106	L 42	Papagayo (Punta del)	
(Puerto de) *LE* 6	C 15	Panillo *HU* 22	F 30	Pantoja *TO* 58	L 18	Lanzarote *GC* 122	B 5
Pandetrave (Puerto de) *LE* . 6	C 15	Paniza *Z* 34	I 26	Pantón *LU* 13	E 7	Papatrigo *AV* 44	J 15
Pando *BI* 8	C 20	Paniza (Puerto de) *Z* . . 34	I 26	Papiol (El) *B* 38	H 36	
Pando (Puerto del) *LE* . . 16	D 14	Panizares *BU* 18	D 19	Pantorrillas 50	I 30	Paracuellos *CU* 60	M 24
Pàndols (Serra de) 50	I 31	Pano *HU* 22	F 30	Panxón *PO* 12	F 3	Paracuellos de Jarama *M*..46	K 19
Pandorado *LE* 15	D 12	Pansas *MU* 85	Q 26	Panzacola (Embalse de) . . 82	R 19	Paracuellos de Jiloca *Z* . . 34	I 25

PAMPLONA

Amaya . . . . **BYZ** 4
Ansoleaga . . . . **AY** 5
Bayona (Av. de) . . . . **AY** 13
Carlos III (Av. de) . . . . **BYZ**
Castillo de Maya . . . . **BZ** 16
Chapitela . . . . **BY** 17
Conde Oliveto (Av. del) . . . **AZ** 19
Cortes de Navarra . . . . **BY** 20
Cruz (Pl. de la) . . . . **BZ** 22

Esquiroz . . . . **AZ** 25
Estafeta . . . . **BY** 26
García Castañón . . . . **ABY** 30
Juan de Labrit . . . . **BY** 33
Leyre . . . . **BYZ** 36
Mayor . . . . **AY** 40
Mercaderes . . . . **BY** 43
Navarrería . . . . **BY** 48
Navas de Tolosa . . . . **AY** 50
Paulino Caballero . . . . **BZ** 51
Príncipe de Viana (Pl. del) . . . **BZ** 54
Reina (Cuesta de la) . . . . . **AY** 56

Roncesvalles (Av. de) . . . . **BY** 59
Sancho el Mayor . . . . **ABZ** 60
Sangüesa . . . . **BZ** 69
Santo Domingo . . . . **AY** 70
San Fermín . . . . **BZ** 63
San Francisco
  (Pl. de) . . . . **AY** 65
San Ignacio (Av. de) . . . . . **BYZ** 66
Sarasate (Paseo de) . . . . . **AY** 72
Taconera (Recta de) . . . . . **AY** 73
Vínculo (Pl. del) . . . . **AYZ** 78
Zapatería . . . . **AY** 89

Museo de Navarra . . . . **M**

Patudas (Las) CO . . . . 80 Q 14
Pau GE . . . . 25 F 39
Paul (El) TE . . . . 61 L 27
Paúl (La) HU . . . . 35 G 27
Paular (El) M . . . . 45 J 18
Paulenca AL . . . . 103 V 22
Paules 2 . . . . 21 F 27
Paúles HU . . . . 22 F 30
Paúles AB . . . . 84 R 22
Paules de Lara BU . . . . . . 18 F 19
Paules del Agua BU . . . . . 31 F 18
Paúls T . . . . 50 J 31
Pava MU . . . . 73 Q 26
Pavías CS . . . . 62 M 28
Pavos (Los) . . . . 85 R 26
Paymogo H . . . . 78 S 7
Payo (El) SA . . . . 42 L 9
Payo de Ojeda P . . . . 17 D 16
Payosaco C . . . . 3 C 4
Payueta N . . . . 19 E 21
Paz (La) CO . . . . 81 T 15
Pazo LU . . . . 3 B 6
Pazo de Mariñan C . . . . . . 3 C 5
Pazo de Oca PO . . . . 13 D 4
Pazos cerca de
  Cortegada OR . . . . 13 F 7
Pazos cerca de Lamas C . . 2 C 3
Pazos cerca de Leiro OR . . 13 E 5
Pazos cerca de
  Ponte-Ceso C . . . . 2 C 3
Pazos de Borbén PO . . . . . 12 F 4
Pazuengos LO . . . . 18 F 21
Peal de Becerro J . . . . 83 S 20

Peares (Embalse de los) LU 13 E 6
Peares (Os) OR . . . . 13 E 6
Pecá CU . . . . 60 L 23
Pechina AL . . . . 103 V 22
Pechiquera (Punta)
  Lanzarote GC . . . . 122 A 5
Pechón S . . . . 7 B 16
Pedernoso (El) CU . . . . . . 59 N 21
Pedra C . . . . 3 A 6
Pedra (La) L . . . . 23 F 34
Pedrafita
  Camporredondo LU . . . . 4 D 8
Pedrafita do Cebreiro LU . . 14 D 8
Pedrafita do Cebreiro
  (Puerto de) LU . . . . 14 D 8
Pedrafonca . . . . 23 F 35
Pedraja de Portillo (La) VA 31 H 16
Pedrajas SO . . . . 33 G 22
Pedrajas de San Esteban VA 31 H 16
Pedralba V . . . . 62 N 27
Pedralba de la Praderia ZA 28 F 9
Pedralba LU . . . . 13 D 6
Pedraza de Alba SA . . . . . 44 J 13
Pedraza de Campos P . . . 30 G 15
Pedraza de la Sierra SG . . 45 I 18
Pedre PO . . . . 13 E 4
Pedredo LE . . . . 15 E 11
Pedregal (El) GU . . . . 48 J 25
Pedregosa (Sierra) . . . . . . 49 J 27
Pedreguer A . . . . 74 P 30
Pedreira C . . . . 13 D 5

Pedreira PO . . . . 13 E 4
Pedreiro LU . . . . 3 B 6
Pedreña S . . . . 8 B 18
Pedrera TO . . . . 58 N 18
Pedrera SE . . . . 93 U 15
Pedrera
  (Embassament de la) A. 85 R 27
Pedrera (Punta) . . . . 87 P 34
Pedret GE . . . . 25 F 39
Pedrezuela M . . . . 46 J 19
Pedriza (Sierra de la) . . . . 45 J 18
Pedrizas (Puerto de las) . 100 V 16
Pedro SO . . . . 32 I 20
Pedro Abad CO . . . . 81 S 16
Pedro Andrés AB . . . . 84 R 22
Pedro Barba Lanzarote GC 121 F 2
Pedro Bernardo AV . . . . . 57 L 15
Pedro Díaz CO . . . . 80 S 14
Pedro Gómez
  (Sierra de) CC . . . . 56 N 12
Pedro Izquierdo CU . . . . . 61 M 25
Pedro Malo CR . . . . 71 O 20
Pedro Marín
  (Embalse de) J . . . . 82 S 19
Pedro Martínez GR . . . . . 95 T 20
Pedro Muñoz CR . . . . 71 N 21
Pedro Pidal O . . . . 6 C 15
Pedro Rodríguez AV . . . . 44 J 15
Pedroche CO . . . . 81 Q 15
Pedrola Z . . . . 34 G 26
Pedrones (Los) V . . . . 73 N 26
Pedroñeras (Las) CU . . . . 59 N 21

Pedrosa (La) CA . . . . 99 V 12
Pedrosa de Duero BU . . . . 31 G 18
Pedrosa de la Vega P . . . . 16 E 15
Pedrosa de Muñó BU . . . . 17 F 18
Pedrosa de Río Urbel BU. . 17 E 18
Pedrosa de Tobalina BU . . 18 D 19
Pedrosa del Páramo BU . . 17 E 18
Pedrosa del Príncipe BU . . 17 F 17
Pedrosa del Rey VA . . . . . 30 H 14
Pedrosas (Las) Z . . . . 21 F 27
Pedrosillo (El) SE . . . . 79 T 10
Pedrosillo de Alba SA . . . . 44 J 13
Pedrosillo de los Aires SA. 43 J 12
Pedrosillo el Ralo SA . . . . 44 I 13
Pedroso LO . . . . 19 F 21
Pedroso O . . . . 6 B 15
Pedroso (El) O . . . . 6 B 13
Pedroso (El) CA . . . . 99 W 12
Pedroso (El) SE . . . . 80 S 12
Pedroso (Río) . . . . 32 F 20
Pedroso (Sierra del) MA. . . 93 U 16
Pedroso de Acim CC . . . . 55 M 10
Pedroso
  de la Armuña (El) SA. . . 44 I 13
Pedroso
  de la Carballeda ZA . . . 29 G 10
Pedrotoro SA . . . . 43 K 10
Pedrouzo (O) C . . . . 3 D 4
Pedroveya O . . . . 5 C 12
Pedrún de Torío LE . . . . . 16 D 13
Pegalajar J . . . . 82 S 19

Pego A . . . . 74 P 29
Pego (El) ZA . . . . 30 I 13
Peguera PM . . . . 104 N 37
Peguera (Monte) . . . . 23 F 35
Peguerillas H . . . . 90 T 9
Peguerinos AV . . . . 45 K 17
Peinao (El) TE . . . . 48 K 25
Pela (Sierra de) GU . . . . . 32 I 20
Pela (Sierra de) BA . . . . . . 68 O 13
Pelabravo SA . . . . 44 J 13
Pelada (Sierra) CR . . . . . . 70 P 19
Pelada (Sierra) H . . . . 78 S 9
Pelado AL . . . . 96 T 22
Pelahustán TO . . . . 57 L 16
Pelarda (Santuario de) TE 48 J 26
Pelarrodríguez SA . . . . . . 43 J 11
Pelayo CO . . . . 81 R 14
Pelayos SA . . . . 44 K 13
Pelayos de la Presa M . . . 45 K 17
Pelayos del Arroyo SG . . . 45 I 18
Peleagonzalo ZA . . . . 30 H 13
Peleas de Abajo ZA . . . . . 29 H 12
Peleas de Arriba ZA . . . . . 29 I 12
Pelegrina GU . . . . 47 I 22
Pelejaneta (La) CS . . . . . . 62 L 29
Peligro (Punta del)
  La Gomera TF . . . . 118 B 1
Peligros GR . . . . 94 U 19
Pellila SA . . . . 29 I 11
Peloche BA . . . . 69 O 14
Pelugano O . . . . 6 C 13
Pembes S . . . . 6 C 15
Pena LU . . . . 3 C 6
Pena (A) C . . . . 2 D 3
Pena (A) OR . . . . 13 F 6
Penacaballera SA . . . . 43 K 12
Penagos S . . . . 7 B 18
Penáguila A . . . . 74 P 28
Penamil LU . . . . 4 D 8
Penarrubia LU . . . . 4 D 8
Penas LU . . . . 13 D 6
Pendilla LE . . . . 5 C 12
Pendón (Sierra del) . . . . . . 66 Q 8
Pendones O . . . . 6 C 14
Pendueles O . . . . 7 B 16
Penedo (Punta de)
  Lanzarote GC . . . . 123 D 3
Penela LU . . . . 14 E 7
Penelles L . . . . 37 G 32
Penilla S . . . . 7 C 18
Penilla (La) S . . . . 7 C 18
Peníscola (Estació de) CS 50 K 31
Peníscola / Peñíscola CS. 50 K 31
Penoselo LE . . . . 14 D 9
Penouta O . . . . 4 B 9
Pentedura BU . . . . 32 F 19
Pentes OR . . . . 28 F 8
Penya (Monte la)
  Castelló CS . . . . 62 L 29
Penyagolosa CS . . . . 62 L 28
Penyal d'Ifac A . . . . 74 Q 30
Penzol O . . . . 4 B 9
Peña (Embalse de la) . . . . 21 E 27
Peña (Embalse de) . . . . . . 50 J 30
Peña (La) SA . . . . 29 I 10
Peña (Mirador de la)
  El Hierro TF . . . . 109 D 2
Peña (Montes La) BU . . . . 8 C 19
Peña (Rivera de la) . . . . . . 29 I 10
Peña (Sierra de la) HU . . . 21 E 27
Peña de Cabra SA . . . . . . 43 J 12
Peña de Francia SA . . . . . 43 K 11
Peña de Francia (Sierra) . . 43 K 12
Peña del Águila CA . . . . . . 98 V 10
Peña del Águila
  (Embalse de) . . . . 67 O 9
Peña Hueca (Laguna de) . 59 N 19
Peña Labra (Sierra de) . . . 7 C 17
Peña Migjorn A . . . . 74 Q 28
Peña Mira ZA . . . . 29 G 10
Peña Negra SO . . . . 33 G 24
Peña Negra O . . . . 5 C 11
Peña Negra LE . . . . 15 F 10
Peña Negra
  (Puerto de la) AV . . . . . 44 K 14
Peña Nofre . . . . 28 F 7
Peña Sacra M . . . . 45 J 18
Peña Sagra (Sierra de) . . . 7 C 16
Peña Santa LE . . . . 6 C 15
Peña-Tú . . . . 7 B 15
Peña Utrera BA . . . . 67 Q 9
Peña Vieja . . . . 6 C 15
Peñablanca TE . . . . 48 K 24
Peñacerrada VI . . . . 19 E 21
Peñadiz OR . . . . 13 F 7
Peñafiel VA . . . . 31 H 17

Peñaflor Z . . . . 35 G 27
Peñaflor O . . . . 5 B 11
Peñaflor SE . . . . 80 S 13
Peñafuente O . . . . 4 C 9
Peñagua SE . . . . 92 U 13
Peñahorada BU . . . . 18 E 19
Peñalagos GU . . . . 47 K 21
Peñalajos CR . . . . 70 Q 19
Peñalara . . . . 45 J 18
Peñalba HU . . . . 36 H 29
Peñalba SO . . . . 32 H 20
Peñalba Castelló CS . . . . . 62 M 28
Peñalba de Ávila AV . . . . . 44 J 15
Peñalba de Castro BU . . . . 32 G 19
Peñalba de Cilleros LE . . . 15 D 11
Peñalba de la Sierra GU . . 46 I 19
Peñalba de Santiago LE . . 15 E 10
Peñalén GU . . . . 47 K 23
Peñalosa CO . . . . 80 S 14
Peñalosa (Sierra de) . . . . . 33 F 23
Peñalsordo BA . . . . 69 P 14
Peñalver GU . . . . 46 K 21
Peñamellera Alta O . . . . . . 7 B 15
Peñamellera Baja . . . . 7 C 16
Peñaparda SA . . . . 42 L 9
Peñaranda
  de Bracamonte SA . . . . 44 J 14
Peñaranda de Duero BU. . 32 G 19
Peñarandilla SA . . . . 44 J 13
Peñarroya TE . . . . 49 K 28
Peñarroya (Embalse de) CR 71 O 21
Peñarroya (Ermita de) CR. 71 O 20
Peñarroya (Sierra de) . . . . 50 J 30
Peñarroya de Tastavins TE 50 J 30
Peñarroya-
  Pueblonuevo CO . . . . . . 80 R 14
Peñarroyas TE . . . . 49 J 27
Peñarrubia S . . . . 7 C 16
Peñarrubia
  cerca de Elche AB . . . . 84 Q 23
Peñarrubia
  cerca de Peñascosa AB 72 P 23
Peñarrubia (Embalse de) . 14 E 9
Peñarrubia (Monte) LU . . . 14 D 9
Peñarrubia (Monte) AB . . . 73 O 25
Peñarrubia (Monte) MU. . . 73 Q 26
Peñarrubias de Pirón SG . 45 I 17
Peñas (Cabo de) O . . . . . . 5 B 12
Peñas Blancas
  (Puerto de) MA . . . . . . 99 W 14
Peñas Blancas (Sierra de) 67 P 11
Peñas de Riglos (Las) HU. 21 E 27
Peñas de San Pedro AB. . 72 P 23
Peñas Libres (Sierra de) . . 28 G 8
Peñas Negrillas
  (Coto nacional de) CR . 82 Q 19
Peñascales (Los) M . . . . . 45 K 18
Peñascosa AB . . . . 72 P 22
Peñaullán O . . . . 5 B 11
Peñausende ZA . . . . 29 I 12
Peñaza (La) . . . . 34 H 26
Peñillas CO . . . . 93 T 17
Peñíscola / Peniscola CS. 50 K 31
Peñita CO . . . . 80 R 13
Peñolite J . . . . 83 R 21
Peñón (Alto del) ZA . . . . . 15 F 10
Peñón (El) AB . . . . 84 R 23
Peñón (El) GR . . . . 95 T 20
Peñoso MU . . . . 84 S 24
Peñota (La) . . . . 45 J 17
Peñuela GR . . . . 47 T 18
Peñuela (La) H . . . . 91 T 9
Peñuelas GR . . . . 94 U 18
Peón . . . . 6 B 13
Pepino TO . . . . 57 L 15
Pepino (El) GU . . . . 46 K 20
Peque ZA . . . . 15 F 11
Pequeño . . . . 17 D 15
Pera . . . . 23 E 34
Pera (La) GE . . . . 25 F 38
Pera (Sierra de) GR . . . . . 94 U 18
Peracense TE . . . . 48 K 25
Perafita cerca de Calaf B. 37 G 34
Perafita cerca de
  Prats de Lluçanes B . . . 37 I 33
Peral (Barranco del) AL . . 96 U 23
Peral (El) CU . . . . 60 N 24
Peral (La) O . . . . 5 B 12
Peral de Arlanza BU . . . . . 31 F 17
Peralada GE . . . . 25 F 39
Peralba L . . . . 37 G 32
Peraleda de la Mata CC. . . 56 M 13

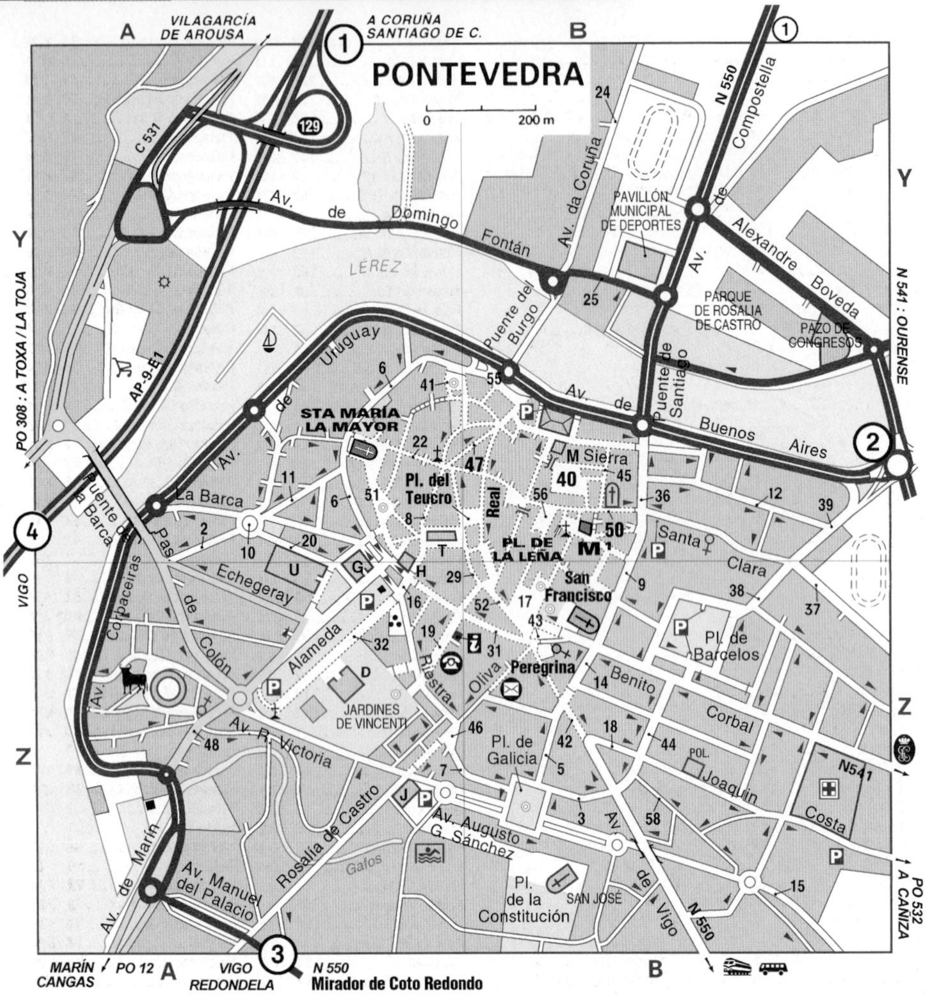

PONTEVEDRA

Map of Pontevedra

Directional labels on map: VILAGARCÍA DE AROUSA · A CORUÑA SANTIAGO DE C. · A CORUÑA · Compostella · N 550 · OURENSE · N 541 · Alexandre Boveda · PAVILLÓN MUNICIPAL DE DEPORTES · PARQUE DE ROSALIA DE CASTRO · PAZO DE CONGRESOS · Buenos Aires · STA MARÍA LA MAYOR · Pl. del Teucro · M Sierra · PL. DE LA LEÑA · San Francisco · Peregrina · Pl. de Barcelos · Pl. de Galicia · JARDINES DE VINCENTI · Pl. de la Constitución · SAN JOSÉ · Mirador de Coto Redondo · MARÍN CANGAS · VIGO REDONDELA · N 550 · PO 532 A CAÑIZA · VIGO · 200 m

Pesués *S*	7	B 16
Petilla de Aragón *NA*	20	E 26
Petín *OR*	14	E 8
Petit I (Embalse de) *CC*	55	N 10
Petra *PM*	105	N 39
Petrer *A*	85	Q 27
Petrés *V*	62	M 29
Pétrola *AB*	73	P 25
Pétrola (Laguna de) *AB*	73	P 25
Peza (La) *GR*	95	U 20
Pezuela de las Torres *M*	46	K 20
Pi de Sant Just (El) *L*	37	G 34
Piapaxaro (Pico)	14	E 8
Pías *ZA*	14	F 9
Pías (Embalse de) *ZA*	14	F 9
Piatones (Sierra de) *CC*	56	M 12
Pica (Sierra de la)	33	G 23
Picacho *CA*	92	V 13
Picacho (Sierra del)	85	Q 25
Picacho de la Barre (Faro El) *H*	90	U 9
Picaio *V*	62	N 29
Picamoixons *T*	37	I 33
Picanya *V*	62	N 28
Picassent *V*	74	N 28
Picato	3	D 7
Picaza (Montes de)	48	J 24
Picazo *GU*	47	J 21
Picazo (El) *CU*	60	N 23
Picazo (Embalse de El) *CU*	60	N 23
Picena *GR*	102	V 20
Pico (Puerto del) *AV*	44	L 14
Pico de las Flores (Mirador) *Tenerife TF*	124	H 2
Pico del Castrón (Mirador del) *S*	7	C 17
Pico del Inglés (Mirador de) *Tenerife TF*	125	I 2
Picón *CR*	70	O 17
Piconcillo *CO*	80	R 13
Picones *SA*	42	I 10
Picorzo *CU*	59	M 21
Picorzos *AB*	84	Q 23
Picos de Europa (Parque nacional de los) *LE*	6	C 15
Picos de Europa (Reserva nacional de los)	6	C 15
Picota	2	D 3
Picouto *OR*	13	F 6
Piedra *Z*	48	I 24
Piedra (La) *BU*	17	E 18
Piedra (La) *GR*	84	S 22
Piedra (Monasterio de) *Z*	48	I 24
Piedra Aguda (Embalse de) *BA*	66	Q 8
Piedra del Sol *OR*	14	E 7
Piedra Escrita (Ermita de) *BA*	68	P 13
Piedra San Martin (Collado de la) *NA*	11	D 27
Piedrabuena *BA*	67	Q 9
Piedrabuena *CR*	70	O 17
Piedraescrita *TO*	57	N 15
Piedrafita *HU*	21	D 29
Piedrafita *LE*	6	C 13
Piedrafita (Puerto de)	6	C 13
Piedrafita de Babia *LE*	15	D 11
Piedrafitas (Mirador de) *LE*	6	C 15
Piedrahita *AV*	44	K 14
Piedrahita *TE*	48	I 26
Piedrahita de Castro *ZA*	29	G 12
Piedralá *CR*	70	O 17
Piedralaves *AV*	44	L 15
Piedramillera *NA*	19	E 23
Piedras *H*	90	U 8
Piedras (Canal del) *H*	90	U 8
Piedras (Embalse) *H*	90	U 8
Piedras (Las) *CO*	93	T 17
Piedras Albas *CC*	55	M 9
Piedras Blancas *S*	5	B 12
Piedrasluengas *P*	7	C 16
Piedrasluengas (Puerto de) *P*	7	C 16
Piedratajada *Z*	21	F 27
Piedros (Los) *CO*	93	T 16
Piera *B*	37	H 35
Piérnigas *BU*	18	E 19
Pierola *B*	38	H 35
Pieros *LE*	14	E 9
Pierre *GR*	95	T 20
Piescolgados *AL*	96	U 22
Pigüeña *O*	5	C 11
Pigüeña (Río) *O*	5	C 11
Pijotilla (La) *BA*	67	P 10
Pila *MU*	85	R 26
Pila (Sierra de la) *GU*	47	I 21
Pila (Sierra de la) *MU*	85	R 26
Pilar (El) *AL*	96	U 23
Pilar (Ermita del) *TE*	49	K 27
Pilar de Jaravia *AL*	96	T 24
Pilar de la Horadada *A*	85	S 27
Pilar de Moya *J*	82	S 17
Pilar del Prado *MA*	100	V 16
Pilares *SE*	92	U 13
Pilas *SE*	91	U 11
Pilas (Casas de) *BA*	80	R 12
Pilas (Puerto de las) *AV*	45	K 16
Pilas Verdes *AB*	71	Q 21
Piles *V*	74	P 29
Piles (Les) *T*	37	H 34
Pileta (Cueva de la) *MA*	99	V 14
Pililla *CU*	60	M 23
Pilillas *CO*	81	S 15
Piloña *O*	6	B 13
Piloña (Río) *O*	6	B 13
Piloño *PO*	13	D 5
Pilzán *HU*	22	F 31
Pimpollar (El) *M*	45	K 17
Pina *Mallorca PM*	104	N 38
Pina (Les) *Castelló CS*	62	L 28
Pina de Ebro *Z*	35	H 28
Pina de Montalgrao *CS*	62	L 28
Pinar *CA*	92	V 13
Pinar (Cap des) cerca de Cala Millor	105	N 40
Pinar (Cap des) cerca de Alcúdia *PM*	105	M 39
Pinar (El) *El Hierro TF*	109	C 3
Pinar (El) *M*	45	K 18
Pinar (El) *Castelló CS*	63	L 30
Pinar (Ermita del) *SG*	31	I 18
Pinar (Monte) *Z*	34	H 26
Pinar (Monte) *CU*	59	L 21
Pinar (Monte) *Castelló CS*	62	M 28
Pinar (Puerto del)	83	R 22
Pinar de Almorox (El) *TO*	57	L 16
Pinar de Antequera *VA*	30	H 15
Pinar de C. (El) *A*	85	S 27
Pinar de la Mola (El) *PM*	87	P 34
Pinar de los Franceses *CA*	98	W 11
Pinar de Puenteviejo *AV*	45	J 16
Pinar Grande (Estación de)	32	G 21
Pinar Negro *MU*	84	R 24
Pinarejo *CU*	60	N 22
Pinarejos *SG*	31	I 17
Pinarnegrillo *SG*	45	I 17
Pindal (Cueva del)	7	B 16
Pindo (O) *C*	2	D 2
Pineda de Gigüela *CU*	60	L 22
Pineda de la Sierra *BU*	18	F 20
Pineda de Mar *B*	38	H 38
Pineda-Trasmonte *BU*	32	G 18
Pinedas *SA*	43	K 12
Pinedas (Las) *CO*	81	S 15
Pinedillo *BU*	31	F 18
Pinel *LU*	14	E 7
Pinell *L*	37	G 34
Pinell de Brai (El) *T*	50	I 31
Pinet (El) *V*	86	R 28
Pineta (Valle de) *HU*	22	E 30
Pinganillo *SE*	92	U 12
Pinilla *LE*	15	F 11
Pinilla cerca de Fuente-Higuera *AB*	84	Q 23
Pinilla cerca de Salinas de Pinilla *AB*	71	P 22
Pinilla cerca de Fuente Alamo *AB*	73	P 25
Pinilla (Embalse de) *M*	45	J 18
Pinilla (La) *SG*	46	I 19
Pinilla (La) *MU*	85	S 26
Pinilla (Río)	71	P 21
Pinilla Ambroz *SG*	45	I 16
Pinilla de Fermoselle	29	H 10
Pinilla de Jadraque *GU*	46	I 21
Pinilla de los Barruecos *BU*	32	G 20
Pinilla de los Moros *BU*	32	F 20
Pinilla de Molina *GU*	48	J 24
Pinilla de Toro *ZA*	30	H 13
Pinilla del Campo *SO*	33	G 23
Pinilla del Olmo *SO*	33	I 22
Pinilla del Valle *M*	45	J 18
Pinilla-Trasmonte *BU*	32	G 18
Pinillos *BU*	31	G 18
Pinillos *LO*	19	F 22
Pinillos de Polendos *SG*	45	I 17
Pinjat	36	H 31
Pino *BU*	18	D 19
Pino *LU*	14	E 7
Pino (Cuerda del) *AL*	84	S 23
Pino (El) *BA*	67	P 10
Pino (O) *C*	3	D 4

Street index (PONTEVEDRA)

Alfonso XIII	AY	2
Andrés Mellado	BZ	3
Andrés Muruais	BZ	5
Arzobispo Malvar	AY	6
Augusto González Besada	AZ	7
Benito Corbal	BZ	
Buenos Aires (Av. de)	BY	
Charino (Paio Gómez)	AY	8
Cobián Roffignac	BZ	9
Concepción Arenal (Pl.)	AY	10
Condesa Pardo Bazán	AY	11
Cruz Vermella	BY	12
Daniel de la Sota	BZ	14
Eduardo Pondal (Av. de)	BZ	15
España (Pr. de)	AZ	16
Ferrería (Pl. de la)	BZ	17
Fray Juan de Navarrete	BZ	18
General Martitegui	AY	20
Gen. Gutiérrez Mellado	AZ	19
Isabel II	AY	22
Juan Bautista Andrade	BY	24
Juan Manuel Pintos	BY	25
Manuel Quirogaz	BZ	29
Michelena	BZ	31
Montero Rios (Gran Via de)	AZ	32
Oliva	BZ	
Padre Amoedo Carballo	BY	36
Padre Feijóo	BZ	38
Padre Fernando Olmedo	BZ	37
Padre Gaite	BZ	39
Pedreira (Pr. de la)	BY	40
Peirao (Pr. do)	AY	41
Peregrina	BZ	42
Peregrina (Pr.)	BZ	43
Real	BY	
Sagasta	BZ	44
Santa María (Av. de)	AY	51
San Bartolomé (Arcos de)	BY	45
San José (Pl. de)	AZ	46
San Nicolás	BY	47
San Roque	AZ	48
Sarmiento	BY	50
Soportales da Ferrería	BZ	52
Valentín García Escudero (Pr.)	BY	55
Verdura (Pr. da)	BY	56
Virgen del Camino	BZ	58

Place-name index (continued)

Peraleda de San Román *CC*	56	M 13
Peraleda del Zaucejo *BA*	80	Q 13
Peraleja (La) *CU*	59	L 22
Peralejo *M*	45	K 17
Peralejo *SO*	32	I 20
Peralejo (El) *SE*	79	S 10
Peralejos de Abajo *SA*	43	I 10
Peralejos de Arriba *SA*	43	I 10
Peralejos de las Truchas *GU*	48	K 24
Perales *P*	17	F 16
Perales (Los) *CC*	55	N 9
Perales (Puerto de) *CC*	55	L 9
Perales (Río)	45	K 17
Perales de Tajuña *M*	59	L 19
Perales del Alfambra *TE*	49	K 26
Perales del Puerto *CC*	55	L 9
Perales del Rio *M*	58	L 19
Peralosa (Puerto de la) *CR*	70	O 17
Peralosas (Las) *CR*	70	O 17
Peralta *NA*	20	E 24
Peralta de Alcofea *HU*	35	G 29
Peralta de la Sal *HU*	36	G 31
Peraltilla *HU*	22	F 29
Peralveche *GU*	47	K 22
Peralvillo Alto *CR*	70	O 18
Peramato *SA*	43	J 11
Peramea *L*	23	F 33
Peramola *L*	23	F 33
Peramora (Rivera de)	78	S 8
Peranzanes *LE*	15	D 10
Perarrúa *HU*	22	F 31
Peratallada *GE*	25	G 39
Perazancas *P*	17	D 16
Perbes *C*	3	B 5
Perdices *SO*	33	H 22
Perdices (Sierra de las)	67	O 9
Perdido (Monte) *HU*	22	D 30
Perdigón (El) *ZA*	29	H 12
Perdiguera *Z*	35	G 28
Perdiguero *HU*	22	D 31
Perdiguero (Embalse de)	19	F 24
Perdiz (Alto la)	34	H 25
Perdón (La) *Tenerife TF*	127	F 3
Perdón (NA)	11	D 24
Perdón (Puerto del) *NA*	10	D 24
Perea *GR*	83	T 22
Pereda (La) *O*	6	B 15
Pereda de Ancares *LE*	14	D 9
Peredilla *LE*	16	D 13
Peregrina (La) *LE*	16	E 14
Pereira *C*	2	C 2
Pereira *LU*	13	E 6
Pereira *OR*	28	F 8
Pereiriña *C*	2	C 2
Pereiro *LU*	13	E 6
Pereiro *OR*	28	F 8
Pereiro de Aguiar *OR*	13	E 6
Pereje *LE*	14	E 9
Perelló (El) *T*	50	J 32
Perelló (El) *V*	74	O 29
Perellonet (El) *V*	74	O 29
Perenos (Los) *SE*	93	U 15
Pereña *SA*	29	I 10
Perera (La) *SO*	32	H 20
Perero *H*	78	S 8
Pereruela *ZA*	29	H 12
Perex *BU*	18	D 20
Perez (Los) *SE*	93	U 15
Periana *MA*	101	V 17
Pericay (Sierra de) *MU*	84	S 24
Pericón (El) *MU*	85	S 26
Perila de Castro *ZA*	29	G 12
Perín *MU*	85	T 26
Perla-Torremuelle (La) *MA*	100	W 16
Pernía *SE*	93	T 15
Pernia (La) *P*	17	D 16
Perobéques *TO*	58	M 16
Perogordo *SG*	45	J 17
Peromingo *SA*	43	K 12
Perona (Monte) *MU*	85	S 25
Perorrubio *SG*	32	I 18
Perosillo *SG*	31	H 17
Peroxa (A) *OR*	13	E 6
Perra (Sierra)	19	E 23
Perro (Punta del) *CA*	91	V 10
Perrunal (El) *H*	78	S 9
Pertusa *HU*	35	G 29
Perul (El)	17	E 18
Peruyes *O*	6	B 14
Pesadas de Burgos *BU*	18	D 19
Pesadoira *C*	2	D 3
Pesaguero *S*	7	C 16
Pescadores (Puerto de los) *MA*	100	W 15
Pescadores (Refugio de) *HU*	36	H 30
Pescueza *CC*	55	M 10
Pesebre *AB*	72	P 22
Pesebre (Punta) Fuerteventura *GC*	112	B 5
Pesga (La) *CC*	43	L 11
Pesoz *O*	4	C 9
Pesquera *O*	12	E 3
Pesquera *BU*	18	D 18
Pesquera *S*	5	C 17
Pesquera *LE*	16	D 14
Pesquera (Dársena) Tenerife *TF*	125	J 2
Pesquera de Duero *VA*	31	H 17
Pesquerín *O*	6	B 14
Pesqueruela *VA*	30	H 15
Pessó (Pic del) *L*	23	E 32

Pino (Puerto del) HU 22 F 30
Pino Alto M 45 K 17
Pino de Tormes (El) SA 43 I 12
Pino de Valencia CC 66 O 8
Pino del Oro ZA 29 H 11
Pino del Río P 16 E 15
Pino do Val C 2 D 3
Pino Grande SE 92 T 12
Pinofranqueado CC 43 L 10
Pinos LE 5 D 12
Pinós L 37 G 34
Pinós A 74 P 29
Pinos (Los) TO 58 M 18
Pinos (Los) CC 68 O 13
Pinos (Monte Los) MA 99 W 13
Pinós (Serra de) 37 G 34
Pinos de Mar H 90 U 9
Pinos del Valle GR 101 V 19
Pinós (El) / Pinoso A 85 Q 26
Pinos Genil GR 94 U 19
Pinos Puente GR 94 U 18
Pinosa AL 84 S 24
Pinoso (Monte) GU 47 J 22
Pinseque Z 34 G 26
Pinsoro Z 20 F 25
Pintado
(Contraembalse de) SE 80 S 12
Pintado (El) SE 79 S 12
Pintado (Embalse del) SE 80 S 12
Pintano Z 20 E 26
Pintín LU 14 D 7
Pinto M 58 L 18
Pinto (O) OR 13 F 6
Pinto (Río) J 82 R 18
Pintueles O 6 B 13
Pinzales O 5 B 12
Pinzón SE 91 U 11
Piña C 2 C 4
Piña de Campos P 17 F 16
Piña de Esgueva VA 31 G 16
Piñar GR 94 T 19
Piñar (Estación de) GR 94 T 19
Piñeira LU 14 E 7
Piñeira OR 13 F 6
Piñeiro cerca de
Germadé LU 3 B 6
Piñeiro cerca de Lugo LU 14 D 7
Piñeiro cerca de Marín PO 12 E 3
Piñeiro cerca de Meira LU 4 C 8
Piñeiro cerca de
Mondariz PO 13 F 4
Piñel de Abajo VA 31 G 17
Piñel de Arriba VA 31 G 17
Piñera O 4 B 9
Piñeres O 6 C 12
Piñero (El) ZA 30 H 13
Piñor OR 13 E 5
Piñuécar M 46 I 19
Piñuel ZA 29 H 11
Pío LE 6 C 14
Piornal CC 56 L 12
Piornal (Puerto del) CC 56 L 12
Piornedo OR 28 F 7
Piorno AL 102 V 22
Pioz GU 46 K 20
Pipaón VI 19 E 22
Piquera SO 32 H 20
Piqueras GU 48 K 24
Piqueras (Puerto de) LO 33 F 22
Piqueras del Castillo CU 60 M 23
Pira T 37 H 33
Piracés HU 21 F 29
Pirón 45 I 17
Pisueña S 8 C 18
Pisueña (Río) 7 C 18
Pisuerga (Río) 17 D 17
Pitarque TE 49 K 28
Pitas 92 V 12
Pitiegua SA 44 I 13
Pitillas NA 20 E 25
Pitillas (Laguna de) 20 E 25
Pitres GR 102 V 20
Piúca (A) OR 13 F 6
Piúgos LU 4 D 7
Pixeiros OR 14 F 8
Pizarra MA 100 V 15
Pizarral SA 43 K 13
Pizarrera (La) M 45 K 17
Pizarro CC 68 O 12
Pizarroso (Embalse del) CC 56 M 14
Pla (El) 36 H 30
Pla de la Font L 36 G 31
Pla de Manlleu (El) T 37 H 34
Pla de Sant Tirs (El) L 23 F 34
Pla de Santa Maria (El) T 37 H 33
Pla del Penedès (El) B 37 H 35
Pla dels Hospitalets GE 24 E 36
Pla dels Pitxells CS 50 K 31
Placín OR 14 F 8
Plan HU 22 E 31
Plana (La) L 23 E 32
Plana (Punta) Z 36 I 30
Plana (Punta) Mallorca PM 104 N 38
Planas (Las) TE 49 J 29
Plandogau L 37 G 33
Planes A 74 P 28
Planes (Les) T 51 I 32
Planes d'Hostoles (Les) GE 24 F 37
Planoles GE 24 F 36
Plantío (El) M 45 K 18
Plasencia CC 56 L 11
Plasencia (Embalse de) CC 56 L 11
Plasencia de Jalón Z 34 G 26
Plasencia del Monte HU 21 F 28
Plasenzuela 56 N 11
Plata (Sierra de la) 99 X 12
Platera (La) J 83 R 21
Platgetes (Les) CS 62 L 30
Platja Ben Afeli CS 62 M 30
Platja d'Alboraya V 62 N 29
Platja d'Aro (Ciutat) GE 25 G 39
Platja d'en Bossa 87 P 34
Platja d'Oliva V 74 P 29
Platja de Bellreguard V 74 P 29
Platja de Binibèquer 106 M 42
Platja de Canyelles GE 39 G 38
Platja de Casa Blanca CS 62 M 29
Platja de Corint V 62 M 29
Platja de Covafumada B 38 I 35
Platja de Daimús V 74 P 29
Platja de Fanals GE 39 G 38
Platja de Formentor PM 105 M 39
Platja de Gavamar B 38 I 36
Platja de Guardamar A 86 R 28
Platja de l'Albufereta A 86 Q 28
Platja de la Ampolla 50 J 32
Platja de la Conxa CS 62 L 30
Platja de la Devesa V 74 N 29
Platja de la Fosca GE 25 G 39
Platja de la Granadella A 75 P 30
Platja de la Malvarrosa V 62 N 29
Platja de la Pineda T 51 I 33
Platja de la Pobla
de Farnals V 62 N 29
Platja de les Fonts CS 63 L 30
Platja de les Villes CS 62 L 30
Platja de Llevante A 74 Q 29
Platja de Marianeta
Cassiana A 75 P 30
Platja de Moncofa CS 62 M 29
Platja de Moraira A 75 P 30
Platja de Muro 105 M 39
Platja de Mutxavista A 86 Q 28
Platja de Nules CS 62 M 29
Platja de Pals GE 25 F 39
Platja de Peníscola 50 K 31
Platja de Piles V 74 P 29
Platja de Pinedo V 62 N 29
Platja de Ponente A 74 Q 29
Platja de Puçol V 62 N 29
Platja de Rifa T 51 I 32
Platja de Sabanell GE 39 H 38
Platja de Salou T 51 I 33
Platja de Sant Joan A 86 Q 28
Platja de Sant Pol GE 39 G 39
Platja de Sant Tomás PM 106 M 42
Platja de Son Bou PM 106 M 42
Platja de Tavernes 74 O 29
Platja de Tirant 106 L 42
Platja de Xeresa V 74 O 29
Platja de Xilxes CS 62 M 29
Platja del Arenal A 75 P 30
Platja del Carregador CS 63 L 30
Platja del Morro de Gos CS 62 L 30
Platja del Parais A 86 Q 29
Platja del Pinar CS 62 M 30
Platja del Pinet A 86 R 28
Platja del Saler V 74 N 29
Platja dels Eucaliptus TE 49 K 32
Platja des Canar 87 O 34
Platja des Cavallet 87 P 34
Platja des Figueral 87 O 34
Platja des Trenc 104 N 38
Platja i Grau de Gandia V 74 O 29
Platja Larga T 51 I 33
Platja Lissa (La) A 86 R 28
Platja los Arenales del Sol A 86 R 28
Platja Miramar V 74 P 29
Platja Mitjorn PM 87 P 34
Platjas de Orihuela A 86 S 28
Platosa (La) SE 92 T 14
Playa (Laguna la) 35 H 29
Playa Amanay
Fuerteventura GC 112 E 4
Playa América PO 12 F 3
Playa Barca
Fuerteventura GC 112 E 5
Playa Bella MA 100 W 14
Playa Berruguete
Tenerife TF 125 I 2
Playa Blanca
Fuerteventura GC 111 I 3
Playa Blanca
Lanzarote GC 122 B 5
Playa Canela H 90 U 7
Playa Colmenares
Tenerife TF 128 E 5
Playa de Alcalá
Tenerife TF 128 C 4
Playa de Area LU 4 A 7
Playa de Arinaga
Gran Canaria GC 117 G 4
Playa de Aro (Platja) 25 G 39
Playa de Arriba o las Bajas
Tenerife TF 127 H 3
Playa de Avalo
La Gomera TF 119 D 2
Playa de Balarés C 2 C 3
Playa de Baldaio C 2 C 3
Playa de Balerma AL 102 V 21
Playa de Balito
Gran Canaria GC 116 C 4
Playa de Barlovento de
Jandía Fuerteventura GC 112 C 5
Playa de Bateles CA 98 X 11
Playa de
Benalmádena MA 100 W 16
Playa de Ber C 3 B 5
Playa de Bozo O 5 B 10
Playa de Burriana MA 101 V 18
Playa de Butihondo
Fuerteventura GC 112 D 5
Playa de Calabardina MU 97 T 25
Playa de Canelas PO 12 E 3
Playa de Carnota C 12 D 2
Playa de Castilla H 91 U 9
Playa de Cerillos AL 102 V 22
Playa de Cofete
Fuerteventura GC 112 C 5
Playa de Cortadura CA 98 W 11
Playa de Cuevas del Mar O 6 B 15
Playa de Doniños C 3 B 5
Playa de Ereses
La Gomera TF 118 C 3
Playa de Estepona MA 100 W 14
Playa de Famara
Lanzarote GC 123 E 3
Playa de Fontanilla CA 98 X 11
Playa
de Fuentebravía CA 98 W 11
Playa de Getares CA 99 X 13
Playa de Guayedra
Gran Canaria GC 114 C 2
Playa de Isla Cristina H 90 U 8
Playa de Janubio
Lanzarote GC 122 B 4
Playa de Juan Gómez
Fuerteventura GC 112 B 5
Playa de la Antilla H 90 U 8
Playa de la Ballena CA 98 V 10
Playa de la Barqueta
La Palma TF 132 D 6
Playa de la Barrosa CA 98 W 11
Playa de la Calera
La Gomera TF 118 A 2
Playa de la Caleta
La Gomera TF 119 D 1
Playa de la Costilla CA 98 W 10
Playa de la Enramada
Tenerife TF 128 C 5
Playa de la Entrada
Tenerife TF 127 H 3
Playa de la Garita
Lanzarote GC 123 F 3
Playa de la Guancha
La Gomera TF 119 D 3
Playa de la Hullera
Gran Canaria GC 117 G 3
Playa de la Laja
Gran Canaria GC 115 G 2
Playa de la Lanzada PO 12 E 3
Playa de la Madera
Lanzarote GC 122 B 4
Playa de la Margallera
Tenerife TF 129 H 4
Playa de la Reya MU 97 T 26
Playa de la Tejita
Tenerife TF 129 F 5
Playa de la Verga
Gran Canaria GC 116 C 4
Playa de la Victoria CA 98 W 11
Playa de Ladeira C 12 E 2
Playa de Lapamán PO 12 E 3
Playa de Laredo S 8 B 19
Playa de Lariño C 12 D 2
Playa de las Américas
Tenerife TF 128 D 5
Playa de las Bajas o de Arriba
Tenerife TF 127 H 3
Playa de las Canteras
Gran Canaria GC 115 F 1
Playa de las Casillas
Gran Canaria GC 117 F 4
Playa de las Conchas
Lanzarote GC 120 E 2
Playa de las Cruces
Gran Canaria GC 117 G 3
Playa de las Pilas
Fuerteventura GC 112 B 5
Playa de las Teresitas
Tenerife TF 125 J 2
Playa de Levante CA 98 W 11
Playa de Linés
El Hierro TF 108 C 3
Playa de Llas 4 B 8
Playa de los Abrigos
Tenerife TF 128 E 5
Playa de los Abrigos
Tenerife TF 129 G 4
Playa de los Cancajos
La Palma TF 132 D 5
Playa de los Cardones
El Hierro TF 109 D 3
Playa de los Mozos
El Hierro TF 108 B 3
Playa de los Palos
El Hierro TF 108 B 2
Playa de los Pocillos
Lanzarote GC 123 D 5
Playa de los Troches
Tenerife TF 125 I 1
Playa de Louro C 12 D 2
Playa de Marchamalo MU 86 S 27
Playa de Maspalomas
Gran Canaria GC 116 D 5
Playa de Matagorda
Lanzarote GC 123 D 5
Playa de Matalascañas CA 91 V 10
Playa de Mazagón H 90 U 9
Playa de Mont-roig T 51 I 32
Playa de Montalvo PO 12 E 3
Playa de Ojos
Fuerteventura GC 112 B 5
Playa de Oyambre S 7 B 17
Playa de Puerto Rey AL 96 U 24
Playa de Punta Umbría H 90 U 8
Playa de Rapadoira LU 4 B 8
Playa de Regla CA 91 V 10
Playa de Riazor C 3 B 4
Playa de Ris S 8 B 19
Playa de Roda PO 12 F 3
Playa de Rodiles O 6 B 13
Playa de Salinas O 5 B 12
Playa de Samil PO 12 F 3
Playa de San Antolín O 6 B 15
Playa de San Cristóbal GR 101 V 18
Playa de San Juan
Tenerife TF 128 C 4
Playa de San Marcos
Tenerife TF 126 D 3
Playa de San Xorxe C 3 B 5
Playa de Santa Catalina
La Gomera TF 118 B 1
Playa de Santa Comba C 3 B 5
Playa de Santiago
La Gomera TF 119 C 3
Playa de Sotavento
Fuerteventura GC 112 E 5
Playa de Tarajalejo
Fuerteventura GC 113 F 4
Playa de Tasarte
Gran Canaria GC 116 B 3
Playa de Tebeto
Fuerteventura GC 111 G 2
Playa de Torre
del Mar MA 101 V 17
Playa
de Torremolinos MA 100 W 16
Playa de Traba C 2 C 2
Playa de Vallehermoso
La Gomera TF 118 C 1
Playa de Velilla GR 101 V 19
Playa de Vila-seca T 51 I 33
Playa del Abrigo
Tenerife TF 129 H 4
Playa del Asno
Gran Canaria GC 116 B 3
Playa del Azufre
La Palma TF 132 D 6
Playa del Bajo de la Burra
Fuerteventura GC 111 I 1
Playa del Cabrito
La Gomera TF 119 D 3
Playa del Cantadal
El Hierro TF 109 D 2
Playa del Cardón
Gran Canaria GC 117 F 4
Playa del Castro LU 4 B 8
Playa del Hoyo
La Palma TF 132 D 5
Playa del Inglés
Gran Canaria GC 117 E 4
Playa del Matorral
Fuerteventura GC 111 I 3
Playa del Matorral
Fuerteventura GC 112 D 5
Playa del Médano
Tenerife TF 129 F 5
Playa del Medio
Tenerife TF 129 G 5
Playa del Mojón A 85 S 27
Playa del Muerto
Tenerife TF 125 I 2
Playa del Pedrucho MU 85 S 27
Playa del Pudrimal MU 85 S 27
Playa del Puerco CA 98 X 11
Playa del Reducto
Lanzarote GC 123 E 4
Playa del Río Tenerife TF 129 G 5
Playa del Risco
Gran Canaria GC 114 C 2
Playa del Risco
Lanzarote GC 121 F 2
Playa del Rostro C 2 D 2
Playa del Socorro
Tenerife TF 127 E 3
Playa del Tarajalillo
Gran Canaria GC 117 E 4
Playa Francesa
Lanzarote GC 120 E 2
Playa Granada GR 101 V 19
Playa Honda
Lanzarote GC 123 D 4
Playa Honda MU 85 T 27
Playa Pita 33 G 21
Playa Pozo Negro
Fuerteventura GC 113 I 4
Playa Quemada
Lanzarote GC 122 C 5
Playa Río Sieira C 12 E 2
Playas (Las) El Hierro TF 109 D 3
Playas (Mirador de las)
El Hierro TF 109 D 3
Playas de Chacón Z 36 I 29
Playas de Corralejo
Fuerteventura GC 111 I 1
Playas de Fuengirola MA 100 W 16
Playas de Marbella MA 100 W 15
Playas de Troya
Tenerife TF 128 D 5
Playas Largas
El Hierro TF 109 E 2
Playas Negras
Fuerteventura GC 112 E 4
Playitas (Las)
Fuerteventura GC 113 H 4
Plaza CU 59 M 20
Plaza CR 70 O 19
Plaza (La) O 5 C 11
Pleitas Z 34 G 26
Plenas Z 49 I 27
Plentzia BI 8 B 21
Pliego MU 85 S 25
Plomo (El) AL 103 V 24
Plou TE 49 J 27
Poal (El) L 37 G 32
Pobelnou del Delta (El) T 50 K 32
Pobes VI 18 D 21
Pobla (A) OR 14 E 8
Pobla (Sa) PM 105 M 39
Pobla de Benifassà (La) CS 50 K 30
Pobla de Cérvoles (La) L 37 H 32
Pobla de Claramunt (La) B 37 H 35
Pobla de Farnals (La) /
Puebla de Farnals V 62 N 29
Pobla de Lillet (La) B 24 F 35
Pobla de Mafumet (La) T 37 I 33
Pobla de Massaluca (La) T 36 I 31
Pobla de Montornès (La) T 37 I 34
Pobla de Segur (La) L 23 F 32
Pobla de Vallbona (La) V 62 N 28
Pobla del Duc (La) V 74 P 28
Pobla Llarga (La) V 74 O 28
Pobla Tornesa (La) CS 62 L 29
Población (La) S 7 C 18
Población de Abajo S 17 D 18
Población de Arroyo P 16 E 15
Población de Campos P 17 F 16
Población de Cerrato P 31 G 16
Población de Valdivielso BU 18 D 19
Poblado de Santiago CR 69 O 16
Pobladura de Aliste ZA 29 G 10
Pobladura de la Sierra LE 15 E 10
Pobladura
de las Regueras LE 15 D 11
Pobladura
de Pelayo García LE 15 F 12
Pobladura de Sotiedra VA 30 H 14
Pobladura
de Valderaduey ZA 30 G 13
Pobladura del Valle ZA 15 F 12
Poble de Tous V 74 O 28
Poble Nou de
Benitatxell (El) A 75 P 30
Pobles (Les) T 37 H 34
Poblet (Monestir de) T 37 H 33
Pobleta (La) cerca de
Andilla V 61 M 27
Pobleta (La)
cerca de Serra V 62 M 28
Pobleta (La) Castelló CS 50 J 29
Pobleta de Bellveí (La) L 23 E 32
Poblete CR 70 P 18
Poblets (Els) A 74 P 30
Pobo (El) TE 49 K 27
Pobo (Sierra del) TE 49 K 27
Pobo de Dueñas (El) GU 48 J 25
Poboleda T 37 I 32
Pobra de Brollón (A) LU 14 E 7
Pobra do Caramiñal (A) C 12 E 3
Pobre (Punta del)
Lanzarote GC 120 E 2
Pocicas (Las) AL 96 T 23
Pocico (El) AL 96 U 23
Pocicos (Los) AB 72 P 24
Pocicos (Puerto de los) 72 P 22
Pocito (Sierra del) 70 N 17
Podes O 5 B 12
Pogallinero 34 G 26
Poio PO 12 E 3
Pol cerca de Reguntille LU 4 C 8
Pol OR 13 E 5
Pola de Allande O 5 C 10
Pola de Gordón (La) LE 16 D 13
Pola de Laviana O 6 C 13
Pola de Lena O 5 C 12
Pola de Siero O 6 B 13
Pola de Somiedo O 5 C 11
Pola del Pino O 6 C 13
Polaciones 7 C 16
Polacra (Punta de la) AL 103 V 24
Polán TO 58 M 17
Polanco S 7 B 17
Polentinos P 17 D 16
Poleñino HU 35 G 29
Policar GR 95 U 20
Polientes S 17 D 18
Polinyà de Xúquer V 74 O 28
Polinyà del Vallès B 38 H 36
Pollença PM 104 M 39
Pollença (Badia de) 105 M 39
Pollos VA 30 H 14
Pollosa (Coll de la) B 38 G 36
Polop A 74 Q 29
Polop (Ermita del) A 74 P 28
Polopos GR 102 V 20
Poloria GR 94 T 19
Polvoredo LE 6 C 14
Polvorosa P 17 E 16
Pomaluengo S 7 C 18
Pomar HU 36 G 30
Pomar de Valdivia P 17 D 17
Pombeiro LU 13 E 6
Pombriego LE 14 E 9
Pomer Z 34 H 24
Pompajuela TO 57 M 15
Pompenillo HU 21 F 28
Poncebos O 6 C 15
Ponferrada LE 15 E 10
Ponga 6 C 14
Ponga (Río) 6 C 14
Ponjos LE 15 D 11
Pons T 50 J 32
Pont d'Armentera (El) T 37 H 34
Pont d'Arrós (Lo) L 22 D 32
Pont d'Inca (es) PM 104 N 38

Pont de Bar (El) *L* .... 23　E 34
Pont de Molins *GE* .... 25　F 38
Pont de Suert *L* .... 22　E 32
Pont de Vilomara (El) *B*... 38　G 35
Ponte (A) *Arnoia* *OR*....... 13　F 5
Ponte (A) *OR* .... 14　F 9
Ponte Albar *C* ....2　D 4
Ponte Ambía *OR* .... 13　F 6
Ponte Barxas *OR* .... 13　F 5
Ponte-Caldelas *PO* .... 12　E 4
Ponte Carreira *C* ....3　C 5
Ponte do Porto *C* ....2　C 2
Ponte Ledesma *PO* .... 13　D 4
Ponte Nafonso *C* .... 12　D 3
Ponte Ulla *C* .... 13　D 4
Ponte Valga *PO* .... 12　D 4
Ponteareas *PO* .... 12　F 4
Ponteceso *C* ....2　C 3
Pontecesures *PO* .... 12　D 4
Pontedeume *C* ....3　B 5
Pontedeva *OR* .... 13　F 5
Pontedo *LE* .... 16　D 13
Pontejos *ZA* .... 29　H 12
Pontenova (A) *LU* ....4　B 8
Pontes de García
　Rodríguez (As) *C* ....3　B 6
Pontevedra *PO* .... 12　E 4
Pontevedra (Ría de) *PO*.. 12　E 3
Ponticiela *O* ....4　B 9
Pontigón *O* ....5　B 10
Pontín (El) *V* .... 61　N 26
Pontón (Puerto del) *O* ......6　C 14
Pontón Alto *J* .... 83　R 21
Pontón de la Oliva
　(Embalse del) *M*......... 46　J 19
Pontones *J* .... 83　R 21
Pontons *B* .... 37　H 34
Pontós *GE* .... 25　F 38
Ponts *L* .... 37　G 33
Ponzano *HU* .... 21　F 29
Póo *O* ....6　B 15
Porciles (Alto de) *O* ....5　C 10
Porcún *SE* .... 92　T 13
Porcuna *J* .... 82　S 17
Poreño *O* ....6　B 13
Poris de Abona
　Tenerife *TF* .... 129　G 4
Porma .... 16　E 13
Porma (Embalse del) *LE*.. 16　D 14
Porquera (A) *OR* .... 13　F 6
Porquera *P* .... 17　D 17
Porquera (Ermita de la) *CA*99　X 12
Porqueres *GE* .... 24　F 38
Porqueriza *SA* .... 43　J 12
Porquero *LE* .... 15　E 11
Porrejón *M* .... 46　I 19
Porrera *T* .... 37　I 32
Porreres *PM* .... 105　N 39
Porriño *PO* .... 12　F 4
Porrón *AB* .... 84　Q 24
Porros (Illa dels) *B* ...... 106　L 42
Porrosa (La) *J* .... 83　R 21
Porrosillo *J* .... 82　R 19
Porrúa *O* ....6　B 15
Port (El) *Castelló* *CS*... 62　M 29
Port Ainé *L* .... 23　E 33
Port Aventura *T* .... 51　I 33
Port d'Alcúdia *PM* .... 105　M 39
Port d'Andratx *PM* .... 104　N 37
Port de Beseit (Reserva
　nacional de) *T* .... 50　J 30
Port de Caldes *L* .... 22　E 32
Port de la Selva (El) *GE*.. 25　E 39
Port de Llançà (El) *GE*... 25　E 39
Port de Pollença /
　Puerto de Pollença *PM*105　M 39
Port de Sagunt (El) *V* .... 62　N 29
Port de Sant Miquel *PM*.. 87　O 34
Port de Sóller /
　Puerto de Sóller *PM*.. 104　M 38
Port de Valldemossa *PM*.104　M 37
Port del Balís *B* .... 38　H 37
Port del Comte *L* .... 23　F 34
Port des Canonge *PM*.... 104　M 37
Port des Torrent *PM* ...... 87　P 33
Port Vell *PM* .... 105　N 40
Portaceli (Monestir de) *V*.. 62　M 28
Portaje *CC* .... 55　M 10
Portaje (Embalse de) *CC*.. 55　M 10
Portal (El) *CA* .... 98　W 11
Portalet (Puerto del) *HU*.. 21　D 28
Portalrubio *TE* .... 49　J 26
Portalrubio
　de Guadamajud *CU*... 59　L 22
Portals Nous *PM* .... 104　N 37

Portals Vells *PM* .... 104　N 37
Portas *PO* .... 12　E 4
Portas
　(Embalse de Las) *OR*.. 14　F 8
Portazgo *Z* .... 35　G 27
Portbou *GE* .... 25　E 39
Portela cerca de Barro *PO* 12　E 4
Portela cerca de Bueu *PO*. 12　F 3
Portela *C* ....3　D 5
Portela de Aguiar *L* .... 14　E 9
Portela de Aguiar *L* .... 14　E 9
Portell *L* .... 37　G 34
Portell de Morella *CS* .... 49　K 29
Portell dels Terradets *L*.. 23　F 32
Portella (La) *L* .... 36　G 31
Portellada (La) *TE* .... 50　J 30
Portella Alta *CC* .... 43　K 11
Portilla (La) *LE* .... 15　F 12
Portilla (La) *AL* .... 96　U 24
Portilla de la Reina *LE*.....6　C 15
Portilla de Luna *LE* .... 15　D 12
Portillas (Alto de las) *LE*.. 16　D 15
Portillejo *P* .... 17　E 16
Portillinas (Alto Las) *LE*.. 15　E 10
Portillo *V* .... 31　H 16
Portillo (El) *TE* .... 48　K 24
Portillo (El) *SA* .... 43　K 11
Portillo (El) *V* .... 61　N 27
Portillo de la Villa (El)
　Tenerife *TF* .... 127　F 3
Portillo de Pinochos
　(Sierra del) .... 33　G 21
Portillo de Soria *SO* ...... 33　H 23
Portillo de Toledo *TO* .... 58　L 17
Portillón (Collado del) *L*.. 22　D 31
Portinatx .... 87　O 34
Portiña (Embalse de la) *TO*57　L 15
Portlligat *GE* .... 25　F 39
Portman *MU* .... 97　T 27
Porto *ZA* .... 14　F 9
Porto Cristo *PM* .... 105　N 40
Porto de Abaixo *LU* ....4　B 8
Porto de Bares *C* ....3　A 6
Porto de Celeiro *L* ....4　A 7
Porto de Espasante *C* ......3　A 6
Porto do Barqueiro *C* ....3　A 6
Porto do Son *C* .... 12　D 2
Portobravo *C* .... 12　D 3
Portocamba .... 14　F 7
Portocelo *LU* ....4　A 7
Portocolom *PM* .... 105　N 39
Portocristo Novo *PM* .... 105　N 39
Portodemouros
　(Embalse de) *C*.......... 13　D 5
Portol *PM* .... 104　N 38
Portomarín *LU* .... 13　D 7
Portomurisco *OR* .... 14　E 8
Portomouro *C* ....2　D 4
Portonovo *PO* .... 12　E 3
Portopetro *PM* .... 105　N 39
Portosín *C* .... 12　D 3
Portugalete *BI* ....8　C 20
Portugos *GR* .... 102　V 20
Portuguesa (La) *BA* .... 67　P 9
Pórtus (Coll de) *GE* .... 25　E 38
Portús (El) *MU* .... 97　T 26
Porvenir (El) *CO* .... 80　R 14
Porzomillos *C* ....3　C 5
Porzún *O* ....4　B 8
Porzuna *CR* .... 70　O 17
Posada *O* ....5　B 12
Posada de Llanes *O* ....6　B 15
Posada de Omaña *LE* .... 15　D 11
Posada de Valdeón *LE* .....6　C 15
Posadas *LO* .... 18　F 20
Posadas *CO* .... 80　S 14
Posadilla *LE* .... 15　E 12
Posadilla *CO* .... 80　R 14
Posets *HU* .... 22　E 31
Potes *S* ....7　C 16
Potiche *AB* .... 72　Q 23
Potries *V* .... 74　P 29
Poublanc *A* .... 85　Q 27
Poulo *OR* .... 13　F 5
Poutomillos *LU* ....3　D 7

Poveda *AV* .... 44　K 14
Poveda *SA* .... 44　I 14
Poveda (La) *M* .... 58　L 19
Poveda de la Obispalía *CU*60　M 22
Poveda de la Sierra *GU*.. 47　K 23
Poveda de las Cintas *SA*.. 44　I 14
Póveda de Soria (La) *SO*.. 33　F 22
Povedilla *AB* .... 71　P 22
Povedillas (Las) *CR*....... 70　O 17
Poyales del Hoyo *AV* ..... 57　L 14
Poyatas (Las) *BA* .... 67　P 11
Poyato *MA* .... 99　W 14
Poyatos *CU* .... 47　K 23
Poyo (El) *ZA* .... 29　G 10
Poyo (Puerto El) *LU* .... 14　D 8
Poyo del Cid (El) *TE* .... 48　J 25
Poza de la Sal *BU* .... 18　E 19
Poza de la Vega *P* .... 16　E 15
Pozal de Gallinas *VA* ..... 30　I 15
Pozáldez *VA* .... 30　H 15
Pozalet (Mas de) *V* .... 62　N 28
Pozalmuro *SO* .... 33　G 23
Pozán de Vero *HU* .... 22　F 30
Pozancos *P* .... 17　D 17
Pozancos *GU* .... 47　I 22
Pozazal (Puerto) *S* .... 17　D 17
Pozo (El) *AB* .... 83　R 22
Pozo (Sierra de) .... 83　S 21
Pozo Alcón *J* .... 83　S 21
Pozo Aledo *MU* .... 85　S 27
Pozo Amargo *CA* .... 92　U 13
Pozo Cañada *AB* .... 72　P 24
Pozo de Abajo *AB* .... 83　Q 22
Pozo de Almoguera *GU*.. 46　K 20
Pozo de Guadalajara *GU*.. 46　K 20
Pozo de la Peña *AB* .... 72　P 24
Pozo de la Rueda *GR* ..... 84　S 23
Pozo de la Serna *CR* ..... 71　P 20
Pozo de las Calcosas
　El Hierro *TF* .... 109　D 1
Pozo de los Frailes *AL*.. 103　V 23
Pozo de Sabinosa
　El Hierro *TF* .... 108　B 2
Pozo de Urama *P* .... 16　F 15
Pozo del Camino *H* .... 90　U 8
Pozo del Esparto (El) *AL*.. 96　T 24
Pozo Estrecho *MU* .... 85　S 27
Pozo Higuera *MU* .... 96　T 24
Pozo Lorente *AB* .... 73　O 25
Pozo Negro
　Fuerteventura *GC* ... 113　I 4
Pozo Usero (El) *AL* .... 103　V 23
Pozoamargo *CU* .... 72　N 23
Pozoantiguo *ZA* .... 30　H 13
Pozoblanco *CO* .... 81　Q 15
Pozohondo *AB* .... 72　P 24
Pozondón *TE* .... 48　K 25
Pozondón (Puerto de) ...... 48　K 25
Pozorrubio *CU* .... 59　M 21
Pozos *LE* .... 15　F 11
Pozos de Hinojo *SA* .... 43　J 10
Pozoseco *CU* .... 60　N 24
Pozuel de Ariza *Z* .... 33　H 23
Pozuel del Campo *TE* .... 48　J 25
Pozuelo *AB* .... 72　P 23
Pozuelo (El) *CU* .... 47　K 23
Pozuelo (El) *GR* .... 102　V 20
Pozuelo (El) *H* .... 79　T 9
Pozuelo de Alarcón *M* .... 45　K 18
Pozuelo de Aragón *Z* ..... 34　G 25
Pozuelo de Calatrava *CR*.. 70　O 18
Pozuelo de la Orden *VA*.. 30　G 14
Pozuelo de Tábara *ZA* ... 29　G 12
Pozuelo de Vidriales *ZA*.. 29　F 12
Pozuelo de Zarzón *CC* ... 55　L 10
Pozuelo del Páramo *LE*.. 15　F 12
Pozuelo del Rey *M* .... 46　K 20
Pozuelos
　de Calatrava (Los) *CR*.. 70　P 17
Pozuelos del Rey *P* .... 16　F 15
Prada *OR* .... 14　F 8
Prada (Embalse de) *OR*... 14　F 8
Pradairo ....4　C 8
Pradales *SG* .... 32　H 18
Pradales (Sierra de) .... 31　H 18
Prádanos de Bureba *BU*.. 18　E 19
Prádanos de Ojeda *P* ..... 17　D 16
Pradejón *LO* .... 19　E 23
Pradela *LE* .... 14　E 9
Prádena *SG* .... 46　I 18
Prádena de Atienza *GU*.. 46　I 20
Prádena del Rincón *M* .... 46　I 19
Pradera
　de Navalhorno (La) *SG*.. 45　J 17

Poveda *AV* .... 44　K 14
Prades *T* .... 37　I 32
Pradet *L* .... 22　D 32
Pradilla *GU* .... 48　J 24
Pradilla de Ebro *Z* .... 34　G 26
Prado *O* ....5　C 11
Prado Caravia *O* ....6　B 14
Prado cerca de Maceira *PO*13　F 5
Prado cerca de
　Ponteareas *PO* .... 12　F 4
Prado cerca de Silleda *PO* 13　D 5
Prado *LU* ....3　C 6
Prado *OR* .... 13　F 7
Prado *ZA* .... 30　G 13
Prado (Sierra del) *BA* ..... 80　Q 12
Prado de la Guzpeña *LE*.. 16　D 14
Prado del Rey *CA* .... 92　V 13
Prado Llano *GR* .... 94　U 19
Prado Norte *M* .... 46　K 19
Prado y Eritas *H* .... 78　S 9
Pradoalvar *OR* .... 14　F 8
Pradochano *CC* .... 55　L 11
Pradolongo *OR* .... 14　F 8
Pradoluengo *BU* .... 18　F 20
Pradorredondo *AB* .... 72　P 23
Pradorrey *LE* .... 15　E 11
Prados *MU* .... 84　R 24
Prados (Los) *AB* .... 84　Q 22
Prados (Los) *CO* .... 94　T 17
Prados de Armijo *J* .... 83　R 21
Prados Redondos *GU* .... 48　J 24
Pradosegar *AV* .... 44　K 14
Pradoviejo (Alto de) *BU*.. 17　E 18
Pradreiro *C* ....2　C 3
Prat de Llobregat (El) *B*.. 38　I 36
Prat del Comte *T* .... 50　J 31
Pratdip *T* .... 51　I 32
Prats de Cerdanya *L* ...... 24　E 35
Prats de Lluçanès *B* .... 24　F 36
Prats de Rei (Els) *B* .... 37　G 34
Praves *S* ....8　B 19
Pravia *O* ....5　B 11
Predaja (Puerto de la) *BU*. 18　E 19
Preixana *L* .... 37　H 33
Preixens *L* .... 37　G 33
Préjano *LO* .... 19　F 23
Premià de Dalt *B* .... 38　H 37
Premià de Mar *B* .... 38　H 37
Prenafeta *T* .... 37　H 33
Prendes *O* ....5　B 12
Prendones *O* ....4　B 9
Prensa *BI* .... 8　C 19
Presa *NA* .... 13　D 24
Presas (Las) *CO* .... 81　R 17
Presedo *C* ....3　C 5
Presencio *BU* .... 17　F 18
Preses (Les) *GE* .... 24　F 37
Presillas Bajas (Las) *AL*..103　V 23
Preso (El) *CR* .... 71　O 20
Presqueira *PO* .... 13　E 4
Prevediños *C* .... 13　D 4
Prexigueiro *OR* .... 13　F 5
Priaranza
　de la Valduerna *LE* .... 15　F 11
Priaranza del Bierzo *LE*.. 14　E 10
Priego *CU* .... 47　K 23
Priego de Córdoba *CO*... 93　T 17
Priero *O* ....5　B 11
Priesca *O* ....6　B 13
Prieta *MA* .... 100　V 15
Prieta (Peña) ....6　C 15
Prieta (Punta)
　Lanzarote *GC* .... 121　F 2
Prieta (Sierra) .... 70　P 19
Prietas (Sierras) .... 70　N 17
Prieto *MA* .... 100　V 15
Prieto (Cabo) *O* ....6　B 15
Prim (Castillo de) *CR*...... 70　N 17
Prima (Punta) .... 87　P 34
Primajas *LE* .... 16　D 14
Príncipe de Viana (Parador)
　Olite *NA* .... 20　E 25
Prioiro *C* ....3　B 5
Prior (Cabo) *C* ....3　B 5
Priorato *SE* .... 80　S 13
Priorio *O* ....5　B 12
Prioriño (Cabo) *C* ....3　B 4
Pris (El) *Tenerife* *TF*.... 124　G 2
Proacina cerca de Proaza *O*5　C 11
Proaño *O* ....7　C 17
Proaza *O* ....5　C 11
Progo *OR* .... 28　G 8
Propios
　del Guadiana (Los) *J*... 83　S 20

Proserpina
　(Embalse de) *BA* .... 67　P 10
Provadura *OR* .... 13　E 6
Provencio (El) *CU* .... 71　N 22
Providencia (La) *O* ....6　B 13
Pruit *B* .... 24　F 37
Prullans *L* .... 23　E 35
Pruna *SE* .... 92　V 14
Pruvia *O* ....5　B 12
Púbol *GE* .... 25　F 38
Puch (Ermita del) .... 48　K 26
Puçol *V* .... 62　N 29
Pudent (Estany) .... 87　P 34
Puebla (La) *CR* .... 70　P 18
Puebla (La) *MU* .... 85　S 27
Puebla de Albortón *Z* ..... 35　H 27
Puebla de Alcocer *BA* .... 68　P 14
Puebla de Alcollarín *BA*.. 68　O 12
Puebla de Alfindén *Z* ..... 35　H 27
Puebla de Almenara *CU*.. 59　M 21
Puebla de
　Almoradiel (La) *TO* .... 59　N 20
Puebla de Arenoso *CS* ... 62　L 28
Puebla de Arganzón (La) *BU*19　D 21
Puebla de Argeme *CC* .... 55　M 10
Puebla de Azaba *SA* ...... 42　K 9
Puebla de Beleña *GU* .... 46　J 20
Puebla de Castro (La) *HU*. 22　F 30
Puebla de Cazalla
　(Embalse de la) *SE*..... 92　U 14
Puebla de Cazalla (La) *SE* 92　U 14
Puebla de Don Fadrique *GR*84　S 22
Puebla de Don Rodrigo *CR*69　O 16
Puebla de Eca *SO* .... 33　H 22
Puebla de Farnals /
　Pobla de Farnals (La) *V*.62　N 29
Puebla de Guzmán *H* ..... 78　T 8
Puebla de Híjar (La) *TE*... 35　I 28
Puebla de la Calzada *BA*. 67　P 10
Puebla de la Reina *BA*.... 67　Q 11
Puebla de la Sierra *M* ..... 46　I 19
Puebla de Lillo *LE* ....6　C 14
Puebla de los
　Infantes (La) *SE* .... 80　S 13
Puebla de
　Montalbán (La) *TO* .... 57　M 16
Puebla de Mula (La) *MU*.. 85　R 25
Puebla de Obando *BA* .... 67　O 10
Puebla de Pedraza *SG*... 45　I 18
Puebla de Roda (La) *HU*.. 22　F 31
Puebla de San Julián *LU*.. 14　D 7
Puebla de San Medel *SA*.. 43　K 12
Puebla de Sanabria *ZA* .. 28　F 10
Puebla de
　Sancho Pérez *BA* ..... 79　Q 10
Puebla de Trives *OR* ...... 14　E 8
Puebla de Valdavia (La) *P*. 17　D 16
Puebla de Valles *GU* ...... 46　J 20
Puebla de Valverde (La) *TE*61　L 27
Puebla de Yeltes *SA* ...... 43　K 11
Puebla del Maestre *BA* ... 79　R 11
Puebla del Príncipe *CR*... 71　Q 21
Puebla del Prior *BA* .... 67　Q 11
Puebla del Río (La) *SE*.... 91　U 11
Puebla del Salvador *CU*.. 60　N 24
Pueblanueva (La) *TO* ..... 57　M 15
Publica de Valverde *ZA* .. 29　G 12
Pueblo .... 30　H 13
Pueblo Nuevo
　de Miramontes *CC*..... 56　L 13
Puebloblanco *AL* .... 103　V 23
Pueblonuevo
　del Guadiana *BA* .... 67　P 9
Puelo *O* ....5　C 10
Puendeluna *Z* .... 21　F 27
Puentalarra (Embalse de).. 18　D 20
Puente (El) *S* ....8　B 20
Puente (La) *A* .... 71　O 20
Puente Agüera *O* ....6　B 14
Puente Almuhey *LE* .... 16　D 15
Puente Arce *S* ....7　B 18
Puente de
　Domingo Flórez *LE*.... 14　E 9
Puente de Gênave *J* ...... 83　Q 21
Puente de Híjar *AB* .... 84　Q 24
Puente de la Cerrada
　(Embalse del) *J*.......... 83　S 20
Puente de la Sierra *M* .... 45　K 17
Puente de las Herrerías *J*.83　S 21
Puente de los Fierros *O*....5　C 12
Puente de Montañana *HU*. 22　F 32
Puente de San Martín *O*....5　B 11
Puente de San Miguel *S*....7　B 17
Puente de Sanabria *ZA*... 14　F 10

Puente de Vadillos *CU* ... 47　K 23
Puente de Valderredible *S*. 17　D 18
Puente del Arzobispo (El) *TO*57　M 14
Puente del Congosto *SA*.. 44　K 13
Puente del Obispo *J* .... 82　S 19
Puente del Río *AL* .... 102　V 21
Puente del Villar *J* .... 82　S 18
Puente Duda *GR* .... 83　S 22
Puente Duero *VA* .... 30　H 15
Puente-Genil *CO* .... 93　T 15
Puente Grande *CO* .... 94　T 17
Puente la Reina *NA* .... 10　D 24
Puente la Reina
　de Jaca *HU* .... 21　E 27
Puente Navarro
　(Embalse de) .... 70　O 18
Puente Nuevo *AV* .... 45　K 16
Puente Nuevo *J* .... 82　S 18
Puente Nuevo
　(Embalse de) *CO* .... 81　R 14
Puente Porto
　(Embalse de) *ZA* .... 14　F 9
Puente Pumar *S* ....7　C 16
Puente Torres *AB* .... 73　O 25
Puente Viesgo *S* ....7　C 18
Puenteblanca .... 31　H 16
Puentecilla *O* ....5　C 10
Puentedey *BU* .... 18　D 18
Puentenansa *S* ....7　C 18
Puentes (Embalse de) *MU* 84　S 24
Puentevea *C* .... 12　D 4
Puercas *ZA* .... 29　G 11
Puerco (Arroyo del) .... 90　T 9
Puerta (La) *GU* .... 47　K 22
Puerta (Sierra de la) .... 84　R 24
Puerta de Segura (La) *J*.. 83　Q 21
Puertas *SA* .... 43　I 11
Puertas
　de Villafranca (Las) *TO*.. 59　N 19
Puente de San Miguel *S*....7　B 17
Puertecico *AL* .... 96　T 24
Puertito (El)
　Fuerteventura *GC* ... 111　J 1
Puertito de Güímar (El)
　Tenerife *TF* .... 127　H 3
Puerto *GR* .... 101　V 18
Puerto (El) *CU* .... 61　M 26
Puerto (El) *AL* .... 102　V 22
Puerto (El) *H* .... 78　S 9
Puerto (Sierra del) .... 84　R 25
Puerto Alegre *CO* .... 93　T 15
Puerto Alto *J* .... 82　S 18
Puerto Banús *MA* .... 100　W 15
Puerto Cabopino *MA* .... 100　W 15
Puerto Calero
　Lanzarote *GC* .... 122　C 5
Puerto Castilla *AV* .... 56　L 13
Puerto de Béjar *SA* .... 43　K 12
Puerto de la Cruz
　Fuerteventura *GC* ... 112　B 5
Puerto de la Cruz
　Tenerife *TF* .... 124　F 2
Puerto de la Encina *SE*... 92　U 14
Puerto de la Estaca
　El Hierro *TF* .... 109　E 2
Puerto de la Peña
　Fuerteventura *GC* ... 110　F 3
Puerto de la Torre *MA* ... 100　V 16
Puerto de las Nieves
　Gran Canaria *GC* ... 114　C 2
Puerto de Mazarrón *MU*.. 97　T 26
Puerto de Mogán
　Gran Canaria *GC* ... 116　B 4
Puerto de Motril *GR* ...... 101　V 19
Puerto de Pollença /
　Port de Pollença *PM*... 105　M 39
Puerto de San Vicente *TO* 57　N 14
Puerto de Santa Cruz *CC*.. 68　O 12
Puerto de Santa
　María (El) *CA* .... 98　W 11
Puerto de Santiago
　Tenerife *TF* .... 128　B 4
Puerto de Sardina
　Gran Canaria *GC* ... 114　C 1
Puerto de Sóller /
　Port de Sóller *PM*...... 104　M 38
Puerto de Tazacorte
　La Palma *TF* .... 130　B 5
Puerto de Vega *O* ....5　B 10
Puerto del Carmen
　Lanzarote *GC* .... 123　D 5
Puerto del Centinela
　(Sierra del) .... 67　O 9
Puerto del Pino *AB* .... 84　Q 23
Puerto del Rosario
　Fuerteventura *GC* ... 111　I 3

Puerto Espíndola
  La Palma TF .... 131 D 3
Puerto Gil H .... 79 S 10
Puerto Haza de Lino GR. 102 V 20
Puerto Hurraco BA .... 68 Q 13
Puerto Lajas
  Fuerteventura GC .... 111 I 2
Puerto Lápice CR .... 70 O 19
Puerto López GR .... 94 T 18
Puerto-Lucía H .... 79 S 9
Puerto Lumbreras MU ..... 96 T 25
Puerto Moral H .... 79 S 10
Puerto Naos La Palma TF132 C 5
Puerto Nuevo Gran Canaria GC 114
  D 1
Puerto Real CA .... 98 W 11
Puerto Rey TO .... 57 N 14
Puerto Rey AL .... 96 U 24
Puerto Rico
  Gran Canaria GC .... 116 C 4
Puerto San Nicolás
  Gran Canaria GC .... 114 B 2
Puerto Seguro SA .... 42 J 9
Puerto Serrano CA .... 92 V 13
Puértolas HU .... 22 E 30
Puertollanillo CA .... 92 V 12
Puertollano CR .... 70 P 17
Puertollano (Sierra de) .... 70 Q 17
Puertomingalvo TE .... 62 L 28
Puertos (Los) T .... 50 J 31
Pueyo NA .... 20 E 25
Pueyo (El) HU .... 21 D 29
Pueyo (Monasterio de) HU 22 F 30
Pueyo (Monte) HU .... 21 E 29
Pueyo de Araguás (El) HU 22 E 30
Pueyo de Fañanás HU ..... 21 F 29
Pueyo de Santa Cruz HU . 36 G 30
Puibolea HU .... 21 F 28
Puiburell .... 35 H 29
Puig V .... 62 N 29
Puig campana A .... 74 Q 29
Puig Moreno .... 49 I 29
Puig-reig B .... 38 G 35
Puig Rom GE .... 25 F 39
Puigcerdà GE .... 24 E 35
Puigdàlber B .... 37 H 35
Puiggròs L .... 37 H 32
Puigllançada .... 24 F 35
Puigmal GE .... 24 E 36
Puigmoreno de Franco TE 49 I 29
Puigpedrós GE .... 23 E 35
Puigpelat T .... 37 I 33
Puigpunyent PM .... 104 N 37
Puigsacalm GE .... 24 F 37
Puigverd d'Agramunt L ... 37 G 33
Puigverd de Lleida L .... 36 H 32
Puilatos Z .... 35 G 27
Pujal (El) L .... 23 F 33
Pujalt B .... 37 G 34
Pujarnol GE .... 24 F 38
Pujayo S .... 7 C 17
Pujerra MA .... 100 W 14
Pujols (es) PM .... 87 P 34
Pulgar TO .... 58 M 17
Pulgosa (La) AB .... 72 P 24
Pulido (Puerto) CR .... 69 Q 16
Pulpí AL .... 96 T 24
Pulpite GR .... 95 T 22
Pulpites (Los) MU .... 85 R 26
Pumalverde S .... 7 C 17
Pumarejo de Tera ZA ...... 29 G 11
Pumares OR .... 14 E 9
Punta .... 36 H 30
Punta (Sa) Mallorca PM .. 105 N 39
Punta (Sa) GE .... 25 G 39
Punta Alta .... 22 E 32
Punta Bombarda A .... 74 Q 29
Punta Brava Tenerife TF.. 124 F 2
Punta de Deiá PM .... 104 M 37
Punta de Moraira A .... 75 P 30
Punta Mala .... 99 X 14
Punta Mujeres
  Lanzarote GC .... 121 F 3
Punta ó Sénia
  Sevilla (La) CS .... 62 L 30
Punta Prima Menorca PM 106 M 42
Punta Prima A .... 86 S 27
Punta Umbría H .... 90 U 9
Puntagorda La Palma TF 130 B 3
Puntal MA .... 93 U 16
Puntal (El) O .... 6 B 13
Puntal (El) T .... 73 P 27
Puntal de la Mina AB ...... 71 Q 22
Puntales (Sierra de los) CO81 R 15
Puntallana La Palma TF.. 131 E 4
Puntalón GR .... 101 V 19

Puntillas (Mesa de las)
  Gran Canaria GC .... 117 E 4
Punxín OR .... 13 E 5
Puras BU .... 18 E 20
Puras VA .... 45 I 16
Purchena AL .... 96 T 22
Purchena H .... 91 T 10
Purchil VA .... 94 U 19
Purias MU .... 96 T 25
Purias (Puerto) MU .... 96 T 25
Purón O .... 7 B 15
Purón (Río) .... 18 D 20
Purroy Z .... 34 H 25
Purroy de la Solana HU ... 22 F 31
Purujosa Z .... 34 G 24
Purullena GR .... 95 U 20
Pusa (Río) .... 57 M 16
Puyalón .... 34 H 25
Puyarruego HU .... 22 E 30

Q

Quar (La) B .... 24 F 35
Quart d'Onyar GE .... 25 G 38
Quart de les Valls V .... 62 M 29
Quart de Poblet V .... 62 N 28
Quatretonda V .... 74 P 28
Quatretondeta A .... 74 P 29
Quebrada (Sierra) BA ...... 79 R 11
Quebradas AB .... 84 Q 24
Quecedo BU .... 18 D 19
Queguas OR .... 27 G 5
Queiles (Río) .... 34 G 24
Queimada .... 3 C 5
Queipo de Llano SE .... 91 U 11
Queirogás OR .... 28 G 7
Queiruga C .... 12 D 2
Queixa (Sierra de) OR ..... 14 F 7
Queixans GE .... 24 E 35
Queixas C .... 3 C 4
Queizán LU .... 4 D 8
Quejana VI .... 8 C 20
Quejana VI .... 8 C 20
Quejigal BA .... 43 J 12
Quejigo BA .... 69 O 15
Quejo (El) O .... 18 D 20
Quejo (Cabo) .... 8 B 19
Quejola .... 72 P 23
Quel LO .... 19 F 23
Quemada BU .... 32 G 19
Quéntar GR .... 94 U 19
Quéntar (Embalse de) GR. 94 U 19
Quer GU .... 46 K 20
Quer Foradat (El) L .... 23 F 34
Queralbs GE .... 24 E 36
Queralt .... 37 H 34
Querencia GU .... 47 I 21
Quero TO .... 59 N 20
Querol T .... 37 H 34
Querol (Port de) .... 49 K 29
Querolt L .... 23 F 34
Ques O .... 6 B 13
Quesa V .... 74 O 27
Quesada J .... 83 S 20
Quesada (Estación de) J.. 83 S 20
Quesada (Peña de) GR..... 83 S 21
Quesada (Río) .... 83 S 20
Quesera (Collado de la) GU46 I 20
Queveda S .... 7 B 17
Quibas (Sierra de) .... 85 R 26
Quicena HU .... 21 F 28
Quiebrajano (Embalse de) J94 T 18
Quijas S .... 7 B 17
Quijorna M .... 45 K 17
Quiles (Los) CR .... 70 O 18
Quilmas C .... 2 D 2
Quilós LE .... 14 E 9
Quincoces de Yuso BU .... 18 D 20
Quindous LU .... 14 D 9
Quines OR .... 13 F 5
Quinta (la) MA .... 46 K 18
Quinta (La) MA .... 92 V 14
Quintana VI .... 19 E 22
Quintana cerca de Astrana S8 C 19
Quintana cerca de Villegar S7 C 18
Quintana cerca de Nava O.. 6 B 13
Quintana cerca de Vega O.. 6 B 13
Quintana ZA .... 14 F 9
Quintana
  cerca de Albariza O ...... 5 C 11
Quintana (Sierra) J .... 17 D 17
Quintana (Sierra de) J .... 81 Q 17
Quintana de Fuseros LE.. 15 D 11
Quintana de la Serena BA 68 P 12
Quintana de Rueda LE .... 16 E 14
Quintana del Castillo LE.. 15 E 11
Quintana del Marco LE.... 15 F 12

Quintana del Monte LE ... 16 E 14
Quintana del Pidio BU.... 32 G 18
Quintana del Puente P.... 31 F 17
Quintana María BU .... 18 D 20
Quintana-Martín
  Galíndez BU .... 18 D 20
Quintana Redonda SO ... 33 H 22
Quintana y Congosto LE.. 15 F 11
Quintanabureba BU .... 18 E 19
Quintanadueñas BU .... 18 E 18
Quintanaélez BU .... 18 E 20
Quintanaloranco BU .... 18 E 20
Quintanamanvirgo BU .... 31 G 18
Quintanaopio BU .... 18 D 19
Quintanaortuño BU .... 18 E 18
Quintanapalla BU .... 18 E 19
Quintanar (Collado de) BU32 F 20
Quintanar (Sierra del) .... 45 J 17
Quintanar de la Orden TO. 59 N 20
Quintanar de la Sierra BU. 32 G 20
Quintanar del Rey CU ..... 72 N 24
Quintanarejo (El) SO ...... 33 G 21
Quintanarraya BU .... 32 G 19
Quintanarruz BU .... 18 E 19
Quintanas de Gormaz SO. 32 H 21
Quintanas
  de Valdelucio BU .... 17 D 17
Quintanas Rubias
  de Abajo SO .... 32 H 20
Quintanas Rubias
  de Arriba SO .... 32 H 20
Quintanatello de Ojeda P.. 17 D 16
Quintanavides BU .... 18 E 19
Quintanilla S .... 7 C 16
Quintanilla BU .... 17 F 18
Quintanilla de Arriba A .... 31 H 17
Quintanilla de Babia LE... 15 D 11
Quintanilla de Flórez LE.. 15 F 11
Quintanilla de la Berzosa P17 D 16
Quintanilla de la Cueza P.. 16 F 15
Quintanilla de la Mata BU. 32 G 18
Quintanilla de las Torres P 17 D 17
Quintanilla de las Viñas BU18 F 19
Quintanilla
  de los Oteros LE .... 16 F 13
Quintanilla de Losada LE.. 15 F 10
Quintanilla
  de Nuño Pedro SO .... 32 G 20
Quintanilla de Onésimo VA 31 H 16
Quintanilla de Onsoña P... 17 E 16
Quintanilla de Pienza BU.. 18 D 19
Quintanilla
  de Riopisuerga BU .... 17 E 17
Quintanilla de Rueda LE.. 16 D 14
Quintanilla de Sollamas LE15 E 12
Quintanilla de Somoza LE. 15 E 11
Quintanilla de
  Tres Barrios SO .... 32 H 20
Quintanilla de Trigueros VA31 G 16
Quintanilla de Urz ZA ..... 29 F 12
Quintanilla de Yuso LE.... 15 F 10
Quintanilla del Agua BU.. 32 F 19
Quintanilla del Coco BU... 32 G 19
Quintanilla del Molar VA .. 30 G 13
Quintanilla del Monte LE. 30 G 13
Quintanilla del Monte LE. 15 E 12
Quintanilla del Olmo ZA.. 30 G 13
Quintanilla del Valle LE .. 15 E 12
Quintanilla la Ojada BU... 18 D 20
Quintanilla-
  Pedro Abarca BU .... 17 E 18
Quintanilla San García BU 18 E 20
Quintanilla-Sobresierra BU18 E 18
Quintanilla-Vivar BU .... 18 E 18
Quintanillabón BU .... 18 E 20
Quintanillas (Las) BU ..... 17 E 18
Quintás C .... 3 C 5
Quintás OR .... 27 G 5
Quintela LE .... 14 D 9
Quintela LU .... 4 C 7
Quintela de Leirado OR ... 13 F 5
Quintera (La) SE .... 80 S 13
Quintería (La) J .... 82 R 18
Quintes O .... 6 B 13
Quintillo (El) CR .... 70 P 19
Quintinilla-Rucandio S.... 17 D 18
Quinto Z .... 35 H 28
Quintos de Mora
  (Coto nacional) TO ...... 70 N 17
Quintueles O .... 6 B 13
Quinzano HU .... 21 F 28
Quiñonería (la) SO .... 33 H 23
Quipar (Río) .... 84 R 24
Quipar (Sierra de) .... 84 R 24
Quireza PO .... 13 E 4
Quiroga LU .... 14 E 8

Quirós .... 5 C 12
Quiruelas ZA .... 29 F 12
Quismondo TO .... 58 L 17

R

Rabadá y Navarro TE ...... 61 L 26
Rábade LU .... 3 C 7
Rabadeira .... 2 C 3
Rábago S .... 7 C 16
Rábago VA .... 31 H 17
Rábano de Aliste ZA .... 29 G 10
Rábano de Sanabria ZA... 14 F 10
Rábanos BU .... 18 F 20
Rábanos (Embalse de Los) 33 G 22
Rábanos Los) SO .... 33 G 22
Rabassa (La) L .... 37 H 34
Rabassa (La) BA .... 66 O 8
Rabé BU .... 32 G 18
Rabera (Sierra de la) .... 58 N 18
Rábida (Monasterio de la) H90 U 9
Rabinades (Las) CR .... 70 O 17
Rabisca (Punta de)
  La Palma TF .... 130 B 2
Rábita MA .... 93 U 15
Rábita (La) GR .... 102 V 20
Rábita (La) J .... 94 T 17
Rabizo (Alto del) LE .... 15 D 11
Rabo .... 5 C 10
Rabós GE .... 25 E 39
Racó de Loix A .... 74 Q 29
Racó de Santa Llucía B ... 37 I 35
Rad (La) SA .... 43 J 12
Rada (La) NA .... 20 E 25
Rada (Lucio) CA .... 91 V 11
Rada de Haro CU .... 59 N 22
Radiquero HU .... 22 F 30
Radona SO .... 33 I 22
Rafal A .... 85 R 27
Ráfales SE .... 50 J 30
Rafalet A .... 75 P 30
Rafelbunyol V .... 62 N 28
Rafelguaraf V .... 74 O 28
Ràfol d'Almunia (El) A ..... 74 P 29
Rágama SA .... 44 J 14
Rágol AL .... 102 V 21
Ragua (Puerto de la) GR.. 95 U 20
Ragudo (Cuesta de) CS.... 62 M 28
Raguero de Bajo MU .... 85 S 25
Raíces C .... 12 D 4
Raíces (Las) Tenerife TF. 124 F 8
Raigada OR .... 14 F 8
Raimat L .... 36 G 31
Rairiz de Veiga OR .... 13 F 6
Raixa PM .... 104 M 38
Rajadell B .... 37 G 35
Rajadell (Riera de) .... 37 G 34
Rajita (La) La Gomera TF118 B 3
Rala AB .... 84 Q 23
Ram .... 104 N 37
Ramacastañas AV .... 57 L 14
Ramales de la Victoria S.. 8 C 19
Ramallosa .... 12 D 4
Ramallosa (A) PO .... 12 F 3
Rambla .... 70 P 19
Rambla (Barranco La) ..... 73 O 26
Rambla (La) AB .... 72 P 23
Rambla (La) CO .... 93 T 15
Rambla Aljibe (La) GR ..... 95 U 23
Rambla de Castellar CR... 71 Q 20
Rambla de Martín (La) TE. 49 J 27
Rambla del Agua AL .... 95 U 21
Rambla Seca .... 73 O 27
Ramblas (Las) AB .... 84 Q 24
Ramil LU .... 4 C 7
Ramilo OR .... 14 F 9
Ramirás OR .... 13 F 5
Ramiro VA .... 30 I 15
Ramonete (Ermita del) MU 97 T 25
Rancajales (Los) M .... 46 J 18
Ranchón (Peña de) .... 5 C 12
Randa PM .... 104 N 38
Randín OR .... 27 G 6
Ranedo BU .... 18 D 20
Ranera BU .... 18 D 20
Ranera (Monte) O .... 5 C 12
Ranero B .... 8 C 19
Raneros LE .... 16 E 13
Ranín HU .... 22 E 30

Rante OR .... 13 F 6
Rañadoiro (Puerto de) O.. 4 C 9
Rañadoiro (Sierra de) O... 4 C 9
Rañas del Avellanar CR... 57 N 15
Rao LU .... 4 D 9
Rapariegos SG .... 45 I 16
Ràpita (Ansa de sa) .... 104 N 38
Ràpita (La) B .... 37 I 34
Ràpita (Les Salines de la) 50 K 32
Ràpita (sa) Mallorca PM.. 104 N 38
Ras (Cap) .... 25 E 39
Rasa (La) SO .... 32 H 20
Rasal HU .... 21 E 28
Rasca (Faro de la)
  Tenerife TF .... 128 D 6
Rasca (Punta de la)
  Tenerife TF .... 128 D 5
Rascafría M .... 45 J 18
Rascanya (La) V .... 62 N 28
Rasillo (El) LO .... 19 F 21
Rasines S .... 8 C 19
Raso (El) AV .... 56 L 13
Rasos de Peguera B .... 23 F 35
Raspay MU .... 85 Q 26
Raspilla AB .... 84 Q 22
Rasquera T .... 50 I 31
Rasueros AV .... 44 I 14
Rates (Coll de) A .... 74 P 29
Rauric T .... 37 H 34
Raval de Crist T .... 50 J 31
Raval de Jesús T .... 50 J 31
Raxo PO .... 12 E 3
Raxón C .... 3 B 5
Raya del Palancar-
  Guadamonte (La) M ..... 45 K 18
Rayo (Puerto del) CR ...... 69 P 15
Rayo (Sierra del) TE .... 49 K 28
Razbona GU .... 46 J 20
Razo C .... 2 C 3
Razón .... 33 G 22
Real (Caño) SE .... 91 V 10
Real (Lucio) CA .... 91 V 11
Real (Sierra) .... 100 W 14
Real de
  San Vicente (El) TO ..... 57 L 15
Realejo Alto Tenerife TF.. 127 E 3
Realejo Bajo Tenerife TF. 127 E 3
Realejos (Los) Tenerife TF127 E 3
Reales MA .... 99 W 14
Reatilo o de Sot (Riu) ..... 61 N 26
Rebalsadors .... 62 M 28
Rebanal de las Llantas P.. 17 D 16
Rebide LU .... 14 E 8
Reboiró LU .... 14 D 7
Rebolado de Traspeña BU 17 D 17
Rebollada
  cerca de Laviana O ...... 6 C 13
Rebollada
  cerca de Mieres O .... 5 C 12
Rebollar SO .... 33 G 22
Rebollar O .... 15 D 10
Rebollar V .... 61 N 26
Rebollar CC .... 56 L 12
Rebollarejo (Sierra del) ... 58 N 18
Rebolledo (El) A .... 86 Q 28
Rebolledo de Hita GU ...... 46 J 20
Rebollosa de Jadraque GU47 I 21
Rebollossa de Pedro SO .. 32 I 20
Reboredo cerca de Boiro C12 D 3
Reboredo cerca de
  O Grove PO .... 12 E 3
Reboredo cerca de
  Oza dos Ríos C .... 3 C 5
Rebost B .... 24 F 35
Recajo LO .... 19 E 23
Recaré LU .... 4 B 7
Recas TO .... 58 L 18
Recueja (La) AB .... 73 O 25
Recuenco (El) GU .... 47 K 22
Recuerda SO .... 32 H 21
Redal (El) LO .... 19 E 23
Redecilla del Campo BU .. 18 E 20
Redipollos LE .... 6 C 14
Redipuertas LE .... 6 C 13
Redonda C .... 2 D 2

Redonda (La) SA .... 42 J 9
Redonda (Peña) LU .... 14 E 8
Redondal LE .... 15 E 10
Redondela PO .... 12 F 4
Redondela (La) H .... 90 U 8
Redondo .... 8 C 19
Redondo (Puerto) BU....... 32 G 20
Redován A .... 85 R 27
Redueña M .... 46 J 19
Refoxos PO .... 13 E 5
Refugi (El) CS .... 62 L 30
Regadas OR .... 13 F 5
Regana (Embassament de) 62 M 38
Regal .... 20 E 26
Regallo (Arroyo de) .... 49 I 29
Regana (Cap de) .... 104 N 38
Regencós GE .... 25 G 39
Regla (La) O .... 5 C 10
Règola (La) L .... 36 G 32
Reguengo PO .... 12 F 4
Regueral O .... 5 B 12
Regueras de Arriba LE .... 15 F 12
Reguérs (Els) T .... 50 J 31
Regumiel de la Sierra BU. 32 G 21
Reguntille LU .... 4 C 7
Reigada O .... 5 C 10
Reigosa LU .... 4 C 7
Reillo CU .... 60 M 24
Reina BA .... 80 R 12
Reina (Mirador de la) O... 6 C 14
Reinante LU .... 4 B 8
Reino (El) OR .... 13 E 5
Reinosa S .... 17 C 17
Reinosilla S .... 17 D 17
Reinoso BU .... 18 E 19
Reinoso de Cerrato P ...... 31 G 16
Rejas SO .... 32 H 20
Rejas de Ucero SO .... 32 G 20
Relance (Pico) .... 16 D 14
Relaño (El) MU .... 85 R 26
Relea P .... 17 E 15
Reliegos LE .... 16 E 13
Rellana .... 103 V 23
Rellano O .... 5 B 10
Relleu A .... 74 Q 29
Rellinars B .... 38 H 35
Rello SO .... 33 H 21
Reloj CA .... 92 V 13
Relumbrar .... 71 Q 21
Remedios
  (Ermita de los) BA .... 79 R 10
Remedios (Punta dos) C.. 12 D 2
Remendia .... 11 D 26
Remolcador (Port del) .... 62 L 28
Remolina LE .... 16 D 14
Remolino (El) CO .... 93 T 15
Remolinos Z .... 34 G 26
Remondo SG .... 31 H 16
Rena BA .... 68 O 12
Renales GU .... 47 J 22
Renales (Cabeza) SG ...... 45 J 17
Renche LU .... 14 D 8
Rendona (La) CA .... 99 W 12
Renedo VA .... 31 H 16
Renedo .... 5 B 18
Renedo de Cabuérniga S.. 7 C 17
Renedo de la Vega P .... 17 E 15
Renedo de Valdavia P...... 17 E 16
Renedo
  de Valderaduey LE .... 16 E 15
Renedo de Valdetuéjar LE 16 D 14
Renera GU .... 46 K 20
Rengos O .... 5 C 10
Renieblas SO .... 33 G 22
Renodo P .... 17 D 17
Rentería / Errenteria SS .. 10 C 24
Renúñez Grande CR .... 71 P 20
Reocín S .... 7 B 17
Reolid AB .... 71 Q 22
Repilado (El) H .... 79 S 8
Repollés (Masía del) TE... 49 K 28
Repostería LU .... 13 D 6
Represa LE .... 16 E 13
Requejada
  (Embalse de la) P .... 17 D 16
Requejo S .... 17 C 17
Requejo ZA .... 28 F 9
Requena V .... 61 N 26
Requena de Campos P..... 17 F 16
Requián OR .... 27 G 6
Requijada SG .... 45 I 18
Reres (Coto nacional de) . 6 C 14
Resconorio S .... 7 C 18

Residencial Montelar GU .. 46 J 19
Resinera (La) GR .... 101 V 18
Resinera-Voladilla MA ... 100 W 14
Resoba P .... 17 D 16
Respaldiza VI .... 8 C 20
Respenda de la Peña P ... 17 D 15
Respomuso (Embalse de) 21 D 29
Restábal GR .... 101 V 19
Restiello O .... 5 C 11
Restinga (La) El Hierro TF109 D 4
Retama CR .... 69 O 16
Retamal BA .... 67 P 10
Retamal de Llerena BA .. 68 Q 12
Retamar CR .... 70 P 17
Retamar AL .... 103 V 23
Retamar (El) Tenerife TF.126 C 3
Retamosa CC .... 56 N 13
Retamosa (La) CR .. 69 P 16
Retamoso de la Jara TO .. 57 M 15
Retascón Z .... 48 I 25
Retiendas GU .... 46 J 20
Retín .... 79 Q 11
Retorno (El) V .... 73 N 25
Retorta LU .... 3 D 6
Retorta OR .... 28 F 7
Retortillo S .... 17 D 17
Retortillo SA .... 43 J 10
Retortillo (Embalse de
derivación) SE .... 80 S 14
Retortillo (Embalse del) ... 80 S 13
Retortillo (Río) SE .... 80 S 13
Retortillo de Soria SO .. 32 I 21
Retriñón .... 6 C 13
Retuerta BU .... 32 F 19
Retuerta (Monte) TE .... 48 J 26
Retuerta del Bullaque CR. 57 N 16
Retuerto LE .... 6 C 14
Reus T .... 37 I 33
Revalbos SA .... 44 K 13
Revell (Coll de) GE .... 24 G 37
Revellinos ZA ...... 30 G 13
Revenga BU .... 17 F 18
Revenga SG .... 45 J 17
Revenga de Campos P .... 17 F 16
Reventón M .... 45 J 18
Reventón (Puerto del) CR. 70 P 18
Revilla S .... 7 B 18
Revilla P .... 17 D 17
Revilla HU .... 22 E 30
Revilla (La) BU ...... 32 F 20
Revilla (La) S .... 7 B 16
Revilla
de Calatañazor (La) SO. 33 H 21
Revilla de Campos P .... 31 F 15
Revilla de Collazos P ... 17 E 16
Revilla del Campo BU .. 18 F 19
Revilla-Vallegera BU ... 17 F 17
Revillarruz BU ...... 18 F 19
Revolcadores MU ..... 84 R 23
Rey (Barranco del)
Tenerife TF .... 128 D 4
Rey (Embalse del) M .... 58 L 19
Rey (Sierra del) CR .... 81 Q 17
Rey Fernando II de León
(Parador) Benavente .... 29 F 12
Reyero LE .... 16 D 14
Reyertas (Las) SE ..... 92 V 13
Reyertilla SE .... 92 V 13
Reyes (Bahía de los)
El Hierro TF ...... 108 B 3
Reznos SO .... 33 H 23
Ría de Abres O ..... 4 B 8
Riaguas
de San Bartolomé SG .. 32 H 19
Riahuelas SG .... 32 H 19
Rial cerca de Rianxo C ... 12 E 3
Rial C .... 2 C 4
Rial Soutomaior PO ... 12 F 4
Rialb (Pantà de) L .... 23 F 33
Rialp L .... 23 E 33
Riancho S .... 8 C 19
Riano O .... 5 C 12
Riánsares (Estación de) CU59 L 21
Riánsares (Río) ...... 59 N 20
Rianxo C .... 12 E 3
Riaño S .... 8 B 19
Riaño LE .... 16 D 15
Riaño (Embalse de) LE. 16 D 14
Riaño (Reserva
nacional de) LE .... 6 C 14
Riaño (Sierra de) ..... 6 C 15
Rías Altas C .... 3 B 4
Rías Baixas /
Rías Bajas PO ..... 12 E 2
Rías Bajas /
Rías Baixas PO .... 12 E 2

Rías Gallegas C .... 2 C 2
Riaza SG .... 32 I 19
Riaza (Canal del) ...... 31 H 18
Riaza (Río) .... 32 I 19
Riba S .... 8 C 19
Riba (La) T .... 37 I 33
Riba de Escalote (La) SO.. 33 H 21
Riba de Saelices GU .... 47 J 23
Riba de Santiuste GU ... 47 I 21
Riba de Valdelucio (La) BU17 D 17
Riba-roja (Pantà de) T .. 36 I 31
Riba-roja d'Ebre T ...... 36 I 31
Riba-roja de Túria V .... 62 N 28
Ribabellosa VI .... 18 D 21
Ribadavia OR .... 13 F 5
Ribadedeva .... 7 B 16
Ribadelago ZA .... 14 F 9
Ribadeo LU .... 4 B 8
Ribadeo (Ría de) LU .... 4 B 8
Ribadesella O .... 6 B 14
Ribadeume C .... 3 B 6
Ribadulla PO .... 13 D 4
Ribadumia PO .... 12 E 3
Ribaforada NA .... 34 G 25
Ribafrecha LO .... 19 E 22
Ribagorda GU .... 47 K 23
Ribagorda (Ermita de) GU. 48 K 24
Ribarredonda GU ..... 47 J 23
Ribarroya SO .... 33 H 22
Ribarteme PO .... 13 F 4
Ribas LE .... 15 F 12
Ribas de Campos P .... 17 F 16
Ribas de Miño LU ..... 13 E 6
Ribas de Sil LU .... 14 E 8
Ribas de Sil
(Monasterio de) OR .... 13 E 6
Ribas Pequeñas LU .... 14 E 7
Ribasaltas LU .... 14 E 7
Ribatajada CU .... 47 K 23
Ribatajadilla CU ...... 60 L 23
Ribatejada M .... 46 K 19
Ribeira LU .... 14 D 8
Ribeira C .... 12 E 3
Ribeira (Embalse de la) C.. 3 B 6
Ribera J .... 94 T 18
Ribera (La) LE .... 15 E 10
Ribera de Arriba O ..... 5 C 12
Ribera de Cabanes CS .. 62 L 30
Ribera de Cardós L .... 23 E 33
Ribera de Los Molinos BA.79 R 11
Ribera de Molina MU ... 85 R 26
Ribera de Piquín LU .... 4 C 8
Ribera de Vall HU ..... 22 F 32
Ribera del Fresno BA ... 67 Q 11
Ribera-Oveja CC ...... 43 L 11
Riberas O .... 5 B 11
Riberas de Lea LU ..... 4 C 7
Riberos de la Cueza P ... 16 F 15
Ribes de Freser GE .... 24 F 36
Ribesalbes CS .... 62 L 29
Ribota BU .... 8 C 20
Ribota SG .... 32 H 19
Ribota (Rambla de) .... 34 H 24
Ricabo O .... 5 C 12
Ricardo Roca (Mirador) PM104 N 37
Ricla Z .... 34 H 25
Ricobayo ZA .... 29 H 12
Ricote MU .... 85 R 26
Ricote (Sierra de) ...... 85 R 25
Riego de Ambros LE .... 15 E 10
Riego de la Vega LE .... 15 E 12
Riego del Camino ZA ... 29 G 12
Riego del Monte LE .... 16 E 13
Riegoabajo O .... 8 B 11
Riello LE .... 15 D 12
Riells cerca de l'Escala GE25 F 39
Riells cerca de Breda GE.. 38 G 37
Riells del Fai B .... 38 G 36
Rielves TO .... 58 M 17
Rienda GU .... 33 I 21
Riensena O .... 6 B 14
Riera (La) T .... 37 I 34
Riera (La) cerca de
Aguasmestas O ..... 5 C 11
Riera (La) cerca de
Covadonga O ...... 6 C 14
Riera (La) E .... 15 D 11
Riera (Sa) GE .... 25 G 39
Riguera LU .... 21 E 27
Riguera LU .... 4 B 7
Rigüel (Río) .... 20 F 26
Rigüelo SE .... 93 U 15
Rilleira S .... 3 C 6
Rillo TE .... 49 J 27
Rillo de Gallo GU ..... 48 J 24
Rincón (El) AB .... 73 P 25

Rincón (El) MU .... 84 S 24
Rincón de Ballesteros CC. 67 O 10
Rincón de la Victoria MA.101 V 17
Rincón de Olivedo LO ... 33 F 24
Rincón de Soto LO ..... 20 F 24
Rincón del Moro AB .... 72 Q 24
Rincón del Obispo CC ... 55 M 10
Rinconada AV .... 44 J 14
Rinconada (La) AV ..... 45 K 16
Rinconada (La) AB ..... 72 P 23
Rinconada (La) SE ..... 91 T 12
Rinconada (Sierra de la) .. 69 O 15
Rinconada
de la Sierra (La) SA .... 43 K 11
Rinconadas (Las) CU ... 61 M 26
Rinconcillo (El) CA ..... 99 X 13
Rinconcillo (El) CO ..... 81 S 15
Riner L .... 37 G 34
Rinlo LU .... 4 B 8
Río OR .... 14 E 8
Río LU .... 14 D 8
Río (El) LO .... 18 F 21
Río (El) Lanzarote GC ... 121 F 2
Río (El) Tenerife TF .... 129 F 4
Río (El) CR .... 70 O 17
Río (Mirador del)
Lanzarote GC ...... 121 F 2
Río (Punta del) AL ..... 103 V 22
Río Cedena LO .... 57 N 16
Río Chico (El) AL ...... 102 V 21
Río Cofio M .... 45 K 17
Río de Campos P ...... 17 F 16
Río de Losa BU .... 18 D 20
Río de Lunada BU ..... 8 C 19
Río de Trueba BU ..... 8 C 19
Río Deva (Parador del) .. 6 C 15
Río Frío CR .... 69 O 16
Río Juanes V .... 73 N 27
Río Madera AB .... 72 Q 23
Río Tajo (Estación de) CC. 55 M 10
Río Záncara (Estación de) 71 N 21
Riobarba LU .... 3 A 6
Riocabado AV .... 44 J 15
Riocavado de la Sierra BU 18 F 20
Riocerezo BU .... 18 E 19
Riocobo LU .... 4 A 7
Rioconejos ZA .... 15 F 10
Riocorvo S .... 7 C 17
Riodeva TE .... 61 L 26
Riodeva (Río de) V ..... 61 L 26
Riofabar O .... 6 C 13
Riofrío AV .... 44 K 15
Riofrío LE .... 15 E 12
Riofrío GR .... 93 U 17
Riofrío de Aliste ZA .... 29 G 11
Riofrío de Riaza SG .... 32 I 19
Riofrío del Llano GU ... 47 I 21
Riogordo MA .... 101 V 17
Rioja AL .... 103 V 22
Rioja (Balcón de la) .... 19 E 21
Riola V .... 74 O 29
Riolago LE .... 15 D 11
Riolobos CC .... 55 M 11
Riomalo de Arriba CC ... 43 K 11
Riomanzanas ZA ...... 29 G 10
Riomao OR .... 14 E 8
Rionansa .... 7 C 16
Rionegro del Puente ZA.. 29 F 11
Ríopar AB .... 84 Q 22
Ríos (Los) J .... 82 R 18
Ríos Menudos P ...... 17 D 16
Riosa .... 5 C 12
Riosalido GU .... 47 I 21
Rioscuro LE .... 15 D 11
Rioseco cerca de Laredo S..8 B 20
Rioseco cerca de Reinosa S7 C 17
Rioseco .... 6 C 13
Rioseco de Soria SO .... 33 H 21
Rioseco de Tapia LE .... 15 D 12
Riosequillo (Embalse de) M46 J 18
Riosequino de Torío LE.. 16 D 13
Rioseras BU .... 18 E 19
Riospaso O .... 5 C 12
Riotorto LU .... 4 B 8
Riou LU .... 4 C 8
Rioxuán LU .... 4 C 8
Rípodas NA .... 11 D 26
Ripoll (El)(Riu) ...... 38 F 36
Ripoll GE .... 22 F 36
Ripoll (El) GE .... 38 H 36
Ripollet B .... 38 H 36
Risco BA .... 69 P 14
Risco (Embalse del) H... 78 T 8
Risco de las Moras CC ... 57 N 14
Rituerto .... 33 H 23

Riudarenes GE .... 24 G 38
Riudaura GE .... 24 F 37
Riudecanyes T .... 51 I 32
Riudecols T .... 37 I 32
Riudellots de la Selva GE. 25 G 38
Riumar T .... 51 J 32
Riumors GE .... 25 F 39
Riva (La) S .... 7 C 18
Rivas Z .... 20 F 26
Rivas de Tereso LO .... 19 E 21
Rivas-Vaciamadrid M ... 46 L 19
Rivero S .... 7 C 17
Rivero de Posadas CO ... 80 S 14
Rivilla de Barajas AV ... 44 J 15
Roa de Duero BU ..... 31 G 18
Roales VA .... 30 F 13
Roales ZA .... 29 H 12
Robaliceira (Punta) C ... 3 A 6
Robedo LE .... 16 D 13
Robladillo VA .... 30 H 15
Robladillo de Ucieza P .. 17 E 16
Roble BU .... 72 P 23
Robleda SA .... 42 K 10
Robleda-Cervantes ZA.. 14 F 10
Robledal (Sierra del) ... 46 I 20
Robledillo TO .... 57 N 15
Robledillo (Río) ...... 82 Q 17
Robledillo de Gata CC ... 43 L 10
Robledillo de la Jara M.. 46 J 19
Robledillo de la Vera CC.. 56 L 13
Robledillo
de Mohernando GU ... 46 J 20
Robledillo de Trujillo CC.. 68 O 12
Robledo LE .... 15 F 11
Robledo OR .... 14 E 9
Robledo ZA .... 29 F 10
Robledo BU .... 72 P 22
Robledo (Arroyo del) ... 59 M 20
Robledo (El) CR ...... 70 O 17
Robledo (El) J .... 83 R 21
Robledo (Sierra del) ... 58 N 18
Robledo de Caldas LE.. 15 D 12
Robledo de Chavela M.. 45 K 17
Robledo de Corpes GU.. 47 I 22
Robledo de las Traviesas LE15 D 10
Robledo del Buey TO ... 57 N 15
Robledo del Mazo TO ... 57 N 15
Robledo Hermoso SA ... 43 I 10
Robledollano CC ...... 56 N 13
Robledondo M .... 45 K 17
Robledillo GU .... 46 I 20
Robleluengo GU ...... 46 I 20
Robledo de la Valcueva LE.. 16 D 13
Roblelacasa GU ...... 46 I 20
Roblido OR .... 14 E 8
Robliza de Cojos SA ... 43 J 12
Robledo-Temiño BU .... 18 E 19
Robregordo M .... 46 I 19
Robres HU .... 35 G 28
Robres del Castillo LO.. 19 F 23
Robriguero O .... 7 C 16
Roca LU .... 3 C 6
Roca (La) M .... 45 K 17
Roca de la Sierra (La) BA. 67 O 9
Roca del Vallès (La) B ... 38 H 36
Roca Grossa GE ...... 39 G 38
Roca Llisa PM .... 87 P 34
Rocabruna GE .... 24 E 37
Rocacorba GE .... 24 F 38
Rocafort L .... 37 H 33
Rocafort B .... 38 G 35
Rocafort V .... 62 N 28
Rocafort de Queralt T ... 37 H 33
Rocaforte NA .... 20 E 26
Rocallaura L .... 37 H 33
Rocamudo S .... 7 C 18
Rocas Doradas T ...... 50 J 32
Rocha (Puerto de la) PO.. 13 E 5
Roche MU .... 85 T 27
Roche CA .... 98 W 11
Roche (Cabo) CA ...... 98 X 11
Rociana del Condado H.. 91 U 10
Rocina (Arroyo de la) ... 91 U 10
Rocío (El) H .... 91 U 10
Rocío (El) H .... 91 U 10
Roda MU .... 85 S 27
Roda (La) AB .... 72 O 23
Roda de Andalucía (La) SE93 U 15
Roda de Barà T ...... 37 I 34
Roda de Eresma SG .... 45 I 17

Roda de Isábena HU .... 22 F 31
Roda de Ter B .... 38 G 36
Rodalquilar AL ...... 103 V 23
Rodanas (Santuario de) Z. 34 H 25
Rodanillo LE .... 15 E 10
Rodeche TE .... 62 L 28
Rodeiro PO .... 13 E 6
Rodellar HU .... 21 F 29
Rodén Z .... 35 H 28
Ródenas TE .... 48 K 25
Rodeos
(Embalse de los) MU ... 85 R 26
Rodeos (Los) MU ..... 85 R 26
Rodezno LO .... 19 E 21
Rodical (El) O .... 5 C 10
Rodicio (Alto del) OR ... 13 F 7
Rodiezmo LE .... 15 D 12
Rodilana VA .... 30 H 15
Rodiles O .... 5 B 11
Rodillazo LE .... 16 D 13
Rodiño C .... 13 D 4
Rodonyà T .... 37 I 34
Rodrigas LU .... 4 B 8
Rodrigatos
de la Obispalía LE .... 15 E 11
Rodrigatos
de las Regueras LE .... 15 D 11
Rodriguillo A .... 85 Q 26
Roglà i Corberà V ..... 74 O 28
Roig (Cap) Ibiza PM .... 87 O 34
Roig (Cap)
(Jardín botànic) GE .... 25 G 39
Roig (Puig) .... 104 M 38
Roimil LU .... 3 C 6
Rois C .... 12 D 3
Roitegui VI .... 19 D 22
Roiz Z .... 93 U 14
Rojal (El) O .... 3 B 5
Rojales A .... 85 R 27
Rojals T .... 37 H 33
Rojas BU .... 18 E 19
Rojo (Punta) Tenerife TF.129 F 5
Rojales V .... 74 O 29
Roldán MU .... 85 S 26
Roldán (Faro) AL ...... 103 V 24
Roldán (Monte) ...... 97 T 26
Roldán (Salto del) HU.. 21 F 28
Rollamienta SO ...... 33 G 22
Rollán SA .... 43 J 12
Rollo (Arroyo del) .... 83 S 20
Roma V .... 61 N 26
Roma (Punta) ...... 87 P 34
Romai PO .... 12 D 3
Romana (La) A .... 85 Q 27
Romana (Villa) VA ..... 45 I 15
Romancos GU .... 46 J 21
Romanes (Los) MA .... 101 V 17
Romaneta A .... 85 Q 27
Romangordo CC ...... 56 M 12
Romaní (El) V .... 74 O 28
Romanillos de Atienza GU 32 I 21
Romanillos
de Medinaceli SO ..... 33 I 22
Romanones GU ...... 46 K 21
Romanos Z .... 48 I 26
Romanyà de la Selva GE. 25 G 38
Romariz LU .... 4 B 7
Romeán LU .... 4 C 7
Romedales (Los) CU ... 60 L 23
Romedios (Ermita de los) BA68 P 12
Romelle C .... 2 C 3
Romera AB .... 71 O 21
Romeral SO .... 59 N 19
Romeral (Cueva del) MA.. 93 U 16
Romeral (El) TO ...... 59 M 19
Romeral (El) V .... 62 M 28
Romeral (El) MA ..... 100 V 16
Romerano (El) H ...... 90 T 7
Romeros (Los) H ...... 79 S 9
Rompido (Barra de El) H..90 U 8
Rompido (El) H ...... 90 U 8
Roncadoira (Punta) LU.. 4 A 7
Roncal (Valle del) .... 11 D 27
Roncal / Erronkari NA.. 11 D 27
Roncesvalles / Orreaga NA11 C 26
Roncudo (Punta) C ..... 2 C 3
Ronda MA .... 92 V 14
Ronda (Serranía de) MA.100 V 14
Ronda la Vieja MA ..... 92 V 14
Rondín CR .... 70 P 18
Roní L .... 23 E 33
Ronquillo (El) BU ..... 18 D 19
Ronquillo (El) BA ..... 67 P 9
Ropera (La) J .... 82 R 17
Roperuelos del Páramo LE15 F 12
Roque Fuerteventura GC 111 H 1

Roque del Faro
La Palma TF .... 130 C 3
Roquerole (Serra de) ... 37 I 33
Roques (Bahía de los)
La Palma TF .... 132 D 6
Roquetas de Mar AL ... 102 V 22
Roquetas de Mar
(Urbanización) AL ..... 102 V 22
Roquetes T .... 50 J 31
Ros BU .... 17 E 18
Rosa (La) BA .... 67 P 9
Rosal PO .... 26 G 3
Rosal (El) CO .... 81 S 15
Rosal Alto (El) SE ..... 92 T 12
Rosal de la Frontera H... 78 S 8
Rosalejo CC .... 56 M 13
Rosales BU .... 18 D 19
Rosales (Los) TO ...... 57 L 16
Rosales (Los) J .... 83 S 20
Rosales (Los) SE ...... 92 T 12
Rosamar GE .... 39 G 38
Rosario (El) Tenerife TF.124 H 2
Rosario (Ermita del) V... 73 O 26
Rosario (Embalse de) TO. 56 L 14
Rosas (Las) Tenerife TF.124 H 2
Rosas (Las) La Gomera TF118 C 1
Rosas / Roses GE ..... 25 F 39
Roscales P .... 17 D 16
Roses (Golf de) GE .... 25 F 39
Roses / Rosas GE ..... 25 F 39
Rosildos (Els) CS ...... 50 L 29
Rosinos
de la Requejada ZA .... 15 F 10
Rosomo (Sierra de) .... 32 G 21
Rossa (Punta) ...... 87 P 34
Rossell CS .... 50 K 30
Rossell L .... 36 G 31
Rosselló L .... 36 G 31
Rosso SE .... 93 U 14
Rostro (El) CR .... 69 O 16
Rota CA .... 98 W 10
Rotasa (Laguna de la) ... 93 V 15
Rotes (Les) A .... 75 P 30
Rotja (Punta) ...... 87 Q 34
Rótova V .... 74 P 29
Roturas VA .... 31 G 17
Roturas CC .... 56 N 13
Rouch (Monte) L ...... 23 D 33
Roupar LU .... 3 B 6
Rourell (El) T .... 37 I 33
Rovelló (Serra de) ..... 36 I 31
Royo B .... 72 P 23
Royo (El) SO .... 33 G 22
Royo Odrea AB ...... 72 Q 23
Royos (Los) MU ...... 84 S 23
Royuela TE .... 48 K 25
Royuela de Río Franco BU31 G 18
Rozadas cerca de Boal O.. 4 B 9
Rozadas
cerca de El Pedroso O.. 6 B 13
Rozadas
cerca de Sotrondio O... 6 C 13
Rozadío S .... 7 C 16
Rozalejo (El) SE ...... 92 U 13
Rozalén del Monte CU.. 59 M 21
Rozas ZA .... 14 F 10
Rozas (Embalse de las) LE15 D 10
Rozas (Las) S .... 17 D 17
Rozas (Monte Las) OR.. 14 F 8
Rozas (Monte) M ..... 45 K 18
Rozas de Madrid (Las) M. 45 K 18
Rozas de Puerto Real M.. 57 L 16
Rúa .... 4 B 7
Rúa (A) OR .... 14 E 9
Rúanales S .... 17 D 18
Ruanes S .... 68 O 11
Rubalcaba S .... 8 C 18
Rubayo S .... 8 B 18
Rubena BU .... 18 E 19
Rubí B .... 38 H 36
Rubí de Bracamonte VA.. 30 I 15
Rubia OR .... 14 E 9
Rubia (Peña) OR ...... 13 F 5
Rubia (Peña)
cerca de Lorca MU .... 84 T 24
Rubia (Peña)
cerca de Cehegín .... 84 R 24
Rubiales TE .... 61 L 26
Rubiales BA .... 80 Q 12
Rubián LU .... 14 E 7
Rubiáns PO .... 12 E 3
Rubiás LU .... 4 C 7
Rubiás OR .... 14 F 8
Rubielos Altos CU ..... 60 N 23
Rubielos Bajos CU .... 60 N 23

SALAMANCA

Álvaro Gil .... **BY** 3
Anaya (Pl.) .... **BZ** 4
Ancha .... **ABY**
Ángel (Pl.) .... **BY** 6
Azafranal .... **CY**
Balmes .... **AZ**
Bandos (Pl. de los) .... **BY** 7
Bordadores .... **BY** 9
Caldereros .... **BZ** 10
Calderón de la Barca .... **BZ** 12
Campaña .... **BY**
Canalejas (Pas. del) .... **CYZ**
Carmelitas (Pas. de las) ..... **ABY**
Carmen (Cuesta del) .... **BY** 13
Cervantes .... **BY**
Champagnat (Av. de) .... **AY**
Comuneros (Av. de los) ...... **CY** 16
Concilio de Trento (Pl.) ...... **BZ** 18
Condes de Crespo Rascón ..... **BZ** 19
Constitución (Pl. de la) ...... **CY** 21
Corillo (Pl.) .... **BY** 22
Desengaño (Pas.) .... **AZ** 24
Diego de Cobarrubias (Pl.) ... **AY**
Dr. Gregorio Marañón (Av.) ... **AY**
Dr. Torres Villarroel (Pas. del) . **BY** 25
Enrique Esteban (Puente) ..... **BZ** 27
España (Pl. del) .... **CY**
Espoz y Mina .... **CY** 28
Estación (Pas. de la) .... **CY** 30
Federico Anaya (Av. de) ...... **CY** 31
Filiberto Villalobos (Av. de) ... **AY** 33
Fray Luis de Granada .... **BY** 34
Fregeneda .... **AZ**
Fuente (Pl. de la) .... **BY** 36
García Tejado .... **AY**
Gran Vía .... **CY**
Grillo .... **CYZ**
Italia (Av. de) .... **BY**
Juan de la Fuente .... **BZ** 37
Libertad (Pl. de la) .... **BY** 39
Libreros .... **BY** 40
María Auxiliadora .... **CY** 42
Marquesa de Almarza .... **CZ** 43
Mayor (Pl.) .... **BY**
Meléndez .... **BY** 45
Mirat (Av. de) .... **BCY**
Monterrey (Pl. de) .... **BY** 46
Obispo Jarrín .... **CY** 49
Padilla .... **CY** 48
Palominos .... **BZ** 51
Patio Chico .... **BZ** 52
Pedro Mendoza .... **CY** 54
Poeta Iglesias .... **BY** 57
Portugal (Av. de) .... **CY**
Pozo Amarillo .... **BY** 58
Príncipe de Asturias (Puente) . **BZ** 59
Prior .... **BY**
Progreso (Pas. del) .... **AZ**
Puerta de Zamora (Pl.) .... **BY**
Ramón y Cajal .... **AY** 60
Rector Esperabe (Pas. del) ... **BZ**
Rector Lucena .... **BY** 15
Reina (Pl. de la) .... **CY** 61
Reyes de España (Av.) .... **BZ** 63
Rosario .... **BCZ**
Rúa Mayor .... **BZ**
Sánchez Fabres (Puente) ..... **AZ** 73
Sancti Spiritus (Cuesta) ...... **CY** 75
Santa Clara .... **CZ**
Santa Eulalia (Pl.) .... **CY** 69
Santa Teresa (Pl. de) .... **BY** 70
Santo Domingo (Pl.) .... **BZ** 72
San Antonio (Pas. de) .... **CY**
San Blas .... **AY** 64
San Gregorio .... **AZ**
San Isidro (Pl. de) .... **BYZ** 66
San Julián (Pl.) .... **CY** 67
San Justo .... **BY**
San Pablo .... **BZ**
San Vicente (Pas. de) .... **AY**
Serranos .... **BZ** 76
Sorias .... **BY**
Toro .... **BCY**
Tostado .... **BZ** 78
Vergara .... **CYZ**
Villamayor (Av. de) .... **AY**
Wences Moreno .... **BY** 79
Zamora .... **BY**

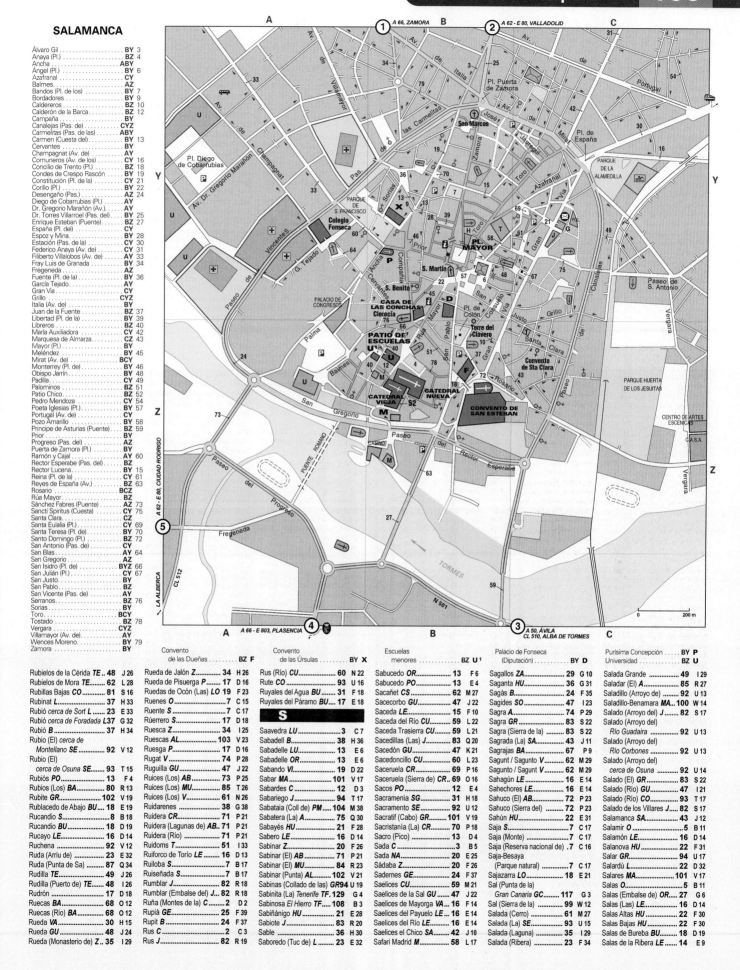

Convento de las Dueñas .... **BZ F**
Convento de las Úrsulas .... **BY X**
Escuelas menores .... **BZ U¹**
Palacio de Fonseca (Diputación) .. **BY D**
Purísima Concepción .... **BY P**
Universidad .... **BZ U**

Rubielos de la Cérida TE .. **48** J 26
Rubielos de Mora TE ...... **62** L 28
Rubillas Bajas CO .... **81** S 16
Rubinat L .... **37** H 33
Rubió cerca de Sort L .. **23** E 33
Rubió cerca de Foradada L **37** G 32
Rubió B .... **37** H 34
Rubio (El) cerca de Montellano SE .. **92** V 12
Rubio (El) cerca de Osuna SE ... **93** T 15
Rubiós PO .... **13** F 4
Rubios (Los) BA .... **80** R 13
Rubite GR .... **102** V 19
Rublacedo de Abajo BU.. **18** E 19
Rucandio S .... **8** B 18
Rucandio BU .... **18** D 19
Rucayo LE .... **16** D 14
Ruchena S .... **92** V 12
Ruda (Arriu de) .... **23** E 32
Ruda (Punta de Sa) ..... **87** Q 34
Rudilla TE .... J 26
Rudilla (Puerto de) TE ... **48** I 26
Rudrón .... **17** D 18
Ruecas BA .... **68** O 12
Ruecas (Río) BA .... **68** O 12
Rueda VA .... **30** H 15
Rueda GU .... **48** J 24
Rueda (Monasterio de) Z.. **35** I 29

Rueda de Jalón Z .... **34** H 26
Rueda de Pisuerga P .... **17** D 16
Ruedas de Ocón (Las) LO **19** F 23
Ruenes O .... **7** C 15
Ruente S .... **17** C 17
Rúerrero S .... **17** D 18
Ruesca Z .... **34** I 25
Ruescas AL .... **103** V 23
Ruesga P .... **17** D 16
Rugat V .... **74** P 28
Ruguilla GU .... **47** J 22
Ruices (Los) AB .... **73** P 25
Ruices (Los) MU .... **85** T 26
Ruices (Los) V .... **61** N 26
Ruidarenes .... **38** G 38
Ruidera CR .... **71** P 21
Ruidera (Lagunas de) AB. **71** P 21
Ruidera (Río) .... **71** P 21
Ruidoms T .... **51** I 33
Ruiforco de Torío LE .... **16** D 13
Ruiloba S .... **7** B 17
Ruiseñada S .... **7** B 17
Rumblar J .... **82** R 18
Rumblar (Embalse del) J. **82** R 18
Ruña (Montes de la) C ... **2** D 2
Rupià GE .... **25** F 39
Rupit B .... **24** F 37
Rus C .... **2** C 3
Rus J .... **82** R 19

Rus (Río) CU .... **60** N 22
Rute CO .... **93** U 16
Ruyales del Agua BU .... **31** F 18
Ruyales del Páramo BU... **17** E 18

S

Saavedra LU .... **3** C 7
Sabadell B .... **38** H 36
Sabadelle LU .... **13** E 6
Sabadelle OR .... **13** E 6
Sabando VI .... **19** D 22
Sabar MA .... **101** V 17
Sabardes C .... **12** D 3
Sabariego J .... **94** T 17
Sabataia (Coll de) PM ... **104** M 38
Sabatera (La) A .... **75** Q 30
Sabayés HU .... **21** F 28
Sabero LE .... **16** D 14
Sabinar (El) AB .... **71** P 21
Sabinar (El) MU .... **84** R 23
Sabinas (Collado de las) GR **94** U 19
Sabinita (La) Tenerife TF.**129** G 4
Sabinosa El Hierro TF ... **108** B 3
Sabiñánigo HU .... **21** E 28
Sabiote J .... **83** R 20
Sable .... **36** H 30
Saboredo (Tuc de) L .... **23** E 32

Sabucedo OR .... **13** F 6
Sabucedo PO .... **13** E 4
Sacañet CS .... **62** M 27
Sacecorbo GU .... **47** J 22
Saceda LE .... **15** F 10
Saceda del Río CU ...... **59** L 22
Saceda Trasierra CU .... **59** L 21
Sacedillas (Las) J .... **83** Q 20
Sacedón GU .... **47** K 21
Sacedoncillo CU .... **60** L 23
Sacramenia SG .... **31** H 18
Sacramento SE .... **92** U 12
Sacratif (Cabo) GR ...... **101** V 19
Sacristanía (La) CR ...... **70** P 18
Sacro (Pico) .... **13** D 4
Sada C .... **3** B 5
Sada NA .... **20** E 25
Sadernes GE .... **24** F 37
Saelices CU .... **59** M 21
Saelices de la Sal GU .... **47** J 22
Saelices de Mayorga VA . **16** E 14
Saelices del Payuelo LE . **16** E 14
Saelices del Río LE ..... **16** E 14
Saelices el Chico SA .... **42** J 10

Sagallos ZA .... **29** G 10
Saganta HU .... **36** G 31
Sagàs B .... **24** F 35
Sagides SO .... **47** I 23
Sagra A .... **74** P 29
Sagra GR .... **83** S 22
Sagra (Sierra de la) .... **83** S 22
Sagrada (La) SA .... **43** J 11
Sagrajas BA .... **67** P 9
Sagunt / Sagunto V ..... **62** M 29
Sagunt / Sagunto V ..... **62** M 29
Sahagún LE .... **16** E 14
Sahechores LE .... **16** E 14
Sahuco (El) AB .... **72** P 23
Sahuco (Sierra del) ..... **72** P 23
Sahún HU .... **22** E 31
Saja .... **7** C 17
Saja (Monte) .... **7** C 17
Saja (Reserva nacional de) .**7** C 16
Saja-Besaya (Parque natural) ..... **7** C 17
Sal (Punta de la) Gran Canaria GC ... **117** G 3
Sal (Sierra de la) .... **99** W 12
Salada (Cerro) .... **61** M 27
Salada (La) SE .... **93** U 15
Salada (Laguna) .... **35** I 29
Salada (Ribera) .... **23** F 34

Salada Grande .... **49** I 29
Saladar (El) A .... **85** R 27
Saladillo (Arroyo de) ... **92** U 13
Saladillo-Benamara MA. **100** W 14
Salado (Arroyo del) J ... **82** S 17
Salado (Arroyo del) Río Guadaira .... **92** U 13
Salado (Arroyo del) Río Corbones ..... **92** U 13
Salado (Arroyo del) cerca de Osuna .. **92** U 14
Salado (El) GR .... **83** S 22
Salado (Río) CO .... **47** I 21
Salado (Río) CO .... **93** T 17
Salado de los Villares J . **82** S 17
Salamanca SA .... **43** J 12
Salamir O .... **5** B 11
Salamón LE .... **16** D 14
Salanova HU .... **22** F 31
Salar GR .... **94** U 17
Salardú L .... **23** D 32
Salares MA .... **101** V 17
Salas O .... **5** B 11
Salas (Embalse de) OR.. **27** G 6
Salas (Las) LE .... **16** D 14
Salas Altas HU .... **22** F 30
Salas Bajas HU .... **22** F 30
Salas de Bureba BU .... **18** D 19
Salas de la Ribera LE ... **14** E 9

Salas de los Barios *LE*...... **15** E 10
Salas de los Infantes *BU*.. **32** F 20
Salàs de Pallars *L* ...... **23** F 32
Salave *O*.............................. **4** B 9
Salazar *BU*...................... **18** D 19
Salazar *GR*...................... **95** T 21
Salazar (Río) .... **11** D 26
Salazar (Valle de) .... **11** D 26
Salce *ZA* .... **29** I 11
Salce *LE*.......................... **15** D 11
Salceda (Convento de la) . **46** K 21
Salceda de Caselas *PO* .... **12** F 4
Salcedillo *P*...................... **17** D 17
Salcedillo *TE*.................... **49** J 26
Salcedo *VI*........................ **18** D 21
Salcedo (El) *J*.................. **82** R 18
Salces .... **17** C 17
Saldaña *P*.......................... **16** E 15
Saldaña de Ayllón *SG* ...... **32** H 19
Saldeana *SA* .... **42** I 10
Saldes *B*............................ **23** F 35
Saldias *NA*........................ **10** C 24
Saldoira *LU* .... **4** B 8
Sáldon *TE*........................ **48** L 25
Salduero *SO*.................... **33** G 21
Salem *V*............................ **74** P 28
Saler (El) *V*...................... **74** N 29
Saler (Parador de El) *V* .... **74** O 29
Saleres *GR*...................... **101** V 19
Sales de Llierca *GE*........ **24** F 37
Salgueiros *C*.................... **2** C 2
Salgueiros *LU*.................. **13** D 6
Salguerias *C*.................... **2** C 3
Salgüero de Juarros *BU*.. **18** F 19
Salí (El) *B*.......................... **37** G 35
Salicor (Laguna de) *CR*.. **59** N 20
Saliencia *O*...................... **5** C 11
Saliencia (Lagos de) .... **5** C 11
Saliente *AL*...................... **96** T 23
Salientes *LE* .... **15** D 11
Salillas *HU* .... **35** G 29
Salillas de Jalón *Z*.......... **34** H 26
Salime (Embalse de) *O* .... **4** C 9
Salina Grande *ZA*............ **30** G 13
Salinas .... **5** B 12
Salinas *A* .... **73** Q 27
Salinas (Las)
  Fuerteventura GC........ **113** I 3
Salinas (Las) *CU* .... **59** L 20
Salinas (Monte)
  Fuerteventura GC........ **111** G 2
Salinas (Punta)
  La Palma TF.................. **131** E 4
Salinas (Sierra de las) .... **92** V 14
Salinas (Sierra de) .... **73** Q 26
Salinas de Hoz *HU*.......... **21** E 27
Salinas de Ibargoiti *NA*.. **11** D 25
Salinas de Jaca *HU*........ **21** E 27
Salinas de Medinaceli *SO*. **47** I 22
Salinas de Oro *NA*.......... **10** D 24
Salinas de Pinilla *AB*...... **71** P 22
Salinas de Pisuerga *P*.... **17** D 16
Salinas de Sin *HU* .... **22** E 30
Salinas del Manzano *CU*.. **61** L 25
Salines *GE* .... **24** E 36
Salines (Les) .... **24** E 38
Salinillas de Buradón *VI*.. **19** E 21
Salinillas de Bureba *BU*.. **18** E 19
Saliñas (Llacuna de) *A* .... **85** Q 27
Salitja *GE* .... **25** G 38
Sallent *B*............................ **38** G 35
Sallent (El) *GE*................ **24** F 37
Sallent (Riera de) .... **37** G 33
Sallent de Gállego *HU* .... **21** D 29
Sallfort (Pic de) *GE*........ **25** E 39
Salmaquinos
  de Arriba (Los) .... **69** N 16
Salmantón *VI*.................... **8** C 20
Salmerón *GU*.................... **47** K 22
Salmerón *MU*.................... **84** Q 24
Salmeroncillos de Abajo *CU* **47** K 22
Salmeroncillos de Arriba *CU* **47** K 22
Salmor (Roque)
  El Hierro TF................ **109** D 2
Salmoral *SA* .... **44** J 14
Salo *B*................................ **37** G 34
Salobral *AV*...................... **44** K 15
Salobral (El) *AB*.............. **72** P 24
Salobralejo *AV*................ **44** K 15
Salobralejo
  (Laguna del) *AB*.......... **73** P 25
Salobre
  cerca de Munera *AB*...... **72** O 22
Salobre
  cerca de Alcaraz *AB*...... **72** Q 22

Salobre (Río) .... **71** Q 22
Salobreña *GR*.................. **101** V 19
Salomó *T*.......................... **37** I 34
Salón .... **8** C 19
Salor (Embalse del) *CC*.. **67** N 11
Salor (Río) .... **54** N 8
Salória .... **23** E 34
Salória (Refugi) .... **23** E 34
Salorino *CC*...................... **55** N 8
Salou *T*.............................. **51** I 33
Salou (Cabo) *T*................ **51** I 33
Salse (El) *A*...................... **74** P 27
Salt *GE* .... **25** G 38
Saltador (El) *AL*.............. **96** T 24
Salteras *SE*...................... **91** T 11
Saltes (Isla de) *H*............ **90** U 9
Salto (Estación del) .... **43** K 10
Salto al Cielo (Ermita) *CA*. **99** W 11
Salto de Bolarque *GU*.... **47** K 21
Salto de Villalba *CU*........ **60** L 23
Salto de Villora *CU*.......... **61** M 25
Salto del Ciervo *SE*........ **93** T 14
Salto del Negro *MA*........ **101** V 17
Salto Saucelle *SA*.......... **42** I 9
Saltor *GE*.......................... **24** F 36
Saltos (Punta de los)
  El Hierro TF .... **109** D 4
Saludes de Castroponce *LE* **15** F 12
Salvacañete *CU* .... **61** L 25
Salvada (Sierra) .... **18** D 20
Salvadiós *AV* .... **44** J 14
Salvador (Ermita El) *GU*.. **62** M 29
Salvador de Zapardiel *VA*. **44** I 15
Salvaje (Punta del)
  Fuerteventura GC........ **110** G 2
Salvaleón *BA*.................... **67** Q 9
Salvaterra de Miño *PO*.... **12** F 4
Salvatierra / Agurain *VI*.. **19** D 22
Salvatierra de Escá *Z*...... **11** D 26
Salvatierra
  de los Barros *BA*.......... **67** Q 9
Salvatierra de Santiago *CC* **68** O 11
Salvatierra de Tormes *SA*. **43** K 13
Sálvora (Isla de) *C* .... **12** E 2
Salzadella (La) *CS* .... **50** K 30
Sama de Grado *O*............ **5** C 11
Sama de Langreo *O*........ **6** C 12
Samaniego *VI*.................. **19** E 21
Sámano *S*.......................... **8** B 20
Samara (Montaña)
  Tenerife TF.................. **126** D 3
Sambana *CA*.................... **99** W 13
Samboal *SG* .... **31** I 16
Sambreixo *LU* .... **13** D 6
Sames *O* .... **6** C 14
Samieira *PO*.................... **12** E 3
Samir de los Caños *ZA*.. **29** G 11
Samos *LU* .... **14** D 8
Samper *HU*...................... **22** E 30
Samper de Calanda *TE*.. **49** I 28
Samper del Salz *Z*.......... **35** I 27
Samprizón *PO*.................. **13** E 5
San Adrián *LE*.................. **16** D 14
San Adrián *NA*................ **19** E 24
San Adrián (Cabo de) *C*.. **2** B 3
San Adrián de Juarros *BU*. **18** F 19
San Adrián de Sasabe
  (Ermita de) *HU*............ **21** D 28
San Adrián del Valle *LE*.. **15** F 12
San Adriano *LU* .... **4** B 8
San Agustín
  Gran Canaria GC........ **117** E 4
San Agustín *TE* .... **62** L 27
San Agustín *AL*................ **102** V 21
San Agustín
  (Convento de) *CU*........ **60** L 24
San Agustín (Ermita de)
  Fuerteventura GC........ **111** H 2
San Agustín del Guadalix *M* **46** J 19
San Agustín del Pozo *ZA*.. **30** G 13
San Amancio
  (Ermita de) *GU*............ **48** J 24
San Amaro *OR*................ **13** E 5
San Andres *LO*................ **33** F 22
San Andrés *Tenerife TF*.. **125** J 2
San Andrés *El Hierro TF*. **109** D 2
San Andrés *La Palma TF* **131** D 3
San Andrés
  cerca de Potes *S* .... **7** C 16
San Andrés
  cerca de San Miguel *S*... **7** C 18
San Andrés *O*.................. **5** C 12
San Andrés *O*.................. **6** C 13
San Andrés (Sierra de) .... **82** Q 18
San Andrés de Arroyo *P*... **17** D 16
San Andrés de la Regla *P*. **16** E 15

San Andrés
  de las Puentes *LE* .... **15** E 10
San Andrés
  de San Pedro *SO*.......... **33** G 23
San Andrés de Teixido *C*... **3** A 6
San Andrés del Congosto *GU* **46** J 20
San Andrés
  del Rabanedo *LE*.......... **16** E 13
San Andrés del Rey *GU* .. **47** K 21
San Antolín
  (Monasterio de) *O*........ **6** B 15
San Antolín de Ibias *O*.... **4** C 9
San Antón *BU*.................. **17** D 18
San Antón *CR*.................. **71** P 20
San Antón *SE*.................. **93** T 14
San Antón (Ermita de) *GU*. **47** K 21
San Antón (Ermita de) *CC* **54** N 8
San Antón (Puerto de) *SS*. **10** C 24
San Antoniño *PO*............ **12** E 4
San Antonio *V*.................. **61** N 26
San Antonio *CO*.............. **81** S 16
San Antonio (Ermita de)
  La Palma TF................ **130** C 3
San Antonio (Ermita de) *C*.. **3** B 6
San Antonio (Ermita de)
  cerca de Cardenete *CU*. **60** M 25
San Antonio (Ermita de)
  cerca de Aliaguilla *CU*... **61** M 26
San Antonio (Sierra de) .... **18** F 20
San Antonio (Volcán de)
  La Palma TF................ **132** C 7
San Antonio de Banaixeve *V* **62** N 28
San Antonio de Portmany / Sant
  Antoni de Portmany *PM*. **87** P 33
San Antonio
  del Fontanar *SE*............ **92** U 14
San Asensio *LO* .... **19** E 21
San Antonio
  Lanzarote GC .... **123** D 4
San Bartolomé *CU* .... **59** L 21
San Bartolomé *GU*.......... **47** J 21
San Bartolomé *LO*.......... **19** F 23
San Bartolomé (Embalse de) **20** F 26
San Bartolomé
  (Ermita de) *TE* .... **48** J 26
San Bartolomé
  (Ermita de) *CC*............ **68** O 12
San Bartolomé de Béjar *AV* **43** K 13
San Bartolomé
  de Corneja *AV* .... **44** K 13
San Bartolomé de la Torre *H* **90** T 8
San Bartolomé
  de las Abiertas *TO* .... **57** M 15
San Bartolomé
  de Pinares *AV* .... **45** K 16
San Bartolomé
  de Rueda *LE*................ **16** D 14
San Bartolomé de Tirajana
  Gran Canaria GC........ **117** E 3
San Bartolomé
  de Tormes *AV*.............. **44** K 14
San Baudelio
  (Ermita de) *SO*............ **33** H 21
San Benito
  cerca de Almadén *CR*.. **69** Q 15
San Benito
  cerca de Ciudad Real *CR* **70** P 17
San Benito *V*.................... **73** P 26
San Benito (Convento) *CC* **55** M 9
San Benito (Ermita de) *TE* **49** K 27
San Benito (Ermita de) *SE* **80** S 12
San Benito (Ermita de) *CC* **55** N 10
San Benito
  de la Contienda *BA*...... **66** Q 8
San Bernabé *CA*.............. **99** X 13
San Bernabé (Sierra de) *CC* **56** L 11
San Bernado
  de Valbuena *VA* .... **31** H 17
San Bernardino *CA*........ **92** V 12
San Bernardo (Sierra de) *BA* **79** R 11
San Blas *TE* .... **48** K 26
San Blas *ZA* .... **29** G 10
San Bruno *CR* .... **82** Q 18
San Calixto *CO*................ **80** S 14
San Caprasio .... **35** G 28
San Caprasio
  (Collado de) *HU* .... **22** F 30
San Carlos *BU* .... **32** G 19
San Carlos del Valle *CR*.. **71** P 20
San Cebrián *P*.................. **17** D 16
San Cebrián de Campos *P* **17** E 16
San Cebrián de Castro *ZA* **29** G 12
San Cebrián de Mazote *VA* **30** G 14
San Cibrao *OR*................ **14** F 8
San Cibrau *OR*................ **28** G 7

San Cibrián de Arriba *LE*.. **16** E 13
San Cibrián
  de la Somoza *LE* .... **16** D 14
San Ciprián cerca de
  Hermisende *ZA*............ **28** G 9
San Ciprián *LU*................ **4** A 7
San Ciprián *ZA*................ **14** F 10
San Ciprián (Cabo de) *LU*. **4** A 7
San Ciprián de Viñas *OR*.. **13** F 6
San Cipriano
  del Condado *LE*............ **16** E 13
San Claudio *O*.................. **5** B 12
San Claudio *C* .... **3** B 6
San Clemente *CU* .... **72** N 22
San Clemente
  (Convento de) .... **56** N 12
San Clemente (Embalse de) **83** S 22
San Clemente
  de Valdueza *LE* .... **15** E 10
San Clodio *LU*.................. **14** E 8
San Cosme *O*.................... **5** B 11
San Cosme *LU*................ **4** B 8
San Crispín *M* .... **46** K 18
San Cristóbal
  Gran Canaria GC........ **115** G 2
San Cristóbal *NA*.............. **11** D 25
San Cristóbal *CU* .... **60** L 22
San Cristóbal *CR* .... **71** Q 21
San Cristóbal *SE*............ **80** S 13
San Cristóbal *BA*............ **79** R 9
San Cristóbal *CC*............ **68** O 13
San Cristóbal (Ermita de)
  cerca de Bronchales *TE*. **48** K 25
San Cristóbal (Ermita de)
  cerca de Barrachina *TE*. **48** J 26
San Cristóbal (Ermita de)
  cerca de Andorra *TE*.... **49** J 28
San Cristóbal (Ermita de) cerca de
  Monreal de Campo .... **48** J 25
San Cristóbal (Ermita de)
  cerca de Sarrión *TE*...... **61** L 27
San Cristóbal (Ermita de)
  cerca de Lagueruela *TE*. **48** I 26
San Cristóbal (Ermita de) *CR* **71** N 19
San Cristóbal
  (Ermita de) *CA*............ **98** W 11
San Cristóbal (Monte) ...... **19** E 24
San Cristóbal (Santuario) *Z* **48** I 25
San Cristóbal de Boedo *P*. **17** E 16
San Cristóbal de Cea *OR*.. **13** E 6
San Cristóbal
  de Chamoso *LU*............ **4** D 7
San Cristóbal de Cuéllar *SG* **31** H 16
San Cristóbal
  de Entreviñas *ZA*.......... **30** F 13
San Cristóbal de la Cuesta **43** I 13
San Cristóbal de la Vega *SG* **45** I 16
San Cristóbal
  de la Polantera *LE*........ **15** E 12
San Cristóbal de la Vega *SG* **45** I 16
San Cristóbal
  de Segovia *SG*............ **45** J 17
San Cristóbal
  de Trabancos *AV*........ **44** J 14
San Cristóbal
  de Valdueza *LE* .... **15** E 10
San Cristóbal del Monte *BU* **18** E 20
San Cristóbal I *TE*.......... **48** J 26
San Cristobo *OR*............ **28** G 8
San Cucao *O*.................... **5** B 12
San Diego (Ermita de) *SE* **80** R 13
San Emiliano *O*................ **4** C 9
San Emiliano
  de Valdueza *LE* .... **15** D 12
San Enrique
  de Guadiaro *CA*............ **99** X 14
San Esteban de Gormaz *SO* **32** H 20
San Esteban de la Sierra *SA* **43** K 12
San Esteban de Litera *HU*. **36** G 30
San Esteban de los Buitres *O* **4** C 9
San Esteban
  de los Patos *AV*............ **45** J 16
San Esteban de Nogales *LE* **15** F 12
San Esteban de Saviñao .. **13** E 6
San Esteban
  de Valdueza *LE* .... **15** E 10
San Esteban de Zapardiel *AV* **44** I 15
San Esteban del Molar *ZA* **30** G 13
San Esteban del Valle *AV*. **57** L 15
San Facundo *OR*.............. **13** E 5
San Felices *BU* .... **17** D 18
San Felices *SO*................ **33** G 23
San Felices
  de los Gallegos *SA* ...... **42** J 9
San Felipe *C*.................... **3** B 5
San Felipe *CU* .... **48** K 24

San Feliú *HU*.................... **22** E 31
San Feliú de Guixols /
  Sant Feliu de Guixols *GE* **39** G 39
San Feliz
  de las Lavanderas *LE*.. **15** D 12
San Feliz de Torío *LE*...... **16** D 13
San Fernando
  Gran Canaria GC........ **115** D 2
San Fernando *CA*............ **98** W 11
San Fernando de Henares *M* **46** K 19
San Fiz do Seo *LE* .... **14** E 9
San Francisco *Mallorca PM* **104** N 38
San Francisco (Ermita de) *AL* **96** T 24
San Francisco
  (Convento de) *VA*........ **30** G 14
San Francisco (Mirador) *BU* **32** F 20
San Francisco
  de Olivenza *BA*............ **66** P 8
San Francisco (Ermita de)
  Fuerteventura GC........ **111** H 3
San Frutos (Ermita de) *SG* **31** I 18
San Fulgencio *A* .... **85** R 27
San Gabriel *Lanzarote GC* **123** E 4
San García de Ingelmos *AV* **44** J 14
San Gil *CC* .... **55** M 11
San Gil (Ermita de) *Z*...... **21** F 27
San Ginés *TE* .... **48** K 25
San Glorio (Puerto de) *S*... **6** C 15
San Gregorio *SS* .... **19** D 23
San Gregorio *TO* .... **59** N 20
San Gregorio *CO*............ **81** Q 16
San Gregorio
  (Basílica de) *NA*.......... **19** E 23
San Gregorio
  (Ermita de) *GU*............ **48** J 24
San Gregorio
  (Ermita de) *BA*............ **67** P 10
San Gregorio y Balneario . **55** N 9
San Ignacio de Loiola *SS*.. **10** C 23
San Ignacio del Viar *SE* .... **91** T 12
San Ildefonso
  o la Granja *SG* .... **45** J 17
San Isidoro
  Gran Canaria GC........ **114** D 2
San Isidro
  Gran Canaria GC........ **115** E 2
San Isidro *Tenerife TF*.. **125** I 2
San Isidro *Tenerife TF*.. **129** F 5
San Isidro *CR* .... **70** P 19
San Isidro *GU*.................. **59** L 21
San Isidro cerca de Quero **59** N 20
San Isidro cerca de
  Navalmorales *TO*........ **57** M 16
San Isidro cerca de
  Piedrabuena .... **70** O 17
San Isidro *AB*.................. **73** O 25
San Isidro cerca de
  Huérca Overa *AL*........ **96** T 24
San Isidro
  cerca de Níjar *AL*........ **103** V 23
San Isidro
  cerca de Berlanga *BA*.. **80** R 12
San Isidro (Ermita de) *CR*. **71** N 20
San Isidro (Ermita de) *CU*. **60** N 24
San Isidro (Ermita de) *V*.. **61** M 26
San Isidro (Ermita de) *BA*. **79** R 10
San Isidro (Puerto de) *LE*.. **6** C 13
San Isidro
  de Guadalete *CA*.......... **99** W 12
San Isidro del Pinar *NA*.. **20** E 25
San Javier *MU*.................. **85** S 27
San Jeronimo *MU*............ **85** S 26
San Jerónimo *CO*............ **81** S 15
San Jerónimo de Lagar
  (Ermita de) *CC*............ **55** N 10
San Joaquím *GU*.............. **59** L 20
San Jorge *HU*.................. **35** G 28
San Jorge *BA* .... **67** Q 10
San Jorge (Ermita de) *Z*.. **36** I 30
San Jorge (Ermita de) *V*.. **61** N 27
San Jorge / Sant Jordi *CS*. **50** K 30
San Jorge de Alor *BA*...... **66** Q 8
San José *Lanzarote GC*.. **123** E 4
San José *AB* .... **71** P 21
San José *AL*...................... **103** V 23
San José *BA* .... **79** Q 9
San José (Canal de) .... **30** H 13
San José (Embalse de) *VA* **30** H 14
San José (Ermita de)
  Tenerife TF.................. **126** C 3
San José (Ermita de) *TE*.. **50** J 29
San José (Ermita de) *J*.... **82** R 17
San José (Ermita de) *MU*. **84** R 24
San José de la Rábita *J* .... **94** T 17

San José
  de la Rinconada *SE*...... **91** T 12
San José
  de Malcocinado *CA*...... **99** W 12
San José del Valle *CA*.... **99** W 12
San Juan *M*...................... **45** K 17
San Juan *V*........................ **61** N 26
San Juan *MA* .... **93** U 16
San Juan *CC*.................... **55** L 10
San Juan (Embalse de) .... **45** K 17
San Juan (Ermita de) cerca de
  Montalbán *TE*.............. **49** J 28
San Juan (Ermita de) cerca de
  Cedrillas *TE*................ **49** K 27
San Juan (Río de) .... **68** P 17
San Juan (Río) .... **94** T 17
San Juan (Sierra de) *SE*.. **92** U 14
San Juan de Gredos *AV*.. **44** K 14
San Juan de la Cuesta *ZA* **14** F 10
San Juan de la Encinilla *AV* **44** J 15
San Juan de la Mata *LE*.. **14** E 10
San Juan de la Nava *AV*.. **44** K 15
San Juan de la Peña
  (Monasterio de) *HU* ...... **21** E 27
San Juan de la Rambla
  Tenerife TF.................. **126** E 3
San Juan
  de los Terreros *AL*........ **96** T 25
San Juan de Mozarrifar *Z*.. **35** G 27
San Juan de Nieva *O* ...... **5** B 12
San Juan de Ortega *BU*.. **18** E 19
San Juan de Plan *HU*...... **22** E 31
San Juan del Flumen *HU*.. **35** G 29
San Juan del Molinillo *AV*. **44** K 15
San Juan del Monte *BU*.. **32** G 19
San Juan del Olmo *AV*.... **44** K 14
San Juan del Puerto *H*.... **90** U 9
San Juan del Rebollar *ZA*. **29** G 10
San Juan-Los Vallejos
  (Valle de) *M*.................. **59** L 19
San Juan Muskiz *BI* .... **8** C 20
San Juan Perales
  Tenerife TF.................. **124** H 2
San Juanico el Nuevo *ZA*. **29** F 11
San Julián *O*...................... **6** B 13
San Julián *C* .... **12** D 2
San Julián *J*...................... **81** R 17
San Julián *MU* .... **97** T 27
San Julián de Banzo *HU*.. **21** F 28
San Julián de Sales /
  San Xulian de Sales *C*.. **13** D 4
San Just (Ermita de) *TE*.. **49** J 27
San Just (Puerto de) *TE*.. **49** J 27
San Just (Sierra de) *TE*.. **49** J 27
San Justo .... **14** F 10
San Justo de Cabanillas *LE* **15** D 10
San Justo de la Vega *LE*.. **15** E 11
San Leandro *SE*.............. **91** U 12
San Leonardo de Yagüe *SO* **32** G 20
San Llorente *SA*.............. **31** G 17
San Llorente de la Vega *BU* **17** E 17
San Llorente del Páramo *P* **16** E 15
San Lorenzo
  Gran Canaria GC........ **115** F 2
San Lorenzo *LO*.............. **18** F 19
San Lorenzo *CA*.............. **29** G 12
San Lorenzo *HU*.............. **35** G 29
San Lorenzo *OR*.............. **28** G 8
San Lorenzo (Ermita de) *TE* **48** J 26
San Lorenzo (Ermita de) *GU* **48** K 24
San Lorenzo
  de Calatrava *CR* .... **82** Q 19
San Lorenzo
  de El Escorial *M*............ **45** K 17
San Lorenzo
  de la Parrilla *CU* .... **60** M 22
San Lorenzo de Tormes *AV* **44** K 13
San Lourenzo *OR*............ **28** G 8
San Luis *Tenerife TF*...... **124** H 2
San Luis de Sabinillas *MA*. **99** W 14
San Mamed cerca de
  Viana do Bolo *OR* .... **14** F 8
San Mamed
  cerca de Xinzo *OR*........ **27** F 6
San Mamed *ZA* .... **29** G 10
San Mamede *O*................ **3** B 6
San Mamede (Sierra de) .. **14** F 7
San Mamés *BU* .... **17** E 18
San Mamés *M* .... **46** J 18
San Mamés (Ermita de) ... **48** I 25
San Mamés de Abar *BU*.. **17** D 17
San Mamés de Campos *P* **17** E 16
San Mamés de Meruelo *S*. **8** B 19
San Marcial *ZA*................ **29** H 12
San Marco *C* .... **3** C 5
San Marcos *NA* .... **19** E 24

San Marcos *C* 3   B 5
San Marcos *CA* 98   W 11
San Marcos *CC* 56   M 13
San Marcos (Ermita de)
  cerca de Alustante *GU*... 48   K 24
San Marcos (Ermita de)
  cerca de Tordesilos *GU*.. 48   J 25
San Marcos (Sierra de) 33   G 22
San Martín *BU*.......... 18   D 18
San Martín *AV*............ 44   J 15
San Martín *HU*............ 22   E 31
San Martín *NA*............ 19   D 23
San Martín *O*............... 5   C 11
San Martín
  de Boniches *CU*........... 61   M 25
San Martín
  de Castañeda *ZA*.......... 14   F 9
San Martín de Don *BU*.. 18   D 20
San Martín de Elines *S*.. 17   D 18
San Martín de Galvarín *BU*19   D 21
San Martín
  de la Falamosa *LE*...... 15   D 12
San Martín de la Tercia *LE* 15   D 12
San Martín de la Vega *M*... 58   L 19
San Martín de la Vega del
  Alberche *AV*............. 44   K 14
San Martín de la Virgen de
  Moncayo *Z*............. 34   G 24
San Martín de los Herreros *P*17 D 16
San Martín de Luiña *O*..... 5   B 11
San Martín
  de Mondoñedo *LU*........ 4   B 8
San Martín
  de Montalbán *TO*......... 57   M 16
San Martín de Moreda *LE*. 14   D 9
San Martín de Oscos *O*.... 4   C 9
San Martín de Pusa *TO*.... 57   M 16
San Martín
  de Rubiales *BU*........... 31   H 18
San Martín de Tábara *ZA*. 29   G 12
San Martín de Torres *LE*... 15   F 12
San Martín de Trevejo *CC*. 55   L 9
San Martín de Unx *NA*.... 20   E 25
San Martín
  de Valdeiglesias *M*...... 45   K 16
San Martín
  de Valderaduey *ZA*...... 30   G 13
San Martín de Valvení *VA*. 31   G 16
San Martín del Camino *LE* 15   E 12
San Martín
  del Castañar *SA*.......... 43   K 11
San Martín del Monte *P*..... 17   E 16
San Martín
  del Pedroso *ZA*.......... 29   G 10
San Martín del Pimpollar *AV*44 K 14
San Martín del Rey Aurelio ..6   C 13
San Martín del Río *TE*.... 48   I 25
San Martín del Rojo *BU* ... 18   D 18
San Martín del Tesorillo *CA*99 W 14
San Martín del Valledor *O*.... 4   C 9
San Martín y Mudrián *SG*.. 31   I 17
San Martiño cerca de
  Castro Caldelas *OR*...... 14   E 7
San Martiño
  cerca de Cualedro *OR*.... 27   G 7
San Martiño (Embalse de)   14   E 8
San Martiño (Isla de) *PO*.. 12   F 3
San Martzial *SS*.......... 10   C 24
San Mateo de Gállego *Z*... 35   G 27
San Mauro *C*................ 3   C 5
San Medel *SA*............. 43   K 12
San Miguel *HU*........... 36   G 30
San Miguel *Tenerife TF*... 128   E 5
San Miguel *S*............... 7   C 18
San Miguel *M*............. 58   L 19
San Miguel *Z*............. 34   H 26
San Miguel *O*................ 5   C 12
San Miguel *OR*............. 14   F 8
San Miguel *MU*........... 84   R 24
San Miguel *J*............. 83   S 20
San Miguel (Ermita de) cerca de la
  Virgen de la Vega *TE*.... 49   K 28
San Miguel (Ermita de) cerca de
  Valderrobres *TE*......... 50   J 30
San Miguel (Ermita de)
  cerca de Teruel 61   L 26
San Miguel (Ermita de)
  cerca de Orrios *TE*....... 61   K 27
San Miguel (Ermita de) *CU*47 L 22
San Miguel (Ermita de) *CU*60 L 22
San Miguel (Sierra de) *NA*.11 D 27
San Miguel (Sierra de) *BA*80 R 12
San Miguel de Aguayo *S*.... 7   C 17
San Miguel de Aralar
  (Santuario de) *NA*....... 10   D 24
San Miguel de Aras *S*....... 8   C 19

San Miguel de Bernuy *SG*. 31   H 18
San Miguel de Corneja *AV* 44   K 14
San Miguel de Escalada *LE*16   E 14
San Miguel de Foces *HU* .. 21   F 29
San Miguel
  de la Dueñas *LE*........... 15   E 10
San Miguel de la Puebla *CS*49 K 29
San Miguel de la Ribera *ZA*30   I 13
San Miguel de las Victorias 47   K 23
San Miguel de Lillo *O*....... 5   B 12
San Miguel de Meruelo *S*... 8   B 19
San Miguel de Montañán *LE*16   F 14
San Miguel de Pedroso *BU*18   E 20
San Miguel
  de Serrezuela *AV*........ 44   J 14
San Miguel de Tajao
  Tenerife TF............... 129   G 5
San Miguel de Valero *SA* .. 43   K 12
San Miguel del Arroyo *VA*.. 31   H 16
San Miguel del Camino *LE* 15   E 12
San Miguel del Pino *VA*.... 30   H 15
San Miguel del Valle *ZA* ... 30   F 13
San Millán *BU* 18   D 20
San Millán *OR* 27   G 7
San Millán (Monte) *BU* ... 18   F 20
San Millán de Juarros *BU*. 18   F 19
San Millán de la Cogolla *LO*18   F 21
San Millán de Lara *BU* 18   F 19
San Millán
  de los Caballeros *LE*.... 16   F 13
San Millán de Yécora *LO* .. 18   E 20
San Morales *SA* 44   J 13
San Muñoz *SA* 43   J 11
San Nicolás *La Palma TF*132   C 5
San Nicolás del Puerto *SE* 80   S 13
San Pablo *SE* 92   T 12
San Pablo de Buceite *CA*. 99   W 13
San Pablo
  de la Moraleja *VA*44   I 15
San Pablo
  de los Montes *TO* 58   N 17
San Pantaleón de Losa *BU*18   D 20
San Pascual *AV* 44   J 15
San Payo *LU* 4   C 7
San Pedro
  cerca de Segovia *SG*.... 45   I 17
San Pedro *S* 8   C 19
San Pedro *P* 17   D 16
San Pedro
  cerca de Grado *O* 5   B 11
San Pedro
  cerca de Oviedo *O* 5   B 12
San Pedro
  cerca de Parres *O* 6   B 14
San Pedro *LU* 14   D 8
San Pedro *PO* 13   E 5
San Pedro *CC* 54   N 8
San Pedro *AL* 103   V 24
San Pedro
  (Embalse de) *OR* 13   E 6
San Pedro (Ermita de) *LU*.. 4   C 8
San Pedro (Monte) 46   J 18
San Pedro (Puerto de) *MU* 85   S 27
San Pedro (Sierra de) *NA*. 20   E 25
San Pedro (Sierra de) *CC*. 67   O 10
San Pedro (Torrico de) *CC* 55   N 9
San Pedro Bercianos *LE*... 15   E 12
San Pedro Cansoles *P*..... 16   D 15
San Pedro
  de Alcántara *AV* 57   L 14
San Pedro
  de Alcántara *MA* 100   W 15
San Pedro
  de Arlanza (Ermita) *BU*.. 32   F 19
San Pedro de Cardeña *BU* 18   F 19
San Pedro de Ceque *ZA* ... 29   F 11
San Pedro de Gaillos *SG*.. 31   I 18
San Pedro de la Nave *ZA*. 29   H 12
San Pedro de la Viña *ZA*... 15   F 11
San Pedro
  de las Herrerías *ZA* 29   G 10
San Pedro de Latarce *VA*.. 30   G 14
San Pedro de Mérida *BA*.. 67   P 11
San Pedro de Olleros *LE* .. 14   D 9
San Pedro de Paradela *LE*15   D 10
San Pedro de Rozados *SA*43   J 12
San Pedro de Rudaguera *S*.7   B 17
San Pedro
  de Valderaduey *LE* 16   E 15
San Pedro de Viveiro *LU*.... 4   B 7
San Pedro de Zamudia *ZA* 29   G 12
San Pedro del Arroyo *AV*.. 44   J 15
San Pedro del Pinatar *MU*. 85   S 27
San Pedro del Romeral *S*..... 7   C 18
San Pedro del Valle *SA* 43   I 12
San Pedro Manrique *SO*.. 33   F 23

San Pedro Palmiches *CU*. 47   K 22
San Pedro Samuel *BU*.... 17   E 18
San Pelayo *BU* 8   C 19
San Pelayo *VA* 30   G 14
San Pelayo *BI* 9   B 21
San Pelayo (Convento de) 31   G 17
San Pelayo (Monte) 20   E 25
San Pelayo
  de Guareña *SA* 43   I 12
San Quintín *CR* 70   P 17
San Quirce
  de Riopisuerga *P* 17   E 17
San Rafael *SG* 45   J 17
San Rafael *CA* 92   V 12
San Rafael de Navallana
  (Embalse de) *CO*....... 81   S 16
San Rafael de Olivenza *BA*66   P 8
San Ramón *M* 45   K 16
San Ramón *C* 3   B 5
San Ramón *S* 7   B 18
San Román
  cerca de Bembibre *LE*... 15   E 10
San Román
  cerca de Piloña *O* 6   B 14
San Román
  cerca de Portomarín *LU* 14   D 7
San Román
  cerca de Pravia *O* 5   B 11
San Román cerca de
  Santas Martas *LE* 16   E 13
San Román Cervantes *LU* 14   D 8
San Román *ZA* 29   F 12
San Román (Embalse de) 29   H 12
San Román de Basa *HU*... 21   E 29
San Román de Cameros *LO*19   F 22
San Román de Campezo *VI*19   D 22
San Román de Castro *HU*. 22   F 30
San Román de Hornija *VA* 30   H 14
San Román de la Cuba *P*.. 16   F 15
San Román de la Vega *LE* 15   E 11
San Román
  de los Caballeros *LE*.... 15   E 12
San Román
  de los Infantes *ZA*...... 29   H 12
San Román
  de los Montes *TO* 57   L 15
San Román
  de San Millán *VI*......... 19   D 22
San Roque *O* 7   B 15
San Roque *C* 2   C 3
San Roque *OR* 13   F 5
San Roque *CA* 99   X 13
San Roque (Ermita de) *TE* 61   L 26
San Roque (Ermita de)
  cerca de Alustante *GU*.. 48   K 25
San Roque (Ermita de)
  cerca de la Yunta *GU*.... 48   J 24
San Roque de Riomiera *S*.. 8   C 18
San Roque
  Torre Guadiaro *CA*..... 99   X 14
San Sadurniño *C* 3   B 5
San Salvador *VA* 30   H 14
San Salvador
  cerca de Teverga *O*..... 5   C 11
San Salvador *LU* 3   C 6
San Salvador (Sierra de) .. 79   R 9
San Salvador
  de Cantamuda *P* 17   D 16
San Salvador de Meis *PO*. 12   E 3
San Salvador de Poyo *PO* 12   E 3
San Salvador del Valledor
  cerca de Negueira *O*...... 4   C 9
San Saturio (Ermita de) *SO*33   G 22
San Sebastián *PO*........ 13   D 4
San Sebastián
  (Castillo de) *CA*......... 98   W 11
San Sebastián
  (Embalse de) *ZA*........ 14   F 9
San Sebastián
  (Ermita de) *Z* 34   G 25
San Sebastián
  (Ermita de) *BA*.......... 69   P 14
San Sebastián
  de Garabandal *S*......... 7   C 16
San Sebastián de la Gomera
  La Gomera TF........... 119   D 2
San Sebastián
  de los Ballesteros *CO*.... 81   T 15
San Sebastián
  de los Reyes *M*.......... 46   K 19
San Segundo
  (Ermita de) *GU*.......... 48   J 24
San Serván *BA*............. 67   P 10
San Silvestre (Castillo) 58   L 17
San Silvestre
  de Guzmán *H*............ 90   T 7

San Pedro Palmiches ...
San Telmo *H* 78   S 9
San Telmo
  (Parador) *Tui PO*......... 12   F 4
San Tirso
  cerca de Oviedo *O*......... 5   C 12
San Tirso cerca de Pravia *O* 5   B 11
San Tirso *LE*................ 14   E 9
San Tirso de Abres 4   B 8
San Torcuato *LO* 18   E 21
San Urbez
  (Santuario de) *HU*....... 21   F 29
San Vicente *NA* 11   D 26
San Vicente *OR* 14   E 8
San Vicente *SA* 44   J 13
San Vicente
  de Alcántara *BA* 54   N 8
San Vicente de Arévalo *AV* 44   J 15
San Vicente
  de la Barquera *S*.......... 7   B 16
San Vicente
  de la Sonsierra *LO*....... 19   E 21
San Vicente de León *S*.... 7   C 17
San Vicente de Robres *LO* 19   F 23
San Vicente de Toranzo *S*... 7   C 18
San Vicente del Grove *PO* 12   E 3
San Vicente del Mar *PO*... 12   E 3
San Vicente del Monte *S*.... 7   C 17
San Vicente del Palacio *VA*30   I 15
San Vicentejo *BU*......... 19   D 21
San Victorian
  (Monasterio de) *HU* 22   E 30
San Vincente
  de la Cabeza *ZA*......... 29   G 11
San Vincente del Valle *BU* 18   E 20
San Vitero *ZA* 29   G 10
San Xulian de Sales /
  San Julián de Sales *C* ... 13   D 4
San Xurxo *LU* 4   C 8
San Zadornil *BU* 18   D 20
Sanabria (Lago de) *ZA* 14   F 9
Sanabria (Valle de) *ZA* 14   F 9
Sanatorio de Abona
  Tenerife TF............... 129   G 4
Sanaüja *L*................... 37   G 33
Sancedo *LE* 14   E 10
Sánchez Gomez
  (Laguna de) 59   N 21
Sanchicorto *AV* 44   K 15
Sanchidrián *AV* 45   J 16
Sancho (Embalse de) *H*... 90   T 8
Sancho Abarca *Z*.......... 34   G 26
Sancho Abarca (Monte) *Z*. 20   F 26
Sancho Leza
  (Collado de) *LO*......... 19   F 22
Sanchogómez *SA* 43   J 12
Sanchón de la Ribera *SA*.. 43   I 10
Sanchón de la Sagrada *SA*43   J 11
Sanchonuño *SG* 31   I 17
Sanchorreja *AV* 44   K 15
Sanchotello *SA* 43   K 12
Sancti Petri *CA*............ 98   W 11
Sancti Petri (Isla) *CA*..... 98   W 11
Sancti Spíritus *BA* 69   P 14
Sancti-Spiritus *SA* 43   J 10
Sandamias *O*................ 5   B 11
Sande *OR*.................. 13   F 5
Sandiás *OR* 13   F 6
Sandiche *O*................ 5   B 11
Sandín *ZA*................ 29   G 10
Sandinies *HU* 21   D 29
Sando *SA* 43   J 11
Sandoval de la Reina *BU*.. 17   E 17
Sanet y Negrals *A*......... 74   P 29
Sangarcia *SG*.............. 45   J 16
Sangarrén *HU*............. 21   F 28
Sangenjo / Sanxenxo *PO*. 12   E 3
Sangonera la Verde *MU*... 85   S 26
Sangrera 57   M 15
Sangüesa / Zangoza *NA*... 20   E 26
Sangusín 43   K 12
Sanlúcar
  de Barrameda *CA*........ 91   V 10
Sanlúcar de Guadiana *H*.. 90   T 7
Sanlúcar la Mayor *SE*..... 91   T 11
Sansoáin
  cerca de Lumbier *NA*.... 11   D 26
Sansoáin
  cerca de Taffala *NA*..... 20   E 25
Sansol *NA*................. 19   E 23
Sansomain *NA* 20   E 25
Sansustre (Rivera del) 67   O 9
Sant Adrià de Besòs *B*... 38   H 35
Sant Agustí *Ibiza PM*..... 87   P 33
Sant Agustí de Lluçanès *B* 24   F 36
Sant Alís 22   F 32

Sant Andreu *L* 23   E 33
Sant Andreu de la Barca *B* 38   H 35
Sant Andreu
  de Llavaneres *B*......... 38   H 37
Sant Aniol 24   F 37
Sant Aniol de Finestres *GE*24   F 37
Sant Antoli i Vilanova *L*... 37   H 34
Sant Antoni (Cap de) *A*... 75   P 30
Sant Antoni (Ermita de) *A*.. 74   P 28
Sant Antoni (Pantà de) *L*.. 23   F 32
Sant Antoni de Calonge *GE*25   G 39
Sant Antoni de Portmany / San
  Antonio de Portmany *PM*87   P 33
Sant Bartolomeu
  del Grau *B*.............. 38   G 36
Sant Bartomeu
  d'Almisdrà *A*............ 85   R 27
Sant Boi *B* 38   H 36
Sant Boi de Lluçanès *B*... 24   F 36
Sant Carles *Ibiza PM*..... 87   O 34
Sant Carles de la Ràpita *T* 50   K 31
Sant Cebrià de Vallalta *B*. 38   H 37
Sant Celoni *B*............. 38   G 37
Sant Cerni *L*............... 23   F 32
Sant Climent
  de Llobregat *B*.......... 38   H 35
Sant Climent Sescebes *GE*25   E 38
Sant Cristòfol *V*........... 74   O 28
Sant Cugat del Vallès *B* .. 38   H 36
Sant Domènec *V* 62   N 28
Sant Elm *Mallorca PM*.... 104   N 37
Sant Esperit (Monestir) *V*.. 62   M 28
Sant Esteve d'En Bas *GE*. 24   F 37
Sant Esteve de la Sarga *L* 22   F 32
Sant Esteve
  de Palautordera *B*....... 38   G 37
Sant Esteve Sesrovires *B*. 38   H 35
Sant Felip de Neri *A* 85   R 27
Sant Feliu *B* 38   H 36
Sant Feliu de Boada *GE*... 25   G 39
Sant Feliu de Buixalleu *GE*38   G 37
Sant Feliu de Codines *B* .. 38   G 36
Sant Feliu de Guíxols /
  San Feliú de Guíxols *GE*39   G 39
Sant Feliu de Pallerols *GE* 24   F 37
Sant Feliu del Racó *B* 38   H 36
Sant Feliu Sasserra *B* 38   G 36
Sant Ferran
  Formentera PM......... 87   P 34
Sant Francesc *PM*........ 87   P 34
Sant Francesc
  de s'Estany *PM*.......... 87   P 34
Sant Fruitós de Bages *B*.. 38   G 36
Sant Genís *B* 39   H 38
Sant Gerard *V* 62   N 28
Sant Gervàs (Serra de) 22   F 32
Sant Grau *GE* 39   G 38
Sant Gregori *GE* 24   G 38
Sant Gregori (Mont) *GE* .. 24   G 37
Sant Guim de Freixenet *L*. 37   H 34
Sant Guim de la Plana *L*.. 37   G 33
Sant Hilari Sacalm *GE* 24   G 37
Sant Hipòlit de Voltregà *B*. 24   F 36
Sant Iscle de Vallalta *B* .. 38   H 37
Sant Isidre *V* 62   N 28
Sant Isidre d'Albatera *A*.. 85   R 27
Sant Jaume 24   F 37
Sant Jaume (Ermita de) *V*. 74   P 28
Sant Jaume d'Enveja *T*.... 50   J 32
Sant Jaume
  de Frontanyà *B*.......... 24   F 36
Sant Jaume de Llierca *GE* 24   F 37
Sant Jaume dels Domenys *T*37   I 34
Sant Jeroni *B*.............. 38   H 35
Sant Jeroni (Convent de) *V*74   P 29
Sant Joan *PM* 105   N 39
Sant Joan (Banys de) *PM*105   N 39
Sant Joan d'Alacant *A*.... 86   Q 28
Sant Joan de Labritja *PM*. 87   O 34
Sant Joan
  de les Abadesses *GE*... 24   F 36
Sant Joan de Mollet *GE*... 25   F 38
Sant Joan de Moró *CS*.... 62   L 29
Sant Joan
  de Penyagolosa *CS*..... 62   L 28
Sant Joan de Vilatorrada *B*38   G 35
Sant Joan Fumat *L*........ 23   E 34
Sant Joan les Fonts *GE*... 24   F 37
Sant Joaquim *CS* 49   J 29
Sant Jordi *Ibiza PM*....... 87   P 34

Sant Jordi *A* 74   Q 29
Sant Jordi *B*............... 23   F 35
Sant Jordi *Mallorca PM*... 104   N 38
Sant Jordi (Golf de) *T*..... 51   J 32
Sant Jordi / San Jorge *CS*. 50   K 30
Sant Jordi d'Alfama *T*..... 51   J 32
Sant Jordi Desvalls *GE*.... 25   F 38
Sant Josep *Ibiza PM*...... 87   P 33
Sant Josep (Grutes de) *CS*62   M 29
Sant Julià *G*............... 25   G 38
Sant Julià de Cerdanyola *B*24   F 35
Sant Julià de Vilatorta *B*... 38   G 36
Sant Llorenç *Ibiza PM*..... 87   O 34
Sant Llorenç *G*............ 25   G 38
Sant Llorenç d'Hortons *B*.. 38   H 35
Sant Llorenç
  de la Muga *GE*.......... 25   F 38
Sant Llorenç de Montgai *L* 36   G 32
Sant Llorenç
  de Montgai (Pantà de) .. 36   G 32
Sant Llorenç de Morunys *L*23   F 34
Sant Llorenç del Munt *B*.. 38   H 36
Sant Llorenç del Munt
  (Parc natural de) 38   G 35
Sant Llorenç
  des Cardassar *PM*...... 105   N 39
Sant Llorenç Savall *B*..... 38   G 36
Sant Lluís *PM* 106   M 42
Sant Magí (Santuari) *T* 37   H 34
Sant Mamet (Serra de) 37   G 32
Sant Marçal (Ermita) *B*.... 38   G 37
Sant Martí (Cap de) *A*..... 75   P 30
Sant Martí d'Albars *B* 24   F 36
Sant Martí de Barcedana *L*23   F 32
Sant Martí de Centelles *B*. 38   G 36
Sant Martí de Llémena *GE* 24   F 37
Sant Martí de Ogassa *GE*. 24   F 36
Sant Martí de Riucorb *L*... 37   H 33
Sant Martí de Surroca *GE*. 24   F 36
Sant Martí de Torroella *B*.. 38   G 35
Sant Martí de Tous *B*...... 37   H 34
Sant Martí Sacalm *GE* 24   F 37
Sant Martí Sapresa *GE*... 24   G 37
Sant Martí Sarroca *B*...... 37   H 34
Sant Martí Sescorts *B*.... 24   F 36
Sant Martí Sesgueioles *B*. 37   G 34
Sant Martí Sesserres *GE*.. 25   F 38
Sant Martí Vell *GE*........ 25   F 38
Sant Mateu *Ibiza PM*...... 87   O 34
Sant Mateu *Castelló CS*... 50   K 30
Sant Mateu de Bages *B*... 37   G 35
Sant Maurici *B* 24   F 35
Sant Maurici (Estany de) *L*23   E 32
Sant Miquel de Salinas *A*. 85   S 27
Sant Miquel *Ibiza PM*..... 87   O 34
Sant Miquel *L*............. 37   G 34
Sant Miquel *Mallorca PM* 105   N 39
Sant Miquel (Ermita de)
  Castelló CS............. 63   L 30
Sant Miquel (Torrent de) .105   M 39
Sant Miquel
  de Campmajor *GE*...... 24   F 38
Sant Miquel de Cladells *GE*24   G 37
Sant Miquel de Fluvià *GE*. 25   F 38
Sant Miquel de la Pobla *V*. 61   L 26
Sant Miquel del Fai *B*..... 38   G 36
Sant Mori *GE* 25   F 38
Sant Nicolau *L*............ 22   E 32
Sant Pasqual (Ermita de) *A*86   Q 28
Sant Pau *CS*.............. 50   K 29
Sant Pau d'Ordal *B*....... 38   H 35
Sant Pau de Segúries *GE*. 24   F 37
Sant Pere de Casserres *B* 24   G 37
Sant Pere de Ribes *B* 38   I 35
Sant Pere
  de Riudebitlles *B*........ 37   H 35
Sant Pere de Rodes
  (Monestir de) *GE*........ 25   F 39
Sant Pere de Torelló *B*.... 24   F 36
Sant Pere de Vilamajor *B*. 38   G 37
Sant Pere Despuig *GE* 24   F 37
Sant Pere i Sant Pau *T*.... 51   I 33
Sant Pere Pescador *GE*.. 25   F 39
Sant Pere Sallavinera *B*... 37   G 34
Sant Pol de Mar *B*........ 38   H 37
Sant Ponç (Pantà de) *L*... 37   G 34
Sant Privat d'En Bas *GE*.. 24   F 37
Sant Quintí de Mediona *B*. 37   H 34
Sant Quirze *B*............. 38   H 36
Sant Quirze de Besora *B*.. 24   F 36
Sant Quirze de Pedret *B*.. 24   F 35
Sant Quirze Safaja *B*...... 38   G 36
Sant Rafael *A* 74   Q 29
Sant Rafael *Ibiza PM*...... 87   P 34
Sant Rafael *A* 74   P 28

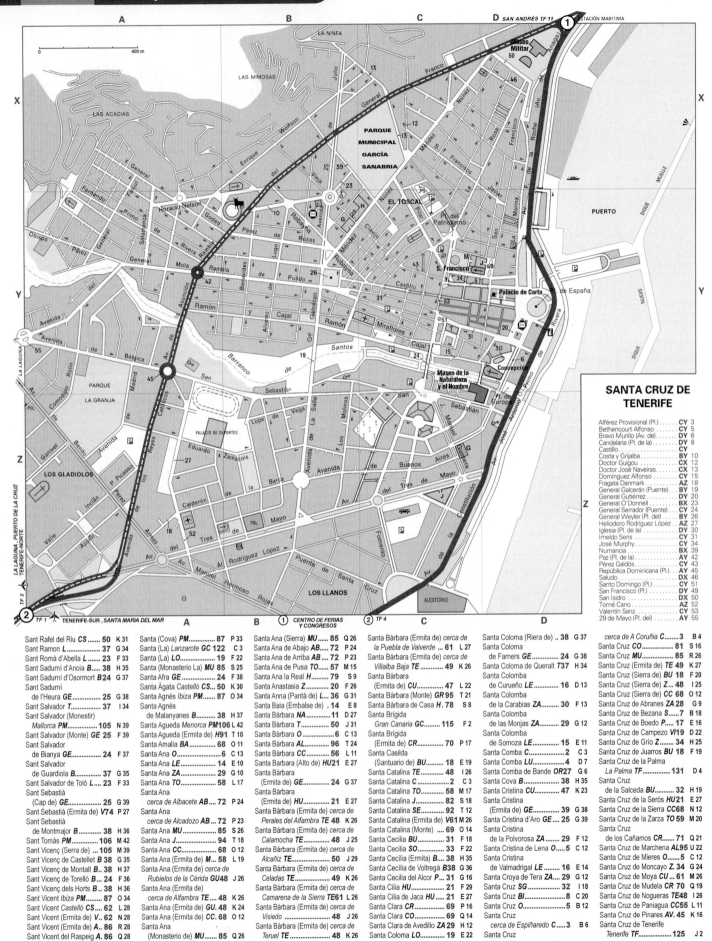

SANTA CRUZ DE TENERIFE

Alférez Provisional (Pl.) .... **CY** 3
Bethencourt Alfonso .... **CY** 5
Bravo Murillo (Av. de) .... **DY** 6
Candelaria (Pl. de la) .... **DY** 8
Castillo .... **CY**
Costa y Grijalba .... **BY** 10
Doctor Guigou .... **CX** 12
Doctor José Naveiras .... **CX** 13
Domínguez Alfonso .... **CY** 15
Fragata Dannark .... **AZ** 18
General Galcerán (Puente) .... **BY** 19
General Gutiérrez .... **DY** 20
General O'Donnell .... **BX** 23
General Serrador (Puente) .... **CY** 24
General Weyler (Pl. del) .... **BY** 26
Heliodoro Rodríguez López .... **AZ** 27
Iglesia (Pl. de la) .... **DY** 30
Imeldo Seris .... **CY** 31
José Murphy .... **CY** 34
Numancia .... **BX** 39
Paz (Pl. de la) .... **AY** 42
Pérez Galdós .... **CY** 43
República Dominicana (Pl.) .... **AY** 45
Saludo .... **DX** 46
Santo Domingo (Pl.) .... **CY** 51
San Francisco (Pl.) .... **DY** 49
San Isidro .... **DX** 50
Tomé Cano .... **AZ** 52
Valentín Sanz .... **CY** 53
29 de Mayo (Pl. del) .... **AY** 55

Sant Rafel del Riu *CS* .... **50** K 31
Sant Ramon *L* .... **37** G 34
Sant Romà d'Abella *L* .... **23** F 33
Sant Sadurní d'Anoia *B.* .... **38** H 35
Sant Sadurní d'Osormort *B* **24** G 37
Sant Sadurní de l'Heura *GE* .... **25** G 38
Sant Salvador *T.* .... **37** I 34
Sant Salvador (Monestir) Mallorca *PM.* .... **105** N 39
Sant Salvador (Monte) *GE* **25** F 39
Sant Salvador de Bianya *GE.* .... **24** F 37
Sant Salvador de Guardiola *B.* .... **37** G 35
Sant Salvador de Toló *L.* .... **23** F 33
Sant Sebastià (Cap de) *GE.* .... **25** G 39
Sant Sebastià (Ermita de) *V74* P 27
Sant Sebastià de Montmajor *B* .... **38** H 36
Sant Tomàs *PM* .... **106** M 42
Sant Vicenç (Serra de) .. **105** M 39
Sant Vicenç de Castellet *B* **38** G 35
Sant Vicenç de Montalt *B..* **38** H 37
Sant Vicenç de Torelló *B.* **24** F 36
Sant Vicenç dels Horts *B..* **38** H 36
Sant Vicent Ibiza *PM* .... **87** O 34
Sant Vicent Castelló *CS.* **62** L 28
Sant Vicent (Ermita de) *V..* **62** N 28
Sant Vicent (Ermita de) *A..* **86** R 28
Sant Vicent del Raspeig *A.* **86** Q 28

Santa (Cova) *PM.* .... **87** P 33
Santa (La) Lanzarote *GC* **122** C 3
Santa (La) *LO.* .... **19** F 22
Santa (Monasterio La) *MU* **85** S 25
Santa Afra *GE* .... **24** F 38
Santa Àgata Castelló *CS.* **50** K 30
Santa Agnès de Malanyanes *B..* .... **38** H 37
Santa Agueda Menorca *PM* **106** L 42
Santa Agueda (Ermita de) *H91* T 10
Santa Amalia *BA* .... **68** O 11
Santa Ana *O.* .... **6** C 13
Santa Ana *LE.* .... **14** E 10
Santa Ana *ZA* .... **29** G 10
Santa Ana *TO.* .... **58** L 17
Santa Ana cerca de Albacete *AB* .... **72** P 24
Santa Ana cerca de Alcadozo *AB..* **72** P 23
Santa Ana *MU* .... **85** S 26
Santa Ana *J.* .... **94** T 18
Santa Ana *CC* .... **68** O 12
Santa Ana (Ermita de) *M..* **58** L 19
Santa Ana (Ermita de) cerca de Rubielos de la Cérida *GU48* J 26
Santa Ana (Ermita de) cerca de Alfambra *TE....* **48** K 26
Santa Ana (Ermita de) *GU.* **48** K 24
Santa Ana (Ermita de) *CC.* **68** O 12
Santa Ana (Monasterio de) *MU* .... **85** Q 26

Santa Ana (Sierra) *MU* .... **85** Q 26
Santa Ana de Abajo *AB...* **72** P 24
Santa Ana de Arriba *AB...* **72** P 23
Santa Ana de Pusa *TO....* **57** M 15
Santa Ana la Real *H* .... **79** S 9
Santa Anastasia *Z* .... **20** F 26
Santa Anna (Pantà de) *L.* **36** G 31
Santa Bárbara *NA.* .... **11** D 27
Santa Bárbara *T.* .... **50** J 31
Santa Bárbara *AL.* .... **96** T 24
Santa Bárbara *CC.* .... **56** L 11
Santa Barbara (Alto de) *HU21* E 27
Santa Bárbara (Ermita de) *GE.* .... **24** G 37
Santa Bárbara (Ermita de) *HU.* .... **21** E 27
Santa Bárbara (Ermita de) cerca de Perales del Alfambra *TE48* K 26
Santa Bárbara (Ermita de) cerca de Calamocha *TE....* **48** J 25
Santa Bárbara (Ermita de) cerca de Alcañiz *TE.* .... **50** J 29
Santa Bárbara (Ermita de) cerca de Celadas *TE....* **49** K 26
Santa Bárbara (Ermita de) cerca de Camarena de la Sierra *TE61* L 26
Santa Bárbara (Ermita de) cerca de Visiedo .... **48** J 26
Santa Bárbara (Ermita de) cerca de Teruel *TE....* **48** K 26

Santa Bárbara (Ermita de) cerca de la Puebla de Valverde .... **61** L 27
Santa Bárbara (Ermita de) cerca de Villalba Baja *TE....* **49** K 26
Santa Bárbara (Ermita de) *CU.* .... **47** L 22
Santa Bárbara (Monte) *GR95* T 21
Santa Bárbara de Casa *H.* **78** S 8
Santa Brígida Gran Canaria *GC.* .... **115** F 2
Santa Brígida (Ermita de) *CR.* .... **70** P 17
Santa Casilda (Santuario de) *BU.* **18** E 19
Santa Catalina *AB....* .... **48** I 26
Santa Catalina *C* .... **2** C 3
Santa Catalina *TO.* .... **58** M 17
Santa Catalina *J.* .... **82** S 18
Santa Catalina *SE.* .... **92** T 12
Santa Catalina (Ermita de) *V61* M 26
Santa Catalina (Monte) .... **69** O 14
Santa Cecilia *BU.* .... **31** F 18
Santa Cecilia *SO.* .... **33** F 22
Santa Cecilia de Voltregà *B38* G 36
Santa Cecilia del Alcor *P....* **31** G 16
Santa Cilia *HU.* .... **21** F 29
Santa Cilia de Jaca *HU.* .... **21** E 27
Santa Clara *CR* .... **69** P 16
Santa Clara *CO.* .... **69** Q 14
Santa Clara de Avedillo *ZA29* H 12
Santa Coloma *LO.* .... **19** E 22

Santa Coloma (Riera de) .. **38** G 37
Santa Cruz *CO.* .... **81** S 16
Santa Cruz *MU.* .... **85** R 26
Santa Coloma de Farners *GE....* **24** G 38
Santa Colomba (Sierra de) *BU* **18** F 20
Santa Colomba de Curueño *LE* .... **16** D 13
Santa Colomba de la Carabias *ZA.* **30** F 13
Santa Colomba de las Monjas *ZA.* .... **29** G 12
Santa Colomba de Somoza *LE.* .... **15** E 11
Santa Comba *C* .... **2** C 3
Santa Comba *LU.* .... **4** D 7
Santa Comba de Bande *OR27* G 6
Santa Cova *B.* .... **38** H 35
Santa Cristina *CU.* .... **47** K 23
Santa Cristina (Ermita de) *GE.* .... **39** G 38
Santa Cristina d'Aro *GE..* **25** G 39
Santa Cristina de la Polvorosa *ZA........* **29** F 12
Santa Cristina de Lena *O....* **5** C 12
Santa Cristina de Valmadrigal *LE ....* **16** E 14
Santa Croya de Tera *ZA....* **29** G 12
Santa Cruz *SG* .... **32** I 18
Santa Cruz *BI.* .... **8** C 20
Santa Cruz *O.* .... **5** B 12
Santa Cruz cerca de Espiñaredo *C .....* **3** B 6
Santa Cruz

cerca de A Coruña *C.........* **3** B 4
Santa Cruz (Ermita de) *TE* **49** K 27
Santa Cruz (Sierra de) *Z* **48** I 25
Santa Cruz (Sierra de) *CC* **68** O 12
Santa Cruz de Abranes *ZA* **28** G 9
Santa Cruz de Bezana *S....* **7** B 18
Santa Cruz de Boedo *P.....* **17** E 16
Santa Cruz de Campezo *VI19* D 22
Santa Cruz de Grío *Z....* **34** H 25
Santa Cruz de Juarros *BU* **18** F 19
Santa Cruz de la Palma La Palma *TF....* .... **131** D 4
Santa Cruz de la Salceda *BU....* **32** H 19
Santa Cruz de la Serós *HU21* E 27
Santa Cruz de la Sierra *CC68* N 12
Santa Cruz de la Zarza *TO* **59** M 20
Santa Cruz de los Cañamos *CR....* **71** Q 21
Santa Cruz de Marchena *AL95* U 22
Santa Cruz de Mieres *O....* **5** C 12
Santa Cruz de Moncayo *Z.* **34** G 24
Santa Cruz de Moya *CU....* **61** M 26
Santa Cruz de Mudela *CR* **70** Q 19
Santa Cruz de Nogueras *TE48* I 26
Santa Cruz de Paniagua *CC55* L 11
Santa Cruz de Pinares *AV.* **45** K 16
Santa Cruz de Tenerife Tenerife *TF........* **125** J 2

SANTANDER

Alfonso XIII (Av.)	**EZ**	4
Andrés del Río	**FZ**	6
Arrabal	**EFZ**	10
Atalaya (Cuesta de la)	**EZ**	12
Atilano Rodríguez	**EZ**	13
Calderón de la Barca (Av.)	**EZ**	15
Calvo Sotelo (Av.)	**EZ**	

Cañadio (Pl.)	**FZ**	19
Casimiro Sáinz	**FZ**	21
Daoíz y Velarde	**FZ**	27
Escalantes	**EZ**	30
Francisco de Quevedo	**EZ**	32
Hospital (Cuesta del)	**EZ**	37
Jesús de Monasterio	**EZ**	42
José Antonio (Pl.)	**FZ**	44
Juan de Herrera	**EZ**	46
Juan de la Cosa	**FZ**	47

Lealtad	**EZ**	49
Marcelino Sautuola	**FZ**	55
Matiás Montero (Pl.)	**FZ**	56
Peña Herbosa	**FZ**	69
Porticada (Pl.)	**EZ**	72
Ramón Dóriga	**FZ**	75
Rúalasal	**EZ**	
Rubio	**EZ**	78
San Francisco	**EZ**	82
Valliciergo	**FZ**	90

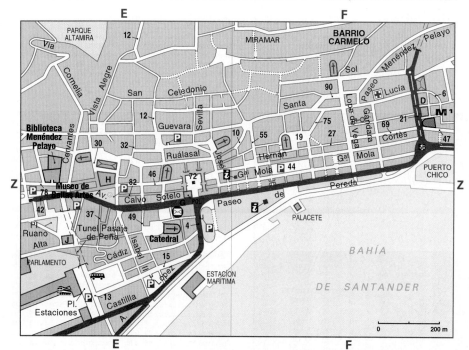

Museo Regional de Prehistoria y Arqueología . . . . . **FZ** **M¹**

Santa Cruz de Yanguas *SO*	33	F 22
Santa Cruz del Comercio *GR*	94	U 18
Santa Cruz del Monte *P*	17	E 16
Santa Cruz del Retamar *TO*58		L 17
Santa Cruz del Tozo *BU*	17	E 18
Santa Cruz del Valle *AV*	57	L 15
Santa Cruz del Valle Urbión *BU*	18	F 20
Santa Elena *HU*	21	D 29
Santa Elena *J*	82	Q 19
Santa Elena (Ermita de) *TE*61		L 26
Santa Elena (Monasterio de) *HU*	21	E 29
Santa Elena de Jamuz *LE* 15		F 12
Santa Emilia *TO*	57	M 15
Santa Engracia *Z*	34	G 26
Santa Engracia *HU*	21	E 27
Santa Engracia del Jubera *LO*	19	F 23
Santa Eufemia *CO*	69	Q 15
Santa Eufemia del Arroyo *VA*	30	G 14
Santa Eufemia del Barco *ZA*	29	G 12
Santa Eugenia *C*	12	E 3
Santa Eugenia *LU*	13	E 6
Santa Eugènia *Mallorca PM*	104	N 38
Santa Eugènia de Berga *B* 38		G 36
Santa Eulalia *S*	7	C 16
Santa Eulalia *TE*	48	K 26
Santa Eulalia Cabranes *O*	6	B 13
Santa Eulalia Morcín *O*	5	C 12
Santa Eulalia *ZA*	29	F 11
Santa Eulalia *J*	82	R 19
Santa Eulalia (Ermita de) *H*79		S 10
Santa Eulalia Bajera *LO*	19	F 23
Santa Eulalia de Bóveda *LU* 3		D 6
Santa Eulalia de Cabrera *LE*	15	F 10
Santa Eulalia de Gállego *Z* 21		F 27
Santa Eulalia de la Peña *HU*	21	F 28
Santa Eulalia de Oscos *O*	4	C 8
Santa Eulàlia		

de Puig-oriol *B*	24	F 36
Santa Eulàlia de Riuprimer *B*	38	G 36
Santa Eulàlia de Ronçana *B*38		H 36
Santa Eulàlia de Tábara *ZA*	29	G 12
Santa Eulalia del Río / Santa Eulària des Riu *PM*	87	P 34
Santa Eulalia La Mayor *HU*21		F 29
Santa Eulària (Illa de)	87	P 34
Santa Eulària des Riu / Santa Eulalia del Río *PM*	87	P 34
Santa Euxea *LU*	13	D 7
Santa Faç *A*	86	Q 28
Santa Fe *L*	37	G 34
Santa Fe *GR*	94	U 18
Santa Fe (Pantà de) *B*	38	G 37
Santa Fe de Mondújar *AL*103		V 22
Santa Filomena (Ermita de) *A*	85	R 27
Santa Florentina *B*	38	H 37
Santa Gadea *BU*	17	D 18
Santa Gadea del Cid *BU*	18	D 20
Santa Genoveva *SE*	92	T 12
Santa Gertrudis *PM*	87	P 34
Santa Iglesia *SE*	92	T 13
Santa Inés *BU*	32	F 18
Santa Inés *SA*	44	J 13
Santa Inés *BA*	68	Q 13
Santa Inés (Puerto de) *SO* 33		F 21
Santa Isabel *Z*	35	H 27
Santa Juliana *SE*	92	T 13
Santa Lecina *HU*	36	G 30
Santa Liestra y San Quílez *HU*	22	F 31
Santa Linya *L*	36	G 32
Santa Locaia *LO*	19	F 23
Santa Lucía *Gran Canaria GC*	117	E 3
Santa Lucía *PO*	12	E 4
Santa Lucía (Ermita de) *TE*	48	K 25
Santa Lucía de Valdueza *LE*	14	E 10
Santa Magdalena *PM*	104	M 38
Santa Magdalena (Ermita de) *L*	23	E 34

Santa Magdalena (Ermita de) *T*	50	J 31
Santa Magdalena (Serra de) *24*F	36	
Santa Magdalena de Pulpís *CS*	50	K 30
Santa Margalida *Mallorca PM*	105	M 39

Santa Margarida *GE*	25	F 39
Santa Margarida de Montbui *B*	37	H 34
Santa Margarida i els Monjós *B*	37	I 35
Santa Margarita *CA*	99	X 14
Santa Margarita (Ermita de) *TE*	61	M 27
Santa Margarita (Portillo de) *ESP*	20	F 25
Santa María cerca de Luciana *CR*	69	O 16
Santa María *P*	17	D 16
Santa María *HU*	21	E 28
Santa María *O*	5	B 12
Santa María *CR*	71	P 21
Santa María *BA*	67	P 10
Santa María (Ermita de) *SG*31		I 17
Santa María (Sierra de) *BA*67		Q 9
Santa María d'Oló *B*	38	G 36
Santa María de Bellpuig *L*	36	G 32
Santa María de Belsué (Embalse de)	21	F 28
Santa María de Bendones *O* 5		B 12
Santa María de Besora *B*	24	F 36
Santa María de Cayón *S*	7	C 18
Santa María de Corcó *B*	24	F 37
Santa María de Dulcis	22	F 30
Santa María de Guía Gran Canaria *GC*	114	D 1
Santa María de Huerta *SO*	33	I 23
Santa María de la Alameda *M*	45	K 17
Santa María de la Isla *LE*	15	E 12
Santa María de la Vega *ZA*15		F 12
Santa María de las Hoyas *SO*	32	G 20
Santa María de las Lomas *CC*	56	L 13
Santa María de Llorell *GE*	39	G 38
Santa María de los Caballeros *AV*	44	K 13
Santa María de los Llanos	59	N 21
Santa María de Mave *P*	17	D 17
Santa María de Meià *L*	37	G 32
Santa María de Mercadillo *BU*	32	G 19
Santa María de Merlès *B*	24	F 35
Santa María de Mezonzo *C*	3	C 5
Santa María de Miralles *B*	37	H 34
Santa María de Nieva *AL*	96	T 24
Santa María de Nieva (Puerto de)	96	T 23
Santa María de Ordás *LE*	15	D 12
Santa María de Palautordera *B*	38	G 37
Santa María de Redondo *P*17		D 16
Santa María de Riaza *SG*	32	H 19
Santa María de Sando *SA* 43		J 11
Santa María de Siones *BU*	8	C 20
Santa María de Tentudia (Santuario de) *BA*	79	R 10
Santa María		

de Trassierra *CO*	81	S 15
Santa María de Valverde *ZA*	29	G 12
Santa María de Zújar (Ermita de) *BA*	68	P 12
Santa María del Águila *AL*102		V 21
Santa María del Arroyo *AV*	44	K 15
Santa María del Berrocal *AV*44		K 13
Santa María del Camí *B*	37	H 34
Santa María del Camí *Mallorca PM*	104	N 38
Santa María del Campo *BU*17		F 18
Santa María del Campo Rus *CU*	60	N 22
Santa María del Cerro *SG*	46	I 18
Santa María del Cubillo *AV*45		J 16
Santa María del Espino *GU*47		J 23
Santa María del Invierno *BU*	18	E 19
Santa María del Mar *O*	5	B 11
Santa María del Monte de Cea *LE*	16	E 14
Santa María del Monte del Condado *LE*	16	D 13
Santa María del Páramo *LE*	15	E 12
Santa María del Prado *SO* 33		H 22
Santa María del Puerto *O*	5	C 11
Santa María del Río *LE*	16	E 13
Santa María del Tietar *AV*	57	L 16
Santa María del Val *CU*	47	K 23
Santa María la Real de Nieva *SG*	45	I 16
Santa María La Real de Oseira (Monasterio) *OR*	13	E 6
Santa María Magdalena *A*	85	Q 27
Santa María-Ribarredonda *BU*	18	E 20
Santa Marina *O*	5	C 12
Santa Marina *LE*	15	E 10
Santa Marina *PO*	12	D 4
Santa Marina *LO*	19	F 24
Santa Marina de Somoza *LE*	15	E 11
Santa Marina de Valdeón *LE*6		C 15
Santa Marina del Rey *LE*	15	E 12
Santa Mariña *C*	2	C 3
Santa Mariña de Augas Santas *OR*	13	F 6
Santa Marta *AB*	72	O 23
Santa Marta *BA*	67	Q 10
Santa Marta *MA*	100	W 14
Santa Marta de Magasca *CC*	56	N 11
Santa Marta de Ortigueira (Ría de) *C*	3	A 6

SANTIAGO DE COMPOSTELA

Acibechería	**V**	2
Algalia de Arriba	**V**	5
Arco de Palacio	**V**	9
Caldeirería	**X**	17
Camiño (Porta do)	**V**	20
Castrón Douro	**X**	22
Cervantes (Pr. de)	**V**	25
Faxeiras (Porta da)	**X**	37
Ferradura (Pas. da)	**X**	40
Galeras	**V**	42
Galicia (Pr. de)	**V**	45
Hórreo	**X**	53
Immaculada (Pr. da)	**V**	58
Nova (R.)	**X**	
Orfas	**X**	70
Palacio Gelmírez		
Patio de Madres	**X**	72
Pena (Porta da)	**V**	75
Praterías (Pr. das)	**VX**	77
Preguntoiro	**V**	80
Rodrigo de Padrón (Av. de)	**X**	90
San Francisco	**V**	99
San Martíño (Pr. de)	**V**	101
San Roque	**V**	104
Senra	**X**	113
Trinidade	**V**	116
Troia	**V**	119
Vilar (R. do)	**X**	
Xelmírez	**X**	122
Xoán Carlos I (Av.)	**V**	125
Xoán XXIII (Av. de)	**V**	127

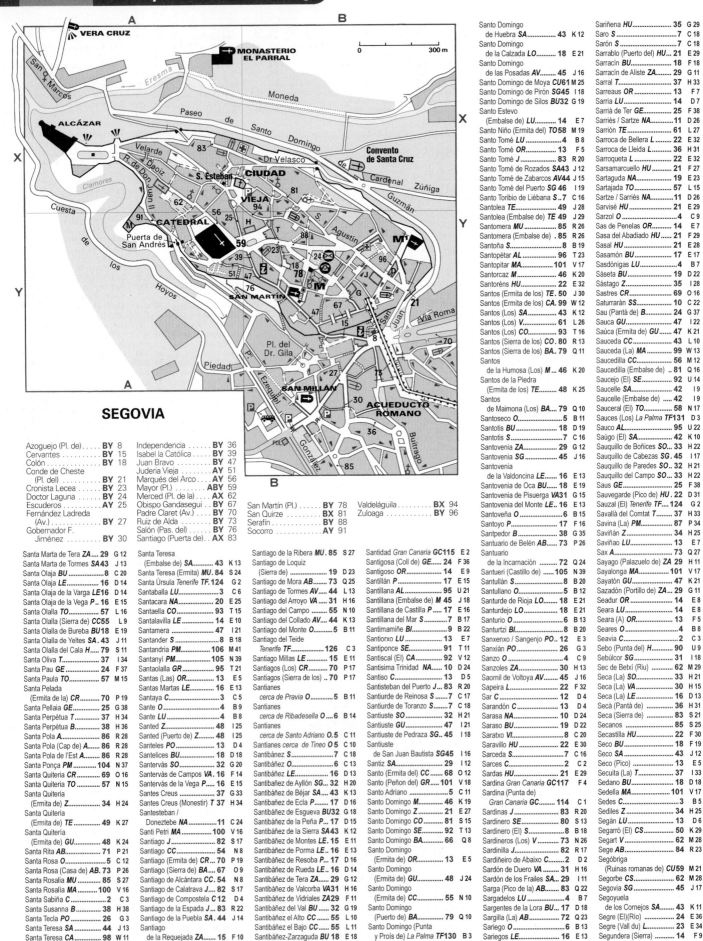

SEGOVIA

Azoguejo (Pl. de) ..... BY 8
Cervantes .... BY 15
Colón .... BY 18
Conde de Cheste
(Pl. del) .... BY 21
Cronista Lecea ...... BY 23
Doctor Laguna ...... BY 24
Escuderos .... AY 25
Fernández Ladreda
(Av.) .... BY 27
Gobernador F.
Jiménez .... BY 30

Independencia ...... BY 36
Isabel la Católica .... BY 39
Juan Bravo .... BY 47
Judería Vieja .... AY 51
Marqués del Arco .... AY 56
Mayor (Pl.) .... ABY 59
Merced (Pl. de la) .... AX 62
Obispo Gandásegui .. BY 67
Padre Claret (Av.) .... BY 70
Ruiz de Alda .... BY 73
Salón (Pas. del) ...... BY 76
Santiago (Puerta de).. AX 83

San Martín (Pl.) ...... BY 78
San Quirze .... BX 81
Serafín .... BY 88
Socorro .... AY 91

Valdeláguila .... BX 94
Zuloaga .... BY 96

Santa Marta de Tera ZA.... 29 G 12
Santa Marta de Tormes SA43 J 13
Santa Olalla BU .... 8 C 20
Santa Olalla LE .... 16 D 14
Santa Olalla de la Varga LE16 D 14
Santa Olalla de la Vega P..16 E 15
Santa Olalla TO .... 57 L 16
Santa Olalla (Sierra de) CC55 L 9
Santa Olalla de Bureba BU18 E 19
Santa Olalla de Yeltes SA.43 J 11
Santa Olalla del Cala H.... 79 S 11
Santa Oliva T .... 37 I 34
Santa Pau GE .... 24 F 37
Santa Paula TO .... 57 M 15
Santa Pelada
(Ermita de la) CR.... 70 P 19
Santa Pellaia GE .... 25 G 38
Santa Perpètua T .... 37 H 34
Santa Perpètua B .... 38 H 36
Santa Pola A .... 86 R 28
Santa Pola (Cap de) A.... 86 R 28
Santa Pola de l'Est A.... 86 R 28
Santa Ponça PM .... 104 N 37
Santa Quiteria CC .... 69 O 16
Santa Quiteria TO .... 57 N 15
Santa Quiteria
(Ermita de) Z.... 34 H 24
Santa Quiteria
(Ermita de) TE .... 49 K 27
Santa Quiteria
(Ermita de) GU.... 48 K 24
Santa Rita AB .... 71 P 21
Santa Rosa O .... 5 C 12
Santa Rosa (Casa de) AB. 73 P 26
Santa Rosalía MU .... 85 S 27
Santa Rosalía MA .... 100 V 16
Santa Sabiña C .... 2 C 3
Santa Susanna .... 38 H 38
Santa Tecla PO .... 26 G 3
Santa Teresa SA .... 44 J 13
Santa Teresa CA .... 98 W 11

Santa Teresa
(Embalse de) SA.... 43 K 13
Santa Teresa (Ermita) MU.84 S 24
Santa Úrsula Tenerife TF.124 G 2
Santaballa LU.... 3 C 6
Santacara NA.... 20 E 25
Santaella CO .... 93 T 15
Santalavilla LE .... 14 E 10
Santamera .... 47 I 21
Santander S .... 8 B 18
Santandria PM.... 106 M 41
Santanyí PM .... 105 N 39
Santaolalla GR .... 95 T 21
Santas (Las) OR.... 13 E 5
Santas Martas LE.... 16 E 13
Santaya .... 3 C 5
Sante O .... 4 B 9
Santed Z.... 48 I 25
Santed (Puerto de) Z.... 48 I 25
Santelices BU.... 18 D 18
Santervás SO .... 32 G 20
Santervás de Campos VA.16 F 14
Santervás de la Vega P....16 E 15
Santes Creus .... 37 G 33
Santes Creus (Monestir) T 37 H 34
Santesteban /
Doneztebe NA.... 11 C 24
Santi Petri MA.... 100 W 11
Santiago J.... 82 S 17
Santiago CC .... 54 N 8
Santiago (Ermita de) CR... 70 P 19
Santiago (Sierra de) BA... 67 O 9
Santiago de Alcántara CC.54 N 8
Santiago de Calatrava J.. 82 S 17
Santiago de la Espada J.. 83 R 22
Santiago de la Puebla SA. 44 J 14
Santiago
de la Requejada ZA.... 15 F 10

Santiago de la Ribera MU.85 S 27
Santiago de Loquiz
(Sierra de) .... 19 D 23
Santiago de Mora AB... 73 Q 25
Santiago de Tormes AV.... 44 L 13
Santiago del Arroyo VA... 31 H 16
Santiago del Campo .... 55 N 10
Santiago del Collado AV.. 44 K 13
Santiago del Monte O.... 5 B 11
Santiago del Teide
Tenerife TF.... 126 C 3
Santiago Millas LE .... 15 E 11
Santiagos (Los) CR.... 70 P 17
Santiagos (Sierra de los) .. 70 P 17
Santianes
cerca de Pravia O.... 5 B 11
Santianes
cerca de Ribadesella O....6 B 14
Santianes
cerca de Santo Adriano O.5 C 11
Santianes cerca de Tineo O 5 C 10
Santibáñez S.... 7 C 18
Santibáñez O.... 6 C 13
Santibáñez CC.... 16 D 13
Santibáñez de Ayllón SG.. 32 H 20
Santibáñez de Béjar SA... 43 K 13
Santibáñez de Ecla P.... 17 D 15
Santibáñez de Esgueva BU32 G 18
Santibáñez de la Peña P... 17 D 15
Santibáñez de la Sierra SA43 K 12
Santibáñez de Montes LE.15 E 11
Santibáñez de Porma LE.. 16 E 13
Santibáñez de Resoba P... 17 D 15
Santibáñez de Rueda LE.. 16 D 14
Santibáñez de Tera ZA.. 29 G 12
Santibáñez de Valcorba VA31 H 16
Santibáñez de Vidriales ZA29 F 11
Santibáñez del Val BU... 32 G 19
Santibáñez el Alto CC... 55 L 10
Santibáñez el Bajo CC... 55 L 11
Santibáñez-Zarzaguda BU 18 E 18

Santidad Gran Canaria GC115 E 2
Santigosa (Coll de) GE... 24 F 36
Santigoso .... 14 E 9
Santillán P.... 17 E 15
Santillana AL .... 95 U 21
Santillana (Embalse de) M 45 J 18
Santillana de Castilla P.... 17 E 16
Santillana del Mar S.... 7 B 17
Santimamiñe BI.... 9 B 22
Santiorxo LU .... 13 E 7
Santiponce SE .... 91 T 11
Santiscal (El) CA .... 92 V 12
Santísima Trinidad NA... 10 D 24
Santiso C.... 13 D 5
Santisteban del Puerto J... 83 R 20
Santiurde de Reinosa S... 7 C 17
Santiurde de Toranzo S.... 7 C 18
Santiuste SO .... 32 H 21
Santiuste GU .... 47 I 21
Santiuste
de San Juan Bautista SG45 I 16
Santiz SA.... 29 I 12
Santo (Ermita del) CC.... 68 O 12
Santo (Peñón del) GR... 101 V 18
Santo Adriano .... 5 C 11
Santo Domingo M.... 46 K 19
Santo Domingo CO.... 81 S 15
Santo Domingo SE.... 92 T 13
Santo Domingo BA.... 66 Q 8
Santo Domingo
(Ermita de) OR.... 13 E 5
Santo Domingo
(Ermita de) GU.... 48 J 24
Santo Domingo
(Ermita de) CC.... 55 N 10
Santo Domingo
(Puerto de) BA.... 79 Q 10
Santo Domingo (Punta
y Prois de) La Palma TF130 B 3

Santo Domingo
de Huebra SA.... 43 K 12
Santo Domingo
de la Calzada LO.... 18 E 21
Santo Domingo
de las Posadas AV.... 45 J 16
Santo Domingo de Moya CU61 M 25
Santo Domingo de Pirón SG45 I 18
Santo Domingo de Silos BU32 G 19
Santo Estevo
(Embalse de) LU.... 14 E 7
Santo Niño (Ermita del) TO58 M 19
Santo Tomé LU .... 4 B 8
Santo Tomé OR .... 13 F 5
Santo Tomé J .... 83 R 20
Santo Tomé de Rozados SA43 J 12
Santo Tomé de Zabarcos AV44 J 15
Santo Tomé del Puerto SG 46 I 19
Santo Toribio de Liébana S..7 C 16
Santolea TE .... 49 J 28
Santolea (Embalse de) TE 49 J 29
Santomera MU .... 85 R 26
Santomera (Embalse de) . 85 R 26
Santoña S.... 8 B 19
Santopétar AL .... 96 T 23
Santopitar MA .... 101 V 17
Santorcaz M .... 46 K 20
Santoréns HU.... 22 E 32
Santos (Ermita de los) TE. 50 J 30
Santos (Ermita de los) CA. 99 W 12
Santos (Los) SA .... 43 K 12
Santos (Los) V.... 61 L 26
Santos (Los) CO.... 93 T 16
Santos (Sierra de los) CO. 80 R 13
Santos (Sierra de los) BA.. 79 Q 11
Santos
de la Humosa (Los) M ... 46 K 20
Santos de la Piedra
(Ermita de los) TE.... 48 K 25
Santos
de Maimona (Los) BA.... 79 Q 10
Santoseco O.... 5 B 11
Santotis BU .... 18 D 19
Santotis S.... 7 C 16
Santovenia ZA .... 29 G 12
Santovenia SG .... 45 J 16
Santovenia
de la Valdoncina LE.... 16 E 13
Santovenia de Oca BU.... 18 E 19
Santovenia de Pisuerga VA31 G 15
Santovenia del Monte LE.. 16 E 13
Santoveña O.... 6 B 15
Santoyo P.... 17 F 16
Santpedor B.... 38 G 35
Santuari (Castillo de) .... 105 N 39
Santuario de Belén AB... 73 P 26
Santuario
de la Incarnación .... 72 Q 24

Sariñena HU.... 35 G 29
Saro S.... 7 C 18
Sarón S.... 7 C 18
Sarrablo (Puerto del) HU... 21 E 29
Sarracín BU .... 18 F 18
Sarracín de Aliste ZA.... 29 G 11
Sarral T.... 37 H 33
Sarreaus OR .... 13 F 7
Sarria LU .... 14 D 7
Sarrià de Ter GE .... 25 F 38
Sarriés / Sartze NA.... 11 D 26
Sarrión TE .... 61 L 27
Sarroca de Bellera L .... 22 E 32
Sarroca de Lleida L .... 36 H 31
Sarroqueta L .... 22 E 32
Sarsamarcuello HU.... 21 F 27
Sartaguda NA.... 19 E 23
Sartajada TO.... 57 L 15
Sartze / Sarriés NA.... 11 D 26
Sarvisé H .... 21 E 29
Sarzol O.... 4 C 9
Sas de Penelas OR.... 14 E 7
Sasa del Abadiado HU ... 21 F 29
Sasal HU .... 21 E 28
Sasamón BU .... 17 E 17
Sasdónigas LU .... 4 B 7
Sáseta BU .... 19 D 22
Sàstago Z.... 35 I 28
Sastres CR .... 69 O 16
Saturrarán SS.... 10 C 22
Sau (Pantà de) B.... 24 G 37
Sauca GU .... 47 I 22
Saúca (Ermita de) GU.... 47 K 21
Sauceda CC .... 43 L 10
Sauceda (La) MA .... 99 W 13
Saucedilla CC .... 56 M 12
Saucedilla (Embalse de) .. 81 Q 16
Saucejo (El) SE .... 92 U 14
Saucelle SA .... 42 I 9
Saucelle (Embalse de) .... 42 I 9
Sauceral (El) TO.... 58 N 17
Sauces (Los) La Palma TF131 D 3
Sauco AL .... 95 U 22
Saúgo (El) SA.... 42 K 10
Sauquillo de Boñices SO.. 33 H 22
Sauquillo de Cabezas SG.45 I 17
Sauquillo de Paredes SO.. 32 H 21
Sauquillo del Campo SO... 33 H 22
Saus GE .... 25 F 38
Sauvegarde (Pico de) HU. 22 D 31
Sauzal (El) Tenerife TF...124 G 2
Savallà del Comtat T.... 37 H 33
Savina (La) PM.... 87 P 34
Saviñán Z.... 34 H 25
Saviñao LU .... 13 E 7
Sax A.... 73 Q 27
Sayago (Palazuelo de) ZA 29 H 11
Sayalonga MA .... 101 V 17
Sayatón GU .... 47 K 21
Sazadón (Portillo de) ZA... 29 G 11
Seadur OR .... 14 E 8
Seara LU .... 14 E 8
Seara (A) OR .... 13 F 5
Seares O.... 4 B 8
Seavia C.... 2 C 3
Sebo (Punta del) H.... 90 U 9
Sebúlcor SG.... 31 I 18
Sec de Betxí (Riu) .... 62 M 29
Seca (La) SO.... 33 H 21
Seca (La) VA .... 30 H 15
Seca (La) LE .... 16 D 13
Secà (Pantà de) .... 36 H 31
Seca (Sierra de) .... 83 S 21
Secanos .... 85 S 25
Secastilla HU .... 22 F 30
Seco BU .... 18 F 19
Seco SA .... 43 J 12
Seco (Pico) .... 13 E 5
Secuita (La) T.... 37 I 33
Sedano BU .... 18 D 18
Sedella MA .... 101 V 17
Sedes C.... 3 B 5
Sediles Z.... 34 H 25
Segán LU .... 13 D 6
Segarró (El) CS.... 50 K 29
Segart V .... 62 M 28
Sege AB .... 84 R 23
Segóbriga
(Ruinas romanas de) CU59 M 21
Segorbe CS.... 62 M 28
Segovia SG.... 45 J 17
Segoyuela
de los Cornejos SA.... 43 K 11
Segre (El)(Río) .... 24 E 36
Segre (Vall du) L.... 23 E 34
Segundera (Sierra) .... 14 F 9

Segur de Calafell *T* .... 37 I 34
Segura *T* .... 37 H 33
Segura *SS* .... 10 C 23
Segura (Puerto de) *TE* .... 49 J 27
Segura (Riu) .... 85 R 27
Segura (Riu) .... 85 R 26
Segura (Sierra de) .... 83 S 21
Segura de la Sierra *J* ..... 83 R 22
Segura de Léon *BA* .... 79 R 10
Segura de los Baños *TE* .. 49 J 27
Segura de Toro *CC* .... 56 L 12
Segurilla *T* .... 57 L 15
Seguro (El) *S* .... 7 C 18
Seira *HU* .... 22 E 31
Seixido *PO* .... 13 E 4
Seixo *PO* .... 12 E 3
Seixo *OR* .... 14 F 7
Seixo (O) *PO* .... 12 G 3
Seixón *LU* .... 3 C 6
Sejas de Aliste *ZA* .... 29 G 10
Sel de la Carrera *S* .... 7 C 18
Sela *PO* .... 13 F 4
Selas *GU* .... 47 J 23
Selaya *S* .... 7 C 18
Selgas *O* .... 5 B 11
Selgua *HU* .... 36 G 30
Sella *A* .... 74 Q 29
Sella (Río) *O* .... 6 B 14
Sella (Riu) .... 74 Q 29
Selladores
   (Casa Forestal de) *J* .. 82 Q 18
Sellent *V* .... 74 O 28
Selmo .... 14 E 9
Selorio *O* .... 6 B 13
Selva *Mallorca PM* ..... 104 M 38
Selva *MU* .... 84 S 24
Selva de Mar (La) *GE* .... 25 F 39
Selva del Camp (La) *T* ... 37 I 33
Selvanera *L* .... 37 G 33
Selviella *O* .... 5 C 11
Semillas *GU* .... 46 I 20
Sena *HU* .... 36 G 29
Sena de Luna *LE* .... 15 D 12
Senan *T* .... 37 H 33
Senande *C* .... 2 C 2
Sencelles *PM* .... 104 N 38
Sendadiano *VI* .... 18 D 21
Sendelle *C* .... 3 D 5
Senegüe *HU* .... 21 E 28
Senés *AL* .... 96 U 22
Senés de Alcubierre *HU* .. 35 G 28
Senet *L* .... 22 E 32
Senet (Pantà de) *HU* ..... 22 E 32
Sénia (La) *T* .... 50 K 30
Sénia (Riu de la) *CS* ..... 50 K 31
Senija *TE* .... 74 P 30
Seno *TE* .... 49 J 29
Senra *LE* .... 15 D 11
Senterada *L* .... 23 F 32
Sentfores *B* .... 38 G 36
Sentiu de Sió (La) *L* ...... 37 G 32
Sentmenat *B* .... 38 H 36
Senz *HU* .... 22 E 31
Seña *S* .... 8 B 19
Señales (Las) *LE* .... 6 C 14
Señora *BA* .... 66 Q 8
Señorío de Bertiz
   (Parque natural) .... 11 C 25
Señuela *SO* .... 33 H 22
Señuela (La) *SE* .... 91 U 11
Seo de Urgel /
   Seu d'Urgell (La) *L* .... 23 E 34
Seoane cerca de
   Fonsagrada *LU* .... 4 C 8
Seoane cerca del
   Puerto El Buey *LU* ..... 14 E 8
Seoane
   cerca de Monforte *LU* .. 14 E 7
Sepulcro Hilario *SA* ...... 43 J 11
Sepúlveda *SG* .... 32 I 18
Sequeiros (Embalse de) ... 14 E 8
Sequera de Fresno *SG* ... 32 H 19
Sequera de Haza (La) *BU*. 31 H 18
Sequero (Ermita de) *CC* .. 55 M 9
Sequeros *AS* .... 43 K 11
Sequillo (Río) *ZA* .... 30 G 13
Sequillo (Río) *SO* .... 32 H 21
Ser *C* .... 2 C 3
Ser (El) *GE* .... 24 F 38
Serandinas *O* .... 4 B 9
Seranillo *CR* .... 70 Q 18
Serans *M* .... 58 L 17
Serantes *C* .... 12 E 2
Serantes *O* .... 4 B 9
Serantes cerca de Ferrol *C* . 3 B 5
Serantes cerca de Melide *C* 13 D 5

Serena *AL* .... 96 U 24
Serena (La) *BA* .... 68 P 13
Serín *O* .... 5 B 12
Serinyà *GE* .... 24 F 38
Serna (La) *P* .... 17 E 16
Serna del Monte (La) *M* .. 46 I 19
Serón *AL* .... 95 T 22
Serón de Nágima *SO* ..... 33 H 23
Serones (Embalse de) *AV*. 45 J 16
Serós *L* .... 36 H 31
Serpa *H* .... 79 S 9
Serra *V* .... 62 M 28
Serra d'Almos (La) *T* ..... 50 I 32
Serra d'en Galceran *CS* .. 62 L 29
Serra d'Ensija .... 23 F 35
Serra de Daró *GE* .... 25 F 39
Serra de Outes *C* .... 12 D 3
Serra Perenxisa *V* .... 62 N 28
Serracines *M* .... 46 K 19
Serrada *VA* .... 30 H 15
Serrada (La) *AV* .... 44 K 15
Serrada de la Fuente *M* ... 46 J 19
Serradell *L* .... 23 F 32
Serradero .... 19 F 22
Serradero (Punta del)
   La Palma TF .... 130 A 3
Serradiel *AB* .... 73 O 25
Serradilla *CC* .... 56 M 11
Serradilla del Arroyo *SA* .. 43 K 10
Serradilla del Llano *SA* ... 43 K 10
Serradúy *HU* .... 22 F 31
Serral (Sierra del) .... 73 Q 26
Serramo *C* .... 2 C 3
Serrana (Puerto de la) *CC*. 56 N 12
Serranía de Cuenca *CU* .. 47 K 23
Serranía de Cuenca
   (Reserva nacional) *CU* .. 60 L 23
Serranillo *SA* .... 42 J 9
Serranillo *CR* .... 71 P 20
Serranillos *AV* .... 44 L 15
Serranillos (Collado de) *AV* 44 L 15
Serranillos del Valle *M* .... 58 L 18
Serranillos Playa *TO* ...... 57 L 15
Serrano *MU* .... 85 R 26
Serrata *MU* .... 100 V 15
Serrata (La) *CS* .... 50 L 30
Serrateix *B* .... 37 G 35
Serratella (La) *CS* .... 62 L 29
Serrato *MA* .... 100 V 15
Serrejón *CC* .... 56 M 12
Serrejón (Sierra de) *CC* .. 56 M 12
Serrella (La) *A* .... 74 P 29
Serres *C* .... 12 D 2
Serreta *MU* .... 96 T 24
Serreta *GR* .... 95 T 20
Serrota .... 44 K 14
Serué *HU* .... 21 E 28
Serval *GR* .... 94 T 17
Serveto *TE* .... 22 E 30
Servoi *OR* .... 28 F 7
Ses Ánimes (Mirador de) 104 M 37
Ses Crestes (Punta de) . 105 N 39
Ses Illetes *PM* .... 104 N 37
Ses Meravelles *PM* ...... 104 N 38
Ses Salines *PM* .... 105 N 39
Ses Salines (Cap de) *PM* 105 O 39
Sesa *HU* .... 35 G 29
Sésamo *LE* .... 14 D 10
Seseña *TO* .... 58 L 18
Seseña Nuevo *TO* .... 58 L 19
Sesga *V* .... 61 L 26
Sesma *NA* .... 19 E 23
Sesnández *ZA* .... 29 G 11
Sestao *BI* .... 8 C 21
Sestorraso *O* .... 5 C 10
Sestrica *Z* .... 34 H 25
Sesué *HU* .... 22 E 31
Set (Riu de) .... 36 H 31
Setcases *GE* .... 24 E 36
Setefilla *SE* .... 80 S 13
Setenil
   de las Bodegas *CA* ..... 92 V 14
Setenil
   (Estación de) *CA* .... 92 V 14
Seteventos *LU* .... 14 D 8
Setiles *GU* .... 48 J 25
Seu d'Urgell (La) /
   Seo de Urgel *L* .... 23 E 34
Seva *B* .... 38 G 36
Sevares *O* .... 6 B 14
Sever *CC* .... 54 N 7
Sevilla *SE* .... 91 T 12
Sevilla (Puerto de) *BA* ... 67 P 10
Sevilla la Nueva *M* .... 45 K 17
Sevilleja *J* .... 82 R 18

Sevilleja de la Jara *TO* ... 57 N 15
Sevillejas (Sierra de) *TO* .. 57 N 15
Sexmiro *SA* .... 42 J 9
Sexmo (El) *MA* .... 100 V 16
Shangril-La *PM* .... 106 M 42
Sía (Puerto de la) *S* .... 8 C 19
Sidamon *L* .... 36 H 32
Sienes *GU* .... 47 I 22
Siero *O* .... 6 B 13
Siero de la Reina *LE* ...... 16 D 15
Sierpe (La) *SA* .... 43 K 12
Sierra *AB* .... 73 Q 25
Sierra
   (Faramontanos de la) *ZA*15 F 10
Sierra (La) *HU* .... 22 E 30
Sierra (La) *AB* .... 83 Q 22
Sierra (La) *CA* .... 91 V 12
Sierra (Pico de la) *BU* .... 32 G 19
Sierra (Villarejo de la) *ZA*.. 15 F 10
Sierra Boyera
   (Embalse de) *CO* .... 80 R 14
Sierra Brava
   (Embalse de) *CC* .... 68 O 13
Sierra de Andújar
   (Parque natural de la) ... 82 Q 17
Sierra de Aracena
   y Picos de Aroche
   (Parque natural de la) ... 79 R 9
Sierra de Cardeña y Montero
   (Parque natural de la) ... 81 R 16
Sierra de España (Parque
   natural de la) *MU* ...... 85 S 25
Sierra de Fuentes *CC* ..... 55 N 11
Sierra de Grazalema (Parque
   natural de la) .... 92 V 13
Sierra de Hornachuelos (Parque
   natural de la) .... 80 S 13
Sierra de Huétor
   (Parque natural) .... 94 U 19
Sierra de las Nieves *SE* ... 92 V 14
Sierra de Luna *Z* .... 21 F 27
Sierra de Tejeda (Reserva
   nacional de) *MA* ...... 101 V 18
Sierra de Yeguas *MA* ..... 93 U 15
Sierra Mágina (Parque
   natural de la) .... 82 S 19
Sierra Mayor (Puerto) *HU*.. 21 F 27
Sierra Nevada *AN* .... 95 U 19
Sierra Nevada (Parque
   natural de la) .... 94 U 19
Sierra Nevada (Reserva
   nacional de) *GR* .... 94 U 19
Sierra Norte de Sevilla (Parque
   natural de la) .... 79 S 11
Sierra Subbética (Parque
   natural de la) .... 93 T 17
Sierro *AL* .... 96 U 22
Sieso de Huesca *HU* ...... 21 F 29
Siesta *PM* .... 87 P 34
Siétamo *HU* .... 21 F 29
Siete Aguas *V* .... 61 N 27
Siete Iglesias
   de Trabancos *VA* .... 30 H 14
Sieteiglesias *M* .... 46 J 19
Sieteiglesias
   de Tormes *SA* .... 44 J 13
Sietes *O* .... 6 B 13
Sigena .... 36 H 29
Sigena (Monasterio de) *HU*36 H 29
Sigeres *AV* .... 44 J 15
Sigrás *C* .... 3 C 4
Sigüeiro *C* .... 3 D 4
Sigüenza *GU* .... 47 I 22
Siguero *SG* .... 46 I 19
Sigueruelo *SG* .... 46 I 19
Sigüeya *LE* .... 14 E 10
Sil (Gargantas del) *OR* .... 13 E 6
Sil (Río) *ESP* .... 14 E 7
Silán *LU* .... 4 B 7
Silanes *BU* .... 18 D 20
Silillos *CO* .... 94 T 14
Siles *J* .... 83 Q 22
Sililles *CO* .... 80 S 14
Sililles (Embalse de) *H* .... 79 T 9
Silió *S* .... 7 C 17
Silla *V* .... 74 N 28
Silla de Felipe II *M* .... 45 K 17
Silladores *J* .... 82 Q 18
Sillar Baja *GR* .... 94 T 19
Silleda *PO* .... 13 D 5
Silleiro (Cabo) *PO* .... 12 F 3
Silleta *CC* .... 55 M 10
Sillo (Arroyo del) .... 79 R 9
Silos (Los) *Tenerife TF* .. 126 C 3
Silos (Los) *H* .... 78 S 9

Sils *GE* .... 39 G 38
Silva *C* .... 2 C 4
Silva (La) *LE* .... 15 E 11
Silván *LE* .... 14 E 9
Silvón *O* .... 4 B 9
Silvosa *C* .... 12 D 3
Silvoso *PO* .... 12 E 4
Simancas *VA* .... 30 H 15
Simarro (El) *CU* .... 72 N 23
Simat de la Valldigna *V* ... 74 O 29
Simón *AL* .... 96 T 23
Sín *HU* .... 22 E 30
Sinarcas *V* .... 61 M 26
Sineu *PM* .... 105 N 39
Singla *MU* .... 84 R 24
Singra *TE* .... 48 K 26
Singra (Puerto de) .... 48 K 26
Sinlabajos *AV* .... 44 I 15
Sió (El) (Riu) *L* .... 37 G 33
Sios *LU* .... 13 E 7
Sipán *HU* .... 21 F 29
Siresa *HU* .... 21 D 27
Siruela *BA* .... 69 P 14
Siruela (Río) .... 69 O 14
Siruela (Sierra de) .... 69 P 14
Sisamo *C* .... 2 C 3
Sisamón *Z* .... 47 I 23
Sisante *CU* .... 72 N 23
Sisca (Masía de la) *TE* .... 49 J 28
Siscar *MU* .... 85 R 26
Sistallo *LU* .... 4 C 7
Sisterna *O* .... 14 D 10
Sistín *OR* .... 14 E 7
Sisto *LU* .... 3 B 6
Sit (Penya del) *A* .... 85 Q 27
Sitges *B* .... 38 I 35
Sitjar (Embassament de) .. 62 L 29
Sitrama de Trasmonte *ZA*. 29 F 12
Siurana *GE* .... 25 F 38
Siurana (Pantà de) .... 37 I 32
Siurana de Prades *T* ...... 37 I 32
Sivil .... 22 F 29
Sober *LU* .... 13 E 7
Sobia (Sierra de) *O* .... 5 C 11
Sobradelo *O* .... 14 E 9
Sobradiel *Z* .... 34 G 26
Sobradillo *SA* .... 42 J 9
Sobradillo (El) *Tenerife TF*125 I 2
Sobradillo
   de Palomares *ZA* ...... 29 H 12
Sobrado *O* .... 5 C 10
Sobrado *LE* .... 14 E 9
Sobrado *LU* .... 14 D 7
Sobrado *OR* .... 14 F 8
Sobrado dos Monxes *C* ... 3 C 5
Sobredo *LE* .... 14 E 9
Sobrefoz *O* .... 6 C 14
Sobrelapeña *S* .... 7 C 16
Sobremunt *B* .... 24 F 36
Sobrescobio *O* .... 6 C 13
Sobrón *VI* .... 18 D 20
Sobrón (Embalse de) *VI* .. 18 D 20
Socorro (El) *SE* .... 92 T 12
Socorro (El) *Tenerife TF*..124 H 2
Socorro (El) *Tenerife TF*..127 H 3
Socorro (Sierra del) .... 60 L 23
Socovos *AB* .... 84 Q 24
Socuéllamos *CR* .... 71 O 21
Sodupe *BI* .... 8 C 20
Sofán *C* .... 2 C 4
Sofuentes *Z* .... 20 E 26
Soga (Punta de la)
   Gran Canaria GC ...... 116 B 3
Sogo *ZA* .... 29 H 12
Sogos .... 43 J 12
Sograndio *O* .... 5 B 12
Soguillo (La) *LE* .... 15 F 12
Sojo *VI* .... 8 C 20
Sojuela *LO* .... 19 E 22
Sol *MU* .... 84 Q 24
Sol *MA* .... 101 V 18
Sol (Punta de) *Tenerife TF*124 G 2
Sol (Valle del) *M* .... 45 K 17
Sol i Mar *CS* .... 62 L 30
Solà (Serra del) .... 50 K 30
Solán de Cabras *CU* ...... 47 K 23
Solana *CC* .... 56 N 13
Solana (La) *AB* .... 72 P 23
Solana (La) *CR* .... 71 P 20
Solana (La) *V* .... 73 P 27
Solana (Sierra de la) *AB* .. 84 Q 23
Solana (Valle de) .... 21 E 29
Solana de Alcudia
   (Sierra de la) .... 69 P 16

Solana de Ávila *AV* .... 43 L 13
Solana de los Barros *BA* .. 67 P 10
Solana de Rioalmar *AV* ... 44 J 14
Solana del Pino *CR* .... 82 Q 17
Solana del Valle *SE* .... 80 S 12
Solanara *BU* .... 32 G 19
Solanell *L* .... 23 E 34
Solanilla *AB* .... 72 P 22
Solanillos del Extremo *GU* 47 J 21
Solares *S* .... 8 B 18
Solbeira *OR* .... 14 F 8
Solera *J* .... 82 S 19
Solera del Gabaldón *CU* .. 60 M 24
Soleràs (El) *L* .... 36 H 32
Soliedra *SO* .... 33 H 22
Solía (Río) .... 37 G 34
Solipueyo *HU* .... 22 E 30
Solius *GE* .... 25 G 38
Sollana *V* .... 74 O 28
Sollavientos *TE* .... 49 K 28
Sollavientos (Puerto de) *TE*49 K 28
Sóller *PM* .... 104 M 38
Sóller (Port de) *PM* .... 104 M 38
Solórzano *S* .... 8 B 19
Solosancho *AV* .... 44 K 15
Solsia *MU* .... 85 S 26
Solsona *L* .... 37 G 34
Solsona (Riera de) .... 37 G 34
Solvito *CO* .... 94 T 17
Solyplayas
   Fuerteventura GC ...... 111 I 1
Somaén *SO* .... 47 I 23
Somanés *HU* .... 21 E 27
Sombrera (La)
   Tenerife TF .... 129 G 4
Somiedo .... 5 C 11
Somiedo (Parque
   natural de) .... 5 C 11
Somiedo (Puerto de) *O* ... 5 C 11
Somiedo (Reserva
   nacional de) .... 5 C 11
Somió *O* .... 6 B 13
Somo *S* .... 8 B 18
Somocueva (Punta de) *S*.. 7 B 18
Somolinos *GU* .... 32 I 20
Somontín *AL* .... 96 T 22
Somosierra *M* .... 46 I 19
Somosierra (Monte) .... 46 J 19
Somosierra (Puerto de) *M*. 46 I 19
Somozas *C* .... 3 B 6
Somport (Puerto de) *HU* .. 21 D 28
Somport (Túnel de) *HU* ... 21 D 28
Son *L* .... 23 E 33
Son *LU* .... 14 D 8
Son Bou *PM* .... 106 M 42
Son Carrió *PM* .... 105 N 39
Son Catlar (Torrent de) ... 104 N 38
Son del Puerto *TE* .... 49 J 27
Son Ferriol *PM* .... 104 N 38
Son Marroig *PM* .... 104 M 37
Son Moll *PM* .... 105 N 39
Son Moro *PM* .... 105 N 40
Son Olivaret *PM* .... 106 M 41
Son Sardina *PM* .... 104 N 38
Son Serra de Marina *PM*.105 M 39
Son Servera *PM* .... 105 N 40
Son Vida *PM* .... 104 N 37
Sonabia (Punta de) .... 8 B 20
Soncillo *BU* .... 18 D 18
Sondika *BI* .... 8 C 21
Soneja *CS* .... 62 M 28
Sonseca *TO* .... 58 M 18
Sonsoto *SG* .... 45 J 17
Sóo *Lanzarote GC* .... 123 D 3
Sopalmo *MU* .... 96 U 24
Sopalmo (Sierra de) .... 85 Q 26
Sopeira *HU* .... 22 F 32
Sopelana *BI* .... 8 B 21
Soportújar *GR* .... 102 V 19
Sopuerta *B* .... 8 C 20
Sor *C* .... 3 B 6
Sora *B* .... 24 F 36
Soraluze-Placencia
   de las Armas *SS* .... 10 C 22
Sorana de Torralba *J* ..... 83 S 20
Sorbas *AL* .... 96 U 23
Sorbe (Río) .... 46 J 20
Sorbeda *LE* .... 15 D 10
Sorbeira *LE* .... 14 D 9

Sorbito (Estación El) *SE* .. 92 U 12
Sordillos *BU* .... 17 E 17
Sordo *MU* .... 84 S 24
Sordo (El) *H* .... 91 U 10
Sordo (Monte) .... 18 E 20
Soria *SO* .... 33 G 22
Soria (Embalse de)
   Gran Canaria GC ...... 116 D 3
Soria (Parador) *SO* .... 33 G 22
Soriguera *L* .... 23 E 33
Sorihuela *SA* .... 43 K 12
Sorihuela del Guadalimar *J*83 R 20
Sorita *CS* .... 49 J 29
Sorlada *NA* .... 19 E 23
Sorogain-Lastur *NA* .... 11 C 25
Sorpe *L* .... 23 E 33
Sorre *L* .... 23 E 33
Sorriba *LE* .... 16 D 14
Sorribes *TE* .... 37 F 34
Sorribos de Alba *LE* ...... 16 D 13
Sort *L* .... 23 E 33
Sorvilán *GR* .... 102 V 20
Sorzano *LO* .... 19 E 22
Sosa .... 36 G 30
Sosas del Cumbral *LE* .... 15 D 11
Sosas de Laciana *LE* ..... 15 D 11
Sot de Chera *V* .... 61 N 27
Sot de Ferrer *CS* .... 62 M 28
Sotalvo *AV* .... 44 K 15
Sotés *LO* .... 19 E 22
Sotiel (Embalse de) *H* .... 78 S 9
Sotiel Coronada *H* .... 78 T 9
Sotiello cerca de Gijón *O* .. 5 B 12
Sotiello cerca de Lena *O* ... 5 C 12
Sotillo *SG* .... 32 I 19
Sotillo .... 7 O 17
Sotillo (El) *GU* .... 47 J 22
Sotillo (Río) .... 80 R 12
Sotillo (Sierra del) *CR* .... 82 Q 19
Sotillo de la Adrada *AV* ... 57 L 16
Sotillo de la Ribera *BU* ... 31 G 18
Sotillo de Sanabria *ZA* .... 14 F 9
Sotillo del Rincón *SO* ..... 33 G 22
Sotillos *SO* .... 32 I 20
Sotillos *LE* .... 16 D 14
Soto *SO* .... 32 H 20
Soto (El) *S* .... 7 C 18
Soto (El) *M* .... 46 K 19
Soto de Cangas *O* .... 6 B 14
Soto de Caso *O* .... 6 C 14
Soto de Cerrato *P* .... 31 G 16
Soto de Congas *O* .... 6 B 14
Soto de Dueñas *O* .... 6 B 14
Soto de la Marina *S* .... 7 B 18
Soto de la Vega *LE* .... 15 F 12
Soto de los Infantes *O* ..... 5 B 11
Soto de Luiña *O* .... 5 B 11
Soto de Ribera *O* .... 5 C 12
Soto de Sajambre *LE* ...... 6 C 14
Soto de Trevias *O* .... 5 B 11
Soto de Viñuelas *M* .... 46 K 18
Soto del Barco *O* .... 5 B 11
Soto del Real *M* .... 45 J 18
Soto en Cameros *LO* ...... 19 F 22
Soto y Amío *LE* .... 15 D 12
Sotobañado y Priorato *P* .. 17 E 16
Sotoca *LU* .... 60 L 22
Sotoca de Tajo *GU* .... 47 J 22
Sotodosos *GU* .... 47 J 22
Sotogrande *CA* .... 99 X 14
Sotojusto *PO* .... 12 F 4
Sotón (Río) *HU* .... 21 F 28
Sotonera
   (Embalse de) *HU* ...... 21 F 27
Sotonera (La) *HU* .... 21 F 28
Sotopalacios *BU* .... 18 E 18
Sotos *CU* .... 60 L 23
Sotos del Burgo *SO* .... 32 H 20
Sotosalbos *SG* .... 45 I 18
Sotoserrano *SA* .... 43 K 11
Sotovellanos *BU* .... 17 E 17
Sotragero *BU* .... 18 E 18
Sotres *O* .... 7 C 15
Sotresgudo *BU* .... 17 E 17
Sotrondio *O* .... 6 C 13
Sotuélamos *AB* .... 71 O 22
Sousas *O* .... 28 G 7
Soutelo *PO* .... 13 E 5
Soutelo Verde *OR* .... 14 F 7
Souto cerca de Betanzos *C*..3 C 4
Souto Toques *C* .... 3 D 6
Soutochao *OR* .... 28 G 8
Soutolongo *PO* .... 13 E 5

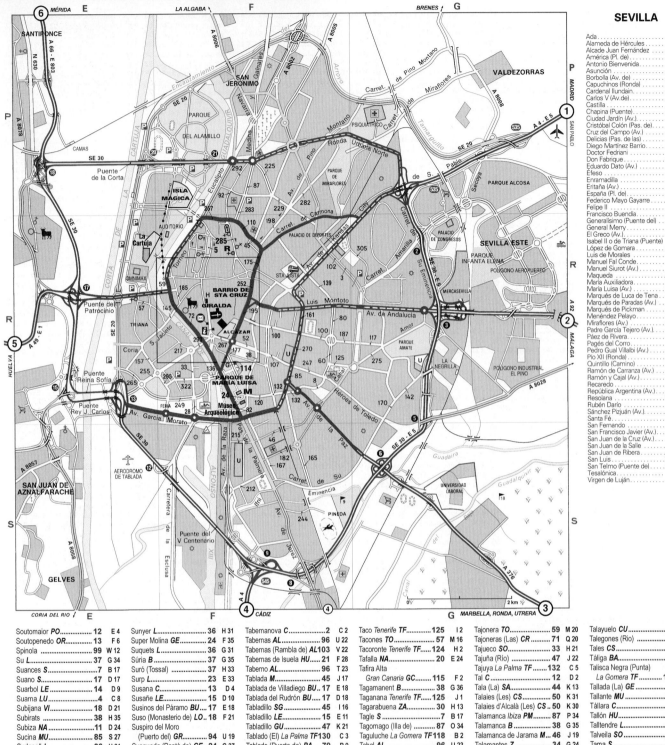

SEVILLA

Ada . . . . FR 3
Alameda de Hércules . . . . . . FR 5
Alcale Juan Fernández . . . . . FR 8
América (Pl. de) . . . . FR 24
Antonio Bienvenida . . . . FR 28
Asunción . . . . FR 33
Borbolla (Av. de) . . . . FR 38
Capuchinos (Ronda) . . . . . . FR 45
Cardenal Ilundain . . . . FS 46
Carlos V (Av.de) . . . . FR 52
Castilla . . . . ER 57
Chapina (Puente) . . . . FR 59
Ciudad Jardín (Av.) . . . . FR 60
Cristóbal Colón (Pas. de) . . . FR 72
Cruz del Campo (Av.) . . . . . . FR 80
Delicias (Pas. de las) . . . . . . FR 82
Diego Martínez Barrio . . . . . FR 85
Doctor Fedriani . . . . FP 87
Don Fabrique . . . . FP 92
Eduardo Dato (Av.) . . . . FR 100
Éfeso . . . . FR 102
Enramadilla . . . . FR 107
Eritaña (Av.) . . . . FR 110
España (Pl. de) . . . . FR 114
Federico Mayo Gayarre . . . . GR 117
Felipe II . . . . FR 120
Francisco Buendía . . . . FR 125
Generalísimo (Puente del) . . FR 136
General Merry . . . . FR 132
El Greco (Av.) . . . . FR 139
Isabel II o de Triana (Puente) . FR 145
López de Gomara . . . . FR 157
Luis de Morales . . . . FR 161
Manuel Fal Conde . . . . FS 165
Manuel Siurot (Av.) . . . . FS 167
Maqueda . . . . GR 170
María Auxiliadora . . . . FR 175
María Luisa (Av.) . . . . FR 177
Marqués de Luca de Tena . . . FS 182
Marqués de Paradas (Av.) . . . FR 185
Marqués de Pickman . . . . . . FR 187
Menéndez Pelayo . . . . FR 195
Miraflores (Av.) . . . . FR 198
Padre García Tejero (Av.) . . . FS 212
Páez de Rivera . . . . FS 215
Pagés del Corro . . . . FR 217
Pedro Gual Villalbi (Av.) . . . . FP 225
Pío XII (Ronda) . . . . FP 229
Quintillo (Camino) . . . . FS 244
Ramón de Carranza (Av.) . . . FR 249
Ramón y Cajal (Av.) . . . . FR 247
Recaredo . . . . FR 252
República Argentina (Av.) . . . ER 255
Resolana . . . . FR 257
Rubén Darío . . . . ER 265
Sánchez Pizjuán (Av.) . . . . . . FP 292
Santa Fé . . . . FR 295
San Fernando . . . . FR 267
San Francisco Javier (Av.) . . . FR 270
San Juan de la Cruz (Av.) . . . GR 275
San Juan de la Salle . . . . . . FP 282
San Juan de Ribera . . . . FP 283
San Luis . . . . FR 285
San Telmo (Puente de) . . . . . FR 290
Tesalónica . . . . GR 305
Virgen de Luján . . . . FPR 322

Soutomaior PO 12   E 4
Soutopenedo OR 13   F 6
Spinola 99   W 12
Su L 37   G 34
Suances S 7   B 17
Suano S 17   D 17
Suarbol LE 14   D 9
Suarna LU 4   C 8
Subijana VI 18   D 21
Subirats 38   H 35
Subiza NA 11   D 24
Sucina MU 85   S 27
Sudanell L 36   H 31
Sueca V 74   O 29
Sueiro O 4   B 9
Suellacabras SO 33   G 23
Suelta Alta 35   G 28
Suelza (Punta) HU 22   E 30
Suera CS 62   M 28
Sueros de Cepeda LE 15   E 11
Suertes LE 14   D 9
Sueve (Reserva
  nacional de) O 6   B 14
Suevos cerca de Carnota C . 2   D 2
Suevos cerca de
  La Coruña C 3   B 4
Suflí AL 96   T 22
Suido (Sierra del) PO 13   F 4
Sukarieta BI 9   B 21
Sumacàrcer V 74   O 28
Sumoas LU 4   A 7
Sunbilla NA 11   C 24

Sunyer L 36   H 31
Super Molina GE 24   F 35
Suquets L 36   G 31
Súria B 37   G 35
Suró (Tossal) 37   H 33
Surp L 23   E 33
Susana C 13   D 4
Susañe LE 15   D 10
Susinos del Páramo BU . . . 17   E 18
Suso (Monasterio de) LO . . 18   F 21
Suspiro del Moro
  (Puerto del) GR 94   U 19
Susqueda (Pantà de) GE . . 24   G 37
Suterranya L 23   F 32

T

Taale GR 83   S 22
Tabagón PO 26   G 3
Tabajete 91   V 11
Tabanera de Cerrato P 31   F 17
Tabanera de Valdavia P . . . 17   E 15
Tabanera la Luenga SG . . . 24   I 17
Tabaqueros AB 73   N 25
Tabar NA 11   D 25
Tábara ZA 29   G 12
Tabarca (Illa de) A 86   R 28
Tabayesco Lanzarote GC . . 121   F 3
Tabeaio C 3   C 4
Tabeirós PO 13   E 4
Tabera de Abajo SA 43   J 11
Tabera de Arriba SA 43   J 11

Tabernanova C 2   C 2
Tabernas AL 96   U 22
Tabernas (Rambla de) AL 103   V 22
Tabernas de Isuela HU 21   F 28
Tablada M 96   T 23
Tablada M 45   J 17
Tablada de Villadiego BU . . 17   E 18
Tablada del Rudrón BU 17   D 18
Tabladillo SG 45   I 16
Tabladillo LE 15   E 11
Tabladillo GU 47   K 21
Tablado (El) La Palma TF 130   C 3
Tablado (Puerto del) GR . . . 94   U 19
Tablado (Puerto del) BA . . . 79   R 9
Tablado de Riviella O 5   B 10
Tablas de Daimiel (Parque
  nacional) CR 70   O 19
Tablero (El)
  Gran Canaria GC 116   D 4
Tablillas (Embalse de) CR . 70   Q 17
Tablón (Sierra del) 92   V 14
Tablones (Los) GR 102   V 19
Taboada C 3   B 5
Taboada LU 13   D 6
Taboada PO 13   D 5
Taboada dos Freires LU . . . 13   D 6
Taboadela OR 13   F 6
Taborno Tenerife TF 125   I 1
Tabuenca Z 34   G 25
Taburiente (Caldera de)
  La Palma TF 130   C 4
Tabuyo del Monte LE 15   F 11
Taca Fuerteventura GC 111   G 2

Taco Tenerife TF 125   I 2
Tacones TO 57   M 16
Tacoronte Tenerife TF 124   H 2
Tafalla NA 20   E 24
Tafira Alta
  Gran Canaria GC 115   F 2
Tagamanent B 38   G 36
Taganana Tenerife TF 125   J 1
Tagarabuena ZA 30   H 13
Tagle S 7   B 17
Tagomago (Illa de) 87   O 34
Taguluche La Gomera TF 118   B 2
Tahal AL 96   U 23
Tahiche Lanzarote GC 123   E 4
Tahivilla CA 99   X 12
Taialà GE 25   F 38
Taibilla (Embalse de) AB . . 84   R 23
Taibilla (Río) 84   R 22
Taibilla (Sierra de) 84   R 22
Taibique El Hierro TF 109   D 3
Taja O 5   C 11
Tajera (Embalse de la) GU 47   J 22
Tajo (Nacimiento del Río) . 60   L 24
Tajo (Río) 54   N 7
Tajo de la Encantada
  (Embalse) MA 100   V 15
Tajo de las Figuras
  (Cuevas del) CA 99   X 12
Tajo Segura 60   M 22
Tajo-Urtajo (Balcón del) M 58   L 19
Tajonar / Taxoare NA 11   D 25

Tajonera TO 59   M 20
Tajoneras (Las) CR 71   Q 20
Tajueco SO 31   H 21
Tajuña (Río) 47   J 22
Tajuya La Palma TF 132   C 5
Tal C 12   D 2
Tala (La) SA 44   K 13
Talaies (Les) CS 50   K 31
Talaies d'Alcalà (Les) CS . 50   K 30
Talamanca Ibiza PM 87   P 34
Talamanca B 38   G 35
Talamanca de Jarama M . . . 46   J 19
Talamantes Z 34   G 24
Talamillo 17   E 18
Talamillo del Tozo BU 17   E 18
Talarn L 23   F 32
Talarrubias BA 68   O 14
Talatí de Dalt PM 106   M 42
Talaván CC 55   M 11
Talaván (Embalse de) CC . . 55   M 11
Talave AB 84   Q 24
Talave (Embalse de) AB . . . 84   Q 24
Talavera L 37   H 34
Talavera AL 95   T 22
Talavera de la Reina TO . . . 57   M 15
Talavera la Nueva TO 57   M 15
Talavera la Real BA 67   P 9
Talaveruela CC 56   L 13
Talayón CU 61   L 25
Talayón MU 97   T 25
Talayuela CC 56   M 13
Talayuelas CU 61   M 26

Talayuelo CU 60   M 23
Talegones (Río) 32   H 21
Tales CS 62   M 29
Táliga BA 66   Q 8
Talisca Negra (Punta)
  La Gomera TF 118   A 2
Tallada (La) GE 25   F 39
Tallante MU 85   T 26
Tállara C 12   D 3
Tallón HU 21   D 29
Talltendre L 23   E 35
Talveila SO 32   G 21
Tama S 7   C 16
Tamadaba
  Gran Canaria GC 114   C 2
Tamadaba (Pinar de)
  Gran Canaria GC 114   C 2
Tamadite (Punta de)
  Tenerife TF 125   I 1
Tamaduste El Hierro TF . . . 109   E 2
Tamagüelos OR 28   G 7
Tamaimo Tenerife TF 128   C 4
Tamajón GU 46   I 20
Tamallancos OR 13   E 6
Tamallanes O 5   C 10
Tamame ZA 29   I 12
Tamames SA 43   K 11
Támara P 17   F 16
Tamaraceite
  Gran Canaria GC 115   F 2
Tamaral (El) CR 82   Q 18
Tamarinda PM 106   M 41

SEVILLA

Agua (Callejón del) . . . . **CY** 4
Alemanes . . . . **BX** 12
Alfaro (Pl. de) . . . . **CXY** 15
Alianza (Pl.) . . . . **BX** 19
Almirante Apodaca . . . . **CV** 20
Almirante Lobo . . . . **BY** 21
Álvarez Quintero . . . . **BX** 22
Amador de los Ríos . . . . **CV** 23
Antillano Campos . . . . **AX** 26
Aposentadores . . . . **BY** 29
Arco de la Judería . . . . **BY** 30
Argote de Molina . . . . **BX** 31
Banderas (Patio de las) . . . . **BXY** 35
Capitán Vigueras . . . . **CY** 42
Cardenal Spínola . . . . **AV** 47
Castelar . . . . **AX** 55
Chapina (Puente) . . . . **AX** 59
Doña Elvira (Pl. de) . . . . **CX** 95
Doña Guiomar . . . . **AX** 97
Escuelas Pías . . . . **CV** 112
Farmacéutico E. Murillo
   Herrera . . . . **AY** 115
Feria . . . . **BV**
Francisco Carrión Mejías . . . . **CV** 126
Francos . . . . **BX**
Fray Ceferino González . . . . . **BX** 127
García de Vinuesa . . . . **BX** 130
General Polavieja . . . . **BX** 135
Gloria . . . . **BXY** 137
Gonzalo Bilbao . . . . **CV** 138
Hospital de los Venerables . . **BX**
Jesús de la Vera Cruz . . . . . . **AV** 147
José Laguillo (Av.) . . . . **CV** 302
José María Martínez Sánchez
   Arjona . . . . **AX** 150
Julio César . . . . **AX** 152
Júpiter . . . . **CV** 153
Luis Montoto . . . . **CY** 160
Marcelino Champagnat . . . . . **AV** 172
Marqués de Paradas (Av.) . . **AVX** 185
Martín Villa . . . . **BV** 190
Mateos Gago . . . . **BX** 192
Mesón del Moro . . . . **BX** 197
Murillo . . . . **AV** 202
Museo (Pl. del) . . . . **AV** 205
Navarros . . . . **CVX** 207
O'Donnell . . . . **BV** 210
Pascual de Gayangos . . . . . . **AX** 220
Pastor Landero . . . . **AX** 222
Pedro del Toro . . . . **AV** 227
Pimienta o Susona . . . . **BCY** 228
Ponce de León (Pl.) . . . . **CV** 234
Puente y Pellón . . . . **BV** 242
Puerta de Jerez . . . . **BY** 243
República Argentina (Av.) . . . **AY** 255
Reyes Católicos . . . . **AX** 260
Rodrigo Caro (Callejón de) . . **BX** 261
Romero Morube . . . . **BY** 264
Santander . . . . **BY** 300
Santa Isabel (Pl. de) . . . . . . **CV** 296
Santa María La Blanca . . . . . **CX** 297
Santa Marta (Pl. de) . . . . **CX** 298
Santa Teresa . . . . **CX** 299
San Gregorio . . . . **BY** 272
San Juan de la Palma . . . . . . **BV** 277
San Pedro (Pl.) . . . . **BV** 286
San Sebastián (Pl.) . . . . **CY** 287
Sierpes . . . . **BVX**
Temprado . . . . **BY** 304
Tetuán . . . . **BX**
Tres Cruces (Pl. de las) . . . . **CX** 306
Triunfo (Pl. del) . . . . **CX** 307
Velázquez . . . . **BV** 310
Venerables (Pl. de los) . . . . . **BCX** 312
Virgen de los Reyes (Pl. de la)**BX** 324
Viriato . . . . **BV** 329

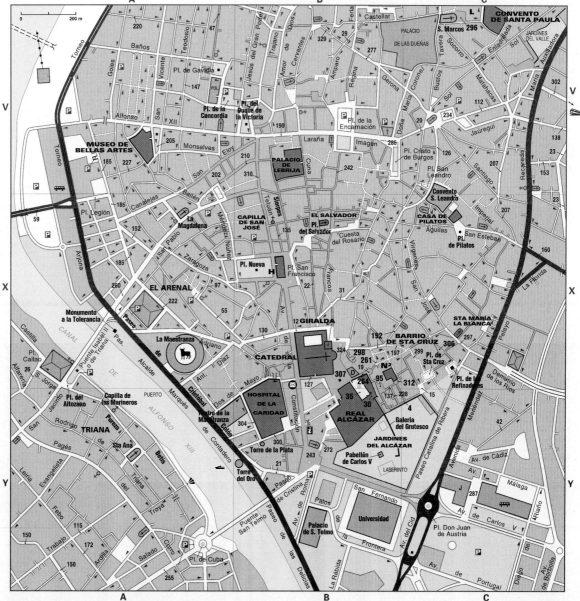

Tamarite de Litera *HU* . . . . . . **36** G 31
Tamariu *GE* . . . . **25** G 39
Tamariz de Campos *VA* . . . . . . **30** G 14
Tamarón *BU* . . . . **17** F 18
Tamayo *V* . . . . **73** N 25
Tambor
   (Monumento al) *TE* . . . . **49** I 29
Tambre *C* . . . . **3** D 3
Támega . . . . **14** F 7
Tameirón *OR* . . . . **28** F 8
Támoga *LU* . . . . **3** C 7
Támoga (Río) . . . . **4** C 7
Tamuja (Río) . . . . **56** N 11
Tamurejo *BA* . . . . **69** P 15
Tanes (Embalse de) *O* . . . . **6** C 13
Tangel *A* . . . . **86** Q 28
Taniñe *SO* . . . . **33** F 23
Tanorio *PO* . . . . **12** E 4
Tanque (El) *Tenerife TF* . . . **126** C 3
Tanque del Vidrio
   (Punta del) *Tenerife TF***129** F 5
Tañabuyes *BU* . . . . **18** F 19
Tao *Lanzarote GC* . . . . **123** D 4
Tapia *BU* . . . . **17** E 17
Tapia (Paso) *NA* . . . . **11** D 26
Tapia de Casariego *O* . . . . **4** B 9
Tapioles *ZA* . . . . **30** G 13
Tàpis *GE* . . . . **24** E 38
Tapuelo (El) *TO* . . . . **57** L 16
Tara *LE* . . . . **14** E 9
Taracena *GU* . . . . **46** K 20
Taradell *B* . . . . **38** G 36
Taragoña *C* . . . . **12** D 3

Taragudo *GU* . . . . **46** J 20
Taraguilla *CA* . . . . **99** X 13
Tarajalejo
   Fuerteventura GC . . . . . **113** F 4
Taramay *GR* . . . . **101** V 18
Tarancón *CU* . . . . **59** L 20
Tarancueña *SO* . . . . **32** H 20
Taranes *O* . . . . **6** C 14
Taranilla *LE* . . . . **16** D 15
Taravilla *GU* . . . . **47** J 24
Taray (Laguna del) *TO* . . . . **59** N 20
Tarayuela *TE* . . . . **49** K 28
Tarayuela (Sierra de) . . . . . . **69** Q 16
Tarazona *Z* . . . . **34** G 24
Tarazona
   de la Mancha *AB* . . . . . . **72** O 24
Tàrbena *A* . . . . **74** P 29
Tardáguila *SA* . . . . **44** I 13
Tardajos *BU* . . . . **17** E 18
Tardajos de Duero *SO* . . . . **33** G 22
Tardelcuende *SO* . . . . **33** H 22
Tardesillas *SO* . . . . **33** G 22
Tardienta *HU* . . . . **35** G 28
Tardobispo *ZA* . . . . **29** H 12
Tariego de Cerrato *P* . . . . . . **31** G 16
Tarifa *CA* . . . . **99** X 13
Tariquejo *H* . . . . **90** T 8
Tarna *O* . . . . **6** C 14
Tarna (Puerto de) *LE* . . . . **6** C 14
Taroda *SO* . . . . **33** H 22
Tarragolla *MU* . . . . **84** S 23

Tarragona *T* . . . . **51** I 33
Tarrasa / Terrassa *B* . . . . . . **38** H 36
Tàrrega *L* . . . . **37** H 33
Tarrés *L* . . . . **37** H 33
Tarrio *C* . . . . **3** C 4
Tarro (El) *BA* . . . . **67** O 9
Tarroja de Segarra *L* . . . . . . **37** G 33
Tarrós (El) *L* . . . . **37** G 33
Tartanedo *GU* . . . . **48** J 24
Tasarte *Gran Canaria GC* . **116** B 3
Tastavins (Río) . . . . **50** J 30
Tauce (Boca de)
   Tenerife TF . . . . **128** D 4
Taüll *L* . . . . **22** E 32
Taús *L* . . . . **23** F 33
Tauste *Z* . . . . **34** G 26
Tauste (Canal) *Z* . . . . **34** G 26
Tavascan *L* . . . . **23** E 33
Tavernes Blanques *V* . . . . . **62** N 28
Tavernes de la Valldigna *V* . **74** O 29
Tavèrnoles *B* . . . . **38** G 36
Tavertet *B* . . . . **24** G 37
Taxoare / Tajonar *NA* . . . . . **11** D 25
Tazacorte *La Palma TF* . . . **130** B 5
Tazo *La Gomera TF* . . . . . . **128** B 1
Tazona *BA* . . . . **84** R 24
Tazones *O* . . . . **6** B 13
Tazones (Punta de) *O* . . . . . . **6** B 13
Tea *PO* . . . . **13** F 4
Teatoinos (Los) *J* . . . . **83** R 20
Teayo *C* . . . . **12** D 3

Teba *MA* . . . . **100** V 15
Tébar *CU* . . . . **60** N 23
Tebongo *O* . . . . **5** C 10
Tebra *PO* . . . . **12** F 3
Tedín *C* . . . . **2** C 2
Tefía *Fuerteventura GC* . . . **111** H 2
Tegueste *Tenerife TF* . . . . **124** H 2
Teguise *Lanzarote GC* . . . . **123** E 4
Teià *B* . . . . **38** H 36
Teide (Parque Nacional del)
   Tenerife TF . . . . **128** D 4
Teide (Pico del)
   Tenerife TF . . . . **127** E 3
Teix (Monte)
   Tenerife TF . . . . **128** D 4
Teixeira (A) *OR* . . . . **14** E 7
Teixeiro *LU* . . . . **4** C 7
Teixeta (Coll de la) *T* . . . . . . **37** I 32
Teja Chueca *CR* . . . . **69** O 16
Tejada *H* . . . . **91** T 10
Tejada (Sierra de) *MA* . . . . **91** T 10
Tejadillos *CU* . . . . **61** L 25
Tejadillos
   (Casa Forestal de) . . . . . **47** K 24
Tejado (El) *SA* . . . . **33** H 23
Tejado (El) *SA* . . . . **44** K 13
Tejares *LE* . . . . **15** E 11
Tejar (El) *CO* . . . . **85** U 16
Tejarejo *BA* . . . . **67** N 9
Tejares *SO* . . . . **31** H 18
Tejares *SA* . . . . **43** J 12
Tejares Abarca *V* . . . . **73** O 26
Tejeda *Gran Canaria GC* . . **114** D 3

Tejeda (Sierra de) . . . . **101** V 17
Tejeda de Tiétar *CC* . . . . . . **56** L 12
Tejeda y Segoyuela *SA* . . . . **43** K 11
Tejedo de Ancares *LE* . . . . . **14** D 9
Tejedo del Sil *LE* . . . . **15** D 10
Tefia *Fuerteventura GC* . . . **111** H 2
Teguise *Lanzarote GC* . . . . **123** E 4
Tejerizas *SO* . . . . **33** H 22
Tejina *Tenerife TF* . . . . . . **124** H 2
Tejina *Tenerife TF* . . . . . . **128** C 4
Tejo *V* . . . . **61** N 27
Telde *Gran Canaria GC* . . . **115** G 3
Teleno (El) . . . . **15** E 10
Teleno (Sierra del) . . . . **15** F 11
Tella *HU* . . . . **22** E 30
Telledo *O* . . . . **5** C 12
Tello *AL* . . . . **84** S 23
Tembleque *TO* . . . . **58** M 19
Temerón *CO* . . . . **93** T 16
Temijiraque (Punta de)
   El Hierro TF . . . . **109** E 2
Temiño *BU* . . . . **18** E 19
Temple (El) *GR* . . . . **94** U 18
Temple (El) *HU* . . . . **35** G 27
Tempul *CA* . . . . **99** W 12
Ten-Bel *Tenerife TF* . . . . . **128** E 5
Tena (Valle de) . . . . **21** E 28
Tendeñera
   (Sierra de) *HU* . . . . **21** D 29
Tendilla *GU* . . . . **46** K 21
Tenebrón *SA* . . . . **43** K 10
Tenefé (Punta de)
   Gran Canaria GC . . . . . **117** F 4

Teneguía (Volcán de)
   La Palma TF . . . . **132** C 7
Tenerife Norte (Aeropuerto)
   Tenerife TF . . . . **124** H 2
Tenerife Sur (Aeropuerto)
   Tenerife TF . . . . **129** F 5
Tenes (El) (Riu) . . . . **38** H 36
Teno (Punta de)
   Tenerife TF . . . . **126** A 3
Tenoya
   Gran Canaria GC . . . . . **115** F 2
Tentudia *BA* . . . . **79** R 10
Teo *C* . . . . **12** D 4
Ter *C* (Riu) *B* . . . . **24** F 36
Tera *SO* . . . . **33** G 22
Tera *ZA* . . . . **14** F 9
Tera (Espejo de) *SO* . . . . . . **33** G 22
Tercia (Sierra de) . . . . **84** S 24
Terenosa (La) *O* . . . . **6** C 15
Teresa *CS* . . . . **62** M 28
Teresa de Cofrentes *V* . . . . **73** O 26
Térmens *L* . . . . **36** G 32
Término (El) *SE* . . . . **92** T 14
Terminón *BU* . . . . **18** D 19
Teroleja *GU* . . . . **48** J 24
Teror *Gran Canaria GC* . . . **115** E 2
Terque *AL* . . . . **102** V 22
Terrachán *OR* . . . . **27** G 5
Terrades *GE* . . . . **25** F 38
Terradets (Pantà del) *L* . . . . **23** F 32
Terradillos *SA* . . . . **44** J 13
Terradillos
   de Esgueva *BU* . . . . **31** G 18

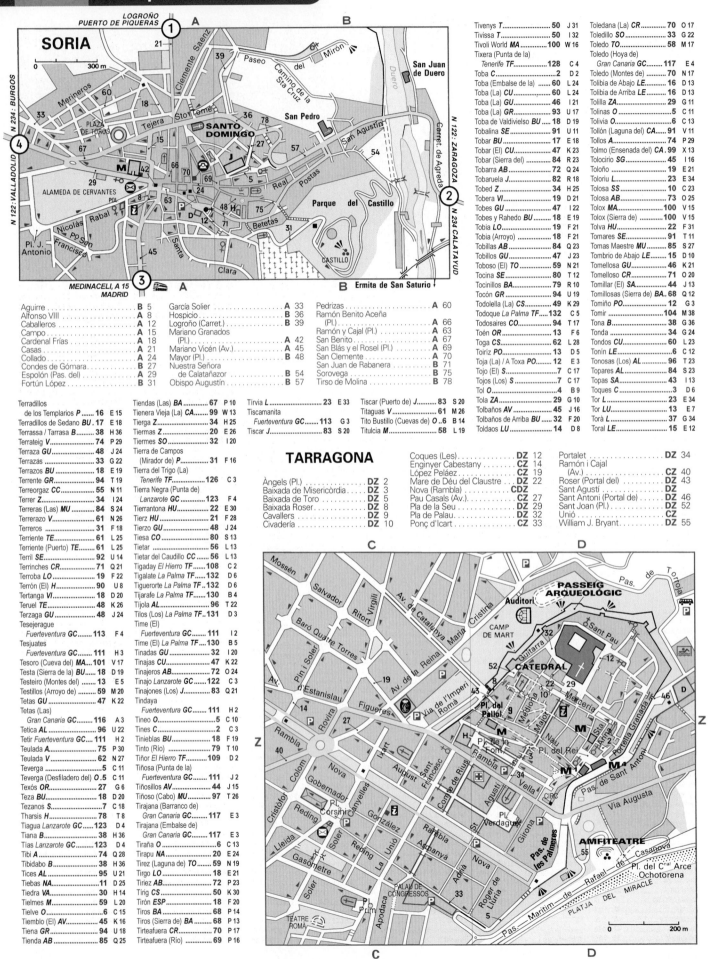

SORIA

TARRAGONA

Tivenys *T* .... **50** J 31
Tivissa *T* .... **50** I 32
Tivoli World *MA* .... **100** W 16
Tixera (Punta de la)
  Tenerife TF .... **128** C 4
Toba *C* .... **2** D 2
Toba (Embalse de la) .... **60** L 24
Toba (La) *CU* .... **60** L 24
Toba (La) *GU* .... **46** I 21
Toba (La) *GR* .... **93** U 17
Toba de Valdivielso *BU* .... **18** D 19
Tobalina *SE* .... **91** U 11
Tobar *BU* .... **17** E 18
Tobar (El) *CU* .... **47** K 23
Tobar (Sierra del) .... **84** R 23
Tobarra *AB* .... **72** Q 24
Tobaruela *J* .... **82** R 18
Tobed *Z* .... **34** H 25
Tobera *VI* .... **19** D 21
Tobes *GU* .... **47** I 22
Tobes y Rahedo *BU* .... **18** E 19
Tobia *LO* .... **19** F 21
Tobia (Arroyo) .... **18** F 21
Tobillas *AB* .... **84** Q 23
Tobillos *GU* .... **47** J 23
Toboso (El) *TO* .... **59** N 21
Tocina *SE* .... **80** T 12
Tocinillos *BA* .... **79** R 10
Tocón *GR* .... **94** U 19

Toledana (La) *CR* .... **70** O 17
Toledillo *SO* .... **33** G 22
Toledo *TO* .... **58** M 17
Toledo (Hoya de)
  Gran Canaria GC .... **117** E 4
Toledo (Montes de) .... **70** N 17
Tolibia de Abajo *LE* .... **16** D 13
Tolibia de Arriba *LE* .... **16** D 13
Tolilla *ZA* .... **29** G 11
Tolinas *O* .... **5** C 11
Toliva *O* .... **6** C 13
Tollón (Laguna del) *CA* .... **91** V 11
Tollos *A* .... **74** P 29
Tolmo (Ensenada del) *CA* .... **99** X 13
Tolocirio *SG* .... **45** I 16
Toloño .... **19** E 21
Toloriu *L* .... **23** E 34
Tolosa *SS* .... **10** C 23
Tolosa *AB* .... **73** O 25
Tolox *MA* .... **100** V 15
Tolox (Sierra de) .... **100** V 15
Tolva *HU* .... **22** F 31
Tomares *SE* .... **91** T 11
Tomas Maestre *MU* .... **85** S 27
Tombrio de Abajo *LE* .... **15** D 10
Tomelloso *GU* .... **46** K 21
Tomelloso *CR* .... **71** O 20
Tomillar (El) *SA* .... **44** J 13
Tomillosas (Sierra de) *BA* .. **68** Q 12
Tomiño *PO* .... **12** G 3
Tomir .... **104** M 38
Tona *B* .... **38** G 36
Tonda .... **34** G 24
Tondos *CU* .... **60** L 23
Tonin *LE* .... **6** C 12
Tonosas (Los) *AL* .... **96** T 23
Topares *AL* .... **84** S 23
Topas *SA* .... **43** I 13
Toques *C* .... **3** D 6
Tor *L* .... **23** E 34
Tor *LU* .... **13** E 7
Torà *L* .... **37** G 34
Toral *LE* .... **15** E 12

Aguirre .... **B** 5
Alfonso VIII .... **A** 8
Caballeros .... **A** 12
Campo .... **A** 15
Cardenal Frías .... **A** 18
Casas .... **A** 21
Collado .... **A** 24
Condes de Gómara .... **B** 27
Espolón (Pas. del) .... **A** 29
Fortún López .... **B** 31

García Solier .... **A** 33
Hospicio .... **B** 36
Logroño (Carret.) .... **B** 39
Mariano Granados (Pl.) .... **A** 42
Mariano Vicén (Av.) .... **A** 45
Mayor (Pl.) .... **B** 48
Nuestra Señora de Calatañazor .... **B** 54
Obispo Augustín .... **B** 57

Pedrizas .... **A** 60
Ramón Benito Aceña (Pl.) .... **A** 66
Ramón y Cajal (Pl.) .... **A** 63
San Benito .... **A** 67
San Blás y el Rosel (Pl.) .... **A** 69
San Clemente .... **A** 70
San Juan de Rabanera .... **B** 71
Sorovega .... **B** 75
Tirso de Molina .... **B** 78

Terradillos
  de los Templarios *P* .. **16** E 15
Terradillos de Sedano *BU* . **17** E 18
Terrassa / Tarrasa *B* .... **38** H 36
Terrateig *V* .... **74** P 29
Terraza *GU* .... **48** J 24
Terrazas .... **33** G 22
Terrazos *BU* .... **18** E 19
Terrente *GR* .... **94** T 19
Terreorgaz *CC* .... **55** N 11
Terrer *Z* .... **34** I 24
Terreras (Las) *MU* .... **84** S 24
Terrerazo *V* .... **61** N 26
Terreros .... **31** F 18
Terriente *TE* .... **61** L 25
Terriente (Puerto) *TE* .... **61** L 25
Terril *SE* .... **92** U 14
Terroba *LO* .... **19** F 22
Terrón (El) *H* .... **90** U 8
Tertanga *VI* .... **18** D 20
Teruel *TE* .... **48** K 26
Terzaga *GU* .... **48** J 24
Tesejerague
  Fuerteventura GC .... **113** F 4
Tesjuates
  Fuerteventura GC .... **111** H 3
Tesoro (Cueva del) *MA* .... **101** V 17
Testa (Sierra de la) *BU* .. **18** D 19
Testeiro (Montes del) .... **13** E 5
Testillos (Arroyo de) .... **59** M 20
Tetas *GU* .... **47** K 22
Tetas (Las)
  Gran Canaria GC .... **116** A 3
Tetica *AL* .... **96** U 22
Tetir *Fuerteventura GC* .... **111** H 2
Teulada *A* .... **75** P 30
Teulada *V* .... **62** N 27
Teverga .... **5** C 11
Teverga (Desfiladero del) *O* . **5** C 11
Texos *OR* .... **27** G 6
Teza *BU* .... **18** D 20
Tezanos *S* .... **7** C 18
Tharsis *H* .... **78** T 8
Tiagua *Lanzarote GC* .... **123** D 4
Tiana *B* .... **38** H 36
Tías *Lanzarote GC* .... **123** D 4
Tibi *A* .... **74** Q 28
Tibidabo *B* .... **38** H 36
Tices *AL* .... **95** U 21
Tiebas *NA* .... **11** D 25
Tiedra *VA* .... **30** H 14
Tielmes *M* .... **59** L 20
Tielve *O* .... **6** C 15
Tiemblo (El) *AV* .... **45** K 16
Tiena *GR* .... **94** U 18
Tienda *AB* .... **85** Q 25

Tiendas (Las) *BA* .... **67** P 10
Tienera Vieja (La) *CA* .... **99** W 13
Tierga *Z* .... **34** H 25
Tiermas *Z* .... **20** E 26
Tiermes *SO* .... **32** I 20
Tierra de Campos
  (Mirador de) *P* .... **31** F 16
Tierra del Trigo (La)
  Tenerife TF .... **126** C 3
Tierra Negra (Punta de)
  Lanzarote GC .... **123** F 4
Tierrantona *HU* .... **22** E 30
Tierz *HU* .... **21** F 28
Tierzo *GU* .... **48** J 24
Tiesa *CO* .... **80** S 13
Tietar del Caudillo *CC* .... **56** L 13
Tietar (Rio) .... **56** L 13
Tigaday *El Hierro TF* .... **108** C 2
Tigalate *La Palma TF* .... **132** D 6
Tiguerorte *La Palma TF* .... **132** D 6
Tijarafe *La Palma TF* .... **130** B 4
Tijola *AL* .... **96** T 22
Tilos (Los) *La Palma TF* .. **131** D 3
Time (El)
  Fuerteventura GC .... **111** I 2
Time (El) *La Palma TF* .... **130** B 5
Tinadas *GU* .... **32** I 20
Tinajas *CU* .... **47** K 22
Tinajeros *AB* .... **72** O 24
Tinajo *Lanzarote GC* .... **122** C 3
Tinajones (Los) *J* .... **83** Q 21
Tindaya
  Fuerteventura GC .... **111** H 2
Tineo *O* .... **5** C 10
Tines .... **2** C 3
Tinieblas *BU* .... **18** F 19
Tinto (Rio) .... **79** T 10
Tiñor *El Hierro TF* .... **109** D 2
Tiñosa (Punta de la)
  Fuerteventura GC .... **111** J 2
Tiñosillos *AV* .... **44** J 15
Tiñoso (Cabo) *MU* .... **97** T 26
Tirajana (Barranco de)
  Gran Canaria GC .... **117** E 3
Tirajana (Embalse de)
  Gran Canaria GC .... **117** E 3
Tiraña *O* .... **6** C 13
Tirapu *NA* .... **20** E 24
Tirez (Laguna de) *TO* .... **59** N 19
Tirgo *LO* .... **18** E 21
Tiriez *AB* .... **72** P 23
Tirig *CS* .... **50** K 30
Tirón *ESP* .... **18** F 21
Tiros (Sierra de) *BA* .... **68** P 13
Tirteafuera *CR* .... **70** P 17
Tirteafuera (Rio) .... **69** P 16

Tirvia *L* .... **23** E 33
Tiscamanita
  Fuerteventura GC .... **113** G 3
Tito Bustillo (Cuevas de) *O* .. **6** B 14
Titulcia *M* .... **58** L 19

Tiscar (Puerto de) *J* .... **83** S 20
Titaguas *V* .... **61** M 26
Tiscar *J* .... **83** S 20

Àngels (Pl.) .... **DZ** 2
Baixada de Misericòrdia .... **DZ** 3
Baixada de Toro .... **DZ** 5
Baixada Roser .... **DZ** 8
Cavallers .... **DZ** 9
Civaderia .... **DZ** 10

Coques (Les) .... **DZ** 12
Enginyer Cabestany .... **CZ** 14
López Peláez .... **CZ** 19
Mare de Déu del Claustre .... **DZ** 22
Nova (Rambla) .... **CDZ**
Pau Casals (Av.) .... **CZ** 27
Pla de la Seu .... **DZ** 29
Pla de Palau .... **DZ** 32
Ponç d'Icart .... **CZ** 33

Portalet .... **DZ** 34
Ramón i Cajal (Av.) .... **CZ** 40
Roser (Portal del) .... **DZ** 43
Sant Agustí .... **DZ**
Sant Antoni (Portal de) .... **DZ** 46
Sant Joan (Pl.) .... **DZ** 52
Unió .... **CZ**
William J. Bryant .... **DZ** 55

TERUEL

N 420 ① ALCAÑIZ
ACUEDUCTO

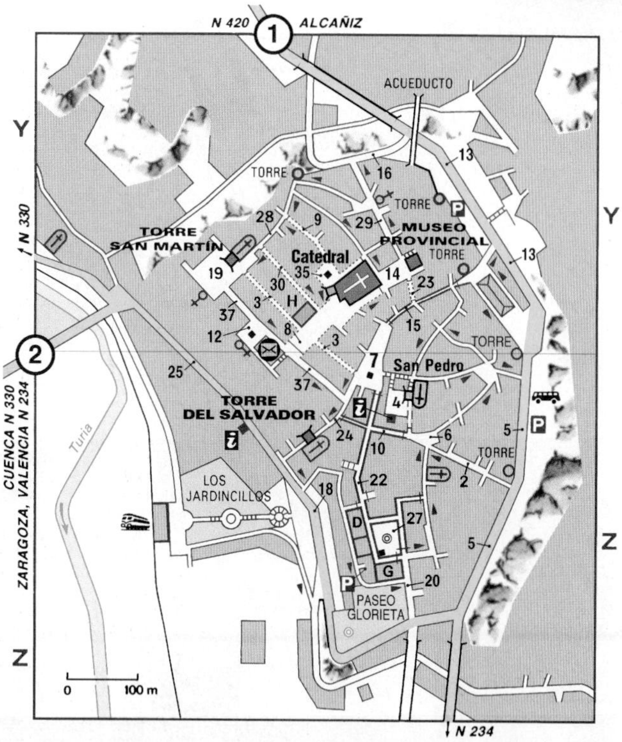

TORRE
TORRE SAN MARTÍN
MUSEO PROVINCIAL
Catedral
San Pedro
TORRE DEL SALVADOR
LOS JARDINCILLOS
PASEO GLORIETA
Turia
CUENCA N 330 · ZARAGOZA, VALENCIA N 234
N 234

0   100 m

Abadía	Z 2
Amantes	Y 3
Amantes (Pl. de los)	Z 4
Ambeles (Ronda de)	Z 5
Bretón (Pl.)	Z 6
Carlos Castel o del Torico (Pl.)	YZ 7
Catedral (Pl. de la)	Y 8
Chantria	Z 9
Comte Fortea	Y 10
Cristo Rey (Pl. de)	Y 12
Dámaso Torán (Ronda de)	Y 13
Fray Anselmo Polanco (Pl.)	Y 14
General Pizarro	Z 20
Joaquín Costa	Y 15
Miguel Ibáñez	Y 16
Óvalo (Pas.)	Z 18
Pérez Prado (Pl.)	Y 19
Ramón y Cajal	Z 22
Rubio	Y 23
Salvador	Y 24
San Francisco	Z 25
San Juan (Pl.)	Z 27
San Martín	Y 28
San Miguel	Y 29
Temprado	Y 30
Venerable F. de Aranda (Pl.)	Y 35
Yagüe de Salas	Y 37

Toral de los Guzmanes LE 16 F 13
Toral de los Vados LE 14 E 9
Toranzo 33 G 24
Torás CS 62 M 27
Torás Bejís (Estación de) CS 62 M 27
Torazo O 6 B 13
Torcal de Antequera (Parque Natural) MA 100 V 16
Torcas (Embalse de las) Z 34 I 26
Torcas (Las) CU 60 L 24
Torcón 57 M 16
Torcón (Embalse del) TO 57 N 16
Tordehumos VA 30 G 14
Tordellego GU 48 J 24
Tordelpalo GU 48 J 24
Tordelrábano GU 47 I 21
Tordera B 39 G 38
Tordera (La) (Riu) B 38 G 37
Tordera (Punta del) 39 H 38
Tordesillas VA 30 H 14
Tordesilos GU 48 J 25
Tórdiga (Puerto de) 60 M 23
Tordillos SA 44 J 13
Tordoia C 2 C 4
Tordómar BU 31 F 18
Tordueles BU 32 F 19
Torelló B 24 F 36
Toreno LE 15 D 10
Torerera (La) H 78 T 9
Torete GU 47 J 23
Torete (Rio) SO 33 H 21
Torga 4 D 9
Torija GU 46 J 20
Toril CC 56 M 12
Toril (El) SE 92 T 13
Torina (Embalse de) S 7 C 18
Torío 6 C 13
Torla HU 21 E 29
Torlengua SO 33 H 23
Tormaleo O 14 D 9
Tormantos LO 18 E 20
Tormantos (Sierra de) 56 L 12
Torme BU 18 D 19
Tormellas AV 44 L 13
Tormes (Río) 29 I 10
Tormillo (El) HU 36 G 29
Tormo (El) CS 62 L 28
Tormón TE 61 L 25
Tormos HU 21 F 27
Torms (Els) L 36 H 32
Torn (El) GE 24 F 37
Tornabous L 37 G 33
Tornadijo BU 18 F 19
Tornadizo (El) SA 43 K 12
Tornadizos de Ávila AV 45 K 16
Tornafort L 23 E 33
Tornajo MU 84 S 24

Tornajos (Sierra de los) 84 S 22
Tornajuelos GR 83 S 21
Tornavacas CC 56 L 12
Tornavacas (Puerto de) CC 56 L 13
Torneiros OR 27 G 5
Torneiros LU 4 C 7
Tornera (La) 46 I 19
Torneros cerca de Castrocontrigo LE 15 F 11
Torneros cerca de León LE 13 E 13
Torneros (Sierra de los) 58 N 17
Torneros de Jamuz LE 15 F 11
Tornín O 6 C 14
Torno (El) CR 70 O 17
Torno (El) CA 99 W 12
Torno (El) CC 56 L 12
Tornos TE 48 J 25
Tornos (Alto de los) S 8 C 19
Toro ZA 30 H 13
Toro OR 14 F 7
Toro (Canal de) 30 H 13
Toro (El) Mallorca PM 104 N 37
Toro (El) Castelló CS 61 M 27
Toro (El) H 78 S 8
Toro (Illa del) 104 N 37
Toro (Mont) PM 106 M 42
Torongil BA 67 P 10
Toros de Guisando AV 45 K 16
Torozo (Sierra del) CR 69 P 16
Torozo (Sierra del) BA 69 P 14
Torozos (Montes de) 30 G 15
Torralba cerca de Mecinaceli SO 47 I 22
Torralba cerca de Soria SO 33 H 23
Torralba CU 60 L 23
Torralba de Aragón HU 35 G 28
Torralba de Calatrava CR 70 O 18
Torralba de los Frailes Z 48 I 25
Torralba de los Sisones TE 48 J 25
Torralba de Oropesa TO 57 M 14
Torralba de Ribota Z 34 H 24
Torralba del Burgo SO 32 H 21
Torralba del Pinar CS 62 M 28
Torralba del Río NA 19 E 23
Torralbilla Z 48 I 25
Torralva 91 V 12
Torrano / Dorrao NA 19 D 23
Torraño SO 32 H 20
Torrassa (Pantà de la) 23 E 33
Torre cerca de Taboada LU 13 D 6
Torre cerca de Villalba LU 3 C 6
Torre (Brazo de la) SE 91 U 11
Torre (Collado de la) 49 K 28
Torre (La) AV 44 K 15
Torre (La) cerca de Losilla de Aras V 61 M 26
Torre (La) MU 85 R 25

Torre (La) cerca de Utiel V 61 M 26
Torre (La) CA 92 V 13
Torre (Rambla de la) A 86 Q 28
Torre Abraham (Embalse) CR 70 N 17
Torre Alháquime CA 92 V 14
Torre Alta MU 85 R 26
Torre Alta V 61 L 26
Torre Arboles CO 81 S 15
Torre Cardela GR 94 T 19
Torre Castiel TE 49 J 29
Torre Cerredo LE 6 C 15
Torre d'en Besora (La) CS 50 L 29
Torre d'en Domènec (La) CS 62 L 30
Torre de Alcotas TE 61 M 27
Torre de Arcas TE 50 J 29
Torre de Babia LE 5 D 11
Torre de Benagalbón MA 101 V 17
Torre de Cabdella (La) L 23 E 32
Torre de Claramunt (La) B 37 H 34
Torre de Cullera (La) V 74 O 29
Torre de Don Miguel CC 55 L 10
Torre de Esgueva L 31 G 17
Torre de Esteban Hambrán (La) TO 58 L 17
Torre de Fluvià (La) L 37 G 32
Torre de Fontaubella (La) T 51 I 32
Torre de Juan Abad CR 70 Q 20
Torre de l'Espanyol (La) T 36 I 31
Torre de la Higuera H 91 U 10
Torre de la Horadada A 85 S 27
Torre de la Reina SE 91 T 11
Torre de la Sal CS 63 L 30
Torre de la Vall V 74 O 29
Torre de las Arcas TE 49 J 27
Torre de les Maçanes (La) A 74 Q 28
Torre de Miguel Sesmero BA 67 Q 9
Torre de Oristà (La) B 38 G 36
Torre de Peña NA 20 E 26
Torre de Peñafiel VA 31 H 17
Torre de Pinet A 74 P 28
Torre de Santa María CC 68 O 11
Torre del Águila (Embalse de) SE 92 U 12
Torre del Bierzo LE 15 E 11
Torre del Burgo GU 46 J 20
Torre del Campo J 82 S 18
Torre del Mar MA 101 V 17
Torre del Oro H 91 U 9
Torre del Rei CS 63 L 30
Torre del Río Real MA 100 W 15
Torre del Valle (La) ZA 15 F 12
Torre en Cameros LO 19 F 22
Torre Gorda CA 98 W 11

Torre la Cárcel TE 48 K 26
Torre la Ribera HU 22 E 31
Torre los Negros TE 48 J 26
Torre Miró (Port de) 50 J 29
Torre Pacheco MU 85 S 27
Torre Pedro AB 84 Q 23
Torre-saura PM 106 M 41
Torre-serona L 36 G 31
Torre Tallada V 73 P 27
Torre Uchea AB 84 Q 25
Torre Val de San Pedro SG 45 I 18
Torreadrada SG 31 H 18
Torreagüera MU 85 S 26
Torrealba (Ermita de) CC 67 N 11
Torreandaluz SO 33 H 21
Torrearévalo SO 33 G 22
Torrebaja V 61 L 26
Torrebarrio LE 5 C 12
Torrebeleña GU 46 J 20
Torrebesses L 36 H 31
Torreblacos SO 32 G 21
Torreblanca CS 63 L 30
Torreblanca de los Caños SE 92 T 12
Torreblanca del Sol MA 100 W 16
Torreblascopedro J 82 S 19
Torrebuceit CU 60 M 22
Torrec L 37 G 33
Torrecaballeros SG 45 J 17
Torrecampo CO 81 Q 15
Torrecera CA 99 W 12
Torrechiva CS 62 L 28
Torrecica (La) AB 72 O 24
Torrecilla CR 70 P 18
Torrecilla CU 60 L 23
Torrecilla MA 100 V 14
Torrecilla de Alcañiz TE 50 J 29
Torrecilla de la Abadesa VA 30 H 14
Torrecilla de la Jara TO 57 M 15
Torrecilla de la Orden VA 30 I 14
Torrecilla de la Torre VA 30 G 14
Torrecilla de los Ángeles CC 55 L 10
Torrecilla de Valmadrid Z 35 H 27
Torrecilla del Ducado GU 47 I 22
Torrecilla del Monte BU 32 F 18
Torrecilla del Pinar SG 31 H 17
Torrecilla del Pinar GU 47 J 23
Torrecilla del Rebolar TE 48 J 26
Torrecilla del Valle VA 30 H 14
Torrecilla en Cameros LO 19 F 22
Torrecillas CO 93 T 15
Torrecillas (Las) cerca de Badajoz BA 67 P 9
Torrecillas (Las) cerca de Mengaloril BA 68 P 12
Torrecillas de la Tiesa CC 56 N 12
Torrecitores BU 31 G 18

Torreciudad HU 22 F 30
Torrecuadrada de los Valles GU 47 J 23
Torrecuadrada de Molina GU 48 J 24
Torrecuadradilla GU 47 J 22
Torrecuadros H 91 U 10
Torredembarra T 37 I 34
Torredonjimeno J 82 S 18
Torrefarrera L 36 G 31
Torrefeta L 37 G 33
Torrefrades ZA 29 H 11
Torrefresneda BA 67 P 11
Torrefuente CU 61 L 25
Torregalindo BU 32 H 18
Torregamones ZA 29 H 11
Torregrossa L 36 H 32
Torrehermosa Z 33 I 23
Torreiglesias SG 45 I 17
Torrejón CC 66 N 8
Torrejón de Ardoz M 46 K 19
Torrejón de la Calzada M 58 L 18
Torrejón de Velasco M 58 L 18
Torrejón del Rey GU 46 K 19
Torrejón del Rubio CC 56 M 11
Torrejón-Tajo (Embalse de) CC 56 M 12
Torrejón-Tiétar (Embalse de) CC 56 M 12
Torrejoncillo CC 55 M 10
Torrejoncillo del Rey CU 59 L 22
Torrelaguna M 46 J 19
Torrelameu L 36 G 32
Torrelapaja Z 33 H 24
Torrelara BU 18 F 19
Torrelavandeira C 3 C 5
Torrelavega S 7 B 17
Torrelavit B 37 H 35
Torrelengua CU 59 M 21
Torrelengua SE 92 U 12
Torrellano A 86 R 28
Torrellas Z 34 G 24
Torrelles de Foix B 37 H 34
Torrelles de Llobregat B 38 H 35
Torrelobatón VA 30 H 14
Torrelodones M 45 K 18
Torremayor BA 67 P 10
Torremegía BA 67 P 10
Torremendo A 85 S 27
Torremenga CC 56 L 12
Torremocha CC 56 N 12
Torremocha de Ayllón SO 32 H 20
Torremocha de Jadraque GU 46 I 21
Torremocha de Jarama M 46 J 19
Torremocha del Campo GU 47 J 22
Torremocha del Pinar GU 47 J 23
Torremochuela GU 48 J 24
Torremolinos MA 100 W 16
Torremontalbo LO 19 E 21
Torremormojón P 30 G 15
Torrenostra CS 63 L 30
Torrent GE 25 G 39
Torrent V 62 N 28
Torrente de Cinca HU 36 H 31
Torrenueva CR 71 Q 19
Torrenueva V 101 V 19
Torrenueva MA 100 W 15
Torrepadre BU 31 F 18
Torreparedones CO 81 S 16
Torreperogil J 83 R 20
Torrequebradilla J 82 S 19
Torrequemada CC 67 N 11
Torres NA 11 D 25
Torres Z 34 H 25
Torres J 82 S 19
Torres (Cabo) O 6 B 12
Torres (Las) Z 34 H 26
Torres (Las) SA 43 J 13
Torres (Monte) 36 H 31
Torres (Río) 82 S 19
Torres Cabrera CO 81 S 15
Torres de Albánchez J 83 Q 21
Torres de Albarracín TE 48 K 25
Torres de Alcanadre HU 35 G 28
Torres de Aliste (Las) ZA 29 G 11
Torres de Barbués HU 35 G 28
Torres de Berellén Z 34 G 26
Torres de Cotillas (Las) MU 85 R 26
Torres de la Alameda M 46 K 19
Torres de Montes HU 21 F 29
Torres de Segre L 36 H 31
Torres del Carrizal ZA 29 H 12
Torres del Obispo HU 22 F 31
Torres del Río NA 19 E 23

Torres-Torres V 62 M 28
Torresandino BU 31 G 18
Torresaviñán (La) GU 47 J 22
Torrescárcela VA 31 H 17
Torresmenudas SA 43 I 12
Torrestio LE 5 C 11
Torresuso SO 32 H 20
Torreta de l'Orri L 23 E 33
Torrevelilla TE 50 J 29
Torrevicente SO 32 H 21
Torrevieja A 86 S 27
Torrevieja (Salines de) A 85 S 27
Torrico TO 57 M 14
Torrijas TE 61 L 27
Torrijas (Río) 61 L 27
Torrijo H 24 H 24
Torrijo del Campo TE 48 J 25
Torrijos TO 58 M 17
Torrijo del Fluvià GE 25 F 39
Torroella de Montgrí GE 25 F 39
Torroja del Priorat T 36 I 32
Torronteras GU 47 K 22
Torroña PO 12 F 3
Torrox MA 101 V 18
Torrox (Punta de) MA 101 V 18
Torrox Costa MA 101 V 18
Torrubia GU 48 J 24
Torrubia CO 81 Q 16
Torrubia de Soria SO 33 H 23
Torrubia del Campo CU 59 M 21
Torrubia del Castillo CU 60 M 23
Tortajada TE 48 K 26
Tortas AB 72 Q 22
Tortellà GE 24 F 37
Tórtola MA 100 M 23
Tórtola de Henares GU 46 J 20
Tórtoles AV 44 K 14
Tórtoles B 31 G 24
Tórtoles de Esgueva BU 31 G 17
Tortonda GU 47 J 22
Tortosa T 50 J 31
Tortosa (Cap de) T 51 J 32
Tortuera GU 48 J 24
Tortuero GU 46 J 19
Torvisca B 10 B 10
Torviscal BA 68 O 12
Torviscal (El) SE 92 U 12
Tosa d'Alp B 24 F 35
Tosalet A 75 P 30
Tosantos BU 18 E 20
Tosca (Embalse de la) CU 47 K 23
Toscana (La) GR 84 S 22
Toscas (Las) La Gomera TF 119 C 3
Toscón (El) Gran Canaria GC 115 F 2
Toscón (El) Gran Canaria GC 116 C 3
Tosende OR 27 G 6
Toses GE 24 F 36
Toses (Collada de) GE 24 E 35
Tosos Z 34 I 26
Tospe O 6 C 14
Tossa de Mar GE 39 G 38
Tossa de Montbui B 37 H 34
Tossa Pelada L 23 F 34
Tossal (El) A 74 Q 29
Tossal (El) L 37 G 33
Tossal de la Nevera CS 50 K 29
Tosto (Cabo) C 2 C 2
Totalán MA 101 V 17
Totana MU 85 S 25
Totanés TO 58 M 17
Toto Fuerteventura GC 113 F 3
Toural PO 12 E 4
Touriñán C 2 C 2
Touriñán (Cabo) C 2 C 2
Touro C 13 D 5
Tourón PO 12 E 4
Tous V 74 O 28
Tous (Embassament de) V 74 O 27
Tóvedas V 61 L 25
Tox O 5 B 10
Toya J 83 S 20
Tozalmoro SO 33 G 23
Tózar GR 94 T 18
Tozo 56 N 21
Tozo (Embalse del) CC 56 N 12
Traba C 2 C 2
Traba (La) LU 4 C 8
Trabada LU 8 B 8
Trabadelo LE 14 E 9
Trabakua (Puerto de) BI 10 C 22
Trabanca SA 29 I 10
Trabancos 44 I 14

TOLEDO

Casa y Museo de El Greco . AY **M¹**

0   200 m

Turra de Alba *SA* .... 44 J 13
Turre *AL* .... 96 U 24
Turrilla *AB* .... 84 R 23
Turrilla *MU* .... 84 S 24
Turro (El) *GR* .... 94 U 18
Turrubuelo *SG* .... 32 I 19
Turruchel .... 83 Q 21
Turruncún *LO* .... 19 F 23
Tús *AB* .... 84 Q 22
Tús (Balneario de) *AB* .... 84 Q 22
Tús (Río) .... 83 Q 22
Txindoki (Pico) *SS* .... 10 C 23

U
Ubeda *A* .... 85 Q 27
Ubeda *J* .... 82 R 19
Ubide *BI* .... 9 C 21
Ubierna *BU* .... 18 E 18
Ubierna (Rio) .... 18 E 18
Ubiña (Peña) *LE* .... 5 C 12
Ubrique *CA* .... 99 V 13
Ubrique (Sierra) .... 99 W 13
Úcar *NA* .... 11 D 24
Uceda *GU* .... 46 J 19
Ucedo *LE* .... 15 E 11
Ucero *SO* .... 32 G 20
Ucero (Río) .... 32 G 20
Uces (Las) *SA* .... 43 I 10
Ucieda *S* .... 7 C 17
Ucieza (Rio) .... 17 E 16
Uclés *CU* .... 59 M 21
Udalla *S* .... 8 C 19
Udías .... 7 C 17
Udra (Cabo de) *PO* .... 12 E 3
Uestra (S') .... 106 M 42
Uga Lanzarote *GC* .... 122 C 4
Ugalde *VI* .... 8 C 21
Ugao-Miraballes *BI* .... 8 C 21
Ugarteberri *SS* .... 10 C 23
Ugena *TO* .... 58 L 18
Uges *S* .... 3 C 4
Ugijar *GR* .... 102 V 20
Uharte / Huarte *NA* .... 11 D 25
Uharte-Arakil *NA* .... 10 D 24
Uitzi *NA* .... 10 C 24
Uitzi (Alto) *NA* .... 10 C 24
Ujados *GU* .... 32 I 20
Ujo *O* .... 5 C 12
Ujué *NA* .... 20 E 25
Ulea *MU* .... 85 R 26
Uleila del Campo *AL* .... 96 U 23
Ulía (Monte) *SS* .... 10 B 24
Ulíbarri *NA* .... 19 D 23
Ullà *GE* .... 25 F 39
Ulla (Río) *C* .... 13 D 4
Ullastrell *B* .... 38 H 35
Ullastret *GE* .... 25 F 39
Ulldecona *T* .... 50 K 31
Ulldecona (Embassament d') .... 50 J 30
Ulldemolins *T* .... 37 I 32
Ullíbarri (Embalse de) *VI* .... 19 D 22
Ullíbarri-Arrazua *VI* .... 19 D 22
Ullíbarri-Gamboa *VI* .... 19 D 22
Ulloa *LU* .... 3 D 6
Ultramort *GE* .... 25 F 39
Ultzama *NA* .... 11 C 24
Ulzurrun (Puerto de) *NA* .... 10 D 24
Umán (Collado de) .... 61 N 27
Umbralejo *GU* .... 46 I 20
Umbrete *SE* .... 91 T 11
Umbría *TE* .... 49 K 28
Umbría *MU* .... 84 S 24
Umbría *GR* .... 102 V 20
Umbría (La) *H* .... 79 S 10
Umbría (Sierra de la) *GR* .... 84 S 22
Umbría de Fresnedas *CR* .... 70 Q 19
Umbría de las Lomas *MU* .... 84 S 24
Umbría del Oso *CU* .... 60 L 25
Umbrías *AV* .... 43 L 13
Umbrías *MU* .... 97 T 25
Umia *PO* .... 13 E 4
Unarre *L* .... 23 E 33
Uncastillo *Z* .... 20 E 26
Unciti *NA* .... 11 D 25
Undués de Lerda *Z* .... 20 E 26
Undués-Pintano *Z* .... 20 E 26
Undurraga *BI* .... 9 C 21
Ungilde *Z* .... 28 F 10
Unión (La) *MU* .... 85 T 27
Unión de Campos (La) *VA* .... 30 F 14
Universales (Montes) *TE* .... 48 K 24
Unquera *S* .... 7 B 16
Unzué *NA* .... 20 E 25
Uña *CU* .... 60 L 24

Uña (La) *LE* .... 6 C 14
Uña de Quintana *ZA* .... 15 F 11
Urbanova *A* .... 86 R 28
Urbasa (Puerto de) *NA* .... 19 D 23
Urbasa (Sierra de) .... 19 D 23
Urbel *TO* .... 17 E 18
Urbel del Castillo *BU* .... 17 E 18
Urberuaga *BI* .... 10 C 22
Urbies *O* .... 6 C 12
Urbina *VI* .... 19 D 22
Urbión .... 32 F 21
Urbión (Monte) *SG* .... 32 F 21
Urbión (Reserva nacional de) *SG* .... 33 G 21
Urbión (Sierra de) *SO* .... 33 G 21
Urcal *AL* .... 96 T 24
Urculu .... 11 C 26
Urda *SS* .... 10 C 23
Urda *TO* .... 70 N 18
Urda (Estación de) .... 17 N 18
Urdaburu (Monte) *SS* .... 10 C 24
Urdaitz / Urdániz *NA* .... 11 D 25
Urdanta *LO* .... 18 F 21
Urdelar *SS* .... 10 C 24
Urdiales del Páramo *LE* .... 15 E 12
Urdiain *NA* .... 19 D 23
Urdilde *C* .... 12 D 3
Urdués *HU* .... 21 D 27
Urduliz *BI* .... 8 B 21
Ures *GU* .... 47 I 21
Ures de Medina *SO* .... 47 I 23
Urgell (Canal auxiliar d') *L* .... 37 G 32
Urgell (Canal d') *L* .... 37 G 33
Uria (Sierra de) *LU* .... 4 C 9
Uribarri-Dibiña *VI* .... 19 D 21
Urigoiti *BI* .... 19 D 22
Uritz / Úriz *NA* .... 11 D 25
Uriz *LU* .... 3 C 7
Úriz / Uritz *NA* .... 11 D 25
Urkabustaiz *VI* .... 18 D 21
Urkiaga (Coll de) .... 11 C 25
Urkuleta *BI* .... 10 C 22
Urmella *HU* .... 22 E 31
Urmi *CS* .... 50 K 31
Urnieta *SS* .... 10 C 24
Urola .... 10 C 23
Urones de Castroponce *VA* .... 16 F 14
Uroz *NA* .... 11 D 25
Urquilla (Sierra de) .... 19 D 22
Urquiola (Puerto) *BI* .... 10 C 22
Urraca-Miguel *AV* .... 45 J 16
Urrácal *AL* .... 96 T 22
Urrea de Gaén *TE* .... 49 I 28
Urrea de Jalón *Z* .... 34 H 26
Urrestieta-Avellaneda *BI* .... 8 C 20
Urrestilla *SS* .... 10 C 23
Urretxu *SS* .... 10 C 23
Urrexola *SS* .... 10 C 22
Urrez *BU* .... 18 F 19
Urria *BU* .... 18 D 19
Urría (Río) .... 32 F 20
Urriello (Vega de) *O* .... 6 C 15
Urriés *Z* .... 20 E 26
Urrobi .... 11 D 25
Urrotz *NA* .... 11 C 24
Urroz-Villa *NA* .... 11 D 25
Urrúnaga *VI* .... 19 D 22
Urrúnaga (Embalse de) .... 19 D 22
Urrutias (Los) *MU* .... 85 S 27
Urtasun *NA* .... 11 D 25
Urturi *VI* .... 19 E 22
Urtx *GE* .... 24 E 35
Urueña *VA* .... 30 G 14
Urueñas *SG* .... 32 H 18
Urumea .... 10 C 24
Uruñuela *LO* .... 19 E 21
Urús *GE* .... 24 E 35
Urz (La) *LE* .... 15 D 12
Urzainqui *NA* .... 11 D 27
Usagre *BA* .... 79 Q 11
Usagre (Rivera de) .... 79 Q 11
Usana *HU* .... 22 E 30
Usanos *GU* .... 46 J 20
Usánsolo *BI* .... 9 C 21
Usateguieta (Puerto de) *NA* .... 10 C 24
Uscarrés / Uskartze *NA* .... 11 D 26
Used *Z* .... 48 I 25
Used (Puerto de) *Z* .... 48 I 25
Useres (Les) *CS* .... 62 L 29
Usi *NA* .... 11 D 24
Uskartze / Uscarrés *NA* .... 11 D 26
Usón *HU* .... 35 G 29
Ustés *NA* .... 11 D 26
Usún *NA* .... 20 E 26

Usurbil *SS* .... 10 C 23
Utande *GU* .... 46 J 21
Utebo *Z* .... 35 G 27
Uterga *NA* .... 10 D 24
Utero *V* .... 18 E 19
Utiel *V* .... 61 N 26
Utiel (Serra d') .... 61 N 26
Utrera *SE* .... 92 U 12
Utrera *BA* .... 68 P 12
Utrilla *SO* .... 33 I 23
Utrillas *TE* .... 49 J 27
Utxesa (Pantà d') *L* .... 36 H 31
Uznayo *S* .... 7 C 16
Uzquiano *BU* .... 19 D 21
Uztárroz (Sierra de) .... 11 D 26
Uztárroz / Uztarroze *NA* .... 11 D 27
Uztarroze / Uztárroz *NA* .... 11 D 27

V
Vaca (La) *H* .... 78 S 7
Vaca (Morro de sa) .... 104 M 38
Vacaloura (Montes de) .... 13 D 6
Vacar (El) *CO* .... 81 R 15
Vacarisses *B* .... 38 H 35
Vadiello (Embalse de) *HU* .... 21 F 29
Vadillo *SO* .... 32 G 20
Vadillo de la Guareña *ZA* .... 30 I 13
Vadillo de la Sierra *AV* .... 44 K 14
Vadillos *CU* .... 60 L 23
Vado (Embalse de El) *GU* .... 46 I 20
Vado Baena *J* .... 82 S 17
Vado de las Hoyas (Embalse de) .... 82 R 19
Vado del Álamo *MA* .... 100 V 15
Vadocondes *BU* .... 32 H 19
Vadofresno *CO* .... 93 U 16
Vadollano (Estación de) *J* .... 82 R 19
Vados (Las) *MA* .... 101 V 19
Vados de Torralba *J* .... 82 S 19
Vajol (La) *GE* .... 25 E 38
Val *S* .... 3 B 5
Val (Embalse de El) *Z* .... 34 G 24
Val (Laguna de) .... 91 V 11
Val (Río) *SO* .... 34 G 24
Val de Algoso .... 29 H 10
Val de la Sabina *V* .... 61 L 26
Val de San García *GU* .... 47 J 22
Val de San Lorenzo *LE* .... 15 E 11
Val de San Martín *Z* .... 48 I 25
Val de San Román *LE* .... 15 E 11
Val de San Vicente .... 7 B 16
Val de Santa María *ZA* .... 29 G 11
Val de Santo Domingo .... 58 L 17
Val do Dubra *C* .... 2 C 4
Valacloche *TE* .... 61 L 26
Valadares *P* .... 2 D 3
Valadares *PO* .... 12 F 3
Valadouro *LU* .... 4 B 7
Valareña *Z* .... 20 F 26
Valberzoso *P* .... 17 D 17
Valboa *PO* .... 13 D 4
Valbona *TE* .... 61 L 27
Valbona (Río) .... 61 L 27
Valbonilla *BU* .... 17 F 17
Valbuena *SA* .... 43 K 12
Valbuena de Duero *VA* .... 31 H 17
Valbuena de Pisuerga *P* .... 17 F 17
Valbueno *GU* .... 46 K 20
Valbuxán *OR* .... 14 F 8
Valcabadillo *P* .... 16 E 15
Valcabado *ZA* .... 29 H 12
Valcabra (Rambla de) *GR* .... 95 T 21
Valcaliente *CC* .... 56 N 12
Valcarce (Moral de) *LE* .... 14 E 9
Valcárceres (Los) *BU* .... 17 E 18
Valcarlos / Luzaide *NA* .... 11 C 26
Valcavado *LE* .... 15 F 12
Valchillón *CO* .... 81 S 15
Valcotos *M* .... 45 J 18
Valcueva-Palazuelo (La) *LE* .... 16 D 13
Valdabra .... 21 F 28
Valdajos *TO* .... 59 L 20
Valdániga .... 7 C 16
Valdanzo *SO* .... 32 H 19
Valdaracete *M* .... 59 L 20
Valdarachas *GU* .... 46 K 20
Valdastillas *CC* .... 56 L 12
Valdavia *LE* .... 16 E 14
Valdavida *LE* .... 16 E 14
Valde-Ucieza *P* .... 17 E 16
Valdeagorfa *TE* .... 50 J 29

Valdeajos *BU* .... 17 D 18
Valdealbín *SO* .... 32 G 20
Valdealcón *LE* .... 16 E 14
Valdealiso *LE* .... 16 E 14
Valdealvillo *SO* .... 32 H 21
Valdeande *BU* .... 32 G 19
Valdearcos *VA* .... 31 H 17
Valdearcos *LE* .... 16 E 13
Valdearenas *GU* .... 46 J 21
Valdeavellano *GU* .... 46 J 21
Valdeavellano de Tera *SO* .... 33 G 22
Valdeavellano de Ucero *SO* .... 32 G 20
Valdeaveruelo *GU* .... 46 K 20
Valdeazogues *CR* .... 69 P 16
Valdeazogues (Río) .... 69 P 16
Valdeazores *TO* .... 57 N 15
Valdeazores(Montes) .... 68 O 13
Valdebótoa *BA* .... 67 P 9
Valdecaballeros *BA* .... 69 O 14
Valdecabras *CU* .... 60 L 23
Valdecabras (Sierra de) .... 60 L 23
Valdecabrillas *CU* .... 60 L 22
Valdecañas *CR* .... 70 P 18
Valdecañas *CU* .... 60 L 23
Valdecañas (Centro Agronómico de) *TO* .... 56 L 14
Valdecañas (Embalse de) *CC* .... 56 M 13
Valdecañas de Campos *P* .... 31 G 17
Valdecañas de Tajo *CC* .... 56 M 13
Valdecarpinteros *SA* .... 43 K 10
Valdecarros *SA* .... 44 J 13
Valdecasa *AV* .... 44 K 14
Valdecazorla *J* .... 83 S 20
Valdecebollas .... 17 D 16
Valdecebro *TE* .... 49 K 26
Valdecevillo (Yacimientos de) *LO* .... 19 F 23
Valdecilla *S* .... 8 B 18
Valdecolmenas de Abajo *CU* .... 60 L 22
Valdecolmenas de Arriba *CU* .... 60 L 22
Valdeconcha *GU* .... 46 K 21
Valdeconejos *TE* .... 49 J 27
Valdecuenca *TE* .... 49 K 26
Valdecuenca (Puerto de) *TE* .... 61 L 25
Valdecuna *O* .... 6 B 13
Valdedios *O* .... 6 B 13
Valdefinjas *ZA* .... 30 H 13
Valdeflores *SE* .... 79 S 10
Valdeforcas .... 35 I 29
Valdefresno *LE* .... 16 E 13
Valdefuentes *CC* .... 67 O 11
Valdefuentes (Santuario de) *CC* .... 55 L 11
Valdefuentes de Sangusín *SA* .... 43 K 12
Valdefuentes del Páramo *LE* .... 15 F 12
Valdeganga *AB* .... 72 O 24
Valdeganga de Cuenca *CU* .... 60 M 23
Valdegeña *SO* .... 33 G 23
Valdegovía *VI* .... 18 D 20
Valdegrudas *GU* .... 46 J 20
Valdegutur *J* .... 34 G 24
Valdehermoso de la Fuente *CU* .... 60 N 23
Valdeherreros *BA* .... 67 O 10
Valdehierro *CR* .... 70 O 17
Valdehijaderos *SA* .... 43 K 12
Valdehorna *Z* .... 48 I 25
Valdehornillo *BA* .... 68 O 12
Valdehoyas *TO* .... 58 L 18
Valdehúncar *CC* .... 56 M 13
Valdeinede (Arroyo de) .... 67 Q 11
Valdejimena (Ermita de) *SA* .... 44 K 13
Valdejimeno .... 34 H 26
Valdelacalzada *BA* .... 67 P 9
Valdelacasa *SA* .... 43 K 12
Valdelacasa de Tajo *CC* .... 56 M 14
Valdelageve *SA* .... 43 K 12
Valdelagrana *CA* .... 98 W 11
Valdelagua *M* .... 46 J 19
Valdelagua *GU* .... 47 J 21
Valdelagua del Cerro *SO* .... 33 G 23
Valdeláguila-El Robledal *M* .... 46 K 20

Valdelaguna *M* .... 59 L 19
Valdelamadera *CR* .... 70 O 17
Valdelamusa *H* .... 78 S 9
Valdelarco *H* .... 79 S 9
Valdelatas *M* .... 46 K 17
Valdelateja .... 18 D 18
Valdelavia (Alto de) *AV* .... 45 K 16
Valdelcubo *GU* .... 33 I 21
Valdelinares *TE* .... 49 K 28
Valdelinares *SO* .... 32 G 20
Valdellosa *TE* .... 48 J 25
Valdelobos (Cañada de) *AB* .... 71 O 22
Valdelosa *SA* .... 43 I 12
Valdelosica (Sierra) .... 21 F 27
Valdelosjugos .... 35 H 28
Valdeltormo *TE* .... 50 J 30
Valdelugueros *LE* .... 16 D 13
Valdemadera *LO* .... 33 G 23
Valdemadera (Río) .... 72 O 24
Valdemaluque *SO* .... 32 G 20
Valdemanco *M* .... 46 J 19
Valdemanco del Esteras *CR* .... 69 P 15
Valdemaqueda *M* .... 45 K 17
Valdemarías *TO* .... 57 M 16
Valdemarín (Casa Forestal de) *J* .... 83 R 21
Valdemeca *CU* .... 60 L 24
Valdemeca (Sierra de) .... 60 L 24
Valdemembra (Río) .... 72 O 24
Valdemerilla *ZA* .... 29 F 10
Valdemierque *SA* .... 44 J 13
Valdemora *LE* .... 16 F 13
Valdemorales *CC* .... 68 O 11
Valdemorillo *M* .... 45 K 17
Valdemorillo de la Sierra *CU* .... 60 L 24
Valdemoro *M* .... 58 L 18
Valdemoro del Rey *CU* .... 59 L 22
Valdemoro Sierra *CU* .... 60 L 24
Valdenarros *SO* .... 32 H 21
Valdenebro *SO* .... 32 H 21
Valdenebro de los Valles *VA* .... 30 G 15
Valdenegrillos *SO* .... 33 G 23
Valdenoceda *BU* .... 18 D 19
Valdenoches *GU* .... 46 J 20
Valdenoguera *SA* .... 42 J 9
Valdenuño Fernández *GU* .... 46 J 19
Valdeobispo *CC* .... 55 L 11
Valdeobispo (Embalse de) *CC* .... 55 L 11
Valdeolea .... 17 D 17
Valdeolivas *CU* .... 47 K 22
Valdeolmillos *P* .... 31 F 16
Valdeolmos *M* .... 46 K 19
Valdepalacios *TO* .... 57 M 14
Valdepares *O* .... 4 B 9
Valdepeñas *R* .... 71 P 19
Valdepeñas de Jaén *J* .... 94 T 18
Valdepeñas de la Sierra *GU* .... 46 J 19
Valdeperales *M* .... 59 L 19
Valdeperdices *ZA* .... 29 H 12
Valdeperillo *LO* .... 33 F 23
Valdepiélago *LE* .... 16 D 13
Valdepielagos *M* .... 46 J 19
Valdepolo *LE* .... 16 E 14
Valdeprado *S* .... 7 C 16
Valdeprado *S* .... 33 G 23
Valdeprado del Río *S* .... 17 D 17
Valderas *LE* .... 30 F 13
Valderías *BU* .... 17 D 18
Valderrábano *P* .... 17 E 16
Valderrama *BU* .... 18 D 20
Valderrebollo *GU* .... 47 J 21
Valderredible .... 17 D 18
Valderrepisa (Puerto) *CR* .... 81 Q 16
Valderrey *LE* .... 15 E 11
Valderrobres *TE* .... 50 J 30
Valderrodilla *SO* .... 33 H 21
Valderrodrigo *SA* .... 43 I 10
Valderrosas *CC* .... 55 L 11
Valderrubio *GR* .... 94 U 18
Valderrueda *SO* .... 33 H 21
Valderrueda *LE* .... 16 D 15
Valdés *MA* .... 101 V 17
Valdesalor *CC* .... 55 N 10
Valdesamario *LE* .... 15 D 12
Valdesamario (Embalse Azud de) *LE* .... 15 D 11
Valdesaz *GU* .... 46 J 21
Valdescorriel *ZA* .... 30 F 13
Valdesimonte *SG* .... 31 I 18

Valdesoto *O* .... 6 B 13
Valdesotos *GU* .... 46 J 20
Valdespina *P* .... 17 F 16
Valdespina *SO* .... 33 H 22
Valdespino Cerón *LE* .... 16 F 13
Valdespino de Somoza *LE* .... 15 E 11
Valdesquí *M* .... 45 J 18
Valdestillas *VA* .... 30 H 15
Valdeteja *LE* .... 16 D 13
Valdeteja (Collada de) *LE* .... 16 D 13
Valdeterrazo del Marqués *BA* .... 78 Q 8
Valdetorres *BU* .... 68 P 11
Valdetorres de Jarama *M* .... 46 J 19
Valdevacas de Montejo *SG* .... 32 H 19
Valdevacas y Guijar *SG* .... 45 I 18
Valdevaqueros (Ensenada de) *CA* .... 99 X 12
Valdeverdeja *TO* .... 57 M 14
Valdevimbre *LE* .... 16 E 13
Valdezate *BU* .... 31 H 18
Valdezcaray *LO* .... 18 F 21
Valdezufre *H* .... 79 S 10
Valdhuelo .... 45 K 16
Valdilecha *M* .... 59 L 20
Valdío *F* 9
Valdivia *BA* .... 68 O 12
Valdomar *LU* .... 3 C 6
Valdoré *LE* .... 16 D 14
Valdoro (Sierra de) *CR* .... 82 Q 17
Valdorros *BU* .... 18 F 18
Valdovino *C* .... 3 B 5
Valdunciel *SA* .... 43 I 12
Valdunquillo *VA* .... 30 F 14
Valduno Nuevo *BA* .... 67 P 9
Valduvieco *LE* .... 16 E 14
Valeixe *PO* .... 13 F 5
Valencia *V* .... 61 N 29
València (Golf de) *V* .... 62 N 29
València d'Àneu *L* .... 23 E 33
Valencia de Alcántara *CC* .... 54 N 8
Valencia de las Torres *BA* .... 79 Q 12
Valencia del Mombuey *BA* .... 78 R 8
Valencia del Ventoso *BA* .... 79 R 10
Valencina de la Concepción *SE* .... 91 T 11
Valentín *MU* .... 84 R 24
Valentins (Els) *T* .... 50 K 31
Valenzuela *CO* .... 81 S 17
Valenzuela de Calatrava *CR* .... 70 P 18
Valer *ZA* .... 29 G 11
Valera *BA* .... 79 R 10
Valera de Abajo *CU* .... 60 M 23
Valera de Arriba *CU* .... 60 M 23
Valeriano *GR* .... 94 T 18
Valero *SA* .... 43 K 12
Vales *OR* .... 13 E 6
Valfarta *HU* .... 35 H 29
Valfermoso de las Monjas *GU* .... 46 J 21
Valfermoso de Tajuña *GU* .... 46 J 21
Valfonda de Santa Ana *HU* .... 35 G 28
Valga *PO* .... 12 D 4
Valgañón *LO* .... 18 F 20
Valgrande .... 15 D 12
Valhermoso *GU* .... 47 J 23
Valientes (Los) *MU* .... 85 R 26
Valiñas *PO* .... 12 E 4
Valjunquera *TE* .... 50 J 30
Vall d'Alba *CS* .... 62 L 29
Vall d'Alcalà *A* .... 74 P 28
Vall d'Àngel (Serra de la) *CS* .... 50 K 30
Vall d'Uixó (La) *CS* .... 62 M 29
Vall de Almonacid *CS* .... 62 M 28
Vall de Bianya (La) *GE* .... 24 F 37
Vall de Ebo *A* .... 74 P 29
Vall de Gallinera *A* .... 74 P 29
Vall de Laguart *A* .... 74 P 29
Vall Ferrera *A* .... 23 E 34
Vall Llebrera *L* .... 37 G 33
Vall-Llobrega *GE* .... 25 G 39
Vallada *V* .... 74 P 28
Valladares .... 33 I 22
Vallado *O* .... 5 C 10
Valladolid *VA* .... 30 H 15
Valladolises *MU* .... 85 S 26
Vallanca *V* .... 61 L 25
Vallarta de Bureba *BU* .... 18 E 20
Vallat *CS* .... 62 L 28
Vallbona d'Anoia *B* .... 37 H 35
Vallbona de les Monges *L* .... 37 H 33
Vallcarca *B* .... 38 I 35

VALÈNCIA

Alcade Reig . . . . **BV** 2
Ángel Guimerá . . . . **AU** 7
Burjassot (Av. de) . . . . **AU** 9
Campanar (Av.) . . . . **AU** 10
Cavanilles . . . . **BU** 14
Constitución (Av. de la) . . . **BU** 15
Doctor Peset Aleixandre (Av.) **BU** 20
Doctor Tomás Sala (Av. del) . **AV** 21
Fernando el Católico (G. Via) **AU** 26
Filipinas . . . . **BV** 29
Gaspar Aguilar (Av. de) . . . . **AV** 31
General Avilés (Av.) . . . . **AU** 32
General Urrutia . . . . **BV** 36
Giorgeta (Av.) . . . . **AV** 37
Guadalaviar . . . . **BU** 38
Hermanos Maristas (Av. de) . **BV** 42
Ingeniero Manuel Soto (Av.) . **CV** 43
José Soto Mico . . . . **AV** 46
Junta de Murs y Valls . . . . . . **BV** 44
Llano de la Zaidia . . . . **BU** 47
Maestro Rodrigo (Av.) . . . . . **AU** 51
Mandingora (Av. de) . . . . **AV** 52
Manuel de Falla (Av.) . . . . . . **AV** 53
Menéndez Pidal (Av.) . . . . . . **AU** 58
Morenas (Camino) . . . . **CV** 60
Pechina (Paseo) . . . . **AU** 68
Pérez Galdós (Av. de). . . . . . **AU** 69
Peris y Valero (Av. de). . . . . . **BV** 71
Pianista Martínez Carrasco
   (Av. del) . . . . **BV** 72
Plata (Av. de la) . . . . **BV** 76
Primado Reig (Av. del) . . . . . **BU** 78
San José de Calasanz . . . . . . **AV** 82
San Vicente Mártir (Av.) . . . . **AV** 84
Tirso de Molina (Av.) . . . . . . **AU** 92
9 de Octubre . . . . **AU** 99

Vallcebre *B* . . . . **23** F 35
Vallclara *T* . . . . **37** H 32
Valldan (La) . . . . **24** I 33
Valldebous (Barranc de) . . . **50** K 31
Valldemossa *PM* . . . . **104** M 37
Valldoreix *B* . . . . **38** H 36
Valle *S* . . . . **8** C 19
Valle (El) *LE* . . . . **15** E 10
Valle (El) *CA* . . . . **99** X 12
Valle (Sierra del) *CA* . . . . . . **99** W 12
Valle-Brosque *Tenerife* *TF* **125** J 2
Valle de Abdalajís *MA* . . . . . **100** V 15
Valle de Arán (Parador de)
   Vielha *L* . . . . **22** D 32
Valle de Arriba *Tenerife* *TF* **126** C 3
Valle de Cabuerniga *S* . . . . . **7** C 17
Valle de Cerrato *P* . . . . **31** G 16
Valle de Finolledo *LE* . . . . . **14** D 9
Valle de Guerra
   Tenerife *TF* . . . . **124** H 2
Valle de la Serena *BA* . . . . . **68** P 12
Valle de la Venta *CC* . . . . . . **55** L 9
Valle de la Viuda (El) *CR* . . **69** O 16
Valle de Lago *O* . . . . **5** C 11
Valle de las Casas (El) *LE* . **16** D 14
Valle de Lierp *HU* . . . . **22** E 31
Valle de los Caídos *M* . . . . . **45** K 17
Valle de Matamoros *BA* . . . . **79** Q 9
Valle de S. Augustín (El) *O* . . **4** B 9
Valle de Santa Ana *BA* . . . . **79** Q 9
Valle de Santullan *P* . . . . . . **17** D 16
Valle de Tabladillo *SG* . . . . **31** H 18
Valle de Trapaga *BI* . . . . **8** C 20
Valle de Vegacervera *LE* . . **16** D 13
Valle de Zamancas . . . . **18** D 18
Valle Gran Rey (Barranco)
   La Gomera *TF* . . . . **118** B 2
Valle Retortillo *P* . . . . **16** F 15
Vallebrón
   Fuerteventura *GC* . . . . **111** H 2
Vallecas *M* . . . . **46** K 19

Vallecillo *LE* . . . . **16** E 14
Vallecillo (El) *TE* . . . . **61** L 25
Valledor (Sierra de) *O* . . . . . . **4** C 9
Vallegera *BU* . . . . **17** F 17
Vallehermoso
   La Gomera *TF* . . . . **118** C 1
Vallehermoso *TO* . . . . **57** M 16
Vallehondo (Arroyo de) . . . . **16** E 15
Vallejera de Riofrío *SA* . . . **43** K 12
Valleja . . . . **99** V 12
Vallejimeno *BU* . . . . **32** F 20
Vallejo *P* . . . . **17** D 17
Vallejo de Mena *BU* . . . . **8** C 20
Vallelado *SG* . . . . **31** H 16
Vallenuengo *ZA* . . . . **29** F 11
Vallequillas *M* . . . . **58** L 19
Valleruela de Pedraza *SG* . **45** I 18
Valleruela de Sepúlveda *SG* **46** I 18
Valles (Los) *Lanzarote* *GC* **123** E 3
Valles (Reserva
   nacional de los) *HU* . . . **21** D 27
Valles de Ortega
   Fuerteventura *GC* . . . . **113** G 3
Valles de Palenzuela *BU* . . **17** F 17
Valles de Valdavia *P* . . . . . . **17** E 16
Vallesa *ZA* . . . . **44** I 14
Vallespinosa *T* . . . . **37** H 34
Vallespinoso de Aguilar *P* . **17** D 16
Vallfogona *BU* . . . . **24** F 36
Vallfogona de Balaguer *L* . . **36** G 32
Vallfogona de Ripolles *GE* . **24** F 36
Vallfogona de Riucorb *T* . . **37** H 33
Vallgorguina *B* . . . . **38** H 37
Vallibierna (Pico de) *HU* . . **22** E 31
Vallibona *CS* . . . . **50** K 30
Vallirana *B* . . . . **38** H 35
Vallivana *CS* . . . . **50** K 30
Vallivana (Serra de) *CS* . . . **50** K 30
Vallmanya
   cerca de Lérida *L* . . . . . **36** H 31

Vallmanya
   cerca de Cardona *L* . . . **37** G 34
Vallmoll *T* . . . . **37** I 33
Valloball *P* . . . . **6** B 14
Valloria *SO* . . . . **33** F 22
Vallromanas *B* . . . . **38** H 36
Valls *T* . . . . **37** I 33
Vallter 2000 *GE* . . . . **24** E 36
Valltorta
   (Barranc de la) *CS* . . . . . **50** K 30
Valluerca *VI* . . . . **18** D 20
Valluercanes *BU* . . . . **18** E 20
Vallunquera *BU* . . . . **17** F 17
Valmala *BU* . . . . **18** F 20
Valmadrid *Z* . . . . **35** H 27
Valmartino *LE* . . . . **16** D 14
Valmayor *J* . . . . **81** Q 17
Valmayor (Embalse de) *M* . **45** K 17
Valmojado *TO* . . . . **58** L 17
Valmuel del Caudillo *TE* . . **49** I 29
Valonga *HU* . . . . **36** G 30
Válor *GR* . . . . **102** V 20
Valoria de Aguilar *P* . . . . . . **17** D 17
Valoria del Alcor *P* . . . . **30** G 15
Valoria la Buena *VA* . . . . **31** G 16
Valparaíso *ZA* . . . . **21** F 27
Valparaíso cerca de
   Cuelgamures *ZA* . . . . . **29** I 12
Valparaíso
   cerca de Mombuey *ZA* . **29** G 11
Valparaíso (Embalse de) . . **29** G 10
Valparaíso de Abajo *CU* . . **59** L 22
Valparaíso de Arriba *CU* . . **59** L 22
Valporquero de Rueda *LE* . **16** D 14
Valporquero de Torío *LE* . . **16** D 13
Valrío *CC* . . . . **55** L 10
Valronquillo *CR* . . . . **70** O 18
Valsain *SG* . . . . **45** J 17
Valsalabroso *SA* . . . . **43** I 10

Valsalada *HU* . . . . **21** F 28
Valsalobre *CU* . . . . **47** K 23
Valsalobre *GU* . . . . **48** J 24
Valseca *SG* . . . . **45** I 17
Valseco *LE* . . . . **15** D 10
Valsemana *LE* . . . . **16** D 12
Valsequillo *CO* . . . . **80** Q 13
Valsequillo de Gran Canaria
   Gran Canaria *GC* . . . . **115** F 3
Valtablado del Río *GU* . . . . **47** J 22
Valtajeros *SO* . . . . **33** G 23
Valtiendas *SG* . . . . **31** H 18
Valtierra *NA* . . . . **20** F 25
Valtorres *Z* . . . . **34** I 24
Valtueña *SO* . . . . **33** H 23
Valuengo *BA* . . . . **79** R 9
Valuengo
   (Embalse de) *BA* . . . . . . **79** R 10
Valvaler *O* . . . . **4** C 9
Valvenedizo *SO* . . . . **32** H 21
Vecilla (La) *LE* . . . . **16** D 13
Vecindario
   Gran Canaria *GC* . . . . **117** F 4
Vecinos *SA* . . . . **43** J 12
Vedado . . . . **35** G 28
Vedado (Sierra del) . . . . **21** D 27
Vedat de Torrent (El) *V* . . . . **62** N 28
Vedra *C* . . . . **13** D 4
Vedrà (Illa) . . . . **87** P 33
Vega *S* . . . . **7** C 18
Vega (La) *S* . . . . **7** C 16
Vega (La) cerca de
   Ribadesella *O* . . . . **6** B 14
Vega (La) cerca de Tineo *O* . . **5** C 11
Vega (La) *Riosa* *O* . . . . **5** C 12
Vega (La) *Sariego* *O* . . . . . . **5** C 13
Vega (La) *BA* . . . . **66** O 8
Vega de Almanza (La) *LE* . **16** D 14
Vega de Anzo *O* . . . . **5** B 11

Valverde del Fresno *CC* . . . **55** L 9
Valverde del Majano *SG* . . **45** J 17
Valverde Enrique *LE* . . . . . . **16** F 14
Valverdejo *CU* . . . . **60** N 23
Valverdín *LE* . . . . **16** D 13
Valverdón *SA* . . . . **43** I 12
Valvieja *SG* . . . . **32** H 19
Vanacloig *V* . . . . **61** M 27
Vandellòs *T* . . . . **51** I 32
Vanidodes *LE* . . . . **15** E 11
Vara *C* . . . . **12** D 3
Vara (Alto de la) *GU* . . . . . . **32** I 21
Vara de Rey *CU* . . . . **72** N 23
Varas *CO* . . . . **81** R 16
Varelas *C* . . . . **13** D 5
Vargas *S* . . . . **7** C 18
Varona *S* . . . . **34** H 24
Vascos
   (Ruinas romanas) *TO* . . **57** M 14
Veciana *B* . . . . **37** H 34
Vecilla (La) *LE* . . . . **16** D 13

Vega de Bur *P* . . . . **17** D 16
Vega de Caballeros *LE* . . . . **15** D 12
Vega de Doña Olimpa *P* . . . **17** E 16
Vega de Espinareda *LE* . . . **14** D 9
Vega de Gordón *LE* . . . . **16** D 13
Vega de Infanzones *LE* . . . **16** E 13
Vega de Liébana *S* . . . . **7** C 16
Vega de los Viejos (La) *LE* **15** D 11
Vega de Magaz *LE* . . . . **15** E 11
Vega de Matalobos . . . . **55** L 9
Vega de Pas *S* . . . . **8** C 18
Vega de Rengos *O* . . . . **5** C 10
Vega de Río Palmas
   Fuerteventura *GC* . . . . **110** F 3
Vega de Ruiponce *VA* . . . . . **16** F 14
Vega de San Mateo
   Gran Canaria *GC* . . . . **115** E 2
Vega de Santa María *AV* . . **45** J 16
Vega de Tera *ZA* . . . . **29** G 11
Vega de Tirados *SA* . . . . **43** I 11
Vega de Valcarce *LE* . . . . . . **14** E 9
Vega de Valdetronco *VA* . . **30** H 14
Vega de Villalobos *ZA* . . . . **30** G 13
Vega de Yeres *LE* . . . . **14** E 9
Vega del Castillo *ZA* . . . . . . **15** F 11
Vega del Codorno *CU* . . . . . **47** K 24
Vega del Jabalón
   (Embalse de) . . . . **70** P 18
Vega del Rey *O* . . . . **5** C 12
Vega Esquivia *TO* . . . . **70** N 18
Vegacerneja *LE* . . . . **16** C 14
Vegacervera *LE* . . . . **16** D 13
Vegadeo *O* . . . . **4** B 8
Vegafría *SG* . . . . **31** H 17
Vegagalar *O* . . . . **4** C 10
Vegalagar *O* . . . . **4** C 10
Vegalatrave *ZA* . . . . **29** G 11
Vegallera *AB* . . . . **72** Q 23
Vegameoro *O* . . . . **5** C 10
Veganzones *SG* . . . . **45** I 18
Vegaquemada *LE* . . . . **16** D 14
Vegarada (Puerto de) *LE* . . . **6** C 13

Valverde *BU* . . . . **32** G 19
Valverde *SO* . . . . **34** G 24
Valverde *TE* . . . . **48** J 26
Valverde El Hierro *TF* . . . . **109** D 2
Valverde *CR* . . . . **70** P 17
Valverde *LO* . . . . **34** G 24
Valverde de Alcalá *M* . . . . . **46** K 19
Valverde de Burguillos *BA* **79** R 10
Valverde de Campos *VA* . . **30** G 14
Valverde de Júcar *CU* . . . . . **60** M 23
Valverde de la Sierra *LE* . . **16** D 15
Valverde de la Vera *CC* . . . **56** L 13
Valverde de la Virgen *LE* . . **16** E 13
Valverde de Leganés *BA* . . **66** P 9
Valverde de Llerena *BA* . . . **80** R 12
Valverde de Mérida *BA* . . . **67** P 11
Valverde
   de Valdelacasa *SA* . . . . **43** K 12
Valverde del Camino *H* . . . **91** T 9

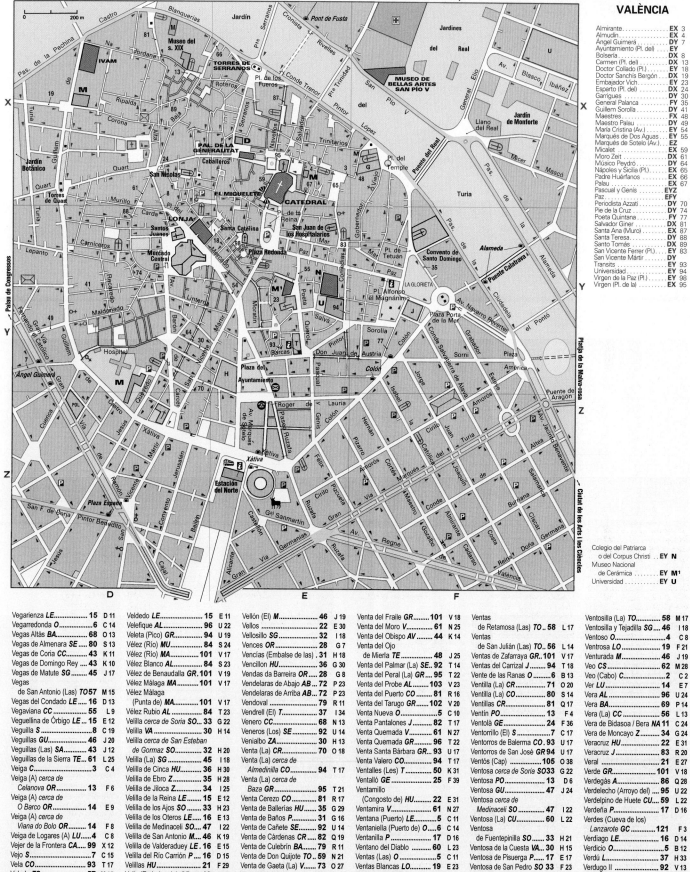

VALÈNCIA

Almirante . . . . **EX** 3
Almudín . . . . **EX** 4
Ángel Guimerá . . . . **DY** 7
Ayuntamiento (Pl. del) . . . **EY**
Bolsería . . . . **DX** 8
Carmen (Pl. del) . . . . **DX** 13
Doctor Collado (Pl.) . . . . . **EY** 18
Doctor Sanchis Bergón . . **DX** 19
Embajador Vich . . . . **EY** 23
Esparto (Pl. del) . . . . **DX** 24
Garrigues . . . . **DY** 30
General Palanca . . . . **FY** 35
Guillem Sorolla . . . . **DY** 41
Maestres . . . . **FX** 48
Maestro Palau . . . . **DY** 49
María Cristina (Av.) . . . . . **EY** 54
Marqués de Dos Aguas . . **EY** 55
Marqués de Sotelo (Av.) . . **EZ**
Micalet . . . . **EX** 59
Moro Zeit . . . . **DX** 61
Músico Peydró . . . . **DY** 64
Nápoles y Sicilia (Pl.) . . . **EX** 65
Padre Huérfanos . . . . **EX** 66
Palau . . . . **EY** 67
Pascual y Genís . . . . **EYZ**
Paz . . . . **EFY**
Periodista Azzati . . . . **DY** 70
Pie de la Cruz . . . . **DY** 74
Poeta Quintana . . . . **FY** 77
Salvador Giner . . . . **DX** 81
Santa Ana (Muro) . . . . . . **EX** 87
Santa Teresa . . . . **DY** 88
Santo Tomás . . . . **DY** 89
San Vicente Ferrer (Pl.) . . **EY** 83
San Vicente Mártir . . . . . **DY**
Transits . . . . **EY** 93
Universidad . . . . **EY** 94
Virgen de la Paz (Pl.) . . . . **EY** 98
Virgen (Pl. de la) . . . . **EX** 95

Colegio del Patriarca
o del Corpus Christi . . **EY N**
Museo Nacional
de Cerámica . . . . **EY M¹**
Universidad . . . . **EY U**

Vegarienza *LE* . . . . **15** D 11
Vegarredonda *O* . . . . **6** C 14
Vegas Altás *BA* . . . . **68** O 13
Vegas de Almenara *SE* . **80** S 13
Vegas de Coria *CC* . . . . **43** K 11
Vegas de Domingo Rey *O* **43** K 10
Vegas de Matute *SG* . . . **45** J 17
Vegas
de San Antonio (Las) *TO***57** M 15
Vegas del Condado *LE* . . **16** D 13
Vegaviana *CC* . . . . **55** L 9
Veguellina de Órbigo *LE* . **15** E 12
Veguilla *S* . . . . **8** C 19
Veguillas *GU* . . . . **46** J 20
Veguillas (Las) *SA* . . . . . **43** J 12
Veguillas de la Sierra *TE* . **61** L 25
Veiga *C* . . . . **3** C 4
Veiga (A) cerca de
Celanova *OR* . . . . . . **13** F 6
Veiga (A) cerca de
O Barco *OR* . . . . **14** E 9
Veiga (A) cerca de
Viana do Bolo *OR* . . . **14** F 8
Veiga de Logares (A) *LU* . **4** C 8
Vejer de la Frontera *CA* . **99** X 12
Vejo *S* . . . . **7** C 15
Vela *CO* . . . . **93** T 17
Velada *TO* . . . . **57** M 15
Velamazán *SO* . . . . **33** H 21
Velascálvaro *VA* . . . . . . **30** I 15
Velate (Castillo de) *NA* . . **11** C 25
Velayos *AV* . . . . **45** J 16

Veldedo *LE* . . . . **15** E 11
Velefique *AL* . . . . **96** U 22
Veleta (Pico) *GR* . . . . . . **94** U 19
Vélez (Río) *MU* . . . . **84** S 24
Vélez (Río) *MA* . . . . **101** V 17
Vélez Blanco *AL* . . . . . . **84** S 23
Vélez de Benaudalla *GR* . **101** V 19
Vélez Málaga *MA* . . . . . **101** V 17
Vélez Málaga
(Punta de) *MA* . . . . . **101** V 17
Vélez Rubio *AL* . . . . **84** T 23
Velilla cerca de Soria *SO* . **33** G 22
Velilla cerca de San Esteban
de Gormaz *SO* . . . . . **32** H 20
Velilla (La) *SG* . . . . **45** I 18
Velilla de Cinca *HU* . . . . **36** H 30
Velilla de Ebro *Z* . . . . . . **35** H 28
Velilla de Jiloca *Z* . . . . . . **34** I 25
Velilla de la Reina *LE* . . . **15** E 12
Velilla de los Ajos *SO* . . . **33** H 23
Velilla de los Oteros *LE* . . **15** E 13
Velilla de Medinaceli *SO* . **47** I 22
Velilla de San Antonio *M* . **46** K 19
Velilla de Valderaduey *LE* . **15** E 15
Velilla del Río Carrión *P* . **16** D 15
Velillas *HU* . . . . **21** F 29
Velle (Embalse de) *OR* . . **13** E 6
Vellés (La) *SA* . . . . **44** I 13
Velliza de Tarilonte *P* . . . **17** D 15
Vellisca *CU* . . . . **59** L 21
Velliza *VA* . . . . **30** H 15

Vellón (El) *M* . . . . **46** J 19
Vellos . . . . **22** E 30
Vellosillo *SG* . . . . **32** I 18
Vences *OR* . . . . **28** G 7
Vencías (Embalse de las) . **31** H 18
Vencillón *HU* . . . . **36** G 30
Vendas da Barreira *OR* . . **28** G 8
Vendelaras de Abajo *AB* . **72** P 23
Vendelaras de Arriba *AB* . **72** P 23
Vendoval . . . . **79** R 11
Vendrell (El) *T* . . . . **37** I 34
Venero *CC* . . . . **68** N 13
Veneros (Los) *SE* . . . . . . **92** U 14
Venialbo *ZA* . . . . **30** H 13
Venta (La) *CR* . . . . **70** O 18
Venta (La) cerca de
Almedinilla *CO* . . . . . **94** T 17
Venta (La) cerca de
Baza *GR* . . . . **95** T 21
Venta Cerezo *CO* . . . . . **81** R 17
Venta de Ballerías *HU* . . **35** G 29
Venta de Baños *P* . . . . . **31** G 16
Venta de Cañete *SE* . . . . **92** U 14
Venta de Cárdenas *CR* . . **82** Q 19
Venta de Culebrín *BA* . . . **79** R 11
Venta de Don Quijote *TO* . **59** N 21
Venta de Gaeta (La) *V* . . **73** O 27
Venta de la Muela *J* . . . . **83** R 21
Venta de los Santos *J* . . . **83** Q 20
Venta de Micena *GR* . . . . **84** S 22
Venta del Charco *CO* . . . **81** R 17
Venta del Cruce *SE* . . . . **91** U 11

Venta del Fraile *GR* . . . . **101** V 18
Venta del Moro *V* . . . . . . **61** N 25
Venta del Obispo *AV* . . . **44** K 14
Venta del Ojo
de Mierla *TE* . . . . . . **48** J 25
Venta del Palmar (La) *SE* . **92** T 14
Venta del Peral (La) *GR* . . **95** T 22
Venta del Probe *AL* . . . . **103** V 23
Venta del Puerto *CO* . . . **81** R 16
Venta del Tarugo *GR* . . . **102** V 20
Venta Nueva *O* . . . . **5** C 10
Venta Pantalones *J* . . . . **82** T 17
Venta Quemada *J* . . . . . **61** N 27
Venta Quemada *GR* . . . . **96** T 22
Venta Santa Bárbara *GR* . **93** U 17
Venta Valero *CO* . . . . . . **94** T 17
Ventas (Les) *T* . . . . **50** K 31
Ventalló *GE* . . . . **25** F 39
Ventamillo
(Congosto de) *HU* . . . **22** E 31
Ventamira *V* . . . . **61** N 27
Ventana (Puerto) . . . . **5** C 11
Ventaniella (Puerto de) *O* . **6** C 14
Ventanilla *P* . . . . **17** D 16
Ventano del Diablo . . . . . . **60** L 23
Ventas (Las) *O* . . . . **5** C 11
Ventas Blancas *LO* . . . . **19** E 23
Ventas con Peña
Aguilera *TO* . . . . **58** N 17
Ventas de Arriba *H* . . . . . **79** S 10
Ventas de Huelma *GR* . . **94** U 18
Ventas de Muniesa *TE* . . **49** I 27

Ventas
de Retamosa (Las) *TO* . **58** L 17
Ventas
de San Julián (Las) *TO* . **56** L 14
Ventas de Zafarraya *GR* . **101** V 17
Ventas del Carrizal *J* . . . . **94** T 18
Ventilla (La) *CR* . . . . **71** O 20
Ventilla (La) *CO* . . . . **80** S 14
Ventillas *CR* . . . . **81** Q 17
Ventín *PO* . . . . **13** F 4
Ventolà *GE* . . . . **24** F 36
Ventorrillo (El) *S* . . . . **7** C 17
Ventorros de Balerma *CO* . **93** U 17
Ventorros de San José *GR* **94** U 17
Ventós (Cap) . . . . **105** O 38
Ventosa cerca de Soria *SO***33** G 22
Ventosa *PO* . . . . **13** D 6
Ventosa *CO* . . . . **47** J 24
Ventosa cerca de
Medinaceli *SO* . . . . . **47** I 22
Ventosa (La) *CU* . . . . . . **60** L 22
Ventosa
de Fuentepinilla *SO* . . **33** H 21
Ventosa de la Cuesta *VA* . **30** H 15
Ventosa de Pisuerga *P* . . **17** E 17
Ventosa de San Pedro *SO* **33** F 23
Ventosa del Río Almar *SA* . **44** J 13
Ventoses (Les) *L* . . . . . . **37** G 33
Ventosilla *SO* . . . . **33** G 22
Ventosilla *J* . . . . **82** S 18

Ventosilla (La) *TO* . . . . . **58** M 17
Ventosilla y Tejadilla *SG* . **46** I 18
Ventoso *O* . . . . **4** C 8
Ventrosa *LO* . . . . **19** F 21
Venturada *M* . . . . **46** J 19
Veo *CS* . . . . **62** M 28
Veo (Cabo) *C* . . . . **2** C 2
Ver *LU* . . . . **14** E 7
Vera *AL* . . . . **96** U 24
Vera *BA* . . . . **69** P 14
Vera (La) *CC* . . . . **56** L 13
Vera de Bidasoa / Bera *NA* **11** C 24
Vera de Moncayo *Z* . . . . **34** G 24
Veracruz *HU* . . . . **22** E 31
Veracruz *J* . . . . **83** R 20
Veral . . . . **21** E 27
Verde *GR* . . . . **101** V 18
Verdagàs *A* . . . . **86** Q 28
Verdelecho (Arroyo del) . . **95** U 22
Verdelpino de Huete *CU* . **59** L 22
Verdeña *P* . . . . **17** D 16
Verdes (Cueva de los)
Lanzarote *GC* . . . . . . **121** F 3
Verdiago *LE* . . . . **16** D 14
Verdicio *O* . . . . **5** B 12
Verdú *L* . . . . **37** H 33
Verdugo II . . . . **92** V 13
Verdugo Río *PO* . . . . **12** E 4
Verea *OR* . . . . **13** F 6
Veredas *CR* . . . . **69** Q 16
Veredas *H* . . . . **78** S 9
Veredón *CO* . . . . **81** S 15

VALLADOLID

Arco de Ladrillo (Pas. del)	**BZ**	2
Arzobispo Gandásegui	**CY**	3
Bailarín Vicente Escudero	**CY**	5
Bajada de la Libertad	**BCY**	6
Cadenas de San Gregorio	**CX**	8
Cánovas del Castillo	**BCY**	9
Cardenal Mendoza	**CY**	10
Chancillería	**CX**	13
Claudio Moyano	**BY**	14
Colegio de Santa Cruz (Pl.)	**CY**	40
Doctrinos	**BY**	16
Duque de la Victoria	**BY**	17
España (Pl. de)	**BY**	18
Fuente Dorada (Pl. de)	**BY**	20
Gondomar	**CX**	21
Industrias	**CY**	23
Jorge Guillén	**BXY**	24
Maldonado	**CY**	25
Marqués del Duero	**CXY**	26
Miguel Iscar	**BY**	29
Pasión	**BY**	30
Portillo de Balboa	**CX**	32
Santiago	**BY**	41
Santuario	**CY**	42
Sanz y Forés	**CXY**	45
San Ildefonso	**BY**	36
San Pablo (Pl. de)	**BX**	37
Teresa Gil	**BY**	
Zorrilla (Pas. de)	**ABZ**	47

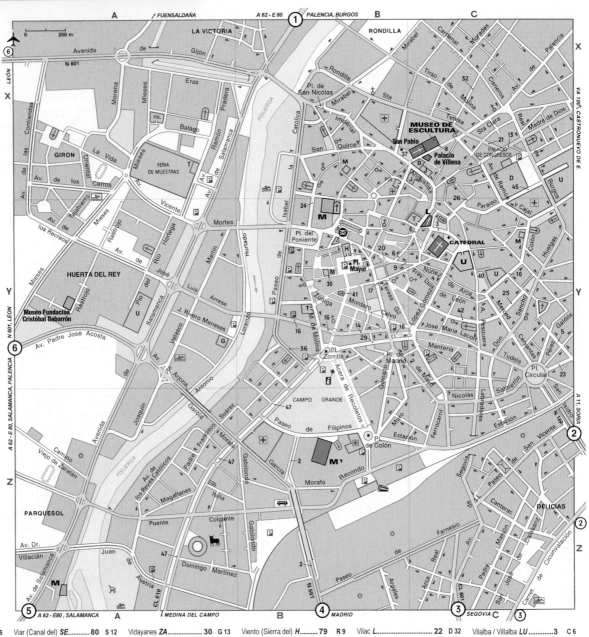

Vergaño *P*	17	D 16	Viar (Canal del) *SE*	80	S 12	Vidayanes *ZA*	30	G 13	Viento (Sierra del) *H*	79	R 9
Verger (El) *A*	74	P 30	Viar (Río)	79	R 11	Vide cerca de Cenlle *OR*	13	F 5	Viergol *BU*	8	C 20
Verges *GE*	25	F 39	Viariz *LE*	14	E 9	Vide cerca de Maceda *OR*	13	F 7	Vierlas *Z*	34	G 24
Vergós *L*	37	H 33	Viascón *PO*	12	E 4	Vide de Alba *ZA*	29	G 11	Viernoles *S*	7	C 17
Verín *OR*	28	G 7	Viator *AL*	103	V 22	Videferre *OR*	27	G 7	Viforcos *LE*	15	E 11
Veriña *O*	5	B 12	Víboras *J*	94	T 17	Videmala *ZA*	29	H 11	Vigaña cerca de Grado *O*	5	C 11
Verís *C*	3	C 5	Vic *B*	38	G 36	Vidiago *O*	7	B 16	Vigaña cerca de		
Verjaga *J*	83	Q 21	Vic (Parador) *B*	24	G 37	Vidio (Cabo) *O*	5	B 11	Peña Manteca *O*	5	C 11
Vermell (Cap)	105	N 40	Vicario			Vidola (La) *SA*	43	I 10	Vigas	20	E 25
Vero	22	E 30	(Embalse de El) *CR*	70	O 18	Vidrà *GE*	24	F 36	Vignemale *HU*	21	D 29
Vertavillo *P*	31	G 17	Vicedo *LU*	3	A 6	Vidre (Port del)	62	L 29	Vigo *PO*	12	F 3
Vertientes (Las) *GR*	96	T 22	Vicente *TO*	57	N 16	Vidrieres *GE*	39	G 38	Vigo (El) *BU*	8	C 20
Veruela (Monasterio de) *Z.*	34	G 24	Vicentes (Los) *A*	85	R 27	Vidrieros *P*	17	D 15	Vigo (Ría de) *PO*	12	F 3
Vescar (Sierra El) *BA*	78	R 8	Vicién *HU*	21	F 28	Vidrio (Sierra del) *BA*	67	O 10	Viguera *LO*	19	F 22
Vesgas (Las) *BU*	18	E 19	Vicfred *L*	37	G 34	Vidual *O*	5	B 10	Vila *L*	22	D 32
Vespella *T*	37	I 34	Vicinte *LU*	3	C 6	Vieiro (Alto de) *OR*	13	F 6	Viladecans *B*	38	I 36
Vetaherrado *SE*	91	U 12	Vico *CA*	91	V 12	Vieja (Cueva de la) *AB*	73	O 26	Viladecavalls *B*	38	H 35
Vezdemarbán *ZA*	30	H 13	Vicolozano *AV*	45	J 16	Vieja (Sierra) *BA*	67	Q 10	Vilademuls *GE*	25	F 38
Viacamp *HU*	22	F 31	Vicort (Sierra de)	34	H 25	Viejas *CR*	71	O 20	Viladequinta *OR*	14	E 9
Viados *HU*	22	E 31	Vicorto *AB*	84	Q 23	Viejas (Sierra de) *CC*	56	N 13	Viladordis *B*	38	G 35
Viana *NA*	19	E 22	Victoria (La) *CO*	81	S 15	Viejo (El) *TO*	59	N 20	Viladrau *GE*	24	G 37
Viana de Cega *VA*	30	H 15	Victoria de Acentejo (La)			Viejo (Pico) *Tenerife TF*	128	D 4	Vilaestava *LU*	8	D 8
Viana de Duero *SO*	33	H 22	*Tenerife TF*	124	G 2	Viejo (Puerto)	43	K 10	Vilaestrofe *LU*	4	B 7
Viana de Jadraque *GU*	47	I 21	Victory (A.)	57	L 14	Viella *L*	22	D 32	Vilafamés *CS*	62	L 29
Viana de Mondéjar *GU*	47	K 22	Vid (Arroyo de la)	56	M 12	Viella (Túnel de) *L*	22	E 32	Vilafant *GE*	25	F 38
Viana do Bolo *OR*	14	F 8	Vid (La) *BU*	32	H 19	Vielha *O*	5	B 12	Vilaflor *Tenerife TF*	128	E 4
Viandar de la Vera *CC*	56	L 13	Vid (La) *LE*	16	D 13	Viento *MA*	100	V 16	Vilabade *LU*	4	C 8
Vianos *AB*	72	Q 22	Vid de Bureba (La) *BU*	18	E 20	Viento (Puerto del) *MA*	92	V 14	Vilabella *T*	37	I 33
Viaña *S*	7	C 17	Vid III (Embalse de la) *CC*	56	M 12	Viento (Punta del)			Vilabertran *GE*	25	F 38
Viaño Pequeño *C*	3	C 4	Vidanes *LE*	16	D 14	*Tenerife TF*	124	G 2	Vilablareix *GE*	25	G 38
Viar *SE*	92	T 12	Vidángoz / Bidankoze *NA*	11	D 26	Viento (Sierra del) *MU*	84	T 24	Vilaboa *C*	3	B 5
Viar *BA*	79	R 11				Viento (Sierra del) *SE*	80	R 12	Vilaboa *PO*	12	E 4
									Vilaboa *LU*	4	C 8

Vilac *L*	22	D 32	Vilalba / Villalba *LU*	3	C 6
Vilacampa *LU*	4	B 7	Vilalba dels Arcs *T*	50	I 31
Vilachá cerca de Liber *LU*	14	D 8	Vilalba Sasserra *B*	38	H 37
Vilachá cerca de			Vilalbite *LU*	3	C 6
Monforte *LU*	14	E 7	Vilaleo *LU*	14	D 7
Vilachá *C*	3	B 5	Vilalle *LU*	4	C 8
Vilachá de Mera *LU*	3	D 7	Vilaleons *B*	38	G 36
Vilacoba *PO*	13	F 4	Vilaller *L*	22	E 32
Vilacova *C*	12	D 3	Vilallobent *GE*	24	E 35
Vilada *B*	24	F 35	Vilallonga *V*	74	P 29
Viladabade *C*	2	C 4	Vilallonga de Ter *GE*	24	E 36
Viladamat *GE*	25	F 39	Vilallonga del Camp *T*	37	I 33
Viladasens *GE*	25	F 38	Vilalonga *PO*	12	E 3
Viladavil *C*	3	D 5	Vilalpape *LU*	14	E 7
Vilademuls *GE*	25	F 38	Vilamacolum *GE*	25	F 39
Vilademuls *C*	3	D 5	Vilamaior *B*	5	B 5
Vila de Bares *C*	3	A 6	Vilamaior *C*	14	D 7
Vila de Cruces *PO*	13	D 5	Vilamaior *OR*	27	G 6
Vila Joiosa (La) /			Vilamaior de Negral *LU*	3	D 6
Villajoyosa *A*	74	Q 29	Vilamajor *B*	38	G 37
Vila-real / Villarreal *CS*	62	M 29	Vilamalla *GE*	25	F 38
Vila-rodona *T*	37	I 34	Vilamaniscle *GE*	25	E 39
Vila-sacra *GE*	25	F 39	Vilamarín *OR*	13	E 6
Vila-sana *L*	37	H 32	Vilamartín *LU*	4	B 8
Vila-seca *T*	51	I 33	Vilamartín		
Vilabade *LU*	4	C 8	de Valdeorras *OR*	14	E 8
Vilaflor *Tenerife TF*	128	E 4	Vilamarxant *V*	62	N 28
Vilaformán *LU*	4	B 8	Vilameá *OR*	27	G 5
Vilaframil *LU*	4	B 8	Vilameá *LU*	4	D 7
Vilafranca de Bonany *PM*	105	N 39	Vilameán *PO*	12	F 3
Vilafranca del Penedès *B.*	37	H 35	Vilamitjana *L*	23	F 32
Vilagarcía de Arousa *PO*	12	E 3			
Vilagrassa *L*	37	H 33			
Vilajuïga *GE*	25	F 39			

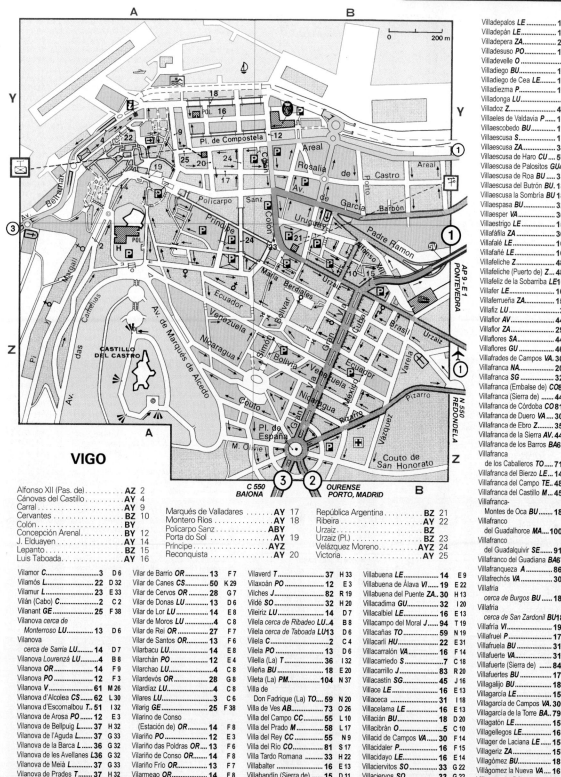

VIGO

Alfonso XII (Pas. de)	**AZ**	2
Cánovas del Castillo	**AY**	4
Carral	**AY**	9
Cervantes	**BZ**	10
Colón	**BY**	
Concepción Arenal	**BY**	12
J. Elduayen	**AY**	14
Lepanto	**BZ**	15
Luis Taboada	**AY**	16

Marqués de Valladares	**AY**	17
Montero Ríos	**AY**	18
Policarpo Sanz	**ABY**	
Porta do Sol	**AY**	19
Príncipe	**AYZ**	
Reconquista	**AY**	20

República Argentina	**BZ**	21
Ribeira	**AY**	22
Urzaiz	**BZ**	
Urzaiz (Pl.)	**BZ**	23
Velázquez Moreno	**AYZ**	24
Victoria	**AY**	25

Vilamor *C*	3	D 6	
Vilamós *L*	22	D 32	
Vilamur *L*	23	E 33	
Vilán (Cabo) *C*	2	C 2	
Vilanant *GE*	25	F 38	
Vilanova cerca de Monterroso *LU*	13	D 6	
Vilanova cerca de Sarria *LU*	14	D 7	
Vilanova Lourenzá *LU*	4	B 8	
Vilanova *OR*	14	F 9	
Vilanova *PO*	12	F 3	
Vilanova *V*	61	M 26	
Vilanova d'Alcolea *CS*	62	L 30	
Vilanova d'Escornalbou *T.*	51	I 32	
Vilanova de Arosa *PO*	12	E 3	
Vilanova de Bellpuig *L*	37	H 32	
Vilanova de l'Aguda *L*	37	G 33	
Vilanova de la Barca *L*	36	G 32	
Vilanova de les Avellanes *L*	36	G 32	
Vilanova de Meià *L*	36	G 33	
Vilanova de Prades *T*	37	H 32	
Vilanova de Sau *B.*	24	G 37	
Vilanova de Segrià *L*	36	G 31	
Vilanova i la Geltrú / Villanueva y Geltrú *B*	37	I 35	
Vilaosende *LU*	4	B 8	
Vilapedre cerca de Sarria *LU*	14	D 7	
Vilapedre cerca de Villalba *LU*	3	B 7	
Vilapene *LU*	4	C 7	
Vilaplana *T*	37	I 33	
Vilaquinte *LU*	13	E 6	
Vilar cerca de A Cañiza *PO*	13	F 5	
Vilar cerca de Vigo *PO*	12	F 4	
Vilar *OR*	27	G 6	
Vilar (El) *L*	23	F 33	

Vilar de Barrio *OR*	13	F 7	
Vilar de Canes *CS*	50	K 29	
Vilar de Cervos *OR*	28	G 7	
Vilar de Donas *LU*	13	D 6	
Vilar de Lor *LU*	14	E 8	
Vilar de Moros *LU*	4	C 8	
Vilar de Rei *OR*	27	F 7	
Vilar de Santos *OR*	13	F 6	
Vilarbacu *LU*	14	E 8	
Vilarchán *PO*	12	E 4	
Vilarchao *LU*	4	C 8	
Vilardevós *OR*	28	G 8	
Vilardíaz *LU*	4	C 8	
Vilares *LU*	3	C 6	
Vilarig *GE*	25	F 38	
Vilarino de Conso (Estación de) *OR*	14	F 8	
Vilariño *PO*	12	E 3	
Vilariño das Poldras *OR*	13	F 7	
Vilariño de Conso *OR*	14	F 8	
Vilariño Frío *OR*	13	F 7	
Vilarmeao *OR*	14	E 8	
Vilarmide *LU*	4	C 8	
Vilarrube *C*	3	B 5	
Vilarrubín *OR*	13	E 6	
Vilarxoán *LU*	14	D 8	
Vilasantar *C*	3	C 5	
Vilaseco *OR*	14	F 8	
Vilasobroso *PO*	13	F 4	
Vilasouto (Embalse de) *LU*	14	D 7	
Vilassar de Mar *B.*	38	H 37	
Vilaster *LU*	14	E 8	
Vilatán *LU*	13	E 6	
Vilatuxe *PO*	13	E 5	
Vilaür *GE*	25	F 38	
Vilavella *OR*	14	E 8	
Vilavella (La) *CS*	62	M 29	

Vilaverd *T*	37	H 33	
Vilaxoán *PO*	12	E 3	
Vilches *J*	82	R 19	
Vildé *SO*	32	H 20	
Vileiriz *LU*	14	D 7	
Vilela cerca de Ribadeo *LU.*	4	B 8	
Vilela cerca de Taboada *LU*	13	D 6	
Vilela *C*	2	C 4	
Vilela *PO*	13	D 6	
Viella (La) *T*	36	I 32	
Vileña *BU*	18	E 20	
Vileta (La) *PM*	104	N 37	
Villa de Don Fadrique (La) *TO*	59	N 20	
Villa de Ves *AB*	73	O 26	
Villa del Campo *CC*	55	L 10	
Villa del Prado *M*	58	L 17	
Villa del Rey *CC*	55	N 9	
Villa del Río *CO*	81	S 17	
Villa Tardo Romana	33	H 22	
Villabalter			
Villabandín (Sierra de)	15	D 11	
Villabáñez *VA*	31	H 16	
Villabaruz de Campos *VA.*	30	F 15	
Villabáscones de Bezana *BU*	18	D 18	
Villabasil *BU*	8	C 20	
Villabasta *LU*	17	E 16	
Villabermudo *P.*	17	E 16	
Villablanca *H*	90	U 7	
Villablino *LE*	15	D 11	
Villabona *SS*	10	C 23	
Villabona *O.*	5	B 12	
Villabrágima *VA*	30	G 14	
Villabraz *LE*	16	F 13	
Villabrázaro *ZA*	29	F 12	
Villabre *O*	5	C 11	
Villabuena *SO*	33	G 22	

Villabuena *LE*	14	E 9	
Villabuena de Álava *VI*	19	E 22	
Villabuena del Puente *ZA.*	30	H 13	
Villacadima *GU*	32	I 20	
Villacalbiel *LE*	16	E 13	
Villacampo del Moral *J.*	94	T 19	
Villacañas *TO*	59	N 19	
Villacarli *HU*	22	E 31	
Villacarralón *VA*	16	F 14	
Villacarriedo *S*	7	C 18	
Villacarrillo *J*	83	R 20	
Villacastín *SG*	45	J 16	
Villace *LE*	16	E 13	
Villaceca	31	I 18	
Villacelama *LE*	16	E 13	
Villacián *BU*	18	D 20	
Villacibrán	5	C 10	
Villacid de Campos *VA*	30	F 14	
Villacidaler *P.*	17	F 15	
Villacidayo *LE*	16	E 14	
Villaciervos *SO*	33	G 22	
Villaciervos *SO*	33	G 22	
Villacil *LE*	16	E 13	
Villacintor *LE*	16	E 14	
Villaco *VA*	31	G 17	
Villaconancio *P.*	31	G 17	
Villacondide *O*	4	B 9	
Villaconejos *M*	58	L 19	
Villaconejos de Trabaque *CU*	47	K 23	
Villacreces *VA*	16	F 14	
Villacorza *VA*	47	I 21	
Villacreces *VA*	16	F 14	
Villacuende *P.*	17	E 15	
Villada *P*	16	F 15	
Villadangos del Páramo *LE*	15	E 12	
Villadecanes *LE*	14	E 9	
Villademor de la Vega *LE..*	16	F 13	

Villadepalos *LE*	14	E 9	
Villadepán *LE*	15	D 11	
Villadepera *ZA*	29	H 11	
Villadesuso *PO*	12	F 3	
Villadevelle *O*	4	B 8	
Villadiego *BU*	17	E 17	
Villadiego de Cea *LE*	16	E 15	
Villadiezma *P*	17	E 16	
Villadonga *LU*	4	C 7	
Villadoz *Z*	48	I 26	
Villaeles de Valdavia *P*	17	E 16	
Villaescobedo *BU*	17	D 17	
Villaescusa *S*	17	D 17	
Villaescusa *ZA*	30	I 13	
Villaescusa de Haro *CU*	59	N 21	
Villaescusa de Palositos *GU*	47	K 22	
Villaescusa de Roa *BU*	31	G 17	
Villaescusa del Butrón *BU.*	18	D 19	
Villaescusa la Sombría *BU*	18	E 19	
Villaespasa *BU*	32	F 19	
Villaesper *VA*	30	G 14	
Villaestrigo *LE*	15	F 12	
Villafáfila *ZA*	30	G 13	
Villafalé *LE*	16	E 13	
Villafañé *LE*	16	E 13	
Villafeliche *Z*	48	I 25	
Villafeliche (Puerto de) *Z.*	48	I 25	
Villafelíz de la Sobarriba *LE*	16	E 13	
Villafer *LE*	16	F 13	
Villaferrueña *ZA*	15	F 12	
Villafiz *LU*	3	D 6	
Villaflor *AV*	44	J 15	
Villaflor *ZA*	29	H 12	
Villaflores *SA*	44	I 14	
Villaflores *GU*	46	K 20	
Villafrades de Campos *VA.*	30	F 15	
Villafranca *NA*	20	F 24	
Villafranca *SG*	32	I 18	
Villafranca (Embalse de) *CO*	81	S 16	
Villafranca de Córdoba *CO*	81	S 16	
Villafranca de Duero *VA*	30	H 14	
Villafranca de Ebro *Z*	35	H 28	
Villafranca de la Sierra *AV.*	44	K 14	
Villafranca de los Barros *BA*	67	Q 10	
Villafranca de los Caballeros *TO*	71	N 19	
Villafranca del Bierzo *LE..*	14	E 9	
Villafranca del Campo *TE..*	48	J 25	
Villafranca del Castillo *M...*	45	K 18	
Villafranca-Montes de Oca *BU..*	18	E 20	
Villafranco del Guadalhorce *MA...*	100	V 15	
Villafranco del Guadalquivir *SE...*	91	U 11	
Villafranco del Guadiana *BA*	67	P 9	
Villafranqueza *A*	86	Q 28	
Villafrechós *VA*	30	G 14	
Villafría cerca de Burgos *BU*	18	E 19	
Villafría cerca de San Zardonil *BU*	18	D 20	
Villafría *VI*	19	E 22	
Villafruel *P*	17	E 15	
Villafruela *BU*	31	G 18	
Villafuerte *VA*	31	G 17	
Villafuerte (Sierra de) *J*	84	R 21	
Villafuertes *BU*	17	F 18	
Villagalijo *BU*	18	E 20	
Villagarcía *LE*	15	E 12	
Villagarcía de Campos *VA.*	30	G 14	
Villagarcía de la Torre *BA.*	79	R 11	
Villagatón *LE*	15	E 11	
Villagellegos *LE*	16	E 13	
Villager de Laciana *LE*	15	D 10	
Villageriz *LE*	15	F 12	
Villagómez *BU*	18	F 18	
Villagómez la Nueva *VA*	16	F 14	
Villagonzalo *BA*	67	P 11	
Villagonzalo de Coca *SG*	45	I 16	
Villagonzalo de Tormes *SA*	44	J 13	
Villagonzalo-Pedernales *BU*	18	F 18	
Villagrufe *O*	5	C 10	
Villagudín (Embalse de)	3	C 4	
Villagutiérrez *BU*	17	F 17	
Villahán *P*	31	F 17	
Villaharta *CO*	81	R 15	
Villahermosa *CR*	71	P 21	
Villahermosa del Campo *TE*	48	I 26	
Villahermosa del Río *CS*	62	L 28	
Villaherreros *P*	17	E 16	
Villahizán *BU*	31	F 18	
Villahizán de Treviño *BU.*	17	E 17	
Villahoz *BU*	31	F 18	
Villajimena *P*	31	F 16	

Villajoyosa / Vila Joiosa (La) *A*	74	Q 29	
Villalaco *P*	17	F 17	
Villalacre *BU*	8	C 19	
Villalaín *BU*	18	D 19	
Villalambrús *BU*	18	D 20	
Villalán de Campos *VA*	30	F 14	
Villalangua *HU*	21	E 27	
Villalar *O*	5	C 10	
Villalar de los Comuneros *VA*	30	H 14	
Villalazán *ZA*	30	H 13	
Villalba *SO*	33	H 22	
Villalba (Parador de) *LU*	3	C 6	
Villalba / Vilalba *LU*	3	C 6	
Villalba Alta *TE*	49	K 27	
Villalba Baja *TE*	48	K 26	
Villalba Calatrava *CR*	70	Q 19	
Villalba de Adaja *VA*	30	H 15	
Villalba de Duero *BU*	32	G 18	
Villalba de Guardo *P*	16	D 15	
Villalba de la Lampreana *ZA*	29	G 13	
Villalba de la Sierra *CU*	60	L 23	
Villalba de Loma *VA*	16	F 14	
Villalba de los Alcores *VA.*	30	G 15	
Villalba de los Barros *BA.*	67	Q 10	
Villalba de los Llanos *SA*	43	J 12	
Villalba de los Morales *TE.*	48	J 25	
Villalba de Losa *BU*	18	D 20	
Villalba de Perejiles *Z*	34	I 25	
Villalba de Rioja *LO*	18	E 21	
Villalba del Alcor *H*	91	T 10	
Villalba del Rey *CU*	47	K 22	
Villalbarba *VA*	30	H 14	
Villalbilla *BU*	18	E 18	
Villalbilla *M*	46	K 20	
Villalbilla de Gumiel *BU*	32	G 19	
Villalbilla de Villadiego *BU.*	17	E 18	
Villalbilla Sobresierra *BU.*	18	E 19	
Villalcampo *ZA*	29	H 11	
Villalcampo (Embalse de) *ZA.*	29	H 11	
Villalcázar de Sirga *P.*	17	F 16	
Villalcón *P.*	16	F 15	
Villaldemiro *BU*	17	F 18	
Villalebrín *LE*	16	E 15	
Villalfeide *LE*	16	D 13	
Villalgordo del Júcar *AB*	72	O 23	
Villalgordo del Marquesado *CU*	60	M 22	
Villalibre de la Jurisdicción *LE*	14	E 10	
Villalís *LE*	15	F 11	
Villallana *O*	5	C 12	
Villallano *P*	17	D 17	
Villalmanzo *BU*	32	F 18	
Villalobar de Rioja *LO*	18	E 21	
Villalobón *P*	31	F 16	
Villalobos *ZA*	30	G 13	
Villalobos *J*	94	T 18	
Villalómez *BU*	18	E 20	
Villalón *CO*	80	S 14	
Villalón de Campos *VA*	30	F 14	
Villalones *MA*	92	V 14	
Villalonso *ZA*	30	H 14	
Villalpando *ZA*	30	G 13	
Villalpardo *CU*	61	N 25	
Villalquite *LE*	16	E 14	
Villalta *BU*	18	D 19	
Villalube *ZA*	30	H 13	
Villaluenga *Z*	34	H 24	
Villaluenga de la Sagra *TO*	58	L 18	
Villaluenga de la Vega *P.*	16	E 15	
Villaluenga del Rosario *CA*	99	V 13	
Villalumbroso *P*	16	F 15	
Villalval *BU*	18	E 19	
Villálvaro *SO*	32	H 20	
Villalverde *ZA*	15	F 11	
Villalveto *P*	17	D 15	
Villalvilla de Montejo *SG...*	32	H 19	
Villamalea *AB*	73	N 25	
Villamalur *CS*	62	M 28	
Villamandos *LE*	16	F 13	
Villamanín *LE*	16	D 13	
Villamanrique *CR*	71	Q 21	
Villamanrique de la Condesa *SE*	91	U 11	
Villamanrique de Tajo *M..*	59	L 20	
Villamanta *M*	58	L 17	
Villamantilla *M*	45	K 17	
Villamañán *LE*	16	F 13	
Villamar *LU*	4	B 8	
Villamarciel *VA*	30	H 15	
Villamarco *LE*	16	E 14	

VITORIA-GASTEIZ

Angulema BZ 2
Becerro de Bengoa AZ 5
Cadena y Eleta AZ 8
Dato BZ
Diputación AZ 12
Escuelas BY 15
España (Pl. de) BZ 18
Gasteiz (Av. de) AYZ
Herrería AY 24
Independencia BZ 27
Machete (Pl. del) BZ 30
Madre Vedruna AZ 33
Nueva Fuera BY 34
Ortiz de Zárate BZ 36
Pascual de Andagoya (Pl. de) AY 39
Portal del Rey BZ 42
Postas BZ
Prado AZ 45
Santa María (Cantón de) BY 51
San Francisco BZ 48
Virgen Blanca (Pl. de la) BZ 55

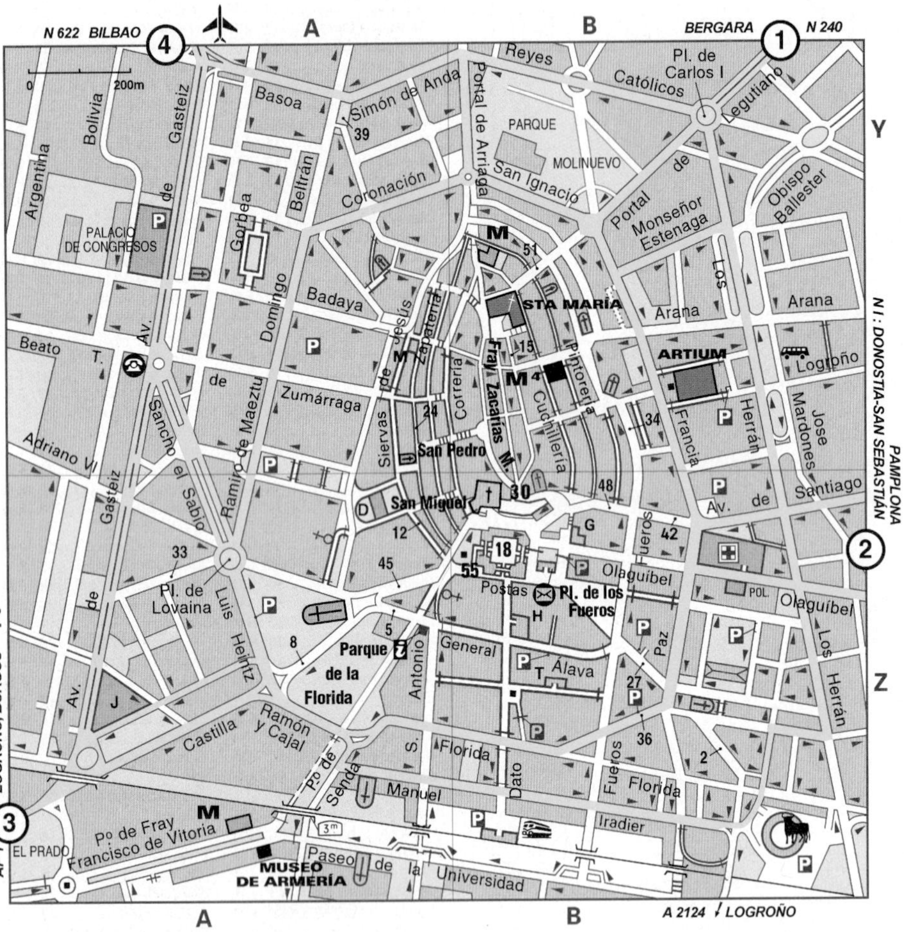

Museo "Fournier" de Naipes de Álava M4

Villamarín O 5 C 11
Villamartín BU 8 C 18
Villamartín A 85 S 27
Villamartín CA 92 V 13
Villamartín de Campos P 31 F 16
Villamartín de Don Sancho LE 16 E 14
Villamartín de Villadiego BU 17 D 17
Villamayor Z 35 G 27
Villamayor O 6 B 14
Villamayor O 5 C 11
Villamayor SA 43 J 12
Villamayor AV 44 J 14
Villamayor de Calatrava CR 70 P 17
Villamayor de Campos ZA 30 G 13
Villamayor de los Montes BU 32 F 18
Villamayor de Monjardín NA 19 E 23
Villamayor de Santiago CU 59 M 21
Villamayor de Treviño BU 17 E 17
Villamayor del Condado LE 16 E 13
Villamayor del Río BU 18 E 20
Villambrán de Cea P 16 E 15
Villambrosa VI 18 D 20
Villambroz P 16 E 15
Villameca LE 15 E 11
Villameca (Embalse de) LE 15 E 11
Villamediana P 31 F 16
Villamediana de Iregua LO 19 E 22
Villamedianilla BU 17 F 17
Villamején O 5 B 11
Villamejil LE 15 E 11
Villamejín O 5 C 11
Villamejor M 58 M 18
Villameriel P 17 E 16
Villameriel LE 15 D 11
Villamesías CC 68 O 12
Villamiel CC 55 L 9
Villamiel de la Sierra BU 18 F 19
Villamiel de Toledo TO 58 M 17
Villaminaya TO 58 M 18
Villamizar LE 16 E 14
Villamol LE 16 E 14
Villamontán de la Valduerna LE 15 F 12
Villamor BU 18 D 19
Villamor de Cadozos ZA 29 I 11
Villamor de la Ladre ZA 29 H 11
Villamor de los Escuderos ZA 30 I 13
Villamoratiel de las Matas LE 16 E 14
Villamorco P 17 E 16
Villamorey O 6 C 13
Villamorisca LE 16 D 15
Villamoronta P 17 E 15
Villamudria BU 18 E 20
Villamuelas TO 58 M 18
Villamuera de la Cueza P 17 F 15
Villamuñío LE 16 E 14
Villamuriel de Campos VA 30 G 14
Villamuriel de Cerrato P 31 G 16
Villán de Tordesillas VA 30 H 15
Villanañe VI 18 D 20
Villanasur BU 18 E 20
Villanázar ZA 29 G 12
Villandás O 5 C 11
Villandiego BU 17 E 17
Villandín TO 59 L 20
Villaneceriel P 17 E 16
Villano (Cabo) 8 B 21
Villanova HU 22 E 31
Villanova LU 14 D 8
Villanova del Pedragal LU 14 D 9
Villanovilla HU 21 E 28
Villanúa HU 21 D 28
Villanubla VA 30 G 15
Villanueva cerca de Boal O 4 B 9
Villanueva cerca de Cangas O 6 B 14
Villanueva cerca de Luarca O 5 B 10
Villanueva cerca de Ribadedeva O 7 B 16
Villanueva cerca de Teverga O 5 C 11
Villanueva Santo Adriano O 5 C 11
Villanueva de Abajo P 17 D 15
Villanueva de Aézkoa / Hiriberri NA 11 D 26
Villanueva de Alcardete TO 59 M 20
Villanueva de Alcorón GU 47 J 23
Villanueva de Algaidas MA 93 U 16
Villanueva de Argaño BU 17 E 18
Villanueva de Argecilla GU 46 J 21
Villanueva de Arriba P 16 D 15
Villanueva de Ávila AV 44 K 15
Villanueva de Azoague ZA 29 G 12
Villanueva de Bogas TO 58 M 19
Villanueva de Cameros LO 19 F 22
Villanueva de Campeán ZA 29 H 12
Villanueva de Cañedo SA 43 I 12
Villanueva de Carazo BU 32 G 20
Villanueva de Carrizo LE 15 E 12
Villanueva de Cauche MA 100 V 16
Villanueva de Córdoba CO 81 R 16
Villanueva de Duero VA 30 H 15
Villanueva de Franco CR 71 P 19
Villanueva de Gállego Z 35 G 27
Villanueva de Gómez AV 44 J 15
Villanueva de Gormaz SO 32 H 20
Villanueva de Guadamajud CU 60 L 22
Villanueva de Gumiel BU 32 G 19
Villanueva de Henares P 17 D 17
Villanueva de Jamuz LE 15 F 12
Villanueva de Jiloca Z 48 I 25
Villanueva de la Cañada M 45 K 17
Villanueva de la Concepción MA 100 V 16
Villanueva de la Condesa VA 16 F 14
Villanueva de la Fuente CR 71 P 21
Villanueva de la Jara CU 60 N 24
Villanueva de la Nia S 17 D 17
Villanueva de la Peña S 7 C 17
Villanueva de la Reina J 82 R 18
Villanueva de la Serena BA 68 P 12
Villanueva de la Sierra ZA. 14 F 8
Villanueva de la Sierra CC 55 L 10
Villanueva de la Tercia LE 16 D 12
Villanueva de la Torre GU 46 K 20
Villanueva de la Vera CC 56 L 13
Villanueva de las Cruces H 78 T 8
Villanueva de las Manzanas LE 16 E 13
Villanueva de las Peras ZA 29 G 12
Villanueva de las Torres GR 95 T 20
Villanueva de los Caballeros VA 30 G 14
Villanueva de los Castillejos H 90 T 8
Villanueva de los Escuderos CU 60 L 23
Villanueva de los Infantes VA 31 G 16
Villanueva de los Infantes CR 71 P 20
Villanueva de los Montes BU 18 D 19
Villanueva de los Nabos P 17 E 16
Villanueva de Mena BU 8 C 20
Villanueva de Mesía GR 94 U 17
Villanueva de Odra BU 17 E 17
Villanueva de Omaña LE 15 D 11
Villanueva de Oscos O 4 C 9
Villanueva de Perales M 45 K 17
Villanueva de Puerta BU 17 E 18
Villanueva de San Carlos CR 70 Q 18
Villanueva de San Juan SE 92 U 14
Villanueva de San Mancio VA 30 G 14
Villanueva de Sigena HU 36 G 29
Villanueva de Tapia MA 93 U 17
Villanueva de Valdueza LE 15 E 10
Villanueva de Valrojo ZA 29 G 11
Villanueva de Viver CS 62 L 28
Villanueva de Zamajón SO 33 H 23
Villanueva del Aceral AV 44 I 15
Villanueva del Arbol LE 16 E 13
Villanueva del Ariscal SE 91 T 11
Villanueva del Arzobispo J 83 R 20
Villanueva del Campillo AV 44 K 14
Villanueva del Campo ZA 30 G 13
Villanueva del Conde SA 43 K 11
Villanueva del Duque CO 81 Q 14
Villanueva del Fresno BA 78 Q 8
Villanueva del Huerva Z 34 H 26
Villanueva del Pardillo M 45 K 18
Villanueva del Rebolar de la Sierra TE 49 J 26
Villanueva del Rebollar P 17 F 15
Villanueva del Rey CO 80 R 14
Villanueva del Rey SE 92 T 14
Villanueva del Río SE 80 T 12
Villanueva del Río Segura MU 85 R 26
Villanueva del Río y Minas SE 80 T 12
Villanueva del Rosario MA 100 V 16
Villanueva del Trabuco MA 93 U 16
Villanueva Soportilla BU 18 D 20
Villanueva y Geltrú / Vilanova i la Geltrú B 37 I 35
Villanuevas (Los) TE 62 L 28
Villanuño de Valdavia P 17 E 16
Villaobispo LE 15 E 11
Villaornate y Castro LE 16 F 13
Villapaderne S 7 C 17
Villapadierna LE 16 D 14
Villapalacios AB 71 Q 22
Villapeceñil LE 16 E 14
Villapedre O 5 B 10
Villaprovedo P 17 E 16
Villaquejida LE 16 F 13
Villaquilambre LE 16 E 13
Villaquirán de la Puebla BU 17 F 17
Villaquirán de los Infantes BU 17 F 17
Villar (El) AB 72 O 24
Villar (El) CR 70 Q 17
Villar (El) H 79 S 9
Villar (El) LO 19 F 23
Villar (Embalse de El) M 46 J 19
Villar (Rivera del) 79 T 9
Villar (Santuario de la Virgen del) LO 33 F 23
Villar da Torre C 2 D 3
Villar de Acero LE 14 D 9
Villar de Argañán SA 42 J 9
Villar de Arnedo (El) LO 19 F 23
Villar de Cantos CU 60 N 22
Villar de Cañas CU 59 M 22
Villar de Chinchilla 73 P 25
Villar de Ciervo SA 42 J 9
Villar de Ciervos LE 15 E 11
Villar de Cobeta GU 47 J 23
Villar de Corneja AV 44 K 13
Villar de Cuevas J 82 S 18
Villar de Domingo García CU 60 L 23
Villar de Farfón ZA 29 G 11
Villar de Gallimazo SA 44 J 14
Villar de Golfer LE 15 E 11
Villar de la Encina CU 60 N 22
Villar de la Yegua SA 42 J 9
Villar de las Traviesas LE 15 D 10
Villar de los Navarros Z 48 I 26
Villar de Matacabras AV 44 I 14
Villar de Maya SO 33 F 22
Villar de Mazarife LE 15 E 12
Villar de Olalla CU 60 L 23
Villar de Olmos V 61 N 26
Villar de Peralonso SA 43 I 11
Villar de Plasencia CC 56 L 11
Villar de Pozo Rubio AB 72 O 24
Villar de Rena BA 68 O 12
Villar de Samaniego SA 43 I 10
Villar de Santiago (El) LE 15 D 11
Villar de Sobrepeña SG 31 I 18
Villar de Tejas V 61 N 26
Villar de Torre LO 18 E 21
Villar del Águila CU 60 M 22
Villar del Ala SO 33 G 22
Villar del Arzobispo V 61 M 27
Villar del Buey ZA 29 I 11
Villar del Campo SO 33 G 23
Villar del Cobo TE 48 K 24
Villar del Horno CU 60 L 22
Villar del Humo CU 61 M 25
Villar del Infantado CU 47 K 22
Villar del Maestre CU 60 L 22
Villar del Monte LE 15 F 11
Villar del Olmo M 46 K 20
Villar del Pedroso CC 57 M 14
Villar del Pozo CR 70 P 18
Villar del Rey BA 67 O 9
Villar del Río SO 33 F 22
Villar del Salz TE 48 J 25
Villar del Saz de Arcas CU 60 M 23
Villar del Saz de Navalón CU 60 L 22
Villaralbo ZA 29 H 12
Villaralto CO 81 Q 15
Villarcayo BU 18 D 19
Villardeciervos ZA 29 G 11
Villardefallaves ZA 30 G 14
Villardefrades VA 30 G 14
Villardiegua de la Ribera ZA 29 H 11
Villárdiga ZA 30 G 13
Villardompardo J 82 S 17
Villardondiego ZA 30 H 13
Villarejo AV 44 K 15
Villarejo LO 18 E 21
Villarejo AB 72 Q 23
Villarejo (El) TE 61 L 25
Villarejo de Fuentes CU 59 M 21
Villarejo de la Peñuela CU 60 L 22
Villarejo de Medina GU 47 J 22
Villarejo de Montalbán TO 57 M 16
Villarejo de Órbigo LE 15 E 12
Villarejo de Salvanés M 59 L 20
Villarejo del Espartal CU 60 L 22
Villarejo del Valle AV 57 L 15
Villarejo Periesteban CU 60 M 22
Villarejo Seco CU 60 M 22
Villarejo Sobrehuerta CU 60 L 22
Villarejos (Los) TO 57 M 15
Villarente LE 16 E 13
Villares AB 84 Q 23
Villares (Los) CR 71 P 21
Villares (Los) cerca de Andújar J 82 R 18
Villares (Los) cerca de Jaén J 82 S 18
Villares (Los) CO 93 T 17
Villares (Los) GR 94 T 20
Villares de Jadraque GU 46 I 20
Villares de la Reina SA 43 I 13
Villares de Órbigo LE 15 E 12
Villares de Yeltes SA 43 J 10
Villares del Saz CU 60 M 22
Villargarcía del Llano CU 72 O 24
Villargordo SA 43 I 11
Villargordo J 82 S 18
Villargordo SE 79 T 10
Villargordo del Cabriel V 61 N 25
Villargusán LE 5 D 12
Villarias BU 18 D 19
Villaricos AL 96 U 24
Villariezo BU 18 F 18
Villarín LE 15 E 12
Villarino LE 15 F 10
Villarino SA 29 I 10
Villarino de Cebal ZA 29 G 11
Villarino de Manzanas ZA 29 G 10
Villarino del Sil LE 15 D 10
Villarino Tras la Sierra ZA 29 G 10
Villarluengo TE 49 K 28
Villarluengo (Puerto de) TE 49 K 28
Villarmayor SA 43 I 12
Villarmentero de Campos P 17 F 16

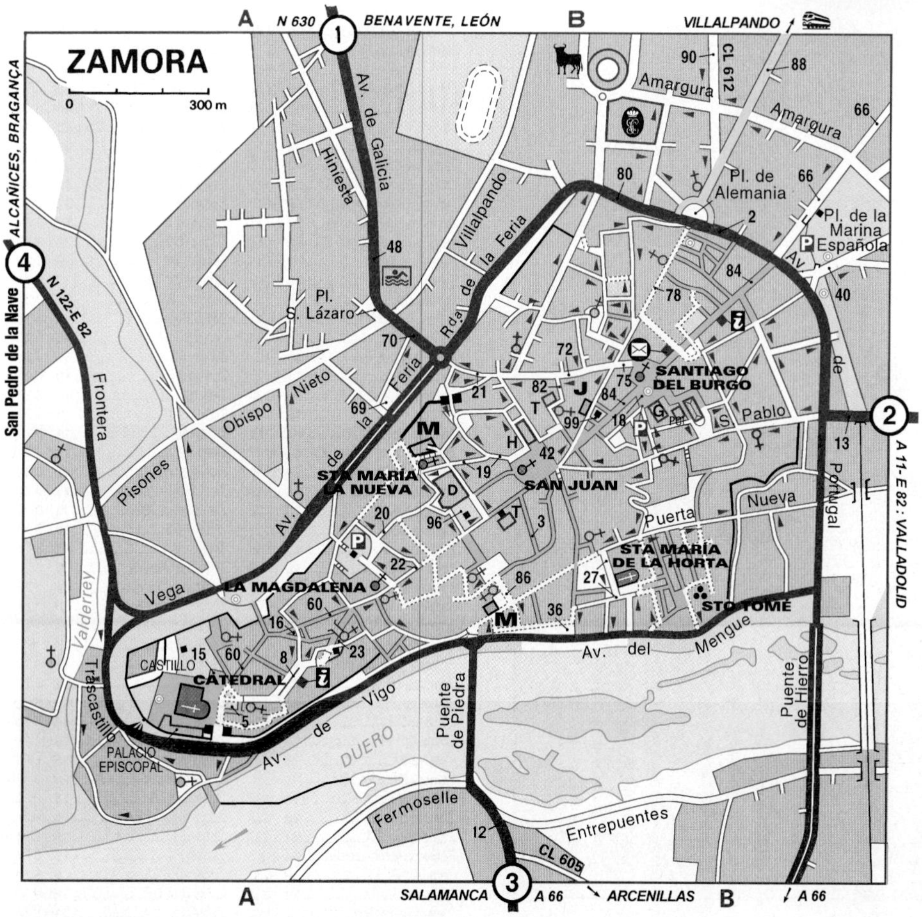
ZAMORA
0
300 m
A
B
N 630
BENAVENTE, LEÓN
VILLALPANDO
ALCAÑICES, BRAGANÇA
San Pedro de la Nave
N 122-E 82
A 11-E 82: VALLADOLID
SALAMANCA
A 66
ARCENILLAS
CL 605
CL 612
Av. de Galicia
Hiniesta
Villalpando
Rda. de la Feria
Amargura
Pl. de Alemania
Pl. de la Marina Española
Pl. S. Lázaro
Obispo Nieto
Av. de la Feria
Frontera
Pisones
Av. de Portugal
Nueva
Puerta
S. Pablo
STA MARÍA LA NUEVA
SAN JUAN
SANTIAGO DEL BURGO
STA MARÍA DE LA HORTA
STO TOMÉ
LA MAGDALENA
CATEDRAL
CASTILLO
PALACIO EPISCOPAL
Vega
Valderrey
Trascastillo
Av. de Vigo
DUERO
Puente de Piedra
Puente de Hierro
Av. del Mengue
Fermoselle
Entrepuentes

Alfonso IX . . . B 2
Alfonso XII . . . B 3
Antonio del Aguila (Pl.) . . . A 5
Arias Gonzalo (Pl. de) . . . A 8
Cabañales . . . B 12
Candelaría (Pas.) . . . B 13
Catedral (Pl. de la) . . . A 15
Ciento (Pl. de los) . . . A 16
Constitución (Pl. de) . . . B 18
Corral Pintado . . . B 19
Damas . . . A 20
Feria . . . B 21
Francos (Rúa de los) . . . A 22
Fray Diego de Deza (Pl.) . . . A 23
Horta . . . B 27
Ignacio Gazapo . . . B 36
Leopoldo Alas Clarín . . . B 40
Mayor (Pl.) . . . B 42
Morana (Cuesta de la) . . . A 48
Notarios (Rúa de los) . . . A 60
Príncipe de Asturias (Av.) . . . B 66
Puebla de Sanabria . . . A 70
Puentica (Pl. de la) . . . A 69
Riego . . . B 72
Sacramento . . . B 74
Santa Clara . . . B 84
Santa Lucía (Pl.) . . . B 86
Santiago . . . B 75
San Torcuato . . . B 78
San Tortucato (Ronda de) . . . B 80
San Vicente . . . B 82
Tres Cruces (Av.) . . . B 88
Víctor Gallego . . . B 90
Viriato (Pl.) . . . B 96
Zorilla (Pl. de) . . . B 99

Villarmentero de Esgueva **VA** 31 G 16
Villarmid **C** 2 C 2
Villarmuerto **SA** 43 I 10
Villarmún **LE** 16 E 13
Villarodrigo de Ordás **LE** 15 D 12
Villaronte **LU** 4 B 8
Villaroya (Puerto de) **TE** 49 K 28
Villaroya de los Pinares **TE** 49 K 27
Villarpedre **O** 4 C 9
Villarquemado **TE** 48 K 26
Villarrabé **P** 16 E 15
Villarrabines **LE** 16 F 13
Villarramiel **P** 30 F 15
Villarrasa **H** 91 T 10
Villarreal **BA** 66 P 8
Villarreal / Vila-real **CS** 62 M 29
Villarreal de Huerva **Z** 48 I 26
Villarreal de la Canal **HU** 21 E 27
Villarreal de San Carlos **CC** 56 M 11
Villarrín de Campos **ZA** 30 G 13
Villarroañe **LE** 16 E 13
Villarrobejo **P** 16 E 15
Villarrobledo **AB** 71 O 22
Villarrodrigo **P** 16 E 15
Villarrodrigo **J** 83 Q 22
Villarroquel **LE** 15 E 12
Villarroya **LO** 19 F 23
Villarroya de la Sierra **Z** 34 H 24
Villarroya del Campo **Z** 48 I 26
Villarrubia **CO** 81 S 15
Villarrubia de los Ojos **CR** 70 O 19
Villarrubia de Santiago **TO** 59 M 19
Villarrubin **LE** 14 E 8
Villarrubín 14 E 8
Villarrubio **CU** 59 M 21
Villarta **CU** 61 N 25
Villarta de Escalona **TO** 57 L 16
Villarta de los Montes **BA** 69 O 15
Villarta de San Juan **CR** 71 O 19
Villarta-Quintana **LO** 18 E 20
Villartelin **LU** 14 D 8
Villartorey **O** 4 B 9
Villartoso **SO** 33 F 22
Villarué **HU** 22 E 31
Villarueva de la Torre **GU** 46 K 20
Villas de Turbón (Las) **HU** 22 E 31
Villas Viejas **CU** 59 M 21
Villasabariego **LE** 16 E 13
Villasabariego de Ucieza **P** 17 E 16
Villasana de Mena **BU** 8 C 20
Villasandino **BU** 17 E 17
Villasante de Montija **BU** 8 C 19
Villasar **B** 38 H 37
Villasarracino **P** 17 E 16
Villasayas **SO** 33 H 22
Villasbuenas **SA** 42 I 10
Villasbuenas de Gata **CC** 55 L 10
Villasdardo **SA** 43 I 11
Villaseca **LO** 18 E 21
Villaseca **CU** 60 L 23
Villaseca **CO** 81 S 14
Villaseca **SG** 31 I 18
Villaseca de Arciel **SO** 33 H 23
Villaseca de la Sagra **TO** 58 M 18
Villaseca de Laciana **LE** 15 D 11
Villaseca de Uceda **GU** 46 J 19
Villasecino **LE** 15 D 11
Villaseco **ZA** 29 H 12
Villaseco de los Gamitos **SA** 43 I 11
Villaseco de los Reyes **SA** 43 I 11
Villaselán **LE** 16 E 14
Villasequilla **TO** 58 M 18
Villasevil **S** 7 C 18
Villasexmir **VA** 30 H 14
Villasidro **BU** 17 E 17
Villasila **P** 17 E 16
Villasilos **BU** 17 F 17
Villasimpliz **LE** 16 D 13
Villasinde **LE** 14 E 9
Villaspesa **TE** 61 L 26
Villasrubias **SA** 42 K 10
Villastar **TE** 61 L 26
Villasur **P** 17 E 15
Villasur de Herreros **BU** 18 F 19
Villasuso **S** 7 C 17
Villatobas **TO** 59 M 20
Villatoro **AV** 44 K 14
Villatoro **BU** 18 E 18
Villatoya **AB** 73 O 25
Villatresmil **O** 5 B 10
Villatuerta **NA** 19 E 24
Villaturde **P** 17 E 15
Villaturiel **LE** 16 E 13
Villaumbrales **P** 31 F 16
Villaute **BU** 17 E 18
Villava **NA** 11 D 25
Villavaler **O** 5 B 11
Villavaliente **AB** 73 O 25
Villavaquerín **VA** 31 H 16
Villavedón **BU** 17 E 17
Villavelasco de Valderaduey **LE** 16 E 15
Villavelayo **LO** 18 F 21
Villavellid **VA** 30 G 14
Villavendimio **ZA** 30 H 13
Villavente **LE** 16 E 13
Villaventín **BU** 8 C 19
Villaverde *Fuerteventura* **GC** 111 I 2
Villaverde **M** 46 K 18
Villaverde **O** 6 B 13
Villaverde **LE** 14 E 9
Villaverde (Castillo de) 21 F 27
Villaverde de Abajo **LE** 16 D 13
Villaverde de Arcayos **LE** 16 E 14
Villaverde de Guadalimar **AB** 83 Q 22
Villaverde de Iscar **SG** 31 I 16
Villaverde de Medina **VA** 30 I 14
Villaverde de Montejo **SG** 32 H 19
Villaverde de Pontanes **S** 8 B 18
Villaverde de Pontones **S** 8 B 18
Villaverde de Rioja **LO** 19 F 21
Villaverde de Sandoval **LE** 16 E 13
Villaverde de Trucios **S** 8 C 20
Villaverde del Ducado **GU** 47 I 22
Villaverde del Monte **BU** 17 F 18
Villaverde del Monte **SO** 33 G 21
Villaverde del Río **SE** 92 T 12
Villaverde la Chiquita **LE** 16 E 14
Villaverde-Mogina **BU** 17 F 17
Villaverde-Peñahoradada 17 E 18
Villaverde y Pasaconsol **CU** 60 M 23
Villaveta **BU** 17 E 17
Villaveta **NA** 11 D 25
Villaveza de Valverde **ZA** 29 G 12
Villaveza del Agua **ZA** 29 G 12
Villavicencio de los Caballeros **VA** 30 F 14
Villaviciosa **O** 6 B 13
Villaviciosa **AV** 44 K 15
Villaviciosa (Ría de) **O** 6 B 13
Villaviciosa de Córdoba **CO** 81 R 14
Villaviciosa de la Ribera **LE** 15 E 12
Villaviciosa de Odón **M** 45 K 18
Villaviciosa de Tajuña **GU** 47 J 21
Villavieja de Muñó **BU** 17 F 18
Villavieja de Yeltes **SA** 43 J 10
Villavieja del Cerro **VA** 30 H 14
Villavieja del Lozoya **M** 46 I 18
Villaviudas **P** 31 G 16
Villayón **O** 4 B 9
Villayuste **LE** 15 D 12
Villaza **OR** 28 G 7
Villazala **LE** 15 E 12
Villazanzo de Valderaduey **LE** 16 E 15
Villazón **O** 5 B 11
Villazopeque **BU** 17 F 17
Villegar **S** 7 C 18
Villegas **BU** 17 E 17
Villegas o Mardos **AB** 73 Q 25
Villeguillo **SG** 31 I 16
Villel **TE** 61 L 26
Villel de Mesa **GU** 47 I 24
Villela **BU** 17 D 17
Villelga **P** 16 F 15
Villena **A** 73 Q 27
Villeriás **P** 30 G 15
Villes de Benicàssim (Les) 62 L 30
Villeza **LE** 16 F 14
Villiguer **LE** 16 E 13
Villimer **LE** 16 E 13
Villivañe **LE** 16 E 13
Villobas **HU** 21 E 29
Víllodas **VI** 19 D 21
Villodre **P** 17 F 17
Villodrigo **P** 17 F 17
Villoldo **P** 17 F 16
Villomar **LE** 16 E 13
Villora **CU** 61 M 25
Villora (Cabeza de) **CU** 61 M 25
Villores **CS** 49 J 29
Villoria **O** 6 C 13
Villoria **SA** 44 J 13
Villoria de Boada **SA** 43 J 11
Villorquite de Herrera **P** 17 E 16
Villoruebo **BU** 18 F 19
Villoruela **SA** 44 I 13
Villoslada **SG** 45 J 16
Villoslada de Cameros **LO** 33 F 21
Villota del Duque **P** 17 E 16
Villota del Páramo **P** 16 E 15
Villotilla **P** 17 E 15
Villovela **BU** 31 G 18
Villoviado **BU** 32 G 18
Villovieco **P** 17 F 16
Villuercas **CC** 56 N 13
Viloalle **LU** 4 B 7
Vilobí d'Onyar **GE** 25 G 38
Vilopriu **GE** 25 F 38
Viloria **NA** 19 D 23
Viloria **VA** 31 H 16
Viloria de Rioja **BU** 18 E 20
Vilosell (El) **L** 37 H 32
Vilouriz **C** 3 D 6
Vilouzás **C** 3 C 5
Vilueña (La) **Z** 34 I 24
Vilvarejo (El) **TE** 48 J 26
Vilves **L** 37 G 33
Vilvestre **SA** 42 I 9
Vilviestre de los Nabos **SO** 33 G 22
Vilviestre de Muñó **BU** 17 F 18
Vilviestre del Pinar **BU** 32 G 20
Vilvis **TO** 58 L 17
Villafranca del Cid / Vilafranca **CS** 49 K 29
Vimbodí **T** 37 H 33
Vimianzo **C** 2 C 2
Vinaceite **TE** 35 I 28
Vinaderos **AV** 44 I 15
Vinaixa **L** 37 H 32
Vinallop **T** 50 J 31
Vinalopó (Riu) 74 P 27
Vinaròs **CS** 50 K 31
Vincios **PO** 12 F 3
Vindel **CU** 47 K 22
Vinebre **T** 36 I 31
Viniegra de Abajo **LO** 18 F 21
Viniegra de Arriba **LO** 33 F 21
Vinseiro **PO** 13 D 4
Vinuesa **SO** 33 G 21
Vinyoles **V** 73 O 26
Vinyoles d'Orís 24 F 36
Vinyols **T** 51 I 33
Viña **C** 3 C 5
Viña (La) **GR** 94 U 17
Viñales **LE** 15 E 10
Viñamala (Reserva nacional de) **HU** 21 D 29
Viñas **ZA** 29 G 10
Viñas (Las) **J** 82 R 18
Viñegra **AV** 44 J 14
Viñegra de Moraña **AV** 44 J 15
Viñón **S** 7 C 16
Viñón **O** 6 B 13
Viñuela **MA** 101 V 17
Viñuela (Embalse de la) **MA** 101 V 17
Viñuela (La) **CR** 69 P 17
Viñuela (La) **SE** 80 S 13
Viñuela de Sayago **ZA** 29 I 12
Viñuelas **GU** 46 J 19
Viñuelas (Castillo de) **M** 46 K 19
Violada (Canal de la) 21 F 27
Vírgala Mayor **VI** 19 D 22
Virgen (Ermita de la) **GU** 47 J 22
Virgen (Puerto de la) 96 U 23
Virgen (Sierra de la) 34 H 24
Virgen Coronada (Ermita de la) **BA** 68 O 14
Virgen de Ara (Ermita) **BA** 80 R 12
Virgen de Fabana (Ermita de la) **HU** 21 F 29
Virgen de la Cabeza **GR** 95 T 21
Virgen de la Cabeza (Ermita de la) **CR** 71 Q 19
Virgen de la Cabeza (Ermita de la) **AL** 84 S 23
Virgen de la Cabeza (Santuario) **J** 82 R 17
Virgen de la Columna **Z** 35 H 27
Virgen de la Estrella (Santuario de la) **TE** 49 K 29
Virgen de la Montaña (La) **CC** 55 N 10
Virgen de la Muela **TO** 59 M 20
Virgen de la Peña 11 D 26
Virgen de la Peña (Ermita de la) **TE** 49 K 28
Virgen de la Peña (Ermita de la) **H** 78 T 8
Virgen de la Sierra (Ermita de la) **CR** 70 O 18
Virgen de la Sierra (Santuario de) **Z** 34 H 24
Virgen de la Vega **CR** 71 Q 20
Virgen de la Vega **GU** 47 J 22
Virgen de la Vega (Ermita de la) **TE** 50 J 30
Virgen de la Vega (La) **TE** 49 K 27
Virgen de Lagunas (Ermita de la) **Z** 34 H 26
Virgen de las Cruces **CR** 70 O 18
Virgen de las Viñas **CR** 71 O 21
Virgen de Lomos de Orios (La) **LO** 33 F 22
Virgen de los Ángeles (Ermita de la) **TE** 48 K 25
Virgen de los Santos **CR** 70 P 18
Virgen de Luna **CO** 81 R 15
Virgen de Montesinos (Ermita de la) **GU** 47 J 23
Virgen de Nieves Tara Mazas (Ermita) **TE** 49 J 29
Virgen de Suceso **BI** 8 C 20
Virgen del Buen Suceso (Ermita de la) **TE** 49 K 28
Virgen del Buenlabrado (Ermita de) **GU** 47 J 23
Virgen del Camino (La) **LE** 16 E 13
Virgen del Campo (Ermita de la) *cerca de Camarillas* **TE** 48 K 27
Virgen del Campo (Ermita de la) *cerca de Argente* 48 J 26
Virgen del Castillo **CR** 69 P 15
Virgen del Castillo (Ermita de la) **SG** 45 I 17
Virgen del Castillo (Ermita de la) **TE** 48 K 26
Virgen del Molino (Ermita de la) **TE** 48 K 26
Virgen del Pinar (Ermita de la) **CU** 47 K 22
Virgen del Poral (Ermita de la) **GU** 47 K 21
Virgen del Prado (Ermita de la) **CC** 55 N 10
Virgen del Robledo (Ermita de la) **SE** 80 S 13
Virgen del Rocío **SE** 92 T 12
Virgen del Rosario (Ermita de la) **TE** 48 J 26
Virtudes (Las) **CR** 71 Q 19
Virtudes (Las) **A** 73 Q 27
Virtus **BU** 17 D 18
Visantoña **C** 3 C 5

ZARAGOZA

Alfonso I .... **YZ**
Alfonso V .... **Z** 6
Candalija .... **Z** 10
Capitán Portolés .... **Z** 13
César Augusto (Av.) .... **Z** 15
Cinco de Marzo .... **Z** 18
Conde de Aranda .... **Z**
Coso .... **Z**
Don Jaime I .... **YZ**
Independencia
(Pas.) .... **Z**
Magdalena .... **Z** 42
Manifestación .... **Y** 43
Sancho y Gil .... **Z** 58
San Pedro Nolasco
(Pl. de) .... **Z** 63
San Vicente de Paul .... **YZ**
Teniente Coronel Valenzuela.. **Z** 67

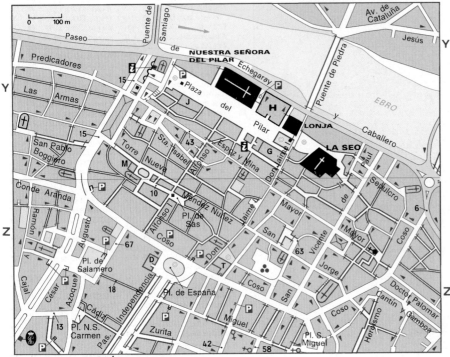

Visaurin *HU* .... **21** D 28
Visiedo *TE* .... **48** J 26
Viso (El) *AB* .... **73** O 26
Viso (El) *CO* .... **81** Q 15
Viso (O) *C.* .... **12** D 2
Viso de San Juan (El) *TO*. **58** L 18
Viso del Alcor (El) *SE* .. **92** T 12
Viso del Marqués *CR* .... **82** Q 19
Vista Alegre *C.* .... **3** B 5
Vistabella *Z* .... **34** I 26
Vistabella del Maestrat *CS* **49** L 29
Vistahermosa *CA* .... **98** W 11
Vistalegre *TO* .... **57** M 15
Vita *AV* .... **44** J 14
Vitigudino *SA* .... **43** I 10
Vitoria (Montes de) ...... **19** D 22
Vitoria-Gasteiz *VI* ..... **19** D 21
Víu *HU* .... **22** E 31
Viu de Llevata *L* .... **22** E 32
Viuda (Rambla de la) *CS* .. **62** L 29
Vivar de Fuentidueña *SG*. **31** H 17
Vivar del Cid *BU* .... **18** E 18
Vivares *BA* .... **68** O 11
Vivedro *O* .... **4** B 9
Viveiro *LU* .... **4** B 7
Viveiró *Sierra del Xistral LU*.**3** B 7
Viveiró (Ría de) *LU* ..... **4** A 7
Vivel del Río Martín *TE* .. **49** J 27
Viver *B.* .... **38** G 35
Viver *Castelló CS* ...... **62** M 28
Viver de la Sierra *Z* ... **34** H 25
Vivero *CR* .... **69** P 15
Viveros *AB* .... **71** O 22
Vives (Los) *A* .... **85** R 27
Vivinera *ZA* .... **29** G 11
Vixán *C.* .... **12** E 2
Vizcaina (La)
La Gomera TF .... **118** B 2
Vizcainos *BU* .... **32** F 20
Vizcalmón *J.* .... **94** T 17
Vizcaya (Golfo de) .... **9** B 22
Vizcodillo *ZA* .... **15** F 10
Vizcuerno (Sierra de) .... **50** I 29
Vizmanos *SO* .... **33** F 22
Víznar *GR* .... **94** U 19
Voltoya *J.* .... **45** J 16
Vorcel *SE.* .... **92** U 12
Vozmediano *SO* .... **34** G 24

Voznuevo *LE* .... **16** D 14
Vueltas *La Gomera TF* ... **118** A 3
Vulpellac *GE* .... **25** G 39

W

Wamba *VA* .... **30** G 15
Warner Bros *M* .... **58** L 19

X

Xàbia / Jávea *A* .... **75** P 30
Xallas *C.* .... **2** D 2
Xaló *A.* .... **74** P 29
Xanceda *C.* .... **3** C 5
Xara (La) *A.* .... **74** P 29
Xares *OR.* .... **14** F 9
Xares (Río) *OR.* .... **14** E 8
Xarrié *CR.* .... **70** O 18
Xàtiva *V.* .... **74** P 28
Xaviña *C.* .... **2** C 2
Xendive *OR.* .... **27** G 5
Xeraco *V.* .... **74** O 29
Xerdiz *LU.* .... **4** B 7
Xeresa *V.* .... **74** O 29
Xermade *LU* .... **3** B 6
Xermar *LU.* .... **4** C 7
Xert *CS.* .... **50** K 30
Xerta *T.* .... **50** J 31
Xesta *cerca de Lalín PO* .. **13** E 5
Xesta *cerca de Lama PO*. **13** E 4
Xesta (Porto da) *LU* .... **4** B 7
Xestal *C.* .... **3** C 4
Xesteira *PO.* .... **12** E 4
Xesteiras *V.* .... **12** D 4
Xestosa *OR.* .... **13** E 4
Xestoso *C.* .... **3** C 6
Xeve *PO.* .... **12** E 4
Xiá *LU* .... **3** C 6
Xiabre *C.* .... **12** E 3
Xilxes / Chilches *CS* ... **62** M 29
Xinzo de Limia *OR.* .... **13** F 6
Xirivella *V.* .... **62** N 28
Xironda *OR.* .... **27** G 7
Xistral (Sierra del) *LU.* .. **4** B 7
Xiva de Morella *CS.* .... **50** K 29
Xiva (La) *V.* .... **74** O 28
Xivert (Castell de) *CS.* .. **50** L 30
Xixona *A.* .... **74** Q 28

Xodos *CS* .... **62** L 29
Xoroi (Coves d'en) ...... **106** M 42
Xortà (Serra de la) *A* .. **74** P 29
Xove *LU* .... **4** A 7
Xuances *LU* .... **4** A 7
Xubia *C.* .... **3** B 5
Xunqueira de Ambía *OR.* .. **13** F 6
Xunqueira
de Espadañedo *OR.* .... **13** F 7
Xuño *C.* .... **12** E 2
Xúquer (Riu) .... **74** O 28
Xúquer-Túria (Canal de) *V.* **74** O 28
Xurés (Sierra de) .... **27** G 6
Xustás *LU.* .... **4** C 7
Xuvencos *LU* .... **13** E 7

Y

Yaco *Tenerife TF* ...... **129** F 5
Yaiza *Lanzarote GC* .... **122** B 4
Yanguas *SO* .... **33** F 22
Yanguas de Eresma *SG* .. **45** I 17
Yaso *HU* .... **21** F 29
Yátor *GR* .... **102** V 20
Yátova *V.* .... **73** N 27
Yébenes (Los) *TO.* ..... **58** N 18
Yébenes (Sierra de los) . **58** N 17
Yebes *GU.* .... **46** K 21
Yebra *GU.* .... **46** K 21
Yebra de Basa *HU.* ..... **21** E 29
Yechar *MU.* .... **85** R 25
Yecla *MU* .... **73** Q 26
Yecla de Yeltes *SA* .... **43** J 10
Yécora *VI.* .... **19** E 22
Yedra (La) *J.* .... **82** R 19
Yegua (Cabeza de la) ... **15** E 10
Yegua (Puerto de la) ... **99** W 13
Yeguas *AL.* .... **103** V 23
Yeguas (Embalse de) *CO.*. **81** R 17
Yeguas (Las) *TO* .... **58** L 17
Yeguas (Las) *MA* .... **93** U 15
Yeguas (Río de las) ..... **81** R 17
Yegüerizos (Los) *J.* .... **83** R 21
Yela *GU.* .... **47** J 21
Yélamos de Abajo *GU.* .. **47** K 21
Yélamos de Arriba *GU.* .. **47** K 21
Yebes *BA.* .... **68** P 11

Yeles *TO* .... **58** L 18
Yeles (Estación de) *TO.* . **58** L 18
Yelmo *J.* .... **83** R 21
Yelo *SO.* .... **47** I 22
Yeltes *SA* .... **43** J 10
Yelves (Sierra de) *BA.* . **68** P 11
Yémeda *CU.* .... **60** M 24
Yepes *TO.* .... **58** M 19
Yéqueda *HU.* .... **21** F 28
Yera *S.* .... **8** C 18
Yerga .... **19** F 24
Yermo *O.* .... **5** C 17
Yermes *O.* .... **5** C 11
Yernes y Tameza .... **5** C 11
Yerri *S.* .... **10** D 24
Yerri *NA.* .... **10** D 24
Yesa (Embalse de) *Z.* .. **20** E 26
Yesa (La) *V.* .... **61** M 27
Yesares (Los) *AB.* ..... **72** O 24
Yésero *HU.* .... **21** E 29
Yesos (Los) *AL.* .... **96** U 23
Yesos (Los) *GR.* .... **102** V 20
Yeste *AB* .... **72** Q 23
Yeste *HU.* .... **21** E 27
Yetas de Abajo *AB.* .... **84** R 23
Yezosa *CR.* .... **70** P 19
Yudego *BU.* .... **17** E 17
Yugueros *LE.* .... **16** D 14
Yuncler *TO.* .... **58** L 18
Yunclillos *TO.* .... **58** L 18
Yuncos *TO.* .... **58** L 18
Yunquera (La) *AB.* ..... **72** P 23
Yunquera de Henares *GU.***46** J 20
Yunta (La) *GU* .... **48** J 24
Yuso .... **6** C 15
Yuso (Monasterio de) *LO.* **18** F 21
Yuste (Monasterio de) *CC.* **56** L 12

Z

Zabalza
cerca de Lumbier NA ... **11** D 26
Zabalza
cerca de Pamplona NA. . **10** D 24
Zacatín (Sierra del) .... **84** R 23
Zael *TO.* .... **31** F 18
Zafara *ZA* .... **29** H 11

Zafarraya *GR* .... **101** V 17
Zafra *BA* .... **79** Q 10
Zafra (La) *A* .... **73** P 27
Zafra de Záncara *CU.* .. **59** M 22
Zafrilla *CU* .... **61** L 25
Zafrón *SA* .... **43** I 11
Zagra *GR* .... **94** U 17
Zagrilla *CO* .... **93** T 17
Zahara (Embalse de) *CA.* **92** V 13
Zahara (Ensenada de) *CA* **99** X 12
Zahara de la Sierra *CA.* **92** V 13
Zahara de los Atunes *CA.* **99** X 12
Zahariche *SE.* .... **92** T 13
Zahinos *BA.* .... **78** R 9
Zahora *CA.* .... **98** X 11
Zahora (La) *GR.* .... **94** U 18
Zaida (La) *Z.* .... **35** I 28
Zaida (Laguna de) .... **48** I 25
Zaidín *HU.* .... **36** H 30
Zaidín (Canal de) .... **36** G 30
Zaitegi *VI.* .... **19** D 21
Zajarrón Bajo *BA.* ..... **67** O 9
Zalamea de la Serena *BA.***68** Q 13
Zalamea la Real *H.* .... **79** S 10
Zalamillas *LE.* .... **16** F 13
Zaldíbar *BI.* .... **10** C 22
Zaldibia *SS.* .... **10** C 23
Zalduendo *BU.* .... **18** E 19
Zalduondo *VI.* .... **19** D 22
Zalea *MA.* .... **100** V 15
Zalla *BI.* .... **8** C 20
Zamajón *SO.* .... **33** H 22
Zamarra *SA.* .... **43** K 10
Zamarramala *SG.* .... **45** J 17
Zamarrón *GR.* .... **95** T 20
Zamayón *SA.* .... **43** I 12
Zambra *CO.* .... **93** T 16
Zambrana *VI.* .... **18** E 21
Zamora *ZA.* .... **29** H 12
Zamora (Mirador de)
Gran Canaria GC. ..... **115** E 2
Zamora (Puerto del) *SE.* **92** U 14
Zamoranos *CO.* .... **94** T 17
Zamores (Embalse de) *CC.***54** N 8
Zamudio *BI.* .... **8** C 21
Záncara (Río) *.* .... **71** O 20
Zancarrón de Soto
(Cueva de) *H.* .... **91** T 9
Zandio *NA.* .... **11** D 25
Zangallón (El) *BA.* .... **67** O 9
Zángano (Puerto del) *BA.* **67** O 9
Zangoza / Sangüesa *NA.* **20** E 26
Zanzabornin *O.* .... **5** B 12
Zaorejas *GU.* .... **47** J 23
Zaos (Arroyo) *.* .... **78** R 7
Zapadiel (Río) *.* ...... **30** H 14
Zapardiel *.* .... **44** I 15
Zapardiel de la Cañada *AV***44** K 13
Zapardiel de la Ribera *AV.* **44** K 14
Zapateras (Las) *BA.* ... **67** P 11
Zapateros *AB* .... **72** Q 22
Zapatón *.* .... **67** O 9
Zapillo (El) *AL.* ...... **103** V 22
Zapillo (El) *SE.* ...... **92** T 13
Zárabes *SO.* .... **33** H 23
Zaragoza *Z.* .... **35** H 27
Zaragozana *.* .... **49** K 28
Zarapicos *SA.* .... **43** I 12
Zaratán *VA.* .... **30** H 15
Zaratamo *BI.* .... **8** C 21
Zarautz *SS.* .... **10** C 23
Zarcilla de Ramos *MU.* . **84** S 24
Zarcita *La Gomera TF* ... **119** C 2
Zariquieta (Sierra de) .. **11** D 26
Zarra *V.* .... **73** O 26
Zarracatín *SE.* .... **92** U 12
Zarratón *LO.* .... **18** E 21
Zarza (La) *AV* .... **43** L 13
Zarza (La) *VA* .... **30** I 15
Zarza (La) *AB* .... **72** P 23
Zarza (La)
cerca de Alcantarilla MU **85** S 25
Zarza (Puerto de la) *H.* **78** S 8
Zarza (Sierra de la) .... **84** S 23
Zarza Capilla *BA.* ..... **69** P 14
Zarza de Alange *BA.* ... **67** P 11
Zarza de Granadilla *CC.* **56** L 11
Zarza de Montánchez *CC.* **68** O 11
Zarza de Pumareda (La) *SA***28** I 10
Zarza de Tajo *CU.* ..... **59** L 20
Zarza la Mayor *CC.* .... **55** M 9
Zarzadilla de Totana *MU.* **84** S 24
Zarzal *TO.* .... **57** N 16
Zarzalejo *M.* .... **45** K 17
Zarzosa *LO.* .... **19** F 22
Zarzosa de Riopisuerga *BU***17** E 17

Zarzoso (Sierra del) *BA.* **78** Q 9
Zarzuela *CU* .... **60** L 23
Zarzuela (La) *M.* ...... **45** K 18
Zarzuela (La) *CA.* ..... **99** X 12
Zarzuela de Jadraque *GU.* **46** I 20
Zarzuela del Monte *SG* . **45** J 16
Zarzuela del Pinar *SG.* . **31** I 17
Zás *C.* .... **2** C 3
Zayas de Báscones *SO.* . **32** G 20
Zayas de Torre *SO.* .... **32** G 20
Zayuelos *SO.* .... **32** G 20
Zeanuri *BI.* .... **9** C 21
Zeberio *BI.* .... **9** C 21
Zegama *SS.* .... **19** D 23
Zegrí (Puerto del) *GR.* . **94** T 19
Zenia (La) *A.* .... **85** S 27
Zerain *SS.* .... **10** C 23
Zestoa *SS.* .... **10** C 23
Ziga *NA.* .... **11** C 25
Zigoitia *VI.* .... **19** D 21
Zilbeti *NA.* .... **11** D 25
Ziordia *NA.* .... **19** D 23
Ziorraga *VI.* .... **8** C 21
Zizur Mayor *NA.* .... **11** D 24
Zizur Menor *NA.* .... **11** D 24
Zizurkil *SS.* .... **10** C 23
Zocueza *J.* .... **82** R 18
Zollo-Elexalde *BI.* ..... **8** C 21
Zoma (La) *TE.* .... **49** J 28
Zomas (Las) *CU.* .... **60** M 23
Zóñar (Laguna de) .... **93** T 15
Zorelle *OR.* .... **13** F 7
Zorita *SA* .... **43** I 11
Zorita *CU* .... **68** O 12
Zorita (Embalse de) *GU.* **46** K 21
Zorita de la Frontera *SA.* **44** I 11
Zorita de la Loma *VA.* . **16** F 14
Zorita de los Canes *SG.* **59** L 21
Zorita de los Molinos *AV.* **44** J 15
Zorraquín *LO.* .... **18** F 20
Zorrillas (Las) *BA.* .... **79** R 11
Zotes del Páramo *LE.* .. **15** F 14
Zuazo *VI.* .... **19** D 22
Zub Isabal *BI.* .... **9** C 21
Zubia (La) *GR.* .... **94** U 19
Zubia (La) *MA.* .... **101** V 17
Zubiaur *BI.* .... **9** C 21
Zubielqui *NA.* .... **19** D 23
Zubieta *NA.* .... **10** C 24
Zubiri *NA.* .... **11** D 25
Zucaina *CS.* .... **62** L 28
Zudaire *NA.* .... **19** D 23
Zuera *Z.* .... **35** G 27
Zufre *H.* .... **79** S 10
Zugarramurdi *NA.* ...... **11** C 25
Zuhatzu-Kuartango *VI.* . **18** D 21
Zuheros *CO.* .... **93** T 17
Zuia *VI.* .... **19** D 21
Zujaira *GR.* .... **94** U 19
Zújar *GR.* .... **95** T 21
Zújar *CO.* .... **68** Q 14
Zújar (Canal del) *.* ... **68** P 12
Zújar (Embalse de) *BA.* **68** P 13
Zújar (Río) *.* .... **69** P 14
Zulema *AB.* .... **73** O 25
Zulueta *NA.* .... **11** D 25
Zumaia *SS.* .... **10** C 23
Zumárraga *SS.* .... **10** C 23
Zumelzu *VI.* .... **19** D 21
Zumeta *J.* .... **83** R 22
Zunega *MU.* .... **84** S 24
Zunzarren *NA.* .... **11** D 25
Zuñeda *BU.* .... **18** E 20
Zúñiga *NA.* .... **19** D 23
Zurbaran *BA.* .... **68** O 13
Zurbitu *BU.* .... **19** D 21
Zureda *O.* .... **5** C 12
Zurgena *AL.* .... **96** T 23
Zurita *HU.* .... **36** G 31
Zuriza *HU.* .... **11** D 27
Zurucuáin *NA.* .... **10** D 24
Zuzones *BU.* .... **32** H 19

A

À-da-Velha 16	13	F 5
A de Barros 18	41	J 7
A-do-Pinto 2	78	S 7
A dos Cunhados 11	64	O 2
A. dos Ferreiros 1	40	K 4
A Ver-o-mar 13	26	H 3
Abaças 17	27	I 6
Abade de Neiva 3	26	H 4
Abadia		
(Nossa Senhora d') 3	27	G 5
Abambres 4	28	H 8
Abela 15	77	S 4
Abitureiras 14	53	O 3
Abiúl 10	53	M 4
Aboadela 4	26	I 6
Aboboreira 14	53	N 5
Aboim 3	27	H 5
Aboim da Nóbrega 3	27	G 4
Aboim das Choças 16	26	G 4
Aborim 3	26	H 4
Abrã 14	53	N 3
Abragão 13	27	I 5
Abrantes 14	53	N 5
Abreiro 4	28	H 8
Abrigada 11	64	O 2
Abrilongo (Ribeira de)	66	O 8
Abrunheira 4	53	L 3
Abrunhosa-a-Velha 18	41	K 7
Abuxanas 14	52	O 3
Achada 11	64	P 1
Achada 20	107	J 20
Achada do Gamo 2	78	T 7
Achadas da Cruz 31	88	A Y
Achadinha 20	107	J 20
Achete 14	53	O 3
Acoreira 4	42	I 8
Adão 9	42	K 8
Adaúfe 3	27	H 4
Ade 9	42	K 9
Adiça (Serra da) 2	78	S 7
Adorigo 18	27	I 7
Adoufe 17	27	H 6
Adraga 11	64	P 1
Adrão 16	27	G 5
Afife 16	26	G 3
Afonsim 17	27	H 6
Agadão 1	41	K 5
Agroal 14	53	M 4
Agrochão 4	28	G 8
Água de Madeiros 10	52	M 2
Agua de Pau 20	107	J 19
Agua de Pau		
(Serra de) 20	107	J 19
Água de Peixes 2	77	R 6
Água de Pena 31	88	B Y
Água do Alto 20	107	J 19
Água Longa 13	26	I 4
Água Negra 2	78	S 7
Água Retorta 20	107	J 20
Água Travessa 14	65	O 5
Aguada de Baixo 1	40	K 4
Aguada de Cima 1	40	K 4
Agualva 20	107	G 14
Agualva-Cacém 11	64	P 2
Águas Belas Guarda 9	42	K 8
Águas Belas Santarém 14	53	M 4
Águas Boas 3	41	J 7
Águas de Moura 15	65	Q 3
Águas dos Fusos 8	89	U 6
Águas Frias Faro 8	89	U 5
Águas Frias Vila Real 17	28	G 7
Águas Réves-e-Castro 17	28	H 7
Águas Santas 13	26	I 4
Aguçadoura 13	26	H 3
Aguda 10	53	M 5
Águeda 1	40	K 4
Águeda (Rio) Aveiro 1	40	K 4
Águeda (Rio) Guarda 9	42	J 9
Aguiã 16	26	G 4
Aguiar 7	77	Q 6
Aguiar da Beira 9	41	J 7
Aguiar de Sousa 13	26	I 4
Aguiar (Ribeira de) 9	42	J 9
Agueira (Barragem da)	41	K 5
Agulha (Ponta da) 20	107	J 18
Airães 13	27	I 5
Aire (Serra de) 14	53	N 4
Ajuda (Ponta da) 20	107	J 20
Alagoa 12	54	N 7
Alamo	78	Q 7
Alandroal 7	66	P 7
Alares 5	54	M 8
Albarnaz (Ponta da) 20	107	E 2
Albergaria 10	52	M 3
Albergaria-a-Nova 1	40	J 4
Albergaria-a-Velha 1	40	J 4
Albergaria dos Doze 10	53	M 4
Albergaria dos Fusos 2	77	R 6
Albernoa 2	77	S 6
Albufeira 8	89	U 5
Albufeira (Lagoa de) 15	64	Q 2
Alburitel 14	53	N 4
Alcabideche 14	64	P 1
Alcácer do Sal 15	77	Q 4
Alcáçovas 7	77	Q 5
Alcáçovas (Estação de) 7	77	Q 5
Alcáçovas (Ribeira das)	65	Q 5
Alcafozes 5	54	M 8
Alcaide 5	54	L 7
Alcains 5	54	M 7
Alcanede 14	52	N 3
Alcanena 14	53	N 3
Alcanhões 14	53	O 4
Alcantarilha 8	89	U 4
Alcaravela 14	53	N 5
Alcaraviça 7	66	P 7
Alcaria Beja 2	77	R 6
Alcaria Castelo Branco 5	54	L 7
Alcaria Leiria 10	53	N 3
Alcaria		
perto de Boliqueime 8	89	U 5
Alcaria		
perto de Odeleite 8	90	T 7
Alcaria Alta 8	89	U 6
Alcaria de Javazes 2	90	T 7
Alcaria do Cume 8	89	U 6
Alcaria Longa 2	77	S 6
Alcaria Ruiva 2	77	S 6
Alcarias 8	90	U 7
Alcarrache (R.)	78	R 7
Alcobaça 10	52	N 3
Alcobertas 14	52	N 3
Alcochete 15	64	P 3
Alcoentre 11	64	O 3
Alcofra 18	41	K 5
Alcôvo das Várzeas	41	L 6
Aldeia da Mata 12	66	O 6
Aldeia da Neves 2	77	T 6
Aldeia da Ponte 9	42	K 9
Aldeia da Ribeira Guarda 9	42	K 9
Aldeia da Ribeira		
Santarém 14	52	N 3
Aldeia da Serra Évora 7	66	P 7
Aldeia da Serra Leiria 10	53	M 4
Aldeia da Serra perto de São		
Gregório 7	65	P 6
Aldeia da Tor 8	89	U 5
Aldeia das Amoreiras 2	77	T 4
Aldeia das Dez 6	41	L 6
Aldeia de Ana de Avis 10	53	M 5
Aldeia de Eiras 8	53	N 5
Aldeia de Irmãos 15	64	Q 2
Aldeia de Joanes 5	54	L 7
Aldeia de João Pires 5	54	L 8
Aldeia de Nacomba 18	41	J 7
Aldeia		
de Santa Margarida 5	54	L 8
Aldeia de São Francisco		
de Assis 5	54	L 6
Aldeia do Bispo		
Castelo Branco 5	54	L 8
Aldeia do Bispo Guarda 9	42	L 9
Aldeia do Carvalho 5	41	L 7
Aldeia do Corvo 2	77	T 6
Aldeia do Mato 14	53	N 5
Aldeia do Neves 2	77	T 6
Aldeia do Ronquenho 2	77	S 5
Aldeia dos Delbas 2	77	S 5
Aldeia dos Fernandes 2	77	T 5
Aldeia dos Francos 10	52	O 2
Aldeia dos Grandaços 2	77	T 5
Aldeia dos Neves 2	77	T 5
Aldeia dos Palheiros 2	77	T 5
Aldeia dos Pescadores 10	52	N 2
Aldeia dos Ruins 2	77	R 5
Aldeia Gavinha 11	64	O 2
Aldeia Nova Beja 2	77	S 5
Aldeia Nova Bragança 4	29	H 11
Aldeia Nova Faro 8	90	U 7
Aldeia Nova		
perto de Almeida 9	42	J 9
Aldeia Nova		
perto de Trancoso 9	41	J 7
Aldeia Velha Guarda 9	42	K 9
Aldeia Velha Portalegre 12	65	O 5
Aldeia Viçosa 9	42	K 8
Aldeias Beja 2	78	R 6
Aldeias Guarda 9	41	K 7
Aldeias Viseu 18	41	I 6
Aldeias de Montoito 7	66	Q 7
Alegrete 12	66	O 8
Alenquer 11	64	O 2
Alenquer (Ribeira de) 11	64	O 2
Alentisca 12	66	P 8
Alfafar 6	53	L 4
Alfaião 4	28	G 9
Alfaiates 3	42	K 9
Alfambra 8	88	U 3
Alfândega da Fé 4	28	H 9
Alfarela de Jales 17	27	H 7
Alfarelos 6	53	L 4
Alfarim 15	64	Q 2
Alfeizerão 10	52	N 2
Alferce 8	89	U 4
Alferrarede 14	53	N 5
Alfrivida 5	54	M 7
Alfundão 2	77	R 5
Alfusqueiro 10	40	K 4
Algaça 6	40	L 5
Algar do Carvão 20	107	G 14
Algar Seco 8	89	U 4
Algarvia 20	107	J 20
Alge (Ribeira de) 10	53	M 5
Algeriz 17	28	H 7
Algeruz 15	64	Q 3
Algibre (Ribeira de) 8	89	U 5
Algodor 5	77	S 6
Algodres 9	42	J 8
Algoso 4	28	H 10
Algoz 8	89	U 5
Alguber 11	52	O 2
Algueirão-Mem Martins 11	64	P 1
Alhadas 6	40	L 3
Alhais 18	41	J 6
Alhandra 11	64	P 2
Alhões 18	41	J 5
Alhos Vedros 15	64	Q 2
Alijó 17	27	I 7
Aljezur 8	88	U 3
Aljubarrota 10	52	N 3
Aljustrel 2	77	S 5
Almaça 18	41	K 5
Almaceda 5	54	L 7
Almada 15	64	P 2
Almada de Ouro 8	90	U 7
Almadafe (Ribeira do)	66	P 6
Almádena 8	88	U 3
Almagreira Azores 20	107	M 20
Almagreira Leiria 10	53	M 4
Almalaguês 6	53	L 4
Almancil 8	89	U 5
Almargem do Bispo 11	64	P 2
Almargens 8	89	U 6
Almeida 9	42	J 9
Almeirim	65	O 4
Almeirim Beja 2	77	S 5
Almeirim Évora 7	65	Q 6
Almeirim Santarém 14	65	O 4
Almendra 9	42	I 8
Almofala Guarda 9	42	J 9
Almofala Leiria 10	52	N 2
Almofala Viseu 18	41	J 6
Almograve 2	76	T 3
Almonda 5	54	N 4
Almoster Leiria 10	53	M 4
Almoster Santarém 14	64	O 3
Almourol (Castelo de) 14	53	N 4
Almuro (Ribeira do) 12	66	P 7
Alpalhão 12	54	N 7
Alpedrinha 5	54	L 7
Alpedriz 10	52	N 3
Alpendres de Lagares 2	78	S 7
Alpiarça 14	65	O 4
Alportel 8	89	U 6
Alportel (Ribeira de) 8	89	U 6
Alpreade (Ribeira de) 5	54	M 7
Alqueidão 6	53	L 3
Alqueidão da Serra 10	53	N 3
Alqueidão do Arrimal 10	52	N 3
Alqueva 7	78	R 7
Alqueva (Barragem de)	78	R 7
Alte 8	89	U 5
Alter do Chão 12	66	O 7
Alter Pedroso 12	66	O 7
Alto Cávado		
(Barragem de) 17	27	G 6
Alto Ceira		
(Barragem do) 6	54	L 6
Alto Fica 8	89	U 5
Alto Rabagão		
(Barragem de) 17	27	G 6
Altura 8	90	U 7
Alturas do Barroso 17	27	G 6
Alva 18	41	J 6
Alva (Rio)	41	L 5
Alvacar (Ribeira de) 2	77	T 6
Alvações do Corgo 17	27	I 6
Alvadia 17	27	H 6
Alvados 10	53	N 3
Alvaiade 5	54	M 6
Alvaiázere 10	53	M 4
Alvalade 15	77	S 4
Alvão (Serra de) 17	27	H 6
Alvarães 16	26	H 3
Alvarelhos 17	28	G 7
Alvarenga 1	41	J 5
Alvares Beja 2	77	T 6
Alvares Coimbra 6	53	L 5
Álvaro 5	53	M 6
Alvarrão 2	78	R 7
Alvarrões 12	54	N 7
Alvega 14	53	N 5
Alvelos (Serra de) 5	54	M 6
Alvendre 9	42	K 8
Alverca da Beira 9	42	J 8
Alverca do Ribatejo 11	64	P 2
Alves 2	78	T 7
Alviela 14	53	N 4
Alvioubeira 14	53	M 4
Alvite 18	41	J 6
Alvito 2	77	R 6
Alvito (Barragem do) 2	77	R 6
Alvito da Beira 5	54	M 6
Alvoco da Serra 9	41	L 6
Alvoco das Várzeas 6	41	L 6
Alvor 8	88	U 4
Alvorge 10	53	M 4
Alvorninha 10	52	N 2
Amadora 11	64	P 2
Amarante 13	27	I 5
Amarela (Serra)	27	G 5
Amareleja 2	78	R 8
Amares 3	27	H 4
Ameada 7	78	R 8
Amedo 4	28	I 8
Ameixial 8	89	T 6
Amêndoa 14	53	N 5
Amendoeira Beja 2	77	S 6
Amendoeira Faro 8	89	U 6
Amiães de Baixo 14	53	N 3
Amiães de Cima 14	53	N 3

AVEIRO

Antónia Rodrigues (R.)	Y	3
Apresentação (Largo da)	Y	4
Belém do Pará	Y	6
Capitão Sousa Pizarro (R.)	Z	9
Clube dos Galitos (R.)	Y	10
Coimbra (R.)	Y	12
Comb. da Grande Guerra (R.)	Z	13
Dr Lourenço Peixinho (Av.)	Y	
Eça de Queiroz (R.)	Z	15
Eng. Pereira da Silva (R.)	Y	17
Gustavo F. P.-Basto (R.)	Z	18
Humberto Delgado (Pr.)	Y	21
Jorge de Lencastre (R.)	Y	22
José Estevão (R.)	Y	24
José Rabumba (R.)	Y	27
Luis de Magalhães (R. do C.)	Y	28
Marquês de Pombal		
(Pr.)	Z	31
República (Pr. da)	Y	34
Santa Joana (R.)	Y	37
Santo António (Largo de)	Z	39
Viana do Castelo (R.)	Y	42
5 de Outubro (Av.)	Y	44
14 de Julho (Pr.)	Y	

Town plan of Aveiro. Scale 0–200 m. Notable labels: SALINAS, A 25 - IP 5, Canal de São Roque, R. de S. Roque, Canal das Pirâmides, R. do Carmo, Largo Capitão Maia Magalhães, Praça 14 de Julho, Largo da Praça do Peixe, Canal Central, Misericórdia, Forum, CAPITANIA, Canal do Cojo, ANTIGO CONVENTO DE JESUS, Sé, Praça do Milenário, Largo de Luís de Camões, Rua Calouste Gulbenkian, Rua Condessa Mumadona Dias, Cel. do Paraíso, A 1 - IP 1 COIMBRA.

Amieira *Castelo Branco* 5.. 54   M 6
Amieira *Évora* 7............... 78   R 7
Amieira Cova 7.............. 53   N 6
Amieira do Tejo 12............ 54   N 6
Amieiro *Coimbra* 6........... 40   L 4
Amieiro *Vila Real* 17...... 28   I 7
Amonde 16.................... 26   G 3
Amor 10...................... 52   M 3
Amora 15..................... 64   Q 2
Amoreira *Faro* 8......... 89   T 6
Amoreira *Guarda* 9........ 42   K 8
Amoreira *Leiria* 10........ 52   N 2
Amoreira *Santarém* 14..... 53   N 5
Amoreira (Aqueduto da) 1266   P 8
Amoreira da Gândara 1.... 40   K 4
Amoreiras 2................. 77   S 4
Amoreirinha 12............. 66   P 8
Amorim 13.................. 26   H 3
Amorosa 6.................. 26   H 3
Anadia 1................... 40   K 4
Ança 6..................... 40   L 4
Ancas 1.................... 40   K 4
Âncora 16.................. 26   G 3
Andam 10................... 52   N 3
Andorinha 6................ 40   L 4
Andrães 17................. 27   I 6
Andreus 14................. 53   N 5
Anelhe 17.................. 27   G 7
Angeja 1................... 40   J 4
Angra do Heroísmo 20...107   H 14
Angueira 4................. 29   H 10
Angueira (Rio).............. 29   H 10
Anhões 16.................. 12   G 4
Anissó 3................... 27   H 5
Anjos 20.................107   L 20
Anobra 6................... 53   L 4
Anreade 18................. 41   I 6
Ansiães 4.................. 28   I 8
Ansião 10.................. 53   M 4
Antanhol 6................. 53   L 4
Antas perto de
    Fornos de Algodres 18... 41   K 7
Antas
    perto de *Penedono* 18... 42   J 7
Apostiça 15................ 64   Q 2
Apúlia 3................... 26   H 3
Arada 1.................... 40   J 4
Arada (Serra da)............. 41   J 5
Aradas 1................... 40   K 4
Arade (Barragem de) 8... 89   U 4
Arades (Ribeira de) 5.... 55   M 9
Aranhas 5.................. 54   L 8
Aravil (Ribeira do) 5..... 54   M 8
Arazede 6.................. 40   L 4
Arca 18.................... 41   K 5
Arcas *Bragança* 4........ 28   H 8
Arcas *Viseu* 18........... 41   J 6
Arco da Calheta 31........ 88   A Y
Arco de Baulhe 3.......... 27   H 6
Arco de São Jorge 31...... 88   B Y
Arcos *Évora* 7........... 66   P 7
Arcos *Vila Real* 17....... 27   G 6
Arcos *Viseu* 18.......... 41   I 7
Arcos de Valdevez 16...... 27   G 4
Arcossó 1.................. 27   H 7
Arcozelo 9................. 41   K 7
Arcozelo das Maias 18..... 41   J 5
Arcozelos 18............... 41   J 7
Arda 1..................... 41   J 5
Ardãos 17.................. 27   G 7
Ardila 7................... 78   R 7
Arega 12................... 53   M 5
Areia 12................... 53   N 6
Areia de Baixo 14.......... 53   N 5
Areias 14.................. 53   M 4
Areias de Vilar 3.......... 26   H 4
Arelho 10.................. 52   N 2
Areosa 16.................. 26   G 3
Arez 12.................... 54   L 6
Arga (Serra de) 16......... 26   G 3
Arganil *Coimbra* 6........ 41   L 5
Arganil *Santarém* 14...... 53   M 6
Argemil 17................. 28   H 7
Argomil 9.................. 42   K 8
Argozelo 4................. 28   H 10
Aricera 18................. 41   I 7
Arieiro 31................. 64   Q 2
Arieiro *Pico* 15.......... 88   B Y
Ariz 18.................... 41   J 7
Armação de Pêra 8......... 89   U 4
Armada 7................... 64   P 2
Armadouro 6................ 54   L 6
Armamar 18................. 41   I 6
Armil 3.................... 27   H 5
Armona 8................... 89   U 6
Armona (Ilha de) 8........ 89   U 6

Arnas 18................... 41   J 7
Arneiro *Portalegre* 12.... 54   N 6
Arneiro *Santarém* 14..... 53   M 4
Arneiro das Milhariças 14.53   N 3
Arnel (Ponta do) 20......107   J 20
Arnoso 3................... 26   H 4
Arões *Aveiro* 1........... 41   J 5
Arões *Braga* 3............ 27   H 5
Arosa 7.................... 27   H 5
Arouca 1................... 41   J 5
Arrabal 10................. 53   M 3
Arrábida
    (Parque Natural da) 15.65   Q 3
Arrábida (Serra da) 15..... 64   Q 2
Arraiolos 7................ 65   P 6
Arranhó 7.................. 64   P 2
Arreciadas 14.............. 53   N 5
Arrentela 15............... 64   Q 2
Arripiado 7................ 53   N 4
Arrifana *Aveiro* 1........ 40   J 4
Arrifana *Coimbra* 6....... 41   L 5
Arrifana *Faro* 8.......... 88   U 3
Arrifana *Faro* 8.......... 88   U 3
Arrifana *Guarda* 9........ 42   K 8
Arrifes 20................107   J 18
Arripiado 14............... 53   N 4
Arronches 7................ 66   O 8
Arrouquelas 14............. 64   O 3
Arruda dos Pisões 14....... 52   O 3
Arruda dos Vinhos 11...... 64   P 2
Arunca 7................... 53   M 4
Árvore 13.................. 26   H 3
Arzila 7................... 26   H 4
Assafarge 6................ 53   L 4
Assafora 11................ 64   P 1
Asseca 4................... 52   O 3
Asseca (Ribeira de)........ 66   P 7
Asseiceira
    perto de *Rio Maior* 14... 52   O 3
Asseiceira
    perto de *Tomar* 14....... 53   N 4
Assentiz
    perto de *Rio Maior* 14... 64   O 3
Assentiz *Santarém* 14..... 53   N 4
Assumar 12................. 66   O 7
Assureira 7................ 27   G 6
Atalaia *Castelo Branco* 5.. 54   M 7
Atalaia *Évora* 7.......... 77   Q 6
Atalaia *Guarda* 9......... 42   K 8
Atalaia *Lisboa* 11........ 64   O 2
Atalaia *Portalegre* 12.... 54   N 6
Atalaia *Santarém* 14...... 53   N 4
Atalaia *Setúbal* 15....... 64   P 3
Atalaia do Campo 5........ 54   L 7
Atalaia (Monte) 8......... 88   U 3
Atalaia (Monte) *Setúbal* 15.76   R 4
Atalaia (Ponta da) 8...... 88   U 3
Atalaia (Ponta da)
    perto de *Aljezur*......... 88   U 3
Atei 17.................... 27   H 6
Atenor 4................... 29   H 10
Atouguia da Baleia 10..... 52   N 2
Avanca 1................... 40   J 4
Avantos 4.................. 28   H 8
Ave 7...................... 27   H 5
Aveiras de Baixo 11........ 64   O 3
Aveiras de Cima 11........ 64   O 3
Aveiro (Ria de) 1.......... 40   K 4
Aveiro (Ria de) 1.......... 40   J 3
Avelanoso 4................ 29   H 10
Avelar 10.................. 53   M 4
Avelãs da Ribeira 9........ 42   K 8
Avelãs de Caminho 1....... 40   K 4
Avelãs de Cima 1.......... 40   K 4
Aveleda 6.................. 28   G 9
Aveledas 17................ 28   G 7
Aveloso 9.................. 42   J 8
Avenal 10.................. 52   N 2
Aves 13.................... 26   H 4
Avessadas 13............... 27   I 5
Avidagos 4................. 28   H 8
Avidos 14.................. 26   H 4
Avintes 13................. 26   I 4
Avis 7..................... 65   O 6
Avô 6...................... 41   L 6
Azambuja 1................ 64   O 3
Azambuja (Ribeira da) 7..65   Q 6
Azambuja (Vala de) 14..... 65   O 3
Azambujeira 14............ 65   O 3
Azaruja 14................. 65   P 6
Azeitada 7................. 64   P 6
Azeitada 14................ 64   O 3
Azenha 6.................. 53   L 6
Azenhas do Mar 11........ 64   P 1
Azere 6.................... 41   K 5
Azervadinha 14............ 65   P 4
Azevedo 16................ 26   G 3

Azevel 7................... 66   Q 7
Azevo 9.................... 42   J 8
Azias 16................... 27   G 4
Azibo 4.................... 28   H 9
Azibo (Barragem de) 4.... 28   H 9
Azinhaga 14............... 53   N 4
Azinhal *Beja* 2........... 77   S 6
Azinhal *Faro* 8........... 90   U 7
Azinheira 14............... 52   O 3
Azinheiro 8................ 89   U 6
Azinhoso 4................. 28   H 9
Azoia *Leiria* 10.......... 53   M 3
Azóia *Setúbal* 15......... 64   Q 2
Azóia de Baixo 14......... 53   O 3
Azóia de Cima 14.......... 53   N 3
Azul (Lagoa) 20..........107   J 18
Azurara 3.................. 26   H 3

B

Babe 4..................... 28   G 10
Baçal 4.................... 28   G 9
Bacalhoa (Quinta da) 15..65   Q 3
Badamalos 9............... 42   K 9
Bagueixe 4................. 28   H 9
Baião 13................... 27   I 5
Bairrada 5................. 53   M 6
Bairro 14.................. 53   N 4
Baixa da Banheira 15......64   Q 2
Baixo
    ou da Cal (Ilhéu de) 31.89   C X
Balancho 7................. 66   Q 7
Balazar 13................. 26   H 4
Baldos 18.................. 41   J 7
Baleal 10.................. 52   N 1
Baleizão 2................. 77   R 6

Balsa 17................... 27   H 7
Balsemão 4................ 28   H 9
Balugães 3................. 26   H 4
Balurco 8.................. 90   T 7
Balurcos 8................. 90   T 7
Bandeiras 20.............107   H 10
Bando dos Santos 14....... 53   N 6
Baraçal 2.................. 42   J 8
Barão de São João 8....... 88   U 3
Barão de São Miguel 8..... 88   U 3
Barbaído 5................. 54   M 7
Barca de Alva 9........... 42   I 9
Barca (Ponta da) 20......107   F 11
Barcarena 11............... 64   P 2
Barcel 4................... 28   H 8
Barcelinhos 3.............. 26   H 4
Barcelos 3................. 26   H 4
Barco 5.................... 54   L 7
Barcos 18.................. 41   I 7
Barcouço 1................. 40   L 4
Bardeiras 7................ 65   P 6
Barosa 10.................. 52   M 3
Barqueiro 10............... 52   M 4
Barqueiros 3............... 26   H 3
Barra de Mira 6............ 40   K 3
Barrada *Évora* 7.......... 66   Q 7
Barrada *Faro* 8........... 89   T 6
Barrada *Santarém* 14..... 53   N 5
Barrancão 15............... 65   Q 4
Barranco 2................. 89   T 6
Barranco Velho 8.......... 89   U 6
Barrancos 7................ 78   R 9
Barreira *Guarda* 9........ 42   J 8
Barreira *Leiria* 10........ 53   M 3

Barreiras 12............... 65   O 5
Barreiro *Leiria* 10........ 53   M 4
Barreiro *Setúbal* 15....... 64   Q 2
Barreiros *Leiria* 10....... 52   M 3
Barreiros *Viseu* 18....... 41   J 6
Barreta (Ilha da) 8........ 90   V 6
Barril 11.................. 64   O 1
Bárrio 16.................. 26   G 4
Barrô 18................... 27   I 6
Barro Branco 7............. 66   P 7
Barroca 5.................. 54   L 6
Barrocal 7................. 66   Q 7
Barrocal do Douro 4....... 29   H 11
Barrocaria 14.............. 53   M 3
Barrocaria 8............... 89   T 6
Barroças e Taias 16........ 12   F 4
Barrosa 14................. 65   P 3
Barrosas 10..............107   J 19
Barroselas 16.............. 26   H 3
Barrosinha 15.............. 77   Q 4
Barroso (Serra do) 17...... 27   H 6
Barrossas 3................ 27   I 5
Barulho 12................. 66   O 8
Batalha 10................. 53   M 3
Batocas 9.................. 42   K 9
Bebedouro 6................ 40   L 3
Beberriqueira 14........... 53   N 4
Beça 7..................... 27   G 6
Beça (Rio) 17.............. 27   H 6
Beijós 18.................. 41   K 6
Beira 14................... 54   N 7
Beira São Jorge 20.......107   G 11
Beja 2..................... 77   R 6
Belas 11................... 64   P 2
Belazaima 1................ 40   K 4
Belém 11................... 64   P 2
Beliche 8.................. 90   U 7

Beliche (Barragem de) 8..90   U 7
Belide 6................... 53   L 4
Belinho 3.................. 26   H 3
Belmeque 2................ 78   R 7
Belmonte 5................ 42   K 7
Belver 12.................. 54   N 6
Belver (Barragem de) 12.. 53   N 6
Bemposta *Bragança* 4.... 29   I 10
Bemposta
    Castelo Branco 5........ 54   L 8
Bemposta *Santarém* 14.... 53   N 5
Bemposta
    (Barragem de) 4......... 29   I 10
Benafim 8.................. 89   U 5
Benavente 14.............. 64   P 3
Benavila 7................. 66   O 6
Bencatel 7................. 66   P 7
Bendada 9................. 42   K 8
Benedita 10................ 52   N 3
Benespera 9............... 42   K 8
Benfeita 6................. 41   L 6
Benfica do Ribatejo 14..... 65   O 3
Benquerença 5............. 54   L 8
Benquerenças 5............ 54   M 7
Bens 2..................... 78   T 7
Bensafrim 8................ 88   U 3
Beringel 7................. 77   R 6
Berlenga 10................ 52   N 1
Beselga 14................. 53   N 4
Besteiros *Bragança* 4..... 28   I 8
Besteiros *Faro* 8......... 89   U 6
Bicada 2................... 77   T 6
Bicas 14................... 53   N 5
Bico *Aveiro* 1............ 40   J 4
Bico *Viana do Castelo* 16. 26   G 4

BRAGA

Abade Loureira (R.) . . . . **Y** 3
Biscainhos (R. dos) . . . . **Y** 4
Caetano Brandão (R.) . . . . **Z** 6
Capelistas (R. dos) . . . . **Y** 7
Carmo (R. do) . . . . **Y** 9

Central (Av.) . . . . **Y** 10
Chãos (R. dos) . . . . **Y** 12
Conde de Agrolongo (Pr.) . . . **Y** 13
Dom Afonso Henriques (R.) . . . . **Y** 15
Dom Diogo de Sousa (R.) . . . **YZ** 16
Dom Gonç. Pereira (R.) . . . . . . **Z** 18
Dom Paio Mendes (R.) . . . . **Z** 19
Dr Gonçalo Sampaio (R.) . . . . . . **Z** 21

Franc. Sanches (R.) . . . . **Z** 22
General Norton de Matos (Av.) . . **Y** 24
Nespereira (Av.) . . . . **Y** 25
São João do Souto (Pr.) . . . . **Z** 27
São Marcos (R.) . . . . **YZ** 28
São Martinho (R. de) . . . . **Y** 30
São Tiago (Largo de) . . . . **Z** 31
Souto (R. do) . . . . **YZ** 33

Bicos 2	77	S 4
Bigas 18	41	J 6
Bigorne 18	41	I 6
Bigorne (Serra de) 18	41	J 6
Bilhó 17	27	H 6
Biscoitos 20	107	G 14
Bismula 9	42	K 9
Bitarães 13	27	I 5
Bizarril 9	42	J 8
Boa Aldeia 18	41	K 5
Boa Ventura 31	88	B Y
Boa Viagem 6	40	L 3
Boa Vista 10	53	M 3
Boa Vista (Miradouro da) 18	27	I 6
Boalhosa 16	26	G 4
Boavista do Paiol 15	76	S 3
Boavista dos Pinheiros 2	76	T 4
Bobadela Coimbra 6	41	K 6
Bobadela perto de Águas Frias 17	28	G 8
Bobadela Vila Real 17	27	G 7
Boca do Inferno 11	64	P 1
Boco 1	40	K 4
Bodiosa 18	41	J 6
Boelhe 13	27	I 5
Bogalhal 9	42	J 8
Bogas de Baixo 5	54	L 6
Bogas de Cima 5	54	L 6
Boialvo 1	40	K 4
Boiças 14	52	O 3
Boivão 16	12	F 4
Boleiros 14	53	N 4
Bolfiar 1	40	K 4
Boliqueime 8	89	U 5
Bom Jesus do Monte 3	27	H 4
Bombarral 10	52	O 2
Bombel 65	P 4
Bombel (Estação de) 7	65	P 4
Borba 7	66	P 7
Borba da Montanha 3	27	H 5
Borbela 7	27	I 6
Bordeira 8	88	U 3
Bornes 4	28	H 8
Borralha Aveiro 1	40	K 4
Borralha Vila Real 17	27	H 6
Borralhal 18	41	K 5
Botão 6	40	L 4
Boticas 17	27	G 7
Bouça 4	28	H 8
Bouça (Barragem da) 5	53	M 5
Bouças 15	76	R 4
Bouceguedim 1	41	J 5
Bouceiros 10	53	N 3
Bouçoães 17	28	G 8
Bouro 3	27	H 5
Boxinos 5	54	L 6
Bracial 15	76	S 3
Braga 3	26	H 4
Bragadas 17	27	H 6
Bragado 17	27	H 7
Bragança 4	28	G 9
Branca 14	65	P 4
Brasfemes 6	40	L 4
Bravães 16	26	G 4
Bravo 5	53	M 5
Bravura (Barragem da) 8	88	U 3
Brejão 2	76	T 3
Brejeira (Serra da) 2	88	T 4
Brejo 15	77	R 4
Brenha 6	40	L 3
Brenhas 2	78	R 7
Bretanha 20	107	J 18
Bretanha (Ponta da) 20	107	J 18
Brinches 2	78	R 7
Brinço 4	28	H 8
Briteiros 3	27	H 5
Britelo 16	27	G 5
Britiande 18	41	I 6
Brito 3	27	H 4
Brogueira 14	53	N 4
Brotas 7	65	P 5
Bruçó 4	28	I 9
Brufe 3	27	G 5
Brunheda 4	28	I 7
Brunheira 15	77	R 4
Brunheiras 2	76	S 3
Brunhós 6	53	L 3
Brunhosinho 4	29	H 10
Brunhoso 4	28	H 9
Buarcos 6	40	L 3
Buarcos (Monte) 6	40	L 3
Buçaco 1	40	K 4
Bucelas 11	64	P 2
Bucos 3	27	H 5
Budens 8	88	U 3

Bugio 15	64	Q 2
Bugios 5	54	M 6
Bunheira 8	88	T 3
Bunheiro 1	40	J 4
Burga 4	28	H 8
Burgau 8	88	U 3
Burgo 1	41	J 5
Burinhosa 10	52	M 3
Bustelo Vila Real 17	28	G 7
Bustelo Viseu 18	41	I 5
Bustos 1	40	K 4

C

Cabaços Leiria 10	53	M 4
Cabaços Viana do Castelo 16	26	G 4
Cabaços Viseu 18	41	I 7
Cabana Maior 16	27	G 4
Cabanas Faro 8	90	U 7
Cabanas Viseu 18	41	K 6
Cabanas de Torres 11	64	O 2
Cabanões 18	41	K 6
Cabeça 9	41	L 6
Cabeça Alta 9	41	K 7
Cabeça Boa 4	28	I 8
Cabeça da Velha 9	41	K 6
Cabeça das Pombas 10	53	N 3
Cabeça de Carneiro 7	66	Q 7
Cabeça do Velho 9	41	K 7
Cabeça Gorda 4	77	S 6
Cabeção 7	65	P 5
Cabeceiras de Basto 3	27	H 6
Cabeço 6	40	K 3
Cabeço Alto Castelo Branco 5	55	M 8
Cabeço Alto Vila Real 17	27	G 6
Cabeço da Neve 18	41	K 5
Cabeço de Vide 12	66	O 7
Cabeçudo 5	53	M 5
Cabouco 20	107	J 19
Cabração 16	26	G 4
Cabras (Ribeira das) 42	K 8
Cabreira 6	53	L 5
Cabreira (Serra da) 3	27	H 5
Cabreiro 16	27	G 4
Cabreiro (Monte) 17	27	H 7
Cabrela 7	65	Q 4
Cabril Coimbra 6	54	L 6
Cabril Vila Real 17	27	G 5
Cabril Viseu 18	41	J 5
Cabril (Barragem do) 53	M 5
Caçarelhos 4	29	H 10
Caçarilhe 2	27	H 5
Cacela Velha 8	90	U 7
Cachão 4	28	H 8
Cachopo 8	89	U 6
Cachorro 20	107	H 10
Cacia 1	40	J 4
Cacilhas 15	64	P 2
Cadafais 11	64	O 2
Cadafaz Coimbra 6	53	L 5
Cadafaz Portalegre 12	53	N 6
Cadaval 11	64	O 2
Cadima 18	40	L 4
Cadraço 18	41	K 5
Caeirinha 15	65	Q 5
Caeiro 2	88	T 4
Cafede 5	54	M 7
Caia (Barragem do) 12	66	P 8
Caia e São Pedro 12	66	P 8
Caiada 2	77	T 6
Caíde de Rei 13	27	I 5
Caima 1	40	J 4
Caixeiro 12	66	P 7
Caldas da Cavaca 9	41	J 7
Caldas da Felgueira 18	41	K 6
Caldas da Rainha 10	52	N 2
Caldas das Taipas 3	27	H 4
Caldas de Aregos 18	41	I 5
Caldas de Manteigas 9	41	K 7
Caldas de Monchique 8	88	U 4
Caldas de Vizela 3	27	H 5
Calde 18	41	J 6
Caldeira Faial 20	107	H 9
Caldeira São Miguel 20	107	J 20
Caldeira Terceira 20	107	G 14
Caldeirão 20	107	D 2
Caldeiras 20	107	J 19
Caldelas 3	27	G 4
Calhariz 15	64	Q 2
Calheiros 16	26	G 4
Calheta 31	88	A Y
Calheta de Nesquim 20	107	H 11
Calheta de Nesquim 20	107	H 11

Ameias (Largo)	Z	2
Antero de Quental (R.)	V	3
Borges Carneiro (R.)	Z	10
Colégio Novo (R. do)	Y	12
Comércio (P. do)	Z	

Coutinhos (R.)	Y	15
Dr João Jacinto (R.)	Y	18
Fernandes Tomás (R.)	Z	25
Fernão de Magalhães (Av.)	Y	
Ferreira Borges (R.)	Z	27
Guilherme Moreira (R.)	Z	31
José Falcão (R.)	Z	35
Manutenção Militar (R.)	Y	37

Portagem (Largo da)	Z	42
Quebra-Costas (Escadas do)	Z	44
Saragoça (R. de)	Y	50
Sobre Ribas (R. de)	Z	52
Sofia (R. de)	Y	
Visconde da Luz (R.)	Y	54
8 de Maio (Pr.)	Y	56

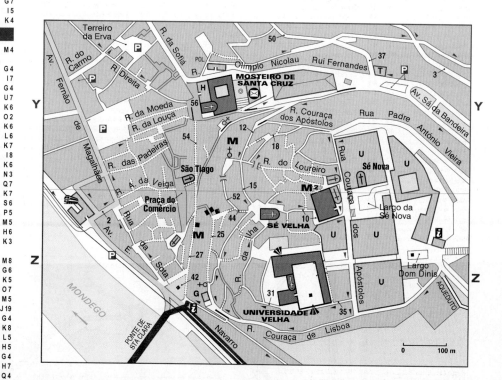

Mosteiro de Santa Cruz . . . . Y   Museu Nacional Machado de Castro . . . . Z M²

Calhetas 20	107	J 19
Caloura 20	107	J 19
Calvão Aveiro 1	40	K 3
Calvão Vila Real 17	27	G 7
Calvaria de Cima 10	52	N 3
Calvelhe 4	28	H 9
Calvos 3	27	H 5
Camacha 31	88	B Y
Camacha 89	C X
Camachos 2	76	T 4
Câmara de Lobos 31	88	B Z
Cambas 5	54	L 6
Cambra 18	41	J 5
Cambres 18	27	I 6
Caminha 16	26	G 3
Campanário 31	88	A Y
Campelo 10	53	L 5
Campelos 11	64	O 2
Campilhas (Barragem de) 15	76	S 4
Campilhas (Ribeira de) 77	S 4
Campinho 7	78	Q 7
Campo perto de Roriz 13	27	H 4
Campo perto de Valongo 13	26	I 4
Campo Viseu 18	41	I 6
Campo de Besteiros 18	41	K 5
Campo de Cima 32	89	C X
Campo de Víboras 4	29	H 10
Campo do Gerês 3	27	G 5
Campo Maior 12	66	O 8
Campo Redondo 2	76	S 4
Campos Viana do Castelo 16	26	G 3
Campos Vila Real 17	27	H 6
Composa 3	26	I 4
Canadelo 13	27	I 6
Canal-Caveira (Estação) 15	77	R 4
Canas de Santa Maria 18	41	K 5
Canas de Senhorim 18	41	K 6
Canaveses 17	28	H 7
Canaviais 7	65	Q 6
Candal Coimbra 6	53	L 5
Candal Leiria 10	53	M 4

Candedo 17	28	H 7
Candeeiros (Serra dos) 10	53	N 3
Candelária 20	107	H 10
Candelária 20	107	J 18
Candemil Porto 13	27	I 6
Candemil Viana do Castelo 16	26	G 3
Candosa 6	41	K 6
Caneças 11	64	P 2
Canedo 1	40	I 4
Canedo de Basto 3	27	H 6
Canedo 14	53	N 4
Canelas 1	41	J 5
Canha 15	65	P 4
Canha (Ribeira de) 65	P 4
Canhas 31	88	A Y
Canhestros 2	77	R 5
Caniçada 3	27	H 5
Caniçada (Barragem de) 3	27	H 5
Caniçal 31	88	B Y
Caniceira 6	40	K 3
Caniço 31	88	B Z
Canidelo 13	26	I 4
Cano 1	66	P 6
Cantanhede 6	40	K 4
Cantanhede (Dunas de) 6	40	K 3
Canto 10	53	M 3
Caparica 15	64	Q 2
Caparrosa 18	41	K 5
Capela Portalegre 12	66	O 7
Capela Porto 13	27	I 4
Capela Santarém 14	53	N 6
Capelas 20	107	J 18
Capelinhos 20	107	H 9
Capelins 7	66	Q 7
Capelo 20	107	H 9
Capeludos 13	27	H 6
Capinha 5	54	L 7
Caramulinho 8	41	K 5
Caramulo 18	41	K 5
Caramulo (Serra do) 18	41	K 5
Caranguejeira 10	53	M 3
Carapacho 20	107	F 12

Carapeços 3	26	H 4
Carapetosa 5	54	M 7
Carapinha (Serra da) 8	89	T 4
Carapinheira 6	40	L 4
Carapito 9	41	J 7
Caratão 6	53	L 5
Caravelas 4	28	H 8
Carcalhinho 6	53	L 6
Carção 4	28	H 10
Carcavelos 11	64	P 1
Cardanha 4	28	I 8
Cardigos 14	53	M 5
Cardosa 5	54	M 6
Caria Castelo Branco 5	42	L 7
Caria Viseu 18	41	J 7
Caria (Ribeira de) 5	42	L 7
Caridade 7	66	Q 7
Carlão 17	28	I 7
Carmões 11	64	O 2
Carnaxide 11	64	P 2
Carneiro 17	27	I 6
Carnicães 9	42	J 8
Carnide 6	40	L 3
Carnide (Rio de) 53	M 3
Carnota 11	64	O 2
Carquejo 1	40	I 4
Cárquere 18	41	I 6
Carragosa 4	28	G 9
Carralcova 16	27	G 4
Carrapateira 8	88	U 3
Carrapatelo 7	66	Q 7
Carrapatelo (Barragem de) 13	41	I 5
Carrapichana 9	41	K 7
Carrascais 15	77	R 5
Carrascal 14	54	N 6
Carrazeda de Ansiães 4	28	I 8
Carrazedo 14	53	N 4
Carrazedo 4	28	G 9
Carrazedo de Montenegro 17	28	H 7
Carreço 18	26	G 3
Carregado 11	64	O 3
Carregal 18	41	J 7

Carregal do Sal 18	41	K 6
Carregosa 1	40	J 4
Carregueira 14	53	N 4
Carregueiros 14	53	N 4
Carreiras 12	54	N 7
Carreiras (Ribeira de) 2	89	T 6
Carriço 10	53	M 3
Carril 18	41	I 5
Carroqueiro 5	54	L 8
Cartas 2	77	T 6
Cartaxo 14	64	O 3
Carva 17	27	H 7
Carvalha 18	41	J 6
Carvalhais Bragança 4	28	H 8
Carvalhais Coimbra 6	53	L 3
Carvalhais Vila Real 17	27	G 6
Carvalhais Viseu 18	41	J 5
Carvalhais (Rio de) 4	28	H 8
Carvalhal Beja 2	76	T 3
Carvalhal Coimbra 6	53	L 5
Carvalhal Leiria 10	52	O 2
Carvalhal perto de Belmonte 5	42	L 8
Carvalhal perto de Castro Daire 18	41	J 6
Carvalhal perto de Guarda 9	42	K 8
Carvalhal perto de Méda 9	42	J 8
Carvalhal perto de Sertã 5	53	M 5
Carvalhal perto de Viseu 18	41	J 6
Carvalhal Santarém 14	53	N 5
Carvalhal Setúbal 15	76	R 3
Carvalhal Benfeito 10	52	N 2
Carvalhal de Vermilhas 18	41	K 5
Carvalhal do Estanho 18	41	K 5
Carvalhal Redondo 18	41	K 6
Carvalhelhos 17	27	G 6
Carvalho Braga 3	27	H 5
Carvalho Coimbra 6	40	L 5
Carvalho de Egas 4	28	I 8
Carvalhosa 13	41	I 4
Carvalhosa 13	27	I 4
Carvalhoso 4	28	I 9
Carvão 20	107	J 18

Carvas 17	27	H7	
Carvela 17	28	G7	
Carviçais 4	28	I9	
Carvide 10	52	M3	
Carvoeira			
perto de Mafra 11	64	P1	
Carvoeira perto de			
Torres Vedras 11	64	O2	
Carvoeiro Faro 8	89	U4	
Carvoeiro Santarém 14	54	N6	
Carvoeiro (Cabo) Faro 8	89	U4	
Carvoeiro (Cabo) Leiria 10	52	N1	
Casa Branca	77	R4	
Casa Branca Évora 7	65	Q5	
Casa Branca			
Portalegre 12	66	P6	
Casa Branca Setúbal 15	76	R3	
Casa Nova 15	76	S4	
Casais Faro 8	88	U4	
Casais Santarém 14	53	N4	
Casais do Chafariz 10	52	O2	
Casal Comba 1	40	K4	
Casal de Cinza 9	42	K8	
Casal de Ermio 6	53	L5	
Casal dos Bernardos 14	53	M4	
Casal Novo Coimbra 6	53	L5	
Casal Novo Leiria 10	53	M3	
Casal Velho 10	52	N2	
Casalinho Santarém 14	65	O4	
Casas 8	89	U5	
Casas de Fonte Cova 10	53	M3	
Casas Louras 14	53	N5	
Casas Novas 12	66	P8	

Cascais 11	64	P1	
Cascalho 14	65	P3	
Casebres 15	65	Q4	
Casegas 5	54	L6	
Casével Beja 2	77	S5	
Casével Santarém 14	53	N4	
Castainço 18	41	J7	
Castanheira Bragança 4	28	H10	
Castanheira Guarda 9	42	K8	
Castanheira perto de			
Trancoso 9	42	J7	
Castanheira Vila Real 17	27	G6	
Castanheira de Pêra 10	53	L5	
Castanheira			
do Ribatejo 11	64	P3	
Castanheira do Vouga 1	40	K4	
Castanheiro 6	40	L3	
Castanheiro do Sul 18	41	I7	
Casteição 9	42	J7	
Castelãos 4	28	H9	
Casteleiro 9	42	L8	
Castelejo 5	54	L7	
Castelhanas 10	53	M3	
Castelhanos 8	89	T6	
Castelo Castelo Branco 5	53	N5	
Castelo Santarém 14	53	N5	
Castelo Viseu 18	41	I7	
Castelo Bom 9	42	K9	
Castelo Branco 20	107	H9	
Castelo Branco			
Bragança 4	28	I9	

Castelo Branco			
Castelo Branco 5	54	M7	
Castelo de Bode			
(Barragem do) 14	53	N5	
Castelo de Maia 13	26	I4	
Castelo de Paiva 1	41	I5	
Castelo de Vide 12	54	N7	
Castelo do Neiva 16	26	H3	
Castelo Melhor 9	42	I8	
Castelo Mendo 9	42	K9	
Castelo Novo 5	54	L7	
Castelo (Pico do) 32	89	DX	
Castelo (Ponta do) 8	89	U5	
Castelo (Ponta do) 20	107	M 20	
Castelo Rodrigo 9	42	J9	
Castelões 1	40	J4	
Castrelos 4	28	G9	
Castro Daire 18	41	I4	
Castro de Avelãs 4	28	G9	
Castro Laboreiro 16	13	F5	
Castro Marim 8	90	U7	
Castro Verde 2	77	S5	
Castro Verde-Almodôvar			
(Estação) 2	77	S5	
Castro Vicente 4	28	H9	
Catalão 7	65	Q4	
Cativelos 9	41	K6	
Catrão 5	54	L7	
Cava 5	53	M5	
Cavadoude 9	42	K8	
Cavaleiro 2	76	T3	
Cavalinhos 10	52	M3	
Caveira (Ponta da) 20	107	E2	

Cavernães 18	41	J6	
Cavês 3	27	H6	
Caxarias 14	53	M4	
Caxias 11	64	P2	
Cebolais de Baixo 5	54	M7	
Cebolais de Cima 5	54	M7	
Cedães 4	28	H8	
Cedillo (Barragem de)	54	N7	
Cedovim 9	42	I8	
Cedrim 1	40	J4	
Cedros 20	107	H9	
Ceira 6	53	L4	
Ceira (Rio)	53	L4	
Ceivães 16	13	F4	
Cela 10	52	N2	
Cela Velha 10	52	N2	
Celas 4	28	G9	
Celavisa 6	53	L5	
Celeiro 3	27	H5	
Celeirós Braga 3	26	H4	
Celeirós Vila Real 17	27	I7	
Celorico da Beira 9	42	K7	
Celorico de Basto 4	27	H6	
Centum Cellas 5	42	K8	
Cepães 3	27	H5	
Cepelos 3	40	J4	
Cepões 18	41	J6	
Cepos 6	53	L6	
Cerca (Ribeira da) 8	88	U3	
Cercal Leiria 10	53	M5	
Cercal Lisboa 11	64	O2	
Cercal Setúbal 15	76	S3	

Cercal (Serra do) 2	76	S3	
Cercio 4	29	H 11	
Cerdal 16	12	G4	
Cerdeira Coimbra 6	41	L6	
Cerdeira Guarda 9	42	K8	
Cerdeirinhas 3	27	H5	
Cernache 6	53	L4	
Cernache de Bonjardim 5	53	M5	
Cerro perto de Alte 8	89	U5	
Cerro perto de Loulé 8	89	U5	
Cerro da Vila 8	89	U5	
Cerros 3	78	Q7	
Cerva 17	27	H6	
Cervães 3	26	H4	
Cervos 17	27	G6	
Cete 13	27	I4	
Cetóbriga (Ruinas			
Romanas de) 15	64	Q3	
Cevadais 12	66	O8	
Chã 17	27	I7	
Chacim Braga 3	27	H6	
Chacim Bragança 4	28	H9	
Chamusca 14	53	N4	
Chança 12	66	O6	
Chança (Estação de) 12	66	O6	
Chança (Rio)	78	S7	
Chancelaria 14	53	N4	
Chão da Parada 10	52	N2	
Chão da Vã 5	54	M7	
Chão da Velha 12	54	N6	
Chão das Servas 5	54	M6	
Chão de Codes 14	53	N5	

Chão de Couce 10	53	M4	
Chão de Lopes 14	53	N5	
Chãos 14	53	M4	
Charneca 2	78	S7	
Chãs 9	42	J8	
Chãs de Tavares 18	41	K7	
Chãs (Monte) 18	41	J5	
Chaves 18	41	I7	
Chaves 17	28	G7	
Cheleiros 11	64	P2	
Choça Queimada 8	90	U7	
Chorente 3	26	H4	
Chosendo 18	41	J7	
Chouto 14	65	O4	
Ciborro 7	65	P5	
Cicouro 4	29	H 11	
Cid Almeida 2	78	R7	
Cidade 10	52	N2	
Cidadelhe Guarda 9	42	J8	
Cidadelhe			
Viana do Castelo 16	27	G5	
Ciladas 7	66	P8	
Cima (Ilhéu de) 31	89	DX	
Cimadas Fundeiras 5	53	M6	
Cimbres 18	41	I6	
Cinco Vilas 9	42	J9	
Cinfães 18	41	I5	
Cintados 8	90	U7	
Cintrão (Ponta do) 20	107	J 19	
Cisterna 4	28	G8	
Clarines 8	90	T7	
Clérigo (Ponta do) 20	88	BY	
Côa (R.)	42	L8	

ÉVORA

Álvaro Velho (Largo)	BZ	3
Aviz (R. de)	BY	4
Bombeiros Voluntários de Évora (Av.)	CZ	6
Caraça (Trav. da)	BZ	7
Cenáculo (R. do)	BY	9
Combatentes da Grande Guerra (Av. dos)	BZ	10
Conde de Vila-Flor (Largo)	BY	12
Diogo Cão (R.)	BY	15
Freiria de Baixo (R. da)	BY	
Giraldo (Pr. do)	BZ	
João de Deus (R.)	AY	16
José Elias Garcia (R.)	AY	18
Lagar dos Dízimos (R. do)	BZ	19
Luís de Camões (Largo)	AY	21
Marquês de Marialva (Largo)	BY	22
Menino Jesus (R. do)	BY	24
Misericórdia (Largo)	BY	25
Penedos (Largo dos)	AY	28
República (R. da)	BZ	
Santa Clara (R. de)	AZ	30
São Manços (R. de)	BY	31
São Miguel (Largo de)	BY	32
Senhor da Pobreza (Largo)	CZ	33
Torta (Trav.)	AZ	34
Vasco da Gama (R.)	BY	36
1_ de Maio (Pr.)	BZ	
5 de Outubro (R.)	BYZ	37

Museu de Évora	BY	M1
Paço dos Duques de Cadaval	BY	P

Cobres (Ribeira de) 2	77	T 5	
Codaval 17	27	H 7	
Codeçais 4	28	I 8	
Codeçoso 3	27	H 5	
Codessoso 17	27	H 6	
Coelheira 18	41	J 5	
Coelhoso 4	28	H 10	
Coentral 10	53	L 5	
Cogula 9	42	J 8	
Coimbra 6	40	L 4	
Coimbrão 10	52	M 3	
Coina 15	64	Q 2	
Coito 8	90	T 7	
Coja 6	41	L 6	
Coja (Ribeira de)	41	J 7	
Colar de Perdizes 15	65	P 3	
Colares 11	64	P 1	
Colcorinho (Monte)	41	L 6	
Colmeal Castelo Branco 5	42	K 8	
Colmeal Coimbra 6	53	L 5	
Colmeias Leiria 10	53	M 3	
Colorada 2	78	R 9	
Colos 7	77	S 4	
Comeira 10	52	M 3	
Comenda 12	54	N 6	
Comporta 15	64	Q 3	
Concavada 14	53	N 5	
Conceição Beja 2	77	S 5	
Conceição perto de Faro 8	89	U 6	
Conceição perto de Tavira 8	90	U 7	
Condeixa-a-Nova 6	53	L 4	
Condeixa-a-Velha 6	53	L 4	
Congro (Lagoa do) 20	107	J 19	
Conímbriga 6	53	L 4	
Conlelas 4	28	G 9	
Cónqueiros 5	54	M 6	
Consolação 10	52	O 1	
Constância 14	53	N 4	
Constantim Bragança 4	29	H 11	
Constantim Vila Real 17	27	I 6	
Contenda 12	66	O 8	
Contendas (Ponta das) 20	107	H 14	
Contensas de Baixo 18	41	K 6	
Corchas (Portela das) 8	88	T 4	
Cordinhã 6	40	K 4	
Corgas 5	54	M 6	
Corgas (Barragem de) 5	54	M 6	
Corgo 9	27	H 6	
Coriscada 9	42	J 8	
Coroa 4	28	G 8	
Coroa (Serra da) 4	28	G 8	
Corona (Ribeira de) 15	77	S 4	
Coronado 13	26	I 4	
Correias 14	53	N 3	
Correlhã 16	26	G 4	
Corroios 4	64	Q 2	
Corte 18	41	K 5	
Corte Brique 2	77	T 4	
Corte da Velha 2	77	S 6	
Corte de São Tomé 8	90	T 7	
Corte do Gago 8	90	U 7	
Corte Figueira 2	89	T 5	
Corte Gafo de Baixo 2	77	S 6	
Corte Gafo de Cima 2	77	S 6	
Corte João Marques 8	89	T 6	
Corte Pequena 2	77	S 6	
Corte Pequena 2	78	S 7	
Corte Pinto 2	78	S 7	
Corte Serranos 8	89	T 6	
Corte Sines 2	78	S 7	
Corte Tabelião 8	90	T 7	
Corte Vicente Eanes 2	77	S 5	
Corte Zorrinha 2	77	T 5	
Cortegaça Aveiro 1	40	J 4	
Cortegaça Viseu 18	41	K 5	
Cortelha 8	89	U 6	
Cortes Beja 2	78	R 8	
Cortes Castelo Branco 5	41	L 7	
Cortes Leiria 10	53	M 3	
Cortes de Baixo 2	77	R 6	
Cortes Pereiras 8	90	T 7	
Cortiçada 9	41	J 7	
Cortiçadas do Lavre 7	65	P 4	
Cortição da Serra 9	41	K 7	
Cortiços 4	28	H 8	
Coruche 14	65	P 4	
Corujeira 18	41	J 6	
Corujeira 6	40	K 3	
Corujos 8	90	U 7	
Corva 15	64	Q 2	
Corval 7	66	Q 7	
Corveira 18	41	K 5	
Corvo (Ilha do) 20	107	D 2	
Costa de Caparica 15	64	Q 2	
Costa de Lavos 6	52	L 3	
Costa de Santo André 15	76	R 3	
Costa Nova Aveiro 1	40	K 3	
Costa Nova (Ria da) 1	40	K 3	
Costa Verde 2	26	H 2	
Cota 18	41	J 6	
Cotelo 18	41	I 6	
Cótimos 9	42	J 8	
Couço 14	65	P 5	
Coudelaria de Alter 12	66	O 6	
Coura 16	26	G 4	
Coura (Rio) 16	26	G 3	
Courelas 2	78	R 7	
Courelas do Vale 7	65	Q 4	
Cousso 16	13	F 5	
Couto 13	26	I 4	
Couto de Esteves 1	41	J 5	
Couto de Mosteiro 18	41	K 5	
Cova da Iria 14	53	N 4	
Cova da Piedade 15	64	Q 2	
Covão de Lobo 1	40	K 4	
Covão do Feto 14	53	N 3	
Covão dos Mendes 10	53	M 3	
Covas Coimbra 6	41	K 6	
Covas Viana do Castelo 16	26	G 3	
Covas de Barroso 17	27	H 6	
Covas do Douro 17	27	I 7	
Covas do Monte 18	41	J 6	
Covas do Rio 18	41	J 5	
Covelães 17	27	H 6	
Covelas 3	27	H 5	
Covelo Coimbra 6	41	L 5	
Covelo Porto 13	26	I 4	
Covelo Viseu 18	41	J 5	
Covelo de Gerês 17	27	G 6	
Covilhã 5	41	L 7	
Covinhos (Ponta dos) 10	52	N 2	
Covoada 20	107	J 18	
Covões 6	40	K 4	
Coz 10	52	N 3	
Crasto 16	26	G 4	
Crato 12	66	O 7	
Crestuma 13	40	I 4	
Crestuma (Barragem de) 13	40	I 4	
Crias 3	26	H 3	
Cristelo 3	26	H 3	
Cristo (Convento de) 14	53	N 4	
Criz 18	41	K 5	
Cruz da Légua 10	52	N 3	
Cruz de João Mendes 15	76	R 4	
Cruz (Ponta do) 8	88	B Y	
Cruzamento de Pegões 15	65	P 4	
Cruzes 18	41	J 5	
Cuba 2	77	R 6	
Cubalhão 16	13	F 5	
Cuine (Sierra do) 20	107	G 14	
Cujó 18	41	J 6	
Culatra (Ilha da) 8	90	V 6	
Cumeada Castelo Branco 5	53	M 5	
Cumeada Faro 8	89	U 4	
Cumeira 10	52	N 3	
Cumiada 7	78	Q 7	
Cumieira Coimbra 6	53	M 4	
Cumieira Vila Real 17	27	I 6	
Cunha Viana do Castelo 16	26	G 4	
Cunha Viseu 18	41	J 7	
Cunha Baixa 18	41	K 6	
Cunheira 12	66	O 6	
Curalha 17	27	G 7	
Curia 1	40	K 4	
Curral da Velha (Ribeira do) 2	77	T 6	
Curral das Freiras 31	88	B Y	
Curros 17	28	H 7	
Curros (Rio) 17	28	H 7	
Curvos 3	26	H 3	
Custóias 9	42	I 8	
Dadim 17	28	G 8	
Dão 9	41	J 7	
Dardavaz 18	41	K 5	
Darque 16	26	G 3	
Dáspera 5	54	M 6	
Decermilo 18	41	J 7	
Degebe 9	66	Q 6	
Degolados 12	66	O 8	
Degracias 6	53	L 4	
Deilão 4	28	G 10	
Delães 3	26	H 4	
Deocriste 16	26	G 4	
Derreada Cimeira 10	53	M 5	
Destriz 18	41	K 5	
Divor (Barragem do) 7	65	P 5	
Divor (Ribeira de)	65	P 4	
Dogueno 2	89	T 6	
Dois Portos 11	64	O 2	
Domingos da Vinha 12	53	N 6	
Dominguizo 5	54	L 7	
Dona Maria 2	78	R 7	
Donai 4	28	G 9	
Dornelas 9	41	J 7	
Dornelas do Zêzere 6	54	L 6	
Dornes 14	53	M 5	
Douro	29	H 11	
Duas Igrejas 4	29	H 10	
Dunas de Ovar 1	40	J 3	
Durão 4	42	I 9	
Edral 4	28	G 8	
Edrosa 4	28	G 9	
Edroso 4	28	H 9	
Ega 6	53	L 4	
Eira de Calva 6	53	L 5	
Eirado 9	41	J 7	
Eiras 6	40	L 4	
Eiras Maiores 4	28	G 9	
Eirinha 2	77	T 6	
Eirinhas 2	78	R 7	
Eirogo 3	26	H 4	
Eixo 1	40	K 4	
Elvas 12	66	P 8	
Encarnação 11	64	O 1	
Encumeada (Boca da) 31	88	A Y	
Entradas 2	77	S 5	
Entre Ambososrios 16	27	G 5	
Entre-os-Rios 13	41	I 5	
Entroncamento 14	53	N 4	
Envendos 14	54	N 6	
Enxabarda 5	54	L 7	
Enxara do Bispo 11	64	P 2	
Enxoé 2	78	S 7	
Enxoé (Barragem do) 2	78	S 7	
Enxofre (Furna do) 20	107	F 12	
Enxofre (Furnas do) 20	107	G 14	
Erada 5	41	L 7	
Ereira 14	64	O 3	
Erges (Rio)	55	M 9	
Ericeira 11	64	P 1	
Ermelo Viana do Castelo 16	27	G 5	

FUNCHAL

Alfândega (R. da)	BZ 3	Bettencourt (R. do)	CY 9
Aljube (R. do)	BZ 4	Brigadeiro Oudinot (R.)	CY 10
Aranhas (R. dos)	ABZ 6	Carmo (Pr. do)	CY 20
Autonomia (Pr. da)	CZ 7	Carne Azeda (R. da)	BY 12
		Carvalho Araújo (R.)	AZ 15
		Casa da Luz (R.)	CZ 16
		Chafariz (Largo do)	CZ 19
Conceição (R. da)	CY 22	Imperatriz D. Amélia (R. da)	AZ 36
Conselheiro Aires Ornelas (R.)	CY 24	Ivens (R.)	BZ 37
Conselheiro José Silvestre Ribeiro (R.)	BZ 25	João Tavira (R.)	BZ 39
Dr Fernão de Ornelas (R.)	CZ 28	Latino Ceolho (R.)	CZ 40
Encarnação (Calç da)	BY 30	Lazareto (Caminho do)	DZ 42
Hospital Velho (R. do)	CYZ 34	Maravilhas (R. das)	AZ 46
		Marquês do Funchal (R.)	BY 49
Miguel Carvalho (R.)	CY 51	Santa Clara (Calç.)	BY 67
Mouraria (R. da)	BY 52	São Francisco (R. de)	BZ 69
Phelps (Largo do)	CY 58	Saúde (Calç.)	BY 72
Ponte de S. Lázaro (R.)	AZ 60	Til (R. do)	BY 73
Pretas (R. das)	BY 61	Visconde do Anadia (R.)	CYZ 78
Ribeirinho (R.)	CY 63	Zarco (Av.)	BZ 81
Sabão (R. do)	CZ 66		

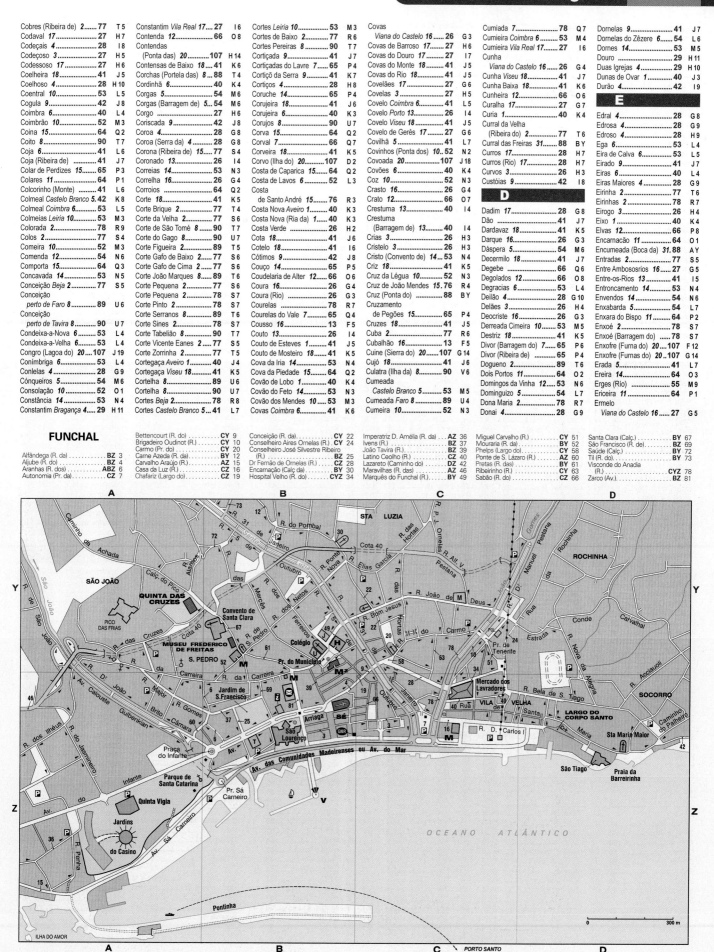

Ermelo *Vila Real 17*..........**27** H 6
Ermesinde *13*..................**26** I 4
Ermida *Castelo Branco 5*..**53** M 6
Ermida *Coimbra 6*............**40** K 3
Ermida
  Viana do Castelo 16......**27** G 5
Ermida (Barragem da) *6*..**53** L 5
Ermidas-Aldeia *15*..........**77** S 4
Ermidas-Sado *15*............**77** R 4
Erra *14*.........................**65** P 4
Erra (Ribeira da) ....**65** O 4
Ervas Tenras *9*..............**42** J 8
Ervedal *Coimbra 6*.........**41** K 6
Ervedal *Portalegre 12*....**66** O 6
Ervedelo *17*...................**27** G 7
Ervedeira *12*..................**65** O 5
Ervedosa *Bragança 4*......**28** G 8
Ervedosa *Guarda 9*.........**42** J 8
Ervedosa do Douro *18*....**27** I 7
Ervideira *10*..................**52** M 3
Ervidel *2*.......................**77** S 5
Ervões *17*......................**28** H 7
Escalhão *8*.....................**42** J 9
Escalos de Baixo *5*.........**54** M 7
Escalos de Cima *5*..........**54** M 7
Escalos do Meio *10*........**53** M 5
Escanxinhas *8*................**89** U 5
Escarigo *Castelo Branco 5***42** L 8
Escarigo *Guarda 9*..........**42** J 8
Escariz *Aveiro 1*.............**40** J 4
Escariz *Braga 3*..............**26** H 4
Escariz *Vila Real 17*........**27** H 6
Escaroupim *14*...............**65** O 3
Escudeiros *3*..................**26** H 4
Escuro (Monte) *20*....**107** J 19
Escurquela *18*................**41** I 7
Escusa *perto de*
  Castelo de Vide 12......**54** N 7
Escusa *perto de*
  Ponte de Sor 12..........**53** N 6
Esfrega *5*.......................**54** M 6
Esmoriz *1*......................**40** J 4
Espadanedo *4*................**28** H 9
Espargal *8*.....................**89** U 5
Especiosa *4*...................**29** H 10
Esperança *12*..................**66** O 8
Esperança (Pico da) *20*..**107** H 11
Espiche *8*.......................**88** U 3
Espichel (Cabo) *15*........**64** Q 2
Espinhaço de Cão
  (Serra do) *8*................**88** U 3
Espinhal *6*.....................**53** L 4
Espinheira *7*..................**66** Q 6
Espinheiro *14*................**53** N 3
Espinho *Aveiro 1*............**40** I 4
Espinho *perto de*
  Caramulo 18................**41** K 5
Espinho *perto de*
  Mangualde 18.............**41** K 6
Espinho *perto de*
  Mortágua 18...............**41** K 5
Espinho (Alto do) ....**27** I 6
Espinhosela *4*................**28** G 9
Espinhoso *4*...................**28** G 8
Espírito Santo *2*.............**78** T 7
Espite *14*.......................**53** M 4
Espiunca *1*.....................**41** J 5
Esporões *3*.....................**26** H 4
Esposende *3*...................**26** H 3
Espragosa *2*...................**77** T 6
Estação de Ourique *2*.....**77** S 5
Estação de Viana *7*.........**77** Q 5
Estanqueiro *14*..............**65** P 3
Estarreja *1*....................**40** J 4
Este *4*...........................**27** H 4
Este (Rio) ....**26** H 4
Esteiro *Coimbra 6*..........**54** L 6
Estela *3*.........................**26** H 3
Estelas *10*.....................**52** N 1
Ester *18*........................**41** J 5
Estevais *perto de*
  Cardanha 4.................**28** I 8
Estevais *perto de*
  Est. de Freixo 4...........**28** I 9
Esteveira *14*..................**53** N 5
Esteves *5*......................**54** M 6
Estibeira *2*.....................**76** T 3
Estiramentens *8*.............**89** U 6
Estói *8*..........................**89** U 6
Estômbar *8*....................**89** U 4
Estorãos *Braga 3*............**27** H 4
Estorãos
  Viana do Castelo 16......**26** G 4
Estoril *11*......................**64** P 1
Estorninhos *8*................**90** U 7
Estreito *5*......................**54** M 6

Estreito da Calheta *31*......**88** A Y
Estreito de Câmara
  de Lobos *31*...............**88** B Y
Estrela *2*........................**78** R 7
Estrela (Parque Natural
  da Serra da) ....**41** K 7
Estrela (Serra da) *9*........**41** L 6
Estremoz *7*....................**66** P 7
Eucisia *4*.......................**28** I 8
Évora *7*..........................**65** Q 6
Évora de Alcobaça *10*......**52** N 3
Évoramonte *7*................**66** P 6
Extremo *16*....................**26** G 4

F

Facha *16*........................**26** G 4
Facho *10*........................**52** N 2
Fadagosa *Portalegre 12*..**54** N 7
Fadagosa *Santarém 14*....**53** N 6
Fadagosa (Termas da) ....**53** N 6
Fafe *3*............................**27** H 5
Fagilde (Barragem de) *18***41** K 6
Faia *3*............................**27** H 6
Faial *31*..........................**88** B Y
Faial (Canal do) *20*....**107** H 10
Faial da Terra *20*.......**107** J 20
Faial (Ilha do) *20*.......**107** H 9
Faial (Ponta do) *20*....**107** J 20
Failde *4*.........................**28** G 9
Faiões *17*.......................**28** G 7
Fajã da Ovelha *31*..........**88** A Y
Fajã de Cima *20*.........**107** J 19
Fajã do Ouvidor *20*.....**107** G 11
Fajã dos Cubres *20*.....**107** H 12
Fajã Grande *20*.............**107** E 2
Fajão *6*..........................**54** L 6
Fajãzinha *20*................**107** E 2
Fajões *1*.........................**40** J 4
Falca *10*.........................**52** N 2
Falcoeiras *7*...................**66** Q 7
Famalicão *Guarda 9*.......**42** K 7
Famalicão *Leiria 10*........**52** N 2
Fanhais *10*.....................**52** N 2
Fanhões *11*....................**64** P 2
Fão *3*.............................**26** H 3
Faria *3*...........................**26** H 4
Farilhões *10*...................**52** N 1
Farminhão *18*.................**41** K 5
Faro *8*............................**89** U 6
Faro do Alentejo *2*.........**77** R 6
Faro (Ilha de) *8*.............**89** V 6
Faro (Monte do) *16*........**12** H 4
Farropa *5*.......................**54** M 7
Fataunços *18*.................**41** J 5
Fatela *5*.........................**54** L 7
Fátima *14*......................**53** N 4
Favacal *6*.......................**53** M 4
Favaios *17*.....................**27** I 7
Fazamões *18*..................**41** I 6
Fazenda *12*....................**65** O 6
Fazendas
  de Almeirim *14*...........**65** O 4
Febres *4*........................**40** K 4
Feces de Abaixo *17*.........**28** G 7
Feira *18*.........................**41** J 5
Feiteira *8*......................**89** U 6
Felgar *4*.........................**28** I 9
Felgueira *1*....................**41** J 5
Felgueiras *4*...................**28** H 9
Felgueiras *Bragança 4*....**28** I 8
Felgueiras *Porto 13*........**27** H 5
Felgueiras *Viseu 18*........**41** I 6
Fenais da Ajuda *20*......**107** J 20
Fenais da Luz *20*.........**107** J 19
Fermelã *1*......................**40** J 4
Fermentelos *4*................**40** K 4
Fermil *3*.........................**27** H 6
Fernandilho *8*.................**89** U 6
Fernão Ferro *15*.............**64** Q 2
Fernão Joanes *9*.............**42** K 7
Ferradosa *4*...................**28** I 9
Ferragudo *8*...................**88** U 4
Ferral *17*.......................**27** G 6
Ferraria (Ponta da) *20*..**107** J 18
Ferrarias *7*....................**78** Q 8
Ferreira *Bragança 4*.......**28** H 9
Ferreira *Porto 13*...........**27** I 4
Ferreira
  Viana do Castelo 16......**26** G 4
Ferreira-a-Nova *6*..........**40** L 3
Ferreira de Aves *18*.......**41** J 7
Ferreira do Alentejo *7*....**77** R 5
Ferreira do Zêzere *14*....**53** M 5
Ferreira (Rio) *13*...........**26** I 4
Ferreiras *8*.....................**89** U 5

Ferreirim *perto de*
  Lamego 18..................**41** I 6
Ferreirim *perto de*
  Penedono 18...............**41** J 7
Ferreirós do Dão *18*.......**41** K 5
Ferrel *10*.......................**52** N 2
Ferro *5*..........................**41** L 7
Ferro (Ilhéu de) *31*........**89** C X
Ferro (Pico do) *20*......**107** J 19
Fervença *Braga 3*...........**27** H 5
Fervença *Leiria 10*.........**52** N 3
Fervidelas *17*.................**27** G 6
Feteiras *20*..................**107** J 18
Fiães *Aveiro 1*................**40** J 4
Fiães *Guarda 9*..............**42** J 7
Fiães *Viana do Castelo 16***13** F 5
Fiães *Vila Real 17*...........**28** G 8
Fiães do Rio *17*..............**27** G 6
Fialho *2*.........................**77** T 6
Figueira *Bragança 4*.......**28** I 9
Figueira *Castelo Branco 5***54** M 6
Figueira *Faro 8*..............**88** U 3
Figueira
  perto de Portimão 8.....**88** U 4
Figueira *Portalegre 12*...**66** O 8
Figueira *Viseu 18*...........**41** I 6
Figueira da Foz *6*............**53** L 3
Figueira
  de Castelo Rodrigo *9*...**42** J 9
Figueira de Lorvão *6*......**40** L 4
Figueira
  dos Cavaleiros *2*.........**77** R 5
Figueira e Barros *12*......**66** O 6
Figueira (Ribeira da) *2*...**77** R 5
Figueiras *2*....................**77** S 5
Figueiras *14*..................**53** O 4
Figueiredo
  Castelo Branco 5.........**53** M 6
Figueiredo de Alva *18*....**41** J 6
Figueirinha *7*.................**77** T 6
Figueirinha *8*.................**89** U 6
Figueiró *18*....................**41** K 6
Figueiró da Granja *9*......**41** K 7
Figueiró da Serra *9*........**41** K 7
Figueiró do Campo *6*......**53** L 4
Figueiró dos Vinhos *10*...**53** M 5
Figueiró (Ribeira de) *12*..**54** N 6
Filhoso *17*......................**28** H 8
Flamengos *20*.............**107** H 10
Flor da Rosa *12*..............**66** O 7
Flores (Ilha das) *20*......**107** E 2
Fogo (Lagoa do) *20*....**107** J 19
Fóia *8*............................**89** U 4
Fóios *9*...........................**42** L 9
Folgado *7*......................**66** P 7
Folgosa *18*.....................**27** I 6
Folgosinho *9*.................**41** K 7
Folhadela *17*..................**27** H 6
Folques *6*.......................**41** L 5
Fontainhas *Porto 13*.......**26** H 4
Fontainhas *Setúbal 15*...**76** R 3
Fontão Fundeiro *10*........**53** M 5
Fonte Arcada *18*.............**41** J 7
Fonte da Aldeia *4*..........**29** H 10
Fonte da Telha *15*..........**64** Q 2
Fonte Ladrão *4*...............**29** H 10
Fonte Limpa *6*................**53** L 5
Fonte Longa *Guarda 4*....**28** I 8
Fonte Santa *5*.................**54** M 7
Fonte Serne
  (Barragem) *15*............**77** S 4
Fontelas *17*....................**27** I 6
Fontes *Santarém 14*.......**53** N 5
Fontes *Vila Real 17*........**27** I 6
Fontes da Matosa *8*........**89** U 4
Fontinha *Beja 2*..............**76** T 3
Fontinha *Leiria 10*..........**53** L 3
Fontoura *16*...................**26** G 4
Forcalhos *9*....................**42** K 9
Formariz *4*.....................**26** H 3
Formigais *14*..................**53** M 4
Formosa (Ria) *8*.............**90** V 6
Fornalhas Novas *2*.........**77** S 4
Fornalhas Velhas *2*........**77** S 4
Fornelos *Braga 3*............**27** H 5
Fornelos
  Viana do Castelo 16......**26** G 4
Fornelos *Viseu 18*..........**41** I 5
Fornilhos *2*.....................**78** R 8
Forninhos *9*...................**41** J 7
Forno Telheiro *9*............**42** J 7
Fornos *4*........................**28** I 9
Fornos de Algodres *9*.....**41** K 7
Fornos do Pinhal *17*.......**28** H 8
Foros da Adúa *7*.............**65** Q 5
Foros da Caiada *2*..........**77** S 4

Foros da Fonte de Pau *14***65** P 4
Foros da Fonte Seca *7*....**66** Q 7
Foros da Salgueirinha *14.***65** P 4
Foros
  das Malhadinhas *14*....**65** P 3
Foros das Pombas *7*.......**66** Q 6
Foros de Benfica *7*.........**65** O 4
Foros de Casa Nova *15*...**77** S 4
Foros de Vale
  de Figueira *7*..............**65** P 5
Foros do Arrão *7*............**65** O 5
Foros do Baldio *7*...........**65** Q 4
Foros do Biscainho *14*....**65** P 4
Foros do Cortiço *7*..........**65** P 5
Foros do Freixo *7*...........**66** P 7
Foros do Mocho *12*.........**65** O 5
Foros do Queimado *7*.....**66** Q 6
Forte da Graça *12*..........**66** P 8
Fortes *8*.........................**90** T 7
Fortios *12*......................**66** O 7
Foupana (Ribeira da) *8*...**89** T 6
Foz *14*...........................**65** O 5
Foz de Alge *10*...............**53** M 5
Foz de Arouce *6*.............**53** L 5
Foz de Odeleite *8*...........**90** T 7
Foz do Arelho *10*............**52** N 2
Foz do Arroio *8*..............**88** T 4
Foz do Douro *13*.............**26** I 4
Foz do Farelo *8*..............**88** T 4
Foz do Lisandro *11*.........**64** P 1
Foz do Sabor *4*...............**28** I 8
Foz Giraldo *5*.................**54** L 6
Fradelos *3*......................**26** H 4
Fradizela *4*.....................**28** H 8
Fraga Negra *3*................**27** G 5
Fragosela *18*..................**41** K 6
Fragoso *3*.......................**26** H 3
Fráguas *Santarém 14*.....**52** N 3
Fráguas *Viseu 18*...........**41** J 6
França *4*.........................**28** G 9
Franco *4*........................**28** H 7
Franqueada *8*.................**89** U 5
Franzilhal *17*..................**28** I 7
Fratel *5*..........................**54** N 6
Fratel (Barragem de) ......**54** N 6
Frazão *13*......................**26** I 4
Freamunde *13*...............**27** I 4
Freches *9*.......................**42** J 7
Fregil (Barragem de) *18*..**41** I 5
Freineda *7*......................**42** K 9
Freiria *Lisboa 11*............**59** O 2
Freiria *Vila Real 17*........**27** H 7
Freixeda *Bragança 4*......**28** H 8
Freixeda *Vila Real 17*.....**27** H 7
Freixeda do Torrão *9*......**42** J 8
Freixedas *3*....................**42** J 8
Freixedelo *4*...................**28** G 9
Freixial *7*.......................**66** P 7
Freixial do Campo *5*.......**54** M 7
Freixianda *14*.................**53** M 4
Freixieiro *16*...................**26** G 3
Freixiel *4*.......................**28** I 8
Freixiosa *Viseu 18*.........**41** K 6
Freixo *Guarda 9*.............**42** K 8
Freixo
  Viana do Castelo 16......**26** H 4
Freixo *Viseu 18*..............**41** K 5
Freixo
  de Espada a Cinta *4*.....**42** I 9
Freixo de Numão *9*.........**42** I 8
Frende *13*......................**27** I 6
Fresulfe *4*......................**28** G 9
Fridão *13*.......................**27** I 5
Friestas *16*.....................**12** F 4
Friões *17*........................**28** G 7
Friúmes *6*......................**41** L 5
Fronhas (Barragem de) *6.***41** L 5
Fronteira *12*...................**66** O 7
Frossos *4*.......................**40** K 4
Funchal *31*.....................**88** B Z
Funcheira *2*....................**77** S 4
Funcho (Barragem do) *8*.**89** U 4
Fundada *5*......................**53** M 5
Fundão *5*........................**54** L 7
Fungalvaz *14*..................**53** N 4
Furadouro *Aveiro 1*........**40** J 3
Furadouro *Coimbra 6*.....**53** L 4
Furnas *20*...................**107** J 20
Furnas do Enxofre *20*..**107** G 14
Furnas (Lagoa das) *20*..**107** J 20
Furnazinhas *8*................**90** T 7
Furtado *7*.......................**53** N 6
Fuzeta *8*........................**89** U 6

G

Gaeiras *10*......................**52** N 2
Gafanha da Boa Hora *1*...**40** K 3
Gafanha da Encarnacão *1***40** K 3
Gafanha da Nazaré *1*......**40** K 3
Gafanha do Carmo *1*.......**40** K 3
Gafanhoeira *7*................**65** P 5
Gagos *9*.........................**42** K 8
Gaia *9*............................**42** K 8
Gaiate *6*.........................**53** L 5
Gaia *13*..........................**53** L 3
Galafura *17*....................**27** I 6
Galizes *7*........................**54** L 6
Galveias *12*....................**65** O 6
Gamil *3*..........................**26** H 4
Gândara *10*....................**53** M 3
Gândara de Espariz *6*.....**41** L 5
Gandarela *3*...................**27** H 5
Gandra *perto de*
  Ponte de Lima 16.........**26** G 4
Gandra *Porto 13*.............**26** I 4
Garajau (Ponta do) *31*....**88** B Z
Garça (Ponta da) *20*....**107** J 19
Garcia *Faro 8*.................**89** U 6
Garcia *Leiria 10*.............**52** M 3
Gardunha (Serra da) *5*....**54** L 7
Garfe *3*..........................**27** H 5
Garfo (Cabo) *31*.............**88** A Z
Garvão *2*........................**77** S 4
Gataia *12*.......................**89** T 6
Gateira *9*.......................**42** J 8
Gatões *6*........................**40** L 3
Gaula *3*..........................**88** B Y
Gave *16*.........................**13** F 5
Gavião *Braga 3*...............**26** H 4
Gavião *Castelo Branco 5*..**54** N 6
Gavião *Portalegre 12*......**53** N 6
Gaviãozinho *5*................**54** M 6
Gavieira *16*....................**27** G 5
Gebelim *4*......................**28** H 9
Geira *3*...........................**27** G 5
Gema (Ribeira da) *2*.......**77** S 4
Genísio *4*.......................**29** H 10
Geraldes *10*...................**52** O 1
Geraz do Lima *16*...........**26** G 3
Gerês *3*..........................**27** G 5
Gerês (Serra do) *3*.........**27** G 5
Germil *16*......................**27** G 5
Gestaçó *13*.....................**27** I 6
Gesteira *6*......................**53** L 4
Gestosa *4*......................**28** G 8
Gestoso *18*....................**41** J 5
Gia *17*............................**41** I 5
Gibraltar *11*...................**64** O 2
Giesteira *1*.....................**40** K 4
Giesteiras *5*...................**54** M 6
Giestoso *16*....................**13** F 5
Gilvrazino *8*...................**89** U 5
Gimonde *4*.....................**28** G 9
Ginetes *20*.................**107** J 18
Giões *8*..........................**89** T 6
Giraldos *2*......................**77** S 5
Girão (Cabo) *31*.............**88** A Z
Glória *7*..........................**66** P 7
Glória do Ribatejo *14*.....**65** O 4
Godeal *7*........................**65** P 5
Godelim (R.) ....**78** R 8
Godinhanços *3*...............**26** G 4
Góis *6*............................**53** L 5
Golegã *14*......................**53** N 4
Golfeiras *4*.....................**28** H 8
Gomes Aires *2*...............**77** T 5
Gonça *3*..........................**27** H 5
Gonçalo *9*......................**42** K 7
Gonçalo Bocas *9*............**42** K 8
Gondar *Braga 3*..............**27** H 4
Gondar *Porto 13*............**27** I 5
Gondelim *Coimbra 6*......**41** L 5
Gondelim
  Viana do Castelo 16......**26** G 4
Gondemaria *14*...............**53** M 4
Gondiães *3*.....................**27** H 6
Gondomar *13*.................**26** I 4
Gondomil *16*...................**12** F 4
Gondoriz *4*.....................**27** G 4
Gontifelos *3*...................**26** H 4
Gorda (Serra) *20*..........**107** J 18
Gordo (Monte) *11*..........**64** P 2
Gorjão *14*......................**65** O 5
Gorjoes *8*.......................**89** U 6
Gosende *18*....................**41** I 6
Gostei *4*.........................**28** G 9
Gouvães da Serra *17*......**27** H 6

Gouveia *Bragança 4*........**28** I 9
Gouveia *Lisboa 11*..........**64** P 1
Gouveia *perto de*
  Freixedas 9.................**42** K 8
Gouveia *perto de Seia 9*..**41** K 7
Gouvinhas *17*.................**27** I 7
Gove *13*..........................**27** I 5
Graça *10*........................**53** M 5
Graciosa (Ilha da) *20*....**107** F 11
Gradil *11*.......................**64** P 2
Gradiz *9*.........................**41** J 7
Gralhas *17*.....................**27** G 6
Gralheira (Serra da) *1*....**40** J 4
Gralhos *Bragança 4*........**28** H 9
Gralhos *Vila Real 17*.......**27** G 6
Graminhais
  (Planalto dos) *20*.....**107** J 20
Grande (Ribeira) *12*.......**66** O 6
Grândola *15*...................**77** R 4
Grândola (Ribeira de) *15.***77** R 4
Grândola (Serra de) *15*..**77** R 4
Granho *14*......................**65** O 4
Granho Novo *14*.............**65** P 3
Granja *Bragança 4*.........**29** H 10
Granja *Évora 7*...............**78** R 8
Granja *Porto 13*.............**40** I 4
Granja *Viseu 17*.............**27** I 7
Granja do Ulmeiro *6*......**53** L 4
Granja Nova *18*.............**41** I 6
Granjal *8*.......................**41** J 7
Grau *10*.........................**52** M 3
Grijó *Bragança 4*............**28** H 9
Grijó *Porto 13*................**40** I 4
Grijó de Parada *4*...........**28** G 9
Grocinas *6*.....................**53** M 4
Guadalupe *7*..................**65** Q 5
Guadalupe *20*.............**107** F 11
Guadiana ....**66** Q 8
Guadramil *4*...................**29** G 10
Guarda *9*........................**42** K 8
Guarda do Norte *10*.......**53** M 3
Guardeiras *13*................**26** I 4
Guedelhas *3*...................**89** T 6
Guerreiro *2*....................**77** S 6
Guerreiros do Rio *8*.......**90** T 7
Guia *Faro 8*....................**89** U 5
Guia *Leiria 10*.................**53** M 3
Guide (Rio de) *4*............**28** H 8
Guilhabreu *13*................**26** I 4
Guilheiro *9*.....................**42** J 7
Guilheta *3*......................**26** H 3
Guilhofrei *3*....................**27** H 5
Guimarães *3*...................**27** H 5
Guisande *1*.....................**40** J 4
Guiso *2*..........................**78** S 7

H

Homem (Portela do) *3*....**27** G 5
Homem (R.) *3*.................**27** G 5
Horta *9*...........................**42** I 8
Horta *20*....................**107** H 10
Horta da Vilariça *4*.........**28** I 8
Hortas *8*.........................**90** U 7
Hortinhas *7*....................**66** Q 7

I

Idanha-a-Nova *5*.............**54** M 8
Idanha-a-Velha *5*............**54** M 8
Idanha (Barragem da) *5*..**54** M 8
Ifanes *4*.........................**29** H 11
Igreja Nova *11*...............**64** P 2
Igreja Nova do Sobral *14*.**53** M 5
Igrejinha *7*.....................**65** P 6
Ilha (Ponta da) *20*......**107** H 11
Ilhas *7*............................**65** P 6
Ílhavo *1*.........................**40** K 3
Ilhéus (Ponta dos) *20*...**107** E 2
Infantado *14*...................**65** P 3
Inferno (Poço do) *9*........**41** K 7
Inguias *5*........................**42** L 8
Insalde *16*......................**26** G 4
Isna *5*.............................**54** M 6
Isna (Ribeira da) *5*.........**53** M 5
Izeda *4*...........................**28** H 9

J

Janeiro de Baixo *6*.........**54** L 6
Janeiro de Cima *5*..........**54** L 6
Jardim do Mar *31*...........**88** A Y
Jardo *9*...........................**42** K 8
Jarmelo *9*.......................**42** K 8
Javali *8*..........................**89** U 6
Jazente *4*.......................**27** I 5
João Antão *9*..................**42** K 8
João Bom *20*...............**107** J 18
João Serra *2*...................**77** S 6

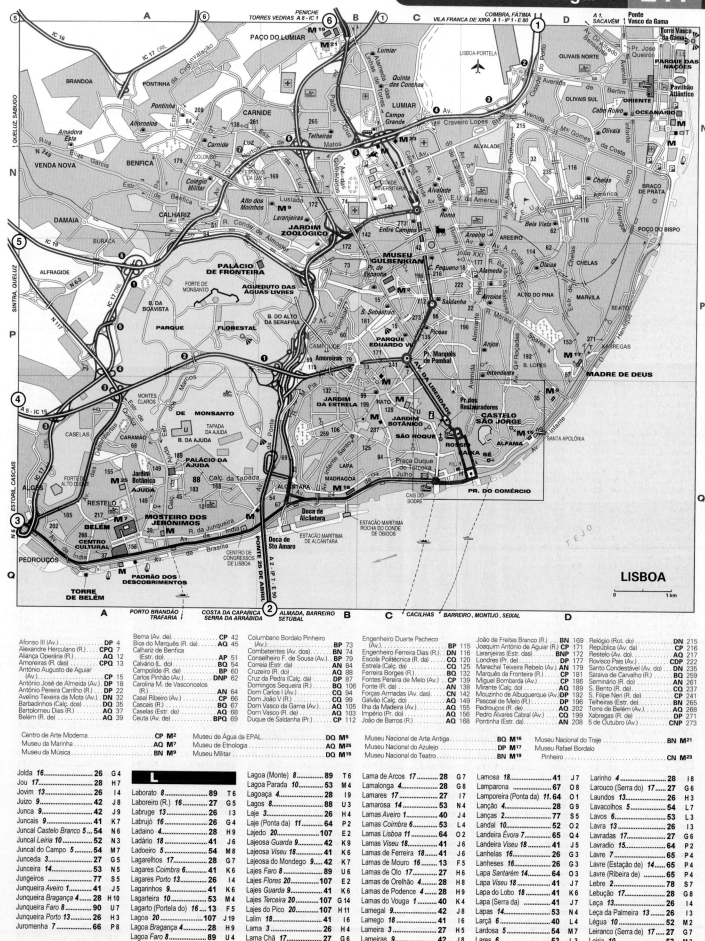

LISBOA

0 ——————— 1 km

Afonso III (Av.) .... **DP** 4
Alexandre Herculano (R.) .... **CPQ** 7
Aliança Operária (R.) .... **AQ** 12
Amoreiras (R. das) .... **CPQ** 13
António Augusto de Aguiar (Av.) .... **CP** 15
António José de Almeida (Av.) .... **DP** 18
António Pereira Carrilho (R.) .. **DP** 22
Avelino Teixeira da Mota (Av.) . **DN** 32
Barbadinhos (Calç. dos) ...... **DQ** 35
Bartolomeu Dias (Av.) .... **AQ** 37
Belém (R. de) .... **AQ** 39

Berna (Av. de) .... **CP** 42
Bica do Marquês (R. da) ...... **AQ** 45
Calhariz de Benfica (Estr. de) .... **AP** 51
Calvário (L. do) .... **BQ** 54
Campolide (R. de) .... **BP** 60
Carlos Pinhão (Av.) .... **DNP** 62
Carlos Pinhão (R.) .... **AQ** 88
Carolina M. de Vasconcelos (R.) .... **AN** 64
Casal Ribeiro (Av.) .... **CP** 66
Cascais (R.) .... **BQ** 67
Caselas (Estr. de) .... **AQ** 68
Ceuta (Av. de) .... **BPQ** 69

Columbano Bordalo Pinheiro (Av.) .... **BP** 73
Combatentes (Av. dos) ...... **BN** 74
Conselheiro F. de Sousa (Av.) . **BP** 79
Correia (Estr. da) .... **AN** 84
Cruzeiro (R. do) .... **AQ** 88
Cruz da Pedra (Calç. da) ..... **DP** 87
Domingos Sequeira (R.) ...... **BQ** 106
Dom Carlos I (Av.) .... **CQ** 94
Dom João V (R.) .... **CQ** 99
Dom Vasco da Gama (Av.) .... **AQ** 105
Dom Vasco (R. de) .... **AQ** 103
Duque de Saldanha (Pr.) ..... **CP** 112

Engenheiro Duarte Pacheco (Av.) .... **BP** 115
Engenheiro Ferreira Dias (R.) . **DN** 116
Escola Politécnica (R. da) .... **CQ** 120
Estrela (Calç. da) .... **CQ** 125
Ferreira Borges (R.) .... **BQ** 132
Fontes Pereira de Melo (Av.) .. **CP** 139
Fonte (R. da) .... **AN** 138
Forças Armadas (Av. das) .... **CN** 142
Galvão (Calç. do) .... **AQ** 149
Ilha da Madeira (Av. da) ..... **AQ** 155
Império (Pr. do) .... **AQ** 156
João de Barros (R.) .... **AQ** 168

João de Freitas Branco (R.) .. **BN** 169
Joaquim António de Aguiar (R.) **CP** 171
Laranjeiras (Estr. das) ...... **BNP** 172
Londres (Pr. de) .... **DP** 177
Marquês da Fronteira (R.) .... **CP** 181
Miguel Bombarda (Av.) ...... **CP** 186
Mirante (Calç. do) .... **AQ** 189
Mouzinho de Albuquerque (Av.) **DP** 192
Pascoal de Melo (R.) .... **CP** 196
Pedrouços (R. de) .... **AQ** 202
Pedro Álvares Cabral (Av.) ... **CQ** 199
Pontinha (R. da) .... **AN** 208

Relógio (Rot. do) .... **DN** 215
República (Av. da) .... **CP** 216
Restelo (Av. do) .... **AQ** 217
Rovisco Pais (Av.) .... **CDP** 222
Santo Condestável (Av. do) ... **DN** 235
Saraiva de Carvalho (R.) ..... **BQ** 259
Seminário (R. do) .... **AN** 261
S. Bento (R. de) .... **CQ** 237
S. Filipe Neri (R. de) .... **CP** 241
Telheiras (Estr. de) .... **BN** 265
Torre de Belém (Av.) .... **AQ** 268
Xabregas (R. de) .... **DP** 271
5 de Outubro (Av.) .... **CNP** 273

Centro de Arte Moderna .... **CP M²**
Museu da Marinha .... **AQ M⁷**
Museu da Música .... **BN M⁹**

Museu de Água da EPAL .... **DQ M⁵**
Museu de Etnologia .... **AQ M²⁵**
Museu Militar .... **DQ M¹⁵**

Museu Nacional de Arte Antiga .... **BQ M¹⁶**
Museu Nacional do Azulejo .... **DP M¹⁷**
Museu Nacional do Teatro .... **BN M¹⁹**

Museu Nacional do Traje .... **BN M²¹**
Museu Rafael Bordalo Pinheiro .... **CN M²³**

Jolda 16 .... 26 G4
Jou 17 .... 28 H7
Jovim 13 .... 26 I4
Juízo 9 .... 42 J8
Junca 9 .... 42 J9
Juncais 9 .... 41 K7
Juncal Castelo Branco 5 .. 54 N6
Juncal Leiria 10 ... 52 N3
Juncal do Campo 5 . 54 M7
Junceda 3 .... 27 G5
Junceira 14 .... 53 N5
Jungeiros 77 .... 77 S5
Junqueira Aveiro 1 . 41 J5
Junqueira Bragança 4 .. 28 H10
Junqueira Faro 8 ... 90 U7
Junqueira Porto 13 . 26 H3
Juromenha 7 .... 66 P8

L

Laborato 8 .... 89 T6
Laboreiro (R.) 16 .. 27 G5
Labruge 13 .... 26 I3
Labrujó 16 .... 26 H4
Ladaíno 4 .... 28 H9
Ladário 18 .... 41 J6
Ladoeiro 14 .... 54 M6
Lagarelhos 17 ..... 28 G7
Lagares Coimbra 6 . 41 K6
Lagares Porto 13 .. 26 I4
Lagarinhos 9 ...... 41 K6
Lagarto (Portela do) 16 . 13 F5
Lagoa 20 .... 107 J19
Lagoa Bragança 4 .. 28 H9
Lagoa Faro 8 ...... 89 U4

Lagoa (Monte) 8 .... 89 T6
Lagoa Parada 10 ... 53 M4
Lagoaça 4 .... 28 I9
Lagos 8 .... 88 U3
Laje 4 .... 26 H4
Laje (Ponta da) 11 . 64 P2
Lajedo 20 .... 107 E2
Lajeosa Guarda 9 .. 42 K9
Lajeosa Viseu 18 ... 41 K6
Lajeosa do Mondego 9 . 42 K7
Lajes Faro 8 ...... 89 U6
Lajes Flores 20 ... 107 E2
Lajes Guarda 9 .... 41 K6
Lajes Terceira 20 .. 107 G14
Lajes do Pico 20 .. 107 H11
Lalim 18 .... 41 I6
Lama 3 .... 26 H4
Lama Chã 17 ...... 27 G6

Lama de Arcos 17 .. 28 G7
Lamalonga 4 ...... 28 G8
Lamares 17 .... 27 I7
Lamarosa 14 ...... 53 N4
Lamas Aveiro 1 .... 41 J5
Lamas Coimbra 6 .. 53 L4
Lamas Lisboa 11 .. 64 O2
Lamas Viseu 18 ... 41 J6
Lamas de Ferreira 18 . 41 J6
Lamas de Mouro 16 . 13 F5
Lamas de Olo 17 .. 27 H6
Lamas de Orelhão 4 . 28 H8
Lamas de Podence 4 . 28 H9
Lamas do Vouga 1 . 41 K4
Lamegal 5 .... 42 K8
Lamego 18 .... 41 I6
Lameira 3 .... 27 H5
Lameiras 9 .... 42 J8

Lamosa 18 .... 41 J7
Lamparona 4 ...... 67 O8
Lamas 18 .... 41 J7
Lançã 4 .... 28 G9
Lanças 2 .... 77 S5
Landal 10 .... 52 O2
Landeira Évora 7 .. 65 Q4
Landeira Viseu 18 . 41 J5
Lanhelas 16 .... 26 G3
Lanheses 16 .... 26 G3
Lapa Santarém 14 . 53 O3
Lapa Viseu 18 ..... 41 J7
Lapa do Lobo 18 .. 41 K6
Lapa (Serra da) 18 . 41 J7
Larça 18 .... 40 L4
Lardosa 14 .... 54 M7
Lares 6 .... 53 L3

Larinho 4 .... 28 I8
Larouco (Serra do) 17 . 27 G6
Laundos 13 .... 26 H3
Lavacolhos 5 ..... 54 L7
Lavos 6 .... 53 L3
Lavra 13 .... 26 I4
Lavradas 17 .... 27 G6
Lavradio 15 .... 64 P2
Lavre 7 .... 26 I4
Lavre (Estação de) 14 . 65 P4
Lavre (Ribeira de) 7 . 65 P4
Lebre 2 .... 78 S7
Lebução 17 .... 28 G8
Leça 13 .... 26 I4
Leça da Palmeira 13 . 26 I3
Légua 10 .... 52 M2
Leiranco (Serra de) 17 . 27 G7
Leiria 10 .... 53 M3

LISBOA

LISBOA

Maia *Porto* 13 — 26 I 4
Maia *Santa Maria* 20 — 107 M 20
Maiorca 6 — 53 L 3
Maiorga 10 — 52 N 3
Mairos 17 — 28 G 7
Malarranha 7 — 65 P 6
Malcata 9 — 42 L 8
Malcata (Serra de) — 42 L 9
Malhada *Portalegre* 12 — 66 P 8
Malhada *Viseu* 18 — 41 J 6
Malhada Alta 7 — 66 P 7
Malhada Sorda 9 — 42 K 9
Malhadal 8 — 53 M 6
Malhadas 4 — 29 H 11
Malhão 8 — 89 U 6
Malhão (Serra do) — 89 T 5
Malhou 14 — 53 N 3
Malpartida 9 — 42 J 9
Malpensado 2 — 76 S 3
Malpica do Tejo 5 — 54 M 7
Malpique 2 — 78 R 7
Malta 8 — 42 J 8
Malveira *perto de Estoril* 11 — 64 P 1
Malveira *perto de Mafra* 11 — 64 P 2
Mamarrosa 1 — 40 K 4
Mamodeiro 1 — 40 K 4
Mamouros 18 — 41 J 6
Manadas 20 — 107 H 11
Mancelos 13 — 27 I 5
Mancoca 7 — 55 S 5
Mangualde 18 — 41 K 6
Manhouce 18 — 41 J 5
Manigoto 9 — 42 J 8
Manique do Intendente 11 64 O 3
Mansores 1 — 40 J 4
Manteigas 9 — 41 K 7
Manuel Galo 2 — 77 T 6
Maqueda 14 — 52 N 3
Mar 3 — 26 H 3
Maranhão 12 — 65 O 6
Maranhão (Barragem de) 12 — 65 O 6
Marão (Serra do) 13 — 27 I 6
Marateca 15 — 65 Q 4
Marateca (Ribeira de) — 65 Q 4
Marchil 8 — 89 U 6
Marco *Portalegre* 12 — 66 O 8
Marco de Canaveses 13 — 27 I 5
Margalha 4 — 54 N 6
Maria Vinagre 8 — 88 T 3
Marialva 4 — 42 J 8
Marianos 14 — 65 O 4
Marinha das Ondas 6 — 53 L 3
Marinha Grande 10 — 52 M 3
Marinhais 14 — 65 O 3
Marinhas 3 — 26 H 3
Marmelar 2 — 78 R 7
Marmeleira *Santarém* 14 — 64 O 3
Marmeleira *Viseu* 18 — 41 K 5
Marmeleiro *Castelo Branco* 5 — 53 M 5
Marmeleiro *Guarda* 9 — 42 K 8
Marmelete 8 — 88 U 3
Marmelos 4 — 28 H 8
Marofa 8 — 42 J 8
Maroto 2 — 77 R 5
Maroufenha 8 — 78 T 3
Marrancos 3 — 26 G 4
Marrazes 10 — 53 M 3
Martianas 5 — 54 L 8
Martim 3 — 26 H 4
Martim Branco 5 — 54 M 7
Martim Longo 8 — 89 T 6
Martinchel 14 — 53 N 5
Martingança 10 — 52 M 3
Mártires 7 — 66 P 7
Marvão 12 — 54 N 7
Marvila 10 — 53 M 5
Marzagão 4 — 28 I 8
Mascarenhas 4 — 28 H 8
Massueime 9 — 42 J 8
Mata *Castelo Branco* 5 — 54 M 7
Mata *Santarém* 14 — 53 N 4
Mata da Rainha 5 — 54 L 8
Mata de Lobos 9 — 42 J 9
Mata Mourisca 10 — 53 M 3
Matacães 4 — 64 O 2
Matança 9 — 41 J 7
Matela 4 — 28 H 10
Mateus 17 — 27 I 6
Mato 16 — 26 H 4
Mato de Miranda 14 — 53 N 4
Matoeira 10 — 52 N 2
Matos 2 — 77 R 6

Matosinhos 13 — 26 I 3
Maxiais 5 — 54 M 7
Maxial *Castelo Branco* 5 — 54 L 6
Maxial *Lisboa* 11 — 64 O 2
Maxieira 14 — 53 N 6
Mazes 18 — 41 I 6
Mazouco 4 — 42 I 9
Meadela 16 — 26 G 3
Mealhada 1 — 40 K 4
Meca 11 — 64 O 2
Mêda 9 — 42 J 8
Medelim 5 — 54 L 8
Medrões 17 — 27 I 6
Meia Praia 8 — 88 U 4
Meimão 5 — 42 L 8
Meimoa 5 — 54 L 8
Meimoa (Barragem de) 5 — 42 L 8
Meimoa (Ribeira da) — 54 L 7
Meinedo 13 — 27 I 5
Meirinhos 4 — 28 I 9
Meixedo *Bragança* 4 — 28 G 9
Meixedo *Vila Real* 17 — 27 G 6
Meixide 17 — 27 G 7
Meixões de Cima 3 — 27 G 5
Meixomil 13 — 26 I 4
Melgaço 16 — 13 F 5
Melhe 4 — 28 G 9
Melides 15 — 76 R 3
Melres 13 — 40 I 4
Melriça 5 — 53 M 5
Memória 10 — 53 M 4
Mendiga 1 — 52 N 3
Mendro (Serra de) — 77 R 6
Mente (R.) — 28 G 8
Mentiras 7 — 78 R 8
Mentrestido 16 — 26 G 3
Mercês (Barragem das) 2 — 78 R 8
Mértola 2 — 78 T 7
Merufe 16 — 13 F 4
Mesão Frio *Braga* 3 — 27 H 5
Mesão Frio *Vila Real* 17 — 27 I 6
Mesquita 4 — 78 T 7
Mesquitela 9 — 41 K 7
Messangil 2 — 78 S 7
Messejana 2 — 77 S 5
Messines 8 — 89 U 5
Mestras 2 — 89 T 5
Mexilhoeira Grande 8 — 88 U 4
Mezio *Viana do Castelo* 16 27 G 5
Mezio *Viseu* 18 — 41 J 6
Midões 6 — 41 K 6
Milagres 10 — 53 M 3
Milhão 8 — 28 G 10
Milharado 11 — 64 P 2
Milhazes 3 — 26 H 4
Milreu (Ruinas de) 8 — 89 U 6
Mina da Caveira 15 — 77 R 4
Mina da Juliana 2 — 77 S 5
Mina de São Domingos 2 — 78 S 7
Mina de São João do Deserto 2 — 77 S 5
Mina do Bugalho 7 — 66 P 8
Mina do Lousal 15 — 77 R 4
Minas do Carris 3 — 27 G 5
Minde 14 — 53 N 3
Mindelo 13 — 26 I 3
Minheu 17 — 27 H 6
Minhocal 9 — 42 J 7
Miões 8 — 89 U 5
Mira 4 — 40 K 3
Mira de Aire 10 — 53 N 3
Mira (Rio) — 89 T 5
Miradezes 4 — 28 H 8
Miragaia 4 — 64 O 2
Miramar 13 — 40 I 4
Miranda 16 — 26 G 4
Miranda (Barragem de) 4 — 29 H 11
Miranda do Corvo 6 — 53 L 5
Miranda do Douro 4 — 29 H 11
Mirandela 4 — 28 H 8
Miróbriga (Ruinas Romanas de) 15 — 76 R 3
Miuzela 9 — 42 K 8
Moçarria 4 — 53 O 3
Modivas 13 — 26 I 3
Mões 18 — 41 J 6
Mofreita 4 — 28 G 9
Mogadouro *Bragança* 4 — 28 H 9
Mogadouro *Leiria* 10 — 53 M 4
Mogadouro (Serra de) 4 — 28 I 9
Mogo de Ansiães 4 — 28 I 8
Mogofores 1 — 40 K 4
Moimenta 4 — 28 G 9
Moimenta da Beira 18 — 41 J 7

Moimenta da Serra 9 — 41 K 7
Moimenta de Maceira Dão 18 — 41 K 6
Moinhola 7 — 65 Q 4
Moinhos Velhos 10 — 53 N 3
Moita *perto de Castanheira de Pêra* 10 — 53 M 5
Moita *perto de Marinha Grande* 10 — 52 M 3
Moita *Setúbal* 15 — 64 Q 3
Moita da Roda 10 — 53 M 3
Moita do Boi 10 — 53 M 3
Moita dos Ferreiros 11 — 52 O 2
Moitas Venda 14 — 53 N 4
Moitinhas 2 — 88 T 4
Moldes 1 — 41 J 5
Moledo *Viseu* 18 — 41 J 6
Moledo do Minho *Viana do Castelo* 16 — 26 G 3
Molelos 18 — 41 K 5
Moliános 10 — 52 N 3
Mombeja 2 — 77 R 5
Monção 16 — 12 F 4
Moncarapacho 8 — 89 U 6
Monchique 8 — 88 U 4
Monchique (Serra de) 8 — 88 U 3
Mondego 4 — 41 K 7
Mondego (Cabo) 6 — 40 L 3
Mondim da Beira 18 — 41 I 6
Mondim de Basto 17 — 27 H 6
Monfebres 17 — 28 H 7
Monforte 12 — 66 O 7
Monforte da Beira 5 — 54 M 8
Monfortinho 5 — 55 L 9
Monfurado 7 — 65 Q 5
Moninho 6 — 54 L 6
Monsanto *Castelo Branco* 5 — 54 L 8
Monsanto *Santarém* 14 — 53 N 3
Monsanto (Monte) 5 — 54 L 8
Monsaraz 7 — 66 Q 7
Monsul 3 — 27 H 5
Montaivo 2 — 78 S 7
Montalegre 17 — 27 G 6
Montalvão 12 — 54 N 7
Montalvo 14 — 53 N 5
Montargil 12 — 65 O 5
Montargil (Barragem de) 12 — 65 O 5
Monte 31 — 88 B Y
Monte *Aveiro* 1 — 40 J 4
Monte *Braga* 3 — 27 H 5
Monte Alto 8 — 89 U 5
Monte Brasil 20 — 107 H 14
Monte Carvalho 12 — 66 O 7
Monte Claro 12 — 54 N 6
Monte Córdova 13 — 26 I 4
Monte da Estrada 2 — 76 S 4
Monte da Foz 14 — 64 P 3
Monte da Guia 20 — 107 H 10
Monte da Laje 2 — 78 S 7
Monte da Pedra 12 — 54 N 6
Monte da Rocha (Barragem de) 2 — 77 S 5
Monte das Flores 7 — 65 Q 6
Monte das Piçarras 7 — 65 Q 4
Monte de Aldeia 7 — 78 R 8
Monte de Baixo Grande 8 90 U 7
Monte de Goula 5 — 54 M 6
Monte de São Gens de Cidai 13 — 26 I 4
Monte do Outeiro 7 — 66 Q 7
Monte do Trigo 7 — 78 Q 6
Monte dos Corvos 2 — 78 T 7
Monte Fernandes 2 — 78 T 7
Monte Fidalgo 5 — 54 M 7
Monte Gordo *Castelo Branco* 5 — 54 M 6
Monte Gordo *Faro* 8 — 90 U 7
Monte Grande *Beja* 2 — 77 S 5
Monte Grande *Faro* 8 — 89 U 6
Monte Juntos 7 — 66 Q 7
Monte Margarida 9 — 42 K 8
Monte Novo 15 — 65 Q 4
Monte Novo (Barragem do) 7 — 66 Q 6
Monte Real 10 — 52 M 3
Monte Redondo *Leiria* 10 — 53 M 3
Monte Redondo *Lisboa* 11 64 O 2
Monte Velho 2 — 78 R 7
Monte Viegas 2 — 77 S 6
Montechoro 8 — 89 U 5
Monteiras 18 — 41 J 6
Monteiros 17 — 27 H 6
Montejunto (Serra de) 11 — 64 O 2
Montelavar 11 — 64 P 1

Montemor-o-Novo 7 — 65 Q 5
Montemor-o-Velho 6 — 40 L 3
Montemuro 18 — 41 J 5
Montemuro (Serra de) 18 — 41 J 5
Montes 14 — 53 N 5
Montes da Senhora 5 — 54 M 6
Montes de Cima 8 — 88 U 4
Montes Novos 8 — 89 U 6
Montesinho 4 — 28 G 9
Montesinho (Parque Natural de) 4 — 28 G 9
Montesinho (Serra de) 4 — 28 G 9
Montevil 15 — 65 Q 4
Montijo 15 — 64 P 3
Montinho 12 — 66 O 8
Montinho da Dourada 12 — 66 O 6
Montoito 7 — 66 Q 7
Montouto 4 — 28 G 9
Mora *Bragança* 4 — 29 H 10
Mora *Évora* 7 — 65 P 5
Morais 4 — 28 H 9
Moreanes 2 — 78 T 7
Moreira 16 — 12 F 4
Moreira de Rei 9 — 42 J 8
Moreira do Castelo 3 — 27 H 5
Moreira do Rei 3 — 27 H 5
Moreiras 17 — 28 H 7
Morgade 17 — 27 G 6
Morgadinho 2 — 89 T 5
Morgavel (Barragem de) 15 — 76 S 3
Mós *Guarda* 9 — 42 I 8
Mós *perto de Bragança* 4 — 28 G 9
Mós *perto de Torre de Moncorvo* 4 — 28 I 9
Mós *Viseu* 18 — 41 J 5
Mós (Ribeira de) 4 — 42 I 9
Moscavide 11 — 64 P 2
Mosteiro *Beja* 2 — 77 S 6
Mosteiro *Castelo Branco* 5 53 M 6
Mosteiro *Guarda* 9 — 41 J 7
Mosteiro *Leiria* 10 — 53 M 5
Mosteiros 12 — 66 O 8
Mosteiros 20 — 107 J 18
Motrinos 7 — 66 Q 7
Mouçós 17 — 27 I 6
Moura 2 — 78 R 7
Mourão *Bragança* 4 — 28 I 8
Mourão *Évora* 7 — 78 Q 7
Mourão (Albufeira de) 7 — 78 Q 8
Mouraz 4 — 41 K 5
Moure *perto de Barcelos* 3 26 H 4
Moure *perto de Vila Verde* 3 — 26 H 4
Mourilhe 17 — 27 G 6
Mouriscas 14 — 53 N 5
Mouriz 3 — 27 I 4
Mouro 16 — 13 F 4
Mouronho 6 — 41 L 5
Mouteado 1 — 40 K 4
Moz de Celas 4 — 28 G 9
Mozelos 18 — 41 J 6
Mu 2 — 89 T 5
Muda 15 — 76 S 3
Muge 14 — 65 O 3
Muge (Ribeira de) 14 — 65 O 4
Mundão 18 — 41 J 6
Muradal (Serra do) 5 — 54 M 6
Murça *Guarda* 9 — 42 I 8
Murça *Vila Real* 17 — 28 H 7
Murgeira 11 — 64 P 2
Múrias 4 — 28 H 8
Muro 13 — 26 I 4
Murtede 6 — 40 K 4
Murteirinha 5 — 54 M 6
Murtigão (Barragem de) — 78 S 8
Murtosa 1 — 40 J 4
Musgos 2 — 78 R 7
Muxagata 9 — 42 I 8

N
Nabais 9 — 41 K 7
Nabão 3 — 53 M 4
Nabo 4 — 28 I 8
Nadadouro 10 — 52 N 2
Nagosa 18 — 41 I 7
Nagozelo do Douro 18 — 28 I 7
Namorados 2 — 77 T 6
Nantes 17 — 28 G 7
Nariz 1 — 40 K 4
Navais 18 — 26 H 3
Nave *Guarda* 9 — 42 K 9
Nave *Portalegre* 12 — 66 O 8
Nave de Haver 9 — 42 K 9
Nave Redonda *Beja* 2 — 89 T 4

Nave Redonda *Guarda* 9 — 42 J 9
Nazaré 10 — 52 N 2
Negrões 17 — 27 G 6
Neiva 3 — 26 H 3
Nelas 18 — 41 K 6
Nesperal 5 — 53 M 5
Nespereira 3 — 27 H 5
Neves (Serra das) 2 — 77 S 4
Nevolgide 3 — 26 H 4
Nine 3 — 26 H 4
Ninho do Açor 5 — 54 M 7
Nisa 12 — 54 N 7
Nisa (Ribeira de) 12 — 54 N 7
Noémê 9 — 42 K 8
Nogueira 4 — 28 G 9
Nogueira 13 — 26 I 4
Nogueira da Montanha 17 28 H 7
Nogueira do Cima 1 — 40 J 4
Nogueira do Cravo 6 — 41 K 6
Nogueira (Serra de) 4 — 28 H 9
Nora 7 — 66 P 7
Nordeste 20 — 107 J 20
Nordestinho 20 — 107 J 20
Norte Grande 20 — 107 G 11
Norte Pequeno 20 — 107 H 11
Nossa Senhora da Boa Fé 7 — 65 Q 5
Nossa Senhora da Graça 17 — 27 H 6
Nossa Senhora da Graça do Divor 7 — 65 Q 6
Nossa Senhora da Penha 12 — 54 N 7
Nossa Senhora da Penha 15 — 77 R 4
Nossa Senhora da Pineda 16 — 27 G 5
Nossa Senhora da Serra 4 — 28 G 9
Nossa Senhora da Taude 1 — 40 J 4
Nossa Senhora da Torega 7 — 65 Q 5
Nossa Senhora das Neves 2 — 77 R 6
Nossa Senhora de Ares 7 77 Q 6
Nossa Senhora de Machede 7 — 66 Q 6
Nossa Senhora do Assunção 13 — 26 H 4
Nossa Senhora do Cabo 15 — 64 Q 2
Nossa Senhora dos Remédios 18 — 41 I 6
Noura 1 — 28 H 7
Nova da Baronia (Ribeira) 77 R 5
Nozelos *Bragança* 4 — 28 I 8
Nozelos *Vila Real* 17 — 28 G 8
Numão 9 — 42 I 8
Nunes 4 — 28 G 9

O
O Sítio 10 — 52 N 2
Óbidos 10 — 52 N 2
Óbidos (Lagoa de) 10 — 52 N 2
Ocreza 5 — 54 M 7
Odearce (Ribeira de) 2 — 77 R 6
Odeceixe 8 — 88 T 3
Odeleite 8 — 90 T 7
Odeleite (Ribeira de) 8 — 89 U 6
Odelouca (Ribeira de) 8 — 89 U 4
Odemira 2 — 76 T 4
Odiáxere 8 — 88 U 4
Odivelas *Beja* 2 — 77 R 5
Odivelas *Lisboa* 11 — 64 P 2
Odivelas (Barragem de) 2 77 R 5
Odivelas (Ribeira de) 7 — 77 R 5
Oeiras 11 — 64 P 2
Oeiras (Ribeira de) 2 — 77 T 6
Ofir 3 — 26 H 3
Oiã 1 — 40 K 4
Olalhas 14 — 53 N 5
Olas 18 — 41 K 7
Oldrões 13 — 27 I 5
Oledo 5 — 54 M 8
Oleiros *Aveiro* 1 — 40 J 4
Oleiros *Beja* 2 — 88 T 3
Oleiros *Castelo Branco* 5 — 54 M 6
Olhalvo 11 — 64 O 2
Olhão 8 — 89 U 6
Olho Marinho 10 — 52 O 2
Olivais *Leiria* 10 — 53 M 3
Olivais *Lisboa* 11 — 64 P 2
Olival 14 — 53 M 4
Oliveira 3 — 26 H 4
Oliveira de Azeméis 1 — 40 J 4

Oliveira de Barreiros 18 — 41 K 6
Oliveira de Frades 18 — 41 J 5
Oliveira do Bairro 1 — 40 K 4
Oliveira do Conde 18 — 41 K 6
Oliveira do Douro 18 — 41 I 5
Oliveira do Hospital 6 — 41 K 6
Oliveira do Mondego 6 — 41 L 5
Oliveirinha 1 — 40 K 4
Olmos 4 — 28 H 9
Olo 6 — 27 H 6
Onor (R.) 4 — 28 G 10
Orada *Beja* 2 — 78 R 7
Orada *Évora* 7 — 66 P 7
Orada (Convento da) 7 — 66 Q 7
Orbacém 16 — 26 G 3
Orca 5 — 54 L 7
Ordem 2 — 78 R 6
Oriola 7 — 77 R 6
Oriz 3 — 27 G 4
Orjais 5 — 41 K 7
Ortiga 14 — 53 N 5
Ortigosa 10 — 53 M 3
Orvalho 5 — 54 L 6
Ossa (Serra de) 7 — 66 P 6
Ota 11 — 64 O 3
Ota (Ribeira de) 11 — 64 O 2
Ouca 1 — 40 K 4
Ouguela 12 — 66 O 8
Oura 17 — 27 H 7
Oural 3 — 26 G 4
Ourém 14 — 53 N 4
Ourentã 6 — 40 K 4
Ourique 2 — 77 T 5
Ourondo 5 — 54 L 6
Ourozinho 18 — 42 J 7
Outão 15 — 64 Q 3
Outeiro *Bragança* 4 — 28 G 10
Outeiro *Évora* 7 — 66 Q 7
Outeiro *Leiria* 10 — 53 M 4
Outeiro *Viana do Castelo* 16 — 26 G 3
Outeiro *Vila Real* 17 — 27 G 6
Outeiro Alvo 16 — 13 F 5
Outeiro da Cabeça 11 — 64 O 2
Outeiro da Cortiçada 14 — 52 O 3
Outeiro de Gatos 9 — 42 J 8
Outeiro Seco 17 — 28 G 7
Outiz 3 — 26 H 4
Ouzilhão 4 — 28 G 9
Ovadas 18 — 41 I 6
Ovar 1 — 40 J 4
Ovar (Canal de) 1 — 40 J 3
Ovelha — 27 I 5

P
Paço 4 — 28 G 9
Paço de Arcos 11 — 64 P 2
Paço de Sousa 13 — 27 I 4
Paço dos Negros 14 — 65 O 4
Paços de Ferreira 13 — 27 I 4
Paços de Gaiolo 13 — 27 I 5
Paços Novos 14 — 65 O 4
Paços Velhos 14 — 65 O 4
Padeiro 14 — 65 P 4
Paderne *Faro* 8 — 89 U 5
Paderne *Viana do Castelo* 16 — 13 F 5
Padim da Graça 3 — 26 H 4
Padornelo 16 — 26 G 4
Padrão *Beja* 2 — 77 S 6
Padrão *Castelo Branco* 5 — 54 N 6
Padrão *Leiria* 10 — 53 M 3
Padrão de Moreira 13 — 26 I 4
Padrela 17 — 27 H 7
Padrela (Serra da) 17 — 27 H 7
Padroso 17 — 27 G 6
Pai Penela 9 — 42 J 8
Pai Torto 4 — 28 H 8
Paiágua 5 — 54 M 6
Paialvo 14 — 53 N 4
Paião 6 — 53 L 3
Pailobo 9 — 42 K 9
Paio Mendes 14 — 53 M 5
Paio Pires 15 — 64 Q 2
Paiva 9 — 41 J 6
Pala *Guarda* 9 — 42 J 8
Pala *Viseu* 18 — 41 K 5
Palaçoulo 4 — 29 H 10
Palhaça 1 — 40 K 4
Palhais *Castelo Branco* 5 — 54 M 5
Palhais *Guarda* 9 — 41 J 7
Palhais *Setúbal* 15 — 64 Q 2
Palheirinhos 8 — 89 U 6
Palheiros *Coimbra* 6 — 40 K 4
Palheiros *Vila Real* 17 — 28 H 7
Palma 15 — 65 Q 4

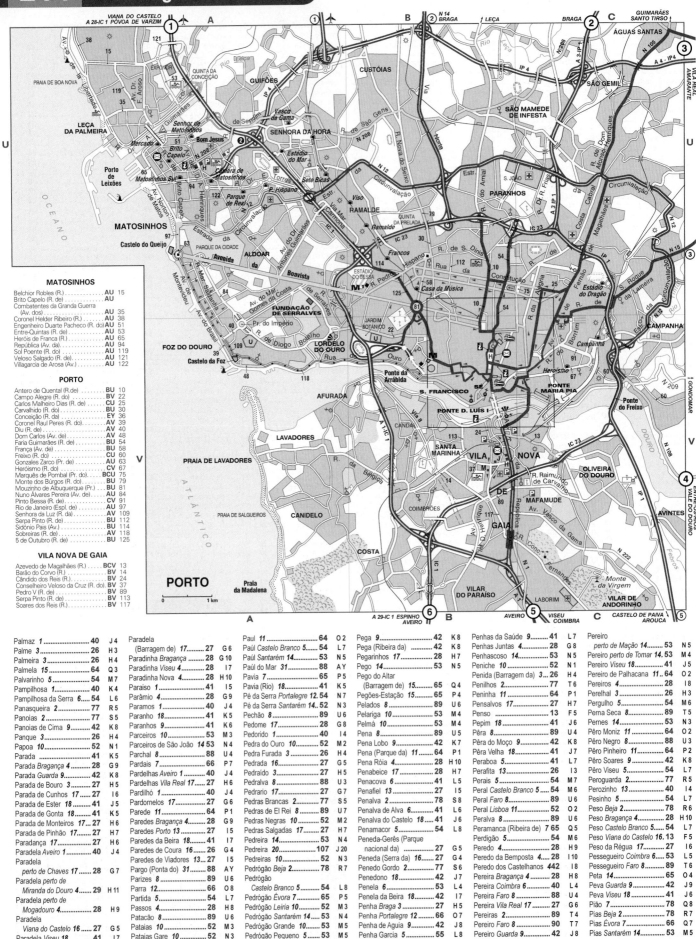

PORTO

MATOSINHOS

Belchior Robles (R.)	AU	15
Brito Capelo (R. de)	AU	
Combatentes da Granda Guerra (Av. dos)	AU	35
Coronel Helder Ribeiro (R.)	AU	38
Engenheiro Duarte Pacheco (R. do)	AU	51
Entre-Quintas (R. de)	AU	53
Heróis de Franca (R.)	AU	65
República (Av. da)	AU	94
Sol Poente (R. do)	AU	119
Veloso Salgado (R. de)	AU	121
Villagarcia de Arosa (Av.)	AU	122

PORTO

Antero de Quental (R.de)	BU	10
Campo Alegre (R. do)	BV	22
Carlos Malheiro Dias (R. de)	CU	25
Carvalhido (R. do)	BU	30
Conceição (R. da)	EY	36
Coronel Raul Peres (R. do)	AV	39
Diu (R. de)	AV	40
Dom Carlos (Av. de)	AV	48
Faria Guimarães (R. de)	BU	54
França (Av. de)	BU	58
Freixo (R. do)	CU	60
Gonzales Zarco (Pr. de)	CV	63
Heróismo (R. do)	BCU	67
Marquês de Pombal (Pr. do)	BCU	75
Monte dos Búrgos (R. do)	BU	79
Mouzinho de Albuquerque (Pr.)	AU	81
Nuno Alvares Pereira (Av. de)	AU	84
Pinto Bessa (R. de)	CV	91
Rio de Janeiro (Espl. de)	AU	97
Senhora da Luz (R. da)	AV	109
Serpa Pinto (R. de)	BU	112
Sidónio Pais (Av.)	BU	114
Sobreiras (R. de)	AV	118
5 de Outubro (R. de)	BU	125

VILA NOVA DE GAIA

Azevedo de Magalhães (R.)	BCV	13
Barão do Corvo (R.)	BV	14
Cândido dos Reis (R.)	BV	
Conselheiro Veloso da Cruz (R. do)	BV	37
Pedro V (R. de)	BV	89
Serpa Pinto (R. de)	BV	113
Soares dos Reis (R.)	BV	117

Palmaz 1	40	J 4
Palme 3	26	H 3
Palmeira 4	26	H 4
Palmela 15	64	Q 3
Palvarinho 5	54	M 7
Pampilhosa 1	40	K 4
Pampilhosa da Serra 6	54	L 6
Panasqueira 2	77	R 5
Panoias 2	77	S 5
Panoias de Cima 9	42	K 8
Panque 3	26	H 4
Papoa 10	52	N 1
Parada 1	41	K 5
Parada Bragança 4	28	G 9
Parada Guarda 9	42	K 8
Parada de Bouro 3	27	H 5
Parada de Cunhos 17	27	I 6
Parada de Ester 18	41	J 5
Parada de Gonta 9	41	K 5
Parada de Monteiros 17	27	H 6
Parada de Pinhão 17	27	H 7
Paradança 18	27	H 6
Paradela Aveiro 1	40	J 4
Paradela perto de Chaves 17	28	G 7
Paradela perto de Miranda do Douro 4	29	H 11
Paradela perto de Mogadouro 4	28	H 9
Paradela Viana do Castelo 16	27	G 5
Paradela Viseu 18	41	I 7

Paradela (Barragem de) 17	27	G 6
Paradinha Bragança 3	28	G 10
Paradinha Viseu 4	28	I 7
Paradinha Nova 4	28	H 10
Paraiso 1	41	I 5
Parâmio 4	28	G 9
Paramos 1	40	J 4
Paranho 18	41	K 5
Paranhos 4	41	K 6
Parceiros 10	53	M 3
Parceiros de São João 14	53	N 4
Parchal 8	88	U 4
Pardais 7	66	P 7
Pardelhas Aveiro 1	40	J 4
Pardelhas Vila Real 17	27	H 6
Pardilhó 1	40	J 4
Pardornelos 17	27	G 6
Parede 11	64	P 1
Paredes Bragança 4	28	G 9
Paredes Porto 13	27	I 5
Paredes da Beira 18	41	I 7
Paredes de Coura 16	26	G 4
Paredes de Viadores 13	27	I 5
Pargo (Ponta do) 31	88	A Y
Parizes 3	89	U 6
Parra 12	66	O 8
Partida 5	54	L 7
Passos 4	28	H 8
Patacão 8	89	U 6
Pataias 10	52	M 3
Pataias Gare 10	52	N 3

Paul 11	64	O 2
Paúl Castelo Branco 5	54	L 7
Paúl Santarém 14	53	N 5
Paúl do Mar 31	88	A Y
Pavia 7	65	P 5
Pavia (Rio) 18	41	K 5
Pé de Serra Portalegre 12	54	N 7
Pé de Serra Santarém 14	52	N 3
Pechão 8	89	U 6
Pedome 17	26	G 8
Pedorido 1	40	I 4
Pedra do Ouro 10	52	M 2
Pedra Furada 3	26	H 4
Pedrada 16	27	G 5
Pedralva 8	88	U 3
Pedrario 17	27	G 7
Pedras Brancas 2	77	S 5
Pedras de El Rei 8	89	U 7
Pedras Negras 10	52	M 2
Pedras Salgadas 17	27	H 7
Pedreira 20	107	J 20
Pedreiras 10	52	N 3
Pedrógão Beja 2	78	R 7
Pedrógão Castelo Branco 5	54	L 8
Pedrógão Évora 7	65	P 5
Pedrógão Leiria 10	52	M 3
Pedrógão Santarém 14	53	N 4
Pedrógão Grande 10	53	M 5
Pedrógão Pequeno 5	53	M 5

Pega 9	42	K 8
Pega (Ribeira da) 4	42	K 8
Pegarinhos 17	28	H 7
Pego 14	53	N 5
Pego do Altar (Barragem de) 15	65	Q 4
Pegões-Estação 15	65	P 4
Pelados 8	89	U 6
Pelariga 10	53	M 4
Pelmá 10	53	M 4
Pena 8	89	U 5
Pena Lobo 9	42	K 7
Pena (Parque da) 11	64	P 1
Pena Róia 4	28	H 10
Penabeice 17	28	H 7
Penacova 6	41	L 5
Penafiel 13	27	I 5
Penalva 2	78	S 8
Penalva de Alva 6	41	L 6
Penalva do Castelo 18	41	J 6
Penamacor 5	54	L 8
Peneda-Gerês (Parque nacional da) 16	27	G 5
Peneda (Serra da) 16	27	G 4
Penedo Gordo 2	77	S 6
Penedono 18	42	J 7
Penela 6	53	L 4
Penela da Beira 18	42	I 7
Penha Braga 3	27	H 5
Penha Portalegre 12	66	O 7
Penha de Aguia 9	42	J 8
Penha Garcia 5	55	L 8

Penhas da Saúde 9	41	L 7
Penhas Juntas 4	28	G 8
Penhascoso 14	53	N 5
Peniche 10	52	N 1
Penida (Barragem da) 3	26	H 4
Penilhos 2	77	T 6
Peninha 11	64	P 1
Pensalvos 17	27	H 7
Penso 13	27	F 5
Pepim 18	41	J 6
Pera 8	89	U 4
Pêra Moço 9	42	K 8
Pêra Velha 18	41	J 7
Peraboa 5	41	L 7
Perafita 13	26	I 3
Perais 5	54	M 7
Pêro Moniz 11	64	O 2
Pêro Negro 8	88	U 3
Pêro Pinheiro 11	64	P 2
Pêro Soares 9	42	K 8
Pêro Viseu 5	54	L 7
Peroguarda 2	77	R 5
Perozinho 13	40	I 4
Pesinho 5	54	L 7
Peso Beja 2	78	R 6
Peso Bragança 4	28	H 10
Peso Castelo Branco 5	54	L 7
Peso Viana do Castelo 16	13	F 5
Peso da Régua 17	27	I 6
Pessegueiro Coimbra 6	53	I 10
Pessegueiro Faro 8	89	T 6
Peta 14	65	O 4
Peva Guarda 9	42	J 9
Peva Viseu 18	41	I 6
Pião 7	78	Q 8
Pias Beja 2	78	R 7
Pias Évora 7	66	Q 7
Pias Santarém 14	53	M 5

Pega 9	42	K 8
Pereiro		
Pereiro perto de Mação 14	53	N 5
Pereiro perto de Tomar 14	53	M 4
Pereiro Viseu 18	41	J 5
Pereiro de Palhacana 11	64	O 2
Pereiros 2	28	I 8
Perelhal 3	26	H 3
Pergulho 5	54	M 6
Perna Seca 8	89	T 5
Pernes 14	53	N 3
Pereira Bragança 4	28	H 8
Pereira Coimbra 6	40	L 4
Pereira Vila Real 17	27	G 6
Pereiras 2	89	T 4
Pereiro Faro 8	90	T 7
Pereiro Guarda 9	42	J 8

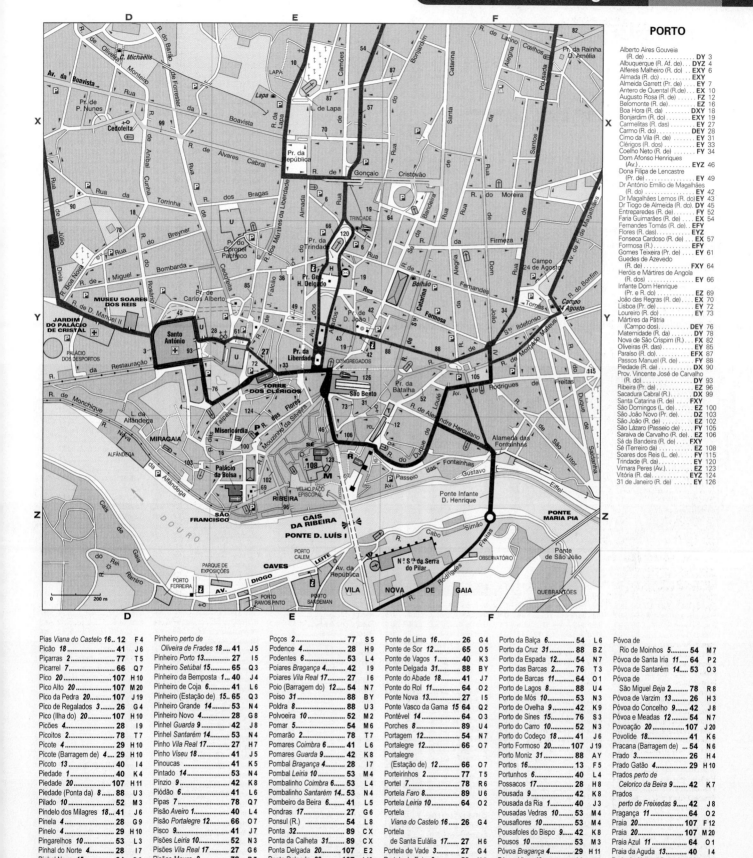

PORTO

Alberto Aires Gouveia (R. de) . . . . **DY** 3
Albuquerque (R. Af. de) . . . **DYZ** 4
Alferes Malheiro (R. do) . . . **EXY** 6
Almada (R. do) . . . . **EXY**
Almeida Garrett (Pr. de) . . . **EY** 7
Antero de Quental (R.de) . . . **EX** 10
Augusto Rosa (R. de) . . . . . **FZ** 12
Belomonte (R. de) . . . . **EZ** 16
Boa Hora (R. da) . . . . **DXY** 18
Bonjardim (R. do) . . . . **EXY** 19
Carmelitas (R. das) . . . . . . **EY** 27
Carmo (R. do) . . . . **DEY** 28
Cimo da Vila (R. de) . . . . . **EY** 31
Clérigos (R. dos) . . . . **EY** 33
Coelho Neto (R. de) . . . . . . **FY** 34
Dom Afonso Henriques (Av.) . . . . **EYZ** 46
Dona Filipa de Lencastre (Pr. de) . . . . **EY** 49
Dr António Emílio de Magalhães (R. do) . . . . **EY** 42
Dr Magalhães Lemos (R. do) **EY** 43
Dr Tiogo de Almeida (R. do) . **DY** 45
Entreparedes (R. de) . . . . . **EY** 52
Faria Guimarães (R. de) . . . . **EX** 54
Fernandes Tomás (R. de) . . . **EFY**
Flores (R. das) . . . . **EYZ**
Fonseca Cardoso (R. de) . . . **EX** 57
Formosa (R.) . . . . **EFY**
Gomes Teixeira (Pr. de) . . . **EY** 61
Guedes de Azevedo (R. de) . . . . **FXY** 64
Heróis e Mártires de Angola (R. de) . . . . **EY** 66
Infante Dom Henrique (Pr. e R. do) . . . . **EZ** 69
João das Regras (R. de) . . . **EX** 70
Lisboa (Pr. de) . . . . **EY** 72
Loureiro (R. do) . . . . **EY** 73
Mártires da Pátria (Campo dos) . . . . **DEY** 76
Maternidade (R. da) . . . . . . **DY** 78
Nova de São Crispim (R.) . . . **FX** 82
Oliveiras (R. das) . . . . **EY** 85
Paraíso (R. do) . . . . **EFX** 87
Passos Manuel (R. de) . . . . . **EY** 88
Piedade (R. da) . . . . **DX** 90
Prov. Vincente José de Carvalho (R. do) . . . . **DY** 93
Ribeira (Pr. da) . . . . **EZ** 96
Sacadura Cabral (R. de) . . . . **DX** 99
Santa Catarina (R. de) . . . . **FXY**
São Domingos (L. de) . . . . . **EZ** 100
São João Novo (Pr. de) . . . . **DZ** 103
São João (R. de) . . . . **EZ** 102
São Lázaro (Passeio de) . . . . **FY** 105
Saraiva de Carvalho (R. de) . . **EY** 106
Sá da Bandeira (R. de) . . . . **FXY**
Sé (Terreiro da) . . . . **EZ** 108
Soares dos Reis (L. de) . . . . **EY** 115
Trindade (R. da) . . . . **EY** 120
Vimara Peres (Av.) . . . . . . **EZ** 123
Vitória (R. da) . . . . **EYZ** 124
31 de Janeiro (R. de) . . . . . **EY** 126

Pias Viana do Castelo 16.. 12 . F 4
Picão 18 . . . . 41 . J 6
Piçarras 2 . . . . 77 . T 5
Picarrel 7 . . . . 66 . Q 7
Pico 20 . . . . 107 . H 10
Pico Alto 20 . . . . 107 . M 20
Pico da Pedra 20 . . . . 107 . J 19
Pico de Regalados 3 . . . . . . 26 . G 4
Pico (Ilha do) 20 . . . . 107 . H 10
Picões 4 . . . . 28 . I 9
Picoitos 2 . . . . 78 . T 7
Picote 4 . . . . 29 . H 10
Picote (Barragem de) 4 . . . . 29 . H 10
Picoto 13 . . . . 40 . I 4
Piedade 1 . . . . 40 . K 4
Piedade 20 . . . . 107 . H 11
Piedade (Ponta da) 8 . . . . . 88 . U 3
Pilado 18 . . . . 52 . M 3
Pindelo dos Milagres 18 . . 41 . J 6
Pinela 4 . . . . 28 . G 9
Pinelo 4 . . . . 29 . H 10
Pingarelhos 10 . . . . 53 . L 3
Pinhal do Norte 4 . . . . 28 . I 7
Pinhal Novo 15 . . . . 64 . Q 3
Pinhancos 9 . . . . 41 . K 6
Pinhão 17 . . . . 27 . I 7
Pinheiro Braga 3 . . . . 27 . H 5
Pinheiro Guarda 9 . . . . 41 . J 7
Pinheiro perto de
Castro Daire 18 . . . . . . 41 . J 6
Pinheiro perto de
Mortágua 18 . . . . 41 . K 5

Pinheiro perto de
Oliveira de Frades 18 . . 41 . J 5
Pinheiro Porto 13 . . . . . . 27 . I 5
Pinheiro Setúbal 15 . . . . . 65 . Q 3
Pinheiro da Bemposta 1 . . 40 . J 4
Pinheiro de Coja 6 . . . . . . 41 . L 6
Pinheiro (Estação de) 15 . 65 . Q 3
Pinheiro Grande 14 . . . . . 53 . N 4
Pinheiro Novo 4 . . . . 28 . G 8
Pinhel Guarda 9 . . . . 42 . J 8
Pinhel Santarém 14 . . . . . 53 . N 4
Pinho Vila Real 17 . . . . . . 27 . H 7
Pinho Viseu 18 . . . . 41 . J 5
Pinoucas 7 . . . . 41 . K 5
Pintado 14 . . . . 53 . N 4
Pínzio 2 . . . . 42 . K 8
Piódão 6 . . . . 41 . L 6
Pipas 7 . . . . 78 . Q 7
Pisão Aveiro 1 . . . . 40 . L 4
Pisão Portalegre 12 . . . . . 66 . O 7
Pisco 9 . . . . 41 . J 7
Pisões Leiria 10 . . . . 52 . N 3
Pisões Vila Real 17 . . . . . 27 . G 6
Pisões-Moura 6 . . . . 78 . R 7
Pitões das Júnias 17 . . . . 27 . G 6
Pó 10 . . . . 52 . O 2
Pocariça 6 . . . . 40 . K 4
Poceirão 6 . . . . 65 . Q 3
Pocinho 9 . . . . 42 . I 8
Pocinho (Barragem do) 4 . 42 . I 8
Poço Barreto 8 . . . . 89 . U 4
Poço dos Cães 10 . . . . . . 53 . M 4

Poços 2 . . . . 77 . S 5
Podence 4 . . . . 28 . H 9
Podentes 6 . . . . 53 . L 4
Poiares Bragança 4 . . . . . 42 . I 9
Poiares Vila Real 17 . . . . . 27 . I 6
Poio (Barragem do) 12 . . . 54 . N 7
Poiso 31 . . . . 88 . B Y
Poldra 8 . . . . 88 . U 3
Polvoeira 10 . . . . 52 . M 2
Pomar 5 . . . . 54 . M 6
Pomarão 2 . . . . 78 . T 7
Pomares Coimbra 6 . . . . . 41 . L 6
Pomares Guarda 9 . . . . . . 42 . K 8
Pombal Bragança 4 . . . . . 28 . I 7
Pombal Leiria 10 . . . . 53 . M 4
Pombalinho Coimbra 6 . . . 53 . L 4
Pombalinho Santarém 14 . 53 . N 4
Pombeiro da Beira 6 . . . . . 41 . L 5
Pondras 17 . . . . 27 . G 6
Ponsul (R.) . . . . 54 . L 8
Ponte 32 . . . . 89 . C X
Ponta da Calheta 31 . . . . 89 . C X
Ponta Delgada 20 . . . . . . 107 . E 2
Ponta Delgada 31 . . . . . . 107 . J 18
Ponta do Mistério 20 . . . . 107 . H 11
Ponta do Pargo 31 . . . . . . 88 . A Y
Ponta do Sol 31 . . . . 88 . A Y
Pontal (Cabo) 8 . . . . 89 . U 4
Pontal (Gruta) 8 . . . . 89 . U 4
Pontão 10 . . . . 53 . M 4
Ponte 3 . . . . 27 . G 4
Ponte da Barca 16 . . . . . . 27 . G 4

Ponte de Lima 16 . . . . . . 26 . G 4
Ponte de Sor 12 . . . . 65 . O 5
Ponte de Vagos 1 . . . . . . 40 . K 3
Ponte Delgada 31 . . . . . . 88 . B Y
Ponte do Abade 18 . . . . . 41 . J 7
Ponte do Rol 11 . . . . 64 . O 2
Ponte Nova 13 . . . . 27 . I 5
Ponte Vasco da Gama 15 . 64 . Q 2
Pontével 14 . . . . 64 . O 3
Porches 8 . . . . 89 . U 4
Portagem 12 . . . . 54 . N 7
Portalegre 12 . . . . 66 . O 7
Portalegre
(Estação de) 12 . . . . 66 . O 7
Porteirinhos 2 . . . . 77 . T 5
Portel 7 . . . . 78 . R 6
Portela Faro 8 . . . . 89 . U 6
Portela Leiria 10 . . . . 64 . O 2
Portela
Viana do Castelo 16 . 26 . G 4
Portela
de Santa Eulália 17 . 27 . H 6
Portela de Vade 3 . . . . . . 27 . G 4
Portela do Fojo 6 . . . . . . 53 . M 5
Portelas 8 . . . . 88 . U 3
Portelo 4 . . . . 28 . G 9
Portimão 8 . . . . 89 . U 4
Portinho da Arrábida 6 . . . 88 . U 3
Porto 13 . . . . 26 . I 4
Porto Alto 14 . . . . 64 . P 3
Porto Carvoeiro 13 . . . . . 40 . I 4
Porto Covo 15 . . . . 76 . S 3

Porto da Balça 6 . . . . 54 . L 6
Porto da Cruz 31 . . . . 88 . B Z
Porto da Espada 12 . . . . . 54 . N 7
Porto das Barcas 2 . . . . . 76 . T 3
Porto de Barcas 11 . . . . . 64 . O 1
Porto de Lagos 8 . . . . 88 . U 4
Porto de Mós 10 . . . . 53 . N 3
Porto de Ovelha 9 . . . . . . 42 . K 9
Porto de Sines 15 . . . . . . 76 . S 3
Porto do Carro 10 . . . . . . 52 . N 3
Porto do Codeço 18 . . . . . 41 . J 6
Porto Formoso 20 . . . . . . 107 . J 19
Porto Moniz 31 . . . . 88 . A Y
Portos 16 . . . . 13 . F 5
Portunhos 6 . . . . 40 . L 4
Possacos 17 . . . . 28 . H 8
Pousada 9 . . . . 42 . K 8
Pousada da Ria 1 . . . . 40 . J 3
Pousadas Vedras 10 . . . . . 53 . M 4
Pousaflores 10 . . . . 53 . M 4
Pousafoles do Bispo 9 . . . 42 . K 8
Pousos 10 . . . . 53 . M 3
Póvoa Bragança 4 . . . . . . 29 . H 11
Póvoa Viseu 18 . . . . 41 . J 6
Póvoa d'El-Rei 9 . . . . 42 . J 7
Póvoa da Atalaia 5 . . . . . 54 . L 7
Póvoa da Isenta 14 . . . . . 64 . O 3
Póvoa das Quartas 6 . . . . 41 . K 6
Póvoa de Lanhoso 3 . . . . . 27 . H 5
Póvoa de Midões 6 . . . . . 41 . K 6
Póvoa de Penela 18 . . . . . 42 . I 7

Póvoa de
Rio de Moinhos 5 . . . . 54 . M 7
Póvoa de Santa Iria 11 . . . 64 . P 2
Póvoa de Santarém 14 . . . 53 . O 3
Póvoa de
São Miguel Beja 2 . . . 78 . R 8
Póvoa de Varzim 13 . . . . . 26 . H 3
Póvoa do Concelho 9 . . . . 42 . J 8
Póvoa e Meadas 12 . . . . . 54 . N 7
Povoação 20 . . . . 107 . J 20
Povolide 18 . . . . 41 . K 6
Pracana (Barragem de) 5 . 54 . N 6
Prado 3 . . . . 26 . H 4
Prado Gatão 4 . . . . 29 . H 10
Prados perto de
Celorico da Beira 9 . . 42 . K 7
Prados
perto de Freixedas 9 . 42 . J 8
Pragança 11 . . . . 64 . O 2
Praia 20 . . . . 107 . F 12
Praia 20 . . . . 107 . M 20
Praia Azul 11 . . . . 64 . O 1
Praia da Aguda 13 . . . . . . 40 . I 4
Praia da Alagoa 8 . . . . . . 90 . U 7
Praia da Areia Branca 11 . 52 . O 1
Praia da Árvore 13 . . . . . 26 . I 3
Praia da Barra 1 . . . . 40 . K 3
Praia da Bordeira 8 . . . . . 88 . U 3
Praia da Calada 11 . . . . . 64 . O 1
Praia da Carreagem 8 . . . . 88 . T 3
Praia da Cordama 8 . . . . . 88 . U 3
Praia da Falésia 8 . . . . . . 89 . U 5

SANTARÉM

Alex Herculano (R.)	**A**	3
Alf. de Santarém (R.)	**B**	4
Braamcamp Freire (R.)	**B**	6
Cândido dos Reis (Largo)	**A**	7
Capelo Ivens (R.)	**AB**	9
G. de Azevedo (R.)	**A**	10
João Afonso (R.)	**A**	12
Miguel Bombarda (R.)	**A**	13
Piedade (Largo da)	**A**	15
São Martinho (R. de)	**B**	16
Serpa Pinto (R.)	**AB**	
Teixeira Guedes (R.)	**A**	18
Tenente Valadim (R.)	**B**	19
Vasco da Gama (R.)	**A**	21
Zeferino Brandão (R.)	**A**	22
1_ de Dezembro (R.)	**B**	24
5 de Outubro (Av.)	**B**	25
31 de Janeiro (R.)	**A**	27

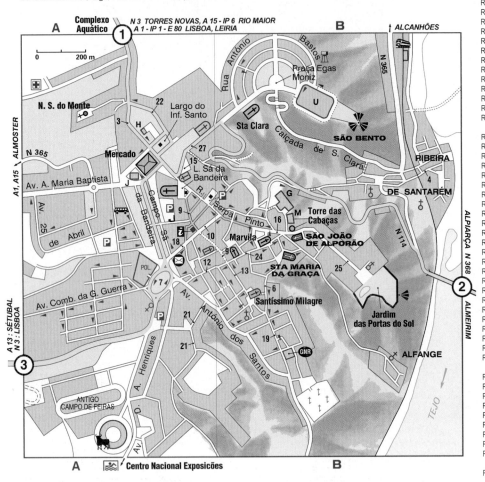

Praia da Galé 8	89	U 5	
Praia da Ilha 15	76	S 3	
Praia da Ilha de Faro 8	90	V 6	
Praia da Ilha de Tavira 8	90	U 7	
Praia da Manta Rota 8	90	U 7	
Praia da Oura 8	89	U 5	
Praia da Rocha 8	88	U 4	
Praia da Tocha 6	40	L 3	
Praia da Vagueira 1	40	K 3	
Praia da Vieira 10	52	M 3	
Praia da Vitória 20	107	G 14	
Praia das Maçãs 11	64	P 1	
Praia de Agudela 13	26	I 3	
Praia de Areinho 1	40	J 3	
Praia de Boa Nova 13	26	I 3	
Praia de Cabadelo 16	26	G 3	
Praia de Cabanas 8	90	U 7	
Praia de Caparica 15	64	Q 2	
Praia de Cascais 8	64	Q 1	
Praia de Comporta 15	64	Q 3	
Praia de Cortegaça 1	40	J 4	
Praia de Dona Ana 8	88	U 4	
Praia de Ericeira 11	64	P 1	
Praia de Esmoriz 1	40	J 4	
Praia de Espinho 1	40	J 3	
Praia de Faro 8	89	U 6	
Praia de Furadouro 1	40	J 3	
Praia de Fuseta 8	89	U 6	
Praia de Labruge 13	26	I 3	
Praia de Lavadores 13	26	I 4	
Praia de Leirosa 6	52	L 3	
Praia de Magoito 11	64	P 1	
Praia de Maria Luisa 8	89	U 5	
Praia de Melides 15	76	R 3	
Praia de Mira 6	40	K 3	
Praia de Monte Branco 1	40	J 3	
Praia de Monte Clérigo 2	88	T 3	
Praia de Morgavel 15	76	S 3	
Praia de Odeceixe 8	88	T 3	
Praia de Porto Covo 15	76	S 3	
Praia de Quiaios 8	40	L 3	
Praia de Ribeiro 11	64	O 1	
Praia de Samarra 11	64	P 1	
Praia de Santa Cruz 11	64	O 1	
Praia de Santo André			
Setúbal 15	76	R 3	
Praia de São Lourenço 11	64	O 1	
Praia de São Sebastião 11	64	P 1	
Praia de São Torpes 15	76	S 3	
Praia de Suave Mar 3	26	H 3	
Praia do Castelejo 8	88	U 3	
Praia do Guincho 11	64	P 1	
Praia do Martinhal 8	88	U 3	
Praia do Norte 20	107	H 9	
Praia do Porto Novo 11	64	O 1	
Praia do Rei Cortiço 10	52	N 2	
Praia do Ribatejo 14	53	N 4	
Praia dos Mouranitos 8	88	U 3	
Praia dos Tres Irmãos 8	88	U 4	
Praia Grande Lisboa 11	64	P 1	
Praia Nova 11	64	N 2	
Praia Velha 10	52	M 2	
Prainha 11	107	H 11	
Prazeres 31	88	A Y	
Prazeres 12	66	P 7	
Préstimo 1	40	K 4	
Proença-a-Nova 5	54	M 6	
Proença-a-Velha 5	54	L 8	
Prova 1	41	J 7	
Provença 15	76	S 3	
Provesende 17	27	I 7	
Pussos 10	53	M 4	

Q

Quadrazais 9	42	L 9	
Quarteira 8	89	U 5	
Quartos 8	89	U 5	
Quatrim do Sul 8	89	U 6	
Quebradas 11	64	O 3	
Queimada			
(Ponta do) 20	107	H 11	
Queimadela 3	27	H 5	
Queimado			
(Ponta do) 20	107	G 13	
Queirã 18	41	J 5	
Queiriga 18	41	J 6	
Queiriz 9	41	J 7	
Quelfes 8	89	U 6	
Queluz 11	64	P 2	
Querença 8	89	U 6	
Quiaios 6	40	L 3	
Quiaios (Dunas de) 6	40	L 3	
Quintã Aveiro 1	40	K 3	
Quintã Beja 2	89	T 6	
Quinta da Corona 15	77	S 4	
Quinta de Pêro Martins 9	42	J 8	
Quinta de Santa Maria 7	77	S 5	
Quinta do Anjo 15	64	Q 3	
Quinta do Lago 8	89	U 5	
Quinta do Pinheiro 12	66	O 6	
Quinta Nova 9	42	K 9	
Quintanilha 4	28	G 10	
Quintãs 1	40	K 4	
Quintas da Torre 5	54	L 8	
Quintas do Norte 1	40	J 3	
Quintela de Azurara 18	41	K 6	
Quintela de Lampacas 4	28	H 9	
Quintos 2	77	S 6	
Quirás 4	28	G 8	

R

Rã 7	65	Q 5	
Rabaça 12	66	O 8	
Rabaçal Coimbra 6	53	L 4	
Rabaçal Guarda 9	42	J 8	
Rabaçal (Rio) 4	28	G 8	
Rabal 4	28	G 9	
Rabo de Peixe 20	107	J 19	
Raia (Ribeira da)	65	P 5	
Raimonda 13	27	I 5	
Rainha (Cabeço) 5	54	M 6	
Raiva 1	41	I 4	
Raiva (Barragem de)	41	L 5	
Ramalhais 10	53	M 4	
Ramalhal 1	64	O 2	
Raminho 20	107	G 14	
Ramo Alto 7	66	Q 7	
Ranhados 9	42	J 8	
Raposa 14	65	O 4	
Raposeira 8	88	U 3	
Rapoula do Côa 9	42	K 8	
Rãs Porto 13	27	I 5	
Rãs Viseu 18	41	J 7	
Raso (Cabo) 11	64	P 1	
Rates 13	26	H 3	
Real 1	41	I 5	
Rebolia 8	53	L 4	
Rebolosa 9	42	K 9	
Rebordainhos 4	28	H 9	
Rebordãos 4	28	G 9	
Rebordelo Aveiro 1	40	J 4	
Rebordelo Bragança 4	28	G 8	
Rebordelo Porto 13	27	H 6	
Rebordões Porto 13	26	H 4	
Rebordões			
Viana do Castelo 16	26	G 4	
Reboreda 16	26	G 3	

Reboredo (Serra do)	42	I 9	
Recarei 13	26	I 4	
Redinha 10	53	L 4	
Redondelo 17	27	G 7	
Redondo 7	66	Q 7	
Réfega 4	28	G 10	
Refoios do Lima 16	26	G 4	
Regadas Braga 3	27	H 5	
Regadas Porto 13	27	I 5	
Rego 3	27	H 5	
Rego da Barca 4	28	I 8	
Rego da Murta 10	53	M 4	
Rego (Monte) 7	66	P 8	
Regueira de Pontes 10	53	M 3	
Reguenga 13	26	I 4	
Reguengo Évora 7	65	Q 5	
Reguengo Portalegre 12	66	O 7	
Reguengo do Fetal 10	53	N 3	
Reguengo Grande 11	52	O 2	
Reguengos			
de Monsaraz 7	78	Q 7	
Reigada 9	42	J 9	
Reigoso 17	27	G 6	
Reliquias Beja 2	77	S 4	
Reliquias Évora 7	66	P 7	
Relva 20	107	J 18	
Relva da Louça 5	53	M 6	
Relvas 6	54	L 6	
Remal 31	88	A Y	
Remédios 10	52	N 1	
Remédios 20	107	J 18	
Remelhe 3	26	H 4	
Remondes 4	28	H 9	
Rendo 9	42	K 8	
Rendufe 3	27	H 4	
Requeixo 1	40	K 4	
Reriz 18	41	J 6	
Resende 18	41	I 6	
Retaxo 5	54	M 7	
Retiro 12	66	P 8	
Retorta 2	78	S 7	
Revel 17	27	H 7	
Reveladas 12	66	N 7	
Rexaldia 14	53	N 4	
Ria Formosa			
(Parque Natural da) 8	90	V 6	
Riachos 14	53	N 4	
Riba d'Ave 3	26	H 4	
Riba de Mouro 16	13	F 5	
Ribadouro 13	41	I 5	
Ribafeita 18	41	J 6	
Ribafria 10	52	O 2	
Ribalonga Bragança 4	28	I 7	
Ribalonga Vila Real 17	27	H 7	
Ribamar			
perto de Ericeira 11	64	O 1	
Ribamar			
perto de Lourinhã 11	64	O 1	
Ribamondego 9	41	K 7	
Ribeira Aveiro 1	40	J 4	
Ribeira Coimbra 6	53	L 5	
Ribeira Brava 31	88	A Y	
Ribeira Cha 20	107	J 19	
Ribeira da Janela 31	88	A Y	
Ribeira de Fraguas 1	40	J 4	
Ribeira de Pena 17	27	H 6	
Ribeira do Seissal 2	76	S 4	
Ribeira dos Carinhos 9	42	K 8	
Ribeira Grande 20	107	J 19	
Ribeira (Ponta da) 20	107	J 20	
Ribeira Quente 20	107	J 20	
Ribeira Seca 20	107	H 12	
Ribeira Seca 20	107	J 19	
Ribeiradio 18	41	J 5	
Ribeirão 3	26	H 4	
Ribeiras 20	107	H 11	
Ribeirinha 4	28	H 8	
Ribeirinha 20	107	G 14	
Ribeirinha 20	107	J 19	
Ribeiro Frio 31	88	B Y	
Ribolhos 18	41	J 6	
Rio de Couros 14	53	M 4	
Rio de Mel 9	42	J 7	
Rio de Moinhos Beja 2	77	S 5	
Rio de Moinhos Évora 7	66	P 7	
Rio de Moinhos			
Santarém 14	53	N 5	
Rio de Moinhos Setúbal 15	77	R 5	
Rio de Moinhos Viseu 18	41	J 6	
Rio de Mouro 11	64	P 1	
Rio de Onor 4	28	G 10	
Rio Douro 3	26	H 4	
Rio Frio Bragança 4	28	G 10	
Rio Frio Setúbal 15	64	P 3	
Rio Frio			
Viana do Castelo 16	26	G 4	
Rio Maior 14	52	N 3	
Rio Mau Braga 3	26	G 4	
Rio Mau Porto 13	26	H 3	
Rio Milheiro 18	41	K 5	
Rio Seco 8	90	U 7	
Rio Torto Guarda 9	41	K 7	
Rio Torto Vila Real 17	28	H 8	
Rio Vide 6	53	L 5	
Riodades 18	41	I 7	
Roca (Cabo da) 11	64	P 1	
Rocamondo 9	42	K 8	
Rocas do Vouga 1	40	J 4	
Rocha dos Bordões 20	107	E 2	
Rochoso 9	42	K 8	
Roda Grande 14	53	N 4	
Rogil 8	88	T 3	
Rogodeiro 4	28	H 8	
Rojão 18	41	K 5	
Rolão 2	77	S 6	
Roliça 10	52	O 2	
Romã 11	64	O 2	
Romarigães 16	26	G 4	
Romariz 1	40	J 4	
Romãs 18	41	J 7	
Romeira 14	53	O 3	
Romeu 4	28	H 8	
Roncão 9	78	T 7	
Ronfe 3	27	H 4	
Roriz Braga 13	27	H 4	
Roriz Porto 3	26	H 4	
Roriz Viseu 18	41	J 6	
Rosais 20	107	G 11	
Rosais (Ponta dos) 20	107	G 11	
Rosário Beja 2	77	T 5	
Rosário Évora 7	66	Q 7	
Rosmaninhal			
Castelo Branco 5	54	M 8	
Rosmaninhal			
Portalegre 12	53	O 6	
Rossão 18	41	J 6	
Rossas Aveiro 1	41	J 5	
Rossas Braga 3	27	H 5	
Rossio ao Sul do Tejo 14	53	N 5	
Rouças 16	27	G 5	
Roxo (Barragem do) 2	77	S 5	
Roxo (Ribeira do)	77	S 4	
Rua 11	41	J 7	
Rubiães 16	26	G 4	
Ruivães 3	27	G 5	
Ruivo 2	77	R 5	
Ruivo do Paúl 31	88	A Y	
Ruivo (Pico) 31	88	B Y	
Runa 11	64	O 2	
Ruvina 9	42	K 8	

S

Sá 17	28	G 7	
Sabacheira 14	53	M 4	
Sabóia 2	77	T 4	
Sabor 4	28	G 9	
Sabrosa 17	27	I 7	
Sabroso 17	27	H 7	
Sabugal 9	42	K 8	
Sabugal (Barragem do) 9	42	K 8	
Sabugo 11	64	P 2	
Sabugosa 18	41	K 5	
Sabugueiro Évora 7	65	P 5	
Sabugueiro Guarda 9	41	K 7	
Sacavém 11	64	P 2	
Sado Morgavel			
(Canal do) 15	77	S 4	
Sado (R.) 15	77	S 4	
Safara 2	78	R 8	
Safira 7	65	Q 5	
Safurdão 9	42	K 8	
Sago 16	12	F 4	
Sagres 8	88	U 3	
Sagres (Ponta de) 8	88	V 3	
Salamonde 3	27	G 5	
Salavessa 12	54	N 7	
Saldanha 4	28	H 10	
Saldonha 4	28	H 9	
Salema 8	88	U 3	
Salgueirais 9	41	K 7	
Salgueiro Aveiro 1	40	K 4	
Salgueiro Bragança 4	28	I 9	
Salgueiro			
Castelo Branco 5	42	L 8	
Salgueiro Leiria 10	52	O 2	
Salgueiro do Campo 5	54	M 7	
Salgueiros Beja 2	78	T 7	
Salgueiros Vila Real 17	28	H 7	
Salir 8	89	U 5	
Salir do Porto 10	52	N 2	
Salreu 1	40	J 4	
Salsas 4	28	H 9	

SETÚBAL

Alexandre Herculano
  (Av. de) . . . . **BY** 3
Almirante Reis (P. do) . . . . . **AZ** 4
Almocreves (R. dos) . . . . **BZ** 6
Álvaro Castelões (R.) . . . . **BZ** 7
António Girão (R.) . . . . **BZ** 9
Arronches Junqueiro (R.) . . . **BZ** 12
Augusto Cardoso (R. de) . . . **BZ** 13
Bela Vista (Travessa da) . . . **BZ** 15
Bocage (Pr. do) . . . . **BZ** 16
Bocage (R. do) . . . . **BZ** 18
Ciprestes (Estrada dos) . . . . **CY** 19
Clube Naval (R.) . . . . **AZ** 20
Combatentes da Grande Guerra
  (Av. dos) . . . . **AZ** 21
Defensores da República
  (Largo dos) . . . . **CZ** 22
Dr António J. Granjo (R.) . . . **BZ** 24
Dr Paula Borba (R.) . . . . **BZ** 25
Exército (Pr. do) . . . . **BZ** 27
Machado dos Santos (Pr.) . . **AZ** 31
Major Afonso Pala (R. do) . . **BZ** 33
Mariano de Carvalho (Av.) . . **BZ** 34
Marquês da Costa (R.) . . . . . **AZ** 36
Marquês de Pombal (Pr.) . . . **AZ** 37
Mirante (R. do) . . . . **CY** 38
Ocidental do Mercado (R.) . . **AZ** 39
Paulino de Oliveira (R. de) . . **AZ** 40
República de Guiné-Bissau
  (Av.) . . . . **BY** 42
Santo António (Largo de) . . . **BZ** 43
Tenente Valadim (R.) . . . . . . **AZ** 44
Trabalhadores do Mar
  (R. Dos) . . . . **AZ** 45
22 de Dezembro (Av.) . . . . . **BY** 46

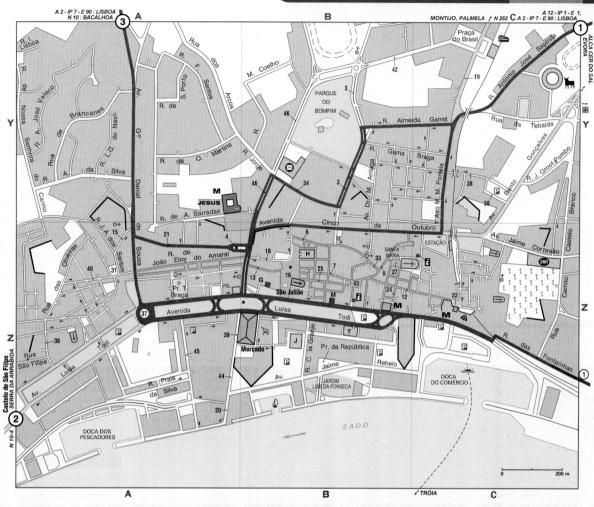

Salselas *4* . . . . **28** H 9
Salto *Beja 2* . . . . **77** S 6
Salto *Vila Real 17* . . . . **27** H 6
Salto de Cavalo *20* . . . . . . **107** J 20
Salvada *2* . . . . **77** S 6
Salvador
  Castelo Branco 5 . . . . . **54** L 8
Salvador *Samtarém 14* . . . . **65** O 4
Salvador do Monte *13* . . . . **27** I 5
Salvaterra de Magos *14* . . . **64** O 3
Salvaterra do Extremo *5* . . **55** M 9
Salzedas *18* . . . . **41** I 6
Samardã *17* . . . . **27** H 6
Sambade *4* . . . . **28** H 9
Sambado *5* . . . . **53** M 5
Sameice *9* . . . . **41** K 6
Sameiro *9* . . . . **41** K 7
Sameiro (Monte) *3* . . . . **27** H 4
Samil *4* . . . . **28** G 9
Samões *4* . . . . **28** I 8
Samora Correia *14* . . . . **28** P 3
Samouco *15* . . . . **64** P 2
Samouqueira *8* . . . . **88** T 3
Sampaio
  perto de Mogadouro 4 . . **28** H 9
Sampaio
  perto de Vila Flor 4 . . . . **28** I 8
Sampriz *16* . . . . **27** G 4
Samuel *6* . . . . **53** L 3
San Julião *12* . . . . **66** O 8
San Martinho *5* . . . . **54** M 7
San Martinho do Peso *4* . . **28** H 10
San Pedro do Corval *7* . . . . **66** Q 7
San Salvador *12* . . . . **54** N 7
Sande *Braga 3* . . . . **27** H 4
Sande *Porto 13* . . . . **27** I 5
Sandim *Bragança 8* . . . . . . **28** G 8
Sandim *Porto 13* . . . . **40** I 4
Sandomil *9* . . . . **41** K 6
Sanfins *8* . . . . **28** G 8
Sanfins do Douro *17* . . . . . . **27** H 4
Sangalhos *1* . . . . **40** K 4
Sanguedo *4* . . . . **40** I 4
Sanguinhal *10* . . . . **52** O 2
Sanhoane *4* . . . . **28** H 10

Sanjurge *17* . . . . **27** G 7
Santa Antão *20* . . . . **107** H 12
Santa Bárbara *2* . . . . **88** T 4
Santa Bárbara *20* . . . . **107** M 20
Santa Bárbara *2* . . . . **107** G 13
Santa Bárbara *2* . . . . **107** J 19
Santa Barbara
  São Miguel 20 . . . . . . **107** J 18
Santa Bárbara de Nexe *8. 89* U 6
Santa Bárbara
  de Padrões *2* . . . . **77** T 6
Santa Catarina *Faro 8* . . . . **88** U 4
Santa Catarina *Leiria 10*. . **52** N 2
Santa Catarina *Setúbal 15* **65** Q 4
Santa Catarina
  da Fonte do Bispo *8* . . **89** U 6
Santa Catarina
  da Serra *10* . . . . **53** M 3
Santa Cita *14* . . . . **53** N 4
Santa Clara *6* . . . . **40** L 4
Santa Clara-a-Nova *2* . . . . **89** T 5
Santa Clara-a-Velha *2* . . . . **77** T 4
Santa Clara
  (Barragem de) *2* . . . . . . **77** T 4
Santa Clara do Louredo *2* **77** S 6
Santa Comba *Guarda 9* . . . **42** J 8
Santa Comba *Porto 13* . . . . **26** I 4
Santa Comba
  Viana do Castelo 16 . . . **26** G 4
Santa Comba Dão *18* . . . . . **41** K 5
Santa Comba de Rosas *4* **28** G 9
Santa Comba
  de Vilariça *4* . . . . **28** H 8
Santa Combinha *18* . . . . . . **28** H 9
Santa Cristina *18* . . . . **41** K 5
Santa Cruz *31* . . . . **88** B Y
Santa Cruz *Setúbal 15* . . . . **76** R 3
Santa Cruz
  da Graciosa *20* . . . . . . **107** F 11
Santa Cruz da Trapa *18* . . **41** J 5
Santa Cruz
  das Flores *20* . . . . **107** E 2
Santa Cruz do Douro *13* . . **27** I 5
Santa Eufémia *Guarda 9* . . **42** J 8

Santa Eufémia *Leiria 10* . . **53** M 3
Santa Eugénia *17* . . . . **28** H 7
Santa Eulália *Braga 3* . . . . **26** H 4
Santa Eulália *Guarda 9* . . . **41** K 6
Santa Eulália *Lisboa 11* . . **64** P 2
Santa Eulália
  Portalegre 12 . . . . **66** P 8
Santa Eulália *Porto 3* . . . . **27** H 5
Santa Iria *2* . . . . **78** S 7
Santa Iria da Azóia *11* . . . . **64** P 2
Santa Justa *Évora 7* . . . . . . **66** P 6
Santa Justa *Faro 8* . . . . **89** T 6
Santa Justa *Santarém 14* . **65** O 5
Santa Leocádia *Porto 13* . . **27** I 5
Santa Leocádia *Viseu 18* . . **27** I 7
Santa Luzia *20* . . . . **107** H 10
Santa Luzia *Beja 2* . . . . **78** R 7
Santa Luzia *Beja 2* . . . . **77** S 4
Santa Luzia
  Castelo Branco 5 . . . . . **54** L 7
Santa Luzia
  Viana do Castelo 16 . . **26** G 3
Santa Luzia
  (Barragem de) *6* . . . . . . **54** L 6
Santa Luzia (Basílica) *16.* **26** G 3
Santa Luzia (Forte de) *12.* **66** P 8
Santa Luzia (Monte) *2* . . . . **78** S 7
Santa Margarida
  da Coutada *14* . . . . **53** N 5
Santa Margarida
  da Serra *15* . . . . **76** R 4
Santa Margarida
  do Sádão *2* . . . . **77** R 4
Santa Maria *Braga 3* . . . . . **26** H 4
Santa Maria *Viseu 18* . . . . **41** I 6
Santa Maria
  (Barragem de) *9* . . . . . . **42** J 9
Santa Maria (Cabo de) *8..* **90** V 6
Santa Maria da Feira *1* . . . . **40** J 4
Santa Maria de Aguiar (Antiguo
  Convento) *9* . . . . **42** J 9
Santa Maria
  de Émeres *17* . . . . **28** H 7
Santa Maria (Ilha de) *20.* **107** L 20
Santa Maria Madalena *3..* **27** H 4

Santa Marina (Couto de) *554* **M** 8
Santa Marinha *Guarda 9* . . **41** K 7
Santa Marinha
  Viana do Castelo 16 . . . **13** F 4
Santa Marinha
  do Zêzere *13* . . . . **27** I 6
Santa Marta *8* . . . . **90** T 7
Santa Marta
  da Montanha *17* . . . . . **27** H 6
Santa Marta
  de Penaguião *17* . . . . . **27** I 6
Santa Marta
  de Portuzelo *16* . . . . . . **26** G 3
Santa Quitéria *13* . . . . **27** H 5
Santa Sofia *2* . . . . **65** Q 5
Santa Susana *Évora 7* . . . . **66** P 6
Santa Susana *Setúbal 15..* **65** Q 4
Santa Valha *17* . . . . **28** G 8
Santa Vitória *2* . . . . **77** S 5
Santa Vitória
  do Ameixial *7* . . . . **66** P 6
Santalha *4* . . . . **28** G 8
Santana *31* . . . . **88** B Y
Santana *Coimbra 6* . . . . **40** L 3
Santana *Évora 7* . . . . **77** R 5
Santana *Setúbal 15* . . . . . . **64** Q 2
Santana da Serra *2* . . . . . . **77** T 5
Santana de Cambas *2* . . . . **78** T 7
Santana do Campo *7* . . . . . **65** P 5
Santar *18* . . . . **41** K 6
Santarém *14* . . . . **65** O 3
Santiago *Bragança 4* . . . . . **28** H 10
Santiago *Guarda 9* . . . . **41** K 6
Santiago *Portalegre 12* . . . **66** O 7
Santiago *Viseu 18* . . . . **41** I 6
Santiago da Guarda *10* . . . **53** M 4
Santiago de Besteiros *18.* **41** K 5
Santiago
  de Cassurrães *18* . . . . **41** K 6
Santiago de Litém *10* . . . . . **53** M 4
Santiago
  de Ribeira de Alhariz *17* **28** H 7
Santiago do Cacém *15.* . . **76** R 3
Santiago do Escoural *7* . . . **65** Q 5
Santiago dos Velhos *11.* . . **64** P 2

Santiago Maior *7* . . . . **66** Q 7
Santiais *10* . . . . **53** M 4
Santo Aleixo *12* . . . . **66** P 7
Santo Aleixo
  da Restauração *2* . . . . **78** R 8
Santo Aleixo
  de Além Tâmega *17* . . **27** H 6
Santo Amador *2* . . . . **78** R 8
Santo Amaro *Guarda 9* . . . **42** I 8
Santo Amaro
  Portalegre 12 . . . . **66** P 7
Santo Amaro
  São Jorge 20 . . . . **107** G 11
Santo Amaro
  de Oeiras *11* . . . . **64** P 2
Santo André *Setúbal 15* . . **76** R 3
Santo André *Vila Real 17*.. **27** G 7
Santo André
  das Tojeiras *5* . . . . **54** M 6
Santo André
  (Lagoa de) *15* . . . . **76** R 3
Santo Antão do Tojal *11.* . **64** P 2
Santo António *31* . . . . **88** B Z
Santo António *20* . . . . **107** H 10
Santo António *20* . . . . **107** G 11
Santo António *20* . . . . **107** J 18
Santo António da Serra *31* **88** B Y
Santo Antonio de Baldio *7* **66** Q 7
Santo António
  de Monforte *17* . . . . . . **28** G 7
Santo António de Outeiro *27* **8** R 7
Santo António Velho *2* . . . . **78** S 7
Santo Espírito *20* . . . . **107** M 20
Santo Estêvão *Braga 3* . . . **27** H 5
Santo Estêvão *Évora 7* . . . **66** P 7
Santo Estêvão *Faro 8* . . . . **89** U 6
Santo Estêvão *Guarda 9*.. **42** L 8
Santo Estêvão
  Santarém 14 . . . . **65** P 3
Santo Estêvão
  Vila Real 17 . . . . **28** G 7

Santo Estêvão
  das Galés *11* . . . . **64** P 2
Santo Estêvão (Ribeira de) **65** P 3
Santo Ildefonso *12* . . . . . . **66** P 8
Santo Isidoro *11* . . . . **64** P 1
Santo Isidro
  de Pegões *15* . . . . **65** P 4
Santo Tirso *13* . . . . **26** H 4
Santos
  perto de Alcanena 14 . . **53** N 3
Santos *perto de Mação 14* **53** N 6
Santos Evos *18* . . . . **41** K 6
Santulhão *4* . . . . **28** H 10
São Barnabé *2* . . . . **89** T 5
São Bartolomeu *Beja 2* . . . **89** T 6
São Bartolomeu
  perto de Bragança 4 . . **28** G 9
São Bartolomeu
  perto de Outeiro 4 . . . . **28** H 10
São Bartolomeu
  Portalegre 12 . . . . **53** N 6
São Bartolomeu
  da Serra *15* . . . . **76** R 4
São Bartolomeu
  de Messines *8* . . . . . . **89** U 5
São Bartolomeu
  do Outeiro *7* . . . . **77** Q 6
São Bartolomeu
  dos Galegos *11* . . . . . **52** O 2
São Bento *Leiria 10* . . . . . . **53** N 3
São Bento
  Viana do Castelo 16 . . **26** G 4
São Bento de Castris
  (Convento) *7* . . . . **65** Q 6
São Bento do Ameixial *7..* **66** P 7
São Bento do Cortiço *7* . . . **66** P 7
São Bento (Pousada de) *327* **H 5**
São Bernardino *10* . . . . **52** O 1
São Brás *2* . . . . **78** S 7
São Brás *São Miguel 20..* **107** J 19
São Brás de Alportel *18* . . **89** U 6
São Brás do Regedouro *7* **65** Q 5
São Brissos *Beja 2* . . . . **77** R 6
São Brissos *Évora 7* . . . . . . **65** Q 6
São Cipriano *4* . . . . **41** K 6

São Cosme 3................... 26 H 4
São Cristóvão 7............... 65 Q 5
São Cristóvão (Ribeira de) 65 Q 4
São Domingos
  Santarém 14................. 53 N 5
São Domingos *Setúbal* 15. 77 S 4
São Domingos da Ordem 766 Q 6
São Domingos
  de Ana Loura 7.......... 66 P 7
São Domingos de Rana 1164 P 1
São Domingos
  (Ribeira de) 15........ 77 S 4
São Facundo 14............ 53 N 5
São Félix 18................ 41 J 5
São Félix da Marinha 13 .. 40 I 4
São Francisco
  da Serra 15............... 76 R 4
São Frutuoso
  de Montélios 3.......... 26 H 4
São Gemil 18............... 41 K 6
São Gens 7................. 66 P 7
São Geraldo 7............. 65 P 5
São Gonçalo 4............. 28 H 9
São Gonçalo 31........... 88 B Z
São Gonçalo
  (Pousada de) 13...... 27 I 6
São Gregório *Évora* 7.... 65 P 6
São Gregório
  Viana do Castelo 16..... 13 F 5
São Gregório
  da Fanadia 10.......... 52 N 2
São Jacinto 1.............. 40 K 3
São Jerónimo
  (Pousada de) 18....... 41 K 5
São Joanico 4............. 29 H 10
São Joaninho
  perto de Castro Daire 18 41 J 6
São Joaninho *perto de Santa*
  Comba Dão 18.......... 41 K 5
São João 15............... 64 Q 2
São João 20.............. 107 H 10
São João da Boa Vista 6.. 41 K 5
São João da Corveira 17. 28 H 7
São João da Madeira 1.. 40 J 4
São João da Pesqueira 18 28 I 7
São João da Ribeira 14.. 52 O 3
São João da Serra 18.... 41 J 5
São João da Tahla 11.... 64 P 2
São João da Venda 8.... 89 U 6
São João das Lampas 11. 64 P 1
São João de Areias 18.... 41 K 5
São João de Loure 1..... 40 K 4
São João de Negrilhos 2.. 77 S 5
São João de Tarouca 18.. 41 J 6
São João de Ver 1........ 40 J 4
São João do Campo 6.... 40 L 4
São João do Monte
  perto de Caramulo 18... 41 K 5
São João do Monte
  perto de Nelas 18....... 41 K 6
São João do Peso 1...... 53 M 5
São João
  dos Caldeireiros 2...... 77 T 6
São João dos Montes 11.. 64 P 2
São João (Ribeira de) 12. 54 N 7
São Jomil 4............... 28 G 8
São Jorge 31.............. 88 B Y
São Jorge *Aveiro* 1....... 40 J 4
São Jorge *Leira* 10....... 52 N 3
São Jorge
  Viana do Castelo 16.... 27 G 4
São Jorge (Canal de) 20 107 H 11
São Jorge da Beira 5.... 54 L 6
São Jorge (Ilha de) 20... 107 G 11
São Jorge (Ponta de) 31.. 88 B Y
São José da Lamarosa 1465 O 4
São José das Matas 14.. 54 N 6
São Julião de Palácios 4. 28 G 10
São Julião do Tojal 11.... 64 P 2
São Leonardo 1.......... 78 Q 8
São Lourenço *Bragança* 4. 28 I 7
São Lourenço *Faro* 8..... 89 U 5
São Lourenço *Vila Real* 17 28 G 7
São Lourenço
  (Baia do) 20.......... 107 M 20
São Lourenço
  de Mamporcão 7....... 66 P 7
São Lourenço
  de Ribapinhão 17....... 27 I 7
São Lourenço do Bairro 1 40 K 4
São Lourenço
  (Ponta de) 31......... 88 C Y
São Luís 2................. 76 S 4
São Macário 18........... 41 J 5
São Mamede
  perto de Batalha 10.... 53 N 3

São Mamede
  perto de Óbidos 10....... 52 O 2
São Mamede
  de Ribatua 17............ 28 I 7
São Mamede do Sado 15. 77 R 4
São Mamede (Pico) 12... 66 O 7
São Mamede
  (Serra de) 12.......... 66 O 7
São Manços 7............. 66 Q 6
São Marcos 8............. 89 U 7
São Marcos
  da Abóbada 7.......... 65 Q 6
São Marcos
  da Ataboeira 2......... 77 S 6
São Marcos da Serra 8... 89 T 4
São Marcos do Campo 7. 78 Q 7
São Martinho 31.......... 88 B Z
São Martinho (Alto de) 10 52 N 2
São Martinho
  da Cortiça 8............ 41 L 5
São Martinho
  das Amoreiras 2....... 77 T 4
São Martinho
  das Chãs 18............ 41 I 7
São Martinho
  de Angueira 4.......... 29 H 10
São Martinho de Antas 17 27 I 7
São Martinho
  de Mouros 18........... 41 I 6
São Martinho do Porto 10 52 N 2
São Martinho (Rio de)... 65 Q 4
São Mateus 20........... 107 H 10
São Mateus 20........... 107 H 14
São Matias *Beja* 2........ 77 R 6
São Matias *Évora* 7....... 65 Q 5
São Miguel 11............. 89 U 6
São Miguel de Acha 5.... 54 L 8
São Miguel de Machede 7 66 Q 6
São Miguel de Poiares 6.. 41 L 5
São Miguel de Vila Boa 18 41 J 6
São Miguel do Mato 1.... 40 J 4
São Miguel do Outeiro 18. 41 K 5
São Miguel do Pinheiro 2. 77 T 6
São Miguel
  do Rio Torto 14........ 53 N 5
São Miguel (Ilha de) 20. 107 J 18
São Paio 9................ 41 K 7
São Paio
  da Farinha Podre 6..... 41 L 5
São Paulo de Frades 6... 40 L 4
São Pedro *Bragança* 4.... 28 H 8
São Pedro *Évora* 7........ 78 R 6
São Pedro *Vila Real* 17... 27 G 6
São Pedro da Cadeira 11. 64 O 1
São Pedro da Cova 3..... 26 I 4
São Pedro da Torre 16... 12 G 4
São Pedro das Cabeças 277 S 5
São Pedro de Açor 6..... 54 L 6
São Pedro de Agostém 1727 G 7
São Pedro de Alva 6..... 41 L 5
São Pedro de Balsemão 1841 I 6
São Pedro de Moel 10.... 52 M 2
São Pedro de Rio Seco 9. 42 K 9
São Pedro
  de Serracenos 4....... 28 G 9
São Pedro de Solis 2..... 89 T 6
São Pedro
  de Veiga de Lila 17.... 28 H 8
São Pedro do Esteval 5.. 54 N 6
São Pedro do Sul 18..... 41 J 5
São Pedro Fins 13........ 26 I 4
São Pedro Santa Luzia 8. 89 U 7
São Pedro Velho 4....... 28 G 8
São Pedro
  Velho (Monte) 18...... 41 J 5
São Romão *Guarda* 9.... 41 K 6
São Romão *perto de*
  Montemor-o-Novo 7.... 65 Q 5
São Romão
  perto de Vila Viçosa 7.. 66 P 8
São Romão do Sado 15.. 77 R 4
São Roque 31............ 88 B Y
São Roque 20........... 107 J 19
São Roque do Pico 20... 107 H 11
São Salvador 4........... 28 H 8
São Saturnino 12......... 66 O 7
São Sebastião 6.......... 53 L 4
São Sebastião 20........ 107 H 14
São Sebastião
  dos Carros 2........... 77 T 6
São Sebastião
  da Gieseteira 7........ 65 Q 5
São Simão de Litém 10.. 53 M 4
São Teotónio 2........... 76 T 3
São Tomé do Castelo 17. 27 H 6
São Torcato *Braga* 3..... 27 H 5

São Torcato *Santarém* 14.. 65 P 4
São Vicente 31............ 88 A Y
São Vicente *Évora* 7...... 77 R 5
São Vicente *Porto* 13.... 27 I 5
São Vicente *Vila Real* 17. 28 G 8
São Vicente (Cabo de) 8.. 88 U 3
São Vicente da Beira 5... 54 L 7
São Vicente da Chã 17... 27 G 6
São Vicente
  de Ferreira 20......... 107 J 19
São Vicente de Lafões 18 41 J 5
São Vicente
  de Pereira Juza 1...... 40 J 4
São Vicente do Paúl 14.. 53 N 4
São Vicente do Pigeiro 7. 66 Q 7
São Vicente e Ventosa 12 66 P 8
Sapataria 11.............. 64 P 2
Sapelos 17............... 27 G 7
Sapiãos 17............... 27 G 7
Sapos 2................. 77 T 6
Sapos 2................. 78 T 7
Sardão 4................ 28 I 9
Sardão (Cabo) 2........ 76 T 3
Sardeiras de Baixo 5..... 54 M 6
Sardoal 14............... 53 N 5
Sarilhos Grandes 15..... 64 P 3
Sarnadas 8............... 89 U 5
Sarnadas de Ródão 5.... 54 M 7
Sarnadas de São Simão 5 54 M 6
Sarraquinhos 17......... 27 G 7
Sarzeda 18............... 41 J 7
Sarzedas 14.............. 54 M 6
Sarzedela 10............. 53 M 4
Sarzedo *Castelo Branco* 5 41 K 7
Sarzedo *Viseu* 18........ 41 I 7
Sátão 18................. 41 J 6
Sazes da Beira 9......... 41 K 6
Seara Velha 17.......... 27 G 7
Sebadelhe 8.............. 42 I 8
Sebadelhe da Serra 9.... 42 J 7
Seco (R.) 9.............. 42 J 9
Seda 12................. 66 O 6
Seda (Ribeira de) 12..... 66 O 6
Sedielos 17.............. 27 I 6
Segirei 17............... 28 G 8
Segões 18............... 41 J 6
Segura 5................. 55 M 9
Seia 9................... 41 K 6
Seia (Rio)............... 41 K 6
Seiça 14................. 53 M 4
Seixa 17................. 27 H 6
Seixal 31................ 88 A Y
Seixal 15................ 64 Q 2
Seixas *Bragança* 4....... 28 G 8
Seixas *Guarda* 9......... 42 I 8
Seixas
  Viana do Castelo 16.... 26 G 3
Seixe (Ribeira de) 8..... 88 T 3
Seixo Amarelo 9......... 42 K 7
Seixo da Beira 6......... 41 K 6
Seixo de Ansiães 4....... 28 I 8
Seixo de Gatões 6........ 40 L 3
Seixo de Manhoses 18... 28 I 8
Seixo do Côa 9.......... 42 K 8
Selho 3................. 27 H 4
Selmes 2................ 77 R 6
Semblana 2.............. 77 T 6
Semideiro 14............. 53 O 5
Sendas 4................ 28 H 9
Sendim *Bragança* 4....... 29 H 10
Sendim *Vila Real* 17...... 27 G 6
Sendim *Viseu* 13......... 27 I 7
Sendim da Ribeira 4...... 28 I 9
Sendim da Serra 4....... 28 I 9
Senhora da Ajuda 12.... 66 P 8
Senhora da Cola 2....... 77 T 5
Senhora da Conceição 1577 R 4
Senhora da Graça
  de Padrões 2.......... 77 T 6
Senhora da Laje 1....... 41 J 5
Senhora da Mó 1........ 41 J 5
Senhora da Orada 5..... 54 L 7
Senhora da Póvoa 5..... 42 K 8
Senhora da Ribeira 4.... 28 I 8
Senhora da Rocha 8..... 89 U 4
Senhora de Mércules 5.. 54 M 7
Senhora de Monte Alto 6. 41 L 5
Senhora do Almurtão 5.. 54 M 8
Senhora do Bom Sucesso 55 L 8
Senhora do Desterro 9.. 41 K 6
Senhora do Monte 20... 107 J 20
Senhora do Nazo 4...... 29 H 10
Senhora do Rosário 12.. 66 O 8

Senhorim 18............. 41 K 6
Senouras 9.............. 42 K 9
Sentieiras 14............ 53 N 5
Sentinela 8.............. 90 U 7
Sepins 6................ 40 K 4
Serapicos *Bragança* 4.... 28 H 9
Serapicos *Vila Real* 17... 28 H 7
Serdedelo 16............. 26 G 4
Sernada 1............... 40 J 4
Sernadas 4.............. 41 K 5
Sernancelhe 18.......... 41 J 7
Seroa 13................ 26 I 4
Serpa 2................ 78 S 7
Serpins 6............... 53 L 5
Serra 14................ 53 N 5
Serra d'El-Rei 10........ 52 N 2
Serra de Água 31........ 88 A Y
Serra de Bornes 4....... 28 H 8
Serra de Dentro 32...... 89 D X
Serra de Santo António 1453 N 3
Serra do Bouro 10....... 52 N 2
Serra do Mouro 10...... 53 M 4
Serrado (Eira do) 31..... 88 B Y
Serras de Aire e Candeeiros
  (Parque Natural das) .. 53 N 3
Serrazola (Ribeira de) 12. 66 O 6
Serreta 20.............. 107 G 13
Serrinha (Monte) 15..... 65 Q 4
Serro Ventoso 10........ 52 N 3
Sertã 5................. 53 M 5
Sertã (Ribeira da) .... 54 M 6
Serves 11............... 64 P 2
Serzedelo 3............. 27 H 5
Sesimbra 15............. 64 Q 2
Sesmarias 7............. 77 R 4
Sete 2................. 77 T 6
Sete Cidades 20........ 107 J 18
Sete Cidades
  (Caldeira das) 20..... 107 J 18
Setil 14................ 65 O 3
Setúbal 15.............. 64 Q 3
Setúbal (Baia de) .... 65 Q 3
Sever do Vouga 1....... 40 J 4
Sezelhe 18.............. 27 G 6
Sezulfe 4............... 28 H 8
Sezures 18............. 41 J 7
Sicó (Serra de) 10....... 53 M 4
Silva 4................ 29 H 10
Silvalde 1............... 40 J 3
Silvares *Bragança* 4..... 28 H 8
Silvares *Castelo Branco* 5. 54 L 6
Silvares *Porto* 13........ 27 H 6
Silveira 31.............. 64 O 1
Silveirona 4............. 66 P 7
Silveiros 3.............. 26 H 4
Silves 8................ 89 U 4
Sines 15................ 76 S 3
Sines (Cabo de) 15..... 76 S 3
Sintra 11............... 64 P 1
Sintra (Serra de) 11..... 64 P 1
Sistelo 16............... 27 G 4
Sítio das Éguas 8........ 89 U 5
Sizandro 11............. 64 O 1
Soajo 18................ 27 G 5
Soajo (Serra do) 16..... 27 G 5
Soalhães 3.............. 27 I 5
Soalheira 5............. 54 L 7
Soalheiras 5............ 54 M 8
Sobradelo da Goma 3.... 27 H 5
Sobradinho 8............ 89 U 5
Sobrado 13............. 26 I 4
Sobrainho dos Gaios 5.. 54 M 6
Sobral *Castelo Branco* 5. 53 M 5
Sobral *Viseu* 18......... 41 K 5
Sobral da Abelheira 11.. 64 P 1
Sobral da Adiça 5....... 78 R 8
Sobral da Lagoa 10..... 52 N 2
Sobral da Serra 9....... 42 K 8
Sobral de Casegas 5.... 54 L 6
Sobral de Monte Agraço 1164 O 2
Sobral do Campo 5..... 54 L 7
Sobral Fernando 5....... 54 M 6
Sobral Pichorro 9....... 41 J 7
Sobral Valado 6......... 54 L 6
Sobreira 1.............. 40 J 4
Sobreira Formosa 5..... 54 M 6
Sobreira de Cima 4..... 28 G 8
Sobreposta 5........... 27 H 4
Sobrosa *Beja* 2......... 78 R 8
Sobrosa *Porto* 13....... 27 I 4
Soeima 4.............. 28 H 9
Soeira 4............... 28 G 9
Sol Posto 15........... 76 S 4
Solveira 17............. 27 G 6

Somouqueira 8........... 88 U 3
Sonim 17............... 28 G 8
Sopo 16................ 26 G 3
Sor (Ribeira de) .... 54 N 6
Sorraia 1............... 65 P 4
Sortelha 9.............. 42 K 8
Sortelhão 9............. 42 K 8
Sortes 4............... 28 G 9
Sosa 1................ 40 K 4
Soudes 8............... 90 T 7
Soure 6................ 53 L 4
Souro Pires 9........... 42 J 8
Sousa 13............... 27 I 5
Sousel 12.............. 66 P 6
Sousel (Ribeira de) ..... 66 O 6
Souselas 6............. 40 L 4
Souselo 18............. 41 I 5
Soutelinho 17........... 27 H 6
Soutelinho da Raia 17... 27 G 7
Soutelo *Aveiro* 1........ 40 J 4
Soutelo *Braga* 3........ 26 H 4
Soutelo *Bragança* 4..... 28 H 9
Soutelo *perto de Chaves* 1727 G 7
Soutelo
  perto de Vila Real 17... 27 H 6
Soutelo de Aguiar 17.... 27 H 6
Soutelo do Douro 18.... 28 I 7
Soutelo Mourisco 5..... 28 G 9
Soutilha 4.............. 28 G 8
Souto *Aveiro* 1.......... 40 J 4
Souto *Guarda* 9......... 42 K 9
Souto *Santarém* 14...... 53 N 5
Souto *Viana do Castelo* 16 26 G 4
Souto *Viseu* 18......... 42 I 7
Souto da Carpalhosa 10. 53 M 3
Souto da Casa 5........ 54 L 7
Souto da Velha 4....... 28 I 9
Souto de Aguiar
  da Beira 9............ 41 J 7
Souto de Escarão 17.... 27 H 7
Souto Maior 17......... 27 I 7
Suções 4.............. 28 H 8
Sul 18................ 41 J 5
Sul (Rio)............... 41 J 5
Sume 12............... 54 O 6

T

Taberna Seca 5......... 54 M 7
Taboeira 1.............. 40 K 4
Taboeiras 6............ 40 K 3
Tábua 6................ 41 K 5
Tabuaço 18............. 41 I 7
Tabuadelo 3............ 27 H 5
Tabuado 13............. 27 I 5
Tadim 3................ 26 H 4
Taião 16................ 12 G 4
Taipadas 15............ 65 P 4
Talabita 2.............. 78 R 7
Talefe 11............... 64 O 1
Talhadas 1............. 41 K 5
Talhas 4............... 28 H 9
Tâmega (R.)............ 28 G 7
Tancos 14.............. 53 N 4
Tanganhal 15........... 77 R 4
Tanganheira 15......... 76 S 3
Tangil 16............... 13 F 4
Tapada 14............. 65 O 4
Tapada Grande
  (Barragem da) 2...... 78 S 7
Tapéus 6.............. 53 L 4
Tarouca 18............. 41 I 6
Tarouquela 18.......... 41 I 5
Taveiro 6.............. 40 L 4
Tavila 5............... 54 M 6
Tavira 8............... 89 U 7
Tavira (Ilha de) 8....... 89 U 6
Távora
  Viana do Castelo 16.... 26 G 4
Távora *Viseu* 18........ 41 I 7
Távora (Rio)........... 42 J 7
Tazem 17.............. 27 H 7
Tedo (R.) 18........... 41 I 7
Teira 14............... 52 N 3
Teixeira *Bragança* 4..... 29 H 10
Teixeira *Coimbra* 6...... 54 L 6
Teixeira *Guarda* 9....... 41 L 6
Teixeira *Porto* 13....... 27 I 6
Teixelo 18............. 41 J 6
Teixoso 18............. 54 L 7
Teja (Ribeira de) 9...... 42 J 8
Tejo 2................ 54 M 7
Telhada 5............. 53 L 3
Telhadela 1............ 40 J 4
Telhado 5............. 54 L 7
Telheiro *Beja* 2......... 76 T 4
Telheiro *Évora* 7........ 66 Q 7

Telões 17.............. 27 H 6
Tendais 18............. 41 I 5
Tenencia 8............. 90 T 7
Tentúgal 6............. 40 L 4
Tera (Ribeira de) 7...... 66 P 6
Terceira (Ilha) 20....... 107 G 14
Terena 7............... 66 Q 7
Terges (Ribeira de) ..... 77 S 6
Termas 18............. 41 K 5
Termas de Alcafache 18.. 41 K 6
Termas de Monfortinho 5. 55 M 9
Terras de Bouro 3....... 27 G 5
Terreiro das Bruxas 9... 42 L 8
Terrenho 9............. 42 J 7
Terrugem *Lisboa* 11..... 64 P 1
Terrugem *Portalegre* 12.. 66 P 7
Tinalhas 5............. 54 M 7
Tinhela 17............. 28 G 8
Tinhela de Baixo 17..... 27 H 7
Tinhela (Rio) 17........ 27 H 7
Tó 4................. 28 I 10
Tocha 6............... 40 L 3
Tojal 7................ 65 Q 5
Tojal (Estação de) 7.... 65 Q 5
Toledo 11............. 64 O 2
Tolosa 12.............. 54 N 6
Tomadias 9............ 42 J 8
Tomar 14.............. 53 N 4
Tonda 18............... 41 K 5
Tondela 18............. 41 K 5
Topo 20............... 107 H 12
Topo (Ponta do) 20..... 107 H 12
Topo (Serra do) 20..... 107 H 12
Torgal (Ribeira de) 2.... 76 T 4
Torgueda 17........... 27 I 6
Tornada 10............. 52 N 2
Torrados 13............ 27 H 5
Torrais (Ponta) 20...... 107 D 2
Torrão *Portalegre* 12.... 54 N 6
Torrão *Sétubal* 15....... 77 R 5
Torrão do Lameiro 1.... 40 J 4
Torre *Castelo Branco* 5.. 55 M 9
Torre *Guarda* 9......... 42 K 8
Torre *Sétubal* 15........ 76 Q 3
Torre *Viana do Castelo* 16. 26 G 4
Torre da Gadanha 7..... 65 Q 5
Torre das Vargens 12... 65 O 6
Torre de Aspa 8........ 88 U 3
Torre de Bolsa 12...... 66 P 8
Torre de Coelheiros 7... 77 Q 6
Torre de Dom Chama 4.. 28 H 8
Torre de Moncorvo 4.... 28 I 8
Torre de Pinhão 17...... 27 H 7
Torre de Vale de Todos 10 53 M 4
Torre do Terrenho 9..... 42 J 7
Torre (Monte) 9......... 41 L 7
Torre Vã 2............. 77 S 4
Torredeita 18........... 41 K 5
Torreira 1.............. 40 J 3
Torres 9............... 42 J 8
Torres Novas 14........ 53 N 4
Torres Vedras 11....... 64 O 2
Torrinheiras............ 27 H 6
Torroal 15............. 76 R 3
Torrozelas 6........... 53 L 6
Torrozelo 9............ 41 K 6
Torto (Rio)
  Castelo Branco 5....... 54 L 8
Torto (Rio) *Vila Real* 17.. 28 H 7
Torto (Rio) *Viseu*....... 27 I 7
Tortosendo 5........... 54 L 7
Touca *Castelo Branco* 5.. 54 L 7
Touça *Guarda* 9......... 42 I 8
Touguinha 13........... 26 H 4
Toulica (Barragem) 5.... 54 M 8
Toulões 5............. 55 M 8
Tourém 17............. 27 G 6
Tourigo 18............. 41 K 5
Touril 2............... 76 T 3
Touro 18............... 41 J 6
Tourões (Ribeira de) 9... 42 K 9
Toutalga 1............. 78 R 7
Toutosa 13............ 27 I 5
Touvedo 16............ 27 G 4
Trafaria 15............ 64 P 2
Trafeiras 2............ 77 S 6
Tramaga 12............ 65 O 5
Tramagal 14........... 53 N 5
Trancoso 9............ 42 J 7
Travanca *perto de*
  Mogadouro 4.......... 29 H 10
Travanca
  perto de Vinhais 4...... 28 G 9
Travanca *Porto* 13...... 27 I 5
Travanca de Lagos 6.... 41 K 6
Travanca de Tavares 18.. 41 K 7

Travanca do Mondego 6.. 41 L 5
Travancas 17............... 28 G 8
Travassô 1................. 40 K 4
Travassós 3.............. 27 H 5
Travassos perto de
 Povoa de Lanhoso 3... 27 H 5
Travessa 2................. 78 R 8
Treixedo 18............... 41 K 5
Tremês 14................. 53 N 3
Tresminas 17............. 27 H 7
Tresouras 13............. 27 I 6
Trevim (Alto de) .... 53 L 5
Trevões 18................ 42 I 7
Trezói 18.................. 40 K 5
Trigaches 2............... 77 S 5
Trigais 5................... 41 L 6
Trigo (Monte) 20....... 107 G 11
Trindade Beja 2......... 77 S 6
Trindade Bragança 4..... 28 H 8
Trinta 9.................... 42 K 7
Tripeiro 5................. 54 M 7
Tristão (Ponta do) 31..... 88 A Y
Trofa Aveiro 1............ 40 K 4
Trofa Porto 13............ 26 H 4
Tróia 15................... 64 Q 3
Tróia (Península de) 15.. 65 Q 3
Tronco 17................. 28 G 8
Troporiz 16............... 12 F 4
Troviscais 1.............. 76 T 3
Troviscal Aveiro 1....... 40 K 4
Troviscal Castelo Branco 5 53 M 5
Tua 4...................... 28 I 7
Tua (Rio) 5............... 28 H 8
Tuella (R.) .... 28 G 8
Tuido-Gandra 16........ 12 F 4
Tuizelo 18................ 28 G 8
Tunes 8................... 89 U 5
Turcifal 11................ 64 O 2
Turquel 10................ 52 N 3

U

Ulme 14................... 53 O 4
Umbrias de Camacho 8.. 90 U 7
Unhais da Serra 5....... 41 L 7
Unhais-o-Velho 6........ 54 L 6
Unhos 11.................. 64 P 2
Urqueira 14............... 53 M 4
Urra 12.................... 66 O 7
Urrós perto de
 Brunhozinho 4........... 29 H 10
Urros perto de Ligares 4... 42 I 8
Urso (Pinhal do) 10...... 52 M 3
Urza 2..................... 77 T 5
Urzelina 20.............. 107 H 11
Uva 4...................... 29 H 10

V

Vacariça 1................. 40 K 4
Vagos 1.................... 40 K 3
Vaiamonte 12............. 66 O 7
Vairão 13.................. 26 H 4
Valada 14.................. 65 O 3
Valadares 13.............. 26 I 4
Valadas Beja 2........... 78 S 7
Valadas Castelo Branco 5. 53 N 5
Valado dos Frades 10.... 52 N 2
Valbom Castelo Branco 5. 54 M 7
Valbom Guarda 9........ 42 J 8
Valbom Leiria 10......... 53 M 5
Valdigem 18.............. 27 I 6
Valdreu 8.................. 27 G 5
Valdrez 4.................. 28 H 9
Valdujo 9.................. 42 J 8
Vale 16.................... 27 G 4
Vale Alto 14............... 53 N 4
Vale Beijinha 2........... 76 S 3
Vale Benfeito 4........... 28 H 9
Vale Covo Beja 2........ 78 S 7
Vale Covo Leiria 10...... 52 O 2
Vale da Madre 9......... 28 H 9
Vale da Mó 1.............. 40 K 4
Vale da Mua 5............ 54 M 6
Vale da Mula 9........... 42 J 9
Vale da Pinta 14......... 64 O 3

Vale da Rosa 8........... 89 U 6
Vale da Seda 12.......... 66 O 6
Vale da Senhora
 da Póvoa 5.............. 42 L 8
Vale da Telha 8........... 88 U 3
Vale da Torre 5........... 54 L 7
Vale da Ursa 5............ 54 M 6
Vale da Vinha 12......... 54 N 6
Vale das Fontes 4........ 28 G 8
Vale das Mós 14......... 53 N 5
Vale de Açor Beja 2...... 77 S 6
Vale de Açor Portalegre 12 65 O 6
Vale de Açor Santarém 14 53 N 5
Vale de Afonsinho 9..... 42 J 8
Vale de Água Beja 2..... 77 S 5
Vale de Água Setúbal 15.. 76 S 4
Vale de Albuquerque 12.. 66 P 8
Vale de Anta 17.......... 27 G 7
Vale de Asnes 4.......... 28 H 8
Vale de Azares 9......... 42 K 7
Vale de Bispo Fundeiro 12 65 O 6
Vale de Cambra 1........ 40 J 4
Vale de Cavalos
 Portalegre 12............ 66 O 8
Vale de Cavalos
 Santarém 14............. 53 O 4
Vale de Cobrão
 (Ribeira de) .... 65 P 3
Vale de Couço 4.......... 28 H 8
Vale de Ebros 8.......... 90 U 7
Vale de Espinho 9........ 42 L 9
Vale de Estrela 9......... 42 K 8
Vale de Ferro 2........... 76 S 4
Vale de Figueira
 Santarém 14............. 53 O 4
Vale de Figueira Viseu 18. 42 I 7
Vale de Frades 4......... 29 H 10
Vale de Gaio
 (Barragem de) 15....... 77 R 5
Vale de Gaviões 12...... 54 N 6
Vale de Gouvinhas 4..... 28 H 8
Vale de Guiso 15......... 77 R 4
Vale de Ílhavo 1.......... 40 K 4
Vale de Janeiro 4......... 28 G 8
Vale de Maceiras 12..... 66 O 7
Vale de Madeira 9........ 42 J 8
Vale de Moinhos 4........ 28 H 9
Vale de Moura 7.......... 65 Q 6
Vale de Nogueira 4....... 28 H 9
Vale de Ossos 15......... 77 R 4
Vale de Paio 4............. 65 O 6
Vale de Pereiros 9........ 42 J 8
Vale de Prazeres 5....... 54 L 7
Vale de Rocins 2.......... 77 S 6
Vale de Salgueiro 4....... 28 H 8
Vale de Santarém 14..... 65 O 3
Vale de Santiago 2........ 77 S 4
Vale de Telhas 4.......... 28 H 8
Vale de Torno 4........... 28 I 8
Vale de Vaide 6........... 53 L 5
Vale de Vargo 2........... 78 S 7
Vale de Vilão 12........... 65 O 5
Vale de Zebro 15.......... 77 S 5
Vale do Arco 12........... 53 N 6
Vale do Côa (Parque
 arqueológica de) 9...... 42 J 7
Vale do Coelheiro 5....... 54 M 6
Vale do Homem 5......... 54 M 6
Vale do Judeu 8.......... 89 U 5
Vale do Lobo 8............ 89 U 5
Vale do Paraíso 11........ 64 O 3
Vale do Pereiro 4.......... 66 P 6
Vale do Peso 12........... 54 N 7
Vale do Rio 10............. 53 M 5
Vale do Seixo 9............ 42 J 8
Vale dos Reis 15........... 65 Q 4
Vale Feitoso 5............. 55 L 9
Vale Figueira 8............ 89 U 5
Vale Flor 9................. 42 J 8
Vale Formoso 2............ 78 R 8
Vale Frechoso 4........... 28 H 8
Vale Furado 10............. 52 M 2
Vale Pereiro 4............. 28 H 9
Vale Verde Bragança 4.... 28 H 8

Vale Verde Guarda 9...... 42 J 9
Vale Vinagre 15........... 77 S 4
Válega 1................... 40 J 4
Valeira (Barragem de) 4.. 28 I 7
Valença do Douro 18..... 27 I 7
Valença do Minho 16..... 12 F 4
Vales Beja 2............... 77 S 4
Vales Bragança 4.......... 28 H 9
Vales Castelo Branco 5... 54 M 6
Vales Faro 8............... 89 U 6
Vales perto de Aljezur 8.. 88 U 3
Vales Mortos 2............ 78 S 7
Valezim 9.................. 41 K 6
Valhascos 14.............. 53 N 5
Valhelhas 9................ 41 K 7
Valongo Portalegre 12.... 66 O 6
Valongo Porto 13.......... 26 I 4
Valongo de Mihais 17..... 28 H 7
Valongo do Vouga 1....... 40 K 4
Valongo dos Azeites 18... 42 I 7
Valoura 17................. 27 H 7
Valpaços 17............... 28 H 8
Valugas 17................. 27 H 7
Valverde Bragança 4...... 28 I 9
Valverde Castelo Branco 5 54 L 7
Valverde Évora 7.......... 65 Q 5
Valverde Guarda 9........ 41 J 7
Valverde Santarém 14.... 52 N 3
Valverde (Ribeira de) 7... 65 Q 5
Vaqueiro 17............... 27 H 7
Vaqueiros 8............... 89 T 6
Vara (Pico da) 20........ 107 J 20
Varadouro 20............. 107 H 11
Varge 4.................... 28 G 9
Vargem 12................. 66 O 7
Vargens 2................. 89 T 6
Variz 4..................... 28 H 10
Várzea 20................. 107 J 18
Várzea Santarém 14...... 53 O 3
Várzea
 Viana do Castelo 16..... 27 G 5
Várzea Cova 3............. 27 H 5
Várzea da Ovelha 13...... 27 I 5
Várzea de Serra 18....... 42 J 6
Várzea de Trevões 18..... 41 I 7
Várzea dos Cavaleiros 5.. 53 M 5
Várzeas 10................ 53 M 3
Varziela 6................. 40 K 4
Vascão (Ribeira do) ...... 89 T 6
Vasconha 18.............. 41 J 5
Vascoveiro 9............. 42 J 8
Vassal 17.................. 28 H 7
Vau 10..................... 52 N 2
Veiga de Lila 17........... 28 H 8
Veiros Aveiro 1............ 40 J 4
Veiros Évora 7............ 66 P 7
Vela 9...................... 42 K 8
Vela (Lagoa da) 6......... 40 L 3
Velada 12.................. 54 N 6
Velão (Alto de) 17......... 27 I 6
Velas 20.................. 107 G 11
Velosa 9................... 42 K 8
Venade 16................ 26 G 3
Venda 7................... 66 Q 7
Venda do Cepo 9......... 42 J 7
Venda do Pinheiro 11..... 64 P 2
Venda do Preto 10........ 53 M 4
Venda Nova
 perto de Mação 14....... 54 N 6
Venda Nova
 perto de Tomar 14....... 53 N 4
Venda Nova Vila Real 17.. 27 G 6
Venda Nova
 (Barragem de) 17........ 27 G 6
Vendas Novas 7........... 65 P 4
Vendinha 7................ 66 Q 7
Ventosa Braga 3.......... 27 H 5
Ventosa
 perto de Alenquer 11.... 64 O 2
Ventosa perto de
 Torres Vedras 11........ 64 O 2
Ventosa do Bairro 1....... 40 K 4
Vera Cruz 7................ 78 R 6
Verde (Lagoa) 20........ 107 J 18

Verdelhos 5............... 41 K 7
Vergeira 15................ 76 S 4
Verigo 10.................. 53 M 4
Vermelha 11.............. 52 O 2
Vermelhos 8.............. 89 T 5
Vermiosa 9............... 42 J 9
Vermoil 10................. 53 M 4
Vermoim 3................. 26 H 4
Verride 6................... 53 L 3
Vez (R.) 16................ 27 G 5
Viade de Baixo 17........ 27 G 6
Vialonga 11................ 64 P 2
Viana do Alentejo 7....... 77 R 5
Viana do Castelo 16...... 26 G 3
Viatodos 3................. 26 H 4
Vidago 17.................. 27 H 7
Vidais 10.................. 52 N 2
Vide 9..................... 41 L 6
Videmonte 9.............. 42 K 7
Vidigal Castelo Branco 5.. 54 M 6
Vidigal Évora 15.......... 65 P 4
Vidigueira 2............... 77 R 6
Vidual 6................... 54 L 6
Viegas 2................... 78 S 7
Vieira de Leiria 10........ 52 M 3
Vieira do Minho 3......... 27 H 5
Vieirinhos 10.............. 53 L 3
Vigia 2..................... 77 T 4
Vigia (Barragem da) 7.... 66 Q 7
Vila Alva 2................. 77 R 6
Vila Azeda 2............... 77 R 6
Vila Baleira 32............ 89 DX
Vila Boa de Ousilhão 4... 28 G 9
Vila Boa do Bispo 13...... 27 I 5
Vila Boim 2................ 66 P 8
Vila Chã Braga 3.......... 26 H 3
Vila Chã Bragança 4...... 29 H 10
Vila Chã Guarda 9........ 41 K 7
Vila Chã Leiria 10......... 53 M 4
Vila Chã Porto 13......... 26 I 3
Vila Chã
 Viana do Castelo 16..... 27 G 5
Vila Chã Vila Real 17..... 27 I 7
Vila Chã Viseu 18......... 41 K 6
Vila Chã de Braciosa 4... 29 H 10
Vila Chã de Ourique 14... 65 O 3
Vila Chão 13.............. 27 I 5
Vila Cortês da Serra 9.... 41 K 7
Vila Cova 17............... 27 I 6
Vila Cova a Coelheira 18.. 41 J 6
Vila Cova de Alva 9....... 41 L 6
Vila Cova do Covelo 6.... 41 J 7
Vila da Ponte Vila Real 17. 27 G 6
Vila da Ponte Viseu 18.... 41 J 7
Vila de Ala 4............... 28 I 10
Vila de Cucujães 1........ 40 J 4
Vila de Frades 2........... 77 R 6
Vila de Punhe 16.......... 26 H 3
Vila de Rei 5.............. 53 M 5
Vila do Bispo 8........... 88 U 3
Vila do Conde Porto 13... 26 H 3
Vila do Conde Vila Real 17 27 H 7
Vila do Porto 20......... 107 M 20
Vila do Touro 9............ 42 K 8
Vila Facaia 10............. 53 M 5
Vila Fernando Guarda 9... 42 K 8
Vila Fernando
 Portalegre 12............ 66 P 8
Vila Flor Bragança 4...... 28 I 8
Vila Flor Portalegre 12.... 54 N 6
Vila Formosa 12........... 66 O 6
Vila Franca da Serra 9.... 41 K 7
Vila Franca das Naves 9.. 42 J 8
Vila Franca de Xira 11.... 64 P 3
Vila Franca do Campo 20 107 J 19
Vila Franca do Rosário 11 64 P 2
Vila Fresca de Azeitão 15. 64 Q 3
Vila Garcia
 perto de Guarda 9....... 42 K 8
Vila Garcia
 perto de Trancoso 9..... 42 J 8
Vila Longa 18............. 41 J 7
Vila Meã 13............... 27 I 5

Vila Moinhos (Sobral) 18.. 41 K 5
Vila Moreira 14............ 53 N 3
Vila Nogueira
 de Azeitão 15............ 64 Q 2
Vila Nova Coimbra 6...... 53 L 5
Vila Nova Faro 8.......... 90 U 7
Vila Nova Santarém 14... 53 N 5
Vila Nova da Barca 5...... 53 L 3
Vila Nova da Baronia 2... 77 R 5
Vila Nova da Barquinha 14 53 N 5
Vila Nova da Rainha 11... 64 O 3
Vila Nova de Anços 6...... 53 L 4
Vila Nova de Cacela 8.... 90 U 7
Vila Nova de Cerveira 16. 26 G 3
Vila Nova de Corvo 20... 107 D 2
Vila Nova de Famalicão 3 26 H 4
Vila Nova de Foz Côa 9... 42 I 8
Vila Nova de Gaia 13..... 26 I 4
Vila Nova de Milfontes 2. 76 S 3
Vila Nova de Monsarros 1 40 K 4
Vila Nova de Paiva 18..... 41 J 6
Vila Nova de Poiares 6.... 41 L 5
Vila Nova
 de Santo André 15...... 76 R 3
Vila Nova de São Bento 2 78 S 7
Vila Nova de São Pedro 11 64 O 3
Vila Nova de Tazem 9..... 41 K 6
Vila Nova de Ceira 6...... 53 L 5
Vila Pouca da Beira 6..... 41 L 6
Vila Pouca de Aguiar 17.. 27 H 7
Vila Praia de Âncora 16... 26 G 3
Vila Real 17............... 27 I 6
Vila Real
 de Santo António 8...... 90 U 7
Vila Ruiva Beja 2.......... 77 R 6
Vila Ruiva Viseu 18....... 41 K 6
Vila Seca Braga 3......... 26 H 3
Vila Seca Coimbra 6...... 53 L 4
Vila Seca Viseu 18........ 27 I 7
Vila Velha de Ródão 5.... 54 N 6
Vila Verde Braga 3........ 26 H 4
Vila Verde Bragança 4.... 28 G 9
Vila Verde Coimbra 6..... 53 L 3
Vila Verde da Raia 18..... 28 G 7
Vila Verde de Ficalho 2... 78 S 8
Vila Verde dos Francos 11 64 O 2
Vila Verdinho 4............ 28 H 8
Vila Viçosa 2.............. 66 P 7
Vilamoura 8............... 89 U 5
Vilar Braga 3.............. 27 G 5
Vilar Lisboa 11............ 64 O 2
Vilar Vila Real 17......... 27 H 6
Vilar Viseu 18............. 41 J 6
Vilar (Barragem de) 18.... 41 J 7
Vilar Barroco 5............ 54 M 6
Vilar Chão 4.............. 28 H 9
Vilar da Lomba 4.......... 28 G 8
Vilar da Veiga 3........... 27 G 5
Vilar de Amargo 4......... 42 J 8
Vilar de Arca 18........... 41 I 5
Vilar de Boi 5.............. 54 N 6
Vilar de Cunhas 3......... 27 H 6
Vilar de Ferreiros 17...... 27 H 6
Vilar de Ledra 4........... 28 H 8
Vilar de Maçada 17....... 27 I 7
Vilar de Mouros 16........ 26 G 3
Vilar de Murteda 16....... 26 G 3
Vilar de Ossos 4.......... 28 G 8
Vilar de Paraíso 16........ 26 I 4
Vilar de Perdizes 17...... 28 G 8
Vilar de Peregrinos 4..... 28 G 8
Vilar de Pinheiro 16....... 26 I 4
Vilar de Rei 4.............. 28 I 9
Vilar do Monte 4........... 28 H 9
Vilar do Ruivo 5........... 53 M 5
Vilar dos Prazeres 14..... 53 N 4
Vilar Formoso 9........... 42 K 9
Vilar Maior 9............... 42 K 9
Vilar Seco 4............... 29 H 10
Vilar Seco de Lomba 4.... 28 G 8
Vilar Torpim 9............. 42 J 9
Vilarandelo 17............. 28 H 8
Vilarelho da Raia 17....... 28 G 7

Vilarelho (Serra de) 17.... 27 H 7
Vilarelhos 4................ 28 H 8
Vilares Bragança 4........ 28 H 8
Vilares Guarda 9.......... 42 J 8
Vilares Vila Real 17....... 27 H 7
Vilariça (Ribeira de) ...... 28 I 8
Vilarinha 8................. 88 U 3
Vilarinho Bragança 4...... 28 G 9
Vilarinho Coimbra 6....... 53 L 5
Vilarinho Porto 13......... 26 H 3
Vilarinho Vila Real 17..... 27 G 6
Vilarinho Viseu 18......... 41 J 5
Vilarinho da Castanheira 4 28 I 8
Vilarinho das Azenhas 4.. 28 H 8
Vilarinho das Cambas 3.. 26 H 4
Vilarinho das Furnas
 (Barragem) .... 27 G 5
Vilarinho de Agrochão 4.. 28 G 8
Vilarinho de Cotas 17..... 27 I 7
Vilarinho de Samardã 17. 27 H 6
Vilarinho de São Luís 1... 40 J 4
Vilarinho de São Romão 17 27 I 7
Vilarinho do Bairro 1...... 40 K 4
Vilarinho dos Galegos 4.. 28 I 10
Vilarinho Seco 17......... 27 G 6
Vilarouco 18.............. 42 I 7
Vilas Boas 4.............. 28 H 8
Vilas do Pedro 10......... 53 M 5
Vilas Ruivas 5............. 54 N 6
Vilela do Tâmega 17...... 27 G 7
Vilela Seca 17............. 28 G 7
Vilharinhos 8.............. 89 U 6
Vimeiro Leiria 10.......... 52 N 2
Vimeiro Lisboa 11......... 64 O 2
Vimieiro 7................. 66 P 6
Vimioso 29................ 29 H 10
Vinha da Rainha 6........ 53 L 3
Vinhais 4.................. 28 G 8
Vinhas 4................... 28 H 9
Vinte e Dois
 (Barragem dos) 15...... 64 Q 3
Virtudes 11................ 64 O 3
Viseu 18................... 41 K 6
Viseus 2................... 77 T 6
Viso (Nossa Senhora do) 32 7 H 5
Vista Alegre 1............. 40 K 3
Viuvas 2................... 89 T 6
Viveiro 17................. 27 G 6
Vizela 3.................... 27 H 5
Volta do Vale 14.......... 65 P 4
Vouga 1................... 41 J 6
Vouguinha 18............. 41 J 6
Vouzela 18................ 41 J 5
Vreia de Bornes 17....... 27 H 7
Vreia de Jales 17......... 27 H 7

X

Xarrama 15............... 66 Q 6
Xartinho 14............... 52 N 3
Xerez de Baixo 7.......... 78 Q 7
Xévora 11................. 67 O 8

Z

Zambujal Coimbra 6...... 53 L 4
Zambujal Faro 8........... 89 T 7
Zambujal Setúbal 15...... 65 Q 3
Zambujal de Cima 15..... 64 Q 2
Zambujeira do Mar 2...... 76 T 3
Zambujeiras 2............. 76 S 4
Zambujeiro 7.............. 66 Q 7
Zava 4..................... 28 I 9
Zavial 8.................... 88 U 3
Zebreira 5................. 54 M 8
Zebro (Ribeira do) .... 78 R 7
Zedes 4................... 28 I 8
Zêzere (Rio) .... 42 K 7
Zêzere
 (Vale Glaciário do) 9.... 41 K 7
Zibreira 14................ 53 N 4
Zimão 17.................. 27 H 7
Zoio 4..................... 28 G 9

Media mensual de temperaturas · **Températures (Moyenne mensuelle)** · **Average daily temperature** · **Temperaturen (Monatlicher Durchschnitt)** · **Temperaturen (Maandgemiddelde)** · **Temperature (Medie mensili)**
16 máx. diária · 16 max. quotidien · 16 maximum · 16 maximale Tagestemperatur · 16 maximum · 16 max. giornaliera
8 mín. diária · 8 min. quotidien · 8 minimum · 8 minimale Tagestemperatur · 8 minimum · 8 min. giornaliera

Temperatura media del mar · **Température moyenne de l'eau de mer** · **Average sea temperature** · **Durchschnittliche Meerestemperatur** · **Gemiddelde temperatuur zeewater** · **Temperatura media dell'acqua**
[14]

Media mensual de precipitaciones · **Précipitations (Moyenne mensuelle)** · **Average monthly rainfall** · **Niederschlagsmengen (Monatlicher Durchschnitt)** · **Gemiddelde maandelijkse neerslag** · **Precipitazioni (Medie mensili)**
☐ 0-20 mm · ☐ 20-50 mm · ☐ 50-100 mm · ☐ + 100 mm

Temperaturas (máx. / mín. diária)

Ciudad		1	2	3	4	5	6	7	8	9	10	11	12
Alacant/Alicante	máx	16	18	20	22	25	29	32	32	30	25	21	17
	mín	6	6	8	10	13	17	19	20	18	14	10	7
Albacete	máx	9	12	16	19	22	28	33	32	27	20	14	10
	mín	-1	-1	2	5	8	12	15	16	13	7	3	0
Almería	máx	16	16	18	20	22	26	29	29	27	23	19	17
	mín	8	8	10	12	15	18	21	22	20	16	12	9
Andorra la Vella	máx	6	7	12	14	17	23	26	24	22	16	10	6
	mín	-1	-1	2	4	6	10	12	12	10	6	2	-1
Badajoz	máx	13	15	18	21	24	30	34	33	29	23	17	13
	mín	4	5	8	9	12	16	18	18	16	12	8	5
Barcelona	máx	13	14	16	18	21	25	28	28	25	21	16	13
	mín	6	7	9	11	14	18	21	21	19	15	11	7
Bilbao	máx	12	13	17	17	20	23	26	25	23	21	16	13
	mín	6	5	7	7	9	13	14	14	13	11	8	6
Bragança	máx	8	10	13	16	19	24	28	28	24	18	12	8
	mín	1	1	3	5	8	11	13	13	11	8	4	1
Burgos	máx	6	8	12	15	18	22	26	25	22	16	10	6
	mín	-1	0	2	4	7	10	12	12	10	7	3	0
Cádiz	máx	15	16	18	21	23	27	29	29	27	23	19	16
	mín	8	9	11	12	14	18	20	20	19	16	12	9
Castelo Branco	máx	11	13	16	19	23	28	32	31	27	21	15	12
	mín	5	5	7	9	12	16	18	18	16	12	8	5
Córdoba	máx	14	16	19	23	26	32	36	36	31	24	19	14
	mín	4	5	8	10	13	17	19	20	17	13	8	5
A Coruña	máx	13	13	15	16	18	20	22	23	22	19	16	13
	mín	7	7	8	9	11	13	15	15	14	12	9	7
Cuenca	máx	8	10	13	16	20	25	30	29	25	18	13	9
	mín	-2	-2	1	4	7	11	14	14	11	6	2	-1
Donostia-San Sebastián	máx	10	11	14	15	17	20	21	22	21	17	13	10
	mín	5	5	8	9	11	14	16	16	15	12	8	6
Faro	máx	15	16	18	20	23	26	29	29	26	23	19	16
	mín	9	9	11	12	14	17	19	19	18	16	12	9
Funchal (Madeira)	máx	19	19	19	20	21	22	24	25	25	24	22	20
	mín	13	13	14	14	15	17	19	19	19	18	16	14
Gijón	máx	13	13	15	16	18	20	22	23	22	19	16	13
	mín	6	6	8	9	11	14	16	16	15	12	9	7
Granada	máx	12	14	18	20	24	30	34	34	29	22	17	12
	mín	1	2	5	7	9	14	17	17	14	9	5	2
León	máx	7	9	13	16	19	24	28	28	23	17	12	7
	mín	-1	-1	2	4	6	10	12	12	10	6	2	0
Lisboa	máx	14	16	18	21	23	26	28	28	26	23	18	15
	mín	8	8	10	11	13	16	17	17	17	14	11	8
Lleida	máx	9	13	18	21	25	29	32	32	28	21	15	10
	mín	1	1	5	8	11	15	18	18	15	10	4	2
Madrid	máx	9	11	15	18	21	27	31	30	26	19	13	9
	mín	2	2	5	7	10	14	17	17	14	9	5	2
Mar Menor	máx	15	16	18	19	23	25	29	30	27	24	20	17
	mín	5	5	8	9	13	17	20	20	18	14	10	6
Palma (Baleares)	máx	14	15	17	19	22	26	29	29	27	23	18	15
	mín	6	6	8	10	13	17	20	20	18	14	10	8
Pamplona	máx	9	10	14	16	20	24	27	27	24	19	13	9
	mín	1	1	4	6	9	12	14	14	12	8	4	2
Peniche	máx	14	14	16	17	18	20	20	21	20	20	17	15
	mín	9	9	10	12	13	15	16	16	16	14	12	9
Ponta Delgada (Açores)	máx	17	17	17	18	20	22	25	26	24	22	20	18
	mín	11	11	11	12	13	15	17	18	17	16	14	12
Porto	máx	14	15	17	18	20	22	23	23	23	21	17	14
	mín	6	6	8	9	11	13	15	14	14	12	8	5
Puerto de Navacerrada	máx	2	3	5	8	11	17	22	21	17	11	6	3
	mín	-4	-4	-1	0	3	7	11	10	8	3	0	-3
Salamanca	máx	8	10	14	17	20	26	30	30	25	19	13	8
	mín	-1	0	2	4	7	11	13	13	11	6	2	0
Santa Cruz de T. (Canarias)	máx	20	21	22	23	24	26	28	29	28	26	24	21
	mín	14	14	15	16	17	18	20	21	20	19	17	15
Santander	máx	12	12	15	15	17	20	22	22	21	18	15	12
	mín	7	6	8	9	11	14	16	16	15	12	9	7
Santiago de Compostela	máx	11	12	15	16	18	23	26	26	24	19	14	12
	mín	4	4	6	6	8	11	13	13	12	10	7	5
Sevilla	máx	15	17	20	23	26	32	36	36	32	26	20	16
	mín	6	6	9	11	13	17	20	20	18	14	10	7
Sines	máx	15	15	16	16	18	21	21	21	20	20	17	16
	mín	9	9	10	11	13	16	17	16	16	14	12	9
Tarifa	máx	16	17	18	20	22	24	27	27	26	23	20	17
	mín	10	11	12	13	15	17	20	20	19	17	14	11
Tarragona	máx	13	14	15	17	20	24	26	26	24	20	16	14
	mín	5	6	8	10	13	17	20	20	18	14	9	6
Toledo	máx	10	13	16	19	23	29	33	32	27	20	15	10
	mín	2	3	5	8	11	16	19	18	15	10	5	2
València	máx	15	16	18	20	23	26	29	29	27	23	19	16
	mín	6	7	9	11	14	18	21	21	19	17	13	9
Valladolid	máx	7	10	14	17	20	25	29	29	24	18	12	8
	mín	0	0	3	5	8	11	14	14	11	7	3	1
Vigo	máx	14	14	18	19	22	24	24	24	23	20	17	14
	mín	7	7	9	10	12	14	15	16	15	12	10	8
Zaragoza	máx	10	12	16	19	23	27	31	30	26	20	14	10
	mín	2	3	6	8	11	15	17	16	15	10	6	4

Temperatura media del mar

Ciudad	1	2	3	4	5	6	7	8	9	10	11	12
Alacant/Alicante	14	13	14	15	16	20	22	25	23	21	17	15
Almería	15	14	15	15	17	19	21	23	22	20	17	15
Barcelona	12	12	13	14	16	20	23	23	22	19	16	14
Cádiz	14	14	15	15	16	18	20	21	20	18	17	15
A Coruña	12	12	12	13	13	15	18	18	18	17	14	13
Donostia-San Sebastián	11	11	12	13	17	19	22	22	19	18	14	12
Faro	18	17	17	18	18	20	21	22	23	22	21	19
Funchal (Madeira)	12	12	12	13	13	15	18	19	19	17	14	13
Madrid	14	13	14	15	17	20	22	24	23	21	17	15
Mar Menor	13	13	13	15	17	21	23	25	23	21	18	15
Pamplona	14	14	14	15	16	16	16	17	16	15	14	
Ponta Delgada (Açores)	12	12	12	13	15	15	16	15	16	16	15	13
Santa Cruz de T. (Canarias)	19	18	18	18	19	20	21	22	23	22	21	20
Santander	12	11	12	13	16	19	21	19	17	14	13	
Sines	14	14	14	14	15	16	16	16	17	16	15	14
Tarragona	13	12	13	14	15	19	23	22	22	19	16	14
València	14	12	13	14	16	19	22	24	23	20	17	14
Vigo	13	13	13	13	14	16	18	18	19	18	15	14

Cartografia

Strade
Autostrada - Aree di servizio
Doppia carreggiata di tipo autostradale
Svincoli : completo, parziale
Svincoli numerati
Strada di collegamento internazionale o nazionale
Strada di collegamento interregionale o di disimpegno
Strada rivestita - non rivestita
Strada in cattive condizioni
Strada per carri - Sentiero
Autostrada, strada in costruzione
(data di apertura prevista)

Larghezza delle strade
Carreggiate separate
4 corsie - 2 corsie larghe
2 corsie - 1 corsia

Distanze (totali e parziali)
tratto a pedaggio
tratto esente da pedaggio } su autostrada

su strada

Numerazione - Segnaletica
E 25   A 4
N IV   N 301
C 437   SE 138
Strada europea - Autostrada
Strada nazionale radiale - Strada nazionale
Altre Strade

Ostacoli
7-12%   +12%
915   (304)
Forte pendenza (salita nel senso della freccia)
Passo - Altitudine
Percorso difficile o pericoloso
Passaggi della strada:
a livello, cavalcavia, sottopassaggio
Strada vietata - Strada a circolazione regolamentata
Casello - Strada a senso unico
Guado
Innevamento : probabile periodo di chiusura
12-4

Trasporti
Ferrovia - Stazione viaggiatori
Trasporto auto:
su traghetto
su chiatta (carico massimo in t.)
Traghetto per trasporto passeggeri
Aeroporto - Aerodromo

Risorse alberghiere - Amministrazione
Località con pianta nella GUIDA MICHELIN
Parador (Spagna) - Pousada (Portogallo)
(albergo gestito dallo stato)
Capoluogo amministrativo
Confini amministrativi
Frontiera

Sport - Divertimento
Arena (Plaza de Toros) - Golf
Rifugio - Campeggi, caravaning
Porto turistico - Spiaggia
Funivia, seggiovia
Funicolare - Ferrovia a cremagliera

Mete e luoghi d'interesse
Edificio religioso - Castello - Rovine
Grotta - Monumento megalitico
Altri luoghi d'interesse
Panorama - Vista
Percorso pittoresco

Simboli vari
Edificio religioso - Castello - Rovine
Grotta - Monumento megalitico
Teleferica industriale
Torre o pilone per telecomunicazioni
Industrie - Centrale elettrica
Raffineria - Pozzo petrolifero o gas naturale
Miniera - Cava
Faro - Diga
Parco nazionale - Riserva di caccia

Piante di città

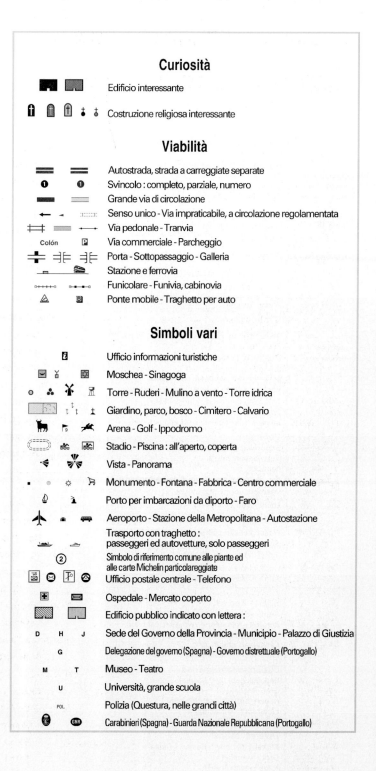

Curiosità
Edificio interessante

Costruzione religiosa interessante

Viabilità
Autostrada, strada a carreggiate separate
Svincolo : completo, parziale, numero
Grande via di circolazione
Senso unico - Via impraticabile, a circolazione regolamentata
Via pedonale - Tranvia
Colón   Via commerciale - Parcheggio
Porta - Sottopassaggio - Galleria
Stazione e ferrovia
Funicolare - Funivia, cabinovia
Ponte mobile - Traghetto per auto

Simboli vari
Ufficio informazioni turistiche
Moschea - Sinagoga
Torre - Ruderi - Mulino a vento - Torre idrica
Giardino, parco, bosco - Cimitero - Calvario
Arena - Golf - Ippodromo
Stadio - Piscina : all'aperto, coperta
Vista - Panorama
Monumento - Fontana - Fabbrica - Centro commerciale
Porto per imbarcazioni da diporto - Faro
Aeroporto - Stazione della Metropolitana - Autostazione
Trasporto con traghetto :
passeggeri ed autovetture, solo passeggeri
② Simbolo di riferimento comune alle piante ed
alle carte Michelin particolareggiate
Ufficio postale centrale - Telefono
Ospedale - Mercato coperto
Edificio pubblico indicato con lettera :
D   H   J   Sede del Governo della Provincia - Municipio - Palazzo di Giustizia
G   Delegazione del governo (Spagna) - Governo distrettuale (Portogallo)
M   T   Museo - Teatro
U   Università, grande scuola
POL   Polízia (Questura, nelle grandi città)
Carabinieri (Spagna) - Guarda Nazionale Repubblicana (Portogallo)

Kaarten

Wegen
Autosnelweg - Serviceplaatsen
Gescheiden rijbanen van het type autosnelweg
Aansluitingen : volledig, gedeeltelijk
Afritnummers
Internationale of nationale verbindingsweg
Interregionale verbindingsweg
Verharde weg - onverharde weg
Weg in slechte staat
Landbouwweg - Pad
Autosnelweg in aanleg - Weg in aanleg
(indien bekend : datum openstelling)

Breedte van de wegen
Gescheiden rijbanen
4 rijstroken - 2 brede rijstroken
2 rijstroken - 1 rijstrook

Afstanden (totaal en gedeeltelijk)
gedeelte met tol
tolvrij gedeelte } op autosnelwegen
op andere wegen

Wegnummers - Bewegwijzering
E 25   A 4   Europaweg - Autosnelweg
N IV   N 301 Radiale nationale weg - Nationale weg
C 437   SE 138 Andere wegen

Hindernissen
7-12%   +12%   Steile helling (pijlen in de richting van de helling)
915   (304) Pas - Hoogte
Moeilijk of gevaarlijk traject
Wegovergangen:
gelijkvloers - overheen - onderdoor
Verboden weg - Beperkt opengestelde weg
Tol - Weg met eenrichtingsverkeer
Wad
12-4   Sneeuw : vermoedelijke sluitingsperiode

Vervoer
Spoorweg - Reizigersstation
Vervoer van auto's:
per boot
15   per veerpont (maximum draagvermogen in t.)
Veerpont voor voetgangers
Luchthaven - Vliegveld

Verblijf - Administratie
Plaats met een plattegrond in DE MICHELIN GIDS
Parador (Spanje) - Pousada (Portugal)
(hotel dat door de staat wordt beheerd)
P   D   Hoofdplaats van administratief gebied
Administratieve grenzen
Staatsgrens

Sport - Recreatie
Arena voor stierengevechten - Golfterrein
Berghut - Kampeerterrein (tent, caravan)
Jachthaven - Strand
Kabelbaan, stoeltjeslift
Kabelspoor - Tandradbaan

Bezienswaardigheden
Kerkelijk gebouw - Kasteel - Ruïne
Grot - Megaliet
Andere bezienswaardigheden
Panorama - Uitzichtpunt
Schilderachtig traject

Diverse tekens
Kerkelijk gebouw - Kasteel - Ruïne
Grot - Megaliet
Kabelvrachtvervoer
Telecommunicatietoren of -mast
Industrie - Elektriciteitscentrale
Raffinaderij - Olie- of gasput
Mijn - Steengroeve
Vuurtoren - Stuwdam
Nationaal park - Jachtreservaat

Plattegronden

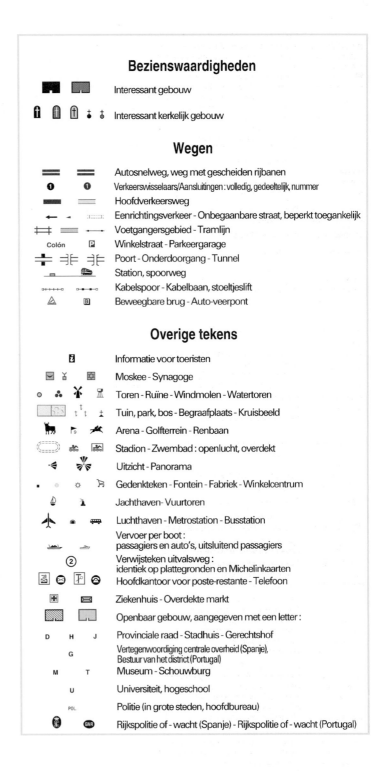

Bezienswaardigheden
Interessant gebouw
Interessant kerkelijk gebouw

Wegen
Autosnelweg, weg met gescheiden rijbanen
Verkeerswisselaars/Aansluitingen : volledig, gedeeltelijk, nummer
Hoofdverkeersweg
Eenrichtingsverkeer - Onbegaanbare straat, beperkt toegankelijk
Voetgangersgebied - Tramlijn
Colón   Winkelstraat - Parkeergarage
Poort - Onderdoorgang - Tunnel
Station, spoorweg
Kabelspoor - Kabelbaan, stoeltjeslift
Beweegbare brug - Auto-veerpont

Overige tekens
Informatie voor toeristen
Moskee - Synagoge
Toren - Ruïne - Windmolen - Watertoren
Tuin, park, bos - Begraafplaats - Kruisbeeld
Arena - Golfterrein - Renbaan
Stadion - Zwembad : openlucht, overdekt
Uitzicht - Panorama
Gedenkteken - Fontein - Fabriek - Winkelcentrum
Jachthaven - Vuurtoren
Luchthaven - Metrostation - Busstation
Vervoer per boot :
passagiers en auto's, uitsluitend passagiers
Verwijsteken uitvalsweg :
identiek op plattegronden en Michelinkaarten
Hoofdkantoor voor poste-restante - Telefoon
Ziekenhuis - Overdekte markt
Openbaar gebouw, aangegeven met een letter :
D   H   J   Provinciale raad - Stadhuis - Gerechtshof
G   Vertegenwoordiging centrale overheid (Spanje),
     Bestuur van het district (Portugal)
M   T   Museum - Schouwburg
U   Universiteit, hogeschool
POL.   Politie (in grote steden, hoofdbureau)
Rijkspolitie of - wacht (Spanje) - Rijkspolitie of - wacht (Portugal)

Kartographie

Straßen
Autobahn - Tankstelle mit Raststätte
Schnellstraße mit getrennten Fahrbahnen
Anschlussstellen : Voll - bzw. Teilanschlussstellen
Anschlussstellennummern
Internationale bzw.nationale Hauptverkehrsstraße
Überregionale Verbindungsstraße oder Umleitungsstrecke
Straße mit Belag - ohne Belag
Straße in schlechtem Zustand
Wirtschaftsweg - Pfad
Autobahn, Straße im Bau
(ggf. voraussichtliches Datum der Verkehrsfreigabe)

Straßenbreiten
getrennte Fahrbahnen
4 Fahrspuren - 2 breite Fahrspuren
2 Fahrspuren - 1 Fahrspur

Straßenentfernungen (Gesamt- und Teilentfernungen)
Mautstrecke ⎫
⎬ auf der Autobahn
mautfreie Strecke ⎭

auf der Straße

Nummerierung - Wegweisung
Europastraße - Autobahn
Radiale Nationalstraße - Nationalstraße
Sonstige Straßen

Verkehrshindernisse
Stärke Steigung (Steigung in Pfeilrichtung)
Pass - Höhe
Schwierige oder gefährliche Strecke
Bahnübergänge:
schienengleich - Unterführung - Überführung
Gesperrte Straße - Straße mit Verkehrsbeschränkungen
Mautstelle - Einbahnstraße
Furt
Eingeschneite Straße : voraussichtl. Wintersperre

Verkehrsmittel
Bahnlinie - Haltestelle
Autotransport:
per Schiff
per Fähre (Höchstbelastung in t)
Personenfähre
Flughafen - Flugplatz

Unterkunft - Verwaltung
Orte mit Stadtplan im MICHELIN-FÜHRER
Parador (Spanien) - Pousada (Portugal)
(staatlich geleitetes Hotel)
Verwaltungshauptstadt
Verwaltungsgrenzen
Staatsgrenze

Sport - Freizeit
Stierkampfarena - Golfplatz
Schutzhütte - Campingplatz
Yachthafen - Badestrand
Seilbahn, Sessellift
Standseilbahn - Zahnradbahn

Sehenswürdigkeiten
Sakral-Bau - Schloss, Burg - Ruine
Höhle - Vorgeschichtliches Steindenkmal
Sonstige Sehenswürdigkeit
Rundblick - Aussichtspunkt
Landschaftlich schöne Strecke

Sonstige Zeichen
Sakralbau - Schloss, Burg - Ruine
Höhle - Vorgeschichtliches Steindenkmal
Industrieschwebebahn
Funk-, Sendeturm
Industrieanlagen - Kraftwerk
Raffinerie - Erdöl-, Erdgasförderstelle
Bergwerk - Steinbruch
Leuchtturm - Staudamm
Nationalpark - Jagdgebiet

Stadtpläne

Sehenswürdigkeiten
Sehenswertes Gebäude
Sehenswerter Sakralbau

Straßen
Autobahn, Schnellstraße
Nummer der Anschlußstelle : Autobahneinfahrt und/oder -ausfahrt
Hauptverkehrsstraße
Einbahnstraße - Gesperrte Straße, mit Verkehrsbeschränkungen
Fußgängerzone - Straßenbahn
Colón Einkaufsstraße - Parkplatz
Tor - Passage - Tunnel
Bahnhof und Bahnlinie
Standseilbahn - Seilschwebebahn
Bewegliche Brücke - Autofähre

Sonstige Zeichen
Informationsstelle
Moschee - Synagoge
Turm - Ruine - Windmühle - Wasserturm
Garten, Park, Wäldchen - Friedhof - Bildstock
Stierkampfarena - Golfplatz - Pferderennbahn
Stadion - Freibad - Hallenbad
Aussicht - Rundblick
Denkmal - Brunnen - Fabrik - Einkaufszentrum
Jachthafen - Leuchtturm
Flughafen - U-Bahnstation - Autobusbahnhof
Schiffsverbindungen :
Autofähre - Personenfähre
② Straßenkennzeichnung
(identisch auf Michelin Stadtplänen und - Abschnittskarten)
Hauptpostamt (postlagernde Sendungen) - Telefon
Krankenhaus - Markthalle
Öffentliches Gebäude, durch einen Buchstaben gekennzeichnet :
D H J Provinzverwaltung - Rathaus - Gerichtsgebäude
G Vertretung der Zentralregierung (Spanien) - Bezirksverwaltung (Portugal)
M T Museum - Theater
U Universität, Hochschule
POL Polizei (in größeren Städten Polizeipräsidium)
Guardia Civil (Spanien) - Guarda Nacional Republicana (Portugal)

Mapping

Roads
Motorway - Service areas
Dual carriageway with motorway characteristics
Interchanges : complete, limited
Interchange numbers
International and national road network
Interregional and less congested road
Road surfaced - unsurfaced
Road in bad condition
Rough track - Footpath
Motorway / Road under construction
(when available : with scheduled opening date)

Road widths
Dual carriageway
4 lanes - 2 wide lanes
2 lanes - 1 lane

Distances (total and intermediate)
Toll roads
Toll-free section } on motorway
on road

Numbering - Signs
E 25   A 4   European route - Motorway
N IV   N 301   National radial - National road
C 437   SE 138 Other roads

Obstacles
Steep hill (ascent in direction of the arrow)
Pass - Altitude
Difficult or dangerous section of road
Level crossing :
railway passing - under road - over road
Prohibited road - Road subject to restrictions
Toll barrier - One way road
Ford
Snowbound, impassable road during the period shown

Transportation
Railway - Passenger station
Transportation of vehicles:
by boat
by ferry (load limit in tons)
Passenger ferry
Airport - Airfield

Accommodation - Administration
Town plan featured in THE MICHELIN GUIDE
Parador (Spain) - Pousada (Portugal)
(hotel run by the state)
Administrative district seat
Administrative boundaries
National boundary

Sport & Recreation Facilities
Bullring - Golf course
Mountain refuge hut - Caravan and camping sites
Pleasure boat harbour - Beach
Cable car, chairlift
Funicular - Rack railway

Sights
Religious building - Historic house, castle - Ruins
Cave - Prehistoric monument
Other places of interest
Panoramic view - Viewpoint
Scenic route

Other signs
Religious building - Castle - Ruins
Cave - Prehistoric monument
Industrial cable way
Telecommunications tower or mast
Industrial activity - Power station
Refinery - Oil or gas well
Mine - Quarry
Lighthouse - Dam
National park - Game reserve

Town plans

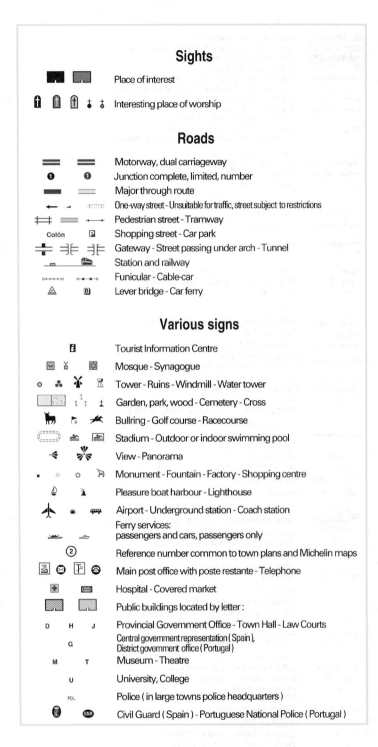

Sights
Place of interest
Interesting place of worship

Roads
Motorway, dual carriageway
Junction complete, limited, number
Major through route
One-way street - Unsuitable for traffic, street subject to restrictions
Pedestrian street - Tramway
Colón   Shopping street - Car park
Gateway - Street passing under arch - Tunnel
Station and railway
Funicular - Cable-car
Lever bridge - Car ferry

Various signs
Tourist Information Centre
Mosque - Synagogue
Tower - Ruins - Windmill - Water tower
Garden, park, wood - Cemetery - Cross
Bullring - Golf course - Racecourse
Stadium - Outdoor or indoor swimming pool
View - Panorama
Monument - Fountain - Factory - Shopping centre
Pleasure boat harbour - Lighthouse
Airport - Underground station - Coach station
Ferry services:
passengers and cars, passengers only
Reference number common to town plans and Michelin maps
Main post office with poste restante - Telephone
Hospital - Covered market
Public buildings located by letter :
D   H   J   Provincial Government Office - Town Hall - Law Courts
G   Central government representation (Spain),
District government office (Portugal)
M   T   Museum - Theatre
U   University, College
POL.   Police (in large towns police headquarters)
GNR   Civil Guard (Spain) - Portuguese National Police (Portugal)

Cartographie

Routes

Autoroute - Aires de service
Double chaussée de type autoroutier
Échangeurs : complet, partiels
Numéros d'échangeurs
Route de liaison internationale ou nationale
Route de liaison interrégionale ou de dégagement
Route revêtue - non revêtue
Route en mauvais état
Chemin d'exploitation - Sentier
Autoroute - Route en construction
(le cas échéant : date de mise en service prévue)

Largeur des routes

Chaussées séparées
4 voies - 2 voies larges
2 voies - 1 voie

Distances (totalisées et partielles)

Section à péage ⎫
⎬ sur autoroute
Section libre ⎭

sur route

Numérotation - Signalisation

Route européenne - Autoroute
Route nationale radiale - Route nationale
Autres routes

Obstacles

Forte déclivité (flèches dans le sens de la montée)
Col - Altitude
Parcours difficile ou dangereux
Passages de la route :
à niveau - supérieur - inférieur
Route interdite - Route réglementée
Barrière de péage - Route à sens unique
Gué
Enneigement : période probable de fermeture

Transports

Voie ferrée - Station voyageurs
Transport des autos:
par bateau
par bac (charge maximum en tonnes)
Bac pour piétons
Aéroport - Aérodrome

Hébergement - Administration

Localité possédant un plan dans le Guide MICHELIN
Parador (Espagne) - Pousada (Portugal)
(établissement hôtelier géré par l'état)
Capitale de division administrative
Limites administratives
Frontière

Sports - Loisirs

Arènes (plaza de toros) - Golf
Refuge de montagne - Camping, caravaning
Port de plaisance - Plage
Téléphérique, télésiège
Funiculaire - Voie à crémaillère

Curiosités

Édifice religieux - Château - Ruines
Grotte - Monument mégalithique
Autres curiosités
Panorama - Point de vue
Parcours pittoresque

Signes divers

Édifice religieux - Château - Ruines
Grotte - Monument mégalithique
Transporteur industriel aérien
Tour ou pylône de télécommunications
Industries - Centrale électrique
Raffinerie - Puits de pétrole ou de gaz
Mine - Carrière
Phare - Barrage
Parc national - Réserve de chasse

Plans de ville

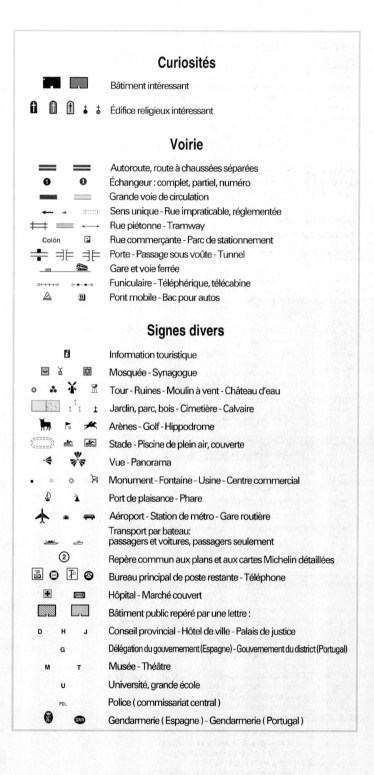

Curiosités

Bâtiment intéressant

Édifice religieux intéressant

Voirie

Autoroute, route à chaussées séparées
Échangeur : complet, partiel, numéro
Grande voie de circulation
Sens unique - Rue impraticable, réglementée
Rue piétonne - Tramway
Rue commerçante - Parc de stationnement
Porte - Passage sous voûte - Tunnel
Gare et voie ferrée
Funiculaire - Téléphérique, télécabine
Pont mobile - Bac pour autos

Signes divers

Information touristique
Mosquée - Synagogue
Tour - Ruines - Moulin à vent - Château d'eau
Jardin, parc, bois - Cimetière - Calvaire
Arènes - Golf - Hippodrome
Stade - Piscine de plein air, couverte
Vue - Panorama
Monument - Fontaine - Usine - Centre commercial
Port de plaisance - Phare
Aéroport - Station de métro - Gare routière
Transport par bateau:
passagers et voitures, passagers seulement
Repère commun aux plans et aux cartes Michelin détaillées
Bureau principal de poste restante - Téléphone
Hôpital - Marché couvert
Bâtiment public repéré par une lettre :
Conseil provincial - Hôtel de ville - Palais de justice
Délégation du gouvernement (Espagne) - Gouvernement du district (Portugal)
Musée - Théâtre
Université, grande école
Police (commissariat central)
Gendarmerie (Espagne) - Gendarmerie (Portugal)

Cartografía

Carreteras
Autopista - Áreas de servicio
Autovía
Enlaces : completo, parciales
Números de los accesos
Carretera de comunicación internacional o nacional
Carretera de comunicación interregional o alternativo
Carretera asfaltada - sin asfaltar
Carretera en mal estado
Camino agrícola - Sendero
Autopista, carretera en construcción
(en su caso : fecha prevista de entrada en servicio)

Ancho de las carreteras
Calzadas separadas
Cuatro carriles - Dos carriles anchos
Dos carriles - Un carril

Distancias (totales y parciales)
Tramo de peaje ⎫
                ⎬ en autopista
Tramo libre   ⎭
en carretera

Numeración - Señalización
Carretera europea - Autopista
Carretera nacional radial - Carretera nacional
Otras carreteras

Obstáculos
Pendiente Pronunciada (las flechas indican el sentido del ascenso)
Puerto - Altitud
Recorrido difícil o peligroso
Pasos de la carretera:
a nivel, superior, inferior
Tramo prohibido - Carretera restringida
Barrera de peaje - Carretera de sentido único
Vado
Nevada : Período probable de cierre

Transportes
Línea férrea - Estación de viajeros
Transporte de coches:
por barco
por barcaza (carga máxima en toneladas)
Barcaza para el paso de peatones
Aeropuerto - Aeródromo

Alojamiento - Administración
Localidad con plano en LA GUÍA MICHELIN
Parador (España) - Pousada (Portugal)
(establecimiento hotelero administrado por el Estado)
Capital de división administrativa
Límites administrativos
Frontera

Deportes - Ocio
Plaza de toros - Golf
Refugio de montaña - Camping, caravaning
Puerto deportivo - Playa
Teleférico, telesilla
Funicular - Línea de cremallera

Curiosidades
Edificio religioso - Castillo - Ruinas
Cueva - Monumento megalítico
Otras curiosidades
Vista panorámica - Vista parcial
Recorrido pintoresco

Signos diversos
Edificio religioso - Castillo - Ruinas
Cueva - Monumento megalítico
Transportador industrial aéreo
Torreta o poste de telecomunicación
Industrias - Central eléctrica
Refinería - Pozos de petróleo o de gas
Mina - Cantera
Faro - Presa
Parque nacional - Reserva de caza

Planos de ciudades

Curiosidades
Edificio interesante
Edificio religioso interesante

Vías de circulación
Autopista, autovía
Número del acceso: completo, parcial
Vía importante de circulación
Sentido único - Calle impracticable, de uso restringido
Calle peatonal - Tranvía
Colón   Calle comercial - Aparcamiento
Puerta - Pasaje cubierto - Túnel
Estación y línea férrea
Funicular - Teleférico, telecabina
Puente móvil - Barcaza para coches

Signos diversos
Oficina de Información de Turismo
Mezquita - Sinagoga
Torre - Ruinas - Molino de viento - Depósito de agua
Jardín, parque, bosque - Cementerio - Crucero
Plaza de toros - Golf - Hipódromo
Estadio - Piscina al aire libre, cubierta
Vista - Panorama
Monumento - Fuente - Fábrica - Centro comercial
Puerto deportivo - Faro
Aeropuerto - Boca de metro - Estación de autobuses
Transporte por barco:
pasajeros y vehículos, pasajeros solamente
Referencia común a los planos y a los mapas detallados Michelin
Oficina central de lista de correos - Teléfonos
Hospital - Mercado cubierto
Edificio público localizado con letra:
D H J   Diputación - Ayuntamiento - Palacio de Justicia
G   Delegación del Gobierno (España) - Gobierno del distrito (Portugal)
M T   Museo - Teatro
U   Universidad, Escuela Superior
POL.   Policía (en las grandes ciudades: Jefatura)
Guardia Civil (España) - Guardia Nacional (Portugal)